臨汾年鑒

2002

临汾年鉴编纂委员会 编

方志出版社

编辑说明

一、《临汾年鉴》系临汾市委、市政府组织编纂的大型史册性工具书，是临汾市惟一的综合性年鉴，旨在逐年全面记载临汾政治、经济、文化、社会等各方面的新成就、新进展、新经验，充分反映临汾地方特色，为社会各界了解临汾、认识临汾、研究临汾、建设临汾提供丰富、准确、实用的市情信息。

二、本年鉴的记事断限自2001年1月1日至12月31日。个别条目追溯了2001年以前的内容，意在增强事物的完整性。

三、本年鉴采用分类编排法，设栏目、类目、条目，少数在类目和条目之间增设分目，不同层次的标题用不同的字号、字体和辅助标志区别。条目为全书基本记述实体，其标题统一加“【】”表示。个别条目由于内容较多，内分若干层次。

四、本年鉴的稿件均由市直各有关部门、驻临单位和各县（市、区）政府提供，专人撰写，并经各单位负责人审核。所用数据由于统计的来源、口径、方法、时间不同而有差异的，均以统计局提供的统计资料为准。

五、本年鉴有详细中文目录、英文日录、索引等多种检索系统。卷末索引，款目按汉语拼音字母顺序排列。

六、本年鉴采用的稿件，作者署名在文尾，彩页图片不署名。有的稿件因作者不详，未做署名，谨致歉意。

七、本年鉴的编纂出版工作，得到全市各有关单位的大力支持和全体撰稿人员的积极配合，在此深表谢忱。编辑中的问题，敬请各界人士批评指正。

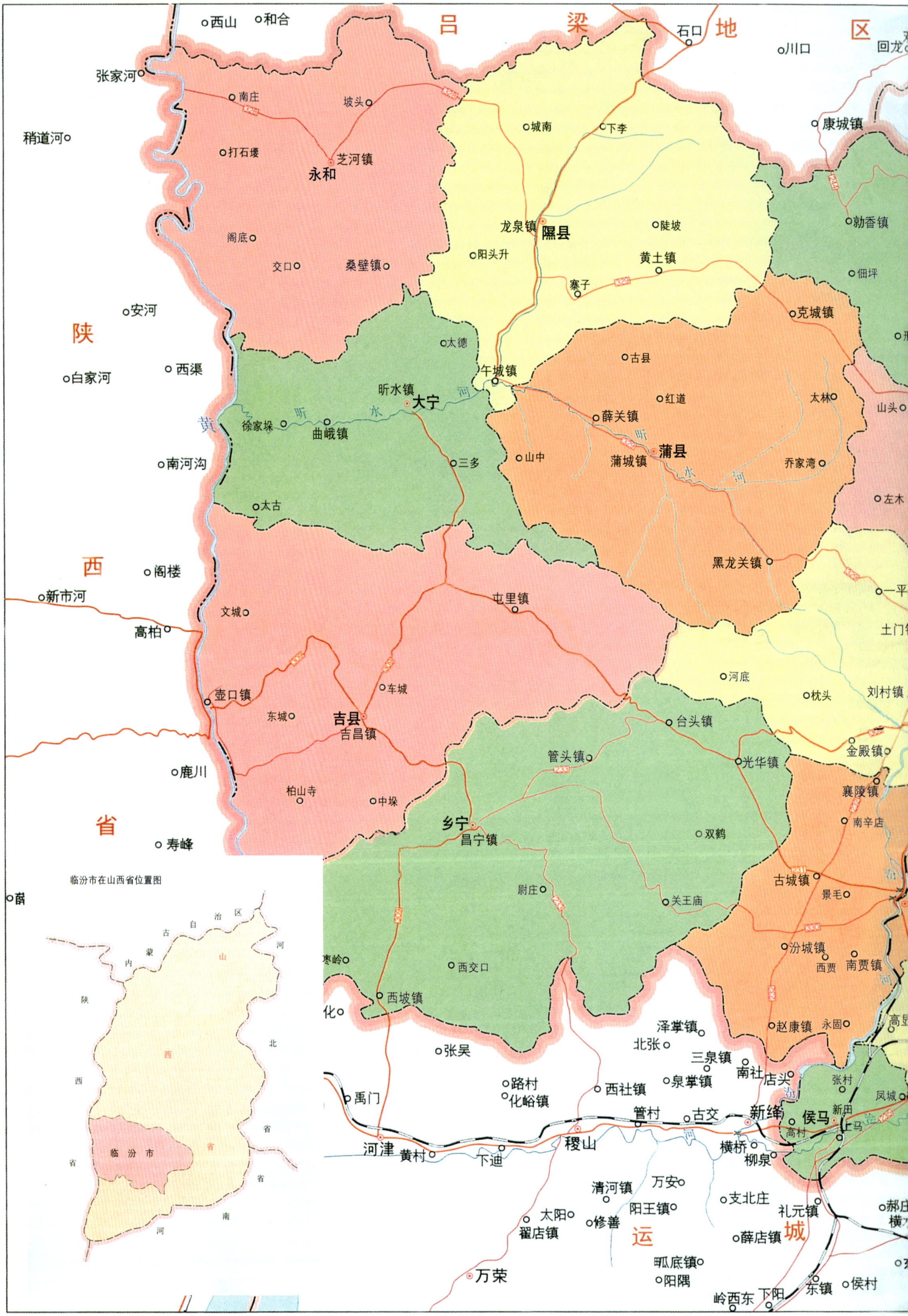

吕梁地区
西山
和合
石口
川口
回龙
张家河
南庄
坡头
城南
下李
康城镇
稍道河
打石瓔
芝河镇
永和
龙泉镇
隰县
陡坡
勍香镇
阁底
阳头升
黄土镇
交口
桑壁镇
寨子
佃坪
安河
克城镇
陕
太德
古县
西渠
午城镇
白家河
昕水镇
大宁
红道
太林
山头
黄
徐家垛
曲峨镇
昕水河
薛关镇
蒲县
南河沟
三多
山中
蒲城镇
乔家湾
太古
左木
西
阁楼
黑龙关镇
新市河
一平
屯里镇
文城
高柏
土门
河底
车城
壶口镇
刘村镇
枕头
东城
吉县
吉昌镇
台头镇
管头镇
金殿镇
光华镇
鹿川
柏山寺
中垛
襄陵镇
乡宁
昌宁镇
南辛店
双鹤
省
寿峰
古城镇
尉庄
景毛
关王庙
枣岭
西交口
汾城镇
西贾
南贾镇
西坡镇
化
赵康镇
永固
高显
泽掌镇
张吴
北张
三泉镇
南社
店头
张村
路村
泉掌镇
禹门
化峪镇
西社镇
凤城
管村
古交
新绛
侯马
新田
上马
高村
河津
黄村
下迪
稷山
横桥
柳泉
清河镇
万安
支北庄
太阳
阳王镇
礼元镇
翟店镇
修善
运城
薛店镇
郝庄
横水
万荣
瓜底镇
阳隅
岭西东
下阳
东镇
侯村
临汾市在山西省位置图
内蒙古自治区
河北省
陕西省
山西省
临汾市
河南

临汾市行政区划图

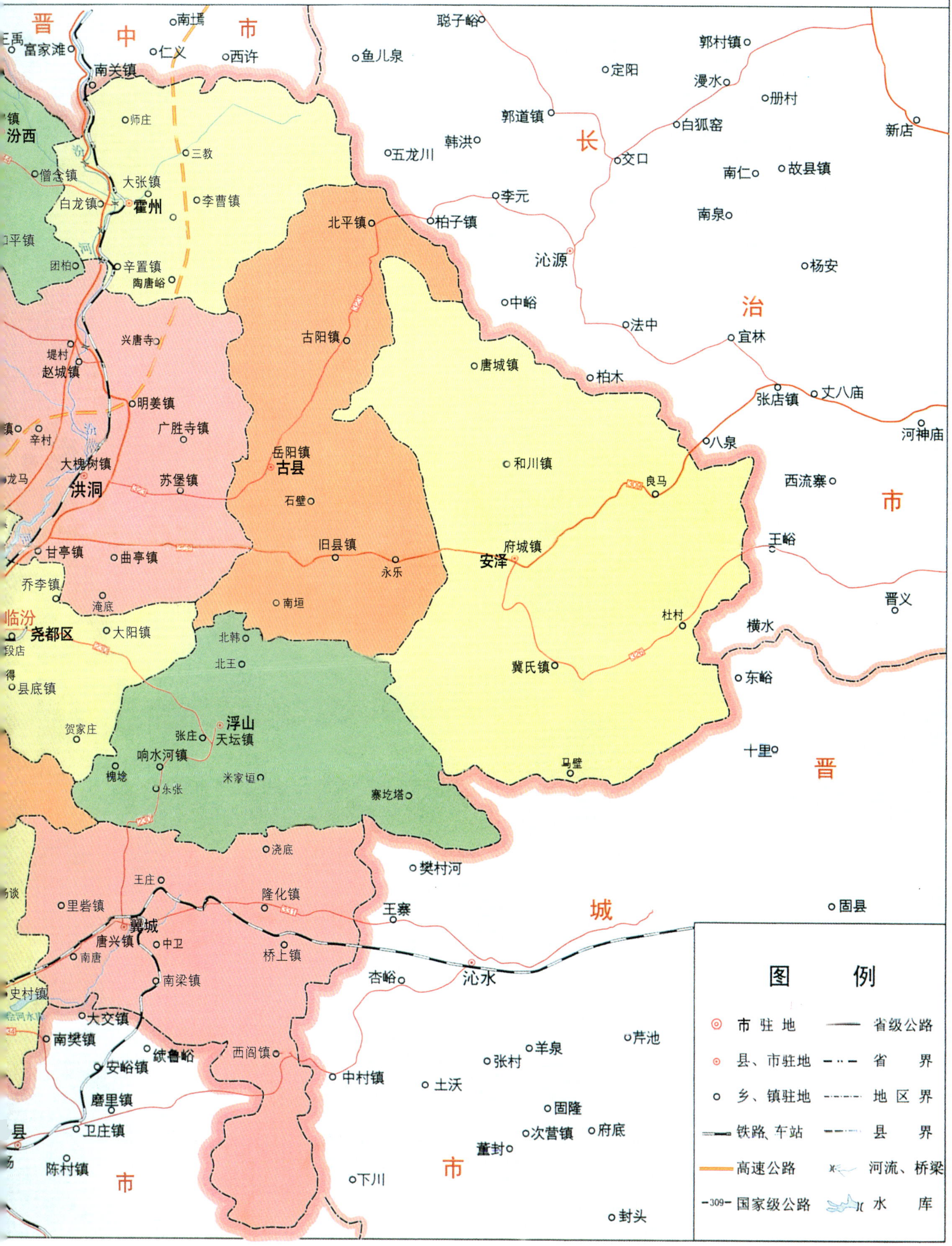

晋
中
市
南堙
王禹
富家滩
仁义
西许
鱼儿泉
聪子峪
郭村镇
定阳
漫水
册村
南关镇
师庄
郭道镇
白狐窑
新店
镇
汾西
三教
韩洪
长
交口
五龙川
僧念镇
大张镇
南仁
故县镇
白龙镇
霍州
李曹镇
李元
北平镇
柏子镇
南泉
平镇
沁源
团柏
辛置镇
杨安
陶唐峪
中峪
治
法中
宜林
兴唐寺
古阳镇
唐城镇
堤村
赵城镇
柏木
明姜镇
张店镇
丈八庙
广胜寺镇
辛村
八泉
河神庙
大槐树镇
岳阳镇
古县
和川镇
龙马
洪洞
苏堡镇
良马
西流寨
石壁
市
旧县镇
府城镇
王峪
甘亭镇
曲亭镇
安泽
永乐
乔李镇
淹底
南垣
晋义
杜村
临汾
尧都区
大阳镇
横水
段店
北韩
北王
冀氏镇
东峪
县底镇
浮山
天坛镇
张庄
贺家庄
响水河镇
十里
槐埝
米家垣
马壁
晋
东张
寨圪塔
浇底
樊村河
王庄
降化镇
城
里砦镇
王寨
固县
翼城
唐兴镇
中卫
桥上镇
南唐
沁水
杏峪
南梁镇
史村镇
大交镇
南樊镇
芹池
羊泉
绛鲁峪
西阎镇
张村
安峪镇
中村镇
土沃
磨里镇
固隆
县
卫庄镇
次营镇
府底
董封
陈村镇
市
下川
市
封头
图例
市驻地
县、市驻地
乡、镇驻地
铁路、车站
高速公路
-309- 国家级公路
省级公路
省界
地区界
县界
河流、桥梁
水库

中共临汾市第一次代表大会

樊纪亨做市委工作报告

ZHONG GONG LIN FEN SHI DI YI CI DAI BIAO DA HUI

市委书记 副书记 常委

书记 樊纪亨

副书记 张茂才

副书记 刘合心

副书记 刘传旺

副书记 张克強

常委 郝忠礼

常委 翟维勤

常委 李平郎

常委 卢健清

常委 张鸿斌

常委 张继庆

临汾市第一届人民

LIN FEN SHI DI YI JIE REN MIN

陈长禄做人大常委会工作报告

张茂才做政府工作报告

代表大会第一次会议

DAI BIAO DA HUI DI YI CI HUI YI

人大常委会 主任 副主任

主任 陈长禄

副主任 李建民

副主任 张作明

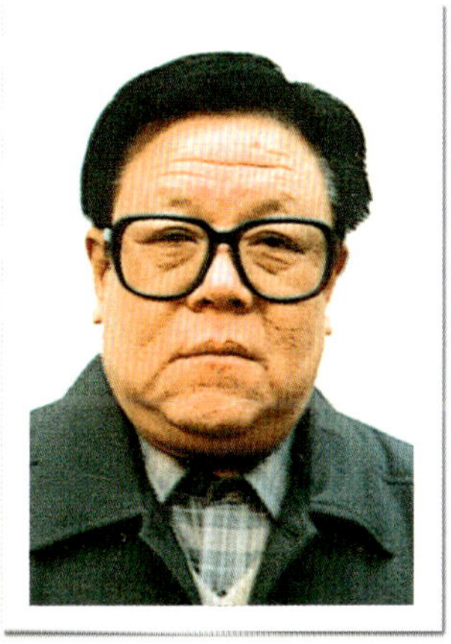
副主任 段克己

副主任 师如江

副主任 谢碧玲

樊纪亨、张茂才、陈长禄、张岗望与代表一起投票

临汾市人民政府成立

LIN FEN SHI REN MIN ZHENG FU CHENG LI

临汾市人民政府揭牌仪式

政府市长 副市长

市长 张茂才

副市长 郝忠礼

副市长 高清亮

副市长 董彩霞

副市长 成洪才

副市长 常富顺

副市长 苗元礼

首届政府第一次市长办公会议

政协临汾市一届一次会议

ZHENG XIE LIN FEN SHI YI JIE YI CI HUI YI

张岗望致开幕词

政协主席　副主席

主席　张岚望

副主席　陈保堂

副主席　李秉泰

副主席　赵兰田

副主席　张传华

副主席　方　熔

副主席　成继东

政协主席张岚望（右）与原地区政协工委主任侯建华（左）

全国政协副主席陈锦华在吉县壶口检查指导工作

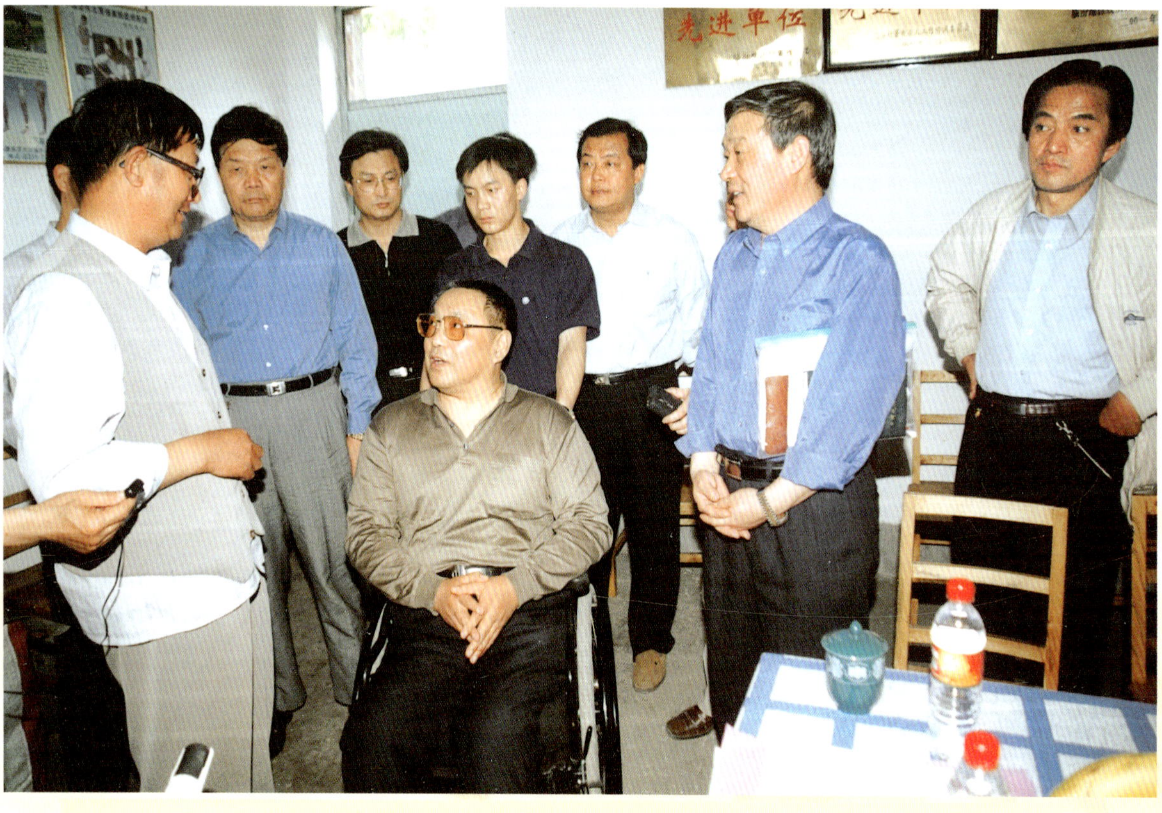

中国残联主席邓朴方在洪洞县检查指导工作

省委书记田成平在汾西县检查指导工作

省长刘振华在侯马市检查指导工作

省政协主席郑社奎在曲沃县考察

安泽焦化总公司

建设路欧式一条街

临汾市污水处理厂

曲沃太子滩农业高科技示范园区

尧庙华表落成

大型现代戏蒲剧《土炕上的女人》

临汾市行政审批中心大厅

侯马新世纪广场

中国移动通信临汾分公司

CHINA MOBILE

党委书记、总经理　马志鹏

获奖

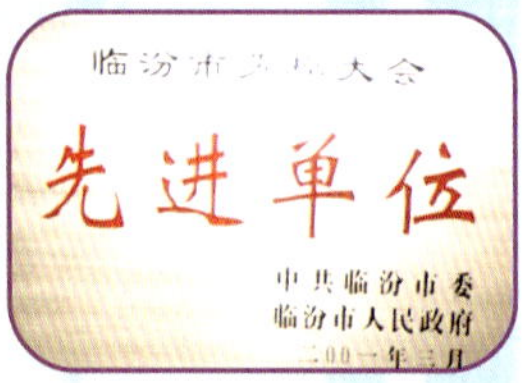

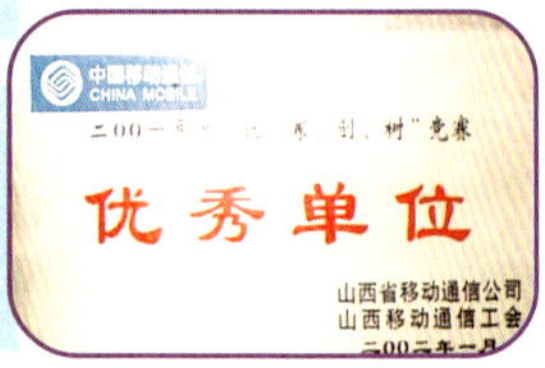

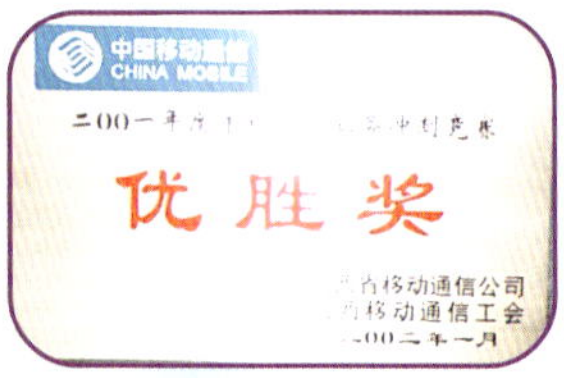

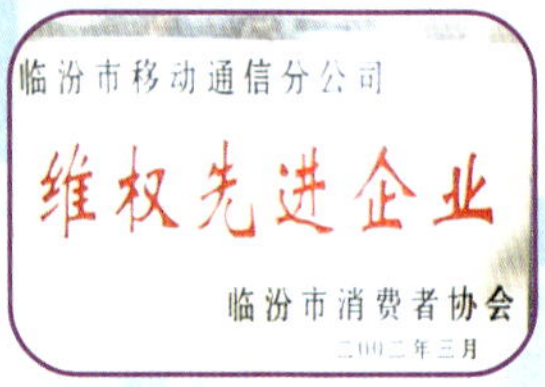

街头宣传

全球通经济论坛

代办点座谈会

临汾市同世达实业有限公司

LIN FEN SHI TONG SHI DA SHI YE YOU XIAN GONG SI

临汾市煤炭气化(集团)公司党委书记、总经理
临汾市同世达实业有限公司董事长兼总经理 杨怀旺

杨怀旺向省委书记田成平（右一）
汇报公司建设经营情况

公司领导班子成员在1#焦炉投煤出焦仪式上

一车两用炉顶消烟除尘车

7机21锤自动连续捣固机

生物组培实验室一角

熄焦车

4.3米一次成型支架式装煤推焦车

丰富多彩的文化生活

员工军训结业典礼

临汾市宏通工交总公司

LIN FEN SHI HONG TONG GONG JIAO ZONG GONG SI

总经理、党总支书记　吉天星

领导班子成员在一起研究工作

“高速公路汽车防撞报警装置”可研论证会

副市长成洪才（右一）、市交通局局长华志刚（左一）为公司揭牌

汽车综合性能检测中心

交通驾驶员培训学校

电视中专学校

汽车修理厂

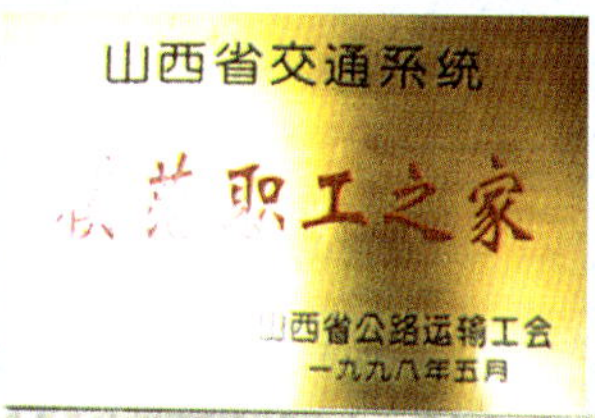

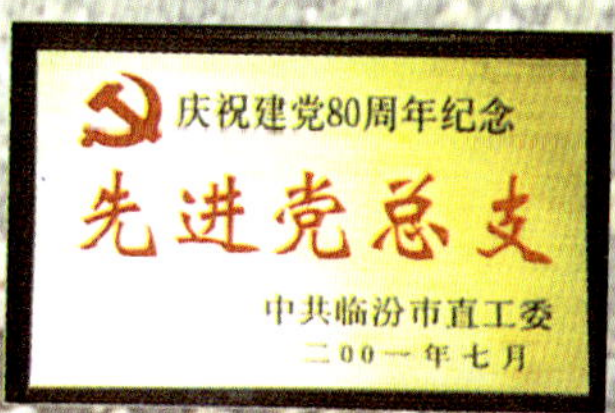

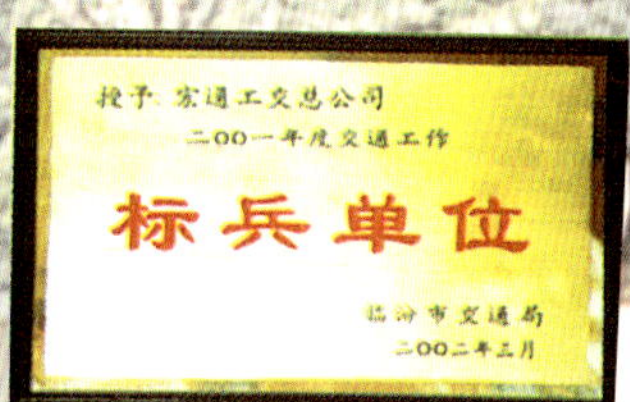

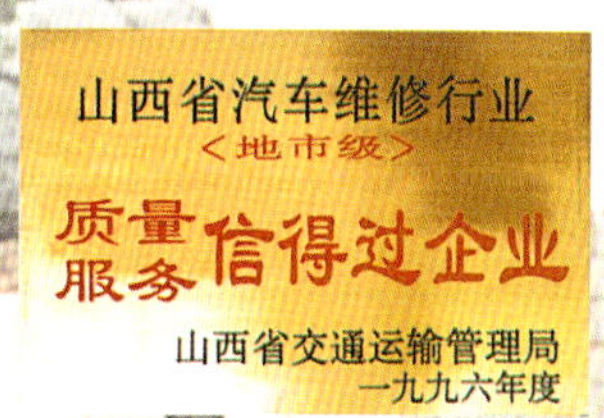

临汾市质量技术监督局

临汾市质量技术监督局是管理本辖区标准化、计量、质量、产品生产许可证和特种设备安全监察监督的行政执法机关，内设办公室、计划财务科、人事劳资科、质量科、计量科、标准化科、锅炉压力容器安全检查科、监督科、监察室和党务办共10个科（室）；直属机构：市质量技术监督检验测试所、稽查分局，市锅炉压力容器监督检验所，市特种设备监督检验所，尧都区质量技术监督分局。下辖16个县（市）质量技术监督局。

副局长　潘志孝

副局长潘志孝（中）靳永健（左一）深入打假一线

销毁假冒伪劣产品现场

参加质监之声文艺汇演

目　录

特　载

文　献

大事记

概　况

领导机关

党务政务

民主党派

群众团体

经济管理

农 业

工　业

交通邮电

建设环保

财政税务

金融保险

商　贸

科学技术

军　事

政　法

纪检监察

教育体育

文　化

新闻出版

卫生医药

外事旅游

社会生活

人　物

县（市、区）简介

经济技术开发区

企事业选介

附　录

索　引

CONTENTS

PERSONAGE

BRIEF INTRODUCTON OF COUNTY(COUNTY-CITY、 DISTRICT)

ECNOMIC DEVELOPMENT ZONES

INSTRUCTIONS TO SOME ENTERPRISES

APPENDIX

临汾年鉴（2002）理事会名单

（副理事长单位以下均为特邀编委）

理 事 长单位	临汾年鉴编辑部
副理事长单位	中国移动通信临汾分公司
常务理事单位	临汾市同世达实业有限公司
	临汾市宏通工交总公司
	洪洞县煤焦集运站
	乡宁县茂源煤化公司
	临汾市质量技术监督局
	乡宁县申南凹焦煤有限公司
	洪洞县国土资源局
	洪洞县民政局
	霍州市华光育才学校
	丰昆冶金股份公司
	乡宁县七一煤矿
	乡宁县毛则渠煤矿

特　　载

中共临汾市第一次代表大会

大会盛况

中国共产党临汾市第一次代表大会于2001年3月8日上午9时，在临汾影剧院隆重开幕。

大会应到代表395人，实到代表384人。列席代表、邀请代表192人，大会由执行主席张茂才主持。

在主席台就坐的大会常务主席、执行主席有樊纪亨、张茂才、张岗望、刘合心、刘传旺、张克强、陈长禄、王万年、郝忠礼、李平郎、卢健清、张鸿斌、张继庆、林泽忠、王文英、王月喜、乔成家、任俊发、赵建民、徐树荣、高清亮、柴高潮、董彩霞。大会主席团全体成员在主席台就坐。原临汾地委书记董启民，省委委员、省人大常委、原临汾地委书记张国彦，原临汾地区政协工委主任侯建华，原临汾地委副书记程满仓，省委委员、山西师大校长侯晋川，三维集团董事长仝立祥，霍矿总经理白培中也在主席台就坐。省委组织部组织指导处处长周晋华，地方干部处副处长张少波等出席会议并在主席台前排就坐。

9时整，全体人员起立，会场上奏起《国际歌》，少先队员们献花致辞。

刘合心致开幕词，樊纪亨代表中共临汾市委做题为《贯彻“三个代表”思想，全面加强党的建设，为实现率先发展，建设经济强市而努力奋斗》的报告，张继庆代表中共临汾市纪律检查委员会向大会做题为《着力治本，狠抓落实，取得反腐败斗争的新成效》的工作报告。

紧接着，中共临汾市第一次代表大会在临汾影剧院召开大会主席团第一次会议。会议由刘合心主持。主席团会议通过大会执行主席分组名单；审议通过代表资格审查报告（草案）；通过大会副秘书长建议名单；通过大会秘书处工作机构名单；通过列席代表和邀请人员建议名单；通过大会日程（草案）。

8日下午，中共临汾市第一次代表大会召开主席团二次会议。大会主席团常务主席樊纪亨主持会议。会议讨论确定“两委”委员候选人建议名单，讨论通过大会选举办法（草案）；布置推选监票人；各代表团汇报讨论市委、市纪委工作报告的情况。

尔后，中共临汾市第一次代表大会先后召开主席团第三、四、五、六、七、八次会议。三次会议确定“两委”委员预选候选人名单；通过大会选举办法（草案）；通过总监票人、监票人建议名单；指定总计票人、计票人。四次会议通报“两委”委员候选人名单；提出市委候补委员候选人建议名单。五次会议听取各代表团对“两委”委员正式选举的候选人和市委候补委员分团预选的候选人建议名单讨论情况的汇报；通过市委候补委员预选候选人名单；布置分团预选候补委员事宜。六次会议通报市委候补委员分团预选情况，通过市委候补委员正式候选人名单。七次会议听取对市委委员、候补委员，纪委委员、候选人和“两委”报告决议（草案）讨论情况的汇报；确定一届市委委员、候补委员、纪委委员名额和正式候选人名单；安排大会正式选举。八次会议通过“两委”报告决议；审议通过樊纪亨同志为中共临汾第一届委员会第一次全体会议主持人，张继庆同志为中共临汾市第一届纪律检查委员会第一次全体会议主持人。

9日上午，中共临汾市第一次代表大会在临汾影剧院举行第二次全体会议。大会应到代表395人，实到代表388人。大会由执行主席刘传旺主持。

大会以举手表决的方式，一致通过大会选举办法（草案）；一致通过大会总监票人、监票人建议名单；宣布总计票人、计票人名单；宣布“两委”委员预选候选人名单。

中共临汾市第一次代表大会在临汾影剧院举行第三次全体会议，正式选举中国共产党临汾市第一届委员会委员，中国共产党临汾市第一届委员会候补委员，中国共产党临汾市第一届纪律检查委员会委员。

大会由执行主席樊纪亨主持。

根据大会《选举办法》和计票结果，当选为中国共产党临汾市第一届委员会委员的有41人；当选为中国共产党临汾市第一届委员会候补委员的有8人；当选为中国共产党临汾市纪律检查委员会委员的有31人。

10日下午5时，中共临汾市第一届委员会举行第一次全体会议，选举产生中共临汾市第一届委员会常务委员会书记、副书记及中共临汾市第一届委员会常务委员会委员。会议通过中共临汾市纪律检查委员会委员、书记、副书记选举结果的报告。

中共临汾市第一次代表大会在圆满完成预定的各项任务后，于3月10日下午3时在临汾影剧院举行闭幕式。

大会应到代表395人，实到代表386人。大会由执行主席张克强主持。

大会通过中共临汾市第一次代表大会关于中共临汾市委工作报告的决议，通过中共临汾市第一次代表大会关于中共临汾市纪律检查委员会工作报告的决议。

张茂才致闭幕词。

下午3时30分，大会在雄壮的《国际歌》声中闭幕。

大会领导和工作机构

中共临汾市第一次代表大会主席团常务委员会委员、常务主席、常务委员会议主持人名单

常务委员会委员：

樊纪亨　张茂才　张岗望　刘合心
刘传旺　张克强　陈长禄　王万年
郝忠礼　翟维勤　耿根喜　李平郎
卢健清　张鸿斌　张继庆　林泽忠

常务委员会主席：

樊纪亨　张茂才　张岗望　刘合心
刘传旺　张克强

常务委员会会议主持人：樊纪亨

中共临汾市第一次代表大会主席团、秘书长名单

（2001年3月7日全体代表大会预备会议通过）

主席团成员

（45人，以姓名笔画为序）

王万年　王月喜　王文英　王志权
王醒安　仇振刚　毛恩隆　卢健清
成洪才　乔成家　任俊发　刘传旺
刘合心　安双荃　杨玉龙　李木达
李平郎　李怀民　张北管　张克强
张岗望　张茂才　张继庆　张鸿斌
张德英　陈长禄　林泽忠　郝忠礼
赵兰田　赵建民　段克己　耿根喜
贾二元　原胜利　柴高潮　徐树荣
郭文虎　高清亮　常富顺　梁天运
董彩霞（女）　窦正森　翟维勤
樊纪亨　薛佩珍

秘书长：刘合心

中共临汾市第一次代表大会
代表资格审查委员会名单

（2001年3月7日全体代表大会预备会议通过）

主任委员：刘传旺

副主任委员：梁若玉　韩福元

委　员：（以姓名笔画为序）

王千良　王志权　石雪爱（女）　郭全爱（女）

中共临汾市第一次代表大会
总监票人、总计票人名单

（2001年3月9日第二次全体会议通过）

总监票人：范荣发　　总计票人：任瑞昌

市委委员、候补委员、常务委员、书记、副书记名单

中共临汾市第一届委员会委员名单

（41名，以姓名笔画为序）

王月喜　王文英　王志权　王醒安　仇振刚
卢健清　付记有　成洪才　乔成家　任福跃
刘传旺　刘合心　安双荃　杨玉龙　杨临生
李平郎　张北管　张克强　张岗望　张茂才
张继庆　张鸿斌　张德英　陈长禄　林泽忠
郝忠礼　赵兰田　赵建民　原胜利　柴高潮
徐树荣　郭文虎　高清亮　常富顺　阎家富
宿青平　梁天运　董彩霞（女）　窦正森
翟维勤　樊纪亨

中共临汾市第一届委员会候补委员名单

（共8名，按得票多少为序，得票相同的按姓名笔画为序）

申公元　张金凤（女）　张　健　贾二元
宁雪清（女）　乔建军　李玉琴（女）　梁南征

中共临汾市第一届委员会常务委员会
委员名单

樊纪亨　张茂才　刘合心　刘传旺　张克强
郝忠礼　翟维勤　李平郎　卢健清　张鸿斌
张继庆

中共临汾市第一届委员会
书记、副书记名单

市委书记：樊纪亨

市委副书记：张茂才　刘合心
刘传旺　张克强

市委书记、副书记、常委简历

中共临汾市第一届委员会
书记、副书记简历

樊纪亨同志简历

樊纪亨　男，汉族，1944年7月生，山西省安泽县人，大学文化程度，1970年8月参加工作，1971年12月加入中国共产党，现任中共临汾市委书记。

1970年8月任临汾地区工作队队员、副队长、驻临汾市监察员；1972年4月任临汾地委秘办干事、秘书；1984年1月任洪洞县副县长；1986年2月任洪洞县委副书记；1990年7月任洪洞县委副书记、县长；1992年3月任洪洞县委书记；1995年1月任临汾地委委员、组织部长；1998年10月任临汾地委副书记、行署专员；2000年11月任临汾市委副书记、行署专员；2001年1月任现职。

1996年当选为中共山西省第七次代表大会代表；1992年11月、1998年10月当选为山西省八届、九届人民代表大会代表；2001年1月当选为中共临汾市第一届人民代表大会代表；2001年3月10日当选为中共临汾市第一

届委员会书记。

张茂才同志简历

张茂才 男，汉族，1954年9月生，山西省保德县人，研究生文化程度，高级工程师，1970年12月参加工作，1974年9月加入中国共产党，现任中共临汾市委副书记，临汾市人民政府市长、政府党组书记。

1970年12月任山西保德县贾家峁公社、桥头公社团委书记；1972年6月任保德县团委干事；1977年9月任忻县地委组织部、教育局干事；1983年3月任忻州地委组织部组织科科长；1985年6月任中共山西省委宣传部干部处处长；1992年6月任山西省新闻出版局（版权局）副局长、党组成员兼机关党委书记（期间1994年10月任山西省委驻夏县扶贫工作队队长，1997年9月～1998年8月在中央党校中青年领导干部培训班学习）；1997年9月～2000年7月为中央党校法学专业研究生；1999年1月任中共临汾地委委员、组织部部长；2000年2月任中共临汾地委副书记兼临汾地委党校校长；2000年11月任中共临汾市委副书记兼临汾市委党校校长；2000年11月任现职。

2001年1月当选为临汾市第一届人民代表大会代表；2001年3月10日当选为中共临汾市第一届委员会副书记。

刘合心同志简历

刘合心 男，汉族，1947年12月生，河南省孟县人，大学文化程度，1970年7月参加工作，1972年6月加入中国共产党，现任中共临汾市委副书记。

1970年7月南开大学毕业后在沈阳市皇姑区革委会宣传组工作；1976年5月后任运城行署化工局办公室负责人、运城地委组织部综合组组长（期间，1983年9月～1985年7月在省委党校正规化培训班学习2年）；1986年1月任临猗县委副书记；1989年11月任稷山县委副书记（主持工作）；1990年4月任稷山县委书记、河津县委书记、河津市委书记；1995年1月任运城地委委员、纪委书记、行署监委书记；1999年2月任运城地委副书记兼纪委书记；2000年6月任临汾地委副书记；2000年11月任现职。

1991年、1996年当选为中共山西省第六、七次代表大会代表；1995年1月当选为省纪委委员；2001年1月当选为临汾市第一届人民代表大会代表；2001年3月10日当选为中共临汾市第一届委员会副书记。

刘传旺同志简历

刘传旺 男，汉族，1956年7月生，山西省阳曲县人，研究生文化程度，1975年9月参加工作，1976年11月加入中国共产党。现任中共临汾市委副书记兼组织部长。

1975年9月任阳曲温川公社党委办公室秘书兼团委副书记；1978年3月～1981年12月在山西大学读本科；1981年12月在省委办公厅工作；1984年8月兼任厅机关团总支书记；1988年7月任省委办公厅秘书；1990年3月起先后任省委办公室厅副处、正处级秘书；1993年9月任中共晋城市委组织部第一副部长；1994年7月任省纪律检查委员会驻省交通厅纪检组长、党组成员，兼任省重点工程——太旧高速公路建设指挥部副总指挥；1997年3月中央党校进修二班培训学习；1998年3月任临汾行署副专员、党组成员；2000年2月任临汾地委委员、组织部长；2000年11月任市委常委、组织部长。

2001年1月当选为临汾市第一届人民代表大会代表；2001年3月10日当选为中共临汾市第一届委员会副书记。

张克强同志简历

张克强 男，汉族，1955年7月生，山西省清徐县人，大学文化程度，1978年8月参加工作，1983年5月加入中国共产党，现任中共临汾市委副书记。

1978年8月在山西师范学校政史系任教；1984年3月任省委老干部局调研处干事；1986年6月任省委老干部局调研处副处长；1991年7月任省老干部局办公室主任；1995年7月任省老干部局副局长；2001年3月10日当选为中共临汾市第一届委员会副书记。

中共临汾市第一届委员会常委简历

郝忠礼同志简历

郝忠礼　男，汉族，1945年11月生，山西万荣县人，大学文化程度，社科副研究员、高级经济师，1969年8月参加工作，1972年5月加入中国共产党，现任临汾市委常委，临汾市政府常务副市长、政府党组副书记。

1969年8月在大宁县中学任教；1973年5月任大宁县委宣传部干事；1976年11月任临汾报社记者；1981年12月任临汾地委政策研究室工业组长；1984年12月任临汾地委办公室副主任；1985年6月后任中共洪洞县委副书记、县长；1988年11月任中共霍县县委书记；1990年5月任中共霍州市委书记；1992年6月任原县级中共临汾市委书记；1996年6月任临汾市行署副专员、党组成员；2001年1月任现职。

1991年当选为中共山西省第六次代表大会代表；1987年12月当选为山西省第七届人民代表大会代表；2001年1月当选为临汾市第一届人民代表大会代表。2001年3月10日当选为中共临汾市第一届委员会常委。

翟维勤同志简历

翟维勤　男，汉族，1943年9月生，山西省翼城县人，大学文化程度，1967年参加工作，1965年12月加入中国共产党，现任中共临汾市委常委、宣传部长。

1967年7月在4568部队锻炼；1970年2月在山阴县囫囵公社工作；1984年3月任翼城县委组织部副部长；1985年6月任曲沃县县委副书记；1989年11月任曲沃县委书记；1995年11月任临汾地委委员、宣传部长；2000年11月任现职。

1991年当选为中共山西省第六次代表大会代表；1992年12月当选为山西省第八届人民代表大会代表；2001年1月当选为临汾市第一届人民代表大会代表；2001年3月10日当选为中共临汾市第一届委员会常委。

李平郎同志简历

李平郎　男，汉族，1943年7月生，山西稷山县人，大学文化程度，1967年7月参加工作，1965年12月加入中国共产党，现任中共临汾市委常委、政法委书记。

1967年7月在天津市4568部队锻炼；1969年10月在临汾地委组织部工作；1981年10月任曲沃县委办主任；1984年1月任蒲县县委副书记；1984年12月任临汾日报社党委书记；1986年4月任襄汾县委副书记、县长；1992年11月任襄汾县委书记；1997年4月任临汾地委委员、政法委书记；2000年11月任现职。

1992年当选为山西省第八届人民代表大会代表；1996年2月当选为中共山西省第七次代表大会代表；2001年1月当选为临汾市第一届人民代表大会代表；2001年3月10日当选为中共临汾市第一届委员会常委。

卢健清同志简历

卢健清　男，汉族，1947年4月生，山西省襄汾县人，大学文化程度，1968年8月参加工作，1971年6月加入中国共产党，现任临汾市委常委、秘书长。

1968年8月在襄汾县贾罕公社任团委干事、团委书记；1975年1月在襄汾县委组织部工作；1977年6月任襄汾县景毛公社党委副书记；1978年6月～1980年3月在山西省委党校学习；1980年3月在襄汾县委办工作；1980年10月～1982年3月在省委党校学习；1982年3月任襄汾县政府办副主任、主任；1986年

4月任襄汾县副县长；1990年3月任蒲县县委副书记；1992年8月任临汾地委副秘书长、地委办主任；1995年3月任洪洞县委副书记、县长；1996年11月任洪洞县委书记；2000年2月任临汾地委委员、秘书长；2000年11月任现职。

1997年4月当选为中共山西省第七次代表大会代表；1997年10月当选为山西省第九届人民代表大会代表；2001年1月当选为临汾市第一届人民代表大会代表；2001年3月10日当选为中共临汾市第一届委员会常委。

张鸿斌同志简历

张鸿斌 男，汉族，1948年2月生，山西省侯马市人，大专文化程度，1968年2月参加工作，1969年2月加入中国共产党，现任中共临汾市委常委、军分区司令员。

1968年2月任65军195师584团战士、班长；1970年2月任65军195师584团排长、连长；1976年4月任65军195师584团副营长、营长；1978年11月任65军195师584团副团长；1983年4月任北京军区守备三师守备九团团长；1990年2月任北京军区守备三师副师长；1991年10月任北京军区守备三旅65军高炮旅旅长；1997年12月任临汾军分区司令员；2000年11月任现职。

2001年1月当选为临汾市第一届人民代表大会代表；2001年3月10日当选为中共临汾市第一届委员会常委。

张继庆同志简历

张继庆 男，汉族，1952年3月生，山西省清徐县人，大专文化程度，1969年12月参加工作，1970年12月加入中国共产党，现任中共临汾市委常委、纪委书记。

1969年12月在北京部队装甲师服役；1977年3月在本村务农，任生产队队长、党支部副书记；1980年11月任清徐县农工部干事；1983年8月任清徐县高花乡党委副书记、书记；1984年9月在太原市委党校培训班政治专业学习；1986年7月任清徐县王答乡党委书记；1989年11月任娄烦县委常委、组织部长；1992年8月任娄烦县委副书记；1992年12月任娄烦县委副书记、县长；1995年3月任娄烦县委书记（期间：1997年1月～1998年3月兼娄烦县政协主席）；1998年3月任中共太原市尖草坪区委书记。

1996年3月当选为中共太原市第七次代表大会代表、市委委员；1996年3月当选为中共山西省第六次代表大会代表；1996年3月当选为太原市第七届政协委员；2001年3月当选为中共临汾市第一届委员会常委。

纪检委委员、常务委员、书记、副书记名单

中共临汾市纪律检查委员会委员名单

（共31名，以姓名笔画为序）

丁楷荣　王千良　王文洲　王亚民　王国平
王晓春　石雪爱（女）　史玉萍（女）
冯亚平　冯学智　刘川民　刘晓爱（女）
许保民　李文生　李竹贤（女）　李多志（女）
李孟斌　李嘉贵　吴岐山　辛旭升　张立仲
张建国　张继庆　武红文　郭全爱（女）
郭紫群　黄新升　梁若玉　韩福元　翟玉国
樊　红

中共临汾市纪律检查委员会常务委员会委员名单

张继庆　韩福元　王晓春　梁若玉
许保民　冯学智　刘川民　王亚民

中共临汾市纪律检查委员会书记、副书记名单

书　记：张继庆

副书记：韩福元　　王晓春

会议决议

中共临汾市第一次代表大会关于市委工作报告的决议

（2001年3月10日通过）

中国共产党临汾市第一次代表大会批准樊纪亨同志代表中共临汾市委所做的报告。报告实事求是地总结过去，认真分析当前的形势，明确提出今后加强党的建设的重要任务，对全市今后5年经济发展和各项社会事业做出全面部署。

大会认为，报告确定的高举邓小平理论伟大旗帜，认真实践“三个代表”重要思想，全面推进党的建设，奋力实现在全省率先发展，把临汾建设成为中西部经济强市的总目标、总任务，完全符合时代的要求和全市人民的愿望。

大会高度评价革命战争年代临汾党的组织及新中国成立后历届临汾地委的工作。大会认为，党的十一届三中全会以来，历届地委认真落实党的基本路线、基本方针和基本纲领，团结带领广大人民群众解放思想、实事求是，勇于探索、顽强拼搏，使两个文明建设不断迈上新台阶，特别是“九五”时期的辉煌成就，为临汾在新世纪发展奠定良好的基础。

大会一致赞同报告关于今后5年临汾发展的总目标、总任务和总的方针、原则。大会指出，今后5年是临汾全面建设小康社会、加快推进现代化建设的关键时期。必须始终坚持以发展为主题，以经济结构调整为主线，以改革开放和科技进步为动力，以提高人民生活水平为根本出发点，突出工作重点，实施六大战略，牢牢把握大局，促进经济和社会各项事业全面发展。大会认为，把依法治市与以德治市紧密结合起来，加强社会主义民主法制建设和思想道德建设，是现代化建设的重要保证。

大会强调，实现报告确定的目标和任务，关键在于坚持、加强和改善党的领导，充分发挥党的领导核心作用。要按照“三个代表”的要求，全面加强党的思想、组织、作风建设，不断提高领导水平和执政水平。坚持党要管党、从严治党，加强党风廉政建设，坚持不懈地开展反腐败斗争。

大会号召，全市上下要更加紧密地团结在以江泽民同志为核心的党中央周围，高举邓小平理论伟大旗帜，在省委的正确领导下，同心同德，奋力拼搏，为实现率先发展，建设中西部经济强市而努力奋斗。

中共临汾市第一次代表大会关于市纪律检查委员会工作报告的决议

（2001年3月10日通过）

中国共产党临汾市第一次代表大会审查、批准中共临汾市纪律检查委员会的工作报告。大会充分肯定中共临汾市纪律检查委员会几年来的工作。

大会要求，全市纪检机关要高举邓小平理论伟大旗帜，坚持党的基本路线，深入贯彻党的十五大、十五届五中全会以及中纪委五次、省纪委九次全会精神，按照“三个代表”的要求，以高度的政治责任感和使命感，进一步做好纪律检查工作，严格政治纪律，保证党的路线、方针、政策和各级党委的决策顺利贯彻执行；围绕经济建设中心，切实加强党风廉政建设，深入持久地开展反腐败斗争，坚持标本兼治，突出源头治理，为实现率先发展、建设中西部经济强市的目标提供政治和纪律保证。各级党委要继续加强对党的纪律检查工作的领导，坚持从严治党的方针，进一步加强党性党风党纪教育，保持党的先进性和纯洁性；要始终坚持“两手抓，两手都要硬”的方针和“谁主管、谁负责”的原则，认真落实党风廉政建设责任制，严格责任追究，确保反腐败各项任务的落实；要切实加强纪检机关的自身建设，努力建设一支政治坚强、公正廉洁、纪律严明、业务精通、作风优良的纪检干部队伍。

代表名单

中共临汾市第一次代表大会代表名单

（共395名　按姓名笔画为序）

丁楷荣　马　康　马宏芳　马学平　王　林
王　震　王九梅（女）　王万年　王千良
王文英　王元珍（女）　王文洲　王月喜
王月喜（女）　王云潮　王巧云（女）
王玉华（女）　王玉柱　王亚民　王并生
王刘虎　王安保　王志权　王建义　王建中
王国平　王建华　王秉彦　王英莲（女）
王明祥　王明理　王树西　王彦珍（女）
王剑峰　王春梅（女）　王彩文（女）
王银平（女）　王梁虎　王晓春　王晋益
王根贵　王振俊　王崔平　王新民　王醒安
王冀波　车兴东　韦　明（壮）　仇振刚
毛恩隆　牛文彦　亢彦文　邓凤荷（女）
孔祥如　古润生　石雷锁　石爱香（女）
石雪爱（女）左东兰（女）卢志俊　卢健清
田宏伟　田福龙　申公元　申伟文
史玉萍（女）　史家元　史锡亮　史新寅
史德顺　付记有　仝立祥　白凤英（女）
白建荣　白培中　白锁柱　包　江　冯　彪
冯东祥　冯亚平　冯学智　宁雪清（女）
邢广勤　邢仰东　吉国惠　成　功　成洪才
吕跃胜　乔大喜　乔文明　乔成家　乔建军
朱山馨　朱爱萍（女）　任仙梅（女）
任兰汝（女）　任招振　任茂堂　任俊发
任瑞昌　任福耀　行守安　刘　伟　刘川民
刘文革　刘反翠（女）　刘玉和　刘正林
刘合心　刘传旺　刘红记　刘国恒　刘建基
刘忠富　刘宝龙　刘绍康　刘奎生
刘晓爱（女）　刘新爱（女）　刘耀忠
安双荃　安国全　安建国　安珍珍（女）
关悟奎　许文彪　许文静（女）　许保民
许虎娃　许锁子　祁文学　祁云峰　祁百法
祁寒冰　牟来新　孙红梅（女）　孙建宏
孙铁中　杨万波　杨玉龙　杨合心　杨仲黎
杨志威　杨国璋　杨临生　杨临海　杨保旭
杨春金　杨起林　杨德和　苏　文　苏兆印
苏晓萍（女）　李　伦　李　瑞　李山林
李三保　李天太　李木达　李风江　李水海
李五锁　李平郎　李玉琴（女）　李安平
李安民　李汛生　李多志（女）李竹贤（女）
李光明　李会玲（女）李亚峰（女）李向善
李成斌　李红儒　李怀民　李灵芝（女）
李志学　李建华　李建设　李建荣　李学俊
李孟斌　李顺有　李瑞荣　李殿普
李燕丰（女）　严洪文　吴成山　吴国明
吴歧山　吴璟珉（女）　邱争战　狄学飞
辛旭升　宋金香（女）　张　云　张　健
张一平（女）　张小宁　张凡记　张文玲（女）
张文荣　张东红　张立仲　张兰芳（女）
张如侠　张如意　张北管　张岗望　张来水
张志勇　张克强　张茂才　张茂盛　张国飞
张国平　张松山　张明星　张建军　张建国
张金凤（女）张金虎　张彦江　张桂蕊（女）
张贵本　张家祯　张祥才　张俊杰　张培林
张继庆　张银生　张淑琴（女）　张鸿斌
张增旭　张增艳（女）张德英　张慧荣（女）
陈长禄　陈记虎　陈玉士　陈秀珍（女）
陈宝红　陈金玉　陈洪升　武计平（女）
武丙云（女）　武红文　武兰萍（女）
武阳明　武保安　武洪胜　林　广　林泽忠
范荣发　岳春来　狐东锁　周文伟　郑　涛
郑尚志　郑建文　郑晋平　郑晨宇　郑新岗
宓和平　孟凤鸣（女）孟庆梅（女）郇安成
柏晋英（女）　胡兴甫　郝忠礼　荀贵生
要记虎　赵生玉　赵兰田　赵红海　赵光祖
赵庆云（女）　赵建民　赵建国　赵蒲荣
赵鹏雷　侯　刚　侯玉钊　段玉明
段末意（女）段克己　段协平　段新莲（女）
贺芳梅（女）药金瑞　厚永琴（女）
拜玉豹（回）秦英俊　耿兰生　耿根喜
袁德福　贾二元　贾文魁　贾并社　贾建华
贾爱芹（女）原学义　原胜利　夏改芬（女）
柴凤翔　柴高潮　徐信基　徐树荣　徐随心
郭文虎　郭玉龙　郭全爱（女）　郭建华
郭建忠　郭振江　郭俊生　郭参俊

郭慧珍（女） 郭紫群 高 远 高 涨
高国稳 高建录 高洪元 高振武 高清亮
席俊昌 展改云（女） 黄文生 黄万信
黄翠莲（女） 黄新昇 曹大慧 曹忙小
曹国龙 曹国明 曹保嘉 曹植生 曹耀丰
龚福喜 常云奎 常玉恒 常富顺 崔三原
崔鸿秀 阎俊发 阎家富 宿青平 梁天运
梁若玉 梁若皓 梁武魁 梁南征 梁崇太
尉合怀 尉建红 隋文山 敬三平 韩三秀
韩福元 彭亚鸣 葛建强 葛翠梅（女）
董 玲（女） 董玲爱（女） 董彩霞（女）
董福德 蒋炳泽 景洪才 程世俊 靳玉堂
靳艳红（女） 蒲凤娥（女）蒲顺生 解长春
窦正森 蔡茂生 臧树庆 翟玉国 翟维勤
樊 红 樊纪亨 樊如荣（女） 樊洪平
樊清平 潘文根 潘张虎 薛建宏
薛明芳（女） 薛英玲（女）薛佩珍 薛雪山
薛愿兵 燕 玲（女）

临汾市第一届人民代表大会第一次会议

大会盛况

1月16日下午，临汾市第一届人民代表大会在临汾宾馆召开大会主席团第一次会议。樊纪亨、张岗望、张茂才、陈长禄、刘传旺等63名大会主席团成员参加会议。

会议由市委书记樊纪亨主持。

会议推选大会主席团常务主席；通过大会执行主席分组名单；决定大会副秘书长人选；通过大会会议日程；通过市一届人大一次会议选举办法（草案），并提交各代表团审议；通过总监票员、总计票员人选提名，提交各代表团讨论，布置各代表团推选出监票员1名；决定本次会议期间代表议案截止时间。

17日上午，临汾市第一届人民代表大会第一次会议隆重开幕。

大会应到389人，实到381人。

大会由执行主席陈长禄主持。

在主席台前排就坐的大会执行主席和常务主席有：樊纪亨、张岗望、刘传旺、张茂才、高光挺、李建民、张伟能、张作明。侯建华、董启民、张国彦、翟维勤、李平郎、耿根喜、卢健清、张鸿斌及主席团全体成员也在主席台前排就坐，前排就坐的还有省委组织部正处级组织员郑玉艾等。市直部门主要负责人、特邀代表列席会议。

开幕时，会场上奏响中华人民共和国国歌，少先队员献花、献辞，工作人员宣读山西省人大常委会及兄弟省、市人大发来的贺辞、贺信和贺电。

临汾市委书记樊纪亨在大会上做重要讲话。

下午14时，市第一届人民代表大会一次会议召开大会主席团第二次会议。会议由常务主席陈长禄主持。

大会组织组组长、市委组织部副部长葛景梧就《市第一届人民代表大会第一次会议选举办法》（草案）讨论修改情况做了说明，并提请会议审议通过；会议通过总监票员、总计票员提名和通过大会监票员，提名通过计票员名单；以上各项提请大会通过。

15时，临汾市第一届人民代表大会第二次全体会议在临汾影剧院召开。会议由李建民主持。会议通过本次人代会的选举办法；通过本次会议的总监票员、监票员、总计票员、计票员名单。

16时30分，市第一届人民代表大会一次会议召开大会主席团第三次会议。会议由常务主席刘合心主持。

葛景梧同志宣布中共临汾市委关于推荐临汾市市级政权机关领导候选人的建议；市委常委、组织部部长刘传旺做中共临汾市委关于临汾市第一届人大常委会组成人员，市人民政府市长、副市长、市中级人民法院院长、市人民检察院检察长候选人建议名单的说明。

会议以举手表决的方式通过临汾市市级政权机关各项候选人提名，以举手表决的方式通过代表联合提名候选人截止时间的决定。本次大会代表联合提名各项候选人截止时间（草案）为1月18日上午10时30分。

18日上午，临汾市第一届人大一次会议举行第四次主席团会议。会议由高光挺主持。

大会秘书处组织组汇报各项候选人酝酿讨论情况和代表联合提名候选人情况。根据大会选举办法，各项候选人和代表20人以上联合提出各项候选人情况，符合决定人数，不再进行预选，提交全体代表酝酿讨论。

下午，临汾市人大一届会议举行第五次主席团会议。会议由刘传旺主持。

会议确定提交大会选举的临汾市人大常委会主任、副主任、秘书长、委员，临汾市人民政府市长、副市长，临汾市中级人民法院院长、临汾市人民检察院检察长等各项正式候选人名单。

1月19日上午，临汾市一届人大第三次全体会议在临汾影剧院召开。会议由常务主席樊纪亨主持。

388名人大代表以无记名的投票方式，代表全市390万人民选举产生临汾市第一届人大常委会主任、副主任；市人民政府市长、副市长；市中级人民法院院长和市人民检察院检察长。

下午，临汾市第一届人民代表大会第四次全体会议在临汾影剧院召开。会议由常务主席樊纪亨主持。

387名人大代表代表全市390万人民选举出27名临汾市人大常委会委员。

1月20日上午，临汾市人大一届一次会议第五次全体会议在临汾影剧院召开。会议由常务主席张作明主持。政协委员列席会议。

全体到会人大代表和政协委员们听取陈长禄主任做的《临汾市人民代表大会常务委员会工作报告》；张茂才市长做的《政府工作报告》；临汾市中级人民法院院长王冀波做的《临汾市中级人民法院工作报告》；临汾市人民检察院检察长胡兴甫做的《临汾市人民检察院工作报告》。受临汾市人民政府委托，张传华同志做《临汾市2001年财政预算情况草案的报告》（书面），阎家富同志做《临汾市2001年国民经济和社会发展计划草案的报告》（书面）。

临汾市第一届人民代表大会第一次会议于1月20日下午在临汾影剧院召开闭幕大会。

樊纪亨做重要讲话，会议由陈长禄主持。

大会表决通过关于临汾市人大常委会工作报告的决议、关于临汾市政府工作报告的决议、关于临汾市2001年国民经济和社会发展计划草案报告的决议、关于临汾市2001年财政预算草案情况报告的决议、关于临汾市中级人民法院工作报告的决议、关于临汾市人民检察院工作报告的决议、关于临汾市第一届人民代表大会第一次会议依法治市的决议等7项决议。

市委书记樊纪亨代表中共临汾市委对会议的圆满成功表示热烈的祝贺。

17时50分，大会圆满完成会议预定的各项议程，在中华人民共和国国歌声中闭幕。

大会领导和工作机构

第一届市人大一次会议
主席团和秘书长名单

（2001年1月16日第一届市人大一次会议预备会议通过）

主席团：（共63人　按姓名笔划为序排列）

丁新玲　王月喜　王文英　王生荣
王阿家　王淳厚　王醒安　仇振刚
文尚龙　卢健清　田根茂　师如江
乔成家　乔建军　任岩松　任跟心
刘传旺　刘合心　刘砚田　安双荃
关宝泉　米耀璟　孙林峰　孙勤学
杨玉龙　李玉琴　李平郎　李吉秀
李全锁　李安玲　李宝文　李建民

李清生 张北管 张伟能 张岗望
张作明 张茂才 张鸿斌 张德英
张隰生 陈长禄 尚 旭 郑延昌
房安国 郝国龙 赵建民 赵俊瑞
段克己 宣为民 原胜利 柴高潮
徐树荣 郭文虎 高光挺 黄登高
常红云 梁天运 谢武生 谢碧玲
窦正森 翟维勤 樊纪亨

秘书长：李建民（兼）

第一届市人大一次会议计划和预算审查委员会名　单

（2001年1月16日第一届市人大第一次会议预备会议通过）

主任委员：张作明
副主任委员：崔福瑞 韩福元 韩凯权 苏勤义
委　　员：张转芳 王千良 徐炎捷 谢武生

第一届市人大一次会议议案审查委员会名　单

（2001年1月16日第一届市人大第一次会议预备会议通过）

主任委员：师如江
副主任委员：杨临生 刘世全
委　　员：夏改芬 郑向晨 梁南征 侯北记

第一届市人大一次会议主席团常务主席名　单

（2001年1月16日第一届市人大一次会议主席团一次会议通过）

樊纪亨 陈长禄 张岗望 张茂才 刘合心
刘传旺 高光挺 李建民 张伟能 张作明

第一届市人大一次会议副秘书长名单

（2001年1月16日第一届市人大一次会议主席团一次会议通过）

王刘明 田家彧 葛景梧 王三星 崔福瑞
申公元

临汾市第一届人民代表大会第一次会议总监票员、监票员、总计票员、计票人员名单

（2001年1月17日第一届市人大第一次会议第二次全体会议通过）

总监票员：郝国龙
监 票 员：张志刚 李俊胜 刘启文 李建国
阎玉记 孔文明 郑步电 王蛇英
冯书震 乔德才 祁 民 梁洪运
赵耀景 郭桂英 丁和顺 李建发
赵红兵 丁向阳
总计票员：郑延昌
计 票 员：卢洪顺 曹玉印 杜长勃 杨安虎
乔悟生 范洋平 高运昌 李宝恩
鲁立波 武增林 吴小冬 秦海玉
白建成 刘松山 韩 睿 弓记平
宋国清 赵书堂 解生奎 许 红
权建军 李青雁

会议公告

临汾市第一届人民代表大会第一次会议公　告

第1号

临汾市第一届人民代表大会第一次会议于二〇〇一年一月十九日选举陈长禄为临汾市人民代表大会常务委员会主任。

现予公告

临汾市第一届人民代表大会
第一次会议主席团
2001年1月19日

临汾市第一届人民代表大会第一次会议公　告

第2号

临汾市第一届人民代表大会第一次会议于二〇〇一年一月十九日选举张茂才为临汾市人

民政府市长。

现予公告

临汾市第一届人民代表大会
第一次会议主席团
2001 年 1 月 19 日

临汾市第一届人民代表大会第一次会议
公　告
第 3 号

临汾市第一届人民代表大会第一次会议于二〇〇一年一月十九日选举王冀波为临汾市中级人民法院院长。

现予公告

临汾市第一届人民代表大会
第一次会议主席团
2001 年 1 月 19 日

临汾市第一届人民代表大会第一次会议
公　告
第 4 号

临汾市第一届人民代表大会第一次会议于二〇〇一年一月十九日选举胡兴甫为临汾市人民检察院检察长。按照法律规定，选出的人民检察院检察长须报经上一级人民检察院检察长提请该级人民代表大会常务委员会批准。

现予公告

临汾市第一届人民代表大会
第一次会议主席团
2001 年 1 月 19 日

临汾市第一届人民代表大会第一次会议
公　告
第 5 号

临汾市第一届人民代表大会第一次会议于二〇〇一年一月十九日选出临汾市第一届人民代表大会常务委员会副主任五人：李建民、张作明、段克己、师如江、谢碧玲（女）。

现予公告

临汾市第一届人民代表大会
第一次会议主席团
2001 年 1 月 19 日

临汾市第一届人民代表大会第一次会议
公　告
第 6 号

临汾市第一届人民代表大会第一次会议于二〇〇一年一月十九日选举石宝兴为临汾市第一届人民代表大会常务委员会秘书长。

现予公告

临汾市第一届人民代表大会
第一次会议主席团
2001 年 1 月 19 日

临汾市第一届人民代表大会第一次会议
公　告
第 7 号

临汾市第一届人民代表大会第一次会议于二〇〇一年一月十九日选出临汾市人民政府副市长六人：郝忠礼、高清亮、董彩霞（女）、成洪才、常富顺、苗元礼。

现予公告

临汾市第一届人民代表大会
第一次会议主席团
2001 年 1 月 19 日

临汾市第一届人民代表大会第一次会议
公　告
第 8 号

临汾市第一届人民代表大会第一次会议于二〇〇一年一月十九日选出临汾市第一届人民代表大会常务委员会委员二十七人（以姓氏笔划为序）：卫兰田、王阿家（女）、乔建军、朱耀洪、任跟心（女）、刘世全、孙守月、孙延林、苏勤义、李玉琴（女）、李全锁、李安玲（女）、李宝文、李清生、张玉吉、张克功、郑向晨、侯北记、宣为民、贾明珠、徐炎捷、崔福瑞、崔衍政、韩福元、韩凯权、葛景梧、谢武生。

现予公告

临汾市第一届人民代表大会
第一次会议主席团
2001年1月19日

人大常委会主任、副主任、秘书长简历

临汾市第一届人大常委会主任、副主任简历

陈长禄同志简历

陈长禄　男，汉族，1938年3月出生，山西芮城人，中专文化程度，社科副研究员，1957年7月参加工作，1960年10月加入中国共产党，现任临汾市人大常委会主任。

参加工作后任芮城县风陵渡完小教师、东章完小教导主任、县教育局视导室视导员；1965年后任中共芮城县委宣传部干事、县革委会政工组宣传办公室干事、副主任、主任、政工组副组长；1975年2月后任中共芮城县委常委、宣传部长、副书记兼纪委书记；1984年1月任中共运城地委委员、组织部长；1988年5月任临汾地委副书记兼地委党校校长；1993年3月任临汾地委副书记、党校校长，兼省人大常委会临汾地区工作委员会主任、党组书记；1998年4月任省人大临汾地区工作委员会主任、党组书记；1991年2月当选为山西省第六次党代会代表；1994年1月当选为山西省第八届人民代表大会代表；1996年1月当选为山西省第七次党代会代表；1997年6月当选为中国共产党山西省代表会议代表；1997年12月当选为山西省第九届人民代表大会代表；2001年1月19日当选为临汾市第一届人大常委会主任。

李建民同志简历

李建民　男，汉族，1943年11月出生，山西省翼城县人，大专文化程度，1964年参加工作，1965年4月加入中国共产党，现任临汾市人大常委会副主任。

参加工作后任翼城县隆化公社业教辅导员，1964年7月任翼城县四清工作队队长、指导员；1966年9月任翼城县隆化公社上吴村党支部书记；1970年1月任翼城县隆化公社革委会副主任、党委副书记；1972年5月任翼城县里砦公社革委会主任；1973年3月任翼城县革委会副主任、县委副书记；1978年11月任古县县委副书记；1981年3月任霍县农工部副部长；1982年6月任霍县李曹公社党委书记；1983年12月～1992年6月任霍州市委书记兼市长；1995年2月任现职；2001年1月19日当选为临汾市第一届人大常委会副主任。

张作明同志简历

张作明　男，汉族，1947年5月生，山西浮山县人，大专文化程度，1966年7月参加工作，1971年3月加入中国共产党，现任市人大常委会副主任。

参加工作后任浮山县五十亩垣小学教师、县北王完小校长、县北张学校校长、县铺腰学校校长、县上秀中学教师；1971年4月任浮山县团县委常委、乔家垣公社团委书记；1975年7月任临汾团地委办公室主任；1982年9月为山西省委党校青年干部培训班学员；1984年9月在临汾地委组织部工作；1985年6月任隰县人民政府副县长；1990年5月任霍州市委副书记；1992年11月任霍州市委副书记、常务副市长主持政府工作（正县）；1995年3月任霍州市委书记、霍州市人武部党委第一书记；1996年1月当选为山西省第七次党代会代表；2001年1月19日当选为临汾市第一届人大常委会副主任。

段克己同志简历

段克己　男，汉族，1945年8月生，山西省稷山县人，大学文化程度，1970年8月参加

工作，1971年7月加入中国共产党，现任市人大常委会副主任。

参加工作后在吉县东城公社山头学校任教师、校长；1971年11月后任吉县县委通讯组干事、县委宣传部办公室理论教员、县委组织部秘书；县委、革委办副主任、文教部副部长、县委办公室副主任；1984年1月任吉县政府副县长；1987年10月任霍县县委副书记；1990年4月任安泽县政府县长；1992年11月后任襄汾县政府县长、县委书记；2000年3月任原县级临汾市委书记；2001年1月19日当选为临汾市第一届人大常委会副主任。

师如江同志简历

师如江　男，汉族，1947年3月生，山西省翼城县人，大专文化程度，1968年8月参加工作，1973年1月加入中国共产党，现任市人大常委会副主任。

参加工作后任翼城县二完小教师、翼城县五一机械厂职工；1972年2月后任翼城县革委会政工组干事、翼城县纪检委秘书；1985年9月任临汾地区纪检委干事；1985年12月后任临汾地区纪检委办公室副主任、主任、专职委员；1995年10月任临汾地区纪检委副书记、监委副主任；2001年1月19日当选为临汾市第一届人大常委会副主任。

谢碧玲同志简历

谢碧玲　女，汉族，1954年5月生，台湾省台中市人，大专文化程度，1973年10月参加工作，现任市人大常委会副主任。

参加工作后在侯马市张村公社插队；1976年2月任侯马纺织厂工人、统计员；1979年11月后任侯纺纺纱车间团总支副书记、书记；1984年11月任侯纺纺纱车间办公室劳资员、厂人事劳资科统计员；1995年6月后任侯马纺织厂厂长办公室副主任、主任；1996年5月任侯马市政协副主席。1992年至今任山西省政治协商会议第七届、八届委员会委员；1997年任山西省台联常务理事；2001年1月19日当选为临汾市第一届人大常委会副主任。

临汾市一届人大常委会秘书长简历

石宝兴同志简历

石宝兴　男，汉族，1954年1月生，山西省襄汾县人，大专文化程度，1978年11月参加工作，1978年9月加入中国共产党，现任山西省人大临汾地区工作委员会联络处副处长。

参加工作后在太原江阳化工厂工作；1980年后任襄汾县财政局农财科负责人、政法委科员、公安局秘书、法院政工科长、人大办公室副主任、主任；1993年8月借调阳城电厂任指挥部秘书；1994年10月后任省人大临汾地区工作委员会联络处主任科员；1997年12月任现职。

市长、副市长简历

临汾市人民政府市长、副市长简历

张茂才同志简历

（略）

郝忠礼同志简历

（略）

高清亮同志简历

高清亮　男，汉族，1945年8月生，山西洪洞县人，大学文化程度，1970年9月参加工作，1974年12月加入中国共产党，现任临汾市人民政府副市长。

1970年中国人民大学经济系毕业后在河北保定农科所劳动锻炼；1971年12月任临汾地委通讯组、临汾报社记者；1975年5月任临汾地委秘书处办公室秘书；1979年任忻州地区行署办公室秘书；1979年6月任临汾地委财贸部秘书；1980年1月任临汾地委组织部办公室副主任（副县级）；1983年1月任中共曲沃县委副书记；1985年3月任中共安泽县委书记；1992年3月任地区人大工委常务副主任；1995年1月任行署副专员、行署党组成员。

1994年当选为山西省第八届人大代表；2001年1月19日当选为临汾市人民政府副市长。

董彩霞同志简历

董彩霞 女，汉族，1946年1月1日生，山西万荣县人，大学文化程度，高级经济师，1969年10月参加工作，1966年2月加入中国共产党，现任临汾市人民政府副市长。

参加工作后任陕西咸阳地委组织部干事；1972年7月任运城地区百货公司政工科干事；1976年后任运城地区商业局副科长、科长；1985年1月任运城地区商业局副局长；1986年1月任临猗县政府副县长；1992年5月后任绛县县委副书记、县长；1996年任临汾行署副专员、党组成员。

1991年2月当选为山西省第六次党代会代表；1992年12月当选为山西省第八届人民代表大会代表。2001年1月19日当选为临汾市政府副市长。

成洪才同志简历

成洪才 男，汉族，1955年7月生，山西洪洞县人，大学文化程度，1970年10月参加工作，1975年8月加入中国共产党，现任临汾市人民政府副市长。

参加工作后在洪洞县棉加工厂工作；1973年10月在洪洞县农业技术站当技术员；1976年10月后任洪洞县淹底公社副书记、主任；1978年1月后任洪洞南沟乡副书记、主任；1979年1月任洪洞县双昌乡副书记；1984年3月任洪洞三交河乡派出所所长；1987年11月后任洪洞县甘亭镇镇长、书记；1990年10月后任洪洞县政府副县长、县委常委、县委副书记；1995年10月任临汾行署交通局局长、党委书记。2000年3月任行署副专员、行署党组成员；山西省第九届人民代表大会代表；2001年1月19日当选为临汾市人民政府副市长。

常富顺同志简历

常富顺 男，汉族，1949年11月生，山西省隰县人，大专文化程度，1969年9月参加工作，1972年5月加入中国共产党，现任临汾市人民政府副市长。

参加工作后在隰县中学任教师；1970年5月在隰县汽配厂工作；1972年12月任隰县寨子公社副主任；1975年9月后任隰县县委组织部组织组副组长、秘书；1981年6月任隰县朱家峪公社主任；1983年12月任隰县县委常委、纪律检查委员会书记；1986年9月在省委党校党政干部培训班学习；1989年3月后任蒲县政府副县长、县委副书记、县长；1984年3月任蒲县县委书记。1997年12月享受副地级待遇。

中共山西省委第七次代表大会代表；2001年1月19日当选为临汾市人民政府副市长。

苗元礼同志简历

苗元礼 男，汉族，1953年8月生，山西省翼城县人，大学文化程度，1974年8月参加工作，无党派，现任临汾市人民政府副市长。

参加工作后在山西省农科院小麦研究所工作；1986年1月后在翼城农牧局任干事、副局长兼农技中心主任；1991年9月任翼城县副县长。

山西省政协第八届委员会委员；2001年1月19日当选为临汾市人民政府副市长。

法院院长、检察院检察长简历

临汾市中级人民法院院长简历

王冀波同志简历

王冀波 男，汉族，1951年8月生，河北省深泽县人，大学文化程度，1968 年 1 月参加工作，1987 年 9 月加入中国共产党，现任临汾地区中级人民法院院长、党组书记。

参加工作后在一五四六部队服役；1970 年 1 月在四机部七八五厂工厂；1972 年 5 月在北京工业学院学习；1976 年 1 月后任四机部七八五厂助理工程师、工程师；1984 年 6 月后任山西省高级人民法院研究室助理审判员、审判员、法医技术处副处长、处长、法医鉴定中心主任；1995 年 5 月任现职。

临汾市人民检察院检察长简历

胡兴甫同志简历

胡兴甫 男，汉族，1946 年 11 月生，山西省应县人，硕士研究生学历，1970 年 7 月参加工作，1979 年 3 月加入中国共产党，现任临汾检察分院检察长、党组书记。

参加工作后在应县南马中学任教；1979 年 9 月在北京大学法律系学习；1982 年 9 月任中共雁北地委政法办公室干事；1983 年 10 月任雁北检察分院副检察长；1993 年 8 月任大同市人民检察院副检察长；1995 年 5 月任现职。

会议决议

临汾市第一届人民代表大会第一次会议关于临汾市人民代表大会常务委员会工作报告的决议

（2001 年 1 月 20 日临汾市第一届人民代表大会第一次会议通过）

临汾市第一届人民代表大会第一次会议审议陈长禄主任代表临汾市人民代表大会常务委员会所做的工作报告，会议决定批准这个报告。

报告简要回顾临汾市人大机构的历史沿革，充分肯定原临汾地区人大工作联络组及省人大临汾地区工作委员会的工作，重点提出 2001 年临汾市人大常委会的工作设想。

会议认为，临汾市人大常委会 2001 年工作要高举邓小平理论伟大旗帜，以江泽民同志“三个代表”重要思想为指导，全面贯彻落实党的十五大和十五届五中全会精神，认真履行宪法和法律赋予的职责，大力加强社会主义民主和法制建设，积极推进依法治市，保障全市政治安定和社会稳定，促进经济持续、快速、健康发展。

会议要求，临汾市人大常委会要坚持、尊重和依靠党的领导，在政治上同党保持一致；要突出中心，服从服务于经济建设；要充分发挥地方国家权力机关作用，正确行使重大事项决定权、人事任免权、对“一府两院”的监督权；要以民为本，切实保障人民群众的根本利益；要夯实基础，努力搞好人大自身建设，团结一致，抓住机遇，奋力拼搏，开拓进取，肩负起党的重托，人民的重托，时代的重托，建设新临汾，发展新临汾，为实现强市富民的宏伟目标而努力奋斗。

临汾市第一届人民代表大会第一次会议关于市人民政府工作报告的决议

（2001 年 1 月 20 日临汾市第一届人民代表大会第一次会议通过）

临汾市第一届人民代表大会第一次会议，听取和审议张茂才市长代表市人民政府所做的《政府工作报告》。报告对我市经济和社会形势分析是透彻的，提出今后 5 年的发展思路是清晰的，目标是宏伟的，今年的任务经过努力是可以实现的。会议决定予以批准。

会议认为，临汾市经过 20 多年改革开放，综合经济实力有很大提高，特别是近几年来，在市委、行署的正确领导下，全力推进三件大事，为今后的发展奠定坚实的物质基础。到 2000 年底，全市国内生产总值达到 171.1 亿元，限额以上工业增加值达到 29.2 亿元，财政收入达到 14.9 亿元，农民人均纯收入和城镇居民人均可支配收入分别达到 2211 元和

4158 元。基础设施大为改善，结构调整成功起步，各项改革稳步推进，对外开放不断扩大，社会事业得到全面发展。全市政治稳定，经济繁荣，民族团结，社会进步，呈现一派生机勃勃的景象。

会议指出，今后 5 年是实施“十五”计划，谋求更快发展的 5 年。全市国民经济和社会发展要高举邓小平理论伟大旗帜，按照“三个代表”的要求，认真贯彻党的十五大和十五届五中全会精神，全面落实省委、省政府的总体部署，坚持以发展为主题，以结构调整为主线，加快推进“打基础、调结构、治环境”三件大事，突出抓好“特色经济、产业优化、科教兴市、城镇扩张、民营经济、可持续发展”六大战略重点，努力提高经济增长的质量和速度，提高综合经济实力和人民生活水平，切实加强精神文明建设和民主法制建设，全力维护社会政治稳定，促进经济和社会全面进步，努力实现在全省率先发展、建设中西部经济强市的目标。

会议认为，2001 年是“十五”计划的开局之年，也是临汾撤地建市后首届政府任期的起步年，一定要把今年的工作做好。要继续把农业放在经济工作的首位，切实加强农业和农村工作。要加强农田水利建设和生态建设，加大科技兴农力度，全面提高乡镇企业发展水平，要切实抓好扶贫和小康建设，认真落实党的各项农村政策。

会议指出，结构调整是各项经济工作的主线，要继续抓好潜力产品，深入开展“项目年”活动，以项目建设为切入点，推动产业产品调整顺利入轨。农业结构调整要通过产业化经营和优势产业的培育，在发展优质产品、农副产品加工龙头企业，以及农产品市场上有新的突破。工业结构调整要集中力量用高新技术和先进适用技术改造提升传统产业，同时大力发展高新技术企业。第三产业的调整，要突出抓好市场建设、旅游业开发和现代服务业 3 个重点。坚定不移地实施科教兴市战略，集聚技术和人才新优势；抓住撤地建市的机遇，加快中心城市建设，大力推进城镇化进程；优化民营经济发展环境，培育新的经济活力，坚持人口、资源、环境与经济社会协调发展，积极完善社会保障体系。在加快经济发展的同时，还要大力推进社会主义精神文明建设，积极推进社会主义民主和法制建设，加强社会治安综合治理，切实维护社会稳定。

会议认为，2001 年目标已经明确，关键是抓好落实。要求新一届政府不辱使命，不负众望，为民执政，改革兴政，依法行政，科学理政，从严治政，努力使本届政府成为勤政、务实、廉洁、高效、有作为的政府。

会议号召，全市人民要高举邓小平理论伟大旗帜，紧密团结在以江泽民同志为核心的党中央周围，在省委、省政府和市委、市政府的正确领导下，认清形势，抢抓机遇，同心同德，开拓创新，认真贯彻落实市一届人大一次会议精神，圆满完成今年的各项任务，为实现临汾在全省率先发展、建成中西部经济强市的目标而努力奋斗。

临汾市第一届人民代表大会第一次会议关于临汾市 2001 年国民经济和社会发展计划草案报告的决议

（2001 年 1 月 20 日临汾市第一届人民代表大会第一次会议通过）

临汾市第一届人民代表大会第一次会议计划和预算审查委员会经过审查，并经全体代表大会审议，决定批准闫家富同志受临汾市人民政府委托所做的《临汾市 2001 年国民经济和社会发展计划草案的报告》。

会议认为，临汾市人民政府提出的 2001 年国民经济和社会发展计划草案贯彻党的十五届五中全会精神，贯彻省委、省政府和市委的总体部署和要求，指导思想是正确的，整体构架是清晰的，总的安排是切实可行的。

会议要求，全市各级人民政府在 2001 年要紧扣发展主题，继续推进以调结构为中心的“三件大事”。要突出重点，加大力度，加快产业结构调整步伐，培育新的经济增长点。要进一步放开政策，广辟财源，加大基础设施建设力度。要综合整治环境，进一步提高环境质量。要进一步解放思想，转变观念，深化改革，扩大开放，培养和造就人才，努力营造发展经济的宽松环境。要保持社会稳定，关心群众疾苦，使城乡人民群众生活质量有新的提高。

会议认为，当前形势紧迫，机遇很好，任务明确，广大人民思富心切，关键在于组织落实。

会议号召，全市各级人民政府特别是各级领导干部，要继续以邓小平理论和江泽民“三个代表”重要思想为指导，在市委的正确领导下，动员和依靠全市人民，同心协力，开拓前进，为全面完成2001年国民经济和社会发展计划，进而实现率先发展，把临汾市建成中西部经济强市而奋斗。

临汾市第一届人民代表大会第一次会议关于临汾市2001年财政预算情况草案报告的决　议

（2001年1月20日临汾市第一届人民代表大会第一次会议通过）

临汾市第一届人民代表大会第一次会议计划和预算审查委员会经过审查，并经全体代表大会审议，同意张传华同志受临汾市人民政府委托所做的《临汾市2001年财政预算情况草案的报告》，大会决定批准这个报告。

会议认为，临汾市人民政府提出的2001年总预算和市本级预算草案，全面贯彻党的十五届五中全会和全省经济工作会议精神，预算安排与我市经济增长是相适应的，指导思想是正确的，体现国家积极财政政策，体现量力而行、量入为出的原则，预算收入保持一定的增长速度，预算支出体现了支持国民经济和社会各项事业发展的要求，重点安排事关改革、发展和稳定大局的支出项目，以及法律法规增加的支出项目，对于加快社会保障体系建设，维护社会稳定必须的支出，行政事业单位工资性支出及经费性支出，教育事业与技术创新的支出，加强农业基础地位，扶贫与农民增收的支出等都列为重点，增加投入，预算收支安排和完成预算任务的措施是务实可行的。

会议号召，全市各级人民政府在2001年要切实安排和执行好今年的预算。要进一步加大财源建设力度，加强税收征管，强化财政监督与管理，优化支出结构，发扬艰苦奋斗、勤俭节约的优良传统，解放思想，开拓创新，扎实工作，动员和依靠广大人民群众，为完成2001年的预算任务而努力奋斗。

临汾市第一届人民代表大会第一次会议关于临汾市中级人民法院工作报告的决议

（2001年1月20日临汾市第一届人民代表大会第一次会议通过）

临汾市第一届人民代表大会第一次会议审议王冀波院长所做的《临汾市中级人民法院工作报告》。会议认为，临汾市中级人民法院紧紧围绕全市工作大局，在以往坚持以邓小平理论和党的十五大精神为指导，认真履行宪法和法律赋予的职责，加强审判工作，加大司法改革和执行力度，各项工作取得新进展的基础上，提出2001年工作的主要任务是务实可行的。会议决定批准这个报告。

会议要求，临汾市中级人民法院要继续高举邓小平理论伟大旗帜，全面贯彻党的十五大和十五届三中、四中、五中全会精神，以维护社会稳定为重点，认真履行宪法和法律赋予人民法院的职责，全面推进各项审判工作，严厉打击各种刑事犯罪和经济犯罪活动，依法保护人民合法权益。继续加大法院自身建设和改革力度，坚持不懈地抓好队伍建设，进一步提高法官的政治和业务素质，坚决清除司法队伍中存在的腐败现象，自觉接受人大监督，狠抓执法责任制和错案责任追究制的落实，确保司法公正，充分发挥人民法院在依法治市，维护社会稳定，促进改革开放和现代化建设中的重要作用，为顺利实施“十五”计划创造稳定的社会环境和良好的法治环境。

临汾市第一届人民代表大会第一次会议关于临汾市人民检察院工作报告的决议

（2001年1月20日临汾市第一届人民代表大会第一次会议通过）

临汾市第一届人民代表大会第一次会议审议胡兴甫检察长所做的《临汾市人民检察院工作报告》。会议认为，临汾市人民检察院紧紧围绕全市工作大局，在以往坚持以邓小平理论和党的十五大精神为指导，认真履行宪法和法律赋予的职责，积极推进检察改革，大力加强基层检察院建设，维护社会稳定，保障改革，促进发展等方面做了大量工作，取得新的进展的基础上，提出2001年工作的主要任务是务实可行的。会议决定批准这个报告。

会议要求，临汾市人民检察院要继续高举邓小平理论伟大旗帜，全面贯彻党的十五大和十五届三中、四中、五中全会精神，以维护社会稳定为重点，全面正确履行检察职责，加大查办职务犯罪工作的力度，依法严厉打击各种犯罪活动，加强法律监督和犯罪预防工作，深化检察改革，自觉接受人大监督，大力加强检察队伍建设，继续狠抓执法责任制和错案追究制的落实，清除司法腐败，确保公正司法，充分发挥人民检察院在依法治市，维护社会稳定，促进改革开放和现代化建设中的重要作用，为顺利实施“十五”计划创造稳定的社会环境和良好的法治环境。

临汾市第一届人民代表大会第一次会议关于依法治市的决议

（2001年1月20日临汾市第一届人民代表大会第一次会议通过）

依法治市是坚持和实施党中央提出的依法治国基本方略的具体实践，是加速依法治国进程，建设社会主义法治国家的主要环节，也是临汾市390万人民的共同愿望。全市各级国家机关、人民团体、社会组织、企业事业单位和广大人民群众，特别是领导干部，一定要站在全局的高度，认清形势，统一思想，积极投身到依法治市的实践中来，牢固树立依法治市的观念，把依法治市的工作融入到改革、发展和稳定的各项工作中去，尽早实现强市富民的宏伟目标。

一、完善政治体制，坚持根本制度

人民代表大会制度是我国的根本政治制度。邓小平同志曾经指出：“政治体制改革方面有一点可以肯定，就是我们要坚持实行人民代表大会制度”。在新世纪，本市社会主义民主政治建设的一项重要任务，就是要加强地方国家权力机关建设，加强人大工作，使人大及其常委会充分有效地行使宪法和法律赋予的各项职权。要按照“三个有利于”的标准，选准事关国计民生和社会发展全局的重要事项，选准事关“打基础、调结构、治环境”，率先发展，建设中西部经济强市的战略举措，正确运用好决定权；要坚持党管干部的原则和人大依法任免干部的一致性，正确运用好人事任免权；要在工作监督和法律监督中，把重点放在依法行政和公正司法方面，不断提高监督质量，推动人大监督向深层次发展。

同时，要加强基层政权机关和群众性自治组织建设。全面贯彻执行居民委员会组织法、村民委员会组织法，完善村民自治，加强社区民主建设，坚持和完善以职工代表大会为基本形式的企业民主管理制度。继续扩大基层民主，实行政务、村务、厂务公开。注重发挥基层群众性自治组织的作用，切实保障人民当家作主的民主权利。全力推进民主选举、民主决策、民主管理、民主监督的落实。积极探索发展基层民主的规律，对有利于人民群众直接行使民主权利的新做法、新经验，要认真总结，加以推广。

二、注重普法教育，提高公民素质

人民群众是依法治市的主体。法律只有为广大人民群众所掌握，依法治市才有坚实的基础。全市各级、各部门要从思想观念上解决重人治、轻法治，重政策、轻法律的倾向，把法律宣传教育作为基础性工作纳入经常性工作计划之中，建立普法工作责任制，实行目标管理，责任到人，真正把普法工作由“软”任务变成“硬”指标。要多渠道、多形式、深入持久地开展社会主义法制教育，提高全体公民的法制观念。在全市形成以基层依法治理为基础，行业依法治理为支柱，地方依法治理为主体的依法治市新格局。各级领导干部要带头学法、用法、懂法、守法，正确执法，在全市上下形成一种信仰法律、崇尚法制，严格依法办事的良好社会风尚。

依法治市要和社会主义精神文明建设紧密结合。法制建设既是精神文明建设的重要组成部分和内在要求，也是推动精神文明建设顺利进行的强大动力和有力保障。要弘扬爱国主义精神、集体主义精神和社会主义理想，逐步形成团结、互助、友爱、和谐、平等、自由、正义、人道的社会主义道德风尚。要努力建立适应社会主义市场经济发展的思想道德体系，大力倡导社会公德、家庭美德和职业道德。加强科普宣传，反对封建迷信，破除陈规陋习。要注意吸收我国传统文化中的精华，努力推进依法治市的进程。

三、抓好监督检查，确保依法办事

当前，一些地方和部门消极腐败现象的滋长和蔓延，极少数干部缺少法律约束，搞权钱交易，以权谋私，侵犯人民的利益，严重破坏党和政府的形象，造成很坏的社会影响，人民群众对此强烈不满，要求人大加强监督的呼声越来越高。在推进依法治市进程中，各级人大及其常委会要通过大力推行执法责任制、述职评议、“三账”监督等有效监督形式，促进政府机关依法行政，规范行政行为，不断增强执法的公开性和透明度，切实保障公民、法人和组织的合法权益。要通过建立和完善冤案、错案责任追究制和执法责任公示制，保证司法机关独立公正地行使审判权和检察权，不断提高执法水平和办案质量，坚决杜绝“人情案”、“关系案”、防止滥用权力、贪赃枉法、欺压群众、违法违纪以及地方保护主义等问题的发生。要依法改进和加强对国民经济和社会发展计划以及财政预算执行情况的监督检查力度，实现由程序性监督向实质性监督的转变。加强对全市重大决策、重大事项、重点工程和重点项目的经常性监督检查。要把执法检查同舆论监督结合起来，敢于触及重大违法案件，形成舆论声势和震慑效应。

依法行政，公正司法是建立法制国家的核心内容。行政机关在依法治市中处于举足轻重的地位。随着政府职能的转变，依法行政，用法律手段调节和管理社会生活各个领域的活动，将成为政府机关活动的重要形式，行政执法将成为政府机关的重要工作。各级政府和部门要坚持依法决策，依法行政，依法管理。要严格按照法定职权和法定程序行使权力。坚决克服有法不依、执法不严、违法不究甚至以言代法、以权压法、徇私枉法、执法犯法等不良现象，自觉维护法律的尊严和权威。要用制度规范执法主体、执法程序和执法行为，逐步实现行政和行为的规范化和经济社会事务管理的法制化。

同时，要坚持不懈地抓好执法队伍和司法队伍的思想政治教育、政策法规教育和业务素质培训，切实加强对执法人员的考核、任用、奖惩，从严惩治违法违纪行为，努力建立一支忠于法律，忠于人民，纪律严明，清正廉洁，业务过硬的高素质执法队伍和司法队伍。

四、加强党的领导，推进治理进程

依法治市是一项宏大的系统工程，是一项长期而艰巨的战略任务，涉及到全社会整个政治生活、经济生活、文化生活的各个方面和各个环节，必须充分体现党委的领导作用，始终坚持党的领导。依法治市的各项工作要在市委统一领导下，动员社会各方面的力量，协调一致，齐抓共管，积极稳妥、扎实有序地进行；要不断研究和探索依法治市中的新情况、新问题，保证依法治市工作的正确方向。要充分发挥人大的主导作用。各级人大及其常委会要把依法治市作为一项根本任务来抓，积极研究和探索依法治市的实现形式。要充分发挥政府的主体作用。各级政府和部门要结合实际认真制定本地区、本部门依法治理工作的实施意见，并认真组织实施，务必把依法治市的工作落到实处。各级普法依法治理领导组要真正起到组织、协调、监督、检查的作用，发挥好普法、执法、司法、法律监督、法律服务和规章制度建设等方面的指导作用。各级政府要将依法治市工作所必需的经费列入财政预算，切实保证依法治市工作的正常开展。各级普法依法治理办事机构、司法行政部门要加强调查研究，及时总结推广典型经验，推动依法治市工作不断深入开展。通过全市人民的共同努力，把临汾的依法治市工作推向前进，把有着数千年文明历史的古都平阳建设成为一个政治民主、经济繁荣、文化发展、社会进步、环境优美的新兴现代化强市。

代表名单

临汾市第一届人民代表大会代表名单
（以下分选举单位按姓名笔划排列）

尧都区（共 66 名）

丁新玲（女）卫喜才 王五保 王巧兰（女）
王冬生 王希春 王金保 王建刚
王家喜 石 有 石俊清 卢天录
卢金城 田 云（女） 兰维成
吉金仓 任晓虎 任跟心（女）
刘大吉 刘小蛋 刘晓燕（女）
刘爱凤（女） 刘海水 孙延林
孙明旺 杨怀旺 李中印 李玉琴（女）
李吉秀 李杰玲（女） 李宝文
宋茂林 补根柱 张天宝 张立业
张传华 张志刚 张来成 张秀香（女）
张杰胜 张转芳 张春芳 张秋喜
陈志华 陈俊渤 卓玉玲（女）
岳更生 郝建悌 赵景范 侯仙记
侯福江 段克己 段 波 柴建新
徐炎捷 徐锦华 高小水 宰林庆
曹学义 宿青平 蒋 森 谢武生
靳延志 樊仓花（女） 樊纪亨
潘刘锁

侯马市（共 26 名）

王永乐 王宏儒 王阿家（女） 王冀波
田怀宇 冯玉金 冯春玲（女） 吉仁谦
米耀璟 许金玲（女）李山林 李天海
李秀兰（女） 李俊胜 严天文 张如意
张克功 张伟能 范喜俊 赵迎春（女）
赵建民 董彩霞(女) 蒋忠仁
谢碧玲（女） 解桂梅（女） 裴本德

霍州市（共 28 名）

王月喜 王刘明 宁雪清（女） 朱志红
任麦杏 任福耀 刘朱锁 刘杨虎
刘启文 刘建中 孙玉莲（女）
杨元洲 苏勤义 李艾珍（女） 李兰平
李秀明 张丽珍（女） 范学惠（女）
房安国 宣为民 郭秋平 崔惠民
阎翠凤（女） 梁若皓 韩会明
董凤妮（女） 董正中 翟红荣

曲沃县（共 21 名）

卫凤兰（女） 文尚龙 付孟喜 乔成家
刘林海 祁立义 买林祥 孙爱芳（女）
李文祥 李占德 张兰香（女）张夙兰（女）
张岗望 迪德俊 郑步电 郝奎文
赵金有 都沁萍（女） 常红云（女）
崔衍政 薛愿兵

翼城县（共 28 名）

丁有祥 王秀敏（女） 冯炎亮 成洪才
齐方俊 祁 民 孙守月 孙守娟（女）
杨万波 苏青莲（女） 李小龙 李纯泰
李 娟（女） 张北管 张菊香（女）
陈长禄 武保安 林红英（女） 苗元礼
周喜萍（女） 庞军兴 郑延昌 孟凡民
栾兆俊 黄登高 鹿英杰 葛景梧 翟 峰

襄汾县（共36名）

马彩绒（女） 王红星 王明杰 毛婉英（女）
邓茂祥 石雪爱（女） 田治生 申公元
史兰娥（女） 史爱国 师如江 乔武祥
乔建军 乔德才 刘志民 关宝泉
杜小海（女） 李万定 李世荣 李秋晏
李 俊（女） 邱小林 张百管 张兴泉
张作明 张福莲（女） 陈玉士 陈振华
陈敏芳（女）林泽忠 胡根引 赵雪琴（女）
耿喜云（女）柴春槐 徐树荣 高中管

洪洞县（共51名）

王千良 王吉善 王金翠（女） 王宝祥
公银芬（女） 孔文明 石宝兴 左志刚
史蓝盘（女） 田家彧 仝立祥 邢洪全
成巧梅（女） 朱耀洪 刘恒飞 杨和生
杨银奎 杨鹏万 李广琴 李小明
李安玲（女） 李志刚 李学桂 李建民
李根建 李清生 李禄娃 李媛媛（女）
邱争战 张云锦（女） 张兰梅（女）
张国宝 陈拥军 林 旭 胡兴甫
郝国龙 郝国记 段春霞（女）夏改芬（女）
柴高潮 郭建荣 郭新胜 高洪元
黄黑蛋 梁南征 梁炳奎 靳 薇（女）
雷甲寿 蔺林克 樊晓华（女）魏金顺

乡宁县（共20名）

王水金 王吉祥 卢健清 任艳萍（女）
刘奎生 孙秀枝（女） 杨泽平（女）
李建发 连玖成 张巧枝（女）
张玉吉 张丽珍（女） 张连水
张 健 赵建国 赵俊瑞 高光挺
阎玉宁 窦正森 翟前进

浮山县（共15名）

王生荣 白建荣 乔月峰（女） 刘玉和
刘合心 刘 根 李玉明 张金凤（女）
张晓红（女） 张淑琴（女） 庞青战
郑茂生 赵耀景 郭文虎 高清亮

汾西县（共16名）

亢海银 吕红梅（女） 任林庆 刘少飞
刘红芳（女） 刘砚田 李平郎 张双花（女）
张彦萍（女） 张德英 陈长水 阎玉记
韩凯权 韩福元 程小红 樊国俊

隰 县（共14名）

丁和顺 卫兰田 马百旺 王文英
王春莲（女） 任岩松 刘传旺
谷志丽（女） 郑建文 郭良生
高金花（女） 阎云海 阎家福
解会民

永和县（共9名）

王醒安 田根茂 白新民 冯书霞（女）
冯明珠 任记文 李玉爱（女） 郑向晨
郭行杰

大宁县（共9名）

王 林 王蛇英（女） 任县宁 刘世全
杨玉龙 李平平（女） 张隰生 房廷重
程红剑

蒲 县（共13名）

于润香（女） 王淳厚 仇振刚 刘敏祥
安双喜 李全锁 李秀丽（女）周英英（女）
郭桂英（女）常海安 常富顺 崔保彦
霍五奎

吉 县（共12名）

左梅珍（女） 刘俊珍（女） 孙勤学
杨鸿森 张敖彦 张晓丽（女）

原学义　原胜利　崔福瑞　梁荣森
梁洪运　翟维勤

古　县（共12名）

王　勇　孔凡萍（女）　吉连英（女）
安双荃　孙林峰　杨临生　李建国
李爱元　李爱国　张茂才　侯北记
黄翠莲（女）

安　泽（共12名）

马东喜　王素清（女）吕福义　乔俊梅（女）
祁寒冰　李永林　尚　旭　郝忠礼
赵红兵　贾明珠　梁天运　尉亚平（女）

解放军代表团（共6名）

丁向阳　于舰钢　云景新　李　峰
张鸿斌　霍　勤

政协临汾市第一届委员会第一次会议

大会盛况

1月15日下午，政协临汾市第一届一次会议召开第一次主席团会议。市委副书记张岗望，政协工委主任侯建华、副主任李秉泰、市委组织部副部长梁若玉等58名大会主席团成员参加会议。会议由大会秘书长陈保堂主持。会议审议通过主席团常务主席建议名单和常务主席会议主持人建议名单，政协临汾市第一届一次会议大会副秘书长名单（草案），政协临汾市第一届一次会议日程（草案），大会工作机构及工作人员名单（草案），政协临汾市第一届一次会议提案审理办法（草案），关于会议期间委员提案截止时间的决定（草案）等议程。

会后，政协第一届一次会议又立即召开主席团常务主席第一次会议。会议审议并通过政协临汾市第一届一次会议各次会议主持人名单（草案），审议并通过大会主席团轮执主席名单（草案），审议通过政协临汾市第一届一次会议列席人员名单（草案）。

16日上午，政协临汾市第一届委员会第一次会议在临汾交警支队会议室开幕。来自全市各界的293名委员出席会议。

上午9时，临汾政协工委主任侯建华宣布大会开幕，乐队奏中华人民共和国国歌，少先队员献花献辞，大会还宣读社会各界、民主团体等发来的贺辞、贺信。

在大会主席台前排就坐的有省政协副主席聂向庭、省政协经济环境资源委员会副主任秦作栋，市领导樊纪亨、张岗望、张茂才、陈长禄、侯建华、陈保堂和张传华、方熔、成继东。在主席台就坐的还有市委常委刘传旺、翟维勤、耿根喜、李平郎、卢健清、张鸿斌及退下来的老同志董启民、张国彦、程满仓、李木达等。

市委副书记张岗望致开幕词，省政协副主席聂向庭发表讲话。

下午，政协临汾市第一届一次会议第二次主席团会议在黄河大酒店西2楼会议室召开。会议由市委副书记张岗望主持。

会上，市委常委、组织部部长刘传旺就市政协一届委员会主席、副主席、秘书长、常务委员人选做了说明。组织部副部长梁若玉宣读协商通过市政协一届一次会议选举办法（草案）；协商提出市政协一届委员会主席、副主席、秘书长、常务委员候选人建议名单（草案）；协商提出大会选举总监票人、监票人、总计票人、计票人名单（草案）。

17日上午，政协临汾市第一届一次会议主席团常务主席召开第二次会议。会议由市委副书记张岗望主持。

会议协商讨论通过政协临汾市一届一次会议选举办法（草案），审议通过政协本届委员会主席、副主席、秘书长、常务委员候选人名单（草案）；协商讨论通过大会选举总监票人、监票人、总计票人、计票人名单（草案）。

18日上午，政协临汾市第一届一次会议第二次大会在临汾交警支队3楼会议室召开。本次大会选举产生政协临汾市第一届的领导班子。

大会应到委员297人，实到293人。会议由大会执行主席张岗望主持。

大会常务主席陈保堂宣读政协临汾市主席、副主席、秘书长、常务委员选举办法（草案），全体委员举手表决通过；在大会执行主席张岗望主持下，全体委员一致通过总监票人、监票人，总计票人、计票人名单。

9时40分左右，293名委员陆续投票。

12 时左右，总计票人王志权宣布点票结果。张岗望当选政协临汾市第一届委员会主席，陈保堂、李秉泰、赵兰田、张传华、方熔、成继东当选副主席，宋发科当选秘书长，王中央等45人当选常务委员。

政协临汾市一届一次会议第二次大会刚结束，即召开政协临汾市第一届委员会第一次主席会议。新当选的市政协主席张岗望主持会议。会议审议通过政协临汾市一届一次会议政治决议（草案）；审议通过政协临汾市第一届委员会主席在闭幕会上的讲话；研究决定召开市政协第一届委员会第一次常委会议有关事项。

政协临汾市第一届委员会第一次会议，于18日下午召开闭幕大会。

樊纪亨、张岗望做重要讲话。会议由陈保堂主持。

会议通过政协临汾市第一届委员会一次会议提案审查报告；通过政协临汾市第一届委员会一次会议政治决议。

新当选的政协临汾市第一届委员会主席张岗望发表讲话。

大会领导和工作机构

政协临汾市第一届委员会第一次会议
主席团名单

（2001年1月15日政协临汾市第一届委员会第一次会议预备会议通过）

（按姓氏笔划为序）

卫玉贵　方　熔　王三星　王中央
王志权　王建国　王青梅（女）
王晓龙　孔明珍（女）　白临生
申新民　安双喜　江立开　安泽民
刘佩兰（女）　刘胜章　刘喜明
成继东　孙根荣　宋发科　宋庆云
张传华　张庆珠　张岗望　张建华
张家俊　李秉泰　李晋昌　陈怀生
陈保堂　陈增秀　郑文礼　孟凤鸣（女）
杨永生　杨益民　柳淑芝（女）
赵　燕（女）　赵兰田　贺申发
侯建华　郝焕玲（女）　柏福虎
郭申生　郭百亮　郭晓燕（女）
郭鸿禧　柴安幸　高成明　高标达（女）
曹学森　曹贵宝　梁三捷　梁若玉
黄登高　海道文　释常修　裴中平
魏青禄

政协临汾市第一届委员会第一次会议
大会秘书长名单

（2001年1月15日政协临汾市第一届委员会第一次会议预备会议通过）

大会秘书长：陈保堂（兼）

政协临汾市第一届委员会第一次会议
提案审查委员会名单

（2001年1月15日政协临汾市第一届委员会第一次会议预备会议通过）

主　任：李秉泰

副主任：王中央

委员：（共13人，按姓氏笔划为序）

卫正义　　马红星　　陈元喜　　杨宝林
杨益民　　段爱国　　柳淑芝（女）
高成明　　高标达（女）　郝焕玲（女）
郭晓燕（女）　郭鸿禧　　魏鸣斋

政协临汾市第一届委员会第一次会议
常务主席名单

（2001年1月15日政协临汾市第一届委员会第一次会议第一次主席团会议通过）

张岗望　　侯建华　　陈保堂　　李秉泰
赵兰田　　张传华　　方　熔　　成继东
宋发科

政协临汾市第一届委员会第一次会议
常务主席会议主持人名单

（2001年1月15日政协临汾市第一届委员会第一次会议第一次主席团会议通过）

常务主席会议主持人：张岗望

政协临汾市第一届委员会第一次会议
大会副秘书长名单

（2001年1月15日政协临汾市第一届委员会第一次会议第一次主席团会议通过）

大会副秘书长：宋发科　　梁若玉　　段协平
安泽民　　郝焕玲（女）
王丁锁

会议公告

政协临汾市第一届委员会第一次会议公告

中国人民政治协商会议山西省临汾市第一届委员会第一次会议，于2001年1月16日召开。经过全体与会委员充分酝酿，民主协商，以无记名投票方式，于1月18日选出政协临汾市第一届委员会主席、副主席、秘书长和常务委员。现公告如下：

主　席：张岗望

副主席：陈保堂　　李秉泰　　赵兰田
张传华　　方　熔　　成继东

秘书长：宋发科

常务委员：（按姓氏笔划为序）

卫玉贵　　王三星　　王中央　　王建国
王晓龙　　王青梅（女）　孔明珍（女）
白临生　　申新民　　安双喜　　安泽民
江立开　　刘佩兰（女）　　刘胜章
刘喜明　　孙根荣　　宋庆云　　张庆珠
张建华　　李晋昌　　陈增秀　　郑文礼
孟凤鸣（女）　　杨永生　　杨益民
柳淑芝（女）　　赵　燕（女）
贺申发　　郝焕玲（女）　　柏福虎
郭申生　　郭百亮　　郭晓燕（女）
郭鸿禧　　柴安幸　　高成明　高标达（女）
曹学森　　曹贵宝　　梁三捷　　梁若玉
海道文　　释常修　　裴中平　　魏青禄

政协主席、副主席简历

政协临汾市第一届委员会
主席、副主席简历

张岗望同志简历

张岗望　男，汉族，1943年2月生，山西新绛县人，大学文化程度，1967年9月参加工作，1965年6月加入中国共产党。现任市政协主席。

1967年9月大学毕业后因“文革”学生未分配，继续在学校；1968年8月在部队锻炼；1970年2月任临汾钢铁公司政工组、保卫组干事；1976年6月任临汾地委组织部干事；1982年4月任中共侯马市委组织部副部长；1983年4月任临汾地区检察分院副检察长；1983年9

月任中共临汾地委委员、临汾地区公安处第一副处长；1984 年 7 月任中共临汾地委委员、政法委书记；1985 年 4 月任中共临汾地委委员、地区纪律检查委员会书记；1990 年 12 月任临汾行署副专员；1996 年 9 月任中共临汾地委副书记；2001 年 1 月 18 日当选政协临汾市第一届委员会主席。

陈保堂同志简历

陈保堂 男，汉族，1944 年 1 月生，山西省乡宁县人，研究生学历，1964 年 7 月参加工作，1970 年 11 月加入中国共产党，现任市政协副主席。

参加工作后在乡宁县进修校、县委办公室工作；1975 年后任乡宁县委办公室副主任、涯下乡党委书记、县委办公室主任；1983 年 1 月任乡宁县政府副县长；1984 年 1 月任大宁县政府副县长；1984 年 8 月～1986 年 1 月在中央农业管理干部学院北京农大分院学习；1986 年 1 月任临汾地委办公室副主任；1989 年 1 月任蒲县政府县长；1992 年任吉县县委书记；2000 年 3 月任政协临汾地区工委副主任。2001 年 1 月 19 日当选为政协临汾市第一届委员会副主任。

李秉泰同志简历

李秉泰 男，汉族，1942 年 11 月生，山西省曲沃县人，大学文化程度，无党派，1967 年 7 月参加工作，现任市政协副主席。

参加工作后在临汾县韩村电站工作；1972 年 8 月在临汾县水利局工作；1976 年 12 月任临汾县水利局副局长；1983 年任市水利局副局长；1991 年 1 月任原县级临汾市政协副主席；1991 年 10 月任原县级临汾市副市长；1996 年 12 月任政协临汾地区工委副主席；2001 年 1 月 18 日当选为政协临汾市第一届委员会副主席。

赵兰田同志简历

赵兰田 男，汉族，1949 年 4 月生，山西省临汾市尧都区人，大专文化程度，1969 年 3 月参加工作，1971 年 6 月加入中国共产党，现任政协副主席。

参加工作后在农村插队；1972 年 1 月后在临汾市贾得乡、段店乡、团市委工作；1982 年 9 月～1984 年 7 月在山西省委党校中青年干部培训班学习；1984 年 8 月后任永和县副县长、副书记、县长、书记；1996 年 7 月任临汾地委副秘书长；1997 年 4 月后任临汾地委统战部副部长、部长；2001 年 1 月 18 日当选为政协临汾市第一届委员会副主席。

张传华同志简历

张传华 男，汉族，1945 年 4 月生，山西省临汾市人，大专文化程度，1964 年 3 月参加工作，1965 年 5 月加入中国共产党，现任市政协副主席。

参加工作后任临汾县县底镇民办教师；1964 年 3 月在临汾县吴村公社、贺家庄公社搞“四清”；1966 年 10 月任临汾县小榆乡供销社主任；1969 年 2 月任临汾县土门水泥厂生产组组长；1974 年 8 月任临汾县化肥厂车间主任；1976 年 4 月任临汾县铁厂、耐火砖厂党支部副书记；1982 年 7 月任临汾市选煤厂筹建组副组长；1984 年 6 月任临汾市建材水泥厂厂长；1987 年 10 月后任翼城县政府副县长、县委副书记；1992 年 3 月任临汾行署财政局党组书记、副局长；1995 年 3 月后任临汾行署财政局局长、党组书记；2001 年 1 月 18 日当选为政协临汾市第一届委员会副主席。

方熔同志简历

方熔 男，汉族，1949 年 12 月生，浙江省绍兴市人，大学文化程度，中学高级教师，1978 年 9 月参加工作，1989 年 4 月加入中国民主促进会，现任市政协副主席。

参加工作后在临汾县刘村镇北刘中学任教师；1982年9月任临汾市刘村中学校长；1997年任原县级临汾市政协副主席；1998年8月任太原市东大学校小学校长；1999年7月任原县级临汾市人民政府副市长；2000年11月任尧都区人民政府副区长；现任省政协委员、民进临汾市筹委会主任；2001年1月18日当选为政协临汾市第一届委员会副主席。

成继东同志简历

成继东 男，汉族，1954年6月生，山西省古县人，大学文化程度，副研究员、三级律师，1968年参加工作，现任市政协副主席。

参加工作后在霍州市扬枣卫生所从事司药、乡医工作；1972年3月～1975年10月在山西医学院医学系学习；1975年10月～1979年10月任霍州市卫生防疫站防疫科负责人；1979年10月任霍州市人民医院内科医生；1985年7月任霍州律师事务所副主任；1989年7月任霍州市法制局副局长；1992年12月任霍州市环保局副局长；1993年5月任霍州市政协副主席；1998年8月任霍州市政府副市长；现任民建临汾市筹委会主任、民建山西省委委员；2001年1月18日当选为政协临汾市第一届委员会副主席。

会议决议

中国人民政治协商会议
山西省临汾市第一届委员会第一次会议
政治决议

中国人民政治协商会议山西省临汾市第一届委员会第一次会议，于2001年1月16～18日在临汾市隆重举行。会议选举产生市政协第一届委员会主席、副主席、秘书长、常务委员；就全市政治、经济和社会发展中的重大问题进行充分的协商和认真的讨论。

与会委员结合临汾实际，对深入贯彻落实中共中央十五届五中全会精神，实施好“十五”计划，促进临汾政治、经济、文化等方面在新世纪快速、健康发展，提出重要的意见和建议。

会议认为，21世纪是中国进入全面建设小康社会并加快推进现代化的重要历史转折时期。临汾撤地建市，是临汾390万人民政治经济生活中的一件大事，是临汾发展史上的重要里程碑，标志着临汾进入一个新的发展阶段。新临汾市的建立，对于进一步加强城市功能建设，发挥城市的辐射带动作用，推动和促进消费需求，加快临汾改革开放和现代化建设事业的步伐，具有重要的现实意义和深远的历史意义。与会委员一致坚决拥护国务院、山西省政府批准临汾撤地建市的重大决策，并就加强城市建设，突出城市功能，加快全市经济建设和社会发展，提出许多建设性的意见，希望通过撤地建市，进一步理顺行政管理体制，尽快建立起适应社会主义市场经济体制的办事高效、运转协调、行为规范的领导新体制，带领全市人民，把一个充满活力、充满希望的新临汾建设的更加美好。

会议认为，中共临汾市委书记樊纪亨同志在本次会议上的讲话，对政协临汾工委成立以来的工作给予充分肯定和高度评价；对撤地建市后，人民政协在改革与发展的伟大事业中，所处的特殊地位和重要作用做了深刻阐述。这对于加强和改善市委对政协工作的领导，加快推进全市社会主义民主政治建设，具有重要的指导意义。全市各级政协组织要高举爱国主义和社会主义两面旗帜，坚持正确的政治方向，加强团结，发扬民主，维护稳定，促进发展，推进政协履行职能的规范化、制度化建设，切实加强自身建设，为开创我市政协工作新局面而努力奋斗。与会委员对我市全面完成“九五”计划的主要目标表示满意，对即将实施的“十五”计划充满信心。委员们希望新的一届政府在全面总结好“九五”的基础上，要在新的起点上，全面科学规划好“十五”计划。这是实现我市第三步战略部署的伟大开端，对全市经济和社会的长远发展意义重大。要继续推进我市的改革开放和现代化建设，坚持速度和效益、质量和数量、规模和结构的统一，转变经济增长方式，不断提高经济增长的速度和效益，保持全市经济持续快速健康发展；要坚持在发展中推动经济结构调整，在调整中保持快速发展，努力提高全市农业、工业、服务业的水平和效益，合理调整生产力布局，加强环境保护，重视生态建设，推动全市经济协调发展和城乡经济良性互动，实现可持续发展；要坚持通过改革实现体制创新，完善社会主义市场经济体制，以更加积极的姿态参与国内外竞争合作，全方位实施对外开放，推进科技创新和进步，全面实施素质教育和加速人才队伍建设；要加强社会主义民主法制建设，加大反腐倡廉力度，加快依法治市进程；要按照全面建设小康社会和加快推进现代化的要求，把提高全市人民的收入水平和生活质量摆在重要位置，完善社会保障制度，搞好社会综合治理，保障全市人民安居乐业。

会议强调，围绕中心，服务大局是人民政协履行职能必须遵循的基本原则，是政协工作不断开创新局面的基础。全市各级政协组织和参加政协的各党派、各团体及各族各界人士，要充分认识肩负的重要历史责任，始终坚持以经济建设为中心，坚定不移、坚持不懈，真正做到一切围绕这个中心，一切为了这个中心。全市各级政协组织一定要紧紧围绕经济建设这个中心，服务于党委、政府的工作大局，就人民群众普遍关心的、党委政府迫切需要解决的社会热点、难点问题、深入开展专题调研，积极建言立论，主动协商议政，为全面促进临汾经济转型升级和健康、快速发展，运筹谋划，献智出力。

会议强调，“团结和民主”是人民政协工作的两大主题。新一届政协要充分发挥政协凝聚人心，团结各界的独特功能，为实现全市经济发展和社会进步专心致志、竭心尽力、献智出力；全市各级政协组织要贯彻团结民主精神，加强和巩固爱国统一战线，坚持民主原则，运用民主方法，确保各项民主协商制度得以认真实施，各种民主形式得到充分运用，各条民主渠道更加畅通有效；要努力增强协商的力度，提高对重大问题的协商水平，增强委员参与协商的使命感和主动性，鼓励支持和保护政协委员行使民主监督的权力，努力推进社会主义民主政治建设。

会议强调，全市各级政协组织和参加政协的各党派、各团体及各族各界人士，要始终坚持在中国共产党的领导下开展工作。要切实贯彻执行“长期共存、互相监督、肝胆相照、荣辱与共”的方针，多做了解民情、体察民意、集中民智的工作，积极反映社情民意；大胆探索加强民主监督的新路子，以灵活多样和有效的形式，使民主监督更加富有成效；积极协助党委、政府做好协调关系、化解矛盾、理顺情绪、沟通思想的工作，切实维护全市安定团结、政通人和的政治局面，要坚决贯彻“和平统一、一国两制”方针，为发展两岸关系，早日实现祖国统一多做贡献。

会议号召，全市各级政协组织和参加政协的各党派、各团体及各族各界人士，要高举邓小平理论伟大旗帜，坚持中国共产党在社会主义初级阶段的基本理论、基本路线和基本纲领，继承和发扬人民政协的优良传统和作风，充分发挥政治协商、民主监督、参政议政的职能作用，努力团结一切可以团结的力量，调动一切积极因素，把全市各界人士的智慧和力量，凝聚到中共临汾市委提出的经济建设和社会发展目标上来，同心同德，扎实工作，为临汾的率先发展和早日建成中西部经济强市多做贡献！

政协委员名单的决定

关于政协临汾市第一届委员会委员名单的决定

（2001 年 1 月 4 日政协临汾市第一届委员会筹委会第二次会议通过）

经中国人民政治协商会议临汾市第一届委员会筹委会第二次全体会议协商决定，同意张岗望等297名同志为政协临汾市第一届委员会委员，现予公布（按姓氏笔划为序）：

中国共产党临汾市委员会（15名）

王三星　王中央　王志权　安泽民
陈保堂　陈增秀　宋发科　张传华
张岗望　郑文礼　郝焕玲（女）
柳淑芝（女）　赵兰田　柴安幸　梁若玉

中国国民党革命委员会临汾市委员会筹委会（6名）

郭鸿禧　王　祁　梁三捷　刘保绒（女）
范文明　郑九云

中国民主同盟临汾市委员会筹委会（7名）

杨益民　赵　燕（女）　杨新民　陕金刚
武贵河　滑启宁　窦慧萍（女）

中国民主建国会临汾市委员会筹委会（5名）

成继东　高标达（女）　王悟全　李广民
罗建义

中国民主促进会临汾市委员会筹委会（5名）

方　熔　郭申生　马跟云　段爱国
郭正旭

九三学社临汾市委员会筹委会（3名）

高成明　咸保建　樊秋英（女）

无党派人士（11名）

马红星　卫文虎　卫玉贵　刘吉昌
任华红（女）　李太平　李秉泰
苏书红　贺登新　曹贵宝　强志胜

临汾市总工会筹备组（7名）

毕　伟　刘宝龙　赵天柱　郭晋泉
续克刚　褚恒山　蔚黄洲

临汾市妇女联合会（10名）

王妙红（女）　王燕莉（女）　刘淑红（女）
孙云霞（女）　李记娥（女）　何　艳（女）
孟凤鸣（女）　郭印玲（女）　郭晓艳（女）
薛风兰（女）

中国共产主义青年团临汾市委员会（6名）

王志勃　朱亚慧（女）　陈　政　陈怀生
梁毅民　樊艳萍（女）

临汾市青年联合会筹备组（4名）

李晋昌　张穴麇　杨建宏　程志宇

临汾市工商业联合会（19名）

于跃生　王和平　王建国　王满钢
刘宏达　孙中海　李　娟（女）
张文霞（女）　张东才　张华杰
陈元喜　吴小荣　吴建邦　吴晋龙
季　新　柏福虎　高喜荣　秦旭东
龚德发

临汾市归国华侨联合会（5名）

王晓民　汪立开　何海云　沈晓静（女）
赵培华

临汾市科学技术协会（6名）

古长宏　许根喜　杨生宝　张庆珠
贺申发　郭永强

教育界（24名）

亢西民　王玲玲（女）　王晓龙　冯登明
刘文昌　刘凤清（女）　刘桂芳（女）
刘超英（女）　许江敏　沈玉民
杨水竹（女）　杨勇翔　张玉亮　张杨管
张浚祥　张清俊　张新春　庞金斗
党志珍（女）曹宇鹏　曹春莲（女）
程继莲（女）窦秋玲（女）　薛云彪

科学技术界（17名）

卫正义　王青梅（女）　刘胜章　李千钧
李生元　宋文敏　杨永生　杨宏斌
杨相儒　张晓峰　房隰平　郭百亮
梁岩华　葛振基　韩景映　漆天天
魏青禄

社会科学界（3名）

周桂峰（女）　郭小萍（女）　贾成奎

文化艺术界（11名）

孔明珍（女）　刘乐民　许爱英（女）
朱源洪　孟祥生　宋庆云（女）
赵　梅（女）　郭泽民　贾双平
贾岩鸿　谢俊杰

农业界（17名）

牛　伟　边小虎　卢庆民　巩代生
刘卓奇　刘裕年　闫秋风（女）　陈旭光
李太奎　李秀英（女）　吴江平　张宝贵
张旭晨　赵根群　柴跃进　曹学森
韩保全

体育界（5名）

马光明　王朝丽（女）　刘江安
徐先增　梁新泉

新闻出版界（8名）

白　琦　刘记保　刘喜明　刘新德
孙言兵　陈福兰（女）　杨木林
檀晋光

医药卫生界（14名）

王　景　王朝才　王耀谦　卢莲香（女）
刘佩兰（女）　刘建宏（女）　刘洪珍（女）
闫国强　李和平　郑黎光　秦国杰
尉金平　裴中平　籍海宁

宗教界（4名）

买明亮　孙根荣　段月安　释常修

社会救济福利（3名）

刘　伟　张国栋　袁尤素福

少数民族（5名）

白炳文　白临生　杨克琳　海道文
董素莉（女）

经济企业界（37名）

马　骏（女）　邓春臣　王九梅（女）
王培勤　史红旗　申新民　安双喜
刘建龙　祁东木　祁银珠　任保才
师兴无　许福贵　朱建民　陈龙华
李　钢　李龙飞　李庆玺　李张民
李德福　吴世相　肖登峰　杨建平
张宏观　张青云　张建华　张英瑞
武洪胜　瓮祥记　姜四清　郭青俊
韩春荣　焦安民　赖保成　裴军宏
薛永明　魏鸣斋

特别邀请人士（40名）

丁　勇　马小泉　卫喜才　王　震

白银柱　　田文阳　　祁　平　　关玉福
刘金龙　　朱掌印　　杜　敏　　陈　刚
李　瑞　　李天福　　李玉衡　　李光亚
李桂英（女）　　　　杨红旗　　杨宝林
张连国　　张宏福　　张建中　　张拽牛
张保安　　张家俊　　张逢海　　张越铁
赵　靖　　侯建华　　侯明俊　　段新民
高　远　　高俊合　　高剑峰　　郭和顺
梁淑娟（女）　　　　黄登高　　董天录
雷　涛　　樊成良

文　献

中国共产党临汾市第一次代表大会开幕词

2001年3月8日

刘合心

各位代表、同志们：

这次代表大会，是在党的十五届五中全会结束不久，临汾撤地设市，迈向新世纪，开始实施“十五”规划的重要时刻召开的。这次大会的主要议程是：（1）听取和审议中共临汾市委的工作报告；（2）听取和审议临汾市纪律检查委员会的工作报告；（3）选举中共临汾市第一届委员会；（4）选举中共临汾市纪律检查委员会。

迈进充满希望的21世纪，撤地设市掀开了临汾历史新的篇章，中国共产党临汾市第一次代表大会的召开，标志着临汾党的建设又迈上一个崭新的起点和开端。回顾过去临汾党组织团结带领全市人民积极投身革命和建设的伟大实践，使临汾发生了翻天覆地的变化。特别是党的十一届三中全会以来，历届地委坚持以经济建设为中心，解放思想，真抓实干，全区政治稳定、经济发展、社会进步、人民生活水平不断改善，两个文明建设不断迈上新台阶。胜利实现“九五”经济建设和社会发展的战略目标，取得显著成绩，积累丰富经验，把我们的现代化建设事业推向了新的阶段。今天，经过紧张周密的筹备，中国共产党临汾市第一次代表大会隆重召开。我们可以自豪地说，临汾已经站在新的历史起点，翻开新世纪再创辉煌的崭新一页。

目前，我们正处于新世纪开元的重要时刻。今后5年，我们国家将要全面建设小康社会，加快推进社会主义现代化建设，这是全党全国的奋斗目标，也是我们全市上下共同的奋斗目标。我们面临的任务是十分光荣而艰巨的。今后5年，是承前启后、继往开来的5年；是积累后劲、蓄势待发、为我市经济全面发展创造条件的5年；是加快速度、奋力争先、实现率先发展、建设经济强市的关键性5年；也是带领全市人民脱贫致富、实现共同富裕至关重要的5年。

这次大会的召开，是临汾市人民政治生活中的一件大事。全市共产党员和人民群众对这次大会寄予殷切期望，各位代表肩负着神圣的使命，任重而道远。希望与会代表坚持以邓小平理论为指导，按照江泽民总书记“三个代表”的要求，实事求是地分析我们面临的形势和任务，充分认识我们的有利条件和不利因素，发扬成绩，正视问题，集思广益，畅所欲言，研究制定切实可行的兴临方略，认真讨论和规划今后5年临汾市经济社会发展的宏伟蓝图。要坚持党性原则，加强组织纪律，从党和人民的利益出发，以高度负责的态度，选出一个众望所归，能够带领全市共产党员和人民群众开拓进取、艰苦奋斗、在全省实现率先发展、建设中西部经济强市的新市委。我们要通过这次代表大会，把全市人民动员起来，团结起来，凝聚起来，振奋起来，开创临汾社会主义现代化建设的新局面。

各位代表、同志们，本次代表大会肩负着非

常重要的历史使命。我们相信，在省委的亲切关怀下，在全体代表的共同努力下，我们一定能把这次代表大会开成一个团结的大会，鼓劲的大会，不负众望的大会，继往开来、奋发进取的大会！

预祝大会圆满成功！

贯彻三个代表重要思想 全面加强党的建设 为实现率先发展 建设经济强市而努力奋斗

在中国共产党临汾市第一次代表大会上的报告

2001 年 3 月 8 日

樊纪亨

各位代表、同志们：

现在，我代表中共临汾市委向大会作报告。

中国共产党临汾市第一次代表大会，在新世纪第一春隆重召开，这是一次承前启后，继往开来的重要会议，是临汾发展史上一个崭新的里程碑。大会的主题是：高举邓小平理论伟大旗帜，认真落实“三个代表”重要思想，深入贯彻党的十五大、十五届五中全会和山西省委七届十次全会精神，动员全市广大党员干部和人民群众，团结奋斗，开拓进取，努力实现率先发展，把临汾建设成为中西部经济强市。

确定这样的主题，是新世纪新阶段党赋予我们的光荣使命和历史重任，体现省委对我们的要求和厚望，代表全市人民的根本利益和共同心愿。

历史的回顾

临汾自古是华夏文明的重要发祥地，历史悠久，人杰地灵。20 世纪 20 年代初就涌现出以无产阶级革命家彭真为首的一批共产主义先进分子。1926 年春，临汾开始创建党的组织，是山西省建党较早的地区之一。

土地革命时期，先后保存、恢复和建立了 20 个党的组织；抗日战争结束后，全区建立和延续下来的有 4 个地级党组织，253 个党支部；解放战争后期，全区党员人数发展到 18683 名。新中国成立后，中共临汾地方组织的建设进入新的发展时期。1950 年 1 月 1 日，中共临汾地委成立。1954 年 9 月，成立了中共晋南地委，下属 30 个县委和 1 个镇委。1970 年 3 月 21 日，经国务院批准，将晋南分设临汾、运城两个地区。1971 年 5 月，曾召开过一次中国共产党临汾地区代表大会。中共临汾地委辖 17 个县（市）委。2000 年 6 月 23 日，经国务院批准，临汾撤地设市，下辖 1 区 2 市 14 个县。11 月 1 日，新的中共临汾市委正式成立。到 2000 年末，全市共有基层党委 410 个，总支 483 个，支部 9935 个，党员总数达到 186070 人。在改革开放的伟大实践中，党的建设不断加强，党的队伍不断壮大，各级党组织的凝聚力和战斗力不断增强，形成振兴临汾的坚强领导力量。

临汾建立党组织近 80 年来，走过了光辉的历程，创造了伟大的业绩。在土地改革、抗日战争和解放战争时期，党领导临汾人民艰苦奋斗，浴血奋战，进行不屈不挠的革命斗争，为民族的独立和解放做出了巨大贡献。建国后，临汾人民在党的领导下，迅速医治战争创伤，恢复和发展国民经济，完成对生产资料所有制社会主义改造，有计划地进行社会主义建设，临汾的面貌发生翻天覆地的变化。特别是党的十一届三中全会以来，我们认真贯彻党的“一个中心，两个基本点”的基本路线，及时把党的工作中心转移到经济建设上来，改革开放步伐加快，经济持续快速发展，社会各项事业全面推进，人民生活水平不断提高。

党的十五大以后，全市广大党员干部群众高举邓小平理论伟大旗帜，进一步开创了临汾改革、发展、稳定的新局面。可以说，党的十五大以来的3年，是各级党组织锐意进取、集中精力抓大事的3年，是各级领导班子勇于创新、扎实工作的3年，是全市广大干部群众团结一致，奋力拼搏的3年，是党的建设、干部制度改革取得显著成效的3年，是全市经济发展较快、面貌变化较大的3年。

3年来，我们认真贯彻落实党的十五大精神，按照中央和省委的总体部署，结合临汾实际，不断深化改革，扩大开放，提出并实施“打基础、调结构、治环境”的工作思路，圆满完成“九五”计划，全市经济发展速度、综合经济实力、人民生活水平实现了预期目标，综合经济发展速度、综合经济实力、人民生活水平实现了预期目标，综合经济指标考评连续3年位居全省前列。在基础设施建设方面重点抓了120个工程项目，建成了霍候一级公路、汾河百公里石坝、2.67万公顷汾河滩涂开发治理、东西两山6.67万公顷高标准基本农田和生态建设工程等一批标志性项目。产业结构调整方面，重点抓了73个骨干调产项目建设和13个潜力产品开发，发展一批精品农业试点、高科技农业示范园区和农产品加工龙头企业，加快传统产业改造和新兴产业培育，形成一批带动力强的骨干企业和潜力产品，结构调整成功起步。环境治理方面，重点实施关闭5小企业、企业污染治理达标和城市环境综合整治，使环境质量得到明显改善。

3年来，我们始终坚持加强党的建设，努力提高党组织的凝聚力和战斗力，提高党员队伍的思想素质，认真开展“三讲”集中教育，使各级领导班子和领导干部普遍受到一次严格的党性和党内政治生活锻炼，思想政治素质得到明显提高，工作作风明显转变；大胆进行干部制度改革和探索，坚持和完善“两票一绩制”，按照公开、平等、竞争、择优的原则，公开选拔县级领导干部，对一些重要岗位推行竞争上岗，端正用人导向，匡正用人风气，增强干部队伍的活力；全面实施以创建党建先进单位为主要内容的基层组织建设工程，下功夫抓农村后进支部整顿、乡镇党委整顿建设和各类经济组织及企业、学校、机关、街道、社团的党的建设，使党组织在两个文明建设中发挥政治核心和战斗堡垒作用。

3年来，我们坚持不懈地推进社会主义精神文明建设，加强和改进思想政治工作，提高全民的科技文化和思想道德水平。广大群众投身改革发展的热情更加高涨，整个社会风气明显好转，社会各项事业全面进步。

回顾总结党在各个历史时期的实践，我们得出的结论是：无论在任何时候、任何情况下，都必须坚持和加强党的领导，这是我们不断夺取胜利的根本保证。

坚持和加强党的领导，就必须强化执政意识。我们党是执政党，党的各级组织和广大党员一定要自觉地维护执政党的地位，坚定不移地贯彻执行党的路线、方针、政策，坚定不移地在政治上同党中央保持一致。

坚持和加强党的领导，就必须坚持党的解放思想、实事求是的思想路线，坚持以邓小平理论和江泽民同志“三个代表”的重要思想武装头脑，统一意志，始终保持思想上的先进性。

坚持和加强党的领导，就必须坚持党的基本路线，始终以经济建设为中心，牢固树立“发展才是硬道理”的观念，一切以“三个有利于”为标准，全力推动经济持续快速健康发展。

坚持和加强党的领导，就必须相信和依靠人民群众，始终以广大人民群众的根本利益为出发点，把提高广大人民群众的物质文化生活水平作为我们一切工作的落脚点。

坚持和加强党的领导，就必须全面加强党的建设，认真解决党在思想、组织、作风上存在的突出问题。

坚持和加强党的领导，就必须坚持“两手

抓，两手都要硬”的方针，把精神文明建设作为建设中国特色社会主义的重要内容，加强教育，着力治本，努力提高全民族的整体素质。

党政军民学，东西南北中，党是领导一切的。全党同志在任何时候都要牢固树立党的观念，坚定不移地维护党的执政地位。只有这样，国家才能兴旺，民族才有希望。

形势和任务

回顾过去，我们充满胜利的豪情；展望未来，我们对美好的前景充满信心。站在新世纪的起点上，我们任重而道远。这次党的代表大会的召开，标志着撤地设市工作的完成，标志着临汾经济和社会发展已经进入一个崭新的阶段。党的工作必须迅速适应新的形势和任务的要求，为迎接新的机遇和挑战做好充分准备。

我们必须清醒地看到，目前国内外大形势的发展变化正在对临汾市经济和社会发展产生重要影响。世界范围内科学技术突飞猛进，以信息化、数字化为主要特征的知识经济蓬勃发展；全球经济结构调整方兴未艾，全国经济结构的战略性调整将加速推进；结构性过剩的运行态势仍将持续，需求对经济发展的约束进一步加大；社会主义市场经济体制在全国基本建立，市场机制在资源配置中的基础性作用日益增强；经济全球化趋势进一步发展，中国将加入世贸组织，对外开放不断扩大；国家实施西部大开发战略，区域经济格局将有重大调整。所有这些，都将给本市带来新的机遇和挑战。从全省来看，各地市都在按照山西省委、省政府的战略部署，调整各自的发展思路和重点，“十五”一开局就摆开了竞争的架式，尤其是运城、长治、晋城更是咄咄逼人。从临汾市的情况看，经济总量在全省的位次虽排在前面，但人均指标却一直徘徊在 7、8 位；目前还有 2 个国家级贫困县，7 个省级贫困县，9 个财政补贴县；有 5 个县国内生产总值排在全省后 10 位，有 8 个县财政收入排在后 15 位；中西部 219 个地市中，临汾市经济总量排在 78 位，人均排到 113 位。面对这样的形势，四平八稳不行，慢慢腾腾不行，畏首畏尾不行，一定要增强紧迫感和危机感，下定决心，奋起直追。挑战和机遇同在，困难和希望并存。在看到差距的同时，我们更要看到有利因素，增强加快发展的勇气和信心。我们临汾有着良好的自然资源和人文条件，经过历任党委和政府的努力，发展有了一个好的基础，综合实力显著增强，基础设施大为改善，优势产业逐步形成，更为重要的是，造就和锻炼出一批团结坚强的领导班子，一大批勇于开拓的党员干部队伍，一支敢为人先的企业家和产业领头人队伍。我们完全有条件、有信心加快发展，走在全省前列；我们一定要为临汾的发展殚精竭虑，顽强拼搏，在“十五”期间干出一番业绩。我们确定的总目标和总任务是：认真实践“三个代表”重要思想，全面推进党的建设，奋力实现在全省率先发展，决心把临汾建设成为中西部经济强市。为实现这个总的目标和任务，我们必须统一意志，凝聚力量，科学运筹，把握主动，总揽改革、发展、稳定大局，拿出明确的实现总任务和总目标的指导方针和原则，这就是：

（一）必须把省委的要求同我们的设想结合起来，科学确定发展规划

临汾在山西的总体布局中举足轻重，省委主要领导对临汾的发展给予厚望，给予多方面的支持，要求临汾率先发展。在最近召开的山西省九届人大四次会议上，省委书记田成平同志在参加临汾代表团讨论时再次指出：临汾的工作是很不错的，经济发展比较快，财政收入增长比较快，人气很旺。只要把广大干部群众都引导到经济建设上来，引导到经济结构调整上来，临汾在好的基础上，在好的发展状态面前，振作精神，扎实工作，就一定能够走在全省的前头，实现率先发展。这表明了省委对临汾市的肯定和信任，更是对我们的希望和激励。

我们提出建设中西部经济强市，其目的就是站在更高的视角来设计临汾的未来。只有跻身于中西部经济强市之列，才能在山西一路领先。经过充分研究论证，今后5年，临汾市经济发展的主要目标是：国内生产总值达到276亿元，财政总收入达到24亿元，农民人均收达到3560元，进出口总额达到7655万美元，增长速度都要达到两位数以上。到2005年，在经济增长速度和质量、综合经济实力、人民群众生活水平“三个提高”上取得明显成效，跨入中西部50强。实现这个目标是艰巨的，但通过努力是完全可以达到的。全市广大党员干部一定要把思想统一到这个目标上来，做到坚持推进“三件大事”的思路不动摇，为实现率先发展、建设经济强市而共同努力！

（二）必须把整体推进和重点突破结合起来，奋力实施6大战略

坚持务求实效的原则，把发展重点明确化、具体化，取得实质性进展。特色经济战略：从临汾市实际出发，集中领导精力和人才、技术、资金，做优煤焦传统产业，建设在全国有影响的焦化、铸造两大基地；做强医药、化工、生物制品、新型建材、有色金属、冶炼等新兴产业，使其尽快成长为新的经济支柱；做大特色种植、特色养殖和农产品加工业，加快向规模化、产业化发展。力争3～5年时间，形成1700万吨优质原煤、1000万吨机焦、400万吨生铁、100万吨精密铸造、40万吨有机复合肥、30万吨煤焦油、10万吨电解锌、5万吨粗铜、6万吨柠檬酸、2万吨丁醇和10万吨鲜果饮料生产能力。结构优化战略：在发展布局上，重点培育沿河沿路经济增长带，带动全市经济整体上水平。在产业结构上，第一产业要以发展高效农业、特色农业、生态农业和培育农副产品加工龙头企业为重点，力争用3～5年时间，基本实现农业产业化。第二产业要尽快培育一批对全市发展具有支撑和带动作用的企业集团，扶持一批小而强的特色企业，用3年时间，将主焦煤、机制焦、精密铸件、柠檬酸、电解锌、猴头健胃灵、L乳酸、别样红饮料、吉县苹果、隰县梨、永和红枣、古县核桃、翼城小米等13个品牌要在全国打响。第三产业要加快商贸市场和生产要素市场建设、进行旅游产业和信息产业开发，创建一批交易量大、辐射力强、特色明显的专业市场。黄河壶口瀑布、霍州署衙、陶唐峪、洪洞古大槐树遗址、尧庙等5大景点进入全国旅游热线。科教兴市战略：要依靠先进的科学技术构筑后发优势。深化科技体制改革，创建产学研结合的产业开发体系，力争使临汾市科技贡献率达到全省领先水平。大力发展基础教育、职业教育和高等教育，用3年时间，支持临汾师大完成科技教育园区建设，建成临汾师范学院和经济技术学院。要创造新机制，吸引人才，留住人才，用好人才。城镇扩张战略：“十五”期间，要科学规划、合理布局、突出重点、构建特色，充分体现超前性、科学性、可行性、艺术性，全面提高临汾市的城镇水平。临汾城的建设要按照山西南部区域中心城市进行定位，按照50平方公里的区划设计，按照50万人口的规模组织建设，力争用5年时间把临汾建设成象大连那样的生态园林化城市；其余平川6县（市）要做到总体规划，分步实施，争取用5年时间，建成功能齐全、设施配套、管理有序、风景秀丽的张家港式的城市。各县（市）都要实行更加灵活的政策，加快城市建设，鼓励人口向城镇流动，争取到2005年使全市城镇人口的比重达到30%以上。民营经济战略：实施国退民进的方略，采取政策引导、优化服务和重点扶持的措施，鼓励民营企业家和个体私营业主在经济发展中扮主角，唱大戏。要在3年内形成6个销售产值超10亿元的民营企业集团。到2005年，民营经济在全市经济总量中的比重要力争达到60%。可持续发展战略：要进一步贯彻落实计划生育、土地资源和环境保护三大基本国策，努力控制人口数量，提高人口素质，依法保护土地，合理利用资源；加强环境整治，提高生态质量，5年建成碧水蓝天、山川秀美的新临汾。

（三）必须把观念创新和体制创新结合起来，加快改革开放步伐

要进一步解放思想，转变观念，大胆改革创新。进一步推进国企改革，建立和完善国有资产运营和监管体制，完善法人治理结构，鼓励企业通过规范上市、合资联营和参股等形式进行股份制改造，切实盘活国有存量资产，争取1～2户企业上市。进一步引深农村改革，稳定党在农村的基本政策，探索和推进土地适度规模经营；鼓励农民和各界人士承包“四荒”，进行水土治理、绿化和开发性经营；积极稳妥地推进农村税费改革，切实减轻农民负担；建立各种中介服务组织和农村经纪人队伍，发展订单农业；推进乡镇企业体制创新，拓宽发展空间和领域。进一步推进社会保障制度改革，认真落实社会统筹与企业、个人相结合的城镇职工养老保险制度、医疗保险制度和失业保险制度，切实保障城乡居民最低生活水平需要。进一步扩大开放，以开放的观念确定临汾市经济的调整取向和发展重点；改善投资环境，积极引进和扩大利用外部资金；加强信息、交通、旅游、文化、娱乐等基础设施，增强对外资、外商的吸引力；建立招商引资项目库，放开放活招商方式，提高对外经济联系与合作的成功率；积极争取发达地区、大专院校、科研机构和大企业、大集团对全市优势产业和支柱产业的支持；抓住西部大开发机遇，承接东部的产业转移，争取西部的项目联合开发。

（四）必须把发展速度和增长质量结合起来，争取好中求快

实现率先发展目标，必须保持10%以上的增长速度，没有这样的速度，我们的光景就不好过；没有这样的速度，我们在全省就不可能领先；没有这样的速度，我们建设经济强市的目标只能是一纸空谈。但是，讲速度并不是片面的追求速度。没有效益的速度是毫无意义的速度，缺乏质量的增长是不可靠的增长，只有在提高效益和质量的基础上，才能取得实实在在的发展。解决效益和质量问题的主要途径，就是要通过经济结构调整，加快经济增长方式的转变，以集约型经济取代粗放型经济；就是要通过深化改革，充分发挥市场经济体制的新优势，靠市场机制优化资源配置；就是要通过加大科技创新力度，靠高新技术改造传统产业，加快发展新兴产业；就是要通过淘汰那些落后的生产设备、技术工艺和低劣产品，压缩过剩产品的生产能力，尽快实现企业结构和产品结构的升级换代；就是要通过加强管理，促进各类企业苦练内功，从严治企，尽快改变管理水平不适应的状况，靠管理出精品、创品牌、增效益。通过多方面的努力，要打开临汾市经济“以质取胜，好中求快”的新局面。

（五）必须把经济发展同社会进步结合起来，努力实现协调发展

在加快经济发展的同时，要重视抓好各项社会事业的发展，努力做到经济社会协调发展、相得益彰、全面进步。加快教育事业的发展，全面推进素质教育，努力培养高素质创新人才，提高劳动者的整体素质。义务教育要全部实现“普九”达标，完成临汾职业技术学院和师范学院的组建。科技工作要面向经济建设，加快各种实用技术推广和高新技术产业化工程的示范带头作用，建成一批具有较大规模和较强竞争力的高新技术产业园区。加快发展文化事业，抓好临汾新闻中心、广播电视、图书馆、博物馆（晋国遗址、曲村遗址、陶寺遗址）等基础设施建设和“百里文化长廊”工程建设。全面发展卫生体育事业，进一步改善城乡特别是农村卫生服务设施，提高医疗保健水平；重点建设临汾游泳健身中心多功能训练馆。公路交通要以二级路网建设为目标，形成新的格局，完成祁临、临运、晋侯3条高速公路建设。电力建设要重点加强电源和电网建设，加快城网、农网改造步伐，开工建设霍州二电厂一期、侯马发电厂三期、山焦二期700MW机组和一批大型变电站。电信事业要向宽带化、智能化、个人化和综合化方向发展，重点扩大网络规模，提高覆盖率，移动通信容量达到90万门，无线寻呼达到25万门。全面抓好民政、老龄、残疾人、民族、宗教等各项工作。加强党对人民武装的领导，重视做好民兵预备役和国防动员工作，大力发展人民防空事业，进一步密切军政军民关系，继续创建双拥模范城。

（六）必须把转变职能同改善服务结合起来，进一步优化经济发展的软环境

改善软环境，是加快发展的当务之急，必

须以转变政府职能、推进依法行政、整治不正之风、规范管理行为、提高办事效率为重点，全面改善服务，加强服务。坚持依法行政、从严治政、清理各种收费项目，规范执收执罚行为；实行公开办事制度，加强社会监督。对于久治不愈的“三乱”问题，一定要狠下决心，坚决整治，切实维护企业和各种经济实体的合法权益，维护市场秩序，保护公开竞争。要加强部门协调，对于因部门利益、小团体利益或一已私利造成恶劣影响的，要追究责任，严肃处理。实行政企分开、政事公开、政社分离，把事务性和社会中介组织可以负担的职能分离出去，加快政府职能由微观管理向宏观管理、由直接管理向间接管理的转变。改革审批制度，缩小审批范围，减少审批环节，切实提高办事效率。努力建设高效廉洁政府，抓好行政事业单位的机构改革，把过多的人员过重的财政负担减下来。坚持以“三个有利于”标准衡量改善软环境的各项措施，争取在近期内取得明显效果。

（七）必须把以德治市同依法治市结合起来，大力加强社会主义精神文明和民主法制建设

坚持依法治国和以德治国是江泽民同志提出的治国方略。德治就是加强思想道德建设。大力推进以德治市，就是要在全体党员和广大干部群众中，深入持久地开展党的基本理论、基本路线和基本纲领教育，进一步坚定社会主义理想信念，切实加强和改进思想政治工作，深入开展“举旗帜、树形象、比奉献”活动。深入开展马克思主义和社会主义教育，开展社会公德、职业道德和家庭美德教育，努力在全社会形成共同理想和精神支柱。大力提倡文明健康的生活方式，崇尚科学，反对迷信，破除陈规陋习，倡导文明新风，在提高群众物质生活水平的同时，不断丰富群众物质文化生活。深入开展城市创文明社区、农村创文明村镇、行业创文明窗口、居民创文明家庭等群众性精神文明创建活动，营造浓厚的社会主义文化氛围。加强思想宣传工作，搞好舆论建设，进一步巩固社会主义思想文化阵地。繁荣文化事业，加强文化市场建设，开展丰富多彩的群众文化生活。

坚持依法治市，就是要推进社会主义民主法治建设。加强党对人大、政协工作的领导，发展社会主义民主政治。坚持和完善人民代表大会制度，支持地方各级人民代表大会及其常委会依法履行职能。通过代表视察、评议、审议等方式，推进重大决策的民主化、科学化。充分发挥人民政协在政治协商、民主监督和参政议政方面的重要作用，高度重视统一战线工作，全面落实党的民族、宗教、侨务政策，进一步加强对台工作。充分发挥工会、共青团、妇联等群团组织的作用，进一步调动社会各方面的积极性，进一步深化政治体制改革，坚定不移地扩大基层民主，实行民主选举、民主决策、民主管理和民主监督。坚持完善政务、厂务、村务公开制度，保证全体市民依法行使自己的民主权利。建立多层次的民主监督体系，逐步形成深入了解民情、充分反映民意、广泛集中民智决策机制。同时，要深入开展社会主义法制宣传教育，进一步搞好普法工作，增强广大群众特别是各级领导干部的法制观念。积极推进政府工作法制监督，规范执法行为，提高执法水平，努力建设廉洁勤政、务实高效的政府。深化司法改革，强化司法监督，加强司法队伍建设，确保公正司法。

（八）必须把加快经济发展同保持社会稳定结合起来，为建设经济强市提供有力的保障

保持社会政治稳定，是经济社会发展的重要前提和保障，是关系全局的大事。从中国历史上看，有名的文景之治、贞观之治、康乾盛世都是由于有一个稳定的社会政治环境。我们临汾近几年之所以有一个较快的发展速度，其根本一条就是得益于班子团结、社会稳定、人气旺盛。我们一定要珍惜、巩固和发展这一良好的局面，始终把维护社会政治稳定作为关系全局的大事来抓。要在全党全社会广泛深入开展同“法轮功”邪教组织的斗争，依法严厉打击各种邪教活动；认真落实社会治安综合治理措施，坚持防范与打击相结合，严厉打击各种违法犯罪活动，打击假冒伪劣等各种欺诈行为，扫除“黄赌毒”等丑恶现象，不断净化社会环境；进一步加强民族宗教工作，及时落实政策；正确处理人民内部矛盾，切实加强信访工作，及时化解各种矛盾，认真解决群众关心的热点难点问题，切实维护人民群众的利益，增强人民群众对党和政府的信任。

以上 8 条，既是总目标、总任务的展开，也是我们从以往的实践中总结出来的基本方略和原则，目的在于科学地把握经济和社会发展全局，实现率先发展，建成经济强市。让临汾尽快强起来、富起来，是新一届市委的必然选择，是我们向全市 400 万人民的庄严承诺。只要我们认准目标，坚定信心，坚持原则，狠抓落实，就一定能够创造一个较快发展时期，就一定能够实现率先发展、建设中西部经济强市的目标。

加强党的建设

党是改革开放和社会主义现代化建设的领导核心。实现率先发展目标，建设中西部经济强市，把兴临富民事业全面推向前进，根本在人，关键在党。我们加强党的建设，就是要高举邓小平理论的伟大旗帜，要坚持以江泽民同志“三个代表”的重要思想为指导，充分发挥党在改革开放和现代化建设中的领导核心作用；就是要坚持党要管党，从严治党，全面加强党的思想、组织和作风建设，进一步增强各级党组织的战斗力和凝聚力，始终保持党员队伍的先进性和纯洁性，使我们党在各条战线、各个领域真正发挥领导核心作用。

（一）按照“三个代表”重要思想的要求，进一步加强党的思想建设

江泽民同志关于“三个代表”的重要思想，从根本上回答了在充满希望和挑战的 21 世纪，建设一个什么样的党和怎样建设党的问题，具有深刻的科学内涵、鲜明的时代特征和很强的实践指导意义，是我们党的立党之本、执政之基、力量之源，是加强新时期党的建设的基本纲领。按照“三个代表”的重要思想要求建党，必须坚持把思想上建党放在首位，真正解决好思想上的先进性问题。从整体上讲，我们党不愧为伟大的党，不愧为始终体现着“三个代表”的党。但在新形势下，党内也确实出现了一些与党的性质和宗旨不相符的突出问题。联系临汾市实际，应该严肃指出，以“三个代表”的重要思想要求来衡量，有些党员和干部确实存在着很大差距。比如，有的不思进取，不安心工作，精神不振，消极应付；有的宗旨观念淡漠，官僚主义抬头，把关系群众利益的实事、急事、难事推来拖去；有的热衷于搞形式主义，摆花架子，弄虚作假，欺上瞒下；有的自律意识不强，参与或怂恿不正之风，为了一己私利不惜损害党的形象；有的自由主义严重，对消极的政治调侃不仅不抵制，甚至乐于迎合，自我贬低；有的思想滑坡，斗志衰退，甚至违法违纪，自甘堕落，走向党和人民的对立面；还有的执法不严，办事不公，作风不民主等等。形成这些问题的根本原因，就是放松了思想改造和思想教育，理想信念产生动摇，政治素质出现蜕化。因此，在新形势下，进一步加强党的思想建设显得十分迫切，尤为重要。

加强党的思想建设必须把理论武装放在首位，以理论上的清醒保证政治上的坚定；必须始终贯彻解放思想、实事求是的思想路线，打破思想上的各种束缚，积极适应发展变化，自觉尊重客观规律，努力实践“三个代表”的重要思想；必须不断强化党的宗旨意识，想问题、办事情一切从人民的根本利益出发；必须全面提高政治素质，维护党的政治纪律，在思想上和行动上与党中央保持一致。思想建设的基础是理论建设和理论武装。各级党组织要按照党中央和江泽民总书记提出的要求，高度重视理论学习，切实抓好理论武装工作。要以各级领导班子和领导干部为重点，借鉴“三讲”教育的经验和做法，在讲学习上进一步引深，下更大的功夫。党委中心组学习制度和基层党组织集体学习制度要更好的坚持，班子成员要做讲学习的表率，对各级班子和基层组织抓理论学习的情况要进行经常性督查和考核。认真制定和完善党员干部理论学习和培训计划，加大实施力度，有组织、有重点、分层次地推进理论教育。各级党校要坚持正规培训和重点培训相结合，领导干部培训和基层干部培训相结合，确保教育培训任务的圆满完成。组织部门要把提高党员干部思想政治素质贯穿于组织工作的全过程，作为干部培养、选拔、考核和管理的一项重要内容。宣传部门要在加强理论教育和思想政治工作上采取有效措施，改进方法方式，注意分析和把握党员干部队伍的思想状况，把理论教育、思想发动、舆论引导等方面的工作抓得更加扎实有效。

要发扬理论联系实际的学风，把理论学习与思想和工作实际密切结合起来，做到学以致用。通过加强“讲学习、讲政治、讲正气”的教育，促使广大党员干部牢固确立正确的政治方向，坚定的政治立场，鲜明的政治观点，严格的政治纪律，高度的政治鉴别力和政治敏锐性。要以科学理论为指导，树立正确的世界观、人生观和价值观，增强党性观念，强化宗旨意识，坚定马克思主义的理想信念，坚定建设有中国特色的社会主义的信心。要围绕我们正在做的事情，着眼于理论的具体运用，着眼于对实际问题的理论思考，着眼于新的实践和发展，完整准确地把握邓小平理论的精神实质，深刻理解、努力实践江泽民同志关于“三个代表”的重要思想。

（二）适应新的形势和任务，进一步加强党的组织建设

完成兴临富民的历史使命，必须切实加强各级领导班子建设，建设一支高素质的干部队伍，充分发挥党的基层组织的战斗堡垒作用。要坚持党的干部路线，坚持德才标准和“四化”方针，真正把那些政治立场坚定、勇于开拓创新、工作作风务实、知识素质较高的优秀干部充实到各级领导班子中去。要进一步深化干部制度改革，扩大民主，完善考核，推进交流，加强监督，坚持公开、公正、竞争、择优的原则，提高干部选拔工作的民主和公开程度。对重要岗位、关键岗位上的领导干部实行竞选上岗。要着力推进干部队伍的年轻化，按照中央和省委的要求，力争如期实现各级班子年轻化的目标，同时要重视非党干部和妇女干部的培养、选拔和任用。加强领导班子建设，要与实现率先发展目标有机结合起来，与每个阶段的中心工作结合起来，与落实领导目标责任制结合起来。要保持各级班子的团结统一，认真贯彻民主集中制原则，充分发扬民主，既要反对独断专行的家长式作风，更要克服议而不决、决而不行的不良倾向，在党内保持既有集中又有民主，既有纪律又有自由，既有统一意志又有个人心情舒畅的生动活泼的政治局面。

要进一步增强基层党组织的凝聚力和战斗力。临汾市党的基层组织，大头在农村，重点在农村。中央决定在全国农村开展“三个代表”重要思想的学习教育活动，这是进入新世纪为解决好农业、农村和农民问题进行的一项重要工作，也是加强农村基层干部教育、提高农村基层组织整体素质的迫切需要。各级党委一定要按照中央的要求，高度重视，精心部署，周密安排，深入扎实，切实有效地开展“三个代表”重要思想的学习教育活动。学习教育活动要紧紧围绕推进“三件大事”、实现率先发展，与推动当前工作结合起来，与解决思想问题和实际问题结合起来，为深化农村改革、调整农村经济结构、增加农民收入、维护农村稳定、加快奔小康步伐提供了有力的保证。要深入开展创建“五好”党支部、“六好”乡镇党委和农村基层组织先进单位活动，认真实施培训基层党员干部的“素质工程”。积极推进农村基层干部选拔任用制度改革，选好配强乡镇党委书记和农村支部书记，选派得力干部整顿后进村和贫困村，真正发挥农村党的基层组织在脱贫致富和小康建设中的战斗堡垒作用。国有企业党组织要紧密结合深化企业改革、强化企业管理、提高经济效益和实现国有资产增值开展工作，积极探索企业党组织参与企业重大决策的途径和方法，在推进企业改革和发展中起到有力的政治保障作用。加强非公有制经济组织、街道社区、社团组织、机关学校和科研单位的党建工作，保证党的领导作用在基层的全面发挥。要进一步加强培养新党员的工作，切实改变基层组织党员结构老化的状况，不断增强党员队伍的活力。各级党组织和全体党员，都要认真履行党章规定，努力做贯彻落实党的路线方针政策的模范。

（三）切实加强党的作风建设，进一步密切党同人民群众的联系

江泽民同志指出，党的作风问题，也是党的形象问题，作风不正，形象好不了，必然脱离群众，脱离实际。要认真总结我们党加强作风建设的历史经验和新鲜经验，抓住当前思想作风、领导作风、学风和干部生活作风等党风方面存在的突出问题，通过全党的共同努力，认真加以解决，切实把党的作风建设提高到一个新的水平。我们一定要按照总书记提出的要求，高度重视、认真解决当前干部队伍思想作风上和工作作风上的突出问题。就思想作风而言，当前最重要的还是如何更好地贯彻党的解放思想、实事求是的思想路线。解放思想，我们喊了多少年，与过去比，我们的思想观念、思想方法、思维模式都有了很大改进，但与当前形势任务的要求相比，仍然有很大差距。差就差在有不少同志，包括一些领导同志，小富即安、小变则满、因循守旧、不思进取、无所作为的思想还比较严重，畏首畏尾，患得患失，这也不行，那也难办，没有朝气，不敢闯不敢干，缺乏创新意识和创新精神的倾向还比较普遍。这些严重地束缚着我们的手脚，阻碍着经济的发展。解放思想是一个不断发展、不断适应的过程，没有止点，没有终点，何况我们在解放思想上已经滞后，更应加大力度。我们一定要坚持“三个有利于”的标准，发扬敢闯敢冒敢干的精神，大胆探索创新，勇于和善于在困难的条件下开拓前进。解放思想和实事求是是一致的，是辩证的统一。解放思想不是头脑发热，忘乎所以，不切实际，四处乱碰，而是要在调查研究的基础上，科学认证的前提下，把握规律，抓住关键，以求真务实的态度，做扎扎实实的工作。

就工作作风而言，当前存在的主要问题，也是群众反映最多的热点问题，就是形式主义和官僚主义。对此，必须引起全党上下的高度重视，痛下决心把这两股歪风刹住，越快越好。形式主义只图虚名，不务实效；官僚主义脱离群众，做官当老爷。江泽民同志讲，这是我们党的一大祸害。形式主义、官僚主义不除，“三个代表”就难以落实。各级领导干部和党员干部一定要发扬求真务实的作风，发扬密切联系群众的作风，发扬勇于负责的作风，发扬艰苦奋斗和廉政勤政的作风，时时处处坚持重事实、说实话、务实事、求实效，想群众之所虑，急群众之所难，谋群众之所求，脚踏实地，埋头苦干；要经常沉下去，到矛盾多、困难大、情况复杂、群众最需要的地方去，创造性地开展工作，实实在在地解决关系改革、发展、稳定的突出问题，解决影响群众生产生活的各种实际问题，解决影响发展的主要矛盾；要始终把爱民、为民、富民、安民作为自己的最大责任，以实际行动取信于民。当前，党中央和省委的大政方针是明确的，市委提出的目标、任务、措施也是明确的，关键是结合实际狠抓落实。各级领导一定要扑下身子，真抓实干，已经确定的目标任务一定要圆满完成，已经做出的工作部署要一抓到底，已经提出的口号要实施到位。各级各部门都要把领导干部深入实际解决问题、狠抓落实的情况作为考察政绩的重要内容，作为干部升降去留的重要依据，严格监督，认真兑现。

（四）加强党风廉政建设，深入扎实地开展反腐败斗争

反腐倡廉是关系党和国家生死存亡的重大政治问题。各级党委要坚持一手抓改革开放，一手抓惩治腐败。要继续抓好领导干部廉洁自律、查处大案要案、纠正部门和行业不正之风3项重点工作，务求取得明显成效。要进一步健全党员领导干部的约束机制，规范领导干部的从政行为，重点查办党政领导机关、行政执法机关、司法机关、经济管理部门和县处级以上领导干部的违纪违法案件，严惩腐败分子。继续抓好减轻农民负担和企业负担工作，加大整治“三乱”的工作力度，认真解决群众反映强烈的热点问题。严格实行党风廉政建设责任制，党政主要领导要对职责范围内的党风廉政建设负总责，出现问题要同时追究责任和连带责任，以进一步形成党委统一领导、党政齐抓共管、部门各负其责、全党动手反腐败的局面。要坚持标本兼治，加大治本力度，加强综合治理，从源头上预防和整治腐败。反腐倡廉，教育是基础，法制是保证，监督是关键。要坚持预防和惩治相结合，通过加强思想政治工作，筑起拒腐防变的思想长城；教育党员干部增强政治坚定性、政治鉴别力和政治免疫力，真正做到耐得住艰苦，抗得住诱惑，管得住小节，经得起权力、金钱、美色的考验。党员领导干部要做廉洁自律的表率，要求别人做到的自己首先做到，禁止别人做的自己坚决不做。加强对党政领导干部的监督，做到领导干部的权力行使到哪里，监督就实行到哪里。认真执行领导干部个人收入报告制度，把监督的范围从工作圈扩大到生活圈和社交圈，从8小时内扩大到8小时外。要抓住那些容易产生腐败的薄弱环节，推进体制创新工作，特别要改革行政审批制度，改革干部人事制度，对涉及人财物的管理部门及其工作人员加强约束和监督。要以正面宣传为主，大力宣传廉洁奉公和勤政为民的先进典型，引导广大干部群众认清主流，坚定反腐倡廉的信心，坚定对党的信任。

同志们，在世纪之初，我们召开了这次党的代表大会，明确了今后5年的总目标和总任务，勾画了经济社会发展的宏伟蓝图，目标是鼓舞人心的，临汾的前景是美好的，今后的关键在于落实。5年看头年，开好头，起好步，打好第一仗，至关重要。市委号召，各级党组织和全体共产党员团结起来，全市人民动员起来，在以江泽民同志为核心的党中央和省委的正确领导下，高举邓小平理论伟大旗帜，贯彻“三个代表”的重要思想，同心同德，顽强拼搏，求真务实，开拓进取，为实现率先发展、建设中西部经济强市的目标而努力奋斗！

着力治本　狠抓落实
取得反腐败斗争的新成效

在中国共产党临汾市第一次代表大会上的工作报告

2001年3月8日

张继庆

各位代表、同志们：

我受主席团委托，代表中共临汾市纪律检查委员会向中国共产党临汾市第一次代表大会做工作报告，请予审议。

近年来主要工作回顾

从1950年5月中共临汾地委纪律检查委员会成立，到2000年11月撤地设市成立新的中共临汾市纪律检查委员会，临汾市纪律检查机构的名称和隶属关系随着行政区划的演变，多次发生更迭与变化，其中1993年党政监督体制实行重大改革，党的纪律检查机构与行政监查机关合署办公，改成“一支队伍，两块牌子”，行使党的纪律检查和行政监察双重职能。临汾市纪检监察机构成立以来，无论是在社会主义改造和建设年代，还是在改革开放新的历史时期，在历届党委政府的正确领导下，始终围绕党委和政府的中心工作，认真履行职责，为维护党纪政纪的严肃性，促进经济发展和社会稳定做出重要的贡献。特别是党的十五大以来，在山西省纪委和临汾市委的正确领导下，坚持以邓小平理论和党的基本路线为指导，以经济建设为中心，认真履行党章赋予的职责，把协助党委抓好党风廉政建设和反腐败斗争作为主要任务，积极组织协调，强化监督检查，推动了工作的深入开展，对加强党的建设，促进本市的改革、发展和稳定起到了积极作用。

（一）不断加强领导干部廉洁自律工作，各级领导干部拒腐防变意识明显增强

几年来，我们认真贯彻执行《中国共产党领导干部廉洁从政若干准则（试行）》和《关于党政机关厉行节约制止奢侈浪费行为的若干规定》以及领导干部廉洁自律有关规定，结合实际，狠抓落实，取得了明显成效。

——认真贯彻落实了中央关于厉行节约、制止奢侈浪费行为的规定。全市停建、缓建一批办公楼等建设工程项目，节约资金4590余万元；清理公款安装的住宅电话4969部，对其中符合规定的4469部作价卖给个人；对党政机关、事业单位违规购置使用的398辆小汽车进行纠正处理；严厉制止公款吃喝玩乐，进一步遏制铺张浪费行为。

——认真落实党风廉政建设责任制，强化领导干部抓反腐败工作的责任意识。各级领导干部把落实党风廉政建设责任制作为一件大事来抓，根据工作分工，明确责任，落实任务，一级抓一级，一级对一级负责，确保反腐败各项工作的落实。为保证责任制的落实，我们加大对市级四大班子领导成员和各县（市、区）、市直各单位一把手落实情况的检查力度，严格了责任追究。仅2000年1年，先后对70余名领导干部进行追究，其中县级干部13人。

——领导班子民主生活质量明显提高。几年来，各级纪检监察机关加强对领导班子民主生活会的监督检查，督促领导干部对自身存在的问题进行自查自纠，积极整改。特别是“三讲”教育开始后，各级领导干部按照“三个代表”要求，积极开展批评和自我批评，严肃认真的解决个人思想、作风、纪律、群众观念、党性修养等方面存在的突出问题，民主生活会的质量不断提高。与此同时，各级各部门还采取举办培训班、知识竞赛、开辟报刊和电视专栏、典型案例剖析、警示教育、建立廉政档案等多种形式，开展党性党风教育，党员领导干部廉洁自律意识普遍增强。

（二）严肃查处违纪违法案件，惩处了一批腐败分子

全市各级纪检监察机关把查办违纪违法案件作为反腐败斗争的重中之重，始终坚持查办党政领导机关、行政执法机关、司法机关、经济管理部门和县处级以上领导干部违纪违法案件以及贪污贿赂、挪用公款、严重失职渎职、贪赃枉法、循私舞弊、奢侈浪费、吸毒贩毒、严重违反政治纪律和组织人事纪律、基层干部严重侵犯群众利益、国有企业领导人员违法等案件。1997年以来，共立查案件3149件，给予党政纪处分3122人，其中县处级干部38人、乡科级干部595人、万元以上629人，移交司法机关处理10人。通过查办案件，为国家挽回经济损失2100余万元。为震慑违纪者，警示广大党员干部，先后选择有典型教育作用的706案796人进行公开处理。在查办案件中，对确有错误但不足以立案追究的，进行诫勉谈话；对被诬告的党员干部，及时给予解脱，保护这些同志的改革热情和工作积极性。

各级纪检监察机关加强信访举报工作，群众举报积极性不断提高。1997年以来，全市纪检监察机关共受理群众来信来访、举报电话6247件（次），其中反映县处级干部207件（次），为查办案件提供一批重要线索。通过查处案件，惩处违纪者，维护党纪国法的严肃性，纯洁党员干部队伍。

（三）认真纠正部门和行业不正之风，群众反映强烈的突出问题得到较好解决

针对群众反映强烈的“热点”和“难点”问题，坚持纠建并举，综合治理方针和“谁主管，谁负责”的原则，认真开展纠风工作，取得良好效果。

——“减负”工作效果明显。认真落实农民负担预决算、监督卡和专项审计3项制度，废止违规纠费86项，纠正乱摊派41项，减轻农民负担8596余万元。对有关部门向企业的乱收费、乱摊派、乱罚款行为加强监督检查，取消不符合规定的行政事业性收费、罚款、集资、基金项目302项，减轻企业负担1.56亿元。认真纠正医药购销不正之风，关闭无证和证照不全的药品经营单位435个，查获一批假冒伪劣药品，维护医药市场秩序，保护群众利益。

——“热点”问题得到有效治理。全市先后撤除公路非法站卡92个，查处“三乱”案件203起，处分168人。先后对1125所中小学的乱收费问题进行查处，退还乱收费金额100余万元。针对少数党员干部借婚丧嫁娶等机会大操大办、敛财收礼歪风，几年来，我们不断加大查处力度，同时对当事人所在单位主要负责人实行责任追究。去年以来，全市处理大操大办问题94件、参与公车60辆，处罚金额15万元，有30人受到党政纪处分，有20个单位的主要领导受到责任追究。

——执法监察工作力度加大。各级纪检监察机关围绕党委、政府重要决策的实施，先后开展了粮食流通体制改革及国债资金、“四项资金”和扶贫资金管理使用等专项执法监察，查出违规资金1.17亿元，查处案件366件，处分390人，共计挽回经济损失5518万余元。特别是去年，围绕市委、市政府中心工作，全市对3922个执收罚部门的基层站所进行全方位整顿，清退临时人员3255人，撤并机构168个；开展企业百日大清欠，仅1999年2000年两次共追缴入库3256万元，为全市经济建设和社会稳定创造较为宽松的环境。

（四）加大治本力度，从源头上预防和治理腐败工作逐步深入

各级党委、政府和纪检监察机关坚持标本兼治，逐步加大从源头上预防和治理腐败的力度，以改革会计管理体制、收费管理体制和推行公开办事制度为突破口，大胆探索，取得明显成绩。

——认真落实“收支两条线”规定。以“取消收入过渡户、实行票款分离、集中监督、专户储存、杜绝小金库”为目的，全市在普遍建立“财政集中收费大厅”的基础上，坚持开展对行政事业性收费、罚款及银行账户和票据的清理，撤销违规收费项目99个、账户及收入过渡户1291个，查处违纪金额7070万元，已入专户2113万元，入国库440万元。

——积极推行会计委派制度。全市17个县（市、区）全部成立会计管理机构，有15个县（市、区）和38个市直单位实行了委派、委派会计1402人，其中实行交流的430人。

——村务、厂务、政务公开工作不断引深。全市有3287个行政村实行村务公开，占总数的98%。厂务公开在试点的基础上，已公开598个企业，有效促进企业的民主管理、民主监督和民主决策。全市357个政府机构和3922个基层站所全部实行政务公开。几年来，全市先后对公安等14个部门的行风进行评议，较好地解决群众反映强烈的一些突出问题。

——有形建筑市场管理进一步规范。全市建立有形市场17个，管理人员和评标专家基本到位。检查工程项目733项，纠正违规项目147项，审减高估冒险资金281万元，收缴罚没款656万余元，查处案件145件，处理132人。

——回顾总结近年来的工作，全市党风廉政建设和反腐败斗争之所以能不断取得新的成果，关键在于：一是在反腐败问题上，市委、市政府态度坚定，旗帜鲜明，坚持两手抓、两手都要硬，反腐败的领导体制和工作机制在全市得到较好落实。二是各级纪检监察机关认真履行职责，突出为经济建设和稳定大局服务这个重点，勇于创新，真抓实干。三是各牵头单位和职能部门充分发挥作用，积极配合，齐心协力，有效地促进各项任务的落实。在此，我对全市干部群众给予纪检工作的积极支持、尽力配合，表示衷心感谢。

肯定成绩的时候，我们必须清醒地看到存在的问题和不足：一是一些地方和部门的领导干部对反腐败的重要性和紧迫性认识不足，一些上级安排部署的任务特别是党风廉政建设责任制还没有得到很好落实；二是查处大案要案的力度还不够；三是针对腐败滋生的土壤和条件，进行体制机制制度改革、加大治本力度工作还刚刚起步，有待深化；四是群众反映强烈的一些突出问题，虽经多次治理还时有“反弹”；五是适应新的形势和任务，纪检监察干部队伍素质亟待加强。总之，我们的工作同中央和省委的要求，同本市经济和社会发展的速度以及全市广大干部群众的期望还有一定的差距。对此，各级党委、政府和纪检监察机关要引起高度重视，采取得力措施，认真加以解决。

今后工作的建设

当前和今后几年，临汾市党风廉政建设和反腐败斗争要坚持以邓小平理论和党的基本路线为指导，深入贯彻党的十五大、十五届五中全会以及中纪委五次、山西省纪委九次全会精神，按照“三个代表”重要思想的要求，遵循“围绕一个中心、坚持三项格局、突出源头治理”的工作思路，强化责任，改革创新，狠抓落实。“ 个中心”，就是围绕市委、市政府以经济建设为中心提出的“打基础，调结构，治环境”三件大事搞好服务；“三项格局”，就是坚持领导干部廉洁自律、查办案件、纠正部门和行业不正之风3项工作一起抓；“源头治理”，就是要标本兼治，突出治本，抓几件实实在在的事情。通过这一工作思路的实施，为胜利完成本次党代会确定的奋斗目标和各项任务提供政治和纪律保证。

（一）认清形势，统一认识，加强组织领导，进一步加大反腐败工作力度。

中纪委五次全会对全国当前的反腐败斗争形势做深入分析和研究。这对于我们正确认识和把握反腐败的形势，解决思想上的困惑，确立正确的指导思想和工作思路，确保反腐败斗争深入开展，具有十分重要的指导作用。各级党委、政府和纪检监察机关要认真学习领会江泽民同志工作报告，既要看到反腐败斗争的艰巨性、复杂性和长期性，深刻理解反腐败斗争是一个需要长期认真严肃对待的问题，又要充分认识当前反腐败斗争的严重性、尖锐性，切实增强危机感、责任感和紧迫感。要通过广泛的宣传和教育，理直气壮地肯定我们党反腐败的指导思想和方针政策以及取得的明显成效；理直气壮地阐明全国现阶段出现的腐败绝不是根本制度性的腐败；理直气壮地肯定我们党和干部队伍的主流是好的，我们党完全有能力解决腐败问题，使广大党员干部充分认识到，我们党多年来始终高度重视反腐倡廉，认识在不断深化，措施在不断加强，斗争在不断深入，而且在实践中总结和形成一系列重要认识和经验，从而不断增强反腐败的信心和斗志。首先，要继续坚持反腐斗争的领导体制和工作机制。反腐倡廉是全党全社会的大事，要努力形成党委统一领导，党政齐抓共管，部门各负其责，全党动手反腐败的局面，坚持反腐败3项工作一起抓的工作格局，总体规划，分阶段部署，从群众反映最强烈的问题抓起，不断取得阶段性成果。其次，要继续坚持“两手抓，两手都要硬”的方针，加强统一领导。把反腐败各项任务分解到各级领导和职能部门，与经济工作和其他业务工作一起部署、一起检查、一起落实、一起考核。第三，要继续坚持党要管党、从严治党的方针。从严治党必须全面贯穿于党的思想、政治、作风、纪律和组织、制度建设，切实体现在对各级党组织、广大党员和干部进行教育、管理、监督等各个环节。第四，要继续落实党风廉政建设责任制。要坚持谁主管谁负责的原则，责任到人，逐级落实，党政一把手是第一责任人，副职根据分工各负其责。要健全和完善责任追究办法，出现问题，坚决追究。

（二）突出重点，整体推进，取得反腐败3项工作新进展

1．规范党员领导干部从政行为，加强领导干部廉洁自律工作。重点抓好5个方面的工作：第一，领导干部不准收受以下单位和个人现金、有价证券，即：直接管理和服务的对象；主管范围内下属单位和个人；其他与其行使职权有关系的单位和个人；外商、私营企业主。凡违反规定的，不论数额多少，一律给予党政纪律处分或组织处理；对向领导干部赠送现金、有价证券的有关人员，要严肃处理；涉嫌犯罪的，要依法追究刑事责任。第二，领导干部出国访问，要与其公职身份相称，出访费用要严格控制在本单位外事经费预算范围内；不得接受国内企业以及境外中资企业的资助或邀请出访。第三，规范领导干部离职或退（离）休后的从业行为。县处级以上领导干部在离职和退（离）休后3年内，不准接受原任职务管辖的地区和业务范围的私营企业、外商投资企业和中介机构的聘任，不准个人从事或代理私营企业、外商投资企业从事与原任职务管辖业务相关的经商办企业活动。第四，县级以上领导干部配偶、子女不准在该领导干部管辖的业务范围内个人从事可能与公共利益发生冲突的经商办企业活动；不准在该领导干部管辖的地区和业务范围内的外商独资企业或中外合资企业担任由外方委派、聘任的高级职务。第五，领导干部不准违反规定多占多购住房。各地、各部门要结合实际，有针对性地抓好廉洁自律其他规定的落实，规范领导干部行为。

国有企业领导人员、农村基层干部、街道办事处以及基层执收执罚部门的负责人，都要按照中央提出的领导干部廉洁自律的规定，认真进行自查自纠，切实解决好党性党风方面存在的突出问题。对那些违反规定又不自查自纠的，要严肃查处。

2．加大违纪违法案件的查处力度，严厉惩处腐败分子。要继续坚持重点查处党政领导机关、行政执法机关、司法机关、经济管理部门和县处级以上领导干部的违纪违法案件。特别是要深入查处建设工程、物资采购、房地产交易等经济领域和贪污、贿赂、挪用公款、走私贩私、骗税骗汇、挥霍浪费等经济方面的违纪违法案件，认真查处国有企业领导人员在企业改制、上市、产权变动过程中私分、侵吞、转移国有资产，以及个人擅自决定重大事项给企业造成严重损失的案件。要结合党政机关机构改革和撤乡并镇工作，加大案件查处力度，防止国有资产和集体财物流失以及乱发钱物、公款吃喝送礼等违纪问题发生。还要严肃查处严重违反政治纪律和组织人事纪律的案件；领导干部的配偶、子女和亲属利用该领导干部职权和职务上的影响谋取非法利益的案件；司法干警和行政执法人员贪赃枉法、徇私舞弊的案件；乡镇基层领导干部作风霸道、欺压群众的案件。各级党委必须切实加强对查处案件工作的统一领导，主要领导要积极支持大案要案的查处工作；执纪执法部门要通力协作，互相配合，形成合力；纪检监察机关要认真受理信访举报，拓宽案源，强化办案手段，积极稳妥地运用“两规”“两指”，努力突破大案要案。在查办案件中，要把执行纪律和组织处理紧密地结合起来，对于那些问题严重，群众反映强烈，但一时又难以取得足够证据，不能给予纪律处分的，要按照有关规定进行组织处理。要对近几年处分决定的执行情况进行全面检查。凡是顶着不办、压着不处理或者阳奉阴违的，要严肃追究有关领导的责任。

3．抓住群众反映强烈的突出问题，认真抓好纠风工作。要继续坚持纠建并举、综合治理的方针和谁主管、谁负责的原则，切实加大纠正工作力度。今年在抓好其它几项工作的同时，要重点抓好两项工作：一是继续纠正医药购销中的不正之风。推进药品、医疗服务价格改革和医药流通体制改革，整顿药品价格秩序和药品生产流通秩序，积极推行药品招标采购和医药分开核算、分别管理的制度，要落实医药销售药品收入实行“收支两条线”的规定；二是进一步抓好减轻农民负担和企业负担的工作，加大整治“三乱”的工作力度。在纠风工作中，要结合乡镇政务公开，继续引深执收执罚部门基层站所的治理整顿工作，保护群众利益，维护政府形象。要继续加大执法监察的工作力度，进一步改善投资环境，规范行政行为。国有企业要加强廉政监察和效能监察，改善经营管理，提高经济效益。

（三）改革创新，强化监督，努力从源头上预防和治理腐败

标本兼治、着力治本，是反腐败斗争的努力方向。因此，在今后的工作中，我们必须突出源头治理，通过体制创新逐步铲除腐败现象产生的土壤和条件。结合临汾市实际，当前和今后一段时期，要着重抓好3个方面的工作。

1．建立财务统一结算中心。加强行政事业单位的资金监管，实行财务统一结算。一方面，各县（市、区）和市直要建立财务结算中心，将区域内所有财政拨款的行政事业单位的财务活动全部纳入财务结算中心管理，在保持单位资金所有权、使用权、财务活动自主权不变的前提下，由结算中心统一资金结算、会计核算。另一方面，各乡镇要推行“零户统管”制度，将所属行政、事业单位的财务纳入乡镇“零户统管”工作机构统一管理，会计由财政部门选拔、委派。各单位取消会计机构和会计岗位，只设一名报账员与结算中心联系；不再设银行账户，只在结算中心银行基本账户中设立一个分户；实行“收支直达”，单位预算收入由财政部门直接拔入该单位在结算中心的分帐户，预算外收入由银行或集中收费大厅代收后直接划入财政部门设在结算中心的预算外资金专户，单位支出上解款由结算中心统一办理，工资由结算中心下拔，实行银行代发。其他支出款项从结算中心直达收款单位，或由结算中心按规定核销。通过集中结算，有效防截留、坐支、挪用预算外资金和私设“小金库”以及“三乱”等问题的发生，促进“收支两条线”规定的落实，同时为进一步开展政府集中采购、领导干部经济责任审计以及财务公开等工作提供的有利条件，达到“收入一个口径，支出一个漏斗，管理一个渠道”和“预算统编，会计统派，国库统付，采购统办”的目的。要进一步完善临汾市“财政集中收费大厅”管理制度，与结算中心有效结合和衔接，发挥优势，形成合力，强化监管。此项工作要在全市全面推广。

2．建立政府集中审批中心。当前，政府职能转变不到位，行政审批事项多，审批范围广、行为不规范、监管不力，不仅影响到投资环境的改善、工作效益的提高，而且更重要的是为滋生腐败提供了条件。因此，我们要坚定不移地进行行政审批制度改革。一是要按照建立社会主义市场经济体制的要求，充分发挥市场在资源配置中的基础作用，凡是能由市场调节的，能由中介机构提供服务，能由企业自主决定的事项，该下放的下放，该转移的转移，该调整的调整，该取消的取消。比如，经营性土地使用权出让、稀缺资源分配、产权交易、建设工程项目招标投标、物资采购包括医疗器械、药品的采购等，都要通过市场的公开拍卖、公开竞标。今年要在全面清理的基础上，取消和转移40%左右的现行行政审批事项。二是对确需保留的行政审批事项，要规范管理，建立新的工作机制。比如，把能够集中审批、联合办公、统一管理、公开透明的审批事项都集中起来，建立集中办事、互相监督、权力制衡的工作机制，对规划、土地、工商、税务、车管、建筑市场等审批任务较重的部门和单位，要全面推行一站式审批、一条龙服务的办公模式，建立办公大厅，公开办事程序，公布收费标准，明确审批时限，向社会做出全面的承诺，自觉接受监督。三是严格审批责任和追究制度，要明确规定审批责任和审批义务。并制定严格的处罚措施，出现问题要严肃处理。对已取消的审批事项仍在审批的，要追究部门或单位领导的责任。

3．改革干部人事制度。要全面贯彻中央关于《深化干部人事制度改革纲要》，加强对执行《党政领导干部选拔任用工作暂行条例》情况的监督检查，逐步提高选拔任用干部工作的民主、公开、竞争的程度。选拔任用党政领导干部，必须在规定范围内进行民主推荐；拟任人先要在本单位、本部门进行民意测验，多数群众不赞成的，不能提拔任用；对在年度考核、届末考察中，民主评议不称职标达三分之一以上的领导干部，应免去其现职。县（市、区）党委、政府领导班子正职的拟任人选，逐步做到由市党委常委会提名，党的委员会全体会议审议，进行无记名投票表决。在全会闭会期间，可由党委常委会议做出决定，但在常委会议做出决定前必须征求全委会成员的意见。扩大任前公示制度、公开选拔制度和竞争上岗制度适用范围。除少数特殊岗位外，选拔任用地厅级及其以下党政领导干部，都要实行任前公示制度。要改进干部考察制度，逐步试行干部考察预告制度、差额考察制度和考察结果通报制度。要加大干部交流的力度，特别是对一些重要岗位，要建立健全定期交流制度。

在源头治理、强化监督工作中，必须建立“阳光作业”机制，凡是应该让群众知道、对权力有制约作用的，不论是政务、企务、村务还是人事任免等，都要实行全方位、多层次、多角度公开，增加工作透明度。要对公开的程序、形式、监督和追究方式等明确规定，公开是一项纪律，违反公开规定就是违纪，就要受到处理。要通过公开达到监督，然后通过监督再促进公开。在强化监督的基础上，还要加强党性党风教育，着重解决党员干部在党的宗旨和理想信念方面存在的问题，经受住改革开放和市场经济的考验。

（四）按照“三个代表”重要思想的要求，切实加强纪检监察机关的自身建设

纪检监察机关和纪检监察干部处在反腐败斗争的第一线，面临着腐蚀与反腐蚀的严峻考验，因此，必须按照“政治坚强，公开廉洁，纪律严明，业务精通，作风优良”的要求加强自身建设。一是要围绕中心，服从大局。各级纪检监察机关和纪检监察干部一定要从讲政治的高度，牢固树立以经济建设为中心的意识，紧紧围绕市委、市政府提出的“三件大事”，以廉洁高效、开拓创新的工作精神，为全市经济建设创造宽松的政治环境，为经济发展清障除害，保驾护航。二是要安于清苦，乐于奉献。纪检监察干部要增强责任意识，敬业爱岗，坚持原则，敢于碰硬，自觉抵制不正之风的侵蚀。同时，要加强内部管理，严格办案纪律，对纪检监察干部中发生的违纪违法问题，发现一个，处理一个，决不护短。三是要钻研业务，提高素质。要通过有计划、有步骤地对纪检监察干部的政治、法律、业务水平和综合素质及实际工作能力，以适应新形势和新任务的要求。为适应反腐败斗争要求，根据中央精神，结合临汾市实际，要逐步做到各级纪委书记由同级党副书记担任；派驻纪检监察机构要以上级纪检监察机关领导为主，编制单列；县（市、区）纪委书记、派驻纪检组长、监察室主任一般不从驻在地和部门产生，任期满5年的原则上要轮换和交流。各级党委、政府要根据中央精神，在各级机构改革中，纪检监察机关只能加强，不能削弱。党政主要负责人要经常听取纪检监察机关工作汇报，支持和指导纪检监察机关充分履行职能，支持和保护纪检监察干部依法履行职责。要关心爱护纪检监察干部，为纪检监察机关充分发挥职能，创造必要的工作条件。

同志们，新世纪，新机遇，新挑战，让我们高举邓小平理论伟大旗帜，坚持党的基本路线，在省纪委和市委的领导下，以高度的政治责任感和使命感，团结一致，锐意进取，努力拼搏，使党风廉政建设和反腐败斗争取得新成效，为实现临汾市第一次党代会确定的“努力实现在全省率先发展、建设中西部经济强市”的宏伟目标做出应有的贡献！

中国共产党临汾市第一次代表大会闭幕词

2001年3月10日

张茂才

同志们：

中国共产党临汾市第一次代表大会，在山西省委组织部周晋华、张少波两位领导的指导帮助下，在各位代表的共同努力下，圆满完成了预定的各项任务，今天就要闭幕了。大会高举邓小平理论伟大旗帜，全面贯彻党的十五届五中全会精神，站在历史的新起点和时代的新高度，确定临汾改革和发展的重大方略，进一步动员全市人民，振奋精神，抢抓机遇，加快现代化建设步伐，努力实现率先发展、建设中西部经济强市的目标。大会统一思想，形成共识，鼓舞斗志。可以说，这是一次推动我市经济和社会全面发展的大会，是一次发扬民主、团结鼓劲的大会，是一次继往开来，开拓奋进的大会！

这次大会，审议通过了樊纪亨同志代表中共临汾市委所做的工作报告和张继庆同志代表中共临汾市纪律检查委员会所做的工作报告，并通过了相应的两个决议。大会实事求是地总结临汾建党以来，特别是“九五”以来的工作成就，确定今后5年党的建设和经济社会发展的指导思想、目标任务、工作重点和战略举措，描绘新世纪发展的宏伟蓝图，展示令人鼓舞的美好前景，有着重大而深远的意义，大会的丰硕成果必将载入临汾发展史册。

这次大会，选举产生第一届中国共产党临汾市委员会和中国共产党临汾市纪律检查委员会，充分体现党员的民主权利和党的组织原则，为实现本次大会提出的目标任务提供坚强的组织保证。新一届市委将不辜负全市广大党员和人民群众的期望，肩负起历史赋予的重任，团结带领全市人民沿着大会确定的方向，励精图治，开拓进取，在实现率先发展、建设中西部经济强市的过程中，做出更大的贡献，取得更大的成绩。

同志们，今后5年，是临汾承前启后、继往开来的5年，是改革开放和经济建设机遇难得、非常关键的5年，是新一届市委带领全市人民实现经济大发展、快发展的5年。能否做好这5年的工作直接关系到全市人民的根本利益，关系到临汾的形象，关系到在全省率先发展、建设中西部经济强市的目标的实现。市委号召，各级党组织和全体党员干部一定要认清形势，把握机遇，全面落实好这次大会的精神，以崭新的风貌，良好的形象，踏上新的征程，开始新的奋斗，为实现未来5年的宏伟蓝图不懈努力！

为此，要努力做到以下5点：

第一，必须解放思想，更新观念，不断加大改革创新的力度。解放思想，更新观念，是我们抢抓机遇，率先发展的前提和先导。要适应市场经济的要求，紧跟时代的步伐，大胆打破各种有碍于生产力发展的条条框框，从旧的思想禁锢中解放出来，从传统观念的束缚中突破出来，树立敢想、敢闯、敢冒的精神，大胆探索，勇于开拓，用创新的思维分析判断形势，用改革的办法解决前进中的问题，把党的路线方针政策和临汾的实际紧密地结合起来，创造性地开展工作；要把邓小平“三个有利于”的思想，作为检验和衡量一切是非得失的根本标准，在体制创新的和机制创新上下功夫，凡是有利于发展、有利于生产力提高、有利于人民生活改善的，都要大胆的试，大胆的干；要始终保持强烈的竞争意识和机遇意识，树立长远的战略眼光和全局观念，克服因循守旧、固步自封、小富即满、小富即安的思想，树立创大业、谋大事的远大气魄和雄心壮志，敢于赶超发达地区，敢于走向全国、走向世界，参与国际竞争，在市场经济的大潮中，抢抓机遇，敢为人先，不甘落后，争创一流，超常规、大跨度、跳跃式地发展。

第二，必须坚持以发展为主题，以结构调整为主线，不断加快经济强市建设。发展是硬道理，是解决前进中所有问题的关键。新世纪初的几年，是临汾市经济发展的重要时期。面对国际、国内以及周边地区发展不断加快、竞争日趋激烈的新形势，只有紧紧扭住经济建设这个中心，加快推进经济结构的战略性调整，才能与时俱进，跟上全面建设小康社会的步伐，跟上全国改革和发展的步伐。只有保持适度超前的发展速度，全力加快经济增长，才能适应时代的潮流，跻身中西部经济强市的行列。各级党组织和全体党员干部，一定要审时度势，坚定信心，增强加快发展的责任感和紧迫感，全面落实本次大会做出的各项战略部署，突出发展这一主题。坚持结构调整这个主线，把全党全民的思想统一到发展上，把力量和智慧凝聚到发展上，加快推进“三件大事”，全面实施“六大战略”，不断提高经济增长的质量和速度，提升各产业的水平和档次，努力使临汾在新的世纪里有一个大发展，人民生活水平有一个大改善。

第三，必须坚持党要管党，从严治党，不断加强和改善党的领导。搞好党的建设，加强党的领导，是保持正确前进方向的需要，也是建设经济强市的根本保证。要进一步加强党的思想建设，用邓小平理论和“三个代表”的重要思想武装党员干部，用“三讲”标准要求党员干部，不断提高党员干部和各级党组织的政治敏锐性和政治鉴别力，提高抵御各类风险的能力，时刻保持清醒的头脑，保持坚定的政治立场，在思想上和行动上同党中央保持高度一致，要进一步加强党的组织建设，提高党的领导水平和执政水平，发挥党组织的战斗堡垒作用和党员的先锋模范作用，巩固党的执政地位，保持党的绝对领导，不断增强各级党组织的战斗力和凝聚力。特别是基层党组织要适应市场经济的要求，努力在实践中探索加强党的建设和搞好党员教育管理的新办法、新途径，不断总结新经验，做出新贡献；要进一步加强党的作风建设，加大反腐败力度，认真落实党风廉政建设责任制，规范党员干部从政行为，为完成历史所赋予的重任提供强有力的组织保障。

第四，必须坚持两手抓，两手都要硬，不断推进经济社会全面进步。“两手抓，两手都要硬”，是邓小平理论的重要组成部分。物质文明建设是精神文明建设的基础，精神文明建设又为物质文明建设提供强大的精神动力和智力支持。在抓好物质文明建设的同时，任何时候都不能忽视和放松精神文明建设。要坚持用邓小平理论教育广大干部群众，大力弘扬爱国主义、社会主义和集体主义精神，积极开展各类精神文明创建活动，鼓励支持一切有利于解放和发展生产力、有利于维护团结稳定的思想道德；要切实加强和改进思想政治工作，引导干部群众树立正确的世界观、人生观、价值观，调动一切积极因素，为经济建设献计献策，出力流汗；要加强民主法制建设，坚持和完善人民代表大会制度，巩固和发展新时期爱国统一战线，加快推进依法治市进程；要高度重视和认真做好社会稳定工作，依法打击严重刑事和经济犯罪，坚决扫除各种社会丑恶现象，为经济发展创造良好的社会政治环境。

第五，必须改进作风，求真务实，团结带领人民群众为实现率先发展、建设经济强市而努力奋斗。实现本次大会确定的各项目标任务，关键是要改进作风，狠抓落实。要牢固树立群众观念，认真实践全心全意为人民服务的宗旨，关心群众疾苦，倾听群众呼声，多为群众办实事、办好事；要坚持实事求是，理论联系实际，经常深入基层，调查研究，从文山会海和迎来往送中解脱出来，突出工作重点，把握关键环节，着力解决改革和发展中的热点难点问题；要坚持求真务实，真抓实干，转变职能，创新环境，说实话、办实事、求实效，坚决克服形式主义、官僚主义作风，努力维护党和政府的形象，最大限度地调动人民群众的积极性和创造性，形成齐心协力谋发展，万众一心建强市的良好局面，把全市的各项工作推向一个新的阶段。

同志们，这次大会的胜利召开，是全市人民政治生活中的一件大事，是临汾发展史上又一个新的里程碑，它标志着临汾党的建设、经济建设和社会发展将翻开崭新的一页。大会闭幕后，各县（市、区）、各单位要迅速行动起来，组织全体党员和广大干部群众认真学习大会文件，深刻领会大会精神,把大会确定的指导思想、奋斗目标和发展战略传达到每一位党员干部和广大人民群众。要紧紧围绕大会精神，结合各自实际，进一步修订和完善发展规划，提出针对性措施，把大会的各项要求贯彻落实到基层。今年是新世纪的第一年，是实施“十五”计划的第一年，也是撤地设市后的第一年。5 年看 3 年，3 年看头年，各级部门要以这次会议为新的起点，安排部署好全年工作，力争开好局、起好步。特别要认真做好当前的各项工作，努力实现首季开门红。

同志们，时代赋予我们光荣的使命，人民对我们寄托着殷切的希望，让我们在新的市委的领导下，高举邓小平理论伟大旗帜，更加紧密地团结在以江泽民同志为核心的党中央周围，团结一致、万众一心、开拓进取、奋力赶超，为实现率先发展，建设中西部经济强市的宏伟目标而努力奋斗！

在临汾市第一届人民代表大会第一次会议开幕时的讲话

在临汾市第一届人民代表大会第一次会议一次全体会议上

2001 年 1 月 17 日

樊纪亨

各位代表、同志们：

在我们胜利跨入 21 世纪，即将迎来新世纪第一个新春佳节的喜庆时刻，临汾市第一届人民代表大会第一次会议胜利开幕了。这是临汾人民政治生活中的一件大事，是临汾发展史上的一个新的里程碑。来自全市各条战线的 389 名代表，肩负着历史的重托，满载着临汾 390 万人民的期望，在这里庄严聚会，选举产生临汾市第一届地方国家权力机关、行政机关和法检机关的领导成员，讨论确定临汾的发展蓝图，共同筹划临汾的未来大计，使命是光荣的，职责是神圣的。在此，我代表中共临汾市委，向大会的召开表示热烈的祝贺！向参与临汾撤地建市和临汾市第一届人民代表大会第一次会议筹备工作的同志们表示衷心的感谢！向莅临大会的各位领导表示热烈的欢迎！向全体与会代表致以崇高的敬意！

临汾，是一方历史悠久、人文荟萃的故土，是中华文明的重要发祥地，也是为民族解放做出巨大贡献的革命老区。建国以来，在历任地委、行署的领导下，临汾人民为建立和巩固社会主义制度、推动经济和社会繁荣，进行了艰苦卓绝的奋斗。做为山西能源重化工基地的重要组成部分和粮棉基地，临汾为山西省的发展做出了重大贡献。党的十一届三中全会之后，历任地委、行署领导班子带领全区人民贯彻党的基本路线，顺利完成工作中心的转移，改革开放取得重大突破，群众的积极性和创造性日益高涨，社会生产力步入一个较快的增长阶段。进入“九五”时期，特别是近年来，地委、行署提出并实施“打基础、调结构、治环境”三件大事发展战略，抓住发展机遇，积极推进经济结构性调整，全区基础设施建设大为改观，城镇化进程不断加快，一批新的支柱产业正在兴起，生产力发展水平明显提高，综合经济实力明显增强，人民群众的物质文化生活明显改善。精神文明建设和社会事业发展取得丰硕成果，党的建设不断加强和改善，全区出现经济和社会协调发展的良好局面。但是，受生产力和生产关系、经济基础和上层建筑相互作用规律的支配，我们在打破旧的经济体制束缚的时候，又明显感受到旧的行政管理体制的制约。临汾的行政管理体制，过去几十年一直延续地区建制，在当时的历史条件下，曾发挥积极作用。但在市场经济的新形势下，这种行政管理体制已难以适应经济社会发展的需要，不能很好地发挥政府对经济的宏观调控和协调指挥作用。因此，从1998年起，地委、行署开始把撤地建市工作提上日程，并精心运作，倾力推动，到2000年6月终于完成国务院报批程序。2000年11月1日，临汾地委撤销，临汾市委成立，撤地设市工作迈出关键性步伐。在山西省委的热忱关怀和大力支持下，经过紧张周密的筹备，今天，临汾市第一届人民代表大会以第一次会议隆重举行。我们完全可以自信地说，临汾的撤地建市工作将要划上一个圆满的句号，一个适应未来发展的新的行政管理体制将在新世纪之初正式确立，这是临汾人民继往开来、创造美好前景的新起点，是临汾政治、经济和社会全面走向振兴的新开端。

各位代表，本次人民代表大会开在千年更替、世纪之初和国民经济第十个五年计划即将启动的历史背景下，意义重大，影响深远，我们肩负的责任很重。放眼经济全球化的发展大势，展望知识经济到来的汹涌浪潮，面对全面进入小康社会、加快推进现代化的崭新局面，大家一定要清醒地看到，临汾比之经济发达地区，整体经济实力还不够强大，迎接挑战的准备还不够充分，我们前进的道路上还有许多关隘需要攻坚。因此，在邓小平理论和党的十五大、十五届五中全会精神指导下，广聚民意，汇集民智，共商在新世纪“建设一个什么样的临汾和怎样建设临汾”的问题，就成了本次人民代表大会的历史性任务。

要完成好这个历史性任务，必须把临汾未来的发展蓝图描绘好，把今后几年的发展战略、发展目标和发展重点谋划好。为此，我们每一个代表都要认真学习党的十五届五中全会和山西省委七届十次全会精神，准确把握中央和省委关于制定国民经济和社会发展第十个五年计划建议的精神，以强烈的政治责任感和高度的历史责任感，积极参政议政，主动献计献策，充分履行自己的权力和义务。要以对临汾的发展负责、对临汾390万人民负责的态度，认真听取并审议人大工作报告、政府工作报告、国民经济和社会发展计划的报告，做到知无不言、言无不尽，切实履行代表职责，正确反映群众意愿，共商兴临富民大计，努力产生一个体现时代特征、具有临汾特色、能鼓舞和动员全市人民为之奋斗的跨世纪行动纲领。

要完成好这个历史性任务，必须建设一个政治上坚定，代表人民群众根本利益，坚决贯彻党的基本路线，能担当起临汾新的发展重任的市级领导班子。为此，我们每一个代表都要倍加珍惜人民赋予的权力，充分发扬民主，严格依法办事，精心酝酿，审慎选择，真正把那些人民满意的、政绩突出的、符合“四化”要求的优秀干部推举出来，确保首届临汾市地方国家权力机关、行政机关和法检机关领导成员的顺利产生，为我们实现率先发展、建设中西部经济强市的宏伟目标提供坚强的组织保证。

各位代表，本次人民代表大会以做为临汾成功地进行撤地建市的重要标志，备受社会各界的热切关注。我们一定要在中共临汾市委和主席团的领导下，遵守纪律，端正会风，珍重职责，不辱使命，把这次大会开成一个凝聚人心、团结胜利的大会，开成一个鼓舞斗志、振奋精神的大会，开成一个为临汾走向辉煌、走向繁荣而奠基的大会。

谢谢大家。

临汾市人民代表大会常务委员会工作报告

在临汾市第一届人民代表大会第一次会议五次全体会议上

2001 年 1 月 20 日

陈长禄

各位代表：

临汾市第一届人民代表大会第一次会议的胜利召开，是全市 390 万人民共同关心的政治、经济、生活中的一件大事，这次大会以是承前启后、继往开来、振奋精神、开拓前进，开创新世纪的大会。这次大会的精神和大会选举产生的新班子、提出的新任务必将对临汾实现率先发展、建设经济强市的宏伟目标产生深远的影响。现在，我代表临汾市人民代表大会常务委员会做工作报告。

一、临汾市人大工作的简要回顾

建国以来，特别是党的十一届三中全会以来，临汾辖区内的各级人大不断加强民主法制建设，逐步完善人民代表大会制度，在政权建设、经济发展和社会生活中发挥了重要的历史作用。临汾地区从 1984 年 9 月设立人大工作联络组到 1993 年 9 月改为山西省人大常委会临汾地区工作委员会，职责不断增加，机构逐步扩大，作用日益明显。18 年来，在省人大和地委的领导下，联络组和工委历任领导与机关全体同志一道，服从大局，团结一致，勇于开拓，踏实工作，积极指导县乡换届选举，主动加强同县（市）人大常委会的联系，经常组织人大代表开展调查、视察和评议活动，认真进行执法检查，大力推行执法责任制，严格加强法律监督，坚持宣传人民代表大会制度，努力加强民主法制建设，倾注大量心血，做出积极贡献。尤其值得肯定的是，临汾地区的代表评议、执法责任制、建立代表活动室、开展代表议政日活动和加强农村基层民主政治建设等工作在山西省乃至全国受到好评，这些都为今后推进依法治市进程奠定了良好的基础。

二、本届市人大常委会工作意见

临汾市第一届人民代表大会第一次会议的召开，标志着临汾撤地建市工作任务的全面完成，这既给我们提供了新的发展机遇，又给我们提出了新的挑战。面对新的形势和任务，市人大常委会工作的指导思想是：高举邓小平理论伟大旗帜，以江泽民同志“三个代表”的重要思想为指导，全面贯彻落实党的十五大和十五届五中全会精神，认真履行宪法和法律赋予的各项职责，大力加强社会主义民主和法制建设，积极推进依法治市，促进经济快速、持续、健康发展和社会全面进步。根据人大常委会工作特点和临汾市实际情况，本届人大常委会要坚持一个原则，抓好四项工作：

坚持一个原则，就是坚决服从和依靠党的领导。人民代表大会制度是中国的根本政治制度。坚持和依靠党的领导，保证人大工作的正确方向，是人大及其常委会必须遵循的根本政治原则。首先，要在思想上强化党的领导观念。人大及其常委会要坚定不移地贯彻党的路线、方针和政策，认真领会和贯彻党委关于国家事务的重大决策和意志，围绕党的中心任务开展工作，特别是要善于把党的主张通过法定程序变为国家和人民的意志，并组织和动员广大人民群众全力实施。其次，要在工作上落实党的领导的制度。人大党组要认真执行重大事项向党委请示报告的制度，定期向党委汇报人大工作的情况，主动提出建议和意见，取得党委的领导和支持。人大常委会审议、决定重大问题，要事先请示党委审定。对本行政区域内一些有重大影响和人民群众反映强烈的问题，要及时向党委报告，反映情况，提出建议。对在行使职权中遇到的问题，也要及时向党委报告。再次，要在组织上坚持党的领导的原则。党管干部是一条重要原则，地方党委向地方国家机关推荐领导干部，是实现党对国家事务的领导，维护和巩固执政党地位的组织保证。在人事任免上，一定要把贯彻党委意图和充分发扬民主、严格依法办事统一起来。

抓好四项工作，主要是：

1. 围绕一个中心，服从服务于经济建设

经济工作是全党工作的中心，也是人大工作的中心。人大常委会要紧紧围绕“实现率先发展，建设中西部经济强市”的战略目标，发挥地方国家权力机关的作用，监督和支持市政府以发展为主题，以结构调整为主线，推进“打基础、调结构、治环境”三件大事和“特色经济、产业优化、科教兴市、城镇扩张、民营经济、可持续发展”六大战略重点的实施。具体讲，要着力抓好3项重点工作：

一是重点搞好国民经济和社会发展计划的严格审批。要把对经济工作的监督放在促进政府宏观经济调控和科学决策，减少或防止失误上，切实做好审查国民经济和社会发展计划及财政预算报告的工作。人大常委会要坚持一年两次听取和审议计划、财政预算执行情况汇报制度，及时掌握经济工作情况，使计划和预算更趋于合理，更符合实际。

二是重点搞好重大工程项目的科学决定。撤地设市以后，临汾市在整个管理体制和发展战略上，将进行一些新的调整。人大及其常委会要按照市委提出的搞好新规划、建立新体制、创造新环境的基本工作框架，把城市建设总体规划、重大工程建设项目、国民经济和社会发展的短期、中期、长期规划、扶贫攻坚、国企改革做为决定的重点内容。正确行使决定权，必须切实搞好调查研究，增强决定的针对性、科学性和可操作性。常委会组成人员，各工作委员会和工作机构的同志要及时了解和把握住关系全市国计民生的重大事项，把握住群众反映强烈、全社会普遍关注的热点难点问题，做到胸有良谋，手有良策，使做出的决定更加切合实际，顺乎民心，符合民意，对全市经济建设起到更大的推动作用。

三是重点搞好经济工作运行的跟踪监督，人大在促进经济工作运行时，主要应把握经济社会发展的走向和脉搏，发挥人大的监督职能，通过视察、调查、检查、述职、评议、撤职、罢免等多种监督手段，帮助化解各种矛盾，排除各种干扰，促进和支持政府把经济工作搞得更好，以达到人大工作为经济建设服务的目的。

2. 坚持一条准绳，认真履行宪法、法律赋予的职权

宪法和法律赋予人大及其常委会立法权、决定权、监督权、任免权。就本市人大及其常委会来说，主要是正确运用好3项权力：

（1）重大事项决定权。决定权是人大及其常委会的重要职权，是实现党的意图和主张、改善党的领导的重要方式，是充分调动和发挥地方积极性、主动性和创造性的重要途径，是发展社会主义民主的重要手段。行使重大事项决定权，关键是要科学界定和正确把握重大事项的范围。根据人大工作实践依照法律规定，地方人大及其常委会需要讨论决定的重大事项主要是：本行政区域内政治、经济、教育、科学、文化、卫生、环境和资源保护、民政、民族等工作的重大事项；本行政区域内的国民经济和社会发展计划，预算的部分变更；撤销本级人民政府不适当的决定和命令；决定授予地方荣誉称号；决定个案处理；审议专题工作报告和执法检查报告的结果。要按照“三个有利于”的标准，选准事关国计民生和社会发展全局的重大事项。选定重大事项后，要深入到人大代表和人民群众中去，广泛听取各方面意见、包括不同意见，有的还要进行专题调查研究，进行反复论证，定性分析，确保决定的民主化和科学化。

（2）人事任免权。任免权是地方组织法赋予地方人大及其常委会的一项重要职权。坚持党管干部的原则和人大依法任免干部是一致的。人大及其常委会要切实把好人事任免关，认真贯彻党委意图充分发扬民主，严格依

法、按程序办事，按照民主测评、法律考试、政绩考察、任前供职、集体决定等程序任免“一府两院”组成人员。凡属人大及其常委会选举或任免的干部，在选举或任免前，一律不得对外公布，不得正式到职或离职。在法定任期内要保持相对稳定，对确需调整的，要事先征求人大常委会主要领导成员的意见，按法定程序进行。在任免干部问题上，应按照法律规定和法律程序，认真行使地方人大对同级地方国家机关的人事选举和任免职权。对于人民群众反映强烈、问题严重的干部，人大常委会要敢于运用评议和质询等监督方式，对属人大选举任命的那些明知故犯、违法乱纪、屡教不改和不称职的干部该罢免的罢免，该撤职的撤职，坚持党的领导，维护人大的权威。

（3）对“一府两院”的监督权。地方人大常委会行使监督权，主要是保证宪法、法律、行政法规、地方性法规以及上级和本级人大及其常委会决议、决定在本行政区域内的贯彻执行，监督本级人民政府、人民法院、人民检察院的工作。人大的监督主要是法律监督和工作监督，通过监督使“一府两院”真正依法行政、公正司法。随着社会主义市场经济体制的建立和经济增长方式的转变，强化法律监督尤为重要。在法律监督上，要继续把执法检查、“三账”监督、推行执法责任制、错案和过错责任追究制为主要内容，把重点放在依法行政和公正司法方面。在工作监督上，要严格督促政府完成人民代表大会通过的政府工作报告中提出的各项任务，认真落实国民经济和社会发展计划，严格执行财政预算，保证全市经济快速、健康、持续发展。

3. 牢记一个根本，切实保障人民群众的各项权利

在我们国家，人民是国家的主人，国家权力属于人民所有。人大及其常委会，要把维护人民群众的根本利益，做为人大常委会工作的出发点和归宿点。

市人大常委会要通过多种渠道，了解和掌握民情民意。第一个渠道是发挥人大代表的纽带和桥梁作用。各级人大代表同广大人民群众有着广泛密切的联系，因此，通过各种形式和途径，切实加强代表工作，始终保持同人大代表的密切联系，通过人大代表了解广大人民群众的心声，准确把握群众的情绪和脉搏。要依法维护市人大代表的权利，人大代表在人大会议上的发言不受法律追究，公安、司法机关对市人大代表采取强制措施，要得到市人大常委会的许可。人大代表也要维护自身的形象，真正做到“人民选我当代表，我当代表为人民”。第二个渠道是，改进人大机关领导和工作人员的工作作风。人大常委会组成人员和工作人员每年都要抽出一定的时间，有目的有计划地深入基层，接触群众，通过登门拜访、讨论对话、专题调查研究、民意测验等方法体察下情，了解实际，掌握第一手材料，切实反映民意，集中民智，确保人大及其常委会行使的权力和开展的活动符合广大人民群众的利益，得到人民群众的真心支持和拥护。第三个渠道是，充分依靠信访的窗口作用，密切国家权力机关同人民群众的联系，使人大及其常委会真正为人民说话，替人民办事，维护人民的合法利益。

人大及其常委会要按照“三个代表”重要思想的要求，站在一切为了人民群众根本利益的高度，时时处处坚持重实际、说实话、办实事、求实效。当前，要扎扎实实地解决好关系改革、发展、稳定大局和影响群众生产生活的各种紧迫问题：一是要采取切实有效的手段，减轻农民负担和企业负担，为发展生产力创造良好的法制环境；二是要维护和保障人民群众的合法权益，监督执法机关依法行政，公正司法；三是要积极稳妥地搞好撤乡并镇工作；四是要认真开展“四五”普法，提高全民法律素质；五是要继续推行执法责任制和错案、过错责任追究制，落实好依法治市的决议，按照山西省人大的安排并结合临汾市实际，对重点部门行业进行执法大检查。

4. 抓好一支队伍，努力加强人大自身建设

搞好市人大的自身建设，提高全员整体素质和办事水平，已成为一项重要而迫切的任务。当前和今后一段时间，应坚持抓好4个方

面的工作：一是不断提高人员素质。要紧密联系人大工作和改革开放的实际，学习邓小平理论，学习江泽民同志“三个代表”的重要思想，学习党的路线方针政策，学习人民代表大会制度和民主与法制建设的有关理论，学习宪法和有关法律法规，学习市场经济知识和现代科学知识。不断提高人大工作者的思想水平和理论水平，增强政治责任感和使命感。二是逐步理顺工作机构。根据市人大常委会工作需要，按照加强人大工作的要求和中编委下发的人大机构改革方案，建立一支精干、高效、过硬的人大工作队伍。三是建立健全重要制度。根据人大工作的特点和规律，逐步建立起岗位责任制、主任会议制、会议议事制、联系会议制、民主集中制以及相配套的管理制度，规范工作程序，建立激励机制，提高工作效率和办事效率。四是切实改进思想和工作作风。人大常委会组成人员和人大工作者，要力戒形式主义，力戒官僚主义，带头树立脚踏实地、埋头苦干、求真务实、廉洁奉公的作风，经常深入实际，体察民情，同甘共苦，为民谋利，使人大真正成为人民群众利益的代表，成为代表之家和人民群众之家。

各位代表，21 世纪是中华民族实现腾飞的世纪，今年是新世纪的开元之年，当前，临汾市同全国一样，正处在一个重要的历史时期，我们一定要团结一致，抓住机遇，奋力拼搏，开拓进取，肩负起党的重托，人民的重托，时代的重托，建设新临汾，发展新临汾，为实现强市富民的宏伟目标做出新的更大贡献！

值此新春佳节来临之际，我代表临汾市第一届人民代表大会常务委员会全体组成人员，向各位代表并通过你们向全市 390 万人民群众拜个早年，祝大家春节愉快，合家欢乐，工作顺利，万事如意！

谢谢！

政府工作报告

在临汾市第一届人民代表大会第一次会议五次全体会议上

2001 年 1 月 20 日

张茂才

各位代表：

临汾市第一届人民代表大会选举产生了首届市人民政府。在此，我代表市人民政府对各位代表的信任和支持表示崇高的敬意和衷心的感谢！

现在，我代表市人民政府向大会做政府工作报告，请予审议，并请市政协委员和其他列席同志提出意见。

一、当前面临的形势

站在新世纪的起点上，回顾过去的工作和成就，我们信心百倍；正视面临的机遇和挑战，我们斗志弥坚。“九五”时期，特别是近 3 年来，全市上下认真贯彻中央和省委、省政府的重大部署，狠抓以调结构为中心的“三件大事”，国民经济和社会发展取得显著成就。

综合经济实力显著增强。到 2000 年，全市国内生产总值达到 171.1 亿元，限额以上工业增加值达到 39.2 亿元，财政总收入达到 14.9 亿元，农民人均纯收入和城镇居民人均可支配收入分别达到 2211 元和 4158 元。

基础设施大为改善。“九五”时期，全市共完成固定资产投资 166 亿元。汾河百里石坝全线贯通，滩涂农业综合开发基本达到“六化”标准，霍侯一级公路竣工通车，城市改造及 16 个重点小城镇建设稳步推进，基本农田建设、人畜饮水工程、城乡电网改造成效显著，邮电、通讯业快速发展。

结构调整成功起步。农业方面，初步呈现平川精品、高效农业和山区特色、生态农业协调发展的新格局；工业方面，煤焦铁等传统产业改造实现新的突破，涌现出一批科技含量较高的项目，临汾染化集团硫化黑等69个重点调产项目竣工投产；第三产业方面，商贸流通、旅游和信息业开发态势良好。所有制结构调整取得新进展，全市个体、私营企业已发展到8.11万个，非公有制经济年提供税收占到工商税收总额的60%。

各项改革稳步推进。全市国有企业改制达到96%，骨干企业初步建立现代企业制度。困难企业基本实现3年脱困目标。社会保障制度不断完善，农村股份制、股份合作制经济迅速发展。粮食流通体制、财税体制、投融资体制及住房、医疗制度等各项改革都取得明显成效。

对外开放不断扩大。5年中，全市外贸进出口总额年递增16.6%，合同外资总额1.4亿美元，利用外资7684万美元。2000年，全市外贸进出口总额达4753万美元，合同外资4724万美元，均创历史最好水平。临汾、侯马两个经济技术开发区建设已经起步。

社会事业全面进步。科技部门组织实施各类科技计划项目145项，科技对经济增长的贡献额逐年增长；教育“两基”达标的人口覆盖率达97%，中小学内部管理体制改革基本完成，临汾经济技术学院和临汾师范学院建设进展顺利；城乡卫生医疗条件普遍得到改善；计划生育率达到78%，人口控制计划圆满完成；“一控双达标”成效明显，环境质量有所改善；民主法制建设进一步增强，廉政建设和反腐败斗争成效显著；文化、体育、广播电视、新闻出版、民政、档案、统计、外事、宗教、文物保护、防震减灾、气象、老龄及残疾人等各项社会事业得到全面发展。

在肯定成绩的同时，我们也必须清醒地看到，全市经济结构不合理的矛盾仍然突出，农业产业化进程不快，高新技术产业发展滞后，第三产业水平不高，调整任务十分艰巨；城市功能亟待提高;环境质量还没有根本上得到改善；部分农民和下岗职工生活仍比较困难；经济发展的环境还不够宽松，等等。对此，新一届政府将予以高度警觉和重视，并在今后的工作中采取有效措施，认真加以解决。

当前，经济全球化步伐加快，科学技术突飞猛进，世界范围内正在进行经济结构调整；国家将继续采取扩大内需的政策，加快实施西部大开发战略；中国即将加入世贸组织，国际经济和贸易发展态势趋好；山西省提出以结构调整为核心的中长期战略任务，勾画出新的宏伟蓝图；临汾市经过20多年改革开放，综合实力有很大提高，特别是“三件大事”的全面实施，为今后的发展奠定坚实的物质基础；经过“三讲”教育，各级部门领导班子、领导干部和广大群众的凝聚力、战斗力进一步增强，精神进一步振奋。更为重要的是，撤地设市工作的顺利完成，为我们发挥后发优势，在新一轮竞争中抢占先机，实现率先发展，创造良好的条件。

以上这些，构成了世纪之初发展的基本背景，有挑战，更有机遇。我们要以高度的政治责任感和历史使命感，牢牢把握新的历史机调，满怀信心地迎接新的挑战，知难而进，奋力拼搏，为加速临汾市经济社会发展而不懈努力。

二、今后5年的发展目标和战略重点

各位代表，今后5年，既是首届政府任期的5年，也是实施“十五”计划、谋求快速发展的5年。能否抓住跨入新世纪的历史性机遇，跟上全面建设小康社会的步伐，加快推进临汾的现代化建设，是时代赋予我们的光荣使命，是本届政府应该也必须向全市人民做出的庄严承诺！

按照市委的总体构想，今后5年，全市的主要任务是实施“十五”计划，全面启动现代化建设第三步发展战略，为2010年国民生产总值翻一番奠定坚实的基础，努力建设具有较强、鲜明区域特色、合理城镇布局、开放市场体系、较高群众生活质量的新临汾。我们的指导思想是：高举邓小平理论伟大旗帜，按照“三个代表”重要思想的要求，认真贯彻党的十五大和十五届五中全会精神，全面落实省委、省政府的总体部署，坚持以发展为主题，以结构调整为主线，加快推进“打基础、调结构、治环境”三件大事，突出抓好“特色经济、产业优化、科教兴市、城镇扩张、民营经济、可持续发展”六大战略重点，努力提高经济增长的质量和速度、综合经济实力和人民生活水平，切实加强精神文明建设和民主法制建设，全力维护社会政治稳定，促进经济和社会全面进步，努力实现在全省率先发展、建设中西部经济强市的目标。

经济和社会发展的主要预期目标是：国内生产总值达到276亿元，年均增长10%；财政总收入达到24亿元，年均增长10%；城镇居民人均可支配收入达到6250元，年均增长8.5%；农民人均纯收入达到3560元，年均增长10%；外贸进出口总额达到7655万美元，年均增长10%；人口自然增长率控制在10‰以内；城镇登记失业率控制在3%以下。

实现上述发展目标，我们要重点实施“六大战略”：

（1）实施特色经济战略，培育区域经济新优势

发展区域特色经济，增强区域经济活力，是适应生产力发展的客观要求，是保持临汾市经济持续、快速、健康发展的根本途径。加快经济走廊建设，培育沿霍侯一级公路经济隆起带，使平川7县（市、区）率先发展，进而带动山区10县，促进全市经济整体上规模、上水平。平川地区要发挥区位、资金、技术、人才的综合优势，重点发展精品农业、农副产品加工、铸造、化工、新型材料等新兴主导产业，建设华北乃至全国最大的焦化、铸造基地。东西两山要发挥资源优势，重点建设核桃、红枣、苹果和酥梨、仁用杏5个6.67万公顷优质干鲜果生产基地，发展食用菌、黄牛、小杂粮等特色农业。在全市形成布局合理、优势互补、协调发展具有地方特色的区域经济新格局。

（2）实施结构优化战略，创造产业发展新优势

推进经济结构的战略性调整，是适应市场经济发展，提高经济增长质量和效益的根本性举措，必须做为今后5年经济工作的重中之重。坚持以市场为导向，以企业为主体，以科技进步为动力，大力培育新的经济增长点，加快推进三次产业优化升级。切实加强第一产业。以农业产业化经营为方向，提高农业经济的整体素质和效益。平川县（市、区）以2.67万公顷滩涂开发为重点，加大农业综合开发力度，调整种养结构，实施规模经营，采用先进适应技术，改善提高农产品的品种和质量，大力发展精品农业和高效农业；山区县按照“一县一业”或“几县一业”的思路，重点抓好特色产业基地和生态农业建设。加快推进全市优质粮食、林果、畜牧、蔬菜4大优势产业发展。同时，重点培育和扶持农副产品加大龙头企业，推进农业产业化进程。着力改造提升第二产业。围绕产业升级，坚持扶优扶强，加快技术改造和技术创新，争取5年内培育一批对全市发展起明显带动和支撑作用的大型企业集团以及一批小而精、小而强、小而专的“小型巨人”企业。加快培育和发展以精细化工、生物制药、新型材料、精密铸造为重点的高新技术产业群，力争“十五”末，全市高新技术产业增加值占到全部工业增加值的15%以上。加快发展第三产业。以提升传统服务业档次和开拓新的服务领域为方向，重点搞好商贸流通和旅游业、信息业的开发。全力抓好专业批发市场、产地市场和农村集贸市场建设，加快培育和发展流通中介服务组织。建设一批面向国内外交易量大、辐射力强的生产基地和专业批发市场，培育超亿元市场35个，全部

市场交易额突破百亿元。同时，积极发展房地产市场以及人才、技术、资金为主的生产要素市场。旅游业重点抓好黄河文化、根祖文化两大特色旅游资源开发，形成“北连京津、南接西安、洛阳”的旅游热线。信息业发展以建设临汾信息港为目标，加快建设临汾政府网站资源交换中心和基础数据库，实现3网（电信、广播电视、计算机）融合，使宽带多媒体通信网络覆盖17个县（市）、区，因特网接入能力达到50万户，推进国民经济信息化进程。

（3）实施科技兴市战略，集聚技术和人才新优势

经济发展的基础在教育，关键在科技，核心在人才。继续深化科技体制改革，完善企业追求科技进步的动力机制，使企业真正成为技术开发的主体。拓宽科技投入渠道，形成多元化的投入机制。紧紧围绕经济和社会发展需要，实行开发、引进、消化、吸收有机结合，产、学、研有机结合，促进科技成果加快向现实生产力转化。有计划地抓好一批高新技术企业和农业科技示范园区，重点实施高新技术产业化、传统产业高级化、农业现代化、产学研合作社会化和民营企业规模化5大工程，力争使全市科技综合实力达到全省领先水平。

加快开发人力资源，把解决人才问题放在突出位置。坚持自主培养和引进吸取相结合。深化教育改革，鼓励和引导社会力量办学，调整和优化教育结构。在9年义务教育中突出培养学生的综合素质，在职业技术教育中突出提高学生的劳动技能，在高等教育中突出增强学生的研究开发和实际工作能力，努力为经济和社会发展培养更多的适合不同层次需要的人才。完善和落实各项人才引进政策，面向全国，面向世界，招才引智，引进各类优秀的科技人才和经营管理人才。改革用人制度，形成竞争上岗、优胜劣汰的用人机制。进一步营造尊重知识，尊重人才的良好社会氛围。

（4）实施城镇扩张战略，构筑城镇功能新优势抓住撤地设市的机遇，以市区为中心，以“一河两路”为轴线，大力推进城镇化进程，扩大城市规模，扩张城市人口，聚集优势产业，提升城市功能，构筑特色鲜明的新型城市群，为建设山西乃至中西部的区域性中心城市奠定基础。按照功能完善、设施配套、环境优美的现代生态园林式城市标准，抓紧制订并实施城市发展总体规划和县城镇体系规划。以市区和侯马、霍州两市为重点，加强城市建设。引导和支持中心城市加强市政公用设施建设，增强中心城市对区域发展的辐射和带动作用。以县城和中心镇为重点，积极稳妥地搞好城镇建设。洪洞、襄汾、翼城、曲沃等基础好的县城可率先发展为小城市。继续实施城乡一体化发展战略，重点抓好霍侯一级路沿线16个重点小城镇的建设。调整行政区划，积极稳妥地推进撤并乡镇，扩大城镇规模。发挥比较优势，发展各具特色的城镇经济，形成层次分明、布局合理、功能完善、特色突出的城镇体系，城镇化水平达到30%。改革户籍制度，大力鼓励人才引进和投资移民。建立健全多元化投入机制，扩大城市基础设施有偿使用范围，多形式鼓励社会资金投向城市建设。优化土地资源配置，盘活城镇土地存量。

（5）实施民营经济战略，培育经济活力新优势

推进民营经济扩张，是建设中西部经济强市、实现率先发展的重大战略举措。重点抓好6个方面的工作：一是实施上台阶工程。以全市民营企业增值每年增加10亿元为1个台阶，5年迈出5大步，力争到2005年，民营经济占到全市经济总量的60%。二是实施上水平工程。引导民营企业走现代化、规模化发展之路，培育和建设10个市场前景好、科技含量高、产值超5亿元、利税超5000万元的龙头企业，带动全市民营经济整体上水平。三是实施企业家培训工程。在全市每年重点培育100名优秀民营企业家，提高民营企业的经营管理水平。四是拓宽民营经济发

展领域。建立国有资本的有效退出机制，支持民营企业兼并、收购、参股、控股国有企业，鼓励民营企业家把资金投向发展前景好的非煤产业和高新技术产业，发挥企业融资主体作用，进一步拓宽民营经济发展的领域和空间。五是优化民营经济发展环境。制定和落实民营经济发展的各项扶持政策，在发展形式、信贷支持、土地使用、上市融资和自营进出口等方面给予重点倾斜，坚决治理“三乱”，对重点民营企业进行封闭管理，为民营经济创造一个公平的发展经营环境。六是引导民营经济加强内部管理，创新企业机制，建立现代化企业机制。鼓励科研院所和大中型企业的科技人员，以技术入股、有偿服务等形式，参与民营企业的生产经营。

（6）实施可持续发展战略，形成协调发展的新优势

坚持人口、资源、环境与经济社会协调发展，是一项长期的战略任务。认真贯彻落实计划生育基本国策，采取有效措施，控制人口数量，提高人口素质。合理开发和利用自然资源，坚持开发与节约并举，依法保护土地、水、森林、矿产和生物等自然资源，完善自然资源有偿使用制度的价格体系，逐步建立资源更新的经济补偿机制，提高资源的综合应用能力。加强环境意识，坚持污染防治和生态保护并重，以“一区两市（尧都区、侯马、霍州）一河（汾河）”为重点，淘汰高污染、高能耗的落后的工艺和设备，减少控制污染物排放量，力争“十五”末，全市大气环境质量达到或接近二级标准。生态环境建设要启动绿色工程计划，以西山沿黄5县退耕还林还草为重点，加强防护林、水源涵养林、用材林建设，全面绿化东西两山，再造碧水蓝天、山川秀美的新临汾。

在加快经济发展的同时，还要大力推进社会主义精神文明建设，大力弘扬爱国主义、集体主义、社会主义思想和艰苦创业精神，倡导良好的社会公德、职业道德和家庭美德。积极推进社会主义民主法制建设，增强全民的法制观念。加强社会治安综合治理，切实维护社会稳定。

各位代表，今后5年的目标是宏伟的，任务是艰巨的，前景是美好的。只要我们坚定信心，迎难而上，扎实苦干，开拓奋进，临汾的发展就大有希望，建设中西部经济强市的目标就一定能够实现！

三、扎扎实实做好2001年各项工作

2001年是“十五”计划的开局之年，也是临汾撤地设市后首届政府任期的起步之年，做好今年的工作意义重大。

全市国民经济和社会发展的主要预期目标是：国内生产总值188亿元，增长10%；全部工业增加值86亿元，增长12.2%；财政总收入16.42亿元，增长10%；农民人均收入2300元，增长4.1%；城镇居民人均可支配收入4350元，增长4.6%；人口自然增长率控制在10‰以内。

为实现上述目标，我们要重点抓好以下8方面工作：

1. 切实加强农业和农村工作

按照中央农村工作会议的总体要求，围绕农业增效、农民增收和农村稳定3个重点，突出抓好5项工作：一是加强农田水利建设和生态建设。平川县（市、区）按照“六化”标准和建设“精品”农业走廊的要求，搞好田、林、路、渠和水利设施综合配套，加快农业综合开发步伐。山区各县继续大搞“人字闸”、旱井等水利工程建设和退耕还林还草、荒山造林等生态农业建设。重点水利工程建设，争取引沁入汾马房沟提水工程立项开工，加快完成汾西灌区“两渠一库”改造任务。二是进一步加大科教兴农力度。重点抓好优种统供、畜禽品种改良等20项农业实用技术的推广和应用，加速农业科技成果的转化。三是全面提高乡镇发展水平。通过“四个为主”，即以农副产品加工和为农民提供产前、产中、产后服务为主，以培育各具特色的工贸小区为主，以促进产业、产品升级和技术创新为主，以发展股份制、股份合作制和个体私营经济为主，增强乡镇企业自我发展能力。不限经营范围和规模，大胆支持个

体私营企业快速发展。结合国有中心企业改制，鼓励个体私营企业在政策、资金、技术、人才等方面予以倾斜支持，积极引导个体私营企业向一产延伸，向二产深入，向三产拓宽。使全市个体私营企业按18%的速度增长，力争增加值占GDP的30%。四是切实抓好扶贫和小康建设。继续实施扶贫“三大温饱”工程，解决好7万人的温饱问题。完成乡宁、蒲县两个县、150个村、9万人口达小康任务。五是认真落实党的各项农村政策。全面完成土地延包工作，积极探索建立土地流转机制，加快“四荒”拍卖和小型水利设施产权改革，大力发展“庄园经济”。推行村务公开，搞好基层政权建设，抓好农村税费改革工作，坚决制止“三乱”行为，切实减轻农民负担。

2. 大力推进产业结构调整

2001年，我们要继续深入开展“项目年”活动，以项目建设为切入点，推动产业结构调整顺利入轨。

农业结构调整。按照平川抓精品、山区抓特色的总要求，实现“四个新突破”。一是在培育优势产业上要有新突破。在粮食产量稳定在15亿公斤的基础上，重点把粮、果做优，菜、畜做大。各县（市）要因地制宜突出抓好1～2项优势产业，连片种养，集中发展，规模经营。二是在发展优质产品上要有新突破。通过粮食“种子”、林果“苗子”和畜牧“品种改良”工程，进一步改善品质，提高质量，创出名牌，打开市场。重点推出吉县壶口苹果、隰州酥梨、永和寿昌红枣、安泽玉米等10大品牌产品。三是在发展农副产品加工龙头企业上要有新突破。重点扶持别样红集团、大槐树奶粉等10个农副产品加工龙头企业，促进企业上规模、上档次、上水平，增强辐射带动能力。四是在发展农产品市场上要有新突破。重点搞好平川7县（市、区）农副产品和山区果畜产地批发市场建设。同时，加快培育各类流通中介服务组织和农村经济队伍，大力发展“订单农业”面积达到2万公顷。

工业结构调整。一是集中力量用高新技术和先进适用技术改造煤焦铁等传统产业。煤炭行业1年内要完成古县上力二矿、临汾煤矿两个30万吨，乡宁神角煤矿、古县庆上煤矿等4个21万吨矿井履行工程，把原煤产量控制在1800万吨以内；焦化行业重点抓好临汾海姿、侯马黄河等10个45万吨以上机焦项目，做好山焦30万吨煤焦油项目前期工作和霍矿120万吨机焦项目的一期工程；冶炼行业抓好翼城城东钢铁有限公司300立方米高炉，侯马建邦集团、浮山津神冶炼公司等8个125立方米以上高炉以及襄汾有色金属公司3万吨金属锌等项目建设，力争年内建成投产，抓好侯马铜冶厂的达产达效工作；造纸行业重点抓好襄汾三倍体毛白杨10万吨集中制浆项目的前期工作，力争尽快立项。二是大力发展高新技术产业。重点扶持抓好以三维集团1，4一丁二醇、临汾染化集团硫化黑、霍州钾盐项目为主的精细化工，以L－乳酸、鱼油、猴头健胃灵为主的生物医药化工，以石膏晶须、铁铝酸盐特种水泥和塑钢管材为主的新型材料和以华翔、华尔为主的精密铸造等10个重点项目建设，充分发挥其示范带动作用，引导全市工业企业加快技术创新，促进结构优化。

第三产业结构调整。突出抓好市场建设、旅游业开发和现代服务业3个重点。市场建设，2001年新建侯马北方摩托城、曲沃晋都综合商场等10大市场，力争全市超亿元的市场达到15个，市场交易额突破50亿元。旅游业重点抓好以壶口为代表的黄河文化景点建设，巩固提高老景点，积极开发新景点。大力发展信息、金融、保险、会计和法律服务等现代服务业，全面提高第三产业的档次和水平。

3. 继续推进以国企改革为主的各项改革

一是以建立现代企业制度为目标，全面深化国有企业改革，对初步建立现代企业制度的临汾染化、安泽焦化等6户企业，完善法人治理结构，严格依照《公司法》进行规定。加快电控厂、互感器厂等10户市属企业建立现代企业制度步伐。二是抓好企业集团的组建运行。重点培育和发展铸造、药业、纸业、纺织、交通、饮品、生化和有色金属等8大集团。加快染化集团上市步伐，力争年底以前完成上市准备工作。积极做好壶口旅游、翼城丰昆主板上市和华翔铸造、襄汾有色二板上市的前期准备工作。三是加大国有中小企业产权制度改革的力度，通过改组、联合、兼并、租赁、出售、承包经营和股份合作制等多种形式，进一步放开放活国有中小企业，收缩国有经济战线，逐步使国有资本退出一般竞争性行业。今后，全市原则上不再新上国有独资企业。四是认真抓好社会保障体系建设，加大社会保险基金的征缴力度，切实做到“两个确保”。全面启动医疗保险制度改革，初步建立起完善的下岗职工基本生活保障、失业保险和城镇居民最低生活保障制度。积极开展劳务输出，努力解决好下岗职工再就业问题，全市再就业率达到60%以上。五是继续深化粮食流通体制，全面推进农村改革、城镇住房制度等各项改革工作。

4. 切实加强城市建设和环保工作

加快临汾中心城市和小城镇建设，推进城镇化进程。2001年，要高标准完成《临汾市城市建设总体规划》。按照“打通干道，拉开框架，完善设施，强化功能”的原则，力争开工建设临汾市区外环路、滨河路等7条主干道，完成污水处理厂、新水厂扩建和建设路拓宽改造3项重点续建工程。大力实施绿化工程，增加城市绿地面积，塑造园林城市新形象，重振花果城雄风。其它县（市）的城市建设和已确定的16个重点小城镇也要按照省、市主管部门的总体要求，完善规划，加快实施。同时抓好城镇交通和市容、市貌管理，进一步提高城镇管理水平。

坚持不懈地抓好环境综合整治工作。重点治理大气污染和水污染。对未达标的工业污染企业，决不允许复产；对已达标企业要加强监督检查，防止污染反弹；对国家明令禁止的“五小”企业，要坚决取缔。平川县（市）县城要加快集中供热、供气工程建设。临汾市区及侯马、霍州两市全面实施城市环境综合整治，努力改善环境质量。

5. 高标准抓好基础设施建设

抓住国家继续实施积极财政政策的机遇，乘势而上，加大以交通建设、两网改造及电信设施为重点的基础设施建设力度。在公路建设上，完成了吉县——壶口、翼城西闫——舜王坪两条77公里的二级旅游路和路基工程。积极做好永和岔口——石楼12公里的扶贫路，霍州——七里峪41公里的旅游路的前期工作，力争年内开工建设。配合搞好祁临高速公路临汾段的施工建设。在“两网”建设与改造上，完成襄汾襄陵、古县城关等6个110千伏变电站，霍州辛置、侯马新港、翼城王庄等6个110千伏变电站以及尧都区泊庄等4个110千伏变电站工程的建设与改造任务。到年底，临汾市区中低压建设与改造面达到70%以上。电信方面，新架设光缆1000皮长公里，全市90%以上乡镇及平川经济条件好的行政村实现光缆传输，交换总容量达到48.1万门，市话扩容4.3万门，农话扩容4万门。

6. 进一步提高对外开放水平

按照国际市场的需求，着力调整和优化出口商品结构。在稳定焦炭、钢坯等骨干商品出口的同时，扩大纺织品、医药原料、铸件等优势商品出口规模，开拓纸张、桃仁、豆类等潜力产品的国际市场。重点扶持新临钢、华翔铸造等创汇500万美元以上的骨干企业。在巩固和扩大亚洲市场的同时，大力开拓欧美和非洲市场，鼓励开展代理出口和来料加工业务，确保全年进出口额完成5000万美元。修订出台临汾市招商引资优惠政策，建立《外商投资优势产业和优势项目目录》，积极组团参加国家和地区性的经贸洽谈会，采用网上招商、旅游招商等多种形式，力争使全年协议外资总额稳定在1500万美元以上。

7. 确保全市财政收支平衡

认真贯彻“加强征管、堵塞漏洞、惩治腐败、清缴欠税”的工作方针，不断改进和强化税收征管手段。在重点抓临钢、山焦、霍矿、临汾煤气化等 10 户年上缴税金 1000 万元以上的企业的同时，继续加大对农业税、农林特产税、车船税以及个体税收零散税种的稽查力度，严厉打击偷、逃、坑、骗税行为，确保完成年财政总收入增长 10%的目标。强化预算约束，按照“调整结构，确保重点，压缩一般，加强管理”的原则，严格支出管理。重点保证公教人员工资、三条保障线、科技教育、农业、粮食以及机构改革等重点支出，压缩人、车、会、话、差旅费等一般性支出，确保全年财政实现收支平衡。加大财税体制改革力度，建立和完善乡镇级财政体制。

8. 全面发展各项社会事业

以深化科技体制改革为突破口，逐步把科研事业单位推向市场，引导科技人员走出机关，走向生产第一线，搞好“产学研”结合。2001 年首先抓好首届高新技术项目洽谈会上已签订的科技合作协议的实施工程。平川县和有条件的山区县要培育 1～3 个高新技术及科技先导型企业，每个县要引进推广 3～5 项能带动传统产业技术改造和升级换代的技术项目，培育 3～5 个民营科技企业。

发展教育事业，全面推进素质教育，进一步提高“两基”水平。不断增加教育投入，切实改善办学条件，促进学校的现代化建设。年内全面完成 100 所“四化”学校、200 所信息技术达标校和 60 所薄弱学校的建设与改造任务，加快临汾经济技术学院和临汾师范学院建设步伐。

加快医药卫生体制改革步伐，加强行业管理和医德、医风建设，提高医疗保健水平。加强文化、体育、广播电视、新闻出版等工作，进一步丰富群众文化生活。继续实行计划生育“一把手负总责、亲自抓”，完成人口控制目标。

大力加强精神文明建设，深入开展文明城市、文明社区、文明行业和文明村镇创建活动。加强军民合作，搞好双拥工作。进一步做好老龄、统计、残疾人、民族宗教、人防、防震减灾、抗灾救灾、气象、档案、消防、安全生产等项工作，使各项社会事业与经济建设协调发展。

四、努力建设有作为的政府

各位代表，蓝图已经绘就，目标已经明确。扎扎实实地抓好落实，使临汾在新世纪里有一个新的飞跃，是全市 390 万人民的殷切期盼，是历史赋予我们的光荣使命，也是首届人民政府义不容辞的神圣职责。我们一定要牢记人民的嘱托，接受时代的考验，开拓进取，迎难而上，以坚韧不拔的毅力、锲而不舍的精神，肩负起党和人民交给我们的历史重任。一定要不辱使命，不负众望，以新的形象、新的气魄、新的风貌，开创工作新局面，努力使本届政府成为勤政、创新、务实、廉洁、高效、有作为的政府。

政府要为民执政。我们的权力是人民赋予的，政府的全部职责就是为人民谋利益。本届政府一定要认真贯彻落实“三个代表”的重要思想，以兴临富民为已任，勤政为民，恪尽职守，全心全意为人民服务。要增强爱民、富民、为民、安民的意识，密切联系群众，倾听群众呼声，关心群众疾苦，多为群众办实事、办好事。把人民的根本利益做为一切工作的出发点和落脚点，把群众满意不满意，答应不答应，拥护不拥护做为评判各项决策的惟一标准。要拓宽直接听取群众意见的渠道，人民群众关心的、欢迎的，我们就要办好办实。加快临汾发展，提高人民生活水平，是全市人民根本利益之所在，一定要增强使命感、责任感，树立强烈的发展意识，牢牢把握发展这一主题，集中精力抓经济，殚精竭虑谋发展，团结带领广大人民群众，调动一切积极因素，同心同德，奋力拼搏，为实现临汾市的全面振兴而奋斗。

政府要改革兴政。改革是发展的动力，创新是民族的灵魂。本届政府一定要顺应时代潮流，解放思想，更新观念，努力成为改革创新的政府。坚持用邓小平“三个有利于”的思想武装头脑、指导实践，时刻保持强烈的改革意识，昂扬的创新精神，振奋的工作状态。敢于打破旧的条条框框，步出传统观念的束缚，凡是不合时宜的、有碍生产力发展的旧观念、旧体制，都要大胆改革、大胆创新。在政府行为上，要改革管得过多，统得过死的体制，善于运用市场手段、经济手段、法律手段来管理调控经济工作；在工作思路上，要摒弃安于现状，小富即满的旧思想，善于抢抓机遇，敢为人先，高起点、大跨度、跳跃式地加快发展；在工作方法上，要破除因循守旧，按部就班的旧观念，善于用创新的思维观察分析形势，用改革的办法解决前进中的问题，把党的路线方针政策和临汾的实际结合起来，创造性地工作。政府要支持改革者，重用改革者，尊重群众的首创精神，在全市营造改革的氛围，创造改革的环境，努力在新世纪的竞争中，大胆探索，大胆实践，不断创造新经验，夺取新胜利。

政府要依法行政。依法行政是依法治国、依法治市的基本要求，也是政府工作的基本规范。新的政府及其工作人员要切实增强法制观念，在法律规定的范围内行使权力，切实做到依法办事，确保政令畅通，维护政府的形象，维护政府的权威，维护法律的尊严。自觉接受人大法律监督，政协民主监督以及新闻舆论监督和社会监督，认真执行人大各项决议，认真听取人民政协在民主监督中的意见和建议，及时办理人大代表的议案和政协委员的提案。全面实行行政执法公示制、责任制和过错追究制，把政府各部门各单位的职责权限、有关规定和办事程序公之于众，责任到人，虚心接受社会各方面的意见，严厉追究和惩治行政违法行为，为经济建设创造宽松环境。

政府要科学理政。实现率先发展、建设经济强市，不仅要有好的动机和期望，还必须有科学的态度、科学的方法、科学的精神。坚持学习马列主义、毛泽东思想、学习邓小平理论，用科学的理论武装头脑，提高贯彻党的路线、方针、政策的自觉性，增强工作的原则性、预见性和系统性。适应撤地设市的变化，认真学习研究城市发展、城市建设、城市管理方面的知识经验。坚持学习现代经济、科技、法律等知识，加强对社会主义市场经济的研究，努力把握新形势下经济工作的规律性，提高驾驭市场经济的能力和水平。坚持科学的原则和方法，尊重客观实际，严格按市场规律办事。

政府要从严治政。实现宏伟蓝图，必须规范政府行为，转变工作作风。加快推进机构改革，切实转变政府职能，把政府的主要精力放在搞好政策引导、协调服务和优化发展环境上，推广“一站式”和“阳光作业”，推行限时服务和承诺服务，进一步简化办事程序，提高办事效率。抓好领导干部廉洁自律工作，规范领导从政行为，强化对领导干部及其权力使用的监督和约束。加大违法违纪案件的查处力度，严厉惩处腐败分子，纠正行业和部门不正之风，制止铺张浪费现象。实干兴邦，空谈误国，新的形势和任务要求我们必须大力弘扬求真务实，真抓实干的工作作风。要深入基层，深入经济建设第一线，大兴调查研究之风，着力解决改革和发展中的热点、难点问题；要强化责任意识，落实任务，勇挑重担，对职权范围内的事情，敢抓敢管，大胆负责，果断决策；要压缩会议，精简文件，保证抓发展的旺盛精力，保证政府工作快节奏、高效率；要艰苦奋斗，埋头苦干，说实话，办实事，求实效，坚决克服和纠正形式主义、浮夸作风，克服官僚主义、衙门作风，真正使我们的政府成为人民群众拥护、信赖的政府。

各位代表！新的世纪和时代充满希望，新的机遇和挑战催人奋进，新的目标和蓝图令人鼓舞。让我们高举邓小平理论伟大旗帜，紧密团结在以江泽民同志为核心的党中央周围，在省委、省政府和市委的正确领导下，凝聚全市人民的智慧和力量，同心同德，抢抓机遇，励精图治，开拓创新，努力实现在全省率先发展的目标，为把临汾建设成为中西部经济强市而努力奋斗！

临汾市2001年国民经济和社会发展计划草案的报告

在临汾市第一届人民代表大会第一次会议第五次全体会议上

2001年1月20日

阎家富

各位代表：

我受市政府委托，向大会报告临汾市2001年国民经济和社会发展计划草案，请予审议。并请市政协各位委员和其他列席大会的同志提出意见。

一、2000年和“九五”计划执行情况

2000年是“九五”计划的最后一年。这一年，临汾市经济和社会发展计划执行情况如何，对确保完成“九五”计划，顺利实施第十个五年计划至关重要。“九五”期间，全市人民在市委、行署的正确领导下，认真贯彻党中央和省委、省政府的一系列重大部署，团结动员全市人民，理顺调整结构思路，克服重重困难，锐意改革创新，落实责任实干，取得可喜的成就。

经济总量进一步扩大，竞争实力明显增强。2000年国内生产总值完成171.1亿元，5年年递增10.3%，高于全国8%和全省8.2%的速度。国内生产总值提前4年、人均国内生产总值提前1年实现了第二个翻番。财政总收入14.93亿元，5年年递增13.12%。

结构调整顺利启动，发展后劲大为提高。围绕“五项创新”大胆突破，结构调整取得阶段性成果。所有制结构中非公有比重上升到37%。农业结构中粮经作物比重由8.5∶1.5调整到7.7∶2.3；工业结构中非煤新兴产业比重明显上升；出口结构中原料与加工制造业比重由7∶3上升为6∶4。一批有竞争力的潜力产品相继投产，为经济发展注入新的活力。

改革创新取得突破，对外开放进一步扩大。国有中小企业、城镇和乡镇集体企业改制任务初步完成；农村改革不断深化；财税、金融、粮食、教育、卫生、住房、社会保障体制等改革取得重大进展，初步建立起社会主义市场经济体制框架。对外开放进一步扩大，5年来共利用外资7684万美元，2000年外贸出口总额达到4753万美元，创历史最好水平。两个开发区建设迈出新的步伐。

城乡人民生活继续改善，消费进一步提高。“九五”时期，城镇居民人均可支配收入由2779元增加到4158元，5年年递增8.4%。农民人均纯收入由1130元增加到2211元，5年年递增14.4%。全市55.6万贫困人口基本解决温饱，占全部贫困人口的79.1%，曲沃、霍州、侯马、尧都、洪洞231万农业人口基本实现小康，占农业人口的75%。城乡居民住房、饮食结构、通讯手段、医疗条件、文化生活等都发生深刻的变化。

基础设施明显改善，城乡建设步伐加快。“九五”时期，固定资产投资完成166亿元，比“八五”增长1.64倍。特别是1998年以来，抓住国家扩大内需的机遇，大力开展项目年活动，争取国家、省投资34亿元。百公里石坝、2.67万公顷滩涂、霍侯一级公路等一批在全市具有里程碑意义的基础设施项目相继建设和完成；邮电通信装备达到国内先进水平；城市建设迈出较大步伐。城乡电网改造进展顺利。城市化水平达到22%。

社会事业稳步发展，保障体系初步建立。科技对经济的贡献份额的逐年增长。办学规模继续扩大，办学条件明显改善，社会力量办学积极性高涨。文化、体育、卫生事业和民主与法制建设稳步发展。城乡社会保障体系已初步建立。

“九五”期间，临汾市经济和社会发展取得令人鼓舞的成就，主要得益于3个方面的经验。一是认清区情，统揽全局，提出了“打基础、调结构、治环境”建设中西部强市的发展思路。二是创新干部管理制度，为经济发展提供强有力的组织保障。三是集中力量打歼灭战，齐心协力办大事。

在实现较快发展的同时，经济和社会发展中也存在一些突出问题：观念、体制、机制仍不能适应市场经济发展的要求。人才、资金、技术的缺乏制约结构调整步伐。区域产业特色不明显，缺少有竞争实力的大型企业和集团。非公有经济总体规模不大，质量不高。经济发展的环境依然不宽松。环境、生态问题严重。农民和城镇居民收入增长缓慢，就业压力大，社会保障水平不高等等。

二、2001 年国民经济和社会发展预期目标及主要任务

“十五”期间，要遵照市委、市政府提出的“以邓小平理论和江泽民同志‘三个代表’的重要思想为指导，认真贯彻党的十五届五中全会精神，全面落实省委、省政府的总体部署和要求，紧扣发展主题，继续推进以调结构为中心的‘三件大事’，实施‘六大战略’，确保‘三个提高’，切实加强精神文明建设和民主法制建设，全力维护社会政治稳定，促进经济和社会全面进步，努力实现率先发展，为把临汾市建成中西部经济强市奠定坚实基础”经济和社会发展指导思想，按照年度计划与“十五”计划相衔接的原则和率先发展的要求，结合我们经济和社会发展实际，提出2001年经济和社会发展主要预期目标。

——国内生产总值188亿元，增长10%

——财政总收入16.42亿元，增长10%

——全部工业增加值达 86 亿元，增长12.2%

——固定资产投资44.8亿元，增长12%

——社会消费品零售总额达63.3亿元，增长8.2%

——外贸进出口总额达5000万美元，增长5.2%

——城镇居民可支配收入达 4350 元，增长4.6%

——农民人均纯收入 2300 元，增长4.1%

——居民消费价格总水平上涨1%

——人口自然增长率控制在10‰以内

2001 年临汾市国民经济和社会发展主要任务是：

（一）明确重点，加大力度，加快产业结构调整步伐

1．以发展特色、精品、生态、农业产业化为重点，搞好农业产业结构调整。

（1） 继续加大农产品品种调整的力度。要在稳定粮食生产的前提下，大力发展蔬菜、林果、畜牧业。粮食生产在维持30亿斤的前提下，主攻优质高产，发展优质专用作物，小杂粮主要发展豆类、谷子；蔬菜要大力发展精细、反季节、无公害蔬菜，大力推广二代日光温室、无土栽培、工厂化育苗等技术；水果要改良、引进和发展反季节品种、提高质量，积极发展药材、烟叶、花卉等特种经济作物；畜牧业以养牛为主，大力发展草食家畜，稳定猪、鸡生产，适度发展特种养殖；林业在树种结构上，除大力发展生态保护林外，适度规模发展干果经济林、速生丰产林、特种经济林、城乡景观林。围绕上述目标和重点，2001 年要积极推进“种子工程”、“苗子工程”和“畜禽品种改良工程”。

（2） 加大基地建设力度，实施规模化、集约化经营。遵循市场原则，按照一县一业和几县一业的区域化布局要求，平川县（市）重点发展精品农业、高效农业，东西两山重点发展生态、特色农业。种植业整体布局基本形成平川3大经济增长带（2.67万公顷汾河滩涂园区带，平川水地高效种植带，平川丘陵、旱地特色作物种植带），西山3大作物生产基地（优质小杂粮、苹果、梨），东山4大特色种植区（优质谷子、玉米、核桃、食用菌）；畜牧业重点建设安泽等6个重点养牛

县，建设洪洞奶山羊、西山绒山羊、东西山波尔山羊、小尾寒羊优良品种基地，翼城、洪洞、尧都优质商品猪基地；林业要重点抓好天然林、生态林的保护建设和退耕还林还草的工作，重点建设以古县、安泽、浮山为主的百万亩核桃基地，以永和、大宁、襄汾、洪洞为主的百万亩红枣基地，汾河滩涂为主的三倍体毛白杨基地；结合以工代赈工作，依托片区开发、种养加项目的实施，以开发式扶贫方式，加快贫困乡村的基地建设。

（3） 加大龙头企业建设力度。以龙头企业带动农业产业化的发展，形成种养加、产供销一条龙的农业产业化新格局。要以培育产值超亿元，利税超千万元农副产品加工企业为目标，2001 年重点要抓好大槐树乳业、隰县天天饮料等 10 个农副产品加工龙头企业。为支持农业结构调整，省政府今年筹措 1.5 亿元资金专项用于农业产业化建设，各县（市、区）要积极工作，努力争取支持。

2. 以建成全国的焦化、铸造基地为重点，加快传统产业升级改造步伐。焦化工业要按照“合理布局，规模发展”的原则，“十五”期末，机焦产量达到 1000 万吨，在全国占 10% 的份额。2001 年重点抓好临汾海姿、侯马寰达等 10 个 45 万吨机焦项目，并加快山焦 30 万吨焦油加工项目的可研论证和立项工作，力争早日建设，为焦化工业向精细化工方向发展奠定基础。铸造工业走“小而专、小而精、小而特、小而高”的路子，形成群体优势，进而逐步发展积聚壮大，形成规模优势。2001 年重点抓好临汾华翔、襄汾亚光等 10 个铸造项目。煤炭工业坚持关井压产、联营改造、加工转化、规模经营的原则，重点抓好古县相力二矿、临古煤矿 2 个 30 万吨、乡宁神角、古县店上等 4 个 21 万吨矿井的改造工程。在加工转化方面，重点抓好翼城华昌 20 万吨，西郭煤矿 10 万吨型煤项目和临汾 20 万吨水煤浆项目开工建设。冶炼行业坚持优化布局、防污降耗、增加品种、形成规模的原则，重点抓好侯马建邦、翼城城东等 8 座 125 立方以上高炉和襄汾 3 万吨金属锌项目建设，力争年内建成投产。纺织行业要以科技开发为龙头，扩大生产规模，加快改造，提高产品档次，发展高支高密纺织品。造纸行业按照调整原料结构，加速规模扩张的原则，以临纸、洪洞晋芳、荟源、襄汾纸厂、邓庄纸厂等 5 个企业为依托，大力发展民用纸、高档薄页纸、新闻和高档印刷纸。加快 10 万吨三倍体毛白杨集中制浆造纸项目的前期工作，力争早日开工建设，逐步形成集中制浆、分散造纸的新格局。

3. 以精细化工、生物制药、新型建材为重点，培育高新技术产业优势。“十五”时期，在精细化工领域，重点发展煤焦油深加工、直接染料、高效化肥等产品；在生物与制药技术领域，重点发展中药现代化品种、基因工程、各类生物制剂、农业动植物基因工程产品；在新材料领域，重点发展高性能磁性材料、纳米材料、新型非金属材料及复合金属材料；机械制造业重点发展机电一体化技术；在战略能源技术领域，重点发展清洁能源技术、煤炭加工转化技术、高效燃煤设备技术、环保型炼焦设备；在信息和通信技术领域，重点发展入网系统设备、网络与信息安全产品；在环保领域，重点发展脱硫工艺及成套设备、工业废水处理设备、环境与污染源监测设备仪器等。2001 年，化学工业要抓好临汾染化 2000 吨直接染料、霍州化工公司 20 万吨尿素配套改造、霍州文通万吨粒状碳酸钾、山西鼎立化工公司 10 万吨 NPK 复合肥项目竣工投产。医药化工要重点抓好侯马晋光制药厂 20 亿粒猴头健胃灵，平阳制药厂 5 亿粒男康片，汾河生化 3 万吨柠檬酸、曲沃三川药业予制中成药等 8 个重点项目的投产见效。建材工业以发展高标号、特种道路水泥为重点，抓好建材水泥厂 30 万吨立窑改回转窑的配套项目和古县快凝铁铝酸盐特种水泥前期工作。加大石膏产品的开发力度，重点抓好山西丰繁技术发展公司万吨石膏晶须项目。机电工业要以环保、农机、建筑、无线遥控等设备和装置为重点，抓好 3000 台煤炭专用厢式半挂车生产线项目竣工投产。积极扶持鼓励高新技术产业的发展。临汾双诚 5000 吨变态润滑油、侯马瑞洁 3000 吨L－乳酸、临汾宏通工交公司高速公路 1 万套汽车防撞报警装置、襄汾龙山 1 万吨超强吸水树脂，临汾金座 1 万吨农业滴喷灌管材，山西三川药业 300 吨止血纤维、翼城东寿城冶炼厂新型全氧分生化有机肥、尧梦环保设备公司 200 台水射流除尘脱硫装置项目等 8 个项目已列入全省高科技项目计划，要抓住机遇，加快前期工作，尽快落实资金并开工建设。

4．以信息、科技、旅游、商贸市场建设为重点，加快发展第三产业。十五期间，信息业必须发挥后发优势，实现经济技术的跨跃式发展，以信息化促进地区经济和社会发展。2001 年要加速通信网络工程建设，初步建立起由电信、广播电视和计算机网构成的天地一体、网际互联的通信传媒网络，实现资源共享。大力开发信息资源，建成招商引资、企业及产品两个数据库。积极通过政府网站开展电子商务，重点加强与焦炭、铸造、食品、畜牧等专业协会的信息交流。把我区优势企业和产品推向世界。

充分发挥科技进步对经济增长的推动作用，2001 年要重点实施科技“五项工程”。通过实施高新技术产业化工程，提高全市高新技术产业增加值的比重。通过实施工业结构优化和产业技术升级工程，加快传统产业技术和装备的改造。通过实施以科技致富行动为特色的农业产业化工程，推动农业现代化建设。通过实施以加速科技成果转化为核心内容的产学研工程，进一步推进产学研联合体建设。通过实施扶持规范民营科技企业工程，使其成为发展科技事业和高新技术及其产业的重要力量。

旅游业要按照打好“两张牌”，建好“九个点”，形成“一条热线”的“十五”发展思路。打好“根祖文化牌”，抓好临汾尧庙观瞻祭祀园、洪洞寻根祭祖园等以寻根旅游为主要内容的专项旅游产品；打好“壶口牌”，推出“大黄河、大瀑布、大峡谷”的旅游价值，形成以黄河壶口瀑布为龙头的黄金旅游线路，吸引海内外游人。重点抓好壶口景区配套设施，壶口至龙门水上峡谷游，洪洞寻根祭祖园，尧庙舜宫、禹宫扩建，霍州州署、曲沃晋侯墓、翼城舜王坪、霍州悬泉山生态旅游，侯马晋国文化博物馆 9 个重点项目的建设。尧都区做为全市政治、经济、文化、交通的中心，要改善服务设施，营造旅游氛围，形成游客集散地，辐射带动全市旅游业的发展。初步形成“北连京津，南接西安、洛阳，与晋中、运城旅游区相呼应，以根祖文化和黄河峡谷游为核心内容的旅游热线新格局，使旅游业尽快成为临汾市经济发展的新兴产业。

商贸流通业要全面抓好重点专业批发市场和农产品集贸市场建设，加快培育和发展流通中介组织。“十五”末，在全市形成批发与零售、现货与期货、内贸与外贸、有形与无形市场相互衔接的统一开放、竞争有序、网络畅通、信息灵敏、协调发展的市场体系。2001 年要新建侯马北方摩托城、曲沃晋都综合商场、洪洞影都超市等 10 大市场，力争全市超亿元的市场达到 15 个，市场交易额突破 50 亿元。与此同时，要大力发展金融、会计、审计、咨询、法律、保险、证券、社区等新兴服务业，提高第三产业的档次和水平。

全面推进素质教育，为经济建设培养高素质人才。普教要按照“三个面向”的要求，进一步提高“两基”水平，力争大宁、永和两县实现“普九”达标，并通过验收。要加快“四化”学校建设，年内全面完成 100 所“四化”学校建设和 60 所薄弱学校改造任务，成人教育要加快临汾经济技术学院和山西师大临汾学院组建步伐。职业教育要争取襄汾、洪洞职教中心建成投入使用，霍州职业中学图书楼立项开工建设。

卫生部门要加快医药卫生体制改革步伐，加强行业管理和医德医风建设，提高医疗保健水平。广播电视、文化部门要巩固“村村通”成果，丰富和活跃群众的文化生活。2001 年要加快文化馆、图书馆、文物库的建设。计划生育部门要以落实“三为主”为重点，人口出生率要控制在16‰以内。同时，要大力加强精神文明建设，深入开展文明城市、文明社区、文明行业和文明村镇创建活动。全面抓好民政、老龄、统计、残疾人、民族宗教、人防、防震减灾、气象、档案、体育、文物等各项工作，使各项社会事业与经济建设协调发展。

5.实施城镇化战略，加快城乡结构调整。按照因地制宜、发挥优势、突出特色、提高效益的原则，加强中心城市和小城镇建设。尧都区要按照打通干线，拉开框架，完善设施，强化功能的原则，在抓好城市具体规划的同时，重点抓好尧都区建设路、贡院街东街拓宽改造等7条主要道路建设，加快供电、通信、燃气等配套设施建设，重点抓好临汾供水工程和污水处理厂竣工使用。侯马、霍州两市也要搞好改扩建规划，完善城市功能，抓好供水、供气、供热等城市基础设施建设项目，充分发挥对小城镇的辐射带动作用。

继续加快以县城为重点的小城镇建设。按照规划高起点、建设高品位的要求，重点抓好霍侯一级公路沿线霍州白龙、洪洞赵城等16个重点小城镇建设，承接中心城市的辐射带动。已开工建设的霍州白龙、尧都区屯里、襄汾张礼、曲沃里村、侯马风城等5个小城镇要加快建设步伐，年内要形成规模。其余11个小城镇要制定规划，争取资金，尽快开工建设。积极稳妥地推进撤并乡镇，扩大小城镇规模。小城镇建设要立足功能定位，发挥比较优势，形成各具特色的城镇经济，防止功能雷同。发展小城镇要引导乡镇企业向城镇集聚，搞好乡镇企业的布局，并把发展农业产业化经营，完善农村市场体系和社会化服务有机结合起来。改革户籍制度，加快农村富余劳动力向小城镇的转移，促进城镇经济更好地发展。要增强中心城市辐射功能，完善城镇等级体系。初步形成以尧都、侯马为主中心，以霍州和14个县城为次中心，百家试点建设的村镇为辐射点；以霍侯路为主轴线，以连接各县城的交通干线为网络，由点到线，由线及网，由网及面，形成全市城乡一体化的城镇等级体系。

（二）放宽政策，广开财源，加大基础设施建设力度

临汾市基础设施建设经过几年的努力，已有了一个较大的改观。但与改革开放和经济发展仍很不适应。当前和今后一个时期，必须解放思想，放宽投资准入政策，以利益为纽带，广泛吸纳社会资金，进一步加快基础设施建设。

1.坚持“五水兴农”，继续改善农业生产基础条件。治水以霍侯路沿线1.37万公顷农业综合开发工程、汾河河道治理工程为重点。保水以世行贷款水保、生态农业建设为重点，抓好西山7县（市）生态农业建设、乡宁世行贷款水保项目和大宁黄河流域水土保持项目的实施，争取汾西县列入全省生态农业建设计划。加强农机示范县建设，抓好霍州、洪洞、翼城、古县、吉县等5县旱作农业项目。节水以汾河滩涂2.66万公顷农业综合开发工程和曲沃北董666.67万公顷节水灌区为重点。拦水以旱水和人字闸为主的山地微灌工程，洪水利用工程和农村饮水工程为重点。全年新建人字闸40座，旱井1万眼，解决5万农村人口的饮水困难。引水要力争引沁入汾一期马房沟提水工程在国家计委立项，全面完成汾西灌区“二渠一库”改造任务。

2.抓住高等级公路建设机遇，再掀临汾市公路建设高潮。“十五”期间，要紧紧围绕全省公路网建设规划，建成以高速路、国、省道干线为骨架，以县乡公路为辐射的公路网络。2001年要积极配合大运高速公路建设，做好协调服务工作。同进争取霍沁公路立项，霍州市汾河大桥、涧河桥开工建设和竣工通车，安泽309国道县城过境段完成拓宽改造。旅游公路建设重点抓好吉县——壶口、翼城——西闫舜王坪、尧都刘村——仙洞沟3条旅游公路路基或铺油工程。

3.以农网、城网改造为重点，提高临汾市供电运行质量。重点抓好侯马电厂2×50MW机组主厂房建设和霍州二电厂前期工作。城网、农网改造要力争完成5.98亿元投资工作

量。重点要抓好8座110KV变电站和线路的新建及改造任务。

（三）综合整治环境，进一步提高环境质量

以“一控双达标”为目标，平川县（市）重点抓好废水废气治理，山区县重点抓好生态建设。巩固“6·5”和“零点”关停行动的成果，杜绝小焦炉、小高炉、小水泥等重点污染企业死灰复燃。对已达标的企业要加强监督检查，防止污染反弹。抓住经济结构调整契机，在重点行业全面推进清洁生产。平川7县(市)县城要加快集中供热、供气工程，尧都、霍州、侯马3个重点城市要以煤烟型污染和机动车尾气污染治理为突破口，实施环境综合整治，改善城市环境质量。要重点保证临汾污水处理厂竣工投入使用，同时抓紧做好侯马集中供热、污水处理、垃圾处理和临汾垃圾处理等4个项目前期准备工作，争取国债和银行贷款。山区10县要重点抓好生态建设工程、世行水保工程、退耕还林还草工程。加大执法力度，依法保护和合理开发利用资源，制止私挖滥采等非法采矿和浪费破坏资源的现象。

三、采取得力措施，确保经济和社会发展目标顺利实现

（一）不断更新观念，适应新时期经济发展要求

强化市场经济观念，要善于用市场经济的方法和手段解决发展中遇到的问题，充分发挥市场对资源的基础性配置作用。要顺应全球经济一体化和中国即将“入世”的要求，准确把握临汾市经济发展在世界经济发展格局中的定位。适应全球科技日新月异的发展趋势，加快发展高新技术产业并用高新技术促进传统产业的升级改造。要继续“五项创新”，以观念创新、体制创新、金融创新、科技和人才创新、环境创新为动力，保证临汾市国民经济和社会发展各项目标任务的完成。

（二）继续深化改革，为经济发展注入新活力

深化企业改革。一是以建立现代企业制度为方向，继续推进产权制度改革。二是加快临汾市工业企业资产重组的步伐。抓好企业集团的组建运行，重点培育和发展优势产业集团。三是进一步明确国有经济进退领域，竞争性领域国有资产要尽快全部从竞争性行业退出。四是加快国有资产管理体制的改革，组建行业国有资产经营公司或控股公司试点。

深化农村改革。一是全面完成土地延包工作，积极探索建立土地流转机制。加快“四荒”拍卖和小型水利设施的产权改革，大力发展“庄园经济”。二是改革农村税费制度，减轻农民负担。三是转变乡镇政府职能，精简机构人员，把乡镇政府职能转到加强行政管理和提供公共服务上来。四是完善粮食储备和风险基金制度。五是深化农产品流通体制改革、供销社和信用社体制改革。

深化投融资改革。按照“谁投资，谁决策，谁受益，谁承担风险”的原则，对非经营性或社会效益大的基础设施项目，主要由政府筹措资金建设，竞争性项目原则上由企业筹资解决。建立投资引导机制。通过制定产业发展目录、市场信息定期发布制度，财政贴息入股等方式，引导社会投资，避免投资的盲目性。逐步建立完善投资中介服务体系。运用多种方式和手段，拓宽融资渠道。积极探索债券融资、项目融资的新途径。积极推行BOT和TOT等特许权投融资形式。加大企业上市融资工作力度，争取染化集团及早上市，华翔集团和襄汾有色金属公司等企业在即将创立的二板市场上筹集资金。大力发展各类担保组织，解决中小企业贷款难，担保难的问题。加强项目前期工作力度，确保工程质量，不断提高投资效益。

（三）积极应对“入世”，进一步提高对外开放水平

适应即将加入世贸组织的要求，研究和熟悉世贸组织的各项规划，着重研究临汾市重点行业、重点产品的发展对策，清理政府部门审批，检查收费等方面与WTO相抵触的有关规定，认真研究和利用好“入世”过渡期条款。改进招商方式，提高招商的灵活性。建立《外商投资优势产业和优势项目指导目录》，不断

扩大利用外资领域，引导外资重点投向高新技术产业和基础设施建设。扩大高附加值的商品出口，在稳定和增加焦炭生铁出口的同时，提高精细化工、精密铸件等产品的比重，不断提高出口商品质量和档次。鼓励引导非公有制企业走向国际市场，发展对外贸易。加快临汾、侯马两个经济发展的龙头、对外开放的窗口、现代工业的示范区。抓住西部大开发的机遇，鼓励企业利用技术、人才、品牌、设备等优势，联合开发西部资源，实现共同发展。

（四）开发人力资源，建立经济发展的人才智力支撑体系

以建设科技教育园区为重点，聚拢高科技人才。以山西师大、临汾经济技术学院、临汾经济技术开发区等为基地，以师范大学各专业及科研机构、临汾市科委及有关专业院校和科技机构、具有科研开发能力的企业为核心，找到一条高校与地方产学研相结合的成功模式，逐步聚拢一大批高科技人才队伍，为临汾市经济和社会发展提供高科技智力资源支撑。

以激励和培训为重点，加快培育企业家队伍和民营科技队伍。建立企业家期权、期股制等激励机制，将企业家与企业利益紧密结合起来。加大企业家培训力度，重点培养企业家敏锐的决策眼光和创新能力，丰富的企业管理经验。完善县乡村科技网络，培养一支农业科技成果推广队伍。加大人才引进力度，重点引进高层次的科学家，高水平的学科带头人，高精尖产品的开发人员和具有战略眼光与管理才能的企业家及熟悉国际惯例与经营技巧的国际贸易、国际金融人才。建立人才引进基金和人才信息库，实现人才库与重点项目建设库的动态连接。

（五）维护社会稳定，确保各项建设顺利实施

稳定是改革和发展的前提。要继续推进城镇职工养老、失业和医疗3项社会保险制度改革。进一步扩大城镇社会保险覆盖范围，把个体、私营、企业纳入省级统筹范围。基本养老保险要由差额缴拨改为全额征缴，并基本实现社会化发放。稳步推行国有企业下岗职工基本生活保障向失业保障制度过渡。逐步建立城镇职工基本医疗保险制度，不断拓宽再就业渠道。城镇职工再就业率达到70%以上，城镇登记失业率控制在3%以内。按照城镇职工最低生活保障标准，适度扩大覆盖面，有效解决城镇贫困人口的生活问题。继续加大扶贫投入，解决好农民稳定温饱问题，安排好灾区群众的生产和生活。确保人民安居乐业，经济顺利运转。

（六）加快职能转变，营造简政放权的管理环境

按照小政府、大社会，少审批、多服务的要求，凡不属于政府职能，不应由政府直接管理的，要彻底放开，对企业出资建设国家非限制或非禁止类项目，由审批制逐步改为登记备案制。切实推行政务公开，对凡是与企业和群众办事相关的政策、规定，各个部门的权限，责任以及办事内容、办事程序、办事时限等，都予以公开。切实做好清费减负工作，公开收费标准，全面实行收费登记制和许可证制度，坚决治理“三乱”行为。依法行政，依法办事，建立办事高效、运转协调、行为规范的管理体制和工作机制，使机关工作作风有明显转变，组织纪律有明显增强，办事效率有明显提高，服务质量有明显改进。

各位代表，今后5年的大政方针已经确定，2001年的各项任务也已明确，关键是贯彻落实。让我们在市委、市政府的坚强领导下，高举邓小平理论伟大旗帜，深入贯彻党的十五大和十五届五中全会精神，落实山西省委七届十次全会部署，认清形势、坚定信心、狠抓落实、乘势前进，全力推进以调结构为主的“三件大事”，争取率先发展，努力保持国民经济持续快速健康发展，为把临汾市建成中西部经济强市而奋斗。

临汾市2001年财政预算情况草案的报告

在临汾市第一届人民代表大会第一次会议第五次全体会议上

2001年1月20日

张传华

各位代表：

受市政府委托，我向大会提交2001年临汾市财政预算情况草案的报告，请予审议。并请各位代表和列席人士提出意见。

目前，山西省对临汾市实行的是“划分税种、核定收支、包死基数、三年不变、增收全留、超支不补、自求平衡”的财政体制。

2000年，临汾市各级财政部门在市委、行署的领导下，围绕“三件大事”，紧紧抓住经济增长的有利时机，强化收入征管，努力节约支出，财政预算执行取得较好成绩。截至年底，全市财政总收入累计完成149261万元，为省考核年度预算141500万元的104.01%，比上年增长13.45%，增收17701万元。全省增长排队第1名，进度排队第2名。一般预算支出累计执行172684万元，为年度预算187766万元的91.97%，比上年增长15.38%，增支23023万元。在支出增长的同时，保证公教人员工资、正常办公需要及提高“三条保障线”等重点支出。收支相抵，全市除霍州发生赤字外，其他县（市）及市本级实现当年收支平衡，为全市经济建设和社会发展做出了积极贡献。

一、2001年全市财政总预算及本级预算草案

（一）指导思想和基本原则

2001年，是进入新世纪、实施“十五”计划的第一年，是保持经济增长良好势头、乘势前进的关键一年，也是深化改革、扩大对外开放的重要一年，做好全年财政工作意义重大。按照中央、省及市委、市政府对财政工作的要求，今年全市财政工作的指导思想是：以江泽民总书记“三个代表”重要思想为指导，认真贯彻党的十五届五中全会、全省经济工作会议精神，围绕“三件大事”，继续落实积极财政政策，发挥财政宏观调控职能；进一步加强征管，努力增加财政收入；调整优化支出结构，保证重点支出需要；推进支出管理制度改革，坚决落实“比例适当，集散有度，收支合理，使用得当”的16字方针，构建公共财政；依法行政，强化监督，规范财经秩序；确保圆满完成财政预算，为新世纪开好局，起好步。根据这一指导思想，2001年全市财政收支计划安排的原则，一是财政收入的增长幅度要与经济发展速度相适应；二是量力而行，收支平衡，不列赤字；三是先保“吃饭”，后搞“建设”；四是调整结构，保证重点；五是厉行节约，勤俭办一切事业；六是实行预算内外资金统管、财力综合运用。

（二）全市财政总预算及市本级预算安排意见

根据2000年财政预算执行情况和2001年国民经济主要指标及有关财政政策，考虑今年影响收入的增减因素，建议2001年全市财政总收入比2000年完成149261万元增长10%，安排164200万元。分析2001年财政形势，增长10%的目标经过努力是可以实现。

1. 增收因素有2项，增加财政收入40800万元。一是经济自然增长增加财政收入13600万元。2000年全市国内生产总值完成168亿元，2001年预计完成185亿元，增加17亿元。近几年，临汾市财政收入占GDP的比重平均为8%，其中1998年为7.49%，1999年为8.4%，2000年为8.86%。2001年按8%计算，可增加财政收入13600万元。二是经济结构调整形成的巨大潜力将在全年得到充分发挥。这里包括新建、扩建以及改建的项目。去年我们3次对项目进行筛选时，重点对207个年税收在10万元以上的项目进行分析、研究、调查、核实，其中146个项目2001年可提供税收近2.72亿，将成为临汾市财政增收的新亮点。

2.减收因素有5项，减少财政收入28628万元。一是国家税收政策调整将影响市财政收入1.5亿元左右。财政部明确指出将对税收政策进行大的调整，重点是增值税和消费税。即增值税由生产型转为消费型核算；扩大消费税税基。就现实情况看，增值税影响较重。据对1999年统计资料进行分析，工业生产性固定资产抵税年均1.5亿元左右，也就是说财政收入每年将减少1.5亿元。二是环保治理当年减少财政收入10800万元。经临汾市“一财两税”调查及市环保部门提供情况，“6·5”行动共关停焦炉525座，占59.32%；炼铁炉164座，占46.72%；3万吨以下的小选矿厂53座，占40.15%；30万吨以下小选煤厂81座，占57.04%；其他小造纸、小耐火、小石膏、小水泥129座；三是霍州矿务局资源枯竭，减少税源650万元；四是福利企业应退未退1078万元；五是投资方向调节税停征后，2000年清回1600万，2001年可清回欠税500万元，减少1100万元。

以上增减因素相抵后，可增加财政收入12172万元。这说明临汾市财政总收入要增长10%，达到164200万元的目标，必须通过加强征收管理，堵塞漏洞，清理和防止发生新的欠税等措施来实现。

按以上收入指标和现行财政体制匡算，2001年全市财政一般预算收入安排96660万元，加上省税收返还32128万元，省转移支付补助5584万元及其他结算补助16646万元，预算外调入资金500万元，全市财政收入总计为151518万元。全市一般预算支出151518万元，与财政收入总计一致。

由于大部分县（市）人代会尚未召开，也没有上报收支预算，上述报告的2001年全市预算草案为市财政的初步测算意见，待县（市）人代会全部召开后，我们将汇总各级人代会批准的预算，并将去年结转到今年的支出顺加到相关科目，报市人大常委会备案。

2001年市本级一般预算收入安排4039万元，与上年持平。加上中央税收返还751万元，与省各项结算补助13102万元，县（市）体制上解收入24729万元，调入资金500万元，市本级财政收入总计为43121万元。市本级一般预算支出安排29921万元，体制补助县（市）支出13200万元，市本级财政支出总计为43121万元，与市本级财政收入总计一致。

2001年，临汾市经济和社会发展的任务十分繁重，全市新增财力与新增支出相比存在较大缺口，预算安排难度很大。我们要按照“调整结构，压缩一般，保证重点，加强管理”的方针，重点安排事关改革、发展和稳定大局的支出项目及法律法规规定增加的支出项目，其他支出项目要根据事业发展轻重缓急安排。2001年全市财政重点安排支出项目是：加快社会保障体系建设，维护社会稳定必须的支出；为确保国家政权机关正常运转和社会事业进步，全市行政事业单位工资性支出及行政事业性经费支出；全面推进素质教育，努力振兴教育事业，增加对教育事业的投入；加快技术创新，促进科技成果转化运用所需支出；加强农业基础地位，加快脱贫步伐，促进农业增效、农民增收等用于农业发展的支出项目。

为确保收支平衡，确保工资性支出及重点支出需要，2001年全市支出预算的平衡措施是：

1. 收支平衡，不打赤字。预算安排要坚持先维持、后发展，先重点、后一般的原则，按照排定的项目次序依次安排，不超财力安排支出。各项支出安排次序为：财政应负担的工资性支出，按定额安排的公用经费，社会保障补助支出，专款专用支出，政策性补贴支出，救灾及抚恤救济支出，法律法规要求必保的支出和市委、市政府确定的重点支出，各项生产建设性支出，预备费，专项事业费及业务费，一般购置支出，其他支出。财力不敷使用时，依次削减乃至取消排列在最后的支出项目。

2．实行预算内外资金统筹安排、综合平衡。行政事业单位的所有财政性资金均做为政府统一掌握的公共资源，按照统一规定和原则安排使用，取消所有形式的收支挂钩办法，打破预算内外资金界限，实现收支统管。各部门预算外收入中扣除专项用于公共工程和社会公共事业的基金收费、以政府信誉强制建立的社会保障基金、与预算外收入相关的成本性补偿性支出后，结余部分与预算内资金统筹安排。

3．全面推选零基预算，对原预算管理模式下形成的部门既得利益进行必要的调整，对一些部门过高的支出水平进行必要的压缩，克服苦乐不均现象。安排给各部门的基本支出（包括人员经费、专项业务费、专用经费）按编制内人员计算。

4．积极推进事业单位改革步伐，逐步减少对一般事业单位财政供给的政策。对半公益性单位，财政预算内只安排离退人员经费及编制内实有在职人员个人部分，并逐步核减，其余支出均通过预算外收入安排；对一般经营性单位，其支出全部由经营收入安排；对编制部门核定为全额预算管理的事业单位，但按性质又属于经营性的单位，财政预算内只负担离退休人员经费和编制内实有在职人员的个人部分，其余支出均由经营收入安排。

5．符合政府采购目录的大宗支出项目，要试行政府采购。

二、坚定信心，振奋精神，为全面完成2001年预算任务而奋斗。

完成2001年预算任务，做好各项财政工作，对于促进经济结构调整，提高经济运行质量，支持各项改革，推动社会进步，具有十分重要的意义。为确保财政各项工作任务圆满完成，各级财政部门要准确把握经济形势，增强必胜信心，始终保持良好的精神状态和旺盛的革命斗志，积极主动地抓住和利用一切有利因素和时机，努力开创财政工作新局面。具体讲，就是要“做到一个促进”、“实现两个确保”、“狠抓五项工作”。

“做到一个促进”：就是继续落实积极的财政政策，促进经济结构调整，提高经济增长的质量和效益。贯彻中央经济工作会议精神，抓住国家继续实施积极财政政策的有利时机，努力争取更多的国债建设资金，进一步带动投资需求。切实强化国债资金的监督管理，保证国债资金及时拨付到位，防止损失浪费，提高资金使用效益。适时调整引资结构，科学合理地引进世界银行等国际金融组织贷款和外国政府贷款，促进对外开放。继续落实已经出台的调整收入分配政策，积极筹措资金，确保行政事业单位增资和提高“三条保障线”水平的资金需要，逐步建立健全覆盖各种经济成份的社会保障体系，为各种经济成份发展创造平等竞争的环境。要全面落实财政支持和优化经济结构调整的政策措施，培育和发展优势产品、优势企业、优势行业和经济增长点。要充分发挥财政政策调控和财政资金导向启动作用，大力支持发展潜力产品，改造传统产业和调整所有制结构，进一步加快小城镇建设；要积极推进国有企业战略性重组，努力促进国有企业扭亏增盈，实现管理和技术双重创新；要加大农业投入力度，改善农业基础设施和生态环境，推进农业科技进步，引导农民根据市场需要调整生产结构，发展特色农业和农副产品加工业，进一步增加农民收入。

“实现两个确保”：一是确保人大批准的预算如期完成，实现全市收支平衡。这是全年预算目标的核心，是财政健康运行的重要标志，也是积极防范和化解财政风险，对政府和人民高度负责的具体体现。2001年是“十五”计划的第一年，能否实现全年收支平衡，事关“十五”计划的顺利实施。我们要坚持“两手抓”，即一手抓大力发展经济，壮大收入规模，增强财政供给能力；一手抓财政支出管理，根据财力安排支出，努力调整支出结构，把有限的财力用在最需要的地方，确保全市公教人员工资发放和各项重点支出需要，确保实现全年收入平衡。二是确保财政支出改革顺利进行。1．改革预算编制方法，加快推行部门预算。要搞好调查研究，掌握第一手资料，制定科学合理的定岗定员定额标准，确保市本级部门预算试点工作顺利开展。力争用3年时间完成这项改革。2．改革公教人员工资发放办法，推选公教人员工资财政统一发放制度。力争从2001年3月1日起所有行政事业单位实现财政统一发放工资。3．改革财政资金缴拨方式，积极实施国库集中收付制度。目前，要重点做好各部门银行账户的清理工作，逐步取消一切收入过渡账户，由国库直接支付。4．推选政府采购制度。尽快制定《政府采购暂行办法》、《政府采购目录》以及《政府采购资金管理办法》，争取年内对大宗财政支出实行政府采购制度。5．积极推行税费改革，根据体制改革需要，积极配合有关部门摸清底数和基数，做好准备工作，确保农村税费改革和公路税费改革的顺利推行。

狠抓“五项工作”：一是狠抓征收工作不放松，保持财政收入稳定增长。各级财政部门要认真贯彻落实党的十五届四中、五中全会精神，支持国有企业改革、经济结构调整和科学技术进步，努力培植新的经济增长点。要继续认真贯彻“加强征管、堵塞漏洞、惩治腐败、清缴欠税”的工作方针，坚持依法理财治税，整顿收入分配秩序，加大组织收入力度，做到应收尽收，不虚收探收，保证财政收入规模不断扩大和稳定增长，健全和完善与经济发展相适应的财政收入增长机制。要积极及时向市委、市人大、市政府汇报财政工作中的情况和问题，取得领导对财税工作的重视和支持。要注重调查研究，尤其要对收入征收工作中的突出问题进行调查研究，对影响全年预算执行的重大因素进行调查研究，及时提出针对性的对策建议，确保收入目标圆满完成。

二是狠抓支出管理不放松，保障重点支出需要。1．要按照公共财政的要求，进一步优化财政支出结构，逐步规范财政资金的供给范围，确实解决财政供养人口过多、包揽过宽的问题；要抓住机构改革的有利时机，做好定编定员定岗工作，控制行政经费的猛增势头；要加快事业单位改革步伐，在区分“公益性”和“经营性”的前提下，逐步削减经营性的财政拨款。2．要搞好政策性投融资体制改革，按照市场经济的要求，逐步减少财政对经营性和竞争性领域的直接投资，集中财力保证关系改革、发展、稳定的重点支出，逐步建立和完善财政支出与政府职能、事业发展与效益提高相适应的支出管理机制。3．要始终坚持过紧日子的思想，坚决杜绝各种铺张浪费；要大力压缩一般性开支，确保重点支出按时拨付。

三是狠抓财政监督工作不放松，有效规范财经秩序。各级财政部门要转变观念，大胆实践，逐步建立起内外监督相结合，行政监督和社会监督相结合，事前、事中、事后监督相结合，日常监督和重点检查相结合的多层次、全过程的财政监督检查机制。要拓展财政监督领域，根据《会计法》、《山西省会计管理条例》，对单位负责人和会计人员加强监督。要继续试行会计委派制度，抓好会计信息质量抽查公告工作，提高会计信息质量。要自觉接受人大监督，努力做好财政工作。1. 按照人代会要求，及时准确向市人大汇报年度收支预算安排和执行情况报告；2. 定期向市人大或人大常委会报送财政收支预算执行月报、季报；报送财政信息和总结，反映财政情况；3. 主动听取人代会及人大代表的意见，落实专人积极办理各项议案。

四是狠抓财政管理不放松，努力提高当家理财水平。要逐步建立财政资金使用追踪问效制度，建立保证财政资金及时到位的责任追究制度和安全完整的制衡保全制度。要对国有企业的资产和财务实行统一管理，制定企业国有资产收益收缴管理办法，指导企业建立、健全内部资产与财务管理制度，帮助和引导企业加强以财务管理为中心的全面管理，会同有关部门制定并落实重点扭亏增盈目标，加强对企业管理评价和效绩评价的考核工作。要继续做好行政事业性收费和罚没收入“收支两条线”规定的落实工作，定期对执收执罚部门进行专项检查。

五是狠抓队伍建设不放松，努力实践“三个代表”的重要思想。当前财政工作肩负着十分繁重的任务，也面临着许多压力和问题，要求我们必须把贯彻落实江总书记“三个代表”

重要思想同贯彻落实江总书记对财政工作的各项指示结合起来，同财政工作实际结合起来，切实把“三个代表”重要思想落实到各项工作中去。1．要切实加强理论学习，认真领会“三个代表”精神实质，不断增强政治敏锐性和政治鉴别力。要站在对党的事业、国家发展和人民利益负责的高度，认识和对待学习问题。通过学习政治理论和专业知识，真正形成马克思主义世界观、人生观和价值观，做到从政治的高度看待业务工作，从经济发展的高度处理财政问题。2．要顾大局、议大事。财政工作讲大局、议大事，就是要把财政工作与中央确定的工作重点紧密联系起来，与地方党委、政府的工作重点联系起来，认真为新时期党的总路线、总方针服务。3．改进工作作风，树立财政干部的新风尚。要教育每一个财政干部认识我们手中的权力是用来为人民服务的，牢牢树立宗旨意识，认真解决涉及群众切身利益的问题，调动一切积极因素，为加快发展贡献力量。4．要加强内部监督管理，加强廉政教育，做到警钟长鸣，增强广大干部的廉政意识。对于本部门本单位发生的腐败案件和腐败行为要坚决查处，绝不姑息迁就。

2001年是新世纪的第一年，也是临汾市以崭新的面貌在推进“三件大事”、建设经济强市、实现率先发展方面迈出重要步伐的一年。我们要在市委、市政府的正确领导下，在各级人大的监督支持下，认清形势，明确任务，振奋精神，开拓进取，为圆满完成全年各项财政任务而奋斗！

在临汾市第一届人民代表大会第一次会议闭幕会上的讲话

2001年1月20日

樊纪亨

各位代表、同志们：

临汾市第一届人民代表大会第一次会议，经过全体代表的共同努力，圆满完成预定的各项任务，现在就要胜利闭幕了。我代表中共临汾市委，对会议的圆满成功表示热烈祝贺！向各位代表和同志们致以亲切的问候和崇高的敬意！

这次大会，是新世纪第一春临汾市召开的一次具有历史性意义的重要会议。大会高举邓小平理论的伟大旗帜，认真贯彻党的十五大、十五届五中全会精神和省委七届九次、十次全会精神，审议并通过政府工作报告和其他工作报告，审查批准2001年临汾市国民经济和社会发展计划、市级预算，确定今后及今后5年的各项工作任务，选举产生首届临汾市地方国家权力机关、行政机关和法检机关的领导成员。会议期间，代表们以高度的政治责任感和历史使命感，切实履行宪法和法律赋予的职责，围绕新世纪临汾经济建设和社会发展等重大问题，充分发扬民主，坦诚建言献策，提出许多很好的意见和建议。会议开得很成功，是一次团结、民主、求实、鼓劲的大会，是一次承前启后、继往开来的大会，是一次动员全市人民为实现率先发展目标，建设中西部经济强市而努力奋斗的誓师会！这次大会宣告撤地建市工作的胜利完成，标志着地级临汾市的正式诞生，揭开临汾跨入新世纪的崭新一页，必将以其深远的历史意义载入临汾的发展史册！

“九五”时期，特别是近几年来，地委、

行署坚持党的基本路线，认真贯彻党的十五大精神，团结带领全区人民锐意创新，奋力开拓，提出并实施抓好“三件大事”，实现率先发展，建设中西部经济强区的跨世纪发展思路，突出结构调整，狠抓五项创新，推动经济发展和社会进步，实现现代化建设的第二步战略目标，经济总量进一步扩大，竞争实力明显增强；结构调整全面启动，发展后劲大为提高；改革创新取得突破，对外开放进一步扩大；人民生活水平不断提高，城市面貌明显改观；精神文明建设成效显著，民主法制建设迈出新步伐；各项社会事业蓬勃发展，社会政治稳定局面进一步巩固；县以上领导班子和领导干部深入“三讲”教育，干部制度改革取得突破性进展，思想政治工作得到加强，党的建设全面推进。这些成就来之不易，是省委、省政府正确领导的结果，是市委、人大、行署、政协几套班子精诚团结、共同努力的结果，是各县（市、区）、各部门的同志大力支持、辛勤工作的结果，更是全市干部群众艰苦奋斗、拼搏进取的结果！

2001 年是新世纪开元之年。踏着时代的节拍，我们在迎来新世纪曙光的同时，也迎来地级临汾市的诞生。这是历史的巧合，更是历史的机遇。今后 5 年，是我们进入新世纪的第一个 5 年，是实施“十五”计划的重要时期，是为实现第三步战略目标奠基的关键时期。今后 5 年，也正是第一届市人大、市政府任期的 5 年。如何开好头，起好步，把握好关键的 5 年，直接关系到新的临汾市的形象，关系到临汾 21 世纪的发展和定位，关系到率先发展、建设中西部经济强市目标的实现。根据党的十五届五中全会精神和省委七届下次全会精神，结合临汾跨世纪发展的总体部署和当前实际，今年及今后 5 年，临汾市总体工作的指导思想是：高举邓小平理论伟大旗帜，按照“三个代表”重要思想的要求，认真贯彻党的十五大和十五届五中全会精神，全面落实省委、省政府的总体部署，坚持以发展为主题，以结构调整为主线，以改革开放和科技进步为动力，以提高人民生活水平为根本出发点，加快推进“打基础、调结构、治环境”三件大事，突出抓好“特色经济、产业优化、科教兴市、城镇扩张、民营经济、可持续发展”六大战略重点，实现“三个提高”，切实加强党的建设、精神文明建设和民主法制建设，全力维护社会政治稳定，促进经济和社会全面发展，努力实现建设中西部经济强市、在全省率先发展的目标。

围绕上述指导思想，依据国家现代化建设三步走的总体战略部署，政府工作报告中明确提出临汾市“十五”和当年经济社会发展的主要目标，并经代表大会审议通过。实现这个目标，我们临汾将展现出一幅美好的景象：经济竞争力显著增强，综合实力进入全省前列，经济总量跨入中西部经济强市行列；经济结构战略性调整取得明显成效，主导产业突出，产业布局合理，经济结构整体上趋于优化；改革创新力度加大，经济体制改革取得新的突破；对外开放进一步扩大，在更大范围内参与对外经济合作与竞争；基础设施明显改善，城乡面貌大为改观，中心城市的承载能力、辐射和服务功能得到根本性提升；环境治理取得成效，污染加剧和生态恶化的趋势得到遏制，资源、环境步入良性循环，可持续发展能力明显增强；就业渠道拓宽，城乡居民收入持续增加，人民生活更加富裕；科技教育加快发展，精神文明建设和民主法制建设取得明显进步，在新世纪初的 5～10 年里，临汾将迅速崛起为经济繁荣、生活富裕、环境优美的区域性中心城市。

实现这个目标，是一项艰巨的任务，更是新的市委、市人大、市政府、市政协义不容辞的责任。站在新的历史起点上，我们一定要团结拼搏、励精图治，以新的风貌、新的气魄、新的形象，开始新的奋斗，鼎力实现时代赋予我们的历史重任。

一、必须增强发展的决心和勇气

从新世纪开始，临汾市将全面进入建设小康社会、加快推进社会主义现代化的发展新阶段。今后5～10年，是经济和社会发展的重要时期，是进行经济结构战略性调整的重要时期，是进一步深化改革、扩大对外开放的重要时期，也是实现率先发展，建设中西部经济强市的重要时期。发展是这一时期鲜明主题。面对新的世纪，我们惟一的选择：就是要统一思想，坚定信心，把全党全民的思想统一到发展上，把全党全民的力量凝聚到发展上；就是要牢固树立率先发展的意识，坚持经济建设这个中心，坚持结构调整这条主线；就是要保持适度超前的发展速度，全力加快经济增长，坚持建设经济强市的目标不动摇，坚持率先发展的口号不动摇，坚持推进“三件大事”的思路不动摇。

加快发展，是顺应国际国内发展大势的惟一选择。世纪之交，世界范围内科学技术突飞猛进，知识经济蓬勃发展，经济全球化进程、产业结构调整步伐大大加快，国际竞争更加激烈。世界各国，无论是发达国家，还是发展中国家都在不遗余力地谋求发展，以图在新世纪的竞争中处于更加有利的地位。我中国经过多年的发展，市场供求关系发生重大变化，随着市场经济的逐步完善，市场机制对资源的配置作用进一步增强。加入世贸组织后，对外开放将进一步扩大。国家继续实行积极的财政政策，加快实施西部大开发战略。当前，全国各地都在根据形势发展的要求，从自身实际出发，积极制定新的发展目标和计划。东部发达省份提出“提前实现现代化”的目标，中部各省也提出鼓舞人心的奋斗目标，西部地区随着西部大开发战略的实施将迈出新的步伐。省委省政府提出“一个中心、五项创新、三个提高”的发展目标，勾勒出新世纪初的宏伟蓝图。周边地市也纷纷出台新的举措，抢抓机遇，加快发展。可以预见，随着第三步战略的实施和第十个五年计划的启动，一个万马奔腾、百舸争流的发展局面将很快形成。形势逼人，任务催人。逆水行舟，不进则退。惟有紧紧扭住经济建设这个中心，加快结构调整步伐，保持较高的发展速度，才能与时俱进，跟上时代的发展步伐，跟上全国改革发展的步伐，才能抓住机遇，迎接挑战，适应全面建设小康社会的潮流，跻身中西部经济强市行列。

加快发展，是解决改革和发展中所有问题的惟一选择。经过改革开放20多年的发展，临汾市经济社会有了长足的进步。纵向比成就显著；横向比，差距明显。在中西部219个地市中，临汾市的经济总量排78位，人均GDP仅仅排131位。就全省而言，临汾市的经济总量虽然不算落后，但人均占有量却不容乐观。特别是近年来，随着改革的深入和市场经济的发展，长期存在的一些问题都凸现出来，比如观念、体制、机制不能适应市场经济发展要求；人才、资金、技术制约结构调整步伐；结构性矛盾比较突出，经济增长的质量效益不高，缺少有竞争力的大企业、大集团，非公有制经济单体规模不大；经济发展的环境不够宽松，环境、生态问题严重；农民和城镇居民收入增长缓慢就业压力增大，社会保障水平不高等等。解决好这些矛盾和问题，惟一的出路就是加快发展。只有发展经济实力雄厚，我们才能为解决诸多社会矛盾提供保障和基础，才能改善环境，吸引人才，扩大开放，才能增加人民收入，提高人民生活水平。

加快发展，是实现新世纪宏伟蓝图的惟一选择。完成本次人代会提出的各项任务，实现率先发展的目标，必须牢牢把握发展这一主题，坚定不移地推进经济快速增长。首先这是一个“新”字决定的。伴随着新世纪的钟声，新的地级临汾市诞生了。新的世纪、新的政府、新的城市、新的班子。在这全新的历史时刻，新的领导班子必须牢记肩上的责任，以临汾的发展和振兴为己任。各级领导干部必须以新的干劲，新的贡献，促进新的发展，重铸新的辉煌，使临汾以崭新的形象展现在三晋大地上；其次，这是一个“先”字决定的。实现在全省的率先发展，是省委的殷切期望，也是全市人心所向。要实现这一目标，必须保持较快的发展速度，必须跨越式、超常规，必须咬住发展不放松，能快则快，能好则好。否则，率先发展就会成为一句空话；第三，这是一个“强”字决定的。建设中西部经济强市，是我们跨入新世纪的宏伟目标。我们现在的经济总量在中西部排位是78名，要在5～10年内，进入50名，赶超30强，没有较快的速度是不行的。按照全国2010年GDP翻一番的部署，10年间GDP要平均增长7.2%以上。我们要进入中西部经济强市的行列，就需要保持两位数的增长速度。我们必须审时度势，坚定信心，抓住机遇而不丧失机遇，开拓进取而不因循守旧，全力实现兴临富民的各项奋斗目标。

尤其是本届政府和新的领导班子，全市人民寄予厚望。一定要不辱使命，不负重托，贯彻落实好大会做出的各项决议、决定。要努力把握新形势下经济发展的规律，加强对经济工作重大关系的研究，不断提高经济工作领导水平。要善于把中央的大政方针和临汾的实际结合起来，创造性地开展工作，卓有成效的推进体制创新和结构调整。要适应撤地建市后出现的新情况，认真总结和借鉴城市建设、城市发展和城市管理的先进经验，加快推进城镇化战略，为塑造新世纪临汾城市形象做出应有贡献。

二、必须加大改革创新力度

改革是加快发展的根本动力，创新是事业进步的不竭源泉，要发展就必须改革，改革才有出路，改革才能前进。改革创新首先要解放思想。只有思想解放了，才能以创新的精神开拓进取。邓小平同志要求全党要解放思想，实事求是，大胆地试，大胆地闯，目的就是要加快发展，使中国紧紧跟上时代的潮流。特别象我们临汾这样的内陆地区，由于受区位、交通、信息各方面条件的制约，人们的思想观念还不够解放，习惯于固守既得利益，往往小富即安，小进则满，这种盲目乐观、不思进取的思想，最终成为经济发展的障碍，很难适应新形势和新任务的要求。我们与先进地区最根本差距就是在思想观念上。当务之急就是要进一步解放思想，更新观念。思想是行动的先导，思想解放的程度往往决定着改革开放的力度，决定着经济发展的快慢。抓住撤地建市的契机，全市上下特别是各级领导干部，要掀起一次新的解放思想的高潮，并且把解放思想落实在行动上，落实到各项工作和创新上。首先要确立新的发展观念。要破除旧的计划经济观念的束缚，敢于跳出传统的框框，创新思维方式和工作方式，站在全国、全省看临汾、找差距，激发谋求大发展的动力。要用改革的精神，开放的眼光，重新审视市情、县情，拓宽发展思路。只要看准的，只要符合“三个有利于”，只要能推动经济发展，就大胆去做，坚定不移地抓紧干。二是要有强烈的竞争意识。要敢于争先，勇闯一流，要有一种不把经济搞上去，就坐不住、吃不下饭、睡不好觉的劲头，在竞争中赶超，在赶超中发展。要通过改革创新为加快发展创造环境、提供动力，把更多的项目、资金和技术引进来，把我们的产品打出去，把临汾的经济搞上去。三是要继续深化干部人事制度，把公开、公平、竞争、择优的机制引入干部队伍建设，不拘一格选拔人才，形成正确的用人导向和优秀人才脱颖而出的良好机制，调动各个方面的积极因素，为临汾的腾飞增添主体活力。

三、必须弘扬务实拼搏的精神

新的世纪，我们面临着新的艰巨任务，面临着各种风险和挑战。进一步改进各级干部特别是领导干部的工作作风，十分迫切，非常关键。领导干部作风的好坏，直接关系到党和政府的形象，关系到临汾的未来发展，关系到既定目标任务的实现。我们一定要按照中央的要求，重实际，说实话，务实事，求实效，以务实的作风促进工作的落实。

重实际就是要善于把中央精神同本地的情况有机结合起来，创造性地开展工作。江泽民总书记在党的十五届五中全会上专门强调了党的作风问题，指出现在工作作风方面存在的最大问题，就是脱离实际、搞形式主义、搞官僚主义。有的干部做工作，不去认真领会中央精神，也不去了解下情，热衷于做表面文章，应付上级、应付群众。这样做的结果，不仅导致党的路线方针政策无法落实，而且使我们失去了机遇，给我们的经济发展造成很大损失。这种不良作风必须痛下决心，坚决改掉。要努力弘扬实事求是、大担探索的作风，依靠广大群众的实践，创造性地开展工作。说实话，就是要反映事物的真实情况，杜绝大话、空话、套话，杜绝报喜不报忧甚至弄虚作假、虚报浮夸、掩盖矛盾和问题的不良习气，绝不能让追求虚荣、脱离群众的主观主义和个人主义滋长。大家一定要从巩固党的执政地位、实践党的根本宗旨、从落实“三个代表”重要思想的高度认识官僚主义的实质和危害，牢固树立正确的世界观、人生观、价值观，老老实实做人，实实在在做事。务实事，就是要想群众之所想，急群众之所急，谋群众之所求。要沉下去，到矛盾多、困难大、情况复杂、群众需要的地方去，扎扎实实地解决好关系改革发稳定全局和影响群众生产生活的各种紧迫问题，特别是要抓住阻碍当地经济发展的主要矛盾，抓住群众最关心、反映最强烈的热点问题，在重大问题重点工作上取得突破，带动和推动全局，用改进工作作风的实际行动取信于民。求实效，就是办一切事情都要抓得狠、落得实，做到思想认识到位，工作措施到位，落实结果到位。任务明确了，措施定下了，就要抓紧落实，要狠抓、抓紧，要把任务压在头上，担子压在肩上，自我加压，做到满负荷、快节奏、高效率，以只争朝夕、忘我奋斗的精神，带领广大干部群众脚踏实地、埋头苦干，为推动全市经济社会发展做出应有的贡献。

四、必须创造稳定宽松的环境

完成2001年和“十五”期间的各项任务，实现率先发展、建设中西部经济强市的宏伟目标，必须有一个稳定的社会政治环境。总的讲，临汾市当前的稳定状况是好的，各级班子团结，人民安居乐业，各行各业蒸蒸日上，这一良好的局面来之不易，我们一定要倍加珍惜。特别是新世纪、新政府、新班子，保持社会政治稳定更具有特殊重要的意义。要清醒地看到，不稳定，不安定的因素依然存在。2001年，我们要进行撤并乡镇、机构改革，要推进企业改制，引深五项创新，要加快结构调整，完善市场机制，还要适应撤地建市的变化，建立和形成新的城市管理、建设和发展机制，不可避免地引起各种利益关系的调整，引起人们现有工作生活格局的变化。现在，一些地方下岗失业人员增多，离退休人员工资不能按时发放，农民负担加重，干群关系比较紧张，腐败现象蔓延，社会治安问题增多。还有西方敌对势力加紧对我们实施“西化”、“分化”图谋，“法轮功”非法邪教组织仍在暗地活动，向我们争夺群众，争夺阵地等等。这些问题如果处理不及时或处置不当，必然会影响社会稳定，影响经济发展，影响安定团结的大局。大家务必高度重视，对当前形势保持清醒头脑，做到思想上不麻痹，工作上不松懈，切实把维护稳定做为头等大事来抓。继续坚持党政一把手负总责，认真落实稳定工作责任制，严格实行“谁主管，谁负责”。继续保持“严打”态势，严厉打击各种刑事犯罪和经济犯罪，依法取缔非法宗教组织，坚决扫除“黄赌毒”等丑恶现象。搞好社会治安综合治理，坚持齐抓共管，群防群治，加强专项治理，强化基础工作，把各项防范措施落到实处。积极探索新形势下正确处理人民内部矛盾的有效途径，高度重视群众来信来访，充分发挥信访部门的桥梁纽带作用。要把维护稳定和解决群众生产生活中的困难结合起来，把化解矛盾同服务群众结合起来，深入群众，体察民情，倾听群众呼声，关心群众疾苦，满腔热情地解决好群众关心的热点难点问题，特别是做好下岗职工、特困职工和农村贫困群众的工作。要超前主动地把工作做到前头，主动排查各种矛盾和隐患，对可能出现的问题，早研究，早部署，消除在萌芽状态。各级领导干部要增强大局意识，保持政治上的警觉和敏感，对深层次的问题要善于去研究，敢于去揭示，勇于去解决。要通过方方面面的努力，为临汾经济发展，为经济强市建设，提供稳定的、宽松的社会政治环境。

五、必须推进依法治市进程

撤地建市为我们推进社会主义民主法制建设，加快依法治市进程，提供了良好的契机。我们一定要认清形势，把握市情，进一步落实依法治国方略，把各项工作推向制度化、法治化的轨道。本届人大是临汾市的第一届人大，在完成今年及新世纪的各项工作任务中，担负着极为重要的职责。一定要认清肩负的使命，增强中心意识，把服从服务于大局做为根本出发点和落脚点，切实履行好宪法和法律赋予的职责。要自觉坚持和接受党的领导，通过法定程序把党的主张变为国家的意志，代表人民行使好国家权力。要加强对“一府两院”的工作监督，确保国民经济计划、财政预算的顺利实施和国有资产管理、重点投资项目的健康运行，督促和支持审判机关、检察机关依法办案、公正司法，坚决纠正有法不依、执法不严、违法不究、贪赃枉法的现象；要充分发挥人大在依法治市工作中的主导作用，积极推进建设社会主义法治城市的进程；要加强组织协调工作，通过行使人大及其常委会的法定职权，营造和形成良好的法治氛围；要强化市场经济管理的法治程度，建立健康有序的社会经济秩序；要加强以民主选举和民主管理为重点的基层民主法制建设，推动社会文明进步再上新的水平。

各级政府特别是新产生的第一届市政府，要认真贯彻依法治市方略，继续引深行政执法责任制活动，进一步实现政务公开，自觉接受人大法律监督、政协民主监督以及新闻舆论和社会监督。要认真执行人大各项决议，听取人民政协的意见和建议，切实做好群众来信来访工作。制定和实施重大决策，处理重要事务，要广泛听取各方面意见，不断提高决策的民主化和科学化水平。要加强廉政建设，坚持从严治政，努力转变职能，建设有作为的政府。

各位人大代表做为国家权力机关的组成人员，肩负着重要的职责。衷心地希望各位代表回到各自工作岗位后，加强学习，模范地遵守和执行宪法、法律，依法履行代表职责，监督和支持各级政府的工作，保持与选民和原选举单位的密切联系，体察民情，反映民意，集中民智，共同努力，把本次大会的精神贯彻落实好，把我们临汾的工作做得更好。各位代表，我们以喜悦的心情送走了 20 世纪，以更加昂扬的姿态迎来充满希望的 21 世纪。临汾首届人大一次会议的闭幕，是临汾走向未来的新的开端。宏伟的蓝图已经绘就，催征的战鼓已经擂响，新世纪的步伐已经迈开。让我们高举邓小平理论的伟大旗帜，认真贯彻落实党的十五大、十五届五中全会精神和省委、省政府的战略部署，进一步解放思想，实事求是，抓住机遇，开拓奋进，为实现率先发展，建设中西部经济强市的宏伟目标而努力奋斗！

在政协临汾市第一届委员会第一次会议开幕会上的讲话

2001 年 1 月 16 日

樊纪亨

各位委员、各位同志：

在我们满怀豪情跨入新世纪的重要时刻，在新春佳节即将来临之际，我们迎来了政协第一届临汾市委员会第一次会议的隆重召开。新千年适逢新盛会，可喜可贺！首先，我谨代表中共临汾市委、临汾行署向大会表示热烈的祝贺，向出席会议的各位委员、各位同志，致以崇高的敬意！

政协第一届临汾市委员会第一次会议，是临汾市政协工作承前启后、继往开来的一次重要会议。这次会议和明天将要开幕的临汾市第一届人民代表大会第一次会议，标志着临汾撤地建市即将完成，临汾人民从此将进入一个新的历史时期。开好这次会议，对于进一步坚持和完善中国共产党领导的多党合作和政治协商制度，进一步巩固和发展爱国统一战线，加强临汾市的民主政治建设，加快临汾的发展，具有十分重要的意义。希望大家解放思想，实事求是，各抒己见，畅所欲言，为全市的经济建设和改革开放，建言献策，共享盛举。"九五"时期，是临汾历史上发展最快、成就最大的重要时期，2000 年，是临汾市发展进程中具有标志意义的一年。在中央和省委的正确领导下，市委、行署高举邓小平理论伟大旗帜，坚持党的基本路线，认真贯彻十五大精神，团结和带领全市人民，解放思想，实事求是，锐意创新，奋力开拓，取得改革开放和现代化建设的新成就。全市顺利实现现代化建设前两步战略目标，经济总量进一步扩大，经济增长速度明显加快，全市国内生产总值、工业增加值和财政总收入年均增长都在两位数以上，分别达到 10.3%、12.3%和 13.1%，农民人均纯收入和城镇居民人均可支配收入年增 14.5%和 8.4%。临汾市几项经济指标的增幅几年来都位居全省前列。

特别是 1999 年以来，我们在科学地审视区情进行充分论证的基础上，郑重地做出抓好"打基础、调结构、治环境"三件大事，实现率先发展，建设中西部经济强市的决定，突出经济结构调整，狠抓五项创新，深入开展"项目年"活动，通过两年的努力，三件大事开局良好，收效明显。重点工程建设取得重大突破，基础条件大为改善。汾河百公里石坝全线贯通，2.67 万公顷滩涂开发基本达到"六化"标准，投资 12 亿建成 147 公里的霍侯一级公路，结束临汾市无高等级公路的历史。新建基本农田 2 万公顷，人畜吃水工程 1.5 万处，解决 43 万人、7 万头牲畜的饮水困难。农村和城市电网改造成绩显著，邮电、通讯业飞速发，城市基础设施明显改善。经济结构调整成功起步，发展健康，全市经济发展后劲有所增强。平川县（市）大力发展精品农业和高科技农业，建成曲沃太子滩无公害蔬菜、洪洞芦笋、襄汾永固水产养殖等 9 个高科技农业示范园区。山区县加快特色产业和生态农业建设，重点发展以苹果、酥梨、红枣、核桃为主的林果和以黄牛、绒山羊为主的畜牧业。在工业方面，两年来，共上工业调产项目 139 个，其中投资在 5000 万元的标志性项目 18 个，现已有临汾染化集团硫化黑、洪洞啤酒等 69 个重点项目竣工投产，汾河生化有限公司 3 万吨柠檬酸、鼎立化工公司 10 万吨复合肥、襄汾有色金属公司 3 万吨电解锌等 47 个项目正在建设。在治理环境方面，力度明显加大，对一些污染大户采取果断措施，今年全市共取缔死灰复燃企业 727 家，关停未达标企业 722 家，2136 个工业污染企业有 1531 个达标，省重点考核的 642 个工业污染源有 412 个达标，空气质量提高了

1～2 个等级，尤其是大气总悬浮微粒，由全省倒数第一，一跃成为全省第 6 名。大家也能感到，蓝天白云在临汾的上空又显现了。社会事业不断进步，科技、教育、文化、卫生等事业全面发展，形成政治安定、社会稳定、人心思进、政通人和的良好局面。这些成绩的取得是来之不易的，它凝聚着全市 390 万人民的智慧和心血，是全市上下万众一心、顽强拼搏的结果，也是各级政协和各民主党派、社会团体真诚合作，共同努力的结果。在这里，我代表市委、行署，向长期以来为临汾经济发展和社会进步付出艰辛劳动的各级政协组织、各界人士、各条战线的同志们、朋友们表示衷心的感谢！

2001 年是新世纪的第一年，是全面实施“十五”计划的开局之年。可以说是新世纪、新“十五”、新市委、新人大、新政协、新政府，大家都应该有新作为，都有一个开好局，起好步的问题，做好今年的工作，意义十分重大。它关系到“三件大事”的深入实施，关系到率先发展、建设中西部经济强市目标的实现，关系到临汾在 21 世纪的发展定位和人民生活的改善。市委、政府已做出“十五”规划。总的指导思想是：动员和团结全市人民，以邓小平理论和江泽民“三个代表”的重要思想为指导，认真贯彻十五届五中全会精神，全面落实省委、省政府总体部署，坚持以发展为主题，以结构调整为主线，以改革开放为动力，以提高人民生活水平为根本出发点，继续推进以结构调整为中心的“三个提高”，全力维护政治、社会稳定，促进精神文明建设、民主法制建设和社会各项事业的全面发展，努力实现在全省率先发展目标，为把临汾市建成中西部经济强市奠定坚实基础。

今后 5 年经济和社会发展的主要目标是：国内生产总值达到 276 亿元，年均增长 10%；财政总收入达到 24 亿元，年均增长 10%；城镇居民人均可支配收入达到 6272 元，年均增长 8.8%；农民人均纯收入达到 3582 元，年均增长 10%；外贸出口总额达到 6318 万美元，年均增长 10%。这些目标的制定，不仅考虑现有生产力水平以及发展趋势，也着眼于撤地建市后改革和发展的需要和可能，体现一种积极努力的进取精神。要看到，几项主要经济指标年均增长都在两位数，可以说规划宏伟，任务艰巨，实现这一目标，既是我们新市委、新人大、新政府、新政协义不容辞的责任，也是对我们的严峻考验。站在新的历史起点上，我们只有以新的风貌、新的气魄、新的形象，埋头苦干，团结拼搏，才能不辜负临汾人民的重托，才能不愧于时代赋予我们的历史重任。新的形势和任务对政协工作提出新的更高的要求，政协所肩负的任务更重，希望全市各级政协组织和广大政协委员，进一步增强做好政协工作的责任感和使命感，以改革创新的精神，积极探索新形势下做好政协工作、发挥政协优势和作用的有效途径和方法，为推动全市改革开放和两个文明建设做出新的贡献。

下面，结合当前形势和临汾市实际，就如何进一步做好新形势下的政协工作，讲几点意见。

一、充分认识人民政协在中国政治生活中的重要地位

人民政协是中国最广泛的爱国统一战线组织，是具有中国特色社会主义政治体制的重要组成部分，是实现中国共产党领导的多党合作的政治协商这一基本政治制度的重要组织形式，是全国人民大团结的象征。统一战线是以毛泽东为代表的中国共产党人在长期斗争实践中创建的，在新民主主义革命中发挥极其重要的作用，与武装斗争、党的建设一起成为中国革命的三大法宝。中共十一届三中全会以后，邓小平同志根据新的历史条件，对统一战线和人民政协的性质、方针和任务提出一系列新的论断，把统一战线和人民政协的理论发展到一个新的阶段。他强调指出，统一战线仍然是一个重要法宝，不是可以削弱，而是应该加强，不是可以缩小，而是应该扩大；我国统一战线已经发展成为全体社会主义劳动者、拥护社会主义的爱国者和拥护祖国统一的爱国者的最广泛联盟。

在邓小平理论指导下，共产党领导的多党合作和政治协商制度被确立为我国的一项基本政治制度。人民政协这一组织形式，坚持马克思主义统一战线、人民民主的基本理论，体现中华民族和衷共济、兼容并蓄的传统精神，是老一代领导人的伟大理论精品。半个世纪的历史充分证明，人民政协符合中国国情，有着鲜明的中国特色，在我国政治体制中具有不可替代的作用。因此，我们必须充分认识政协的重要地位和作用，高度重视政协工作，做好政协工作。

二、充分发挥政协在民主政治建设和社会主义现代化建设中的重大作用

临汾市的“十五”规划框架已基本形成，发展的目标鼓舞人心，催人奋进。当前，就是动员全市人民和各行各业，同心同德，真抓实干，用我们的艰苦奋斗和创造性劳动，去实现临汾率先发展的宏伟目标。市一届一次政协，受命于这样一个关键时期，面临的任务是光荣而艰巨的，围绕经济建设这个中心，服务于改革、发展、稳定的大局，是对政协工作的根本要求。我们要把加快全市改革开放和现代化建设步伐做为政协工作的重心。各级政协组织和广大政协委员，要充分认识自己所肩负的神圣使命，充分发挥自身的优势，为全市改革开放和现代化建设多做贡献。要在事关临汾改革和发展全局的重大问题上，积极建言献策，在帮助党委和政府科学决策方面发挥应有的作用。要结合实际，围绕推进“三件大事”，加快结构调整，发展高新技术产业，加快人才队伍建设，提高城市规划、建设和管理水平等重大课题，认真开展调查研究和视察活动，广泛听取各方面的意见，提出有份量、操作性强的意见和建议，为党委和政府出主意、想办法。广大政协委员在认真做好本职工作，积极参政议政的同时，要充分发挥自身特长和优势，大力开展智力咨询、项目论证、办学讲学、牵线搭桥等活动，推动全市改革开放和现代化建设各项事业全面发展。

政协的另一大任务，是要始终不渝地把握团结和民主的主题，努力促进民主政治建设，积极维护社会稳定。在社会变革的过程中，随着经济关系和社会关系的变化，会出现一些新的社会情况和问题。妥善地处理好前进中的矛盾和问题，政协大有可为。政协要协助党委、政府做好处理新时期人民内部矛盾的工作，积极反映社情民意，密切与人民群众的联系，倾听群众的呼声，体察群众的情绪，反映群众的意见，关心群众的疾苦，维护群众的利益。要运用多种形式，协助党委和政府做好协调关系、理顺情绪、化解矛盾、凝聚人心、稳定社会的工作，把全市人民的思想统一到党的十五大精神上来，统一到省委、市委的决策上来，把各方面的力量凝聚到改革和发展上来，形成万众一心、共创伟业的大好局面。

三、充分重视政协的自身建设，切实加强对政协工作的领导和支持

人民政协工作是全党的工作，是全局性的工作，是政治性的工作。提高对政协工作性质、地位和作用的认识，加强对政协工作的领导和支持，充分发挥政协的职能作用，是各级党委的重要职责。党委要把政协工作纳入重要议事日程，定期听取政协组织的工作汇报，经常分析研究政协工作中遇到的新情况、新问题，及时向各级政协组织和政协委员提出要求、部署任务，支持和帮助政协更好地开展工作。

各级党委、政府要切实把政治协商纳入决策程序，坚持定期向政协通报经济和社会发展情况，主动听取政协的意见和建议，党政有关职能部门要搞好与政协各专门委员会的对口协商，增强协商的主动性。坚持邀请政协委员和各界人士担任特约监督员、检察员、廉政询问员等监督制度。要积极支持政协参政议政，对政协进行的调研视察活动，要积极配合支持。对政协提出的建议案和重要调研视察报告，主要领导要亲自批阅，有关部门要认真办理、及时反馈。各级领导干部要有闻过则喜的宽广胸怀和从谏如流的坦荡气度，加强与政协组织和政协委员的联系和沟通，与广大政协委员广交朋友，坦诚相见，充分尊重和保护政协委员的民主权利，虚心听取他们的意见和建议，鼓励和支持政协委员提意见、讲实情、说真话，使政协真正成为各民主党派、工商联、各群众团体和各界人士献计献策、参政议政的场所。

各级党委、政府要努力在全社会形成了解、关心和支持政协工作的良好的环境。要从各方面关心、支持政协工作，帮助政协解决在实际工作中遇到的困难和问题，为政协开展工作创造良好条件。

各位委员、各位同志，我相信，全体政协委员一定不会辜负全市人民的重托，一定会以高度的责任感和使命感，开好这次会议，圆满完成大会的各项议程，把大会开成一个团结的大会，民主、鼓劲的大会。

春节即将来临，借此机会，向大家拜个早年，祝大家新年愉快，合家欢乐！

预祝大会圆满成功！

在政协临汾市第一届委员会筹备工作第一次会议上的讲话

2000年12月21日

侯建华

同志们：

2000年8月14日国务院批准临汾撤地建市，根据省委的工作安排，经地委会讨论研究，11月1日新建中共临汾市委正式挂牌成立，整个建市工作就在新市委的统一领导下全面铺开。随后这一段，市委全面启动撤地建市全盘工作，成立“临汾市第一届人民代表大会筹备组”和“政协第一届临汾市委员会筹备组”，具体组织落实召开“两会”的有关事宜。最近，两筹备组都已拿出各自的工作方案，根据市委的部署，按照有关法律法规和政协章程结合临汾市的实际，对“两会”召开进行积极认真的筹备。今天政协第一届临汾市委员会筹备工作第一次会议的召开，标志着临汾撤地建市、尤其是政协第一届委员会的筹建已由案头工作转入一个新的里程碑，是全市人民政治、经济生活中的一件大事。我们在运筹这件大事时，要有一种强烈的政治责任感和历史使命感，为开启临汾新纪元写下庄严的一笔。按照政协《章程》规定，政协会议的筹备一般应由上届政协常委会负责。由于我们是建市召开的第一届政协会议，因此，参照全国政协第一次会议的做法，借鉴外地撤地建市的经验，我们拟由政协筹备组代行常委会的职责，全面负责第一届政协会议的筹备工作。这就是说，我们这个筹备组肩负重任，使命神圣，必须恪尽职守，不辱使命。下面我就第一届政协会议的筹备工作讲几点意见。

一、按照政协的职责要求，搞好政协委员的协商工作

中国共产党领导的多党合作和政治协商制度，是我国的一项基本政治制度。人民政协是中国人民爱国统一战线的组织，是党领导下的多党合作、政治协商的重要机构，是全国各族人民大团结的象征。多年来人民政府围绕民主、团结两大主题，发挥优势，履行职责，为我国的民主政治建设做出重要贡献。从临汾来讲，组建市级政府机构，建立市人大、市政协，是一个重要的开端，是一种全新的实践。我想，新设立的市政协应该围绕市委确定的中心工作，积极组织政协委员就市委、市政府的重大决定进行民主协商，对经济、社会发展中的重大问题建言献策。广泛开展海外联谊，认真反映社情民意，为临汾的两个文明建设服务。这就要求我们在组建第一届政协时，充分考虑政协“人才库”、“智囊团”的特性，在确定政协委员时注意把临汾各个方面的、有较强参政议政能力的优秀人才选出来，为党委、政府广开言路，为实现政治清明奠定基础，为全市经济社会发展提供强有力的智力保证。正因为如此，政协委员的推荐一定要严格按章办事，认真进行把关，以严肃的态度，严格的程序，把符合条件的政协委员确定下来。甄选政协委员，要坚持德才兼备的原则，把好人选素质关。既要重视人选的广泛性、代表性，更要重视人选的政治素质、思想水平和群众基础。要兼顾党内、党外、民族、地域、界别、年龄、性别、历史状况，党内外比例要符合中央和省委的要求。要注意安排一些资格比较老的民主党派成员、层次较高的科技和其它方面的专家，注意老中青结合、努力形成有利开展工作的整体结构。甄选政协委员，还要坚持发扬民主，各单位对推荐的人选，要采取适当方式，在一定范围内听取意见，把党委意图与群众意愿有机统一起来。把“政治协商、民主监督、肝胆相照、荣辱与共”的原则贯彻始终。对涉及的一些人事调整，要注意做好思想工作，要以事业为重，大局为重，不计较个人名位，自觉服从组织安排，确定政协委员是开好政协会议的基础和关键，也是当前准备工作中最重要的一环。筹备组一定要按照市委的部署、按照有关规定，把这项工作抓紧抓好。

二、按照市委确定的时间抓紧各项筹备工作的落实

市委最近就做好“两会”的筹备工作，召开市委常委会，要求各项筹备工作“时间要抓紧、程序要严格、工作要做细、质量要保证”，大体的时间安排是：12 月中旬，召开第二次筹备工作会议并推出委员名单、发认证通知书。12 月下旬召开第三次筹备工作会议，完成市政协会的有关资料、会务准备工作，2001 年 1 月初召开市人代会、政协会。按这个时间安排，现在离“两会”召开的时间还有不到 40 天的时间，这一期间还有许多工作要做。眼下从第一届政协会议的筹备来讲，有以下几件事需要抓紧办理：一是尽快协商确定参加市政协会议的政协委员名单，组织部、统战部要在筹备组的统一协商领导下加紧运作；二是尽快敲定筹备工作方案，这次会议大家要充分发挥意见，修改补充后，由筹备组议定报市委，付诸实施；三是着手进行市政协会议的资料、会务及其他相关准备工作；四是搞好“两会”的宣传工作，政协工委要主动参与，提供必要的资料，由各新闻媒介，有计划地开展宣传报道。各项工作既要抓紧实施，又要注意搞好衔接，分头落实，同步推进。涉及经费开支问题，要本着隆重而节俭的原则，争取少花钱多办事，既要保证工作质量，又要尽量减少不必要的开支，避免造成铺张浪费。

三、切实加强对政协筹备工作的组织协调

政协筹备组从目前来讲是代行政协常委会的职能，同时也是市委领导政协筹备工作的一个代理机构，整个政协会议的筹备工作都应在筹备组的直接领导下有序进行。筹备组的每个领导成员和有关单位，都要集中精力，及时研究解决筹备工作中的有关问题，确保各项工作的有序进行。对会议和建市过程中涉及的重要事项，要多通气、多研究、注意听取多方面的意见。当前，建市各项工作已全面铺开，全市经济工作任务也相当繁重，使我们的工作头绪纷繁，容易顾此失彼。各级各部门一定要合理安排建市工作、经济工作和日常业务工作，统筹兼顾，相互促进，使撤地建市成为推动全市经济建设和各项事业的动力，为临汾市未来发展创造一个良好的开端。

政协临汾市第一届委员会第一次会议

开　幕　词

2001年1月16日

张岗望

各位委员、同志们：

在我们欣喜地跨入21世纪，正以昂扬奋发、敢于作为的新姿态，认真贯彻落实党的十五届五中全会精神，即将制定、实施“十五”计划的关键时刻，中国人民政治协商会议山西省临汾市第一届委员会第一次会议，在中共临汾市委的直接领导下，经过筹委会的精心筹划和全市上下各方面的共同努力，今天隆重开幕了！在此，我谨代表中共临汾市委、人大工委、临汾行署，向大会表示热烈的祝贺！向首届市政协委员表示亲切的问候！向莅临大会的省政协领导和各位来宾表示热烈的欢迎！

撤地设市，是全市390万人民政治生活中的一件大事，受到全市人民的广泛关注。在原政协临汾地区工委的基础上，组建中国人民政治协商会议山西省临汾市第一届委员会，是我市社会主义民主政治制度建设的延伸和完善，标志着首届市政协在临汾市政治结构中的地位已经确立，标志着第一届市政协的政治运作机制正式形成和启动。从这个意义上讲，首届市政协无论是工作性质、运作机制，还是工作职能、工作主体，都同过去的政协工委有着重大区别。由山西省政协的派出机构转变为地方一级政协组织，必将使全市社会主义民主政治建设的载体更加完善；政协班子由任命制转变为选举制，必将使全市社会主义政治制度更加规范；工作职能由“两个联系”、“两个承办”转变为履行政治协商、民主监督、参政议政3项职能，必将使全市社会主义民主政治建设的内容更加广泛充实；工作主体由机关干部职工转变为市政协委员，必将使全市社会主义主渠道更加畅通、有效。市政协的成立表明，临汾市多党合作和政治协制度有重要的组织依托，中国共产党领导的多党的合作和政治协商这一基本政治制度将得到进一步贯彻落实。

各位委员、同志们，人民政协做为中国共产党领导的多党合作和政治协商的重要机构，是在中国长期革命和建设的实践过程中形成的，是中国的一项基本政治制度，它与人民代表大会制度共同构成我国社会主义民主政治建设的总体框架，体现中国政治体制的特点和优势，在国家政治生活中具有不可替代的重大作用；人民政协做为中国政治生活中发扬社会主义民主的重要形式，在组织上具有广泛的代表性，在政治上有着很大的包容性，有利于各党派各团体各界别广泛参与国家的政治生活，有助于保持社会的稳定；人民政协做为统一战线的组织形式，是团结的旗帜和民主的象征；在动员社会力量为共同利益和目标而奋斗中加强大联合、大团结，尤其是在组织广大人民群众共同致力于改革和建设的伟大事业中，具有特殊的地位和重要的作用。人民政协半个世纪的历史证明：人民政协前程远大、大有作为，无论过去、现在和将来都是我们推进改革、加快发展的法宝。

市政协的成立，为中共临汾市委进一步加强和改善党对政协工作的领导，提出新的任务和要求。各级常委要根据这个新的变化，及时研究解决政协履行职能过程中出现的新情况、新问题，充分认识政协在国家各级地方政治组织中的地位和作用，认真贯彻落实中共中央《关于加强人民政协工作的通知》、省委《关于进一步加强人民政协工作的决议》及《补充规定》，进一步建立健全和完善保障政协履行职能的规章制度推进“两化”建设，为市政协尽快开展工作、履行职能，奠定坚实的基础，创造良好的工作机制，使市政协工作真正形成党委重视、政府支持、政协主动的良好氛围。

今后 5 年是实现“十五”计划目标的 5 年，也是把全市政协工作全面推向 21 世纪的重要 5 年。新的形势、新的任务对人民政协工作提出更高的要求，提供新的机遇，展示更加广阔的前景。这次大会的指导思想是：高举邓小平理论伟大旗帜，深入贯彻中共十五大和十五届五中全会精神，在中共临汾市委的领导下，调动一切积极因素，团结一切可以团结的力量，同心同德，群策群力，维护和发展临汾市安定团结的政治局面，促进社会主义民主政治建设，为继续推动“三件大事”的实施，胜利实现全市新世纪发展的宏伟目标，为建设富裕文明的新临汾做出新的贡献！这次大会的主要任务是：选举产生第一届临汾市委员会主席、副主席、秘书长、常务委员；列席临汾市第一届人民代表大会和第一次会议，听取和讨论政府工作报告；审议各项决议等。

政协全体会议是政协委员履行职责的重要形式，也是各位委员发挥聪明才智的大好机会。希望各位委员在这次会议上，要以高度的政治责任感，肩负起时代的重任，发扬人民政协的优良传统和作风，紧紧围绕大会的主题，畅所欲言，集思广义，群策群力，共谋兴市富民的良策，认真履行好人民政协的职能和政协委员的职责，为维护社会稳定服务，努力把这次会议开成一个民主的大会、求实的大会、团结的大会、鼓劲的大会。

各位委员，同志们，面对新的世纪，我们的任务光荣而艰巨。我相信，在中共临汾市委的领导下，经过全体委员和各位同志的共同努力，一定能够圆满完成大会的各项议程，达到预期的目的。全体委员一定能够在建设新临汾、发展新临汾的征途上做出自己应有的贡献！

预祝大会圆满成功！

谢谢！

政协临汾市第一届委员会筹备委员会
关于筹备工作的报告

2000 年 12 月

陈保堂

各位委员、同志们：

现在，我受中国人民政治协商会议临汾市第一届委员会筹备委员会委托，做筹备工作报告。

一、筹委会的组建和筹备工作方案的制定

2000 年 8 月，国务院批准撤销临汾地区设立地级临汾市，实行市管县（市、区）的管理体制。经中共山西省委批准，2000 年 11 月 1 日，中共临汾市委正式挂牌成立。随之，整个市政协一届委员会的筹建工作，在中共临汾市委的统一领导和政协筹委会的具体组织下，依法遵章，规范运作，统筹兼顾，紧张工作，全面铺开。

（一）筹委会组成及职能

按照《宪法》、政协《章程》和中共中央、中共山西省委的有关规定，新成立的临汾市做为一级行政区划，必须设立政协委员会。这是中国政治结构中的一项基本政治制度，是中国政治运作机制中的一个必不可少的重要组成部分，也是发扬社会主义民主的重要渠道和场所。

设立市政协，就需要确立参加单位，协商确定政协委员，以构成市政协的主体。对此，政协《章程》规定："每届中国人民政治协商会议地方委员会的参加单位、委员名额和人选，由上届地方委员会常务委员会协商决定"，而原来的政协地区工委是省政协的派出机构，不具备政协常委会的职能，这需要成立一个过渡性的、并具有广泛代表性的权威机构，代行政协常委会的职能，组织领导和具体承办市政协一届委员会的筹备工作。

因此，中共政协临汾地区工委党组，以对历史负责的态度和讲党性的原则，按照中共临汾市委确定的坚持"党的领导、依法办事、提高效率"的3条基本原则，从临汾的实际出发，先后召开4次会议，进行专题研究，于11月1日，主动以政协党组发（2000）2号、4号文件，向中共临汾市委专题做《关于组建临汾市政协筹备组的报告》和《关于成立组建市政协筹备委员会参加单位问题的报告》。随后，又以工委党组名义向中共临汾市委提交《关于市政协第一届筹备工作的几个问题》，均得到市委的同意。11月11日，中共临汾市委以临办发（2000）3号文件，下发《关于成立临汾市第一届人民代表大会筹备组和临汾市政协第一届委员会筹备组的通知》，正式成立政协临汾市第一届委员会筹委会。同时，各党派、团体和界别按照法定程序成立筹备组和筹备委员会，并以筹委会的法定身份参加首届市政协。首届政协筹委会人员由党派、团体、界别和特邀4个方面的代表人士共36人组成。这样，不仅使政协筹委会具有广泛的代表性，而且具备代行政协常委会职能的法定地位，为组建一届市政协奠定组织基础。

（二）筹委会工作的指导思想

为确保筹建市政协工作依章有序有效地进行，筹委会多次研究，确定筹备工作的指导思想，即：在中共临汾市委的领导下，以邓小平理论、党的十五大精神和毛泽东、邓小平、江泽民三代中共中央领导集体关于人民政协的论述为指导，按照政协《章程》规定，根据中共中央、中共山西省委关于加强人民政协建设有关文件要求，坚持民主协商、团结各界、保证委员素质的原则，使政协有一个较高的参政议政水平，能够适应新形势对政协工作的要求，从而进一步调动各方面的积极性，巩固全市安定团结的政治局面，为加快临汾经济社会发展提供人才和智力支持。这样使得筹备工作一开始就有明确的指导思想和所遵循的基本原则。

（三）筹委会的主要工作任务

在中共临汾市委的统一领导下，政协筹委会的主要任务：一是协商确定市一届政协参加单位、界别设置和委员名额分配，协商推荐产生第一届市政协委员；二是组织协商产生政协临汾市第一届委员会第一次会议大会主席团、秘书长；三是负责组织政协临汾市第一届委员会第一次会议召开前的文件起草、宣传、会务服务等工作；四是负责中共临汾市委交办的其他工作。

为保证各项筹建工作的顺利进行，协调运转，根据市政协筹委会会议议定，成立筹委会办公室。筹委会办公室下设组织协商组、文件起草（宣传）组、会务组3个工作小组，共同负责落实筹委会交办的各项具体工作，并加强同市委及有关部门的协调与联系。

在筹建市政协的过程中，政协筹委会在广泛协商、反复征求意见的基础上，于2000年12月21日，召开了筹委会第一次会议，协商通过《政协临汾市第一届委员会筹建工作方案》和《关于政协临汾市第一届委员会参加单位、界别设置和委员规模的决定》，并经中共临汾市委常委会议研究同意。至此，整个筹建工作按照《方案》要求有效展开。

二、积极主动、严肃认真地实施《方案》

实施筹备工作《方案》，时间要求紧，工作任务重，可借鉴经验少，而又必须严格程序，确保质量。因此，协调确定好首届市政协委员，就成为筹备工作的一项基础工作，也是实施《方案》的重中之重。

（一）积极落实一届市政协参加单位、委员规模

根据筹委会第一次会议通过的《中国人民政治商会议临汾市第一届委员会筹委会第一次会议关于政协第一届临汾市委员会参加单位、界别设置和委员规模的决定》，政协临汾市第一届委员会由党派、团体、界别、特邀4个方面组成，共27个参加单位和界别，分别是：中国共产党临汾市委员会、中国国民党革命委员会临汾市委员会筹委会、中国民主同盟临汾市委员会筹委会、中国民主建国会临汾市委员会筹委会、中国民主促进会临汾市委员会筹委会、九三学社临汾市委员会筹委会、无党派人士、中国共产主义青年团临汾市委员会、临汾市总工会筹备组、临汾市妇女联合会、临汾市青年团联合会筹备组、临汾市工商联合会筹备组、临汾市科学技术协会、临汾市归国华侨联合会、文化艺术界、科学技术界、社会科学界、经济企业界、农业界、教育界、体育界、新闻出版界、医药卫生界、社会救济福利、少数民族、宗教界、特别邀请人士等。

政协临汾市第一届委员会委员规模为297人，其中，中共委员的比例为40%，118名；非中共委员的比例为60%，179名；政协常委名额为53名，占政协委员总数的18.4%，其中，中共党员35%，17名；民主党派人士65%，36名。

（二）严格掌握委员的标准和条件

为保证委员素质，12月21日，市政协一届筹备领导组召开并成立政协筹委会，侯建华同志就组建市一届政协方案（草案）制订讲话，赵兰田同志就政协委员的界别分布、年龄界限、推荐提名程序等做说明，并明确政协委员的标准和条件。会议之后，各参加单位、团体和界别按照会议的统一部署和要求，把提高素质、完善结构、增强活力做为委员推荐的重点。一是坚持注重政治思想素质。所推荐的委员应坚持邓小平理论，坚持中国共产党的基本路线，拥护以江泽民同志为核心的中共中央领导，热爱祖国，赞成和拥护政协《章程》，热爱并愿意奉献人民政协事业。二是坚持突出政协的特色。所推荐政协委员都是在所属党派、人民团体和各界别中具有相当的影响和声望，能真正代表其利益，反映其思想、愿望和要求，具有做为他们政治代表的资格和较强的社会活动能力，充分体现组织上的广泛代表性和政治上的巨大包容性，以及党派合作性、民主协商性。三是坚持优化委员结构。所推荐的委员具有较高的专业知识水平和丰富的工作经验，具备一定的参政议政能力。强调以经济建设为中心，从经济工作部门、企事业单位和科技、文教、医疗卫生等单位推荐一大批懂经济、会管理、有知识、有影响的人士。同时，十分注意对经验丰富的老同志和做出突出成绩的优秀青年人才的推荐，以确保委员队伍有较高的整体素质和参政议政能力。

（三）注意把好政协委员的推荐认定关

在中共临汾市委的统一领导下，委员推荐工作坚持“统筹兼顾、全面安排”的方针，按照“界别延伸、协商延伸、分别推荐、整体平衡”的原则，由参加政协的单位、团体和界别按高于政协委员分配名额20%的人选进行推荐。中共委员的初步提名由中共临汾市委组织部负责，民主党派、无党派人士人选由中共临汾市委统战部负责，在此基础上由中共临汾市委统战部汇总。在反复协商基础上，中共临汾市委于今年元月4日正式向筹委会提出委员建议名单。按照政协《章程》规定，元月4日，政协筹委会第二次会议经广泛协商讨论，审议通过《关于政协临汾市第一届委员会委员名单的决定》。

根据这个《决定》，一届市政协297名委员的基本结构为：中共委员118名，占委员总数的少数民族委员5名，占委员总数的1.68%；委员平均年龄49岁；大专以40%，非中共委员179名，占委员总数的60%；妇女委员54名，占委员总数的18.2%；上文化程度的233名，占委员总数的78%，大专以下的文化程度64名，占委员总数的22%；有高中级技术职称的委员144名，占委员总数的48%，其中正

高技术职称 7 人，副高技术职称 59 人，中级技术职称 78 人。按党派、团体、界别和特邀的分布为：中共 15 名，民革 6 名，民盟 7 名，民建 5 名，九三学社 3 名，无党派人士 11 名，共青团 6 名，工会 7 名，妇联 10 名，青联 4 名，工商联 19 名，科协 6 名，侨联 5 名，文艺界 17 名，教育界 24 名，体育界 5 名，新闻出版界 8 名，医药卫生界 14 名，社会救济福利 3 名，少数民族 5 名；宗教界 4 名，特邀人士 40 名。

在筹委会第二次会议上，审议通过《关于政协临汾市第一届委员会工作机构设置的决定》和《关于召开中国人民政治协商会议临汾市第一届委员会第一次会议的决定》。这两个《决定》的通过，标志着一届市政协的主体已经形成、框架已经构建，一届一次会议的召开已经提上重要议事日程。

（四）认真确定一届一次会议主席团、秘书长建议名单和建议议程

根据政协《章程》规定和《方案》的要求，筹委会于 2001 年元月 12 日召开第三次会议，就中共临汾市委提出的一届一次会议大会主席团、秘书长建议名单等，进行充分讨论，广泛协商，审议通过《政协临汾市第一届委员会第一次会议主席团人选建议名单》、《政协临汾市第一届委员会第一次会议议程建议》，为大会顺利的召开提供组织保证。同时，通过大会的各项建议议程，为会议按预定计划有序进行做必要准备。

综上所述，整个政协筹建过程，完全符合政协《章程》和有关文件的规定。在工作中，既坚持统筹兼顾、全面安排的方针、又坚持委员人选的广泛性、先进性和代表性的统一；既坚持党的领导原则，又坚持民主协商的程序。政协委员中，有贡献突出、有一定成就、代表性较强的各界人士；有因工作需要参加政协有关方面的领导干部；有各民主党派、工商联、有关人民团体的领导骨干；有在改革开放和两个文明建设中做出突出贡献的代表人物；有在促进祖国和平统一事业中有影响、有作为的人士；有在维护国家统一，民族团结，社会稳定和推进经济、文化、教育事业发展中，做出积极贡献的少数民族和宗教人士；有爱国、敬业、守法的非公有制经济优秀人士；有在其他方面对巩固和发展爱国统一战线有突出作用的代表人物。因此，政协临汾市第一届委员会荟萃全市方方面面的优秀人才，是一个具有较高层次的“人才库”、“智囊团”，它的组成充分体现临汾市各党派团体、各界人士、各族人民的大团结、大联合，必将在全市的政治、经济、文化领域发挥重要的作用，为全市的改革、发展、稳定提供强有力的智力支持。

三、为市政一届一次会议做好准备

在中共临汾市委的统一领导下，政协筹委会为政协一届一次会议进行卓有成效的准备工作，大体分 3 个方面：

——确定参加人员，包括协商产生一届市政协委员、列席大会人员，并向省政协领导和兄弟地市政协负责同志发出邀请；

——精心准备大会有关资料，包括会议报告、会议文件、领导讲话、会议决议、会议决定、各种证件和表格等；

——选调配强会议服务人员，共抽调 100 多名同志参与大会的文秘、会务、车辆管理、医疗防疫、安全保卫等项工作。

原中共临汾市委书记杜玉林、中共临汾市委书记樊纪亨、分管政协工作的市委副书记张岗望、市委常委、组织部长刘传旺等同志对政协筹建工作非常重视，多次听取汇报，就政协筹建工作提出重要的指导性意见，同时还及时帮助研究解决政协筹备工作中的一些重大和具体问题，保证筹备工作的顺利进行。

市政协在组建伊始就得到省政协的重视和支持，这是我们筹建工作规范运作、有章可循、严格程序的基本保证。

政协筹委会的全体成员和筹委会办公室的全体同志，在政协临汾市第一届筹委会主任、政协临汾工委主任侯建华同志的直接领导下，从讲政治的高度出发，以饱满的工作热情和高度负责的精神，按照中共临汾市委提出的“时间要抓紧、程序要严格、工作要做细、质量要保证”的要求，做了大量工作。尤其是主

动学习邓小平人民政协理论和政协《章程》，以掌握指导实践的理论武器，适应筹建市政协工作的需要，从而圆满地完成各项筹备任务。在此，我们应当向积极、主动、负责筹备政协临汾市第一届委员会做出努力和贡献的侯建华主任表示崇高的敬意和感谢。

筹建期间，地区人大工委和行署以及市直各有关部门、各县（市、区）都给予大力的支持和帮助。借此机会，我代表政协筹委会表示衷心的感谢！

筹建市政协是一项全新的工作，政策性强，时间紧，工作任务重，规定程序多，标准要求高是整个筹建工作的基本特点，加之政协筹委会人员自身工作的局限性，在筹建工作中出现过一些漏洞和问题，大家也针对性地提出许多富有建设性的意见和建议。对此，我们将充分尊重大家的意见，以负责的态度报送中共临汾市委做出决策参考，并提请新组建的一届市政协委员会在今后的工作中尽快予以完善和弥补。

各位委员、同志们：

现在，一届一次会议的各项准备工作已经全部就绪，特定历史条件下给予筹委会的承前启后的特殊历史使命也已圆满完成，政协一届一次会议的组织领导和有关议程将由预备会通过的主席团担任。我们相信，在大会主席团的领导下，政协临汾市一届一次会议一定会圆满成功！

谢谢大家！

在政协临汾市第一届委员会第一次会议闭幕会上的讲话

2001年1月18日

张岗望

各位委员、同志们：

中国人民政治协商会议山西省临汾市第一届委员会第一次会议，经过全体委员的努力，圆满完成大会的各项议程，今天就要闭幕了。这次会议，选举产生市政协一届委员会主席、副主席、秘书长和常务委员，组成临汾市首届政协委员会。它标志着我们按照《宪法》和政协《章程》的规定，确立首届市政协在我市政治格局中的地位和运作机制；标志着撤地建市后，民主政治建设得到进一步加强，民主渠道更加畅通，各项民主制度的实施更加具备有力的保障。会议期间，委员们听取并讨论中共临汾市委书记樊纪亨同志和其他领导同志的重要报告，20日还要列席市人大一届一次会议，听取《政府工作报告》。大家以空前的政治热情和高度负责的精神，认真履行职责，就事关临汾经济、政治、文化事业发展的重大问题和首届政协的工作，提出很好的意见、建议。这是一次民主、求实、团结、鼓劲的大会，是一次承前启后、继往开来的大会。

在这次会议上，我十分荣幸地被大家推选为一届市政协主席，深感责任重大，使命神圣。我一定要尽职尽责，与各位副主席、秘书长及常委会全体组成人员一道，在市委正确领导下，团结带领广大委员共同肩负起时代和人民赋予我们的庄严历史使命，为全市政协事业，为临汾390万父老乡亲的富裕康乐而埋头苦干、任劳任怨、奋斗不息、鞠躬尽瘁。在此，谨以我个人的名义并代表常委会全体组成人员，向各位委员对我们的信任和支持表示衷心的感谢！

下面，我讲几点意见，与大家共勉。

一、不负众望、努力发扬政协的优良传统和作风

政协临汾地区工委组建4年来，在省政协和中共临汾地委、市委的领导下，从实际出发，坚持在前进中开拓，在开拓中前进，进行大量卓有成效的工作。政协工委认真贯彻落实中央（1995）13 号文件《通知》和中共山西省委《关于进一步加强人民政协工作的决定》及《补充规定》，工作指导起点高，思路新，找准位置，充分发挥自身的优势和特点，在广泛联系委员上走出新路，在及时指导县（市）政协工作上创出特色，在切实服务中共临汾地委、市委中心工作中做出积极贡献，在推进履行职能规范化制度化建设上收到实效，尤其是在专题调研、社情民意、机关建设 3 大项工作中，取得很好的成绩，塑造良好的政协工委形象。这一切都为本届政协奠定良好的工作基础，创造有利的条件，积累丰富的经验。特别是工委主任侯建华同志，在工委工作方向的把握上，紧贴中共临汾地委和市委中心；工作原则的确立上突出帮忙尽职；工作任务的部署上为党委、政府排忧解难；工作方法上坚持实事求是，带出一支善于学习、作风严谨、工作踏实、不图虚名、爱岗敬业的政协干部队伍；在关心爱护下级同志上，做到热心尽力，无微不至。特别是在市政协成立，领导干部在大调整中顾全大局，主动禅让，这种高风亮节的可贵品德为后人做出榜样，很值得我们学习。谨此，我代表本届政协全体委员向侯建华主任表示真诚的钦佩和感谢！同时，向为本届政协筹建付出辛勤劳动的政协筹委会的全体同志表示崇高的敬意！

二、继往开来，全力开创政协工作新局面

本届政协是世纪之首产生的。人的一生能相会两个千年，两个世纪，实属机遇难得，在此重要时刻能聚首政协大家庭，更是难能可贵。中共十五届五中全会制定的宏伟目标，为临汾市人民政协事业的发展提供新的机遇，展示广阔前景，提出更高的要求。政协一届一次会议的召开，为临汾市进一步加强民主政治建设，推进决策的科学化、民主化，奠定良好的基础。我们要肩负起历史的重任，开创新的局面，谱写新的篇章，就必须始终不渝地坚持中国共产党的领导，以邓小平理论为指导，坚持“在前进中开拓，在开拓中前进”，认清形势，把握大局，加强学习，积极探索，认真贯彻中共十五届五中全会精神，围绕中共临汾市委确定的“三件大事”经济发展思路和实现率先发展的目标，自觉地以新的姿态、新的风貌做好各项工作，使全市政协事业在新的世纪中迈开新步伐，开创新局面。为此，本届政协要努力做到：

第一，认真学习政治理论，从坚持基本政治制度的高度，增强做好政协工作的责任感和使命感。

撤地建市，组建中国人民政治协商会议第一届临汾市委员会，对我们来说是一项全新的工作。所谓“新”，主要体现在全新的组织、全新的工作、全新的队伍。对于人民政协性质及其在国家政治生活中重要意义的认识，我们还比较肤浅，缺乏理解，对于政协如何围绕党委、政府的中心工作，充分发挥其在社会主义政治建设和社会经济发展中的作用，还比较生疏，缺乏经验。面对这种情况，我们都需要认真学习，努力实践，都有一个适应环境和转换角色的问题。

学习，最根本的是要认真学好邓小平理论，学好党的三代领导集体对党的建设、政权建设、社会主义现代化建设以及人民政协建设的重要论述。这是我们的工作方向，前进的灯塔，是做好一切工作的基本功。在新的一年里，我们要把学习做为首要任务，把新政协的第一年确定为学习年，掀起学习政治理论高潮，用正确的理论武装政协。一是要认真学好党的基本理论，特别是邓小平建设有中国特色的社会主义理论和江泽民总书记“三个代表”重要思想，用正确理论武装全体委员。二是要认真学好人民政协基本理论，使新政协每位同志都清楚地了解掌握政协工作的性质，努力干好政协工作。当前要认真学习贯彻好中共十五大和十五届五中全会精神，真正确立起坚持以发展为主题，以结构调整为主线，以改革开放和科技进步为动力，以提高人民生活水平为根本出发点，全面推进经济建设和社会各项事业的工作思路。三是要认真学好社会主义市场经济理论以及文化、科技、法律等知识，以适应正确履

行政治协商、民主监督、参政议政的工作需要。我们要通过认真学习，使每一位委员充分认识人民政协的性质、地位和作用，确保政协沿着正确的政治方向前进，增强坚持中国基本政治制度的坚定性，提高履行职能的质量和水平，使我们新一届政协的工作，更好地适应新形势、新任务的要求，真正肩负起时代和人民赋予我们的神圣使命。

第二，紧紧围绕市委确定的经济社会发展战略目标，发挥政协优势，积极献策。

围绕经济建设中心，服从服务于市委工作大局，是本届政协履行职能必须遵循的原则和目标。实践证明，市委确定的“打基础、调结构、治环境”经济发展战略和率先发展目标，是符合临汾实际振兴临汾经济的正确决策。在新一年里，我们要继续紧紧围绕“三件大事”，选准角度，选好课题，深入开展调研视察活动，为推进“三件大事”重要思想的实施，加油鼓劲，建良言，献良策。科技是第一生产力，临汾市的科技教育基础虽然得到较大的加强，取得不少成绩，但总体上讲还比较脆弱，设施落后，人才缺乏，仍是制约科技教育事业发展的瓶颈。我们要充分发挥政协委员社会联系面广的优势，施展自己的智慧和才能，积极为全市引进科技教育资金和各类人才，促进临汾经济的健康快速发展。社会稳定是经济发展的重要保障，没有良好的政治社会环境，发展经济就无从谈起。我们要积极运用政协委员生活在基层、工作在基层的优势，及时准确地反映社情民意，千方百计地做好稳定情绪化解矛盾的工作，把群众的认识统一到市委、市政府发展战略上来，把积极性引导到发展经济上来，竭尽全力推进“三件大事”经济发展战略的贯彻实施，坚持不懈地为振兴临汾，人民富裕献计出力，做出贡献。

第三，切实把握好政协工作的关键环节，确保一届政协沿着正确的方向前进。

这次大会上，市委书记樊纪亨同志在讲话中对新一届政协工作提出很高的要求和殷切的希望，体现市委对政协工作的关怀和支持，表明市委对加强和改善政协领导的决心和意愿。我认为，要确保首届政协沿着正确的方向前进，应当做到6个切实把握好：

一是要切实把握好政协工作的主题。江泽民同志多次指出“人民政协工作涉及范围很广，但主题是两个，这就是团结和民主。这两个方面工作做好了，政协工作就有成效”。团结大多数，调动一切积极因素，是人民政协、统一战线的“安身立命之本”。我们要始终高举爱国主义和社会主义两面旗帜，充分发挥大团结、大联合的优势，在建设有中国特色社会主义这一伟大事业中，最大限度地把各方面人士团结起来，把各方面积极性调动起来，为实现兴临富民同舟共济，献计出力。要在政协的各项活动中，努力营造民主和谐的气氛，充分尊重和保护委员的民主权利，鼓励和欢迎委员各抒己见，畅所欲言，增进统一战线内部和社会各方面的广泛团结。要充分发挥委员联系广泛、亦官亦民的优势，加强与海内外一切爱国人士的联谊，进一步扩大团结面和联系面，努力为全市经济和社会发展，创造一个团结和谐、生动活泼的政治局面。

二是要切实把握好人民政协的基本职能。我们要坚持贯彻党的基本路线，围绕两个文明建设，抓住经济建设中的重点、难点和热点问题，切实履行好政治协商、民主监督、参政议政的3项基本职能，推进党和政府决策的民主化、科学化。要有组织有计划地把政治协商引向深入，不断改进协商形式，努力畅通协商渠道，把协商活动开展的生动活泼，卓有成效。要切实有效地开展民主监督，不断探索民主监督的有效形式，把民主监督与例会、视察、提案、调研、反映社情民意等结合起来，既要敢于监督，又要善于监督，做到监督有事、说话有据、意见有理、建议有方，切实提高监督的实效。要进一步拓展参政议政的领域，通过深入调研掌握实情，提高参政议政的水平和质量。要在实践中不断总结经验，健全制度，使协商监督、参政议政进一步规范化、制度化。

三是要切实把握好政协工作的基本思路。政协的性质、职能和特点，决定政协在工作中一定要围绕中心，服务大局，选准角度，发挥优势。按照这个思路去做，政协工作才能在改革、建设大局中发挥重要作用，才能富有成效。选准角度和发挥优势两者紧密相联。只有选准方向和角度，才能最大限度地发挥政协人才荟萃、代表性强、位置超脱、渠道畅通的优势，扬长避短，使政协的长处和特点得到充分展示，起到其它组织不能替代的作用。当前我们就是要认真贯彻党的十五届五中全会精神，围绕临汾市制定的“十五”经济发展目标，抓住深化改革、扩大开放、调整结构、落实科技兴市战略、加强环境治理、搞好精神文明建设、推进民主法制建设、加强党风廉政建设等全市经济社会发展中的重大问题，以及人民群众关心的突出问题，履行好政协的3项职能。

四是要切实把握好政协工作的要求。李瑞环主席强调指出，政协工作要做到“尽职不越位，帮忙不添乱，切实不表面”。这3句话，既是政协工作的一般方法和作风问题，又是政协开展工作履行职能的基本要求。每位政协委员包括各县（市、区）政协都要履行职能，尽职尽责，努力工作，但不要去做那些做不到、做不好的事。“帮忙不添乱”关系到政协的方向。要从政协的性质和特点出发，尽好职、帮好忙，为党分忧，为民分忧。“切实不表面”关系到政协工作的宗旨和目的。我们要坚持实事求是的思想路线，一切从实际出发，无论是协商监督，还是参政议政，都要考虑国家和人民的实际需要，力戒形式主义，不做表面文章，扎扎实实地履行职能，认认真真办几件在社会上、在人民群众中有影响的实事好事。

五是要切实把握好政协工作的基本形式。例会、协商会、专题会、提案、视察、反映社情民意等等，是人民政协履行职能的基本形式。政协工作要开展的有声有色，就要充分运用好这些基本形式。我认为，我们一定要在调查研究方面下大力气，花大功夫。调查研究是政协履行职能的基础。政协工作要创新，首先要创调查研究之新；政协工作要务实，首先要务调查研究之实；政协工作要上新台阶，首先调查研究要上新台阶。通过深入细致地调查研究，掌握翔实的第一手资料，向市委和政府提出真知灼见，展示各位委员智慧和水平。

六是要切实把握好政协工作的基本格局。在长期的实践中，政协工作已经形成一个良好的格局，这就是党委重视、政府支持、政协主动、各方配合。今后，我们全市各级政协要积极推动这个基本格局的完善和发展。要经常向党委、政府汇报工作情况，积极向社会各界宣传政协的作用，加强与党委、政府各个职能部门的联系，及时了解党委、政府的工作思路，准确把握大局。要紧紧围绕党委和政府的中心任务，积极主动地履行职能，在建设临汾经济强区中发挥政协的独特作用。

三、加强自身建设，夯实新一届政协的基础

加强政协自身建设，造就一支有较高政治素质和业务水平的工作队伍，是临汾市政协开创新局面的前提和基础。新当选的市政协领导班子和首届委员素质是比较高的。但是也要清醒看到，新形势和新任务对政协领导班子和委员提出更高的要求。

要切实加强政协党的组织建设。中共政协党组和基层党支部要坚持党的民主集中制原则，建立健全党内生活制度，强化对党员的“三个代表”重要思想教育，促进党员世界观、人生观、价值观的改造，严格遵守党纪党规。政协委员中的中共党员要尽快进入政协委员角色，满腔热情地同党外人士交朋友，处处严格要求自己，做合作共事的模范。

政协主席会议和常委会一班人，是政协的带头人。要建立和完善政协工作机制，认真搞好新一届市政协领导班子建设。要切实转变领导作风和工作作风，带头坚持深入基层调查研究，了解民意，体察民情，关心委员工作和生活，为委员履行职能提供支持和帮助。在本届任期内，常委以上的班子成员要率先垂范，每年深入基层调查研究不少于100天，最少撰写两篇有价值的调研报告和提案，反映3件社情民意，结交5个政协委员朋友，真正起到模范带头作用，把政协的力量凝聚起来，全面推动政协的工作。

政协委员是人民政协的主体。人民政协的

一切成就都离不开委员的智慧和创造。尤其是首届政协委员是新临汾市政协的奠基人、开创者，担负着榜样的历史责任。我衷心地希望全体委员从讲政治的高度严格要求自己，不图虚名，不辱使命，不负众望，以无愧于人民，无愧于组织，无愧于时代业绩，在政协工作情况史册上写下浓重的一笔。我们要加强对委员的培训，今年内要分期分批把委员轮训一次，同时要走出去，组织委员学习外地先进经验，各位委员要认真搞好自学，不断提高政协队伍的素质。继续倡导开展建功立业活动，号召全体委员在各自的工作岗位上做出优异的成绩，是企业家的把本企业经济效益搞上去，是专家学者的拿出一流的学术成果，是农民的成为农村勤劳致富带头人，是干部的要勤政廉洁做人民的优秀公仆。要继续抓好“六个一”活动，到今年底，每个委员都拿出一个好提案，反映一条好社情民意，办一件实事好事等。对为群众服务，为社会进步做出积极贡献，取得突出成绩的委员，要给予大力表彰。

政协机关要把全心全意为委员服务做为工作的宗旨，努力为委员履行职能创造良好条件。从现在开始，就要按照讲质量、讲效率、讲规范、讲协作的要求，树立内强素质、外树形象、埋头苦干、争创一流的工作意识，确立爱政协、学政协、干政协、奉献政协的精神，造就一支爱岗敬业的政协干部队伍，真正把政协机关建设成为名副其实的委员之家和培养锻炼干部的重要阵地。

各位委员、各位同志，我们已经跨入崭新的 21 世纪，展望未来，我们任重道远，充满信心。让我们进一步高举邓小平理论伟大旗帜，更加紧密地团结在以江泽民同志为核心的中共中央周围，在中共临汾市委的领导下，统一思想，团结一致，勇于开拓，努力工作，切实履行好职能，为加快我市的现代化建设步伐，实现新世纪宏伟目标，推进社会主义民主政治建设，谱写新的篇章。

会议期间，大会秘书处全体工作人员、公安干警、新闻记者、服务人员为大会顺利召开，付出辛勤的劳动，在此我代表大会表示衷心的感谢。

春节即将来临，借此机会，向大家拜个早年，并通过你们向全市各级政协委员和政协机关的同志们致以节日的问候。

现在我宣布：中国人民政治协商会议山西省临汾市第一届委员会第一次会议胜利闭幕！

中共临汾市委组织部

ZHONG GONG LIN FEN SHI WEI ZU ZHI BU

市委副书记、组织部部长刘传旺在全市干部制度改革座谈会上讲话

刘传旺（左二）在尧都区检查党建工作

组织部部长刘传旺（中）、副部长王春梅（左二）在古县检查小康建设工作

临汾市人民检察院

LIN FEN SHI REN MIN JIAN CHA YUAN

检察长 胡兴甫

院领导班子

省检察院检察长陈大豪（中）在临汾与人大代表座谈

胡兴甫在汾西县农村慰问贫困户

组织中层以上干部到企业调研

临汾市财政局

政协副主席、财政局局长　张传华

张传华向国家财政部部长项怀诚（右一）汇报工作

市委书记张茂才（左一）、常务副市长郝忠礼（右一）在市财政局

市长王国正（右二）、市委副书记张继庆（右一）在市财政局预算外资金管理中心

张传华在侯马霸王药业有限公司调研

洪洞县煤焦集运站

1986年投入运营，年设计发运能力60万吨，固定资产2000万元，集生产、储存、运输、经销于一体的中型企业。坚持管理是主题、人才是根本、质量是生命、服务是宗旨、用户是上帝、效益是目的的经营理念，聚精会神搞发运，一心一意谋发展，累计发运煤炭250多万吨，上缴税金7000余万元，上缴专项基金7000余万元，有力地支援了地方和国家经济建设。先后被中共临汾市委、市政府授予“文明单位”、“精神文明建设百佳单位”、“双文明单位”；被山西省煤炭运销公司授予“双文明单位”等荣誉称号。

站长　田迎光

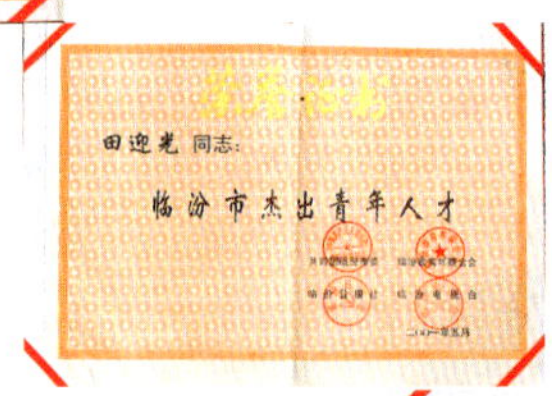

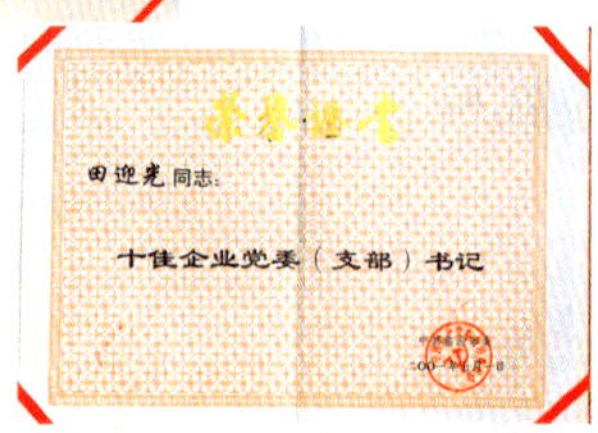

领导班子成员在一起研究工作

书记　刘继光

文明单位
中共临汾市委
临汾市人民政府
二00二年九月

双文明单位
山西省煤炭运销总公司

授予
双文明一体化建設
先進單位
中共洪洞县委員会
洪洞县人民政府

乡宁县茂源煤化公司

XIANG NING XIAN MAO YUAN MEI HUA GONG SI

董事长　张文泉

全国政协副主席万国权接见张文泉

茂源公司全景

炼焦炉

已投入生产的60万吨洗煤厂

厂区一角

年产45万吨原煤坑口

乡宁县申南凹

董事长、总经理　王胜明

乡宁县申南凹焦煤有限公司是一个采、掘、运机械化的新型企业，地处河东煤田东北边界处。地质储量2589.7万吨，工业储量1855.9万吨，可采储量1194万吨，年生产能力90万吨。为优质主焦煤：固定炭74.6%，结焦指数7-8，发热量8000大卡，内在灰份6%，混合灰份10.25%，含硫0.3%，挥发份19%，精煤含量79%、中煤含量13%，是最理想的洗精煤种。现有一个生产坑口、一个年入洗原煤30万吨的洗煤厂。干部职工800余人，固定资产7000余万元，是山西省原煤出口矿企业之一。连续5年被评为省“文明生产矿井”。董事长、总经理王胜明，2001年荣立山西省劳动竞赛三等功，临汾市劳动模范，临汾市“跨世纪优秀企业家”。

焦煤有限公司

领导班子成员在一起研究工作

办公大楼

职工医院

20° 大倾角皮带提升设备

洪洞县国土资源局

洪洞县国土资源局于2002年在原地矿局和土地局的基础上组建而成。一年多来，以服务全县经济建设为中心，以改进机关作风为保证，不断提高国土资源管理水平，大力推进依法行政，各项工作均取得可喜成绩，矿业秩序大局稳定，土地占补动态平衡，基础管理稳步推进，具体业务纵深发展，机构改革平衡过渡，队伍素质稳步提高，社会宣传有声有色，在“4·22”世界地球日和“6·25”全国土地日之际，利用各种形式向社会广为宣传，同时展示了国土资源队伍的崭新形象。被评为临汾市级文明单位、“三个代表”学教活动先进集体、全市国土资源工作先进单位。

局长　史锡亮

县长高洪元同有关人员一道埋设基本农田保护界桩

局领导班子研究国土资源开发利用规划

洪 洞 县 民 政 局

局长　张洪顺

洪洞县民政局现有干部职工61人，内设一室三股，下设低保管理中心、婚姻管理中心、殡葬管理中心、福利彩票发行中心、民间组织管理中心、民政稽查队、光荣院、休干所等8个事业单位。近年来，坚持深化改革，与时俱进，重点突破，整体创新，全县优抚安置、社会救助、城市社区改制、农村基层政权建设、社会福利事业、城市居民最低生活保障、军地“双拥”工作、民间组织管理等项工作实现新突破。2002年度在临汾市民政系统综合考评中名列前茅，荣获山西省“双拥模范县”光荣称号。

团结、务实、创新的领导班子

HUO ZHOU SHI HUA GAUGN YU CAI XUE XIAO

霍州市华光育才学校

董事长　韩玉生

创办于1998年2月，现有教师108名、学生1300余名。“高标准起步、超常规发展、大跨度前进”，以法治校、以德治校、从严治校。充分利用“小班教学的优势”，大胆改革创新，优化课堂教学，为高一级学校输送了大批合格人才。在2001年中国小学奥林匹克数学竞赛中有14人获奖，其中二等奖9人。在临汾市计算机技能大赛中，有24人获奖。2002年度中考233人，550分以上63人，其中588分以上16人，总达线率名列临汾市第一。2002年度高考达线率在临汾市64所高中排名24。

韩玉生被授予“霍州市十大新闻人物”

韩玉生同南斯拉夫教授交流教学经验

韩玉生在学校颁奖会上讲话

元宵节活动

蓝球赛

文艺表演

师生正做广播操

敢与世界同步

FKGF

FENG KUN METALLURGY

丰昆冶金股份公司

山西省丰昆冶金股份有限公司是集铸造、冶炼、烧结、发电为一体的新型民营企业。公司创建于1984年，1993年改制为股份制企业。改制后公司坚持“讲科学、重严谨、勇创新、求高效”的企业精神，与时俱进，奋勇开拓，建立现代企业制度。冶炼生铁年产20万吨，铸造及机械制作产品年产5万余吨，企业规模不断壮大，现有总资产1.5亿元。

董事长、总经理 鹿英杰

美国专家在公司考察

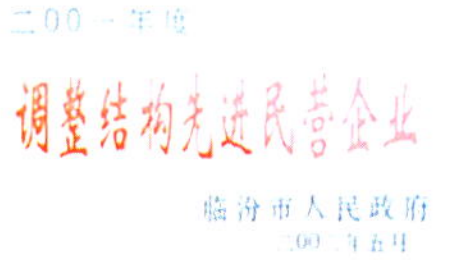

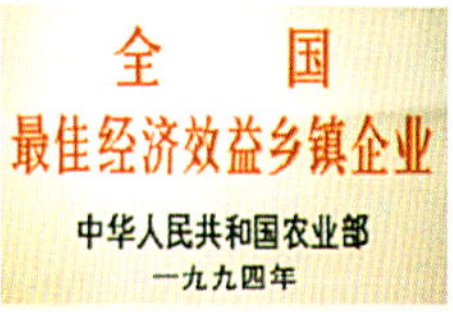

乡宁县七一煤矿

XIANG NING XIN QI YI MEI KUANG

矿长　刘耀狮

个人荣誉

乡宁县七一煤矿于1971年7月1日建成投产。井田面积1.7579平方公里；拥有固定资产1060万元，年实现利税360余万元，干部职工235人，安全生产28年无事故，死亡率为零，先后被国家煤炭部授予“乡煤之星”；被山西省煤炭工业厅授予“长周期安全、无事故矿井”、“文明生产矿井”、“质量标准化矿井”；被山西省乡镇企业管理局授予“安全生产先进企业”等荣誉称号。

矿长刘耀狮、会计师，山西省委党校毕业，临汾市劳动模范，山西省优秀企业家。

矿领导班子成员

乡宁县 毛则渠煤矿

矿长　张欢虎

接替井坑口

临汾市城镇集体工业联合社

党组书记、主任　段维让

联社领导班子（左起谢长有、王亚平、段维让、宋成管）

临汾市城镇集体工业联合社，是全市城镇集体工业的行业指导部门，承担着对全市城镇工业企业的监督、指导、协调、服务、维护的职能，是全市城镇集体资产的代表者与管理者。

市城镇集体工业历经半个多世纪的风雨沧桑，在曲折中不断发展壮大，已成为全市国民经济建设中一支骨干力量。市城镇集体工业系统已拥有成员企业200余家、从业人数2万余人，从业范围涵盖机械制造、塑料化工、工艺印刷、建筑装饰、冶金铸造、五金工具、物贸流通、餐饮服务等14个行业。2002年，全市城镇集体工业系统完成工业总产值5.3亿元；工业增加值1.8亿元；工业销售收入4.7亿元；第三产业经营收入4.1亿元；实现利税5200万元；产销率达97%，联社工业经济产值累计为9.4亿元；为全市的经济建设做出突出贡献。今后五到十年城镇集体工业将进一步实施“机制创新、结构创新、环境创新”三大战略，再造新优势，争创全省第一流、全国中上游发展水平，建成中西部城镇集体工业强市。

市二轻会计学校一角

市工艺美术大楼

LIN FEN SHI CHENG ZHENG JI TI GONG YE LIAN HE SHE

市再就业工程样板市场——迎春街装饰材料市场

宽幅农用塑料膜生产线

市联社餐饮服务业

乡宁县台头煤矿

XIANG NING XIAN TAI TOU MEI KUANG

台头煤矿是年产原煤100万吨的中型企业，现有职工1500人，资产1.28亿元，有前湾、后湾、王蟒沟3个生产坑口，井田面积13.7平方公里，2＃煤保有可采储量2000万吨，10＃煤保有可采储量4200万吨。综合机械化采煤和长壁刀柱采煤，中央并列式和中央边界式通风，架线式电机车运输、无极绳绞车运输和皮带、溜子运输。先后荣获“部级质量标准化矿井”“省级文明单位”“山西省最佳企业”“山西省管理优秀企业”等称号。

矿长　王水金

团结战斗的领导班子

皮带运轨

先进的综采工艺

前弯子坑口生活区

翼城县

省委副书记张宝顺（中）与翼城县委书记张北管、县长武保安

北关文化世纪广场

城东钢铁公司

明亮钢铁公司

YI CHENG XIAN

宏阳钢铁公司

YI CHENG XIAN

宝业镁合金公司

蔬菜大棚园中园

洪洞县

HONG TONG XIAN

三晋第一大县

古大槐树的故乡

县委书记　柴高潮

县长　高洪元

浩溢煤焦总公司

金星啤酒生产车间

万亩蔬菜大棚

万亩红枣基地

康丰特种养殖厂

侯马经济技术开发区

HOU MA JING JI JI SHU KA FA QU

副省长宋北杉（左一）视察开发区，高清亮（左二）、李山林（右一）陪同

信息产业园

天河电子城

银湖大酒店

金世纪家居城

大事记

1 月

1日　零时，临汾市各界群众共同撞响“中华帝尧钟”。在尧庙大钟楼中央悬挂的“中华帝尧钟”重21吨，高366公分，直径2.4米，为全国第二大钟。

5日　中共山西省委决定，樊纪亨同志任中共临汾市委书记。省委组织部地方干部处处长马联社在全市县级干部大会上宣布省委该项任命。

8日　广东佛山塑料集团股份有限公司入驻临汾开发区项目签字仪式暨新闻发布会在临汾金大都酒店举行，郝忠礼出席。

9日　市四套班子领导樊纪亨、耿根喜、张伟能、董彩霞、李秉泰等组成5个慰问团，先后到解放军某部、山焦、三维集团慰问，到霍州、襄汾、浮山、隰县等地访贫问寒。

同日，翼城县城东钢铁有限公司投资兴建的临汾市首座300立方米冶炼高炉在翼城县王庄工业区奠基，成洪才出席。

16日　临汾市第一届人民代表大会第一次会议预备会在临汾影剧院举行。樊纪亨、张岗望、张茂才、陈长禄、刘传旺、高光挺、李建民、张伟能、张作明等出席。樊纪亨主持会议。

16～18日　政协临汾市第一届委员会第一次会议召开。

17日　各民主党派无党派人士协商会召开。樊纪亨、张岗望、刘传旺、陈保堂、李秉泰及市委组织部、市委统战部负责人参加座谈会。刘传旺主持会议。

17～21日　临汾市第一届人民代表大会第一次会议在临汾影剧院召开。

20日　上午9时，市人民政府举行揭牌仪式。张茂才发表讲话，刘合心主持。市四套班子全体成员，市直各部、委、局、办主要负责人，市政府机关全体干部职工参加。21响礼炮之后，热闹的锣鼓和嘹亮的军号奏出一派喜庆，彩带翻飞，彩花飘扬，气球缤纷，鲜艳的国旗由20名武警战士护卫，在庄严的国歌声中高高升起。樊纪亨、张茂才为人民政府揭牌。

21日　上午8时30分，临汾市人大、市政协举行揭牌仪式。樊纪亨、陈长禄为临汾市人民代表大会常务委员会揭牌，张岗望、刘合心为政协临汾市委员会揭牌。樊纪亨发表讲话，张茂才主持揭牌仪式。市四套班子全体成员出席，市直各部、委、局、办负责人，市委机关全体干部职工参加揭牌仪式。

同日，临汾市中级人民法院正式成立。李平郎和市中院院长王冀波为市中院揭牌。

23日　尧都区客运管理处举行新车启动仪式。尧都区城市客运管理部门投资2000余万元，新增76辆夏利、104辆富康轿车，投放出租车市场。

24日　樊纪亨、张茂才在《临汾日报》发表题为《新起点上起好步》的新春致辞。

31日　市四套班子领导集中学习讨论新华社、中央电视台关于邪教“法轮功”痴迷者天安门广场自焚事件的有关报道及新华社评论员文章。樊纪亨、张茂才、张岗望、陈长禄等在讨论中发言。

2 月

5日　全市农村信用社工作会议召开。张茂才、郝忠礼出席会议并讲话。

7日　临汾市2001年元宵节社火表演在尧都广场举行。市四套班子领导与数万名群众共度元宵佳节。

8 日　全市财税工作会议召开。张茂才出席并做重要讲话。张作明、方熔、张传华出席会议。郝忠礼主持会议。

同日，全市外经贸工作会议召开。张茂才做书面讲话。郝忠礼出席会议并讲话。

9 日　全市党风廉政建设暨反腐败工作会议在临汾宾馆召开。樊纪亨、张茂才、刘合心、王万年、刘传旺等出席。樊纪亨做书面讲话，张茂才、王万年讲话。刘合心主持会议。

10 日　大运线临侯高速公路正式开工。副省长杜五安、省交通厅厅长王晓林和市领导张茂才等参加开工仪式暨动员大会。王晓林做动员讲话，省交通厅副厅长杨喜泉主持会议。临侯高速公路全长 48.057 公里，投资预算 12.22 亿元，工期 2 年。

同日，全市煤炭工作会议召开。张茂才、成洪才、师如江、陈保堂等出席会议。

同日，全市农业工作会议召开。常富顺、原行署副专员任俊发出席会议并讲话。

11～12 日　在山西省 2001 年工业调产项目银、企洽谈会上，临汾代表团 18 个项目被各大银行看好，承贷资金 66823 万元。

13 日　省九届人大四次会议临汾市代表团在太原召开第一次全团会议，推选陈长禄为代表团团长，樊纪亨、卢健清为副团长。

14 日　浮山县发现 1 枚尚存世的太岳军区用兑米票。此票是 1948 年华北解放军开赴山西太岳区后印制，供作战时就地兑吃米粮所用，用期不到半年。

16 日　临汾市人民检察院举行揭牌仪式。刘合心、李平郎、李建民、陈保堂分别为“山西省临汾市人民检察院”、“临汾市人民检察院反贪污贿赂局”、“临汾市人民检察院举报中心”揭牌。

18 日　省委书记田成平、省人大常委会副主任曹馨仪、副省长杨志明、省政法委书记杜玉林参加省九届人大四次会议临汾市代表团的审议讨论。

22 日　全市宣传部长会议召开。张岗望、师如江、苗元礼、赵兰田等出席会议。

28 日　全市工业经济工作会议召开。张茂才、张作明、成洪才、赵兰田出席会议。张茂才讲话并与各县（市、区）长签订责任书。

3　月

1 日　市四套班子领导在火车站为前往北京参加全国人大九届四次会议的临汾市代表耿根喜、卢金城送行。

同日，全市组织工作会议召开。樊纪亨、张茂才、刘传旺出席会议。樊纪亨做重要讲话。

同日，全市环保工作会议召开。张茂才、张作明、董彩霞、李秉泰出席会议。张茂才、董彩霞讲话。

同日，全市卫生工作会议召开。张岗望、李建民、高清亮出席会议。张岗望、高清亮讲话。

3 日　全市劳动模范暨 2000 年度工作总结表彰大会在临汾影剧院召开。省劳动竞赛委员会主任、副省长杨志明出席会议并做重要讲话，樊纪亨讲话。市四套班子领导出席会议。张茂才主持大会。

同日，全市社会保障工作会议召开。张茂才做重要讲话，成洪才做工作报告。郝忠礼主持会议。

5 日　全市人事工作会议召开。张茂才、刘传旺出席会议。张茂才做重要讲话。

6 日　全市土地管理工作会议召开。刘合心、张作明、常富顺出席会议。刘合心、常富顺讲话。

7 日　中共临汾市第一次代表大会预备会在临汾影剧院召开。

同日，全市质量技术监督工作会议召开。成洪才、李秉泰出席。成洪才讲话。

8～10 日　中共临汾市第一次代表大会在临汾影剧院隆重召开。

10 日　大宁县三多乡上东堡村村民将大宁县人民政府告上法庭。大宁县人民法院判决，大宁县政府重新做出关于上合堡村民小组与上东堡村民小组 6.61 公顷土地权属问题的处理决定。

11日　市委召开农村工作会议。樊纪亨出席会议并做重要讲话。刘合心做工作报告。张岗望、张鸿斌、张作明出席。常富顺主持会议。

12日　樊纪亨、张茂才、刘合心、张作明、常富顺、李秉泰等在襄汾县赵曲乡三毛杨造林示范工程建设工地参加义务植树劳动。

12～13日　山西省政协副主席祁寿椿在临汾就农业产业结构调整和农民增收情况进行调研。张岗望、侯建华、陈保堂、张传华、方熔、宋发科等先后陪同。

同日，乡宁县振兴焦化有限公司一号焦炉点火。樊纪亨、张茂才、成洪才等参加点火仪式。该工程设计生产能力45万吨，一期工程总投资概算4980万元。

13～15日　山西省人大常委会副主任王文学在临汾检查指导工作。樊纪亨陪同。

14日　浮山县乔家垣乡刘村发现两份民国年间的卖身契。这两份卖身契均用毛笔在半张白麻纸上写成，立于民国31年12月（1942年1月）。

15日　市政府发布《关于加强临汾市规划区内城市建设管理的通告》。

16日　全市公安交通管理工作会议召开。刘合心、李平郎、董彩霞出席会议。刘合心讲话。

同日，襄汾县陶寺龙山文化风景名胜区招商引资工作全面展开。陶寺遗址位于襄汾县城东7.5公里处，东西长2000米，南北宽1500米，总面积300多万平方米，为尧舜时期的大型部落遗址。该项目需投资5000万元，其中国家拨款1000万元。

17～19日　临汾市一届人大常委会第一次全体会议召开。

19日　霍州煤电集团有限公司揭牌，副省长王显政、中央企业工作委员会监事会工作部门主席路耀华，成洪才等参加揭牌仪式。王显政讲话。霍州煤电集团是霍州矿务局整体改制后成立的。

同日，全市统战工作会议召开。张克强、苗元礼、陈保堂、赵兰田出席会议。张克强讲话。

20日　全市旅游外事工作会议召开。张茂才、苗元礼出席会议并讲话。

22～23日　山西省委常委、常务副省长薛军在洪洞检查指导工作。刘传旺、卢健清、成洪才等陪同。

23日　市工商联首届会员代表大会召开。省政协副主席边鸣涛，张克强、李建民、董彩霞、李秉泰出席。边鸣涛讲话。

24日　全市计划生育工作暨汾西现场会召开。谢碧玲、高清亮、方熔出席会议。张茂才讲话。林泽忠主持会议。

26日　全市农村“三个代表”重要思想学习教育工作会议在临汾宾馆召开。樊纪亨、张茂才、刘合心、刘传旺、张克强、陈长禄、张岗望、常富顺，省督察组组长杨大椿出席会议。刘传旺做动员讲话。刘合心主持会议。

同日，亚欧桥摩托市场在侯马市凤城乡大运路口开工奠基。亚欧桥摩托市场占地面积6.67公顷，总投资1亿元，建筑面积7万平方米。

27日　市政府发布《关于实施滨河路建设工程的通告》。

28日　全市科技工作会议召开。樊纪亨、张茂才、苗元礼出席会议并讲话。

29日　临汾市公安局破获一起倒贩国家文物案。共缴获国家文物33件，其中，上等级的文物有春秋青铜错银把柄、战国青铜鼎、汉代青铜博山炉3件。

4　月

1～5日　山西省政协主席郑社奎在尧都区、襄汾、曲沃、洪洞、浮山检查指导工作。樊纪亨、张茂才、刘传旺、张克强、张岗望、卢健清、陈保堂、李秉泰、张传华、方熔、成继东等分别陪同。

5日　全国中西部省区农村饮水工作现场会在乡宁、吉县召开，国家水利部副部长翟浩辉，副省长范堆相、水利部农水司司长冯广志、省水利厅厅长李英明、水利部农水司副司长李仰斌，张茂才及全国25个省区水利厅领导出席会议。

同日，洪洞县“第十一届寻根祭祖节”主祭仪式在大槐树寻根祭祖园举行。原中国文联党组副书记孟伟哉，市领导樊纪亨、张岗望、高清亮、成洪才、苗元礼及两万余名群众参加。主祭活动主要有祭祖节主祭仪式、孙宗武万寿碑落成仪式和董寿平书法碑林揭牌仪式等内容。

同日，洪洞县创办的“大槐树”网站开通。该网站设有洪洞概览、历史文化、商业经济、旅游资源、文化艺术、古槐迁民、寻根社区等栏目，网址 http：//htdns.com.cn。

6 日　临汾市国家粮食储备库扩建工程动工。省粮食局副局长牛银虎、省计委有关领导，郝忠礼、陈保堂等参加开工典礼。

同日，临汾市首座人行天桥——尧都区解放路人行天桥工程开工。该工程位于解放路与科委巷交叉十字口，总投资 2000 余万元。

9 日　山西省委常委、常务副省长薛军出席洪洞县农村“三个代表”重要思想学习教育活动动员会并讲话。省农业厅副厅长、省学教办副主任积旺，省学教办督查组成员赵胤，刘传旺、李建民出席会议。

10 日　昕水河流域黄河水保生态项目启动，该项目建设期限为 5 年，项目总投资 1.2 亿元，其中国补资金 4300 万元，治理水土流失面积 210 平方公里。

11 日　滨河路建设工程动员大会暨开工仪式在汾河滩涂举行。市四套班子领导出席会议。樊纪亨、张茂才分别做重要讲话。成洪才主持会议。

同日，祁临高速公路尧都区高堆村路段发现龙山文化时期（距今约 5000 年左右）1.2 万多平方米的居民穴住区，居民区内保存有用白灰处理过的土坑、陶器、石器和部分尸骨及宋代彩瓷器。

12 日　国家统计局局长、国家粮食清仓查库领导组副组长朱之鑫在洪洞检查指导工作，张茂才、高清亮陪同。

同日，临汾市委 2001 年度议军会召开。樊纪亨、张茂才、刘合心、张鸿斌、卢健清、董彩霞、军分区政委李峰出席会议。樊纪亨主持会议。

13 日　全市计划工作会议召开。张茂才、高清亮、陈保堂出席会议。张茂才讲话。

16 日　山西省人大副主任王文学在临汾向阳高级学校检查指导工作。

同日，全市农村“三个代表”重要思想学习教育活动现场会在翼城县召开。樊纪亨、刘传旺、陈长禄、卢健清、段克己、常富顺等参加。刘合心主持会议。

19 日　首届“临汾市十大杰出青年”评选活动揭晓，贾丽萍、李龙飞、李国希、原国民、孙英杰、贺洁、秦国杰、樊宇、张华杰、贾岩鸿 10 人获此殊荣。

20 日　市政协领导张岗望、陈保堂、成继东及部分政协委员 30 余人到滨河路工地视察并参加劳动。

同日，山西焦化集团股份有限公司 2 号焦炉正式投产出焦。该焦炉工艺控制采用 DCS 和 PLC 自动化控制系统，彻底解决污染，节省能源。山焦 90 万吨焦炉易地改造工程建成目前国内最先进的 JN60－89 型 6 米高大容积焦炉两座，总投资 9.65 亿元。

23～25 日　山西省副省长王显政在乡宁县、临铁分局、山焦集团公司检查指导工作。樊纪亨、成洪才陪同。

25 日　临汾市召开纪念“五四”暨杰出青年表彰大会。张克强出席并讲话，陈长禄、方熔出席大会。

同日，临汾市召开万余名群众参加的公处大会，对故意杀人，抢劫，强奸犯吴建春等 16 名严重犯罪分子进行公处。会后，押赴刑场执行死刑。

同日，临汾市城市总体规划 1∶10000 航测数字化地形图评审工作完成。该成果利用最先进的数字化成图“3s”、“4b”技术，有较高科技含量。

26 日　加拿大高贵林学院（Coquitlam College）校董 Lorne.J.Kavic 在临汾市召开现场招生说明会。

27 日　全市经济工作会议在侯马召开。樊纪亨、张茂才做重要讲话。刘合心主持会议。

30 日　市政协举行庆“五一”、话发展座谈会。郝忠礼、常富顺应邀参加，张岗望讲话。

同日，全市社会治安严打整治、整顿规范市场经济秩序动员大会在临汾宾馆召开。市四套班子领导出席会议。樊纪亨、张茂才讲话。刘合心主持大会。

5　月

1 日　华翔同创公司迪砂线开工典礼暨高新技术企业揭牌仪式在临汾经济技术开发区举行。樊纪亨、郝忠礼出席奠基及揭牌仪式。华翔公司引进的迪砂 2013LP / PLC（A）生产线，年生产能力 15000 吨，可生产汽车、飞机、机床、冰箱等工业品的铸配件。

9 日　洪洞县发现该县境内建造的首座石桥感德碑，这通记载位于洪洞县城大南门外的洪安涧河之上的聚瑞桥碑，碑身长 160 厘米，宽 73 厘米，厚 26 厘米，楷书，阴文，竖式，青石质地。碑首与底座均已残缺。

同日，襄汾县赵康镇普净寺内一棵大约 2000 余年树龄的木瓜树开出簇簇白花。这棵树高 15 米左右，树围 3.49 米。

10 日　全市移民扶贫工作暨乡宁示范工程启动会议在乡宁召开。常富顺到会并讲话。

10～11 日　山西省副省长薛荣哲在隰县、吉县考察旅游工作。苗元礼陪同。

11 日　山西省劳模先进事迹报告会在临钢工人俱乐部礼堂举行，刘合心出席会议并讲话，郝忠礼主持会议。

15 日　中国残联主席邓朴方在临汾市检查指导工作。副省长范堆相，市领导樊纪亨、张茂才、董彩霞陪同。

同日，山西省省长刘振华、副省长杜五安、省政协副主席靳承序在临侯高速公路建设现场办公。樊纪亨、张茂才、卢健清等陪同。

同日，全省人防专业队组训试点现场会在临汾召开。国家人防办、北京军区人防办领导、副省长王显政、省军区副司令员高富和市领导郝忠礼、张鸿斌、军分区政委李峰等参加会议。王显政讲话，郝忠礼致欢迎辞，张鸿斌介绍人防专业队伍组训经验。

16 日　山西省副省长杨志明在山西焦化有限公司生产建设工地现场办公。卢健清等陪同。

17 日　纪念临汾解放 53 周年活动在临汾市烈士陵园举行。

同日，中央电视台摄制组举行《向前，向前！》开镜仪式。中国文联主席、中央重大革命历史题材领导小组副组长李准，山西省委常委、山西省军区司令员段端武出席开镜仪式。樊纪亨致辞。该片是为纪念徐向前元帅诞辰 100 周年而创作的大型电视连续剧。

18 日　全国首家债转股企业侯马普天通信电缆有限公司揭牌仪式举行。副省长杨志明致信祝贺，樊纪亨和省国防科技工业办公室主任田凯为普天公司揭牌。侯马普天通信电缆有限公司的前身是侯马普天通信电缆厂。中国东方资产管理公司，中国普天信息产业集团与侯马普天于 2000 年 5 月签订 16564 万元的债转股协议。

19 日　中国北方机械化旱作农业高级研修班暨 2001 年山西机械化旱作农业发展论坛在临汾市举行。

21 日　全市矿业秩序整顿暨煤矿安全生产整治工作会议在洪洞县召开。张茂才出席会议并做重要讲话。

22 日　侯马市“晋国新田文化研讨会、名优服装展示会和月季花节”在侯马新世纪广场开幕。张茂才、刘合心、刘传旺、张克强、陈长禄、张岗望等出席。

23 日　侯波、徐肖冰《从延安到中南海》摄影回顾展举行新闻发布会暨开展仪式。刘合心、张克强、陈长禄、李平郎出席。张克强致辞。

6　月

1 日　全市农村“三个代表”重要思想学习教育工作会议暨尧都区现场会召开。樊纪亨做重要讲话。刘合心、刘传旺分别讲话。

2 日　山西省副省长杨志明在临汾检查指导工作。樊纪亨陪同。

6～8 日　山西省委书记田成平在翼城、浮山、安泽县检查指导工作。樊纪亨、张茂才、卢健清陪同。

10～12 日　九三学社中央农业考察团在临汾市考察调研。张茂才、张克强、段克己、常富顺、方熔等陪同。

16 日　安泽焦化总公司三期扩产机焦项目竣工投产剪彩及四期工程奠基仪式在安泽县唐城镇举行。樊纪亨、刘传旺、卢健清、成洪才等出席。三期工程投资 4500 万元，可实现利税 3000 万元；四期工程投资 1700 万元，可实现利税 5000 万元。

16～21 日　“三晋环保行”记者团在霍州、洪洞、尧都、蒲县、大宁、吉县、乡宁、襄汾、曲沃、侯马等县（市、区）采访。

18 日　全市关闭国有煤矿矿办小井和乡镇煤矿停产整顿紧急会议召开。成洪才出席并讲话。市政府发布《关于关闭国有煤矿矿办小井和乡镇煤矿停产整顿的实施意见》。

18～21 日　全国新型高效沼气生产技术推广会在临汾召开。全国贫困地区干部培训中心主任刘佑萍、副主任陈畅，省扶贫办主任樊积旺，市领导张茂才、刘合心、李建民、常富顺、李秉泰等出席。张茂才致欢迎辞。刘合心介绍临汾沼气扶贫情况。

19 日　临汾市四套班子领导参加襄汾县 23 个投资千万元以上的重点项目建成投产剪彩仪式。樊纪亨做重要讲话。

20～21 日　国务院抗旱工作领导组成员、国家计委副主任刘江在临汾市考察旱情及抗旱情况。副省长范堆相、省计委主任牛仁亮、副主任孔繁珠、省政府办公厅副主任李福龙等随同考察。樊纪亨、张茂才、常富顺陪同。

21 日　全市环境治理再动员现场会在侯马举行。张茂才讲话。张岗望、李建民等出席会议。董彩霞主持会议。

23 日　山西师范大学临汾学院成立，该院由原临汾市教育学院、临汾师范学校、隰县师范学校、临汾市体育运动学校 4 校合并组建，校址在原临汾师范学校。

25～26 日　临汾市政协一届二次常委会议在市财政培训中心召开。

27 日　霍州市发现一通刻制于清代乾隆三年的霍叔遗址碑。此碑为青石质，高 108 厘米，宽 69 厘米，厚 15 厘米，碑首呈半圆形，刻有 32 字。

28 日　全市书画展览在市书画院开展。樊纪亨、张茂才、刘传旺、张克强、陈长禄、高清亮、苗元礼、陈保堂、方熔、成继东等出席开展仪式并剪彩。

同日，临汾市申奥勇士杨五义到达北京。杨五义于 2 月 28 日从尧都区出发，骑摩托车穿越 15 个省、市、自治区，历时 4 个月，行程 27000 公里。

29 日　临汾市纪念中国共产党成立 80 周年暨表彰大会在市影剧院召开。樊纪亨发表讲话，张茂才主持大会。

7　月

3 日　临汾市委中心组集中学习江泽民总书记 7 月 1 日在庆祝中国共产党成立 80 周年大会上的讲话。樊纪亨主持会议。

10 日　全市公众聚集场所消防安全专项治理动员大会暨消防工作会议召开。张茂才、刘合心、李平郎、董彩霞出席会议并讲话。

11 日　全市引深“严打”整治斗争再动员大会召开。樊纪亨做书面讲话。刘合心、李平郎、师如江、董彩霞、张传华等出席会议。

同日，临汾市纪委、监委在农行临汾分行营业部设立廉洁自律专用账户，账号：881－0258876。

同日，上海应用技术学院 10 名学生组成的“农村三个代表社会实践服务队”在汾西县邢家要乡不兰坡村创办临汾市首所暑期希望学校。

12 日　农行山西省分行“加大清收力度，加强信贷管理”临汾现场会在侯马市召开。

17 日　临汾庆祝北京申奥成功大会在市体育场举行。张克强、苗元礼、方熔和近万名群众参加大会，苗元礼讲话。

18～20 日　临汾市一届人大常委会第三次会议召开。

20 日　大宁降雨量 35 毫米，有效缓解旱情。从 1 月～7 月 19 日，大宁降水 76.8 毫米，昕水河断流近 2 个月，为 80 年来最大的旱年。

同日，全国政协常委、九三学社中央副主席黄其兴在临汾考察“九临合作”工作。

27 日　临汾市公判大会在市体育场召开。对 20 名严重犯罪分子进行公处。

31 日　全市经济工作会议召开。樊纪亨、张茂才做重要讲话。市四套班子领导出席会议。

8　月

2 日　临汾市医疗集团成立，高清亮为临汾市医疗集团挂牌。临汾市医疗集团以市人民医院为龙头，由市卫生学校、市传染病医院等 11 个单位组成。

13 日　“中国山西国际经贸旅游周”临汾市代表团签订招商引资合作项目 20 项，总投资额 14.5 亿元人民币。商品展洽总成交额 12.8 亿元人民币。对外贸易合同 947 万美元。省政协主席郑社奎、副省长范堆相到临汾展厅参观指导。

同日，中共临汾市委组织部公告予以提拔任用的 36 名同志的任职意向和本人情况。此前，市委组织部分别在 7 月 24 日和 25 日公告了临汾市正县级干部后备人选民主推荐、年度考核、“三讲”测评 3 项综合排队情况和由此确定的 45 名考察对象名单。

14 日　临汾市政府下发《关于确保大灾之年农民收入稳定增长的意见》。

17 日　临汾市 437 名科级干部参加副县级干部选拔考试，樊纪亨、刘传旺、郝忠礼、卢健清等到考场巡视。

20 日　新任县级领导干部和市直部门领导干部集体谈话会在临汾宾馆 3 楼会议室召开。樊纪亨讲话，张茂才主持会议。

21 日　临汾市 2001 年首批赴疆摘棉劳务大军 1000 余人在火车站乘专列起程。张茂才、李建民、常富顺、李秉泰到车站送行。

同日，临汾市人大常委会对 16 名拟任命干部进行法律考试。陈长禄、李建民、张作明、师如江等巡视考场。

24 日　山西省委常委、纪检委书记金银焕在临汾市检查指导工作，樊纪亨、张茂才陪同。

24～25 日　临汾市反腐败源头治理工作现场会召开。《中国纪检监察报》总编辑张雷，中纪委党风廉政监督室副主任吴振芬，省委常委、纪委书记金银焕，市四套班子领导出席会议。金银焕、樊纪亨、张茂才分别讲话。刘合心主持会议。

26 日　山西省副省长杜五安在临侯高速公路现场办公。张茂才、成洪才陪同。临侯高速公路是大运高速公路的一段，北起临汾市尧都区泊庄，南至运城市新绛县店头，全长 48 公里，18 日路基全线贯通。

27 日　全市铁矿停产整顿工作会议召开。张茂才、刘合心、成洪才出席会议并讲话。

30～31 日　山西省委副书记李景田在襄汾、翼城、侯马检查指导工作。张茂才、刘合心、刘传旺、卢健清、成洪才陪同。

9　月

3 日　临汾市委、市政府下发《关于在全市加强反腐败源头治理工作的决定》。

4～5 日　山西省委副书记刘泽民在蒲县、襄汾、曲沃、霍州检查指导农业重点项目建设以及产业结构调整工作，张茂才、刘合心、张克强、卢健清、成洪才、常富顺陪同。

7 日　中共临汾市代表会议在临汾宾馆召开。张茂才、刘合心、刘传旺、张克强、郝忠礼、翟维勤、李平郎、卢健清、张鸿斌、张继庆参加会议。张茂才主持会议。会议选举产生王进等 57 名临汾出席省八次党代会代表。

8 日　临汾市党政机构改革动员大会在临汾宾馆召开。市四套班子领导出席会议。樊纪亨、张茂才分别做重要讲话。刘合心主持会议。

10 日　山西省副省长范堆相在临汾市检

查指导农村产业结构调整工作。张茂才、常富顺，原行署副专员任俊发陪同。

12～13 日　山西省省长刘振华在临汾市民营企业和大运高速公路建设工地检查指导工作。张茂才、卢健清、董彩霞、成洪才陪同。

11～14 日　全国退耕还林还草试点工作座谈会在临汾市召开。国家林业局副局长李育材、山西省副省长范堆相、山西省林业厅厅长曹振声，市领导张茂才、常富顺出席会议。刘振华发表书面致辞。李育材、范堆相讲话。张茂才做经验介绍。国家林业局退耕办主任张鸿文主持会议。

14 日　全市学习江泽民总书记“七一”讲话报告会在市影剧院举行。山西省委宣传部部长申维辰做辅导报告。

14～16 日　山西省委常委、宣传部部长申维辰在临汾市检查指导工作。张茂才、张克强、翟维勤陪同。

16 日　霍州市在北京钓鱼台国宾馆举行“中国五大镇山联袂对接发布会暨踩线仪式”。

17 日　中国国际电子商务网临汾分部开通，有 10 家外贸企业通过分部加入中国国际电子商务网。

17～18 日　临汾市政协一届三次常委会召开。张岗望主持并讲话。

19 日　第八届黄河壶口国际文化旅游月开幕式在吉县举行。张克强、苗元礼出席。开幕仪式上，音乐奇人孔太创造 4 个 8 度零 4 度音高的吉尼斯纪录。

19～21 日　临汾市一届人大常委会第五次会议举行第一次全体会议。陈长禄主持会议。

22 日　《反对邪教　崇尚文明》展览在市博物馆开展。市四套班子领导出席开幕式。

24 日　临汾市首届“产学研”高新技术项目发布洽谈会在临汾宾馆开幕。全国 100 余位专家教授应邀出席。张茂才致开幕词。苗元礼主持开幕式。

同日，全市农村“三个代表”重要思想学教活动村级试点工作侯马现场会召开。樊纪亨、刘合心、刘传旺出席会议。樊纪亨做重要讲话。刘合心主持会议。

25 日　山西省副省长云公民在尧都区、侯马、曲沃检查指导工作。樊纪亨、张茂才、李平郎、董彩霞、成洪才陪同。

29 日　临汾市委中心组集中学习《中国共产党第十五届中央委员会第六次全体会议公报》、人民日报社论《以新的作风创造新的辉煌》以及江泽民总书记在山西考察时的讲话。樊纪亨主持会议。

同日，全市安全生产工作会议召开。张茂才讲话。成洪才安排部署工作。

30 日　临汾市委召开传达贯彻十五届六中全会精神大会。樊纪亨做重要讲话。市四套班子领导出席。张茂才主持会议。

同日，“2001 临汾财智论坛”举行。成洪才致辞。

10　月

1～2 日　全国政协副主席陈锦华在临汾市检查指导文物保护和旅游工作。山西省政协主席郑社奎、副主席边鸣涛，樊纪亨、张茂才、张克强、张岗望、卢健清、李秉泰陪同。

10 日　全市项目工作会议召开。樊纪亨、张茂才、高清亮出席会议并讲话。

11 日　临汾市委中心组集中学习《中共中央关于加强和改进党的作风建设的决定》并传达江泽民总书记在三中全会上的讲话。樊纪亨、张茂才做重要讲话。

12 日　临汾市贡院东街联片改造工程奠基。

14 日　算子代数与算子理论国际学术会议在临汾市开幕。山西省副省长王昕致贺信，张茂才出席开幕式并讲话。

15 日　全市经济工作分析会议召开。市四套班子领导出席会议。樊纪亨、张茂才做重要讲话。刘合心、刘传旺分别主持会议。

17 日　全市加快小康建设暨农业产业化经营动员会召开。市四套班子领导，山西省小康建设办公室主任、农业厅副厅长李平社出席会议。樊纪亨、刘合心、常富顺、李平社讲话，刘传旺主持会议。

同日，侯马市20亿粒猴头健胃灵扩产改造等5个项目举行竣工剪彩仪式。5个项目总计投资15558万元，年产值60480万元，税金7358万元，利润11698万元。

24日　临汾市最大的民营洗煤厂在乡宁县光华镇建成并投入使用。这条60万吨生产线和浮选工程由光华振兴精煤有限公司建成。

26日　山西省委书记田成平与郑社奎、薛军、徐生岚分别在本日和25日参加在太原出席省第八次党代会的临汾市代表团分组讨论并发言。

27日　全国青少年信息学（计算机）奥林匹克联赛临汾赛区比赛在市信息中心举行。

11　月

3日　山西省农村卫生厕所（联合国儿基会WES技术推广）现场会在古县召开。高清亮出席会议。

4日　马房沟提水工程可行性研究报告通过黄河水利委员会审查。马房沟提水工程东起沁河，西至临汾盆地的东边沿。工程总投资1.8亿元，引水规模$5m^3/s$，发展灌溉面积0.67万公顷，可解决工业和生活用水2190万立方米。

6～8日　山西省人大煤炭“一法一例”执法检查组在临汾市检查工作。陈长禄、郝忠礼、张作明陪同。

8日　山西省委书记田成平在临汾市检查指导工作。樊纪亨、卢健清、成洪才陪同。

9～11日　山西省全国人大代表在临汾市视察工作。樊纪亨、陈长禄、郝忠礼、李建民分别陪同。

10～11日　全省创建安全文明铁道走廊现场经验交流会在临汾市召开。山西省委常委、政法委书记、省综治委铁路护路联防领导组组长杜玉林，省军区副司令员、省综治委铁路护路联防领导组副组长高富，樊纪亨、刘合心、李平郎参加会议。

12日　临汾市委召开传达贯彻省八次党代会精神大会。樊纪亨、刘传旺、张克强、陈长禄、张岗望、郝忠礼、李平郎、卢健清、张鸿斌、张继庆出席会议。樊纪亨做重要讲话。刘传旺传达省八次党代会精神，张克强主持会议。

13日　山西省委书记田成平在太原迎泽宾馆会见临汾市书画家樊习一、裴玉林、张思淮、单华驹。

16日　临汾市污水处理厂举行竣工庆典。该工程1999年12月开工，总投资1.06亿元，占地1万平方米。日处理污水7万吨。

同日，建设路竣工庆典暨电子一条街招商活动开幕。郝忠礼致辞。建设路长1260米，宽24米，沿街总建筑面积15万平方米，总投资1.2亿元，整体为欧式建筑风格。

17日　临汾市的襄汾红富士苹果、隰县酥梨、浮山神山贡米、曲沃雪枣等26个农产品在北京举办的2001年中国国际农业博览会上登台亮相。

同日，霍州市十大项目工程竣工投产。

19日　全市煤炭安全生产紧急会议召开。成洪才讲话。

19～21日　临汾市第一届人大常委会第六次会议召开。

22～24日　国家信访局副局长赵法有在尧都区、吉县、洪洞调研。山西省信访局局长马景龙，刘合心、卢健清陪同。

23日　临汾市煤矿、铁矿关停紧急会议召开。樊纪亨、郝忠礼、成洪才出席会议并讲话。

同日，安泽县举行县城主要街道拓宽改造工程竣工暨南环路开工奠基仪式。

24～25日　加纳共和国驻中国大使馆公使马乌特先生在临汾市参观访问。陪同前往的有北京（驻加纳）金非欧经理李斌。常富顺会见客人。

25日　参加南宁第七届中国戏剧节的临汾市代表团载誉归来。张克强、苗元礼到火车站迎接。

28日　临汾市直机关转变政府职能工作会议召开。樊纪亨讲话。

30日　曲沃县东大街暨东西大街贯通。樊纪亨、陈长禄、张岗望、高清亮出席剪彩仪式。

12　月

4 日　临汾市案件公处新闻发布会召开。会议宣布对相浩卿等 9 案 9 人的公处决定。

5 日　全市煤矿安全整治复产验收工作会议召开。张茂才、成洪才出席会议并讲话。

6 日　全市“四五”法制宣传教育暨依法治市工作会议召开。董彩霞做工作报告。省司法厅副厅长王华善到会并讲话。刘合心讲话。李平郎主持会议。

8 日　国家文物局局长张文彬在东岳庙、小西天检查指导工作。刘传旺、苗元礼陪同。

9 日　全市村级“三个代表”重要思想学习教育活动襄汾现场会召开。樊纪亨、刘传旺、高清亮、常富顺出席会议。樊纪亨做重要讲话。常富顺主持会议。

10 日　全市工资发放暨财税工作会议召开。郝忠礼出席并讲话。张传华主持会议。

11 日　尧都华表暨尧都广场落成剪彩仪式在尧都广场举行。樊纪亨、张茂才、张岗望、张作明、段克己、张传华出席。“尧都华表”位于尧庙广场西侧，高 21 米，采用高级汉白玉结构，华表身及底部、下部为中华人民共和国立体地形图。

13～15 日　临汾市委召开常委扩大会议，讨论“十五”规划草案，2002 年的经济发展和城市建设等问题。

17 日　全市工业调产观摩翼城现场会召开。樊纪亨、张茂才、张克强、张岗望、李平郎、卢健清、李建民、成洪才、苗元礼、张传华出席。

同日，临汾市委召开推荐山西省出席党的十六大代表人选工作会议。刘传旺出席会议并讲话。

19 日　临汾市行政审批制度改革再动员暨取消审批项目新闻发布会召开。郝忠礼、张继庆、张传华出席会议。张茂才讲话。

20 日　洪洞县举行 13 项重点工程竣工投产剪彩仪式。樊纪亨、张茂才、郝忠礼、卢健清、李建民出席。

同日，山西省省长刘振华，副省长王显政、省政协副主席靳承序、边鸣涛在临汾市企业检查指导工作。樊纪亨、张茂才、郝忠礼、卢健清、成洪才陪同。

同日，临汾市社会捐助接收工作中心成立。

22 日　全市基础教育工作会议召开。樊纪亨、张茂才做重要讲话。高清亮做报告。卢健清主持会议。

24 日　全市乡镇煤矿验收复产暨安全生产工作会议召开。成洪才出席会议并讲话。

24～25 日　临汾市政协一届四次常委会议召开。

25 日　全市社会治安综合治理洪洞现场交流会召开。樊纪亨做书面讲话。刘合心出席并讲话。李平郎主持会议。

26 日　河西电厂煤矸石热电二期项目和尧都区山西光大乳品有限公司投入运营。

28 日　临汾市财政会计核算中心、政府采购中心、预算外资金管理中心正式成立揭牌运营。

29 日　临钢百万吨钢庆功表彰大会召开。刘传旺、陈长禄、张岗望、郝忠礼、张作明、段克己出席。刘传旺讲话。

同日，临汾市青年文明号公民道德建设示范行动正式启动，张克强出席仪式并讲话。

（李艳洁）

概　况

自然环境

【地理位置】 临汾市位于山西省西南部，东倚太岳，与长治、晋城为邻；西临黄河，与陕西省隔河相望；北起韩信岭，与晋中、吕梁毗连；南与运城市接壤。地理坐标为北纬 35°23′～36°57′，东经 110°22′～112°34′之间。南北跨纬度 1°34′，直线距离 170 公里，东西跨经度 2°12′，直线距离近 200 公里，总面积 20275 平方公里。临汾"东临雷霍，西控河汾，南通秦蜀，北达幽并"，地理位置重要，自古为兵家必争之地。

【地形地貌】 临汾市地形轮廓大体呈"凹"字型分布，四周环山，中间平川，全境分山地、丘陵、盆地 3 大地形单元。河谷平原占 19.4%，丘陵占 51.4%，山地占 29.2%。临汾盆地纵贯全市中部，将整体隆起的高原分为东西两部分山地。东部由北向南为太岳山、中条山，西部是吕梁山脉，海拔多在 1000 米以上。最高处太岳山霍山主峰，海拔 2346.8 米，最低处乡宁县师家滩、海拔 385.1 米。境内有黄河、汾河、昕水河、沁河、浍河、鄂河、清水河 7 条河流和郭庄、龙祠、霍泉 3 大名泉。

【气候条件】 临汾市地处半干旱、半湿润季风气候区，属温带大陆性气候，四季分明，雨热同期。但由于受地形影响，山区平川气候差异较大，气候特征迥异。全市气候的主要特征是：冬季寒冷干燥，降雪稀少；春季干旱多风，秋季阴雨连绵；夏季酷热多暴雨，伏天旱雨交错。气温的一般特点是冬寒夏热，年较差和日较差均大。2001 年 3～7 月中旬几乎无大范围的降雨过程，降水日数明显偏少，总降水量较历年同期平均值偏少 70%左右，直到 9 月中旬，气候背景才有明显改观，出现长时间连阴雨天气。进入冬季又干燥少雪。年平均气温 12.3℃，较历年平均值偏高 1.3℃。年内极端最高气温 40.3℃，极端最低气温－17.4℃，无霜期较历年偏长 10 天左右。年平均降水量 400.5 毫米，较历年平均值偏少 131.3 毫米。平均年日照时数为 2214.6 小时，较历年平均值少 308.4 小时。

自然资源

【土地资源】 受水热条件影响，临汾市土壤发育较完全，养分含量较为丰富。全市普遍分布的地带性土壤类型为褐土，此外还有草原草甸土、棕壤土、沼泽土等几种类型。全市土地资源的主要特点是：土地脊薄面大，资源日益紧缺；山地丘陵多，宜林面积大；植被稀少，黄土广布，水土流失严重。截止 2000 年底，全市土地总面积 2027510.9 公顷，已利用土地面积 1546394.4 公顷，占总面积 76.3%，其中农用地 1426588.9 公顷，占地总面积 70.3%；建设用地 120805.5 公顷，占地总面积的 6%；未利用土地 480116.5 公顷，占总面积的 23.7%。

【水资源】 临汾市共有大小河流 200 余条，均属黄河水系。流域面积在 1000 平方公里以上的有黄河干流、汾河和沁河。黄河干流位于临汾市西侧，为晋、秦天然分界线，全长 174 公里，流域面积 7739 平方公里。汾河纵贯全境中部，流域面积 10286 平方公里，是临汾第一大河流。沁河是临汾含沙量最小的河系，全长 95 公里，流域面积 2288 平方公里。河流以季节性河流为主，径流量多集中在汛期的 7、8、9 三个月，故形成雨季排洪，旱季断水。在地域分布上，山区大于平川，东山大于西山。

临汾市水资源总量 18.9 亿立方米，其中：河川径流量 14.8 亿立方米（含泉水 3.14 亿立方米），地下水资源量 4.1 亿立方米。平均地面水入境量 10.2 亿立方米，泉水入境量 2.5 亿立方米，水资源人均占有量 540 立方米，属于水资源十分贫乏的地区。

【矿产资源】 临汾市矿产丰富，已探明的矿种有 38 种，主要有煤、油页岩、铁、铜、锌、铝、金、铅、稀有元素、石膏、石灰岩、白云岩、耐火粘土、硫铁矿、膨润土、大理石、花岗岩、重晶石、长石、石英、硅石、磷、硅线石等。矿产资源综合优势度为 0.73，在山西省位居第二。煤炭是临汾市的第一大资源优势，含煤面积 15400 平方公里，占全市总面积的 75%。分布范围除侯马市外，遍及 16 个县（市、区），最著名的有河东、霍西、沁水 3 大煤田，其中河东煤田是全国三大主焦煤基地之一。铁矿是临汾的第二大资源优势，富矿比例高，占全省的 70%，大部分开采条件好。此外，还有铜、金、铅、锌、铝。已发现的 24 种非金属矿中，石膏、电石灰岩、白云岩等在全省乃至全国都具有重要优势。其余如水泥灰岩、膨润土、花岗岩、耐火粘土、麦饭石等可望成为国内优势矿产。

【生物资源】 临汾市植物资源丰富，除农作物外，现已调查到的种子植物有 606 种，分属 97 科，386 属，占全省植物区系总种数的 62.1%，总科数的 81.7%，总属数的 79.3%。在植物分布上，东南山区丘陵地带以油松和华山松占优势；东部山地以沙棘、荆条等次生灌草丛植被为主；太岳山区以油松、辽东栎林及次生灌草丛植被为主；临汾盆地以冬麦、棉花等农作物栽培为主；吕梁山以油松、白皮松、辽东栎林及次生灌丛植被为主；西部黄土残塬丘陵植被区以灌丛和草丛为主。临汾森林面积较为贫乏，截至 2001 年底，森林总面积 53.3 万公顷，其中，天然林面积 14.6 万公顷，人工林面积 36.98 万公顷，木材蓄积量 86.58 万公顷。天然草地面积 51 万公顷，占全市土地总面积的 25%。

临汾市野生动物种类丰富，陆栖脊椎动物 300 余种，占全省总种数的 74%，其中，鸟类 243 种，兽类 45 种，爬行类 8 种，两栖类 4 种，分别占全省总种数的 81.1%、61%、44.4%和 29%。在全市动物种类中，属国家一类保护动物的有白鹤、黑鹤和褐马鸡 3 种；二类保护动物有金钱豹、原麝、大天鹅、鸳鸯；三类保护动物有青羊、大鸨、金雕、玉带海雕等。

建置区划

【建置沿革】 临汾是中华民族发祥地之一，《帝王世纪》称：“尧都平阳”，即今临汾。《禹贡》分天下为九州，平阳为冀州之地。冀州处九州之中央。故称“中国”，“中国”一词由此而来。西周时期，周成王封弟叔虞于唐（今翼城），因唐境内有晋水，叔虞之子燮父“易唐为晋”。春秋属诸侯国晋，晋文公北方称霸时，晋国的中心就在今曲沃、侯马一带。战国初期，韩、赵、魏“三家分晋”，韩建都平阳。秦改分封制为郡县制，全国划为 36 郡，属河东郡。西汉划全国为 103 郡国，属河东郡司隶部辖。三国魏正始八年（247）置平阳郡。西晋永嘉三年（309），刘渊建汉，都平阳。北魏孝昌中年置唐州。隋开皇三年（583），置临汾郡，临汾得名沿用至今。唐实行道、府、州、县制，武德初年（618）为晋州。北宋政和六年（1116），始置平阳府，辖临汾、汾西、洪洞、岳阳、乡宁、赵城、霍邑、浮山、冀氏、和川 10 县及隰、吉、绛 3 州。元实行省、路、府（州）、县四级制，为中书省山西宣慰司晋宁路（治临汾）。明清重置平阳府，统领 35 州县，包括今临汾、运城两市及晋中市灵石县和吕梁地区石楼县。民国 3 年（1914），废府设道，以道辖县，临汾、洪洞、赵城、襄陵、汾城、曲沃、安泽、浮山、翼城、乡宁、吉县、霍县、汾西、隰县、蒲县、大宁、永和等 17 县属河东道管辖；1927 年，废道直属山西省。抗日战争初期，临汾为山西省 7 个行政区中的第六区。1937 年 11 月，山西省政府迁到吉县。日伪统治时，为冀宁道。抗战胜利后，属太岳区。1948 年 5 月 17

日临汾解放。1949年2月成立晋南区，属陕甘宁边区政府，同年9月1日改属山西省。1950年1月6日成立临汾专区。1954年同运城专区合并为晋南专区（驻临汾），辖29县。1970年专区改地区，晋南专区又按原建制划分为临汾、运城两地区。1978年设临汾地区行政公署，辖临汾、侯马2市和16县。1983年临汾县和临汾市合并为临汾市。2000年11月1日撤地设市，成立地级临汾市。

【行政区划】 临汾市辖尧都区、曲沃县、翼城县、襄汾县、洪洞县、古县、安泽县、浮山县、吉县、乡宁县、大宁县、隰县、永和县、蒲县、汾西县，代管侯马市、霍州市。全市原有14个街道办事处，77个镇，165个乡。撤乡并镇后，现有20个街道办事处，75个镇，76个乡，3364个村民委员会，303个居民委员会。其中：

尧都区 有街道办事处10个，分别为车站街、水塔街、南街、路东街、解放路街、乡贤街、辛寺街、鼓楼西街、汾河街、滨河街；镇10个，分别为土门镇、刘村镇、金殿镇、大阳镇、县底镇、魏村镇、吴村镇、尧庙镇、乔李镇、屯里镇；乡6个，分别为贾得乡、段店乡、河底乡、枕头乡、贺家庄乡、一平垣乡。原土门镇与西头乡合并为土门镇，原刘村镇与泊庄乡合并为刘村镇，原金殿镇与龙祠乡、小榆乡合并为金殿镇，原贾得乡与大苏乡合并为贾得乡，原段店乡与东张乡合并为段店乡，原大阳镇与郭行乡合并为大阳镇，原县底镇与城隍乡合并为县底镇，原汾河办事处与果树场合并为汾河办事处；屯里镇、河底乡、枕头乡、魏村镇、吴村镇、尧庙镇、乔李镇、贺家庄乡、一平垣乡区划不变。

侯马市 有街道办事处5个，分别为上马街、张村街、路东街、路西街、浍河街；乡3个，分别为新田乡、凤城乡、高村乡。原上马街办事处与浍南街办事处合并为上马街办事处，原张村办事处与侯北办事处合并为张村办事处，侯马乡更名为新田乡；凤城乡、高村乡、浍河街办事处、路东街办事处、路西街办事处区划不变。

霍州市 有街道办事处5个，分别为退沙街、鼓楼街、南环路街、开元路街、北环路街；镇4个，分别为大张镇、白龙镇、辛置镇、李曹镇；乡3个，分别为三教乡、师庄乡、陶唐峪乡。原三教乡与冯村乡合并为三教乡，原李曹镇与上乐坪乡的驹沟村、沟东村、安家庄村合并为李曹镇，原大张镇与上乐坪乡的上乐坪村、下乐坪村、河底村、青郎平村和什林镇的小张望村、狮子洼村合并为大张镇、原阎家庄乡与上乐坪乡的观堆村、成左村、曲坡村合并为陶唐峪乡，原师庄乡与老张湾乡合并为师庄乡，原白龙镇与什林镇的韩南庄村合并为白龙镇，原退沙街办事处与什林镇合并为退沙街办事处，原南环路办事处和鼓楼办事处分别与城南乡合并为南环路办事处和鼓楼办事处；辛置镇区划不变。

曲沃县 有镇5个，分别为乐昌镇、高显镇、史村镇、曲村镇、里村镇；乡2个，分别为北董乡、杨谈乡。原城关镇与苏村乡合并为乐昌镇，原高显镇与安居乡合并为高显镇，原北董乡与下裴乡合并为北董乡，原史村镇与西常乡合并为史村镇；曲村镇、里村镇、杨谈乡区划不变。

翼城县 有镇6个，分别为唐兴镇、西阎镇、南梁镇、隆化镇、里砦镇、桥上镇；乡4个，分别为浇底乡、南唐乡、王庄乡、中卫乡。原西阎镇与大河乡合并为西阎镇，原南梁镇与武池乡、二曲乡合并为南梁镇，原王庄乡与辛安乡合并为王庄乡，原中卫乡与甘泉乡合并为中卫乡，原隆化镇与北撖乡合并为隆化镇；里砦镇、桥上镇、唐兴镇（原城关镇）、南唐乡、浇底乡区划不变。

襄汾县 有镇7个，分别为新城镇、邓庄镇、襄陵镇、古城镇、赵康镇、汾城镇、南贾镇；乡6个，分别为大邓乡、陶寺乡、景毛乡、永固乡、西贾乡、南辛店乡。城关镇与大河乡合并为新城镇，大邓乡与土地殿乡合并为大邓乡，邓庄镇与张礼乡合并为邓庄镇，襄陵镇与浪泉乡合并为襄陵镇，南辛店乡与贾罕乡合并为南辛店乡，赵康镇与丰盈乡合并为赵康镇，汾城镇与贾岗乡合并为汾城镇，古城镇与曹家庄乡合并为古城镇；陶寺乡、景毛乡、永固乡、西贾乡、南贾镇区划不变。

洪洞县 有镇9个，分别为万安镇、曲亭镇、赵城镇、明姜镇、甘亭镇、苏堡镇、大槐树镇、广胜寺镇、刘家垣镇；乡7个，分别为淹底乡、辛村乡、堤村乡、龙马乡、左木乡、山头乡、兴唐寺乡。原万安镇与左家沟乡、双昌乡合并为万安镇，原淹底乡与孔峪乡合并为淹底乡，原赵城镇与南沟乡合并为赵城镇，原马牧乡与白石乡合并为辛村乡，原曲亭镇与古罗乡合并为曲亭乡、原城关镇与冯村乡、南王乡合并为大槐树镇，原明姜镇与圣王乡合并为明姜镇，苑川乡更名为兴唐寺乡；广胜寺镇、刘家垣镇、龙马乡、山头乡、甘亭镇、苏堡镇、堤村乡、左木乡区划不变。

古县 有镇4个，分别为古阳镇、岳阳镇、北平镇、旧县镇；乡3个，分别为南垣乡、永乐乡、石必乡。原古阳镇与下冶乡合并为古阳镇，原郭店乡与店上乡、茶坊乡合并为南垣乡，原城关镇与下冶乡合并为岳阳镇；北平镇、旧县镇、石必乡、永乐乡区划不变。

安泽县 有镇4个，分别为府城镇、和川镇、冀氏镇、唐城镇；乡3个，分别为良马乡、马壁乡、杜村乡。原城关镇与三交乡合并为府城镇，原和川镇和罗云乡合并为和川镇，原马壁乡和石槽乡合并为马壁乡，原良马乡和英寨乡合并为良马乡；冀氏镇、唐城镇、杜村乡区划不变。

浮山县 有镇2个，分别为天坛镇、响水河镇；乡7个，分别为张庄乡、北韩乡、北王乡、东张乡、槐埝乡、米家垣乡、寨圪塔乡。原城关镇与东腰乡合并为天坛镇，原张庄乡与西佐乡合并为张庄乡，原北王乡与乔家垣乡合并为北王乡，原北韩乡与柏寺乡合并为北韩乡，原米家垣乡与史滨河乡合并为米家垣乡，原响水河镇与上东乡合并为响水河镇；东张乡、槐埝乡、寨圪塔乡区划不变。

吉县 有镇3个，分别为屯里镇，壶口镇、吉昌镇；乡5个，分别为车城乡、文城乡、中垛乡、东城乡、柏山寺乡。原屯里镇与窑渠乡、明珠乡合并为屯里镇，原文城乡与王家原乡合并为文城乡，原曹井乡与兰家河乡合并为车城乡，文明乡的留村、存心村划入壶口镇；吉昌镇（原城关镇）、东张乡、中垛乡、柏山寺乡区划不变。

乡宁县 有镇5个，分别为昌宁镇、管头镇、光华镇、西坡镇、台头镇；乡5个，分别为双鹤乡、尉庄乡、枣岭乡、关王庙乡、西交口乡。原城关镇与张马乡合并为昌宁镇，原管头乡与下善乡合并为管头镇，原尉庄乡与吉家垣乡合并为尉庄乡，原关王庙乡与安汾乡合并为关王庙乡，原枣岭乡与谭坪乡合并为枣岭乡；光华镇、西坡镇、台头镇、西交口乡区划不变。

蒲县 有镇4个，分别为蒲城镇、克城镇、薛关镇、黑龙关镇；乡5个，分别为红道乡、山中乡、古县乡、太林乡、乔家湾乡。原城关镇与刁口乡合并为蒲城镇，原克城镇与公峪乡合并为克城镇，原乔家湾乡与曹村乡合并为乔家湾乡，原黑龙关镇与化乐乡合并为黑龙关镇，原山中乡与山口乡合并为山中乡，原红道乡与西平垣乡合并为红道乡；薛关镇、古县乡、太林乡区划不变。

大宁县 有镇2个，分别为曲峨镇、昕水镇；乡4个，分别为三多乡、太古乡、太德乡、徐家垛乡。原城关镇与安古乡合并为昕水镇，原三多乡与南堡乡合并为三多乡，原徐家垛乡与割麦乡合并为徐家垛乡，原曲峨镇与榆村乡合并为曲峨镇；太古乡、太德乡区划不变。

永和县 有镇2个，分别为芝河镇、桑壁镇；乡5个、分别为阁底乡、交口乡、南庄乡、坡头乡、打石腰乡。原城关镇与罢骨乡合并为芝河镇，原桑壁镇与署益乡合并为桑壁镇，原洎洋乡与交口乡合并为交口乡，原阁底乡与西庄乡合并为阁底乡；南庄乡、打石腰乡、坡头乡区划不变。

隰县 有镇3个，分别为龙泉镇、午城镇、黄土镇；乡5个，分别为城南乡、下李乡、寨子乡、陡坡乡、阳头升乡。原城关镇与北庄乡合并为龙泉镇，原下李乡与冯家乡合并为下李乡，原刁家峪乡与后墕乡合并为阳头升乡，原城南乡与朱家峪乡合并为城南乡，原午城镇与水堤乡合并为午城镇；黄土镇、寨子乡、陡坡乡区划不变。

汾西县 有镇5个，分别为永安镇、僧念镇、勍香镇、对竹镇、和平镇；乡3个，分别为佃坪乡、团柏乡、邢家要乡。原城关镇与加楼乡、桑原乡合并为永安镇，原对竹乡与康和乡合并为对竹镇，原僧念镇与麻姑头乡合并为僧念镇，原勍香镇与它支乡合并为勍香镇，原佃坪乡与要加岭乡合并为佃坪乡；和平镇、邢家腰乡、团柏乡区划不变。

临汾市各乡（镇）街道名称一览表

表一

类　别 县（市、区）	镇（街道）	乡
尧都区	土门、刘村、金殿、大阳、县底、魏村、吴村、尧庙、乔李、屯里 车站街、水塔街、南街、路东街、解放路街、乡贤街、辛寺街、鼓楼西街、汾河街、滨河街	贾得、段店、河底、枕头、贺家庄、一平垣
侯马市	上马街、张村街、路东街、路西街、浍滨街	新田、风城、高村
霍州市	大张、白龙、辛置、李曹 退沙街、鼓楼街、南环路街、开元路街、北环路街	三教、师庄、陶唐峪
曲沃县	乐昌、高显、史村、曲村、里村	北董、杨谈
翼城县	唐兴、西阎、南梁、隆化、里砦、桥上	浇底、南唐、王庄、中卫
襄汾县	新城、邓庄、襄陵、古城、赵康、汾城、南贾	大邓、陶寺、景毛、永固、西贾、南辛店
洪洞县	万安、曲亭、赵城、明姜、甘亭、苏堡、大槐树、广胜寺、刘家垣	淹底、辛村、堤村、龙马、左木、山头、兴唐寺
古　县	古阳、岳阳、北平、旧县	南垣、永乐、石必
安泽县	府城、和川、冀氏、唐城	良马、马壁、杜村
浮山县	天坛、响水河	张庄、北韩、北王、东张、槐埝、米家垣、寨圪塔
吉　县	屯里、壶口、吉昌	车城、文城、中垛、东城、柏山寺
乡宁县	昌宁、管头、光华、西坡、台头	双鹤、尉庄、枣岭、关王庙、西交口
蒲　县	蒲城、克城、薛关、黑龙关	红道、山中、古县、太林、乔家湾
大宁县	曲峨、昕水	三多、太古、太德、徐家垛
永和县	芝河、桑壁	阁底、交口、南庄、坡头、打石腰
隰　县	龙泉、午城、黄土	城南、下李、寨子、陡坡、阳头升
汾西县	永安、僧念、勍香、对竹、和平	佃坪、团柏、邢家腰

人口民族宗教

【人口】 临汾市总人口403.15万人，其中，男性206.73万人，女性196.42万人。本年度出生42476人，死亡15675人，自然增长26801人，自然增长率7.71‰。全市常住人口400.13万人，比上年末净增4.56万人。在总人口中，城镇人口106.93万人，乡村人口293.2万人。

【民族】 有少数民族22个，分别为回族、满族、蒙古族、藏族、维吾尔族、苗族、彝族、壮族、布依族、朝鲜族、侗族、苗族、白族、土家族、哈尼族、佤族、畲族、拉祜族、达斡尔族、圪佬族、塔尼克族、土族，总人数10141人，占全区总人口比重的0.25%。其中主要少数民族有回族、蒙古族、满族。主要分布在翼城北关、曲沃东关、尧都区东关、吉县辛村、侯马市西街、襄汾古城、浮山响水河等7个少数民族居集村。

【宗教】 有佛教、道教、伊斯兰教、天主教和基督教5种宗教，信教人数176560人，已开放的宗教活动场所445个，宗教教职人员570人。

其中：天主教教徒34475人，教职人员96人，活动场所83个；

基督教教徒82030人，教职人员384人，活动场所280个；

伊斯兰教教徒7610人，教职人员7人，活动场所7个；

佛教教徒45588人，教职人员59人，活动场所56个；

道教教徒6857人，教职人员24人，活动场所19个。

国民经济和社会发展

【综合】 全市国内生产总值完成192.1亿元，按照可比价格计算，比上年增长12.5%，增长幅度比上年提高4个百分点。其中，第一产业增加值21.9亿元，增长0.3%；第二产业增加值104.9亿元，增长17.1%；第三产业增加值65.3亿元，增长10.2%。人均国内生产总值4830元，增长11.2%。市场价格保持稳定。全市居民消费价格总水平比上年上升0.1%。财政总收入18.78亿元，比上年增长25.8%，增收3.85亿元。一般预算收入10.58亿元，增长20%。一般预算支出执行22.7亿元，增长32.3%。年末全社会从业人员176.7万人。

【农业】 粮食总产量121.62万吨，比上年增产0.76万吨，增长0.6%。完成造林面积63.38千公顷，退耕还林19.7千公顷，森林覆盖率25.6%。肉类总产量8.03万吨,增长3.2%。水产品产量3352吨，增长4.1%。农业机械总动力238.1万千瓦，增长5.0%。平川新建、扩建节水增产园区16处，完成节水面积4.79千公顷。

【工业和建筑业】 国有企业、大中型企业和年产品销售收入500万元以上非国有工业企业工业增加值48.1亿元，比上年增长20.8%，增速提高8.1个百分点。国有及国有控股企业工业增加值26.4亿元，增长24.1%，增速提高8.7个百分点；股份制企业增加值15.8亿元，增长29.2%，增速提高16.1个百分点；其他经济类型企业增加值7.5亿元，增长22.4%；集体企业、外商及港澳台企业分别增加值8亿元和1.4亿元，增长6.7%和9%；股份合作企业下降14.6%。四级及以上建筑企业完成增加值5亿元，增长24.2%；实现利润0.83亿元，增长42.3%，总体实现扭亏为盈。

【固定资产投资】 固定资产投资完成51.9亿元，比上年增长15%，直接拉动经济增长1.5个百分点。其中：按投资类型分，更新改造投资完成15.8亿元，增长19.1%；基本建设投资完成22.5亿元，增长11.1%；房地产开发投资完成1.6亿元，增长68.9%；其他投资完成6.6亿元，增长19.1%。按经济类型分，全年全市国有单位完成投资24.5亿元，增长1.7%；非国有经济完成27.4亿，增长30.4%，占全社会固定资产投资比重由上年46.6%上升至52.8%，拉动全市投资增长14.1个百分点。

【能源生产】 能源工业投资15.86亿元，比上年增长11.8%。其中：基建更改用于煤炭工业投资2亿元，增长21.2%；用于炼焦工业投资7.1亿元，用于电力工业投资5.9亿元。共外输煤炭742万吨，增长16.6%。

【国内贸易】 社会消费品零售总额63.6亿元，比上年增长8.8%，剔除价格因素，实际增长8.7%。消费品集贸市场商品成交总额47.9亿元，增长10.3%；生产资料市场成交总额2.75亿元，增长13.8%。全市统计的51家规模以上批发零售贸易企业商品销售收入净增27.9亿元，增长19.3%；利润总额由盈转亏，全年亏损357.1万元。

【对外经济】 外贸进出口总额6410万美元，增长34.9%，其中出口4245万美元，增长13.7%；进口2165万美元，增长112.3%。进出口相抵，实现贸易顺差2082万美元。

【交通、邮电和旅游】 公路通车里程8761公里，比上年增长4.3%。全社会公路客运量4683万人，增长12.3%；货运量6475万吨，增长12.2%；周转量和货物周转量分别增长14.2%和29.5%。邮政电信业务总量完成7.87亿元（2000年不变价格）。全市共接待国内外游客23.86万人次，增长45.9%，创收6.7亿元。年末，临汾市星级饭店达到22家。

【金融和保险】 广义货币M_2余额291.9亿元，增长17.7%，狭义货币M_1余额97亿元，增长15.1%；市场流通中现金M_0余额61亿元，增长11.2%。累计净投放现金15.4亿元，增加6673万元。年末，全市金融机构各项存款余额230.9亿元，比年初增加37.8亿元，增长19.7%。保险事业，全年承保总额163.6亿元，增长9.9%。保费收入2.79亿元，增长29.8%，其中财产险保费收入1.23亿元，人身险保费收入1.56亿元。

【科学技术和教育】 引进农业新技术146项，付诸实施65项。全市共登记科技成果28项，其中达到国内先进水平20项，达到省内领先水平8项，获省科技进步奖励成果3项。临汾、侯马两个开发区科工贸总收入10.7亿元，增长31.9%。全年吸收区外资金2.1亿元人民币。全年全市普通高等学校招收本、专科学生4325人，在校学生1.25万人。中等职业技术教育继续发展。全市中等专业学校在校学生1.64万人，技工学校在校学生3137人；职业中学在校学生1.06万人。普通高中在校学生4.51万人；初中在校学生24.12万人；小学生在校学生423662人。成人中等专业学生在校生991人，成人技术特长班培训学校培训学员6857人次。

【文化、卫生和体育】 全市共有艺术表演团体21个，文化馆17个，公共图书馆17个，博物馆14个，档案馆18个，电视台1座，1千瓦以上电视发射台和转播台4座，有线电视用户23.9万户。广播综合人口覆盖率93.7%，电视综合人口覆盖率97.4%。全市共有医疗卫生机构（含诊所）403个，病床1.14万张，卫生防疫、防治机构20个；农村乡镇卫生院182个，床位2635张。全市体育健儿在山西省第十一届运动会总决赛资格赛中夺得金牌18枚、银牌24枚、铜牌23枚。

【环境保护】 侯马市、曲沃县及乡宁县、吉县等10个山区县空气质量达国家二级标准；市区、襄汾县等5个县（市）环境质量持续好转。汾河水质4个断面主要污染物浓度下降；出境断面的COD比上年下降43%。全市共炸毁烟囱304根，焦炉1860座，取缔土小企业300多座，关停不符合国家产业政策的小高炉17座。清理工业废渣65万吨。年末，建成烟尘控制区2个，总面积6平方公里，噪声达标区2个，总面积6平方公里。

【计划生育与人民生活】 全市计划生育率80.67‰，出生率13.51‰，死亡率5.8‰，自然增长率7.71‰。城镇居民人均可支配收入4697元，增长15%，剔除城市居民消费价格因素，实际增长11.8%。在岗职工平均工资8082元，增长19%，剔除物价上升因素，实际增长18.9%。全年城镇居民消费性支出3330元，增长8.3%。农村居民人均纯收入2320元，增长5.7%。农村居民人均消费支出1115元，增长6.3%。全市享有最低生活保障的城市居民4.87万人。

（李艳洁）

2001年各县（市、区）主要经济指标运行情况

表二　　　　单位：万元、%、元

		全　市	尧都区	曲沃县	翼城县	襄汾县	洪洞县	古县	安泽县	浮山县
国内生产总值	绝对额	1921472	469712	117965	134414	206756	298461	49985	33809	38054
	为同期%	112.5	110.2	110.0	112.7	115.8	114.3	116.4	107.6	122.1
工业增加值	绝对额	480867	106063	23294	43819	30979	93751	14386	4215	3908
	为同期%	120.8	117.1	120.1	114.5	130.0	120.9	127.1	120.5	123.4
工业产品销售率	%	97.91	97.01	98.06	97.15	99.18	97.38	99.86	101.87	100.93
工业企业实现利税	绝对额	151234	38099	2166	13799	8780	33538	4661	1952	1514
	为同期%	144.8	117.9	140.9	123.6	178.5	167.2	151.0	170.6	206.8
乡镇企业上缴税金	绝对额	48160	4916	2795	6063	6610	5380	2602	535	3491
	为同期%	118.2	102.9	110.0	115.6	111.7	90.9	128.8	104.3	188.7
财政总收入	绝对额	187774	49195	7868	12518	15036	24209	4447	2985	7309
	为同期%	125.8	118.2	109.8	118.2	130.5	120.0	131.3	119.9	211.0
一般预算收入	绝对额	105799	28734	3635	7032	8908	12567	1990	1622	4007
	为同期%	120.0	115.0	109.8	116.3	126.9	120.1	120.5	125.3	249.8
固定资产投资总额	施工项目	763	193	37	24	37	32	15	7	104
	绝对额	464626	160874	18022	18735	35344	76071	7005	5707	11149
社会消费品零售总额	绝对额	636106	194824	28575	37673	37136	66582	10233	12091	9853
	为同期%	108.8	108.1	112.0	108.4	110.3	111.9	109.1	108.0	107.0
城镇居民人均可支配收入	绝对额	4697	5175	4187	3970	4496	4956	4380	3827	4408
	为同期%	113.0	113.0	110.2	110.0	114.9	104.0	130.1	107.8	124.8
农民人均纯收入	绝对额	2320	2785	2768	2252	2428	2502	2002	1958	1840
	为同期%	105.7	104.5	104.9	104.9	105.6	105.1	107.6	104.8	104.5

		吉　县	乡宁县	大宁县	隰　县	永和县	蒲　县	汾西县	侯马市	霍州市
国内生产总值	绝对额	24417	99256	12516	24720	11732	58513	35281	160469	156974
	为同期%	108.1	112.8	103.9	110.8	104.1	112.6	116.6	112.6	109.6
工业增加值	绝对额	1998	31073	1883	2630	420	10433	3269	33958	66618
	为同期%	123.2	114.8	120.6	121.1	113.7	110.2	115.0	137.2	116.1
工业产品销售率	%	98.04	101.10	98.06	99.45	98.10	100.38	98.44	90.34	97.79
工业企业实现利税	绝对额	612	15465	792	542	36	4591	504	928	23255
	为同期%	113.8	134.0	134.7	113.4	400.0	125.9	172.6	--	150.1
乡镇企业上缴税金	绝对额	70	5491	55	241	16	3532	1364	3260	1781
	为同期%	87.5	142.6	65.5	98.0	57.1	123.2	146.4	151.3	104.3
财政总收入	绝对额	1003	14267	808	1386	401	6924	2575	15500	15964
	为同期%	97.3	181.9	100.9	107.3	100.0	123.6	133.7	115.6	137.2
一般预算收入	绝对额	804	7194	501	941	358	3703	1564	9915	7941
	为同期%	94.0	151.4	94.9	104.2	104.2	116.3	126.2	116.5	126.5
固定资产投资总额	施工项目	19	20	11	16	11	21	22	46	148
	绝对额	3604	15015	2252	4273	2068	5491	9139	60309	29568
社会消费品零售总额	绝对额	9550	22095	5376	14230	4928	11441	13181	121978	36360
	为同期%	108.9	110.3	108.6	110.7	104.3	109.2	111.6	107.1	108.6
城镇居民人均可支配收入	绝对额	3631	4417	3847	3679	3330	4187	3558	4953	4412
	为同期%	113.6	114.5	122.0	115.5	109.4	123.0	118.6	114.8	107.3
农民人均纯收入	绝对额	1169	2106	853	1595	848	2109	962	3271	2765
	为同期%	105.4	111.0	101.2	102.6	105.0	112.5	112.3	105.1	104.7

机构设置和领导成员名单

中共临汾市委

书 记 樊纪亨
副书记 张茂才 刘合心 刘传旺
张克强
常 委 郝忠礼 翟维勤 李平郎
卢健清 张鸿斌 张继庆
秘书长 卢健清
副秘书长 王刘明（正县）（8月免）
王中央（正县）（8月免）
李玉林（8月免）
李建国（正县）
石雪爱（正县）（8月免）
邓彩彪（正县）（8月任）
游保善（正县）（8月任）
梁洪运（正县）（11月任）
周 波（11月任）
贾俊芳（11月任）

临汾市人大常委会

主 任 陈长禄
副主任 李建民 张作明 段克己
师如江 谢碧玲（非中共）
秘书长 石宝兴（1月当选）
副秘书长 苏勤义（正县）（3月任）
张玉吉（正县）（3月任）
崔衍政（正县）（3月任）
朱耀洪（正县）（3月任）

临汾市人民政府

市 长 张茂才
副市长 郝忠礼 高清亮 董彩霞
成洪才 常富顺
苗元礼（非中共）
秘书长 林泽忠
副秘书长 毛克明（正县）
崔福瑞（正县）（3月免）
刘苏寿（正县）（8月免）
王临生（正县）
柳淑芝（正县）（11月免）
杨泽明（正县）（8月任）
李安民（11月任）
樊交旺（11月任）

政协临汾市委员会

主 席 张岗望
副主席 陈保堂
李秉泰（非中共） 赵兰田
张传华 方 熔（非中共）
成继东（非中共）
秘书长 宋发科（1月当选）
副秘书长 杨宝林（6月任）
杜 敏（6月任）

市纪律检查委员会
（市监察委员会与其合署办公）

书 记 张继庆
副书记、副主任 韩福元（12月免）
石雪爱（12月任）
王晓春
郑中夏（12月任）
常 委 仉 雄（正县）（3月免）
冯学智（正县）（11月免）
许保民（正县）（11月免）
王亚民（副县）
刘川民（副县）
助理调研员 李延玉（11月免）
陈清元
孙存仁（11月免）
办公室（监察综合室）主任 郭亚琦
政策法规研究室主任 樊奋强（11月免）
宣传教育室主任 何建雄（11月免）
党风廉政监督室主任 郭 鹏（11月免）
信访室（举报中心）主任 刘小才

纪检监察一室主任　朱丽明（11月免）
纪检监察二室主任　杜志义（11月免）
执法监察室主任　张志明
培训中心主任　王保安（11月免）

市委工作部门及部门管理机构

市委办公厅

主　任　王刘明（8月免）
　　邓彩彪（8月任）
副主任　闫国庆（正县级督查员）（8月免）
　　邓彩彪（8月免）
　　游保善（正县级督查员）
　　周　波（11月任）
　　贾俊芳
正县级督查员　句轶旺
助理调研员　丁楷荣（2月免）
副县级保密员　柴亚萍(11月任机关党委书记)
副县级督查员　刘智勇（11月免）
正县级待遇　黄道恕（原对台办主任）
　　柴安幸（原机要处处长）

市委组织部

部　长　刘传旺
副部长　葛景梧（正县级组织员）（12月免）
　　徐信基（正县级组织员）（8月任）
　　梁若玉（正县级组织员）
　　张庚博（正县级组织员）（12月任）
　　王明理（正县级组织员）（8月任）
　　王春梅（正县级组织员）（8月任）
部务委员　范家赭（正县级组织员）（12月免）
助理调研员　闫小源（11月免）
副县级组织员　蔡玉生（11月免）

市委宣传部

部　长　翟维勤
副部长　张玉吉（正县）（8月免）
　　王三星(市委讲师团团长)（8月免）
　　赵成山（正县级报告员）（8月任）
　　樊清平（正县级报告员）（8月任）
　　段协平　裴振龙（11月任）
助理调研员　阴云龙（11月免）
　　武金森（11月免）
副县级支部教员　裴振龙（11月免）
　　邱建屏（11月免）
副县待遇　宋俊珍（原文明办副主任）

市委统战部

部　长　赵兰田
副部长　陈元喜(市工商联合会党组书记)（8月免）
　　郝焕玲（正县）
　　赵奇言(市工商联合会党组书记)（8月任）
　　杨起林（11月任）
　　王晓民（11月任）
助理调研员　张金莲（11月免）
　　刘天星（11月免）
对台工作办公室主任　刘智勇(副县)（11月任）

市委政法委员会

书　记　李平郎
常务副书记　安泽民（正县）（8月免）
副书记　邢本玉（正县）（8月免）
　　吕正祥（正县）
　　崔惠民（正县）（8月任）
　　金晓辉（正县）（8月任）
　　董素莉（8月任）
综治办主任　董素莉（8月免）
委　员　郑宝珍（副县）

市社会综合治理委员会办公室

主　任　郭福才（8月任）
副主任　卫玉生
　　任亥生（11月任）
助理调研员　任亥生（11月免）

市委政策研究室

主　任　狐玉林（8月免）
　　邓福基（8月任）
副主任　李长保（11月免）
　　王文平（11月任）

张世雄
副县级研究员　樊交旺（11月免）

市机构编制委员会办公室
主　任　刘正林（8月任）
副主任　张银生（11月任）

市直属工作委员会
书　记　王志权
副书记　郭学经（11月免）
陈续臻（8月免）
王成松
任建英（11月任）
纪工委书记　黄新升
委　员　裴秀珍（副县）（11月免）

市委、市政府信访局
局　长　石雪爱（8月免）
梁洪运（8月任）
副局长　吴虎林（正县级信访员）（8月免）
许景安

市委老干部局
局　长　袁根有（8月免）
张祥才（8月任）
副局长　张宏泽
王继旺（11月免）
陈竹芳（11月任）
局长助理　陈竹芳（副县）（11月免）

市委保密委员会办公室
主　任　刘月明（8月免）
副主任　曹芳兰（11月免）
沈国印（8月免）

市政府工作部门
及议事协调机构的办事机构

行署办公室（3月后改市政府办公厅）
主　任　毛克明（8月任）
副主任　王临生（正县）（11月兼任）
杨泽明（正县）（11月兼任）
李安民（11月兼任）
杨治平（调整产业办公室副主任）（8月免）
姚焕章（11月免）
樊交旺（11月任）
行署机关党委书记　张军平（3月免）
助理调研员　田寅卯（11月免）
正县待遇　吴海水（原人防办副主任）
李志斌（原无委会调研员）
安永秀（原无委会副主任）
王　敏（原外事办主任）
郑仰景（原外事办副主任）
副县待遇　王长生（原人防办副主任）
荆建忠（原人防办副主任）
封爱军（原无委会副主任）
赵　靖（原宗教处处长）

行署计划委员会（3月后改市计划委员会，8月后改市发展计划委员会）
主　任　阎家富（党组书记）
纪检组长　杨瑞盛（党组副书记）
副主任　乔葆光（党组副书记）（8月免）
李永祥（党组副书记）（8月任）
冯　俊（党组成员）（11月任）
申新民（党组成员）
畅新民（党组成员）
元天恩（党组成员）
总工程师　董福生（11月免）
助理调研员　秦宝华（11月免）

行署经济委员会（3月后改市经济委员会，8月后改市经济贸易委员会）
主　任　杨临生（党组书记）
副主任　张家祯（党委书记）（8月任）
郭权君（党组副书记）（8月任）
薛志刚（党组成员）（8月任）
张英瑞（党组成员）
王　超（党组成员）
纪检组长　赵奇言（党组成员）（8月免）

赵仁成（党组成员）（11月任）
助理调研员　王喜春（11月任）
副县待遇　马万喜

行署财金贸易委员会（3月后改市财委，8月后与市经委合并）
主　任　夏改芬（党组书记）（8月免）
副主任　薛志刚（党组成员）（8月免）
张其林（党组成员）（11月免）
主任助理　谢长有（副县）（党组成员）（11月免）
纪检组长　赵仁成（党组成员）（11月免）
助理调研员　王喜春（11月免）

行署教育委员会（3月后改市教育委员会，8月后改市教育局）
主　任　宁雪清（党组书记）（8月免）
局　长　王刘明（党组书记）（8月任）
副主任　翟天运（正县级督学、党组成员）（3月免副主任，8月免正县级督学，11月免党组成员）
张巨温（正县督级学、党组成员）（3月副主任，8月免正县级督学，11月免党组成员）
许江敏（党组成员）
张志感（党组成员）
副局长　许江敏（正县级督学、党组成员）（8月任）
张志感（正县级督学、党组成员）（8月任）
陈耀文（党组成员）（11月任）
逄锦章（副县级督学、党组成员）（11月任）
纪检组长　陈耀文（党组成员）（11月免）
刘宝林（党组成员）（11月任）
调研员　林轩前
助理调研员　薛启达（3月免）
任世丰

行署科学技术委员会（3月后改市科委，8月后改市科学技术局）
主任（局长）　梁南征（党组书记）
副主任（副局长）
闫　权（党组成员）
董秀兰（党组成员）
常立宁（党组成员）（11月免）
张博生（党组成员）（11月免）
王宝仁（党组成员）（11月任）
纪检组长　王宝仁（11月免）

行署公安处（3月改市公安局）
党委书记　逄全锁（副厅）（3月免）
处　长　申公元（3月任党委书记，6月免）
局　长　邵建伟（党委书记）（6月任）
副处长（副局长）
王天胜（党委委员）　王丁锁（党委委员）
李　彧（党委委员）　王永清（党委委员）
史振英（党委委员）
李占德（党委委员）（兼市交警支队队长）
石　有（党委委员）（12月任）
段　波（党委委员兼临汾市公安局局长）
李海潮（党委委员）
纪委书记　陈占山（党委委员）
处长（局长）助理　史　军（副县）（党委委员）
助理调研员　李怀亮（3月免）
副县待遇　张金顺
副县级侦查员　张志启　王怀明　陈新胜
郑中午　孙文晋　李玉香
李纯平　李效生　王良贵
刘福兰　胡留根　宋小明
文泽民　左吉水　范干固
韩永昌　亓建立

行署公安处交通警察支队（地区交通管理处）（3月后改市交警支队）
队　长　李占德
政　委　张康敏
副县级侦查员　闫绥包　商根明　荆　波
闫　戈　李汉闷　师星子
郑　强

副县待遇　　宋锦堂

行署民政局（3月后改市民政局）

局　长　卫兰田（党组书记）（3月免局长，8月免党组书记）
　　夏改芬（党组书记）（8月任）
副局长　荀贵生（党组副书记）（11月任）
　　张国栋（党组成员）
　　王　军（党组成员）
　　朱三六（党组成员）
局长助理　薛鹏寿（副县）（党组成员）（11月免）
纪检组长　郭玉萍（党组成员）

行署司法局（3月后改市司法局）

局　长　郑向晨（党组书记）（3月免局长，8月免党组书记）
　　张　胜（党组书记）（8月任）
副局长　张斌增（党组成员）
　　赵天福（党组成员）
　　张广陆（党组成员）（12月任）
　　盖建忠（党组成员）
纪检组长　刘宝林（党组成员）（11月免）
助理调研员　王金宝
副县级检察员　崔栋梁
　　孙　贵（6月提前离岗）
　　赵究章
　　晋云琨（6月提前离岗）
　　王子辰（6月提前离岗）

行署财政局（3月后改市财政局）

局　长　张传华
副局长　孙美莲（党组成员）（11月免）
　　赵敢峰（党组成员、国有资产管理局局长）（11月任）
　　陈文章（党组成员）（11月任）
　　张长有（党组成员）
纪检组长　侯洪甲（党组成员）
局长助理　杨福安（党组成员）（11月免）
总会计师　成凤香（8月免）
调研员　任三林（11月免）

行署人事局（3月后改市人事局）

局　长　郑文礼（党组书记）（8月免）
　　黄士恒（党组书记）（8月任）
副局长　黄士恒（党组成员）（8月免）
　　杨登元（正县、党组成员）（11月免）
　　张翠凤（党组成员）（11月免）
　　段忠贤（党组成员）（11月免）
　　孙玉明（党组副书记）（11月任）
　　黄志高（党组成员）（11月任）
　　刘百兴（党组成员）（11月任）
局长助理　黄志高（副县、党组成员）（11月免）
纪检组长　刘百兴（党组成员）（11月免）
　　朱丽明（党组成员）（11月任）
调研员　乔皎琦（11月免）
助理调研员　林世俊
副县待遇　杨生龙（原岗办主任）

行署机构编制委员会办公室（3月后改市编办，8月后改正县级编办）

主　任　黄士恒（8月免）

行署劳动局（3月后改市劳动局，8月后改市劳动和社会保障局）

党组书记　葛景桂（8月免）
局　长　张清云（党组书记）（8月任）
副局长　李玉琴（党组副书记）（11月任）
　　辛忠泽（党组成员）
　　杨俊德（党组成员）
　　董小俊（党组成员）
纪检组长　李朝阳（党组成员）（11月免）
助理调研员　孙　章（3月免）

行署土地矿产资源局（3月后改市土地矿产局，8月后改市国土资源局）

局　长　王　峰（党组书记）（8月免）
　　韩建国（8月任局长、党组书记）
第一副局长　韩建国（党组副书记）（8月免）
副局长　冯清海（党组成员）（11月免）
　　郝满堂（党组成员）（11月任）

高星亮（党组成员）（11月任）
李　平（正县、党组成员）（11月免）
吉长安（党组成员）（11月免）
吴长贵（党组成员）（11月免）
毛采民（党组成员）（11月免）
毕研华（党组成员）（11月任）
纪检组长　杜志义（党组成员）（11月任）

行署建设局（3月后改市建设局）
党组书记　梁　禔（8月免）
郑尚志（8月任）
局　长　郑尚志（8月任）
副局长　段　新（党委书记）（8月任）
贾俊华（党组成员）
李增友（党组成员）（11月免）
陈保金（党组成员）
高全锁（党组成员）（8月免）
韩家增（党组成员）
宋茂林（党组成员）（2月任）
纪检组长　赵小勇（党组成员）
局长助理　孙宣东（副县）（党组成员）
总工程师　温学良

行署交通局（3月后改市交通局）
局　长　徐信基（党组书记）（8月免）
华志刚（党组书记）（8月任）
副局长　华志刚（党组成员）（8月免）
赵　超（党组成员）（11月免）
王　强（党组成员）（11月任）
苏胜勇（党组成员）
张学伟（党组成员）（11月任）
张耀辉（党组成员）（11月任）
纪检组长　武立新（党组成员）（11月免）
局长助理　张学伟（副县）（党组成员）（11月免）
总工程师　张耀辉（党组成员）（11月免）
助理调研员　耿木林（11月免）
副县待遇　李书贤（11月退休）

行署水利局（3月后改市水利局）
局　长　张　健（党组书记）
副局长　魏三果（党组成员）
张学礼（党组成员）
薛锦安（党组成员）（11月任）
局长助理　薛锦安（副县）（党组成员）（11月免）
纪检组长　郭亚臻（党组成员）（11月任）
总工程师　崔　峨
助理调研员　徐德生（11月免）

行署农业局（3月后改市农业局，11月后挂市委农小办牌子）
党组书记　李苏河（3月免）
局　长　刘明贵（党组书记）（3月任）
党组副书记　刘明贵（3月免）
副局长　冯文江（党组成员）（11月免）
王民安（党组成员）（11月免）
杨刚杰（党组成员兼扶贫局副局长，主持扶贫局工作）（11月任）
李建民（党组成员）（11月任）
晋　宏（党组成员）（11月任）
薛敬明（党组成员）（11月任）
郭卓祥（党组成员）
纪检组长　薛敬明（党组成员）（11月免）

市委农村工作领导小组办公室（11月撤销后与农业局合并）
主　任　刘世全（3月免）
刘明贵（11月兼任）
副主任　冯　俊（11月免）
王久生（市农业综合开发办主任）
马振海（地区扶贫局局长）（3月免）
陈旭光（11月免）
杨刚杰（11月兼任）
李建民（11月兼任）
晋　宏（11月兼任）
薛敬明（11月兼任）
郭卓祥（11月兼任）

主任助理　张小红（副县）（11月免）
助理调研员　南　奇（11月免）

行署林业局（3月后改市林业局）
局　长　解学斌（党组书记）
副局长　贺五生（党组成员）
张吉昌（党组成员）（11月任）
牛文华（党组成员）（11月任）
董顺星（党组成员）
武卫东（党组成员）（11月免）
任建英（党组成员）（11月免）
纪检组长　陈根龙（党组成员）

市对外贸易经济合作局（8月后改行政编制）
局　长　王九梅（党组书记）（8月任）
副局长　郑书杰（党组成员）（11月任）
王志瑛（党组成员）（11月任）
纪检组长　郑书杰（党组成员）（11月免）
局长助理　王志瑛（党组成员）（副县）（11月免）

行署文化体育运动委员会（3月后改市文体委，8月后改市文化新闻出版管理局）
主　任　侯北记（党组书记）（3月免主任，8月免党组书记）
陈续臻（党组书记）（8月任）
副主任　张先引（党组成员）（11月免）
董继源（党组成员）（11月免）
王富山（党组成员）（11月任）
王　军（党组成员）（11月任）
乾明保（党组成员）（11月任）
纪检组长　王　军（11月免）

行署卫生局（3月后改市卫生局）
局　长　卢莲香（党组书记）
副局长　成继东（11月兼任）
李莲英（党组成员）
李东阳（党组成员）
王森武（党组成员）（12月任）
副县待遇　李清志（原爱委办副主任）

行署计划生育委员会（3月后改市计划生育委员会）
主　任　郭全爱（党组书记）
副主任　张国平（党组成员）
倪富强（党组成员）
吴珍莲（党组成员）（11月任）
范欣卯（党组成员）
纪检组长　吴珍莲（党组成员）（11月免）

行署审计局（3月后改市审计局）
局　长　王千良（党组书记）
副局长　李　惠（党组成员）（11月免）
张宏峰（党组成员）
郭书田（正县）（党组成员）（11月免）
赵茂山（党组成员）
祁全保（党组成员）（11月任）
郭安平（党组成员）（11月任）
纪检组长　祁全保（党组成员）（11月免）
总审计师　郭安平（11月免）

行署环境保护局（3月后改市环境保护局）
局　长　李建荣（党组书记）
副局长　刘春喜（党组成员）（11月免）
许云璋（党组成员）（11月免）
杨兆丰（党组成员）
王玉明（党组成员）
潘启龙（党组成员）（11月任）
任贵平（党组成员）（11月任）
总工程师　任贵平（11月免）
纪检组长　姚　祥（党组成员）
调研员　崔玉山（11月免）

市广播电视局（8月后改行政单位）
局　长　刘新德（党组书记）（8月免）
王天郎（党组书记）（8月任）
电视台总编　王天郎（8月免）
副局长　刘靳锁（党组成员）（11月任）
王　山（党组成员）（11月免）
王友明（党组成员）（11月任）
曹银民（党组成员）（11月任）

纪检组长　曹银民（党组成员）（11月免）
总工程师　邓仕仪（11月任）

行署文化体育运动委员会（3月后改市文体委，8月后改市体育局）
第一副主任　赵占华（正县）（党组副书记）（8月免）
局　长　蔡茂生（党组成员）（8月任）
副主任　闫运发（党组成员）（11月免）
副主任（副局长）　周学智（党组成员）（11月任）
兰鸿恩（党组成员）（11月任）
主任助理　兰鸿恩（副县）（党组成员）（11月免）

行署统计局（3月后改市统计局）
局　长　李永祥（党组书记）（8月免）
师学瑾（党组书记）（8月任）
副局长　余文铮（党组成员）（11月免）
李金柱（党组成员）（11月免）
刘爱萍（党组成员）（11月任）

行署粮食局（3月后改市粮食局）
局　长　张　胜（党组书记）（8月免）
曹学义（党组书记）（8月任）
副局长　曹学义（党组成员）（8月免）
韩德清（党组成员）（11月免）
李长保（党组成员）（11月任）
樊炜泽（党组成员）（11月任）
王俊峰（党组成员）
贾世杰（党组成员）（11月免）
李金毅（党组成员）（11月任）
纪检组长　李金毅（党组成员）（11月免）
李朝阳（党组成员）（11月任）

市外事旅游局（8月后改行政单位）
局　长　王保山（党组书记）（8月任）
副局长　廉　鹏（党组成员）（11月免）
孙玉明（党组成员）（11月免）
史玉芳（党组成员）（11月任）
李吉荣（党组成员）（11月任）
高国稳（党组成员）（11月任）
局长助理　李吉荣（党组成员）（副县）（11月免）

行署物价局（3月后改市物价局）
局　长　李红久（党组书记）（8月免）
张金凤（党组书记）（8月任）
副局长　孙振华（党组成员）（11月免）
杨　迈（党组成员）（11月免）
王根荣（党组成员）
陈治轩（党组成员）（12月任）
苏新平（党组成员）
马爱民（党组成员）（11月任）
纪检组长　陈存安（党组成员）

市文物局（8月后新成立单位）
局　长　闫国庆（党组书记）（8月任）
副局长　张建平（党组成员）（11月任）

市民族宗教事务局（8月后升格为正县级单位）
局　长　贾林森（党组书记）（8月任）
副局长　曹万武（党组成员）（11月任）

行署煤炭工业局（3月后改市煤炭局，8月后改市安全生产监督管理局）
局　长　张家祯（党组书记）（8月免）
赖保成（党组书记）（8月任）
副局长　杨吉春（党组成员）（3月免）
王太安（党组成员）
郭凤昌（党组成员）（11月免）
李明水（党组成员）
段有光（党组成员）（11月任）
郑　峰（党组成员）（11月任）
局长助理　郑　峰（党组成员）（11月免）
纪检组长　李双生（党组成员）（11月免）
王保安（党组成员）（11月任）
总工程师　段有光（11月免）
李兴民（11月任）
调研员　郝宏新（11月免）
助理调研员　范洲宏（11月免）

市人民防空委员会办公室（8月升格为正县级单位）

主 任　吴虎林（党组书记）（8月任）

副主任　王长生（党组成员）（11月任）

　　　　荆建忠（党组成员）（11月任）

行署乡镇企业局（3月后改市乡镇企业局，8月后改事业单位）

局 长　韩凯权（党组书记）（3月免局长，8月免党组书记）

副局长　刘振国（党组成员）（11月免）

　　　　郭永有（党组成员）（11月免）

　　　　刘南方（党组成员）（11月免）

　　　　郭兆源（正县）（党组成员）（11月免）

　　　　郭天龙（党组成员）（11月免）

局长助理　郭迎明（副县）（党组成员）（11月免）

行署经济体制改革委员会（3月后改市体改委，8月后改事业单位）

主 任　苏勤义（党组书记）（3月免主任，8月免党组书记）

副主任　王新龙（党组成员）（11月任）

纪检组长　王新龙（党组成员）（11月免）

市人大、政协机关

市人大常委会机关

办公厅主 任　苏勤义（3月任）

　　　副主任　崔衍政（正县）（3月任）

　　　　　　　孙玉莲（正县）（3月任）

信访处处长　张玉吉（3月任）

研究室主任　朱耀洪（3月任）

人事代表工作委员会主任　卫兰田（3月任）

法制工作委员会主任　崔福瑞（3月任）

农村工作委员会主任　刘世全（3月任）

财经工作委员会主任　韩凯权（3月任）

城建环保工作委员会主任　郑向晨（3月任）

教科文卫工作委员会主任　侯北记（3月任）

调 研 员　李 华（3月任）

　　　　　刘林海（3月任）

原人大工委办公室副主任　马爱民

原人大工委法制处副处长　张三森

正县级待遇　田家彧（原人大工委秘书长、办公室主任）

市政协机关

原政协工委综合处副处长　杨宝林

原政协工委办公室副主任　杜 敏

办公厅副主任　杨全锁（6月任）

副县级保密员　郑维宏（6月任）

提案委员会主任　柴安幸（6月任）

学宣文史委员会主任　王三星（6月任）

原政协工委联络处副处长　庞桂英（6月任学宣文史委员会副主任）

经济科技委员会主任　张庆珠（6月任）

教文卫体委员会主任　陈增秀（6月任）

农村委员会主任　郑文礼（6月任）

　　　　副主任　张红伟（6月任）

社会法制委员会主任　安泽民（6月任）

民族宗教和港澳台侨联络委员会主任　孟凤鸣（6月任）

市法院、检察院

市中级人民法院

院 长　王冀波（党组书记）

副院长　李文生（正县）（党组成员）

　　　　刘登高（党组成员）

　　　　樊胜利（党组成员）

纪检组长　许文海（党组成员）

助理调研员　李 谦

副县级审判员　谢银海　杜宝印　张炳星

　　　　　　　郭子航　张纪元　成奎喜

　　　　　　　卫世敏　薛宝亮　刘庆祥

　　　　　　　邓 平　王秀清　宋占胜

　　　　　　　王宏艾　林其厚　董根锁

市人民检察院

检察长　胡兴甫（党组书记）

副检察长　卢金城（正县）（党组副书记）

李嘉贵（正县）（党组成员）
王树声（正县）（党组成员）
郑占奇（正县）（党组成员）
杨志英（正县）（党组成员）
纪检组长　辛三艮（党组成员）
副县级检察员　贺庆成　谭来成　朱福生
张金光　李根虎　王维玉
刘同献（5月免）
王振家　郭桐岗　张青山
王学平

群众团体

地区工会办事处（8月后改市总工会）
主　任　王富寿（党组书记）（8月免）
总工会主　席　张作明（党组书记）（8月兼任）
副主席　梁崇太（党组副书记）（正县）（8月任）
副主任　李玉琴（党组成员）（11月免）
宋德俊（副主席）（党组成员）
严吉文（党组成员）（6月提前离岗）
主任助理　乾明保（副县）（党组成员）（11月免）

共青团临汾市委
书　记　乔建军（党组书记）（8月免）
高　健（党组书记）（8月任）
副书记　陈怀生（党组成员）（8月免）
张吉昌（党组成员）（11月免）

市妇女联合会
主　任　孟凤鸣（党组书记）（8月免）
韩爱珍（党组书记）（8月任）
副主任　柴艳菊（党组成员）（11月免）
于引娣（党组成员）
史玉芳（党组成员）（11月免）
李多志（党组成员）（11月任）

市文学艺术界联合会
主　席　谢俊杰（党组书记）（11月免）
副主席　张先引（党组副书记）（主持工作）（11月任）

市科学技术协会
主　席　张庆珠（党组书记）（8月免）
王增礼（党组书记）（8月任）
副主席　卫永泽（党组成员）
主席助理　杨全锁（副县）（党组成员）（6月免）

市直事业单位

市委党校
校　长　刘传旺（兼）
常务副校长　付记有
副校长　韩爱珍（8月免）
晋国玺（11月免）
张爱国　刘树芳　卫爱民

临汾日报社
总　编　孙延林
常务副总编　王庚星（11月任）
副总编　赵振明（11月免）
孙言兵
副社长　吴福来（11月免）

市委讲师团
团　长　王三星（8月免）
副团长　贾成奎
李春荣（11月免）
景宝庆

市委党史研究室
主　任　关正堂（8月任）
副主任　张建平（11月免）
王建基（11月任）

地方志编纂委员会办公室
主　任　于德全（8月免）
邵玉义（8月任）
副主任　张志俊（11月免）
杨克让（11月免）
张　瑕（11月任）

档案馆

馆　长　　陈增秀（8月免）
　　　　　沈国印（8月任）
副馆长　　孙金亮（11月免）
　　　　　王成花
纪检组长　郭亚臻（11月免）
正科助理　高树森

老龄委

主　任　　刘玉琪（11月免）
副主任　　王长锁（11月任）

工商业联合会

党组书记　陈元喜（8月免）
　　　　　赵奇言（8月任）
会　长　　宣为民（1月任）
副会长　　安乐才（2月任）
　　　　　郭天龙（11月任）

残疾人联合会

党组书记　邵玉义（8月免）
理事长　　曹学山（9月免）
党组书记兼理事长　许保民（9月任）
副理事长　董国栋（11月免）
　　　　　宋进才（11月任）

地震局

党组书记、局长　王汝雕（8月免）
　　　　　高全锁（8月任）
副局长　　王保山　李青珍
助理调研员　何路梅

接待处

处　长　　李玉林（8月免）
　　　　　张东红（8月任）
副处长　　郭彦霞
助理调研员　张文仓（11月免）

临汾宾馆

经　理　　祁银珠

市委机关事务管理中心

主　任　　牛俊泽
副主任　　李生才
　　　　　宋进才（11月免）
　　　　　李文玉（11月免主任助理任副主任）
　　　　　曹　阳（11月任）

市政府机关事务管理中心

主　任　　杨泽明（8月免）
　　　　　任和畅（8月任）
副主任　　任和畅（8月免）
　　　　　赵　靖（11月任）
　　　　　杨红宇
　　　　　韩金梁（11月任）

经济发展研究中心

副主任　　王新龙（11月任）

畜牧中心

主　任　　王效孔（8月免）
　　　　　刘苏寿（8月任）
副主任　　李青海
　　　　　高尔玺（11月免）
　　　　　杨汝桐（11月免）
　　　　　周俊林（11月任）
主任助理　周俊林（11月免）

农业机械发展中心（农机局）

局　长　　王志成（8月8免）
主　任　　宋　林（8月任）
副局长　　张孔生（11月免）
　　　　　李志敏（11月免）
正科助理　田卫东

农业综合开发办公室

主　任　　王久生
副主任　　陈明中（11月任）
　　　　　毕研华（11月免）
　　　　　刘全仁

引沁入汾工程管理局

党委书记　王一峰（8月免）
　　　　　柴云峰（8月任）
局　长　贾自胜
副局长　赵　谦　张红林　马管旺

汾西水利管理局

党委书记、副局长　柴云峰（8月免）
局　　长　席德喜（8月免）
党委书记、局长　迪德俊（8月任）
副局长　乔发家（11月免）
　　　　周　波（11月免）
　　　　王世杰　杨代亮
纪检书记　李香菊

世界银行贷款项目办公室

主　任　张传华（兼，8月免）
　　　　成凤香（8月任）
副主任　余文铮（11月任）
　　　　杨福安（11月任）
　　　　王武喜

信托投资公司

经　理　师学瑾（8月免）
副经理　乔成喜（11月任）
　　　　常有国　田河来

供销社

主　任　王吉月（8月免）
　　　　陈怀生（8月任）
副主任　李金柱（11月任）
　　　　郭德荣
　　　　樊高潮（11月免）
　　　　常引根（8月免）
　　　　任希强（11月任）
主任助理　任希强（11月免）

商贸总公司

总经理　薛续珍（8月免）
副总经理　常引根（8月任）
　　　　宦镜清（11月免）
　　　　王长锁（11月免）
　　　　张胜来（11月任）
正科助理　孙秀娟　张宏志

重工业公司

经　理　邢云彪
副经理　李庆保
　　　　武新民（11月免）
　　　　王文江
纪检组长　贾景斌

化学工业公司

经　理　郭行杰
副经理　秦国敏　贺荣杰（11月任）
纪检组长　王银河

物资总公司

总经理　宋文明
副总经理　陈　纲
纪检组长　卫北嘬（11月免）

乡镇企业管理中心（按临办发[2001]56号文件，2001年8月不再保留乡镇企业局）

主　任　郭玉宝（8月任）

城镇集体工业总会——城镇集体工业联合社（按临办发[2001]56号文件，2001年8月不再保留城镇集体工业总会，保留城镇集体工业联合社，为经济组织）

会　长　赖保成（8月免）
副会长　王福恒（11月免）
　　　　傅文俊（11月免）
　　　　宋成管（11月免）
　　　　谢长有（11月免）
纪检组长　陈　庭（11月免）
总工程师　郝少鹏（11月免）
正科助理　王黎鹏
主　任　段维让（8月任）
副主任　王亚平（11月任）
　　　　宋成管（11月任）
　　　　谢长有（11月任）

防疫站

党支部书记、站长　　许金金
副书记　　段兆福（11月免）
副站长　　侯晓军　　王智海

归国华侨联合会

党组书记　　王晓民（11月免）
　　刘天星（11月任）
主　　席　　江立开

电视台

台　　长　　刘新德（兼，8月免）
　　王天郎（兼，8月任）
总　　编　　王天郎（8月免）

种子站

党支部书记　　李洪奎
站　　长　　晋　宏（11月免）

测绘管理处

副处长　　杨剑青

人才交流中心

主　任　　张立嘉

军转培训中心

主　任　　耿　强

社会劳动保险事业所

所　长　　王子来（11月免）

荣军康复医院

党支部书记　　柴文平
院　　长　　宋根元

妇幼保健所

党支部书记　　叶苗兴（11月免）
所　　长　　杨惠敏

矿山救护大队

党支部书记　　王荣生
队　　长　　李生太

煤炭安全纠察支队

队　　长　　李兴民

浍河水库管理局

局　　长　　迪德俊（8月免）

水利机械工程局

党支部书记　　李玉龙（11月免）
局　　长　　宋　林（8月免）

人民医院

院长、党委副书记　　杜明非（8月免）
院　长　　贾明珠（8月任）
副书记　　冯万锁（11月免）
　　吴幸福　　史玉萍（11月任）
副院长　　贾明珠（8月免）
　　孙　蕊　　王振林
纪检书记　　李青彦
副院长　　贾爱琴（12月任）
　　许红星（12月任）

卫校附属医院

党支部书记　　黄峪生（兼）
院　长　　马希贤（兼）

蒲剧院

副院长　　任跟心
　　李安华（11月免）
助理调研员　　白麦浪（11月免）

艺术学校

校　长　　董继源
副书记　　张　谦
副校长　　马杰敏　　李长安
纪委书记　　李晓洪

电大分校

校　长　　李殿臣
副校长　　荀海生　　韩祥君

教育学院

院　长　王晋益
副书记　郭龙臣
副院长　李文学（3月免）
　　　　宋振敏

临汾师范

党委书记　陈克云
校　长　李二虎
副校长　唐宗霖　张国平
助理调研员　熊会光

隰县师范

党委书记　唐文相
校　长　张平福
副校长　李来贵　李虹伟

临汾一中

党委书记　靳桐荫
校　长　张俊荣
副校长　李晋平

临汾三中

党支部书记　许俊良
校　长　冯贵元
副书记　桑成锁

洪洞一中

校长、党总支书记　乔正顺
副校长　李怀胜

曲沃中学

副校长　郭　簃
副书记　卫新堂
副校长　刘建平

农业机械学校

校　长　郭运德
副校长　王克勤　郝普安

洪洞农业学校

党总支书记、校长　王福成
副校长　董恭安　梁吉平　段宏川

人民警察学校

党委书记、校长　逄全锁
政　委　马安喜（12月任）
党委副书记　王茹爱（12月任）
纪委书记　王茹爱（12月免）
副校长　马安喜（12月免）
　　　　刘　健（12月任）
　　　　孙铁虎（12月任）

体育运动学校

党支部书记　温州安
校　长　刘　坚
副校长　韩雪梅　张新民
调研员　王志勇

卫生学校

党委书记　武丙云
校　长　秦国杰
副书记　成明祥　黄峪生
副校长　马希贤　马温才　梁培福

劳动技校

党支部书记　任勇夫
校　长　宋国富

工业干部学校

党支部书记　周锦明
校　长　景长胜
助理调研员　张之斌

农业干部学校

党支部书记　杨兴旺
校　长　李晓宇

二轻会校

党支部书记、校长　张　瑕（6月免）

党支部书记　　王晋明（6月任）

粮食中专

党支部书记　　张玲玲
校　长　　梁　功

财经学校

党支部书记　　张夺文
校　长　　孟安黎（6月任）

建筑设计院

党支部书记　　杜守成（11月免）
院　长　　许志强（11月免）

旅游局（按临办发[2001]56文件，2001年8月不再保留旅游局，组建外事旅游局，同时挂侨务办公室牌子）

局　长　　王保山
副局长　　孙玉明　　廉　鹏
局长助理　　李吉荣

广播电视中心（按临办发[2001]56文件，2001年8月不再保留广播电视中心，组建广播电视局）

主　任　　刘新德（8月免）
副主任　　刘靳锁　　王　山　　王友明
纪检组长　　曹银民
总工程师　　邓士仪

外贸局（外贸总公司）（按临办发[2001]56文件，2001年8月撤销对外贸局［外贸总公司］，组建对外经济贸易合作局）

局　长　　王九梅
副局长　　行马良　　高　鹏
纪检组长　　郑书杰
局长助理　　王志英

扶贫局（按临办发[2001]56文件，2001年8月扶贫局并入农业局，为内设机构，保留扶贫局牌子）

局　长　　马振海（3月免）
副局长　　杨刚杰

农业资源开发局（按临办发[2001]56文件，2001年8月农业资源开发局并入农业局）

局　长　　王增礼（8月免）
副局长　　陈明中（11月免）

轻纺总会（按临办发[2001]56文件，2001年8月不再保留轻纺总会，行业管理职能并入经贸委）

会　长　　张万祯
副会长　　李多萍（11月免）
　　　　段维让（8月免）
纪检组长　　吴希杰（11月免）
正科助理　　岳安平

经济协作委员会办公室（按临办发[2001]56文件，2001年8月不再保留经济协作委员会办公室，职能并入经贸委）

副主任　　郭朝珍（11月免）
　　　　申敬增（11月免）
　　　　王增福（11月免）
助理调研员　　王兴龙（11月免）

调产办（按临办发[2001]56文件，2001年8月撤销调产办，职能并入发展计划委员会）

副主任　　杨治平（8月免）
正科助理　　梁福旺

对外开放办（按临办发[2001]56文件，2001年8月撤销对外开放办，职能并入有关部门）

主　任　　崔福瑞（8月免）
副主任　　樊炜泽（11月免）

劳动就业局

主　任　　姬脉涛（11月免）

公安培训中心

党支部书记　　白　虎
主　任　　郤三生

财贸培训中心

主　任　张胜来（11月免）

派出机构、驻外机构

临汾经济技术开发区

党工委书记、管委会主任　杨万波
党工委副书记　杜旭日
管委会副主任　刘林玉　魏永红
　樊新民（11月任）
纪检书记　刘晓爱（11月任）

侯马经济技术开发区

工委书记　李山林（11月任，兼管委会副主任）
工委副书记　田兴旺（11月任）
管委会副主任　郧　实　王汝江　郝怀玉

驻京办事处

主　任　李建国
副主任　曹　阳（11月免）

驻厦门办事处

主　任　郭朝珍

驻海南办事处

主　任　甘明洋

驻太原办事处

主　任　樊洪平

省直属单位、驻临单位

国税局

局　长　郝建悌（党组书记）
副局长　李振纲　李万国　李海鹰
纪检组长　赵胡栓
总经济师　党杰华

地税局

局　长　张晓东（党组书记）
副局长　焦北生　张　刚　程满仓
纪检组长　贾东发
总经济师　许　高

工商行政管理局

局　长　柴建新
副局长　李文政　王绍堂　王天佑
纪检组长　祁战斗

质量技术监督局

党组书记　刘中良（11月免）
局　长　史清俊（党组书记）（11月任）
副局长　张永伟（党组副书记）（主持工作）
　王金顺（党组成员）
　崔耀庭（党组成员）
纪检组长　景锦元（党组成员）
副局长　潘志孝（党组成员）
综合所所长　梁明焕（党组成员）

气象局

局　长　宋　宽
副局长　刘川生（纪检组长）
　王智娟

中国人民银行临汾中心支行

行　长　张转方
副行长　卢文礼　许梅英
　冯　勋（纪委书记）
工会主任　温水清
正处调研员　马国大
副处监管员　王荫林

中国工商银行临汾分行

行　长　葛广生（党委书记）
副行长　贾秀斌　王庆元
　韩　震（纪检书记）
总经济师　李焕文
工会主任　宋秋花
总工程师　高代兴

中国农业银行临汾分行

行　长　师兴无（党委书记）

副行长　任　鹏　翟红星
纪委书记　贾卫萍

中国建设银行临汾分行

行　长　王小新（党委书记）
副行长　曹　琦　贺小兰
纪委书记　张　清

中国银行临汾分行

行　长　裴宇森
副行长　溥守国　宋晋生　霍临生
纪委书记　马　先

中国农业发展银行临汾分行

行　长　翟耀文（党委书记）
副行长　李俊峰（纪检书记）　张小平

中国人民保险公司临汾分公司

总经理　吴世相
副总经理　彭怡元　郭东仁
　李香萍（纪委书记）
总稽核　王建国

中国人寿保险公司临汾分公司

总经理　何永禄
副总经理　张明堂（5月免）
　李抗生
纪委书记　孟昭伟（12月免）

石油公司

总经理　任保才
党委书记　李小丁
副总经理　马运生　姚柏山　许维林
纪委书记　乔彩峰

电力局

经　理　张毓哲
党委书记　赵生玉
副经理　刘　林　卢保喜　殷全新
　王　畅　王根义
纪委书记　关运娃

工会主席　赵国强

煤炭运销公司

经　理　郑　涛
党委书记　王晋鲁
工会主席　樊清河
纪检书记　高廷启
副经理　郭海生　籍肇飞　张建桥
　翟前进　王俞平　柏富宝
总会计师　张根成

烟草专卖局（公司）

局　长　郭立奎（党组书记）
经　理　金永平
副局长　郑建娃
副经理　任川水　柴银绒
纪检组长　王正义

邮政局

局　长　张安乐（党委书记）
副局长　傅文兵　乔岳峰
党委副书记　董林有

电信公司

总经理　蔡传兴（党组书记）
副总经理　李　艺　闫振庭
纪检书记　张　乔（兼工会主席）

军警消防

山西省临汾军分区

司令员　张鸿斌
政治委员　李　峰
副司令员　李富才
副政治委员　吴庆良
参谋长　武　高
政治部主任　陆崇相
后勤部长　薛春荣

武警临汾市支队

支队长　石　有（1月转业）

	苏立新（1月任，12月调离）
第一政治委员	申公元（2月调离）
	邵建伟（2月任）
政治委员	孙建宏
副支队长	程学军（1月转业）
	王升元（1月转业）
	张维新（1月任）
	王志勇（1月任）
副政治委员	田池堂
参谋长	陈运东（1月转业）
	乔　中（1月任）
政治处主任	李志良
后勤处处长	赵卫平

消防支队

支队长	郭益民
政　委	武阳明
副支队长	白吉双
司令部参谋长	杨五星
政治处主任	史普山
后勤处处长	侯永鹏
防火监督处处长	张　仪

领导机关

中共临汾市委

【综述】 临汾市委坚持与时俱进，开拓创新，推进“三件大事”，实施“六大战略”，班子团结，人气旺盛，求真务实，真抓实干，经济发展，社会稳定，各项事业全面进步，党的建设取得新的成就。

——主要经济指标在全省保持一路领先。国内生产总值增长12.5%，规模以上工业增加值增长20.8%；财政总收入增长25.8%；城镇居民人均可支配收入和农民人均纯收入分别增长13%和5.69%；外贸进出口总额增长34.9%。国内生产总值、财政总收入、规模以上工业增加值、外贸进出口总额等主要经济指标完成和增幅均在全省保持一路领先。

—— 一批科技含量高、带动力强的潜力产品和重点项目相继建成。开工建设的82个重点调产项目，有41个竣工投产，加上2000年竣工的31个重点项目，当年新增产值18.88亿元，新增销售收入20.6亿元，新增税收1.5亿元。按照“平川抓精品、山区抓特色”的思路，平川实施“121”工程，集中建设优质专用小麦、枣粮间作、优质水果和优质高效蔬菜基地，精品园区、重点基地建设初具规模；山区干鲜果、小杂粮、草食畜、中药材、食用菌等特色产业更加明确，形成新的发展格局。全市粮经作物比例由2000年的7.5∶2.5调整到7.2∶2.8。

——城镇建设取得新成绩。完成15项城市重点建设项目，其中，滨河路建设完成投资8000余万元，完成工程量70%以上。市污水处理厂、尧都区建设路改造、尧都新广场、解放路过街天桥、侯马新世纪广场、浮山休闲绿地广场、安泽309国道县城过境，蒲县、古县的道路改造，曲沃、隰县、汾西、洪洞的街道改造，霍州、乡宁的城市供水等一批重点工程竣工交付使用。空气质量有所好转。12个小康示范村镇有7个全面建成或初步建成。

——科技教育和社会各项事业全面发展。农业科技示范园区总面积达到3万亩，推广新技术和新产品59项。教育“两基”达标和巩固提高工作进一步加强，现代化教育设施设备改善。山西师大临汾学院的整合和基础设施建设圆满完成，职业技术学院的组合和基建取得进展。农村初级卫生保健、地方病防治、乡镇卫生院建设、爱婴医院和卫生等级防疫站创建等工作位居全省前列。社会保障体系进一步完善，下岗职工基本生活费、企业离退休人员基本养老金基本做到及时足额发放，企业职工参保率96.34%，征缴率96.8%。农村救济对象的基本生活得到救助，灾区人民的生活得到保证。

——精神文明建设进一步加强，依法治市和社会主义民主政治建设迈出新步伐。社会主义思想道德建设和群众性精神文明创建活动广泛开展，城乡文明程度和公民素质逐步提高。民主法制建设取得新的进展。召开设市后的第一次人民代表大会和第一届政治协商会议，推举产生人大和政协的领导班子和工作机构。全面推行政务、企务、村务公开，基层民主逐步扩大。大力整顿和规范市场经济秩序，加强生产安全管理，整顿文化市场。严厉打击刑事犯罪，与“法轮功”邪教组织的斗争取得重大胜利，全市社会政治保持稳定。

——切实改进党的作风，党的建设新的伟大工程全面推进。认真学习“三个代表”的重要思想，全面贯彻江泽民同志“七一”讲话精神，深入开展“三讲”教育回头看和农村“三个代表”学教活动。胜利召开设市后的第一次党的代表大会，顺利完成撤并乡镇工作，全面开展市县乡机构改革。大胆推进干部人事制度改革，公开选拔 36 名正县级和近百名副县级领导干部。组织万名机关干部深入农村减灾促增收，认真解决离休老干部的实际困难。严肃查处一批领导干部违法违纪案件，大力推进反腐败源头治理“353”工程，市县两级全部建立“三个中心”，并进入实质性运转，收到初步效果。

【一届市委全体会议】

·第一次全体会议·

3 月 10 日，中共临汾市委第一届委员会举行第一次全体会议，选举产生中共临汾市第一届委员会常务委员会书记、副书记。

·第二次全体会议·

9 月 3 日，召开中共临汾市第一届二次全委会议，以举手表决的方式确定 60 名临汾市出席中国共产党山西省第八次代表大会代表候选人预备人选，并决定拟于 9 月 7 日召开中国共产党临汾市代表会议。

【重要文件】

·决定、建议·

关于建立临汾市第一届人民代表大会第一次会议临时党组的决定

关于推荐临汾市市级政权机关领导候选人的建议

关于召开中国共产党临汾市第一次代表大会的决定

关于表彰先进基层党组织、优秀共产党员、优秀党务工作者和“五十佳”书记的决定

关于在全市加强腐败源头治理工作的决定

关于加强基础教育工作的决定

关于表彰万名干部下乡减灾促增收活动先进集体和个人的决定

·意见、规划·

关于在撤并乡镇中做好机构设置、编制核定、人员分流和党组织关系移交工作的意见

关于进一步加强党对政法工作领导的意见

关于做好 2001 年农业和农村工作的意见

关于加强和改进党校工作的实施意见

关于临汾市行政审批制度改革的实施意见

关于开展畅通工程、文明道路联合整治大行动的实施意见

关于党政机构改革中领导班子调整配备的若干意见

关于市党代表会议代表选举工作的通知

关于大力推进城市社区建设的意见

关于在平川地区实施“121”工程加快种植业调整的实施意见

关于贯彻落实《中共中央关于加强和改进党的作风建设的决定》精神　集中解决当前几个突出问题的意见

关于全市农村 2001～2010 年全面达小康规划

关于印发《中共临汾市委关于进一步开展法制宣传教育的决定》及《临汾市开展法制宣传教育和依法治市工作第四个五年规划》的通知

关于进一步加强新形势下党管武装工作的意见

·请示、报告·

关于临汾市第一届委员会第一次选举结果的报告

关于临汾市政协第一届委员会第一次选举结果的报告

关于报批《临汾市党政机构改革方案》的请示

（曹樯）

临汾市人大常委会

【综述】 市一届人大常委会按照“抓好起步、健全制度、发扬民主、推进法治”的思路，认真履行宪法和法律赋予的职责，勤奋敬业，扎实工作，努力推进依法治市进程，实现常委会工作的顺利起步。

——认真履行监督职责。听取和审议市人民政府关于调整产业结构进展情况的报告，组织代表视察，多次组织民营企业家座谈，并深

入民营企业视察，向政府提出意见。把财政工作纳入法制轨道。听取滨河路工程建设规划报告，并现场视察。对煤炭法、水法、环保法等法律法规贯彻实施情况进行执法检查。

——积极推进依法治市。在对“三五”普法工作进行检查总结的基础上，结合“四五”普法任务，做出《关于进一步开展法制宣传教育的决议》和《关于坚持推行执法责任制的决定》。从受理群众来信来访的案件中，筛选出45起司法案件予以重点监督，已全部办理并报结。对其中社会影响较大的3起民事、经济案件，实施个案监督。在市人大常委会的督促和支持下，全市公安和司法机关加大对违法违纪办案人员的查处力度，共对47案53人进行处理和追究。

——依法进行人事任免和任后监督。常委会依照《人事任免办法》，任命常委会各工作机构和综合办事机构负责人14人，决定任命政府组成人员47人，任命审判、检察人员145人，共计206人；依法免去政府工作机构负责人5人，对4名没有参加法律知识培训考试和1名考试不及格的，常委会未予任命。常委会把行使任免权和监督权结合起来，做出《关于实施“三账”监督的决定》，通过对被任命干部实行年初建账、年中查账、年终交账的“三账”监督机制，把对工作的监督和对主要负责人的监督结合起来。

——切实加强代表工作。组织省、市人大代表进行视察，加大代表议案、建议办理工作的检查督办力度，市一届人大一次会议期间，代表提出意见、建议70件，闭会期间1件，共71件，办结69件，其中不少意见被采纳。做出《关于建立人大代表活动室，开展代表闭会期间活动的决定》，制定进一步搞好代表活动的意见。据统计，全市五级人大代表在闭会期间共提出意见、建议1562条（件），已答复办理1331条（件），占到82%。围绕人民群众关心的热点、难点问题，依法行使职权。听取和审议市教育局关于提高中小学教育质量和减轻学生家庭负担情况的报告，并督促其采取措施，改进工作；听取和审议市劳动和社会保障局关于劳动和社会保障工作情况的报告，并针对存在的问题提出审议意见。常委会组织开展工会法执法检查。对市公安局、法院、检察院工作进行视察，并听取和审议市公安局开展“严打”整治斗争工作的报告。重视人民群众的来信来访工作，全年共受理来信来访1371件（次），及时转交有关机关办理。对一些久拖不决的案件，落实责任，要求限期办理回复。

——全面加强自身建设。常委会组织机关全体同志认真学习江泽民同志“七一”重要讲话和党的十五届六中全会精神，先后举办5次法制讲座。制定议事规则，建立组成人员联系代表、代表联系选民制度和公民旁听制度，明确常委会各个机构职责，健全机关工作制度，注意深入基层，深入群众，通过听实话、摸实情，努力掌握第一手材料，注意加强与基层人大的工作联系和业务指导，坚持邀请县（市、区）人大常委会负责人及乡镇人大主席列席常委会会议。

【市一届人大常委会会议】

·第一次会议·

市一届人大常务委员会第一次会议于3月17日在临汾举行。会议主要议题：（1）审议通过临汾市人大常委会议事规则（草案）；（2）审议通过临汾市人大常委会人事任免办法（草案）；（3）审议通过临汾市人大常委会代表资格审查委员会名单（草案）；（4）审议通过临汾市人大常委会组成人员加强同代表联系的意见（草案）；（5）审议通过关于市人大代表活动经费的决定（草案）；（6）听取关于拟任命人员法律培训和法律考试情况的报告；（7）听取临汾市人大常委会主任陈长禄关于任命临汾市人大常委会办事机构和工作机构负责人的议案的说明；（8）听取临汾市人民政府市长张茂才关于提请临汾市人大常委会决定任命市政府组成人员职务的议案的说明；（9）听取临汾市中级人民法院院长王冀波关于提请临汾市人大常委会任命市中级人民法院副院长、审判委员会委员的议案的说明；（10）拟任命的政府和法院组成人员分别做供职发言；（11）人事任命及其他事项。中共临汾市委书记樊纪亨出席会议并做重要讲话。

·第二次会议·

临汾市第一届人民代表大会常务委员会第二次会议于5月21～23日在市人大培训中心举行。会议应到34人，实到29人，因事因病请假5人。市人大常委会主任陈长禄，副主任李建民、张作明、段克已、师如江、谢碧玲，秘书长石宝兴和委员22人出席会议。临汾市人民政府副市长高清亮、市中级人民法院院长王冀波、市人民检察院检察长胡兴甫、市建设局副局长宋茂林以及各县（市、区）人大常委会主任（或副主任）、临汾日报和市电视台副总编、10个山区县的各1名乡镇人大主席列席会议。滨河路建设工程有关人员旁听会议。

会议主要议题：（1）审议、通过临汾市人民代表大会常务委员会关于实施“三账”监督的决定（草案）；（2）审议、通过临汾市人民代表大会常务委员会关于建立人大代表活动室开展代表闭会期间活动的决定（草案）；（3）审议、通过临汾市人民代表大会常务委员会关于坚持推行执法责任制的决定（草案）；（4）审议、通过临汾市人民代表大会常务委员会关于兴建滨河路工程的决定（草案）；（5）听取临汾市人民政府关于兴建滨河路工程的报告；（6）听取临汾市建设局关于滨河路建设工程可行性规划设计方案及说明的报告；（7）听取关于拟任命人员法律培训和法律考试情况的报告；（8）审议临汾市中级人民法院院长王冀波关于提请临汾市人大常委会任命市中级人民法院庭长、副庭长、审判员的议案；（9）审议临汾市人民检察院检察长胡兴甫关于提请临汾市人大常委会任命市人民检察院副检察长、检察委员会委员、检察员的提案；（10）表决通过人事任命事项和其他事项。

·第三次会议·

临汾市第一届人民代表大会常务委员会第三次会议于7月18～20日在市人大培训中心举行。会议应到34人，实到31人，因事因病请假3人。市人大常委会主任陈长禄、副主任李建民、张作明、段克已、师如江、谢碧玲，秘书长石宝兴，以及24位委员出席会议。临汾市人民政府副市长郝忠礼、董彩霞，原地区人大工委副主任张伟能，市中级人民法院院长王冀波、副院长刘登高，市人民检察院副检察长李嘉贵，市财政局局长张传华，市公安局副局长李彧以及各县（市、区）人大常委会主任或副主任，临汾日报和市电视台副总编，平川7县（市、区）各1名乡镇人大主席列席会议，市政府有关部门工作人员列席相应的分组会议。

会议主要议题：（1）听取和审议临汾市人民政府关于调整产业结构进展情况的报告；（2）听取和审议临汾市财政局关于2001年上半年财政收支预算执行情况的报告；（3）听取和审议临汾市公安局关于“严打”整治斗争情况的报告；（4）表决通过对政府及政府部门“三个报告”分别做出的审议意见；（5）听取关于拟任命人员任前法律考试情况的报告；（6）听取临汾市人民政府市长张茂才关于提请临汾市人大常委会决定任免邵建伟等同志职务的议案的说明；（7）听取临汾市中级人民法院院长王冀波关于提请临汾市人大常委会任命市中级人民法院审判员的议案的说明；（8）听取临汾市人民检察院检察长胡兴甫关于提请临汾市人大常委会任命市人民检察院检察员的议案的说明；（9）拟任命的临汾市公安局局长做供职发言；（10）表决通过人事任免事项；（11）颁发任命书；（12）其它事项。

·第四次会议·

临汾市第一届人民代表大会常务委员会第四次会议于8月21～22日在市人大培训中心举行。会议应到34人，实到33人，因事请假1人。市人大常委会主任陈长禄、副主任李建民、张作明、段克已、师如江、谢碧玲，秘书长石宝兴，以及26位委员出席会议。临汾市人民政府市长张茂才参加会议。市中级人民法院副院长李文生，市人民检察院检察长胡兴甫，市财政局局长张传华，市经委主任杨临生、副主任张英瑞，市劳动局局长张清云以及各县（市、区）人大常委会主任或副主任，临汾日报和市电视台副总编列席会议。

会议主要议题：（1）听取和审议临汾市人民政府市长张茂才关于提请临汾市人大常委会

决定任免市政府组成人员职务的议案；（2）听取关于拟任命人员任前法律培训和考试情况的报告；（3）拟任命人员做供职发言；（4）听取关于召开临汾市第一届人民代表大会第二次会议的决定（草案）的说明；（5）听取和审议临汾市人大常委会法制工作委员会关于《工会法》执法检查情况的报告；（6）听取和审议市人大常委会代表资格审查委员会关于补选代表资格审查情况的报告；（7）通过关于召开临汾市第一届人民代表大会第二次会议的决定；（8）表决通过人事任免事项；（9）颁发任命书；（10）其他事项。市人大常委会人事代表工委主任卫兰田传达中共中央 12 号文件和全国人大办公厅 67 号文件精神。市人大常委会副主任谢碧玲宣读《临汾市市级党政机构改革方案》。

·第五次会议·

临汾市第一届人民代表大会常务委员会第五次会议于9月18～21日在市人大培训中心举行。会议应到 34 人，实到 28 人，因事因病请假 6 人。市人大常委会主任陈长禄、副主任李建民、张作明、段克已、师如江、谢碧玲，秘书长石宝兴，以及 21 位委员出席会议。临汾市人民政府副市长高清亮，市人民检察院检察长胡兴甫，市发展计划委员会主任阎家富、市财政局局长张传华、副局长孙美莲、市教育局局长王刘明、市公安局副局长李彧，17 个县（市、区）人大常委会主任或副主任，新华社山西分社采编室主任惠金义、临汾日报和市电视台副总编，平川 7 县（市、区）各 1 名乡镇人大主席列席会议。市教育局和市中级人民法院有关机构负责人和工作人员列席相应的分组会议。

会议主要议题：（1）听取和审议临汾市教育局关于中小学教育工作和学生家长负担情况的报告；（2）听取和审议临汾市中级人民法院关于建立和完善内部监督制约机制，加大错案责任追究力度的报告；（3）审议《临汾市国民经济和社会发展第十个五年计划纲要（草案）》。

·第六次会议·

临汾市第一届人民代表大会常务委员会第六次会议于 11 月 19～21 日在市人大培训中心举行。就出席会议 34 人，实际到会人员 27 人，因事因病请假 7 人。市人大常委会主任陈长禄、副主任李建民、张作明、段克已、师如江、谢碧玲，秘书长石宝兴，以及 21 名委员出席会议。临汾市人民政府副市长郝忠礼、常富顺，市中级人民法院副院长刘登高，市人民检察院副检察长李嘉贵，市人民政府办公厅主任毛克明，市劳动和社会保障局局长张清云、市司法局局长张胜、市财政局总会计师成凤香、市工商局副局长王绍堂、市经济贸易委员会副主任张英瑞、市乡镇企业管理中心科科长家庭兰、中国人民银行临汾市中心支行办公室主任王荫林，全市 17 个县（市、区）人大常委会主任或副主任，临汾日报和市电视台副总编，山区 10 县各 1 名乡镇人大主席列席会议。5 个民营企业负责人旁听会议。

会议主要议题：（1）听取和审议临汾市人民政府《关于支持民营企业发展情况的报告》；（2）听取和审议临汾市劳动和社会保障局《关于劳动和社会保障工作情况的报告》；（3）表决通过对政府及政府部门“两个报告”分别做出的审议意见；（4）通过《临汾市人民代表大会常务委员会关于进一步开展法制宣传教育的决议（草案）》；（5）其它事项。

【重要文件】

·重大事项·

临汾市人民代表大会常务委员会关于兴建滨河路工程的决定

关于兴建滨河路工程的决定（草案）的说明

临汾市人民政府关于兴建滨河路工程的报告

临汾市建设局关于滨河路建设工程可行性规划设计方案及说明的报告

临汾市人民代表大会常务委员会关于进一步开展法制宣传教育的决议

关于“三五”法制宣传教育基本情况的报告和对《关于进一步开展法制宣传教育的决议（草案）》的说明

·监督·

临汾市人民代表大会常务委员会关于实施

“三账”监督的决定

关于实施“三账”监督的决定（草案）的说明

临汾市人民代表大会常务委员会关于坚持推行执法责任制的决定

关于坚持推行执法责任制的决定（草案）的说明

临汾市人民代表大会常务委员会对市人民政府《关于调整产业结构进展情况的报告》的审议意见

临汾市人民政府关于调整产业结构进展情况的报告

临汾市人民代表大会常务委员会对市人民政府《关于临汾市2001年1～6月份财政收支预算执行情况的报告》的审议意见

临汾市财政局关于临汾市2001年1～6月份财政收支预算执行情况的报告

临汾市人民代表大会常务委员会对市公安局《关于开展“严打”整治斗争阶段性工作的报告》的审议意见

临汾市公安局关于开展“严打”整治斗争阶段性工作的报告

关于全市《工会法》和《山西省实施<工会法>办法》执法检查情况的报告

临汾市人民代表大会常务委员会对市教育局《关于“普九”工作教育教学质量和学生家庭负担情况的报告》的审议意见

临汾市教育局关于“普九”工作　教育教学质量和学生家庭负担情况的报告

临汾市人民代表大会常务委员会对市中级人民法院《关于建立和完善内部监督制约机制，加大错案责任追究力度的报告》的审议意见

临汾市中级人民法院关于建立和完善内部监督制约机制，加大错案责任追究力度的报告

临汾市人民代表大会常务委员会对市人民政府《关于支持民营企业发展情况的报告》的审议意见

临汾市人民政府关于支持民营企业发展情况的报告

临汾市人民代表大会常务委员会对市劳动和社会保障局《关于劳动和社会保障工作情况的报告》的审议意见

临汾市劳动和社会保障局关于劳动和社会保障工作情况的报告

临汾市一届人大常委会第五次会议审议发言摘要

临汾市一届人大常委会第六次会议联组会议审议发言摘要

·人事任免·

临汾市人民代表大会常务委员会任命名单（市一届人大常委会第一次会议）

临汾市人民代表大会常务委员会任命名单（市一届人大常委会第二次会议）

临汾市人民代表大会常务委员会任命名单（市一届人大常委会第三次会议）

临汾市人民代表大会常务委员会任命名单（市一届人大常委会第四次会议）

·自身建设·

临汾市人民代表大会常务委员会议事规则

关于《临汾市人民代表大会常务委员会议事规则（草案）》的说明

临汾市人民代表大会常务委员会人事任免办法

关于《临汾市人民代表大会常务委员会人事任免办法（草案）》的说明

临汾市第一届人民代表大会常务委员会代表资格审查委员会组成人员名单

关于《临汾市第一届人民代表大会常务委员会代表资格审查委员会组成人员名单（草案）》的说明

关于市人大常委会组成人员加强同代表联系的意见

关于《市人大常委会组成人员加强同代表联系的意见（草案）》的说明

关于市人大代表活动经费的决定

关于《市人大代表活动经费的决定（草案）》的说明

临汾市人民代表大会常务委员会关于建立人大代表活动室开展代表闭会期间活动的决定

对市人大常委会关于在全市建立人大代表活动室开展代表闭会期间活动的决定（草案）的说明

临汾市第一届人民代表大会常务委员会代表资格审查委员会关于补选代表的代表资格的审查报告

（贾卫民）

临汾市人民政府

【综述】 市政府认真落实市一届人大一次会议通过的《政府工作报告》提出的各项任务和工作部署，围绕“率先发展，建设中西部经济强市”的目标，推进“三件大事”，实施“六大战略”，全市经济运行质量和效益显著提高，各项社会事业全面发展。

——主要经济指标大幅度增长。全市国内生产总值完成 192.1 亿元，按可比价值增长 12.5%。农业总产值 282956 万元，实现增加值 17155 万元，分别比上年增长 4%和 6.1%；粮食作物产量保持平稳，粮食总产量 12.16 亿公斤，其中夏粮 6.57 亿公斤，秋粮 5.59 亿公斤；经济作物产量增长迅猛，其中棉花产量 6932 吨，比上年增长 171.1%。乡镇企业实现总产值 2955967 万元，比上年增长 24.19%；完成增加值 812889 万元，增长 25.2%。全市限额以上工业企业工业总产值 1495877 万元，按可比价值增长 23.8%；实现增加值 48.1 亿元，增长 20.8%；实现利税 140869 万元，增长 39%。全社会固定资产投资完成 51.9 亿元，增长 15.1%，其中国有经济投资 20.3 亿元，集体经济投资 2.34 亿元，其它经济投资 29.26 亿元；基本建设投资完成 224538 万元，更新改造投资完成 158379 万元，房地产开发投资完成 65879 万元。全年完成外贸进出口总额 6410 万美元，增长 34.9%，实现贸易顺差 2080 万美元；旅游外汇收入 235.39 万美元，增长 37.3%。全市财政总收入完成 18.28 亿元，增长 25.8%；一般预算收入完成 105802 万元，增长 19.95%；金融机构年末各项存款余额 2308939 万元，比年初增长 19.57%；各项贷款余额 1611568 万元，比年初增长 14.14%。社会消费品零售总额 63.6 亿元，增长 8.8%；城市城镇居民可支配收入实现 4697 元，同比增长 13%；农村农民人均纯收入达到 2320 元，增长 5.69%。人口自然增长率 8.5‰。

——产业结构调整取得可喜成果。全市 82 个重点调产项目，有 41 个竣工投产，加上 2000 年竣工的 31 个项目，共新增产值 18.88 亿元，新增税收 1.5 亿元。农业方面，按照“平川抓精品、山区抓特色”的思路，平川重点实施“121”工程，即：6.667 万公顷优质专用小麦基地、13.3 万公顷枣粮间作基地、6.667 万公顷高效果菜基地。粮经作物比例由上年的 7.5∶2.5 调整为 7.2∶2.8；订单农业 5.3 万公顷。侯马乔村、曲沃太子滩等农业科技示范园区 15 个，精品种植园区发展到 0.18 万公顷；特种养殖和饲草作物种植规模不断扩大。山区因地制宜发展“一县一业”或“几县一业”，以优质苹果、酥梨、红提葡萄、红枣、核桃以及小杂粮、食用菌为主的特色生态农业形成一定规模。“壶口”苹果、“寿昌”红枣、“古岳”核桃等 16 个优质产品注册了商标，襄汾“金田元”粉条、浮山神山贡米等 20 个产品申报绿色认证。各类中介服务组织、农村经济合作组织 153 个，农村经纪人队伍发展到 1.1 万人。工业方面，改造传统产业，培育新兴产业，建成临汾海姿、侯马大李、洪洞好义等 5 座 45 万吨以上机焦生产项目；建成侯马建邦、襄汾焦铁、翼城城东等 6 座 125 立方米高炉；华翔迪萨铸造、翼城浍史 V 法铸造、宝业镁合金压铸、丰昆球墨铸管生产线等精密铸造项目已经或即将投产。总投资 8.2 亿元的翼城宏阳一期百万吨轧钢项目，曲沃县总投资 8 亿元的一期 70 万吨轧钢项目开工。侯马晋光药业一期 20 亿粒猴头健胃灵、L-乳酸、霍州钾盐、临汾开发区膜布等项目竣工投产，柠檬酸、翅果油、变态润滑油等项目正在加紧建设。第三产业，新建（扩建）市场 17 个，初步形成以临汾侯马为中心，以农副产品批发、建筑装饰和综合商贸为特色的市场网络框架，市场交易额 47.6 亿元，其中超亿元市场达到 10 个。旅游开发方面，积极运作“中国根、黄河魂”和尧舜古槐寻根祭祖两条热线。全市旅游发展总体规划初步完成，开发建设了尧都广场、霍山生态游等 11 个旅游景点，壶口定为国家“地质公园”，列入全省 10 大旅游景区，大槐树寻根祭祖园被评为全国 4A 级旅游景点。中介组织、社区服务、房地产开发、咨询、信息等现代服务业均有新的发展，第三产业增加值占到各个经济总量的 33.9%。扩大对外开放，积极吸引外资。日本千代田株式会社、广东佛塑集团、甘肃酒泉钢铁公司以及河南、陕西等地国内外商家来临合作投资。

——农业基础条件进一步改善。共争取各类水利投资 1.87 亿元，平川新建、扩建节水增产园区 16 处，完成节水面积 0.48 万公顷，新增有效灌溉面积 0.15 万公顷，改善水地 1.67 万公顷，完成实施面积 13.15 万公顷，完成水保治理面积 8.2 万公顷，初步形成汾河两岸百公里的节水增产园区；山区完成水保治理面积 0.33 万公顷，有 8 条小流域通过全国示范小流域验收，退耕还林还草 1.97 万公顷，造林 6.4 万公顷。建成人畜饮水解困工程 623 处，解决 940 个自然村 18.9 万人，4.23 万头大牲畜的饮水问题。10 个山区县新建沼气池 1687 个，3160 人实现移民搬迁，又有 7 万人解决温饱；全市小康建设取得新进展，9.3 万人达到或基本达到小康标准，涌现出翼城北关等一批标准较高的富裕型小康新村。组织开展万名机关干部下乡减灾促增收活动，办实事 3 万余件，集资捐款、协调贷款 6500 多万元。

——民营经济成为工业经济的重要支柱。民营经济“111”上台阶工程（每年培育 10 个利税上千万元骨干企业，民营企业增加值新增 10 亿元，培育 100 名优秀民营企业家）全面启动。全市民营企业 83505 家，从业人员 488075 人，完成增加值 81.3 亿元，增长 25.2%；民营企业提供税收 4.8 亿元，增长 18.2%，利税超千万元的民营企业由 6 户增加到 13 户；年销售超过 5000 万元的有 96 家，固定资产投资 3000 万元以上 50 余家，全市 2/3 的调产项目由民营企业承担，规模以上工业企业中，民营企业占 50%。

——城镇扩张和基础设施建设步伐加快。编制完成临汾市城市建设 20 年总体规划，投资 13 亿元兴建城市基础设施项目 39 个。滨河路工程完成路基建设，建设路拓宽改造，临汾污水处理厂投入使用。侯马新世纪广场、曲沃广场、汾西广场等一批大众休闲中心相继建成。完成 15 条县城过境路和商贸街建设，新建花园式住宅小区 10 多万平方米，霍州、尧都、侯马、乡宁等一批集中供水、供热和污水处理工程，已经完工或正在紧张施工。侯马、安泽、曲沃、浮山、汾西、吉县、乡宁等县（市）的城镇建设和绿化工作取得实质性进展。尧都屯里镇、洪洞大槐树镇、霍州白龙镇被列为全省小城镇建设试点，曲沃里村、侯马凤城等 6 个小城镇完成规划。全市小城镇基础设施建设投资比上年增长 26%。在公路建设上，以建设高等级路、旅游路和资源路为重点，新开工建设 36 个，新建、改建公路 107.8 公里。82 条旅游路项目竣工，大运高速公路临汾段建设进展顺利。在“两网”改造和电信建设上，完成襄汾襄陵、翼城王庄等 11 个 35 千伏变电站和尧都泊庄等 4 个 110 千伏输变电工程，电信光缆新架设 1050 皮长公里，行政村电话普及率达到 70%。在环境治理上，巩固“一控双达标”成果，取缔一批“土小企业”，大运路、霍侯路以及县乡主要干道的绿化、美化水平不断提高。全市有 12 个县（市）空气质量达到国家 2 级标准，5 个县（市）环境质量持续好转，临汾市区大气悬浮颗粒比上年同期下降 13.18%。

——科学教育和社会各项事业全面发展。首届“产学研”暨高新技术项目发布洽谈会，签订合作协议 63 项，实施 48 项。有 72 家企业与 38 家大专院校和科研院所建立合作关系，40 多个企业建立技术开发机构，自行开发研制新产品 30 余种。各级财政继续加大对科技的投入，市县两级共落实科技三项费用 1385 万元，有 15 个县（市）达到财政预算支出的 1%。以素质教育为目标和以师德师风建设为核心的形象工程全面启动。“普九”人口覆盖率分别高于全国、全省 12 个百分点和 21 个百分点。基础教育办学条件得到进一步改善，有 15 个县（市）通过省“两基”达标验收，“四化学校”达到 159 所。山西师大临汾学院、职业技术学院教学楼等5大教育重点工程基本完成。民办学校达296所。社会保障方面，发放养老金3.2亿元，国有企业下岗职工基本生活费筹集3300万元，5200多名下岗职工实现再就业，再就业率达到47.8%。市直机关的增资政策全部落实到位，为500多名建国前参加工作的老同志办理了财政工资。积极开展各类社会援助活动，4.8万人纳入城市低保，投入低保资金1310万元。文化体育事业日益繁荣，现代戏《土炕上的女人》荣获“中国曹禺戏剧奖”和8个单项奖，《村官郭秀明》公演后引起反响。全省青少年射箭锦标赛在临汾成功举办。卫生改革方面，农村初级卫生保健、地方病防治、乡镇卫生院建设、爱婴医院和卫生等级防疫站创建工作居山西省前列。人口出生率13.5‰，低于省下达的指标2个千分点。防震减灾工作全省第一。

——以国企改革为主的各项改革稳步推进。原地区水泥厂整体划转山西焦化有限公司，实现资产重组；平阳制药厂整体下放侯马市组建霸王药业集团；汾河生化有限公司与霍州煤电集团联合，实现产权主体多元化。全市有9户企业实施破产，8户企业进行拍卖。财政体制改革进展顺利，机构改革稳步推进，医改工作正在加紧进行。

——市场秩序和经济发展环境明显好转。深入开展对假冒伪劣商品、税收征管、金融秩序、矿山安全、道路交通、建筑市场和文化市场的集中整治。特别是在整顿矿山秩序上，先后关闭非法和布局不合理煤矿96座，停产整顿煤矿809座，铁矿123座。转变政府职能，改进工作作风，实施“353”源头治理工程（即建立“三个中心”，规范“五项程序”，抓好“三个公开”），大力推广“一站式”服务和“阳光作业”，财政集中核算、预算外收费和行政审批3个中心投入运行，取消行政审批事项284项，不合理收费93项。

——民主法制建设进一步加强。坚持依法行政，自觉接受监督。办理市人大代表建议和意见69件，市政协委员提案226件。“四五”普法教育深入开展，法律服务体系日趋完善。农村基层民主制度得到落实，90%的村实行村务公开。深入开展打团扫恶、治爆缉枪、网上追逃等专项斗争，破获各类刑事案件3362起。认真落实党风廉政建设责任制和经济审计责任制，依法严惩各类腐败分子，廉政建设和反腐败斗争取得阶段性成果。

【市政府常务会议】

·第一次常务会议·

1月21日召开，张茂才主持，研究2001年工作安排。

·第二次常务会议·

2月2日召开，张茂才主持，宣读市长、副市长分工，并安排当前工作。

·第三次常务会议·

3月4～5日召开，张茂才主持，听取并研究市经贸委、建设局、化工公司2001年工作要点；听取并研究市交通局、临汾公路分局、市煤管局、临汾煤炭运销公司2001年工作要点。3月5日，听取并研究市环保局、国土资源局、重工公司2001年工作要点；听取并研究祁临高速公路、临侯高速公路征地和拆迁问题。

·第四次常务会议·

3月20～22日召开，张茂才主持，听取并研究市财委、财政局、粮食局2001年工作要点。3月21日，听取并研究市外贸局、统计局、商贸总公司、供销社及金融部门2001年工作要点；听取并研究市教育局、卫生局、计生委、广电局、科技局、旅游局2001年工作要点；听取并研究市文化局、体育局、地震局、宗教局、物价局、计委2001年工作要点。3月22日，听取并研究市公安局、乡镇局2001年工作要点；听取并研究市民政局、人事局、农业局2001年工作要点。

·第五次常务会议·

4月5日召开，张茂才主持，研究山西焦化厂兼并市水泥厂问题。

·第六次常务会议·

6月1日召开，张茂才主持，研究平阳制药厂整体划归侯马市并组建医药集团问题。

·第七次常务会议·

6月28日召开，张茂才主持，研究撤地设市后城市建设管理体制问题和居民最低生活保障问题。

·第八次常务会议·

7月6日召开，张茂才主持，研究《临汾市国民经济发展十五规划》和人员编制问题。

·第九次常务会议·

7月23日召开，张茂才主持，研究《临汾市国民经济发展十五规划》的有关问题。

·第十次常务会议·

7月23日召开，张茂才主持，研究民营经济二次创业问题。

·第十一次常务会议·

8月20日召开，张茂才主持，研究信用社的整顿问题；研究成立市财政信用资金管理中心、市国有资产管理中心、市级物业管理中心问题，决定人事任免。

·第十二次常务会议·

8月21日召开，张茂才主持，研究市政府驻外机构整顿问题；对全市计生工作进行督查的有关事宜。

·第十三次常务会议·

8月22日召开，张茂才主持，研究招商引资工作和《200万亩枣粮间作建设可行性报告》。

·第十四次常务会议·

9月30日召开，张茂才主持，研究企事业、公安机构收编问题；研究大运高速公路经济整合和召开项目会问题，环境保护工作；霍州市130万吨机焦项目问题；平阳钢铁厂、互感器厂破产有关问题。

·第十五次常务会议·

12月6日召开，张茂才主持，研究平阳钢铁厂、互感器厂破产有关问题；市人民医院急救中心有偿转让中心血站有关事宜；加强基础教育工作问题；行政审批制度改革问题；市区建设用地审批权限上划的问题。

·第十六次常务会议·

12月23日召开，张茂才主持，研究加强土地管理问题；改革城区户籍管理制度问题；文物管理问题。

【专题会议会议纪要】 《关于解决乡宁县元甲、跃进两煤矿资源纠纷与斗欧事件的会议纪要》。

《关于尽快妥善处理临钢塔儿山铁矿“11·4”地质灾害事故的会议纪要》。

《市领导在重点民营企业现场办公会议纪要》。

《市政府领导在山西三维集团等企业现场办公会议纪要》。

《关于理顺马务汾河大桥有关问题的会议纪要》。

《关于市人民医院旧门诊楼和临一中旧实验楼安全问题的会议纪要》。

【重要文件】

·决定、规定·

关于对预算外资金实行统筹调剂集中使用的决定

关于全面推进依法行政的决定

2001年冬季征兵命令

关于印发《临汾市住房货币化分配实施办法》的通知

印发《临汾市城市居民最低度生活保障暂行办法》的通知

印发《临汾市招商引资实施办法》的通知

印发《临汾市市直单位会计集中核算实施办法（试行）》的通知

印发《临汾市政府采购管理暂行办法》的通知

印发《临汾市财政预算外资金集中收费管理暂行办法》的通知

印发《临汾市城市市容管理暂行办法》的通知

印发《临汾市城市绿化管理暂行办法》的通知

印发《临汾市城市环境卫生管理暂行办法》的通知

印发《临汾市城市规划管理暂行办法》的通知

关于对大运高速公路（临汾境内）建设实行全封闭施工的通知

关于公布临汾市第一批取消的行政审批事项和行政收费项目的通知

印发《临汾市城市居民最低生活保障暂行

办法实施细则》的通知

关于第二批取消及调整行政审批事项和收费项目的通知

·意见、方案·

关于确保大灾之年农民收入稳定增长的意见

关于山西省临汾人民警察学校重新申报核定办学规模的意见

关于进一步支持和引导农村信用社发展的意见

转发省政府《关于加快体育产业发展的意见》的通知

印发《2001 年全市农业和农村工作要点》的通知

关于印发《临汾市滨河路建设工程实施方案》的通知

关于印发 2001 年全市防震减灾工作要点的通知

关于印发《临汾市 2001 年地质灾害防灾预案》的通知

印发《关于关闭国有煤矿矿办小井和乡镇煤矿停产整顿的实施意见》的通知

印发《临汾市 2002 年小麦生产方案》的通知

关于组建山西师大临汾学院的通知

转发《霍州市人民政府霍州市人民武装部关于做好 2001 年度民兵训练经费统筹工作的通知》的通知

关于表彰临汾市教育系统教学明星模范校长教学新秀的通知

转发人行天津分行《关于对临汾市翼城县城市信用社实行停业整顿的函》的通知

转发人行天津分行《关于对临汾市霍州市城市信用社实施停业整顿的函》的通知

转发人行天津分行《关于对临汾市浮山县城市信用社实施停业整顿的函》的通知

关于认真搞好第 2 次军事设施保护区域划定工作的通知

印发《临汾市质量立市实施方案》的通知

批转市煤炭领导组《关于加强公路煤炭运销管理的实施意见》的通知

印发临汾市残疾人事业"十五"规划的通知

·通报·

关于 1999 年～2000 年环境保护目标责任制完成情况的通报

关于洪洞县山头乡李淑记煤矿"3·15"瓦斯爆炸事故调查处理意见的通报

关于对全市财税系统先进单位进行表彰的通报

关于 2000 年度工业经济兑现表彰的通报

·报告·

关于我市实情及灾民夏荒情况的报告

关于临汾地区外贸进出口公司申请焦炭出口许可证的报告

关于临汾市焦炭生产与出口情况的报告

关于全市及市本级 2001 年地方财政收支预算备案的报告

关于临汾地区外贸进出口公司申请焦炭出口许可证的报告

关于调整产业结构进展情况的报告

关于《临汾市整顿信托投资机构处置方案》的报告

关于我市农业实情及农业税灾欠减免财政专项补助的报告

关于解决我市企业离退休人员养老金确保基金缺口的紧急报告

关于临汾市煤炭气化公司城市煤气焦炉易地扩建改造立项问题的紧急报告

关于撤销山西省信托投资公司临汾办事处的报告

关于验收文化先进县的报告

关于省审计厅对我市 1999～2000 年度财政决算审计报告的意见

·批复·

关于滨河路建设工程规划方案的批复

【政令辑要】

·住房货币分配实施办法·

4 月 16 日，发布《临汾市住房货币化分配实施办法》，规定所有驻临的党政机关、财政全额预算的事业单位，均应实行住房分配货币化制度。凡参加过房改的单位（简称"房改单位"）

的固定职工、合同制职工（含离退休职工），符合下列情形之一的，均可实行住房分配货币化制度。1.单身职工或双职工家庭夫妻双方（含在异地）自参加工作之日起均未以任何一方名义按房改政策购买或租赁单位公有住房、政府直管公有住房者（简称“无房户”）；2.按房改政策购房而未达到政府规定的各类人员住房面积标准的（简称“未达标户”）；3.新、老职工的划分。2001年7月1日前参加工作的无房职工和住房未达标职工称老职工；2001年7月1日后参加工作的职工称新职工；4.参加过集资建房而未履行房改审批手续的视为有房户。集资建房者享受房改政策未到位的，必须经房改办审批和评估后，按实际情况确定补贴事宜。各类人员住房补贴面积（建筑面积）标准为：国家公务员和参照公务员的职工，地厅级140平方米，县处级100平方米，科级80平方米，科级以下60平方米，工龄25年（含25年）以上的科级以下干部按科级对待。机关工勤人员，技术工人中的初、中级工和25年以下的普通工人60平方米，25年（含25年）以上工龄的普通工人80平方米，技术工人中的高级技师100平方米。符合规定条件的职工，实行住房分配货币化后，均可获得一定数额的住房补贴。住房补贴是职工个人用于购、建住房的专项资金，归职工个人所有，做为个人住房基金，专户储存、统一管理、专款专用。本办法自公布之日起施行。

·城市居民最低生活保障暂行办法·

9月11日，发布《临汾市城市居民最低生活保障暂行办法》，规定凡具有县（市、区）常住城市非农业户口并在本辖区内居住的居民，家庭收入低于政府规定的最低生活保障线的，均属保障对象。我市城市居民最低生活保障标准除尧都区月不低于140元，侯马市、霍州市月不低于110元外，其余均月不低于90元。保障对象申领保障金，由户主向所在地的居委会提出申请，填写《临汾市城市居民最低生活保障金申请表》，并提供其家庭成员有关单位出具的收入证明，经居委会调查核实，街道办事处审核，县级或上级民政部门批准，保障对象每季度持户口本、身份证、领取证到指定地点领取。本办法自2001年10月1日起施行。

·招商引资实施办法·

9月26日，发布《临汾市招商引资实施办法》，鼓励外商到临汾市兴办符合国家产业政策和环保政策的项目。优先发展高新技术产业的电子信息技术及新材料、生物与制药等项目；优先发展农业综合开发、农业新技术、新品种、生态农业及农副产品深加工项目；优先发展煤化工、精细化工、精密铸造等加工项目；优先发展交通、通讯、城市供水、供气、供热、垃圾处理等基础设施项目；优先开发以黄河壶口为代表的旅游景点和临汾尧都、洪洞大槐树为代表的根祖文化项目。对生产性外商投资企业，经营期在10年以上的，从开始获利年度起，第1年和第2年企业所得税由征收当地财政全额退给企业，第3～5年减半退给。对国家鼓励类外商投资企业，在现行税收优惠政策执行期满后的3年内，可以减按15%的税率征收企业所得税。外商投资企业使用土地，由县以上人民政府土地行政管理部门通过划拨或出让的方式办理审批手续。以出让方式取得土地使用权的外商投资企业，不再交纳场地使用费。对引进资金的中介机构和个人，允许提取一定数额的劳务费给予奖励。奖励范围为市辖区内引资项目（含中央、省属企业）；奖励标准按引进资金实际到位额的1%计奖。为企业引资的奖金由企业从自有资金中支付，为社会公益性项目引资的奖金由同级财政支付。本试行办法自公布之日起施行。

·会计集中核算实施办法·

11月21日，发布《临汾市市直单位会计集中核算实施办法（试行）》，规定市直党政机关、人大、政协、社会团体、财政拨款的事业单位及经政府授权执行收费或罚没职能的事业单位，均纳入会计核算中心实行集中核算。集中核算的资金包括：1.财政预算内外拨款；2.财政专项拨款；3.从财政专户调入的预算外资金；4.政府性基金；5.其他资金。凡进入会计集中核算的单位不再设立核算会计岗位。进入会计集中核算的单位原开设在商业银行的账户一律撤销，由会计核算中心统一在银行开设预算内、预算外、专项资金3个账户。其资金结算、财政拨款、预算外资金的支出，往来款项的支付均通过会计核算中心统一进行分户核算。会计核算中心采取“大厅式办公、柜组式作业”方式，对外敞开办公，利用计算机网络进行财务处理、编制会计信息资料，为进入会计核算中心的单位提供查账、咨询服务。本试行办法自公布之日起施行。

（贾晓林）

政协临汾市委员会

【综述】　市政协围绕中心、服务大局，积极履行职能，全面完成市政协一届一次会议确定的任务。各项工作都有了良好开端，初步形成党委重视、政府支持、政协主动、部门配合的良好氛围，为广泛团结社会各方面的力量，促进改革开放、经济发展、社会进步、安定团结发挥积极的作用。

——调查研究、建言献策。选择农业结构调整，民营经济发展，人才问题3个题目进行调研。分别由主席、副主席带队，编成6个组，先后在尧都区、襄汾、安泽、古县、翼城等13个县（市、区），对蔬菜、水产、林果、畜牧、种植、乡镇企业等6个专业项目进行调研活动，形成关于临汾农业结构调整的建议报告。7、8月，分县（市）两级对全市民营经济发展情况进行针对性视察调研，撰写视察调研报告28篇，形成关于进一步加强民营经济发展的建议报告。11月，由市政协副主席带队深入蒲县、大宁、隰县、洪洞、尧都区等县（市）了解人才管理工作、依法行政、制度创新情况，提出进一步加强和改进人才工作管理建议。

——认真办理提案，反映社情民意。共收到委员提案274份，其中立案处理的225份，占提案总数的82.4%，重点提案14份，占提案总数的6.2%，做为意见处理的48份，占提案总数的17.6%。2月28日召开有市委、市政府分管领导及市直各部门负责人参加的提案交办会。5月8日由市委、政府、政协3个办公厅联合下发《山西省临汾市办理政协提案的规定》。涉及部门多的提案加强协商，对答复较慢的提案，亲自到单位督促，对重点提案召开提案督办会和协商会，已交回答复205份，大部分提案答复较好，委员对提案办理答复表示满意和基本满意的达到100%。积极反映社情民意，编发《社情民意》信息刊物，出台《临汾市政协系统信息工作暂行考评办法》，调动委员撰写社情民意积极性。编发《社情民意》刊物225期，信息476条。其中中央办公厅、国务院办公厅、全国政协办公厅各采用2条，国家级报纸内参共采用7条，省委、省人大、省政府、省政协办公厅和省级报纸内参共采用75条，市四大领导班子领导同志批示及有关部门采纳或考虑的165条（次），市委、政府办公厅和《临汾日报》共采用60条，总采用和批示率达70%。

——突出团结主题，不断增进共识。“七一”和十五届六中全会之后，市政协召开学习座谈会，统一委员们对许多重大问题的认识，增强政协各参加单位和各界人士团结合作的政治基础和思想基础。切实加强与党派团体的联系沟通，市政协的领导同志建立联系县（市、区）政协和联系党派界别制度，先后参加40余次县（市、区）政协和各党派界别会议活动。2月5日，市政协组织驻临省政协委员召开“出主意、话发展、做贡献”座谈会；4月30日，市政协组织经济企业界委员召开庆“七一”、话发展座谈会。积极推动委员与各自所代表的党派、团体、界别成员和各界群众联系，宣传党的方针政策，巩固和扩大爱国统一战线。积极协助党委、政府做好协调关系，化解矛盾工作，维护安定团结的政治局面。

【市政协一届常务委员会会议】

·第一次常委会议·

1月18日召开。陈保堂主持。讨论通过2001年市政协工作重点。主要内容：认真学习，不断提高政协机关工作人员及广大委员的政治素质和思想水平，增强履行政协职能的自觉性和积极性；深入调研，不断提高建言献策的质量和水平，为实现临汾率先发展，建设中西部经济强市提出真知灼见；加强团结与民主，充分发挥政协爱国统一战线的作用，维护安定团结的政治局面；发挥桥梁纽带作用，切实做好提案和反映社情民意工作，及时反映广大委员的意见和建议；搞好建设，建立行之有效的议事程序，使广大委员履行职能走上规范化和制度化的轨道。

·第二次常委会议·

6月25～26日召开。赵兰田主持。讨论并通过《关于以加快发展为主题，以结构调整为主线，努力再造临汾发展新优势》的建设报告，会议还讨论通过《政协第一届临汾市委员会常务委员会工作简例》和《政协第一届临汾市委员会工作委员会工作简则》，以及有关人事任免事项。

·第三次常委会议·

9月17～18日召开。陈保堂主持。讨论并通过《关于临汾市民营经济发展问题建议报告》。建议共6点：解放思想，更新观念，与时俱进，务实创新，真正把加快民营经济发展做为现阶段临汾经济发展的重中之重；制定民营经济发展规划，促进民营经济健康快速发展；要放开产业限制，扩大市场准入范围，给民营经济以“国民待遇”；改善民营经济发展的外部环境，加强调查，建立健全民营企业服务体系；多元投资服务，多种组织形式参与，多层次结构担保，尽快建立和完善民营经济发展的金融支撑体系；体制创新，科技武装，整合强大，苦练内功，着力提高民营企业整体素质。

·第四次常委会议·

12月24～25日召开。陈保堂主持。讨论并通过《关于进一步优化临汾人才环境大力实施人才战略的建议》。主要内容：尽快出台《临汾市吸引优秀人才暂行办法》和《临汾市科技进步奖励条例》；组建临汾专家顾问团，为科技决策提供强有力的智力支持；出台人才基金制度，多方筹措人才基金；在专业技术人员比较集中的部门和单位进行评聘分开的试点工作；把教育、卫生系统的人事制度改革推向纵深；出台鼓励人才向经济建设第一线和艰苦地区流动的政策；加强和规范人才市场建设，大力推动以市场配置为主的人才管理模式。

【重要文件】

·通知·

《关于做好政协一届二次全会议政发言工作的通知》

《关于做好文史资料征集出版工作的通知》

·办法·

《全市政协系统信息工作考评暂行办法》

·报告·

《关于成立中国人民政治协商会议临汾市第一届委员会党组的报告》

《关于进一步推进农业结构调整的建议报告》

《关于进一步加快民营经济发展的建议报告》

《关于城市建设的视察报告》

《关于进一步优化人才环境大力实施人才战略的建议报告》

（王智刚）

党务政务

市委办公厅工作

【文秘工作】 文稿起草方面，切实吃透领会中央、省、市的重要文件、领导讲话和会议精神，做到政治坚定，头脑清醒；及时了解和掌握全市改革发展稳定中的新情况、新问题、新经验，做到心中有全局，工作有重点；准确领会和把握领导意图，强化大局意识，做到表述准确、文风朴实。累计完成文字量50余万字，编发《临汾情况》11期。公文印发方面，严把文件质量关，坚持准确、及时、规范、简洁的原则，对每一份文件都反复审核，认真把关；严把发文程序关，进一步强化公文的严肃性，协助领导精简文件；严把文件政策关，力求达到文件内容的正确性和文字的严谨明确；严把公文规范关，在文件的种类、格式、行文规则、起草要求、校核编印等方面做到准确、规范；严把文件时效关。全年共办理各种文件236件，其中临发文件24件，临办发93件，临字文件27件，厅字64件，办公厅通报18期，会议纪要8件，临办字2件。文档管理方面，按照安全、准确、及时的要求，做到不遗失、不出错、不积压。共接收省级以上文件、资料14200余份，给予领导传阅文件1800份，落实领导批示105件，编号分发市级文件54222份、省级21500份。整理档案106卷，资料17本，写卷皮255卷，接待查阅者130人次，调阅档案153卷，利用卷数143件，复印面数203页。

【信息工作】 按照及时处理紧急信息、全力畅通信息渠道，不断提高信息质量的工作思路，紧紧围绕市委中心工作，从改革发展稳定的大局出发，突出尊重事实、快速准确和对路实用等特点，全面加强信息的采集、整理、整体开发与利用，狠抓信息网络建设和信息员队伍建设，在增强信息独特性上下功夫，在体现信息服务性上下功夫，在提高信息实效性上下功夫。全年共编发《临汾信息》182期1028条，编发《山西临汾信息》1087期1087条，编发《临汾信息》增刊、副刊、调研信息16期，中办采用系数60，列全国37位，在省办采用积分741分，列第5名。其中市委办公厅采用积分423分，列全省各市地之首。

【督查工作】 围绕中心，决策督查有新突破。全年共组织各种形式的督促检查30余次，做到对重点工作督查和对一般工作的督查相结合，阶段性督查和连续性督查相结合，促进市委、市政府重要工作任务的落实。加大力度，专项督办有新的举措。把领导批示和交办事项的督查落实做为督查工作的一项重要内容，共办理省市领导批示的查办案件8件，政协委员提案48件，做到批必查，查必果，果必办。办好“三报”，情况反馈有新的提高。共编发《督查专报》35期，《督查通报》4期，《临汾督查》26期，《督查月报》8期，《督查情况》2期。其中《督查专报》第6期《隰县撤并乡镇工作注重“三个结合”》、第13期《临汾市农村“三个代表”学习教育扎实有效》及第28期《实践“三个代表”，抓好决策落实》3篇被省委办公厅《督查情况》全文转发，其余多篇被综合采用，是近年来上报材料被上级部门转发采用最多的1年。强化机制，队伍建设有新的进展。

【机要工作】 扎实工作，紧紧围绕市委工作大局，把发展做为主题，把加强管理做为主线，把科技创新做为动力，把提高密码保密水平和确保密码通信安全畅通做为根本出发点，建立层层负责制，健全规章制度，组织密码保密大检查，严格制度，严格管理，严格要求；保密、快速、准确地办理好每一份电报，加强对重要任务、重点部位的具体指导力度，确保不发生失泄密事故和压误重要电报和责任事故，充分发挥机要工作的“生命线、保障线、指挥线”作用。

（曹樯）

·市信访局·

【概述】 全年市、县两级共受理群众来信来访34062件次，比上年同期的33717件次上升1.02%；处理群众集体上访1016批21578人次，比上年同期的894批21510人次，批数上升13.65%，人数上升0.32%。市局受理群众来信来访6085件次，比上年同期的6121件次下降0.59%；处理群众集体上访167批4085人次，比上年同期147批4130人次，批数上升13.61%，人数下降1.09%。尧都区“区长热线”6月19日开通以来，受理有效热线72448件，办结67739件，办结率93.5%。

【“信访案件集中查办月”活动】 进入8月，信访形势趋于严峻，群众赴省越级集体上访高达8批155人次。市委决定10月份为“信访案件集中查办月”，重点查办没有得到彻底处理到市赴省重大集体上访、上访老户和省里交办的重点信访案件。“查办月”中，市、县、乡3级共排查信访案件660案，查结595案，查结率90．15%。其中：市立30案，查结27案；县（市、区）立226案，查结193案；乡（镇）立404案，查结375案。随着大量信访问题的解决，全市信访形势逐渐趋于平稳。

【“乡镇书记办信访”活动】 乡镇党委从源头治理信访，积极办理群众信访案件。活动开展后，乡镇一级立404案，查结375案；写出有价值的调研文章30篇，《山西信访通讯》刊登4篇。“乡镇书记办信访”受到省和国家信访局的好评。

【全市信访工作会议】 9月25日，召开有信访工作领导组成员，平川7县（市、区）长和汾西县委书记，各县（市、区）分管副书记或副县（市、区）长、信访局长，市直各单位和各大厂矿企业分管领导、信访科长，共160余人参加的全市信访工作会议。会议由市委常委、副市长郝忠礼主持。省信访局副局长李月虎，市委副书记刘合心，市委常委、政法委书记李平郎，市委常委、市委秘书长卢健清等领导到会并讲话。会议要求，站在“三个代表”的高度，进一步加强对信访和稳定工作的领导；集中解决一批群众关心的热点、难点、焦点问题；突出重点，认真落实监控和防范措施；加强基层基础工作和信访机构建设，努力提高信访干部队伍整体素质。

（梁洪运　刘轶文）

·市保密局·

【概述】 按照国家保密局《关于加强保密依法行政的意见》和《山西省保密工作依法行政办法》，以继续抓好计算机信息系统的技术防范和管理、规范定密工作、重点涉密人员的教育和管理3项工作为重点，强化执法手段、健全规章制度、规范执法程序，积极有效地开展保密行政执法工作。加快发展保密技术，充分利用现有的检查设备，加强对网上信息的保密监督检查，严防网络泄密事件的发生。加强保密队伍建设，市县两级保密工作部门，采取集中培训、以会代训、以考代训等方式，对干部职工，特别是重点涉密人员进行保密知识培训，全年共组织培训38期人次，参训人员达3000人次，使全市各级专兼职保密干部和涉密人员的业务能力进一步增强，保密干部的综合素质进一步提高。

【保密法制宣传】 认真落实党政领导干部保密工作责任制，加强对本地、本部门保密工作的领导。市、县两级党校、干校把保密教育纳入教学计划，基本保证人员、时间、内容三落实；利用开展活动、举办培训等各类载体，进行形式多样、行之有效的保密法制宣传教育。先后组织178名党政领导干部、保密委成员和专兼职保密干部，赴并参观《警钟长鸣——窃密泄案例展》巡展。市委副书记、市长张茂才在《保密工作》、《山西保密工作》上发表《做好新形势下保密工作，必须强化教育，狠抓落实》的文章。开展保密法宣传周活动。制定全市“四五”保密普法规划并对2000年度保密工作和“三五”保密普法先进集体、先进个人进行表彰。

【依法规范保密工作】 及时总结推广霍州煤电集团、市检察院、尧都区委组织部等定密先进经验，在全市范围内广泛宣传，起到典型示范作用。对曲沃、古县、襄汾等县（市）定密单位进行检查整顿，指导帮助。对侯马、人行、山西师大定密人员进行培训。在全省部分大中型企业、科研院校的保密检查中，山西师大的定密工作受到省局好评。坚持在“五一”、国庆、元旦、春节等重大节假日前对辖区各重点涉密单位的保密情况、秘密载体的保密管理情况进行检查。市国家保密局对召开“两会”、市县乡机构改革和大中专招生考试中的保密工作进行专项检查。按照《印刷、复印行业复制国家秘密载体暂行管理办法》的规定，对市直单位复制国家秘密载体情况进行抽查。对部分单位存在的违规行为及时纠正，确保国家秘密载体按要求在定点单位复制。经严格筛选，并经省国家保密局审批，增补临汾市聋哑学校印刷厂、临汾市金盾印刷厂为国家秘密载体定点复制单位。

【保密检查】 坚持把计算机信息系统的技术防范和管理做为保密技术工作的重点，严格执行《计算机信息系统国际联网保密管理规定》，利用“INTERNET信息保密检查搜索器”，对市直机关、企事业单位的网上信息进行抽查。在省局组织的保密检查中，山西焦化集团的网上信息发布工作，得到好评；定期不定期地对重点涉密部门的办公电话、办公环境进行保密技术检查，及时堵塞失泄密漏洞。

【查处泄密事件】 古县县委机要科“6·30”密码卡丢失事件发生后，市委立即召开全市机要保密工作紧急会议，市国家保密局立即会同公安、安全、机要等有关部门开展对事故的查处工作，在较短时间内侦破此案，找到丢失密件，将犯罪嫌疑人依法逮捕，给予有关责任人以党纪、政纪处分。同时，对全市重点涉密单位特别是机要部门进行检查整顿，健全规章制度，配备必要保密防范设备，增强广大涉密人员的保密意识。

（苏孟彦）

组织工作

【概述】 坚持认真贯彻落实全国、全省组织工作会议及市一次党代会和省八次党代会精神，紧紧围绕改革、发展、稳定的大局，建设中西部经济强市的奋斗目标，以制度改革和机制创新为动力，狠抓领导班子思想政治建设、市县乡机构改革、干部制度改革、干部监督、农村“三个代表”重要思想学习教育、老干部和知识分子等重点工作，为全市经济和社会发展提供坚强组织保证。

【创新县级干部选人机制】 机构改革中领导班子调整配备工作，创新干部人事制度改革，市委先后调整干部387名，其中提拔县级干部179名，交流干部208名，探索出一条较为科学、规范的选人用人办法。

综合运用各种改革举措，确定领导班子配备的基本思路。机构改革中，市、县两级干部调整面比较大，结合实际，出台《关于在党政机构改革中党政领导班子调整配备的意见》，《意见》贯穿7条原则：坚持尊重民意，注重实绩的原则。把民意和实绩做为决定干部升降去留的主要依据，尤其是把民主推荐、年度考核和“三讲”教育结果结合起来，通过科学的定量分析选拔人才；坚持公开公平，竞争择优的原则，在干部选任中，认真落实人民群众的知情权、参与权和监督权，在选拔过程中实施阳光作业；疏通渠道，促进分流的原则，通过制定切实可行的优惠政策和适当的刚性措施，分流腾出一些领导岗位；改善机构，强化功能的原则，加大年轻干部的选拔力度，积极改善班子的年龄、知识和专业结构；坚持任职回避，合理交流的原则，明确交流对象和交流办法；机会均等，统筹使用的原则，统一尺度、统一标准、统一政策、机会均等；严格政策，不搞变通的原则，不搞超职数配备，不再设置助理职务等。

严格按照全面考核、综合评价、动态观察的方式选人用人。选任正县级干部时采取“四票”（年度考核票、“三讲”测评票、民主推荐票、综合排队票）、“五榜”（年度考核结果、“三讲”测评结果、民主推荐结果、综合排队结果、考察对象确定结果分五次张榜分布）－公示（任前公示）的办法。按照这一要求，在全市范围内以县（市、区）和市直各大口为单位，进行大规模民主推荐活动，共产生正县级后备人选 68 人，副县级后备人选 800 余人，并及时把有关情况向社会公布。将 68 名正县级后备人选的民主推荐得票率、近两年年度考核优秀票率（两年平均值）、“三讲”测评满意率，分别按 50%、30%和 20%的比例计入总分，综合排队后张榜公布，然后从高分到低分，根据岗位需求确定 45 名考察对象。经组织考察和常委会研究后，确定 36 名正县级人选；在副县级干部选用上，则采取“一推”（民主推荐）、“三考”（考试、年度考核、考察）的办法。全市共有 1500 余名科级干部参加民主推荐，初步入围的 800 余名人选中，有 434 名参加市委组织部统一组织的闭卷考试。考试结束后，将每个干部民主推荐得票率、近 3 年度考核优秀得分（每个优秀 5 分），考试成绩，分别按 50%、15%和 35%的比例，进行综合排队，根据岗位需求的数量，从高分到低分依次划定范围，对 100 多名初步人选进行严格认真资格审查，最后确定 99 名考察对象。由于坚持综合评价，历史考察的选任方式，有效克服简单地以“票”取人或以“分”取人等现象。

规范运作，民主决策，强化监督，保证选任工作的公开公正。具体操作中，坚持三点：建立公开运作机制。正县级选拔中，及时将民主推荐结果、年度考核结果、“三讲”测评结果、综合排队结果、考察对象确定结果分 5 次进行张榜公布。副县级也将民主推荐结果，考试、考核结果及时公开。每次考察对象确定后，又立即在电视、报纸、市委大门等显著位置进行为期一周的公示，接受群众监督。建立全程的监督机制。市委组织部设立举报电话，市纪委和组织部干部监督科室的同志自始至终参与选拔任用的全过程，尤其在资格审查、考试考察等关键环节，严格把守，细查硬审，对个别弄虚作假者坚决取消任用资格。严格按综合评比和考察结果任用干部。在考核、考察结果出来后，部务会和常委会都充分尊重结果，根据职位情况和每个干部特点进行认真研究，做到科学合理地使用干部。由于始终坚持公开选人、用制度选人、以实绩选人的基本思路，这次机构改革中虽然干部调整面比较大，但社会反响非常好，各级领导和广大干部群众给予充分肯定和支持。

在抓好党政领导干部选拔任用工作的同时，还注重结合事业单位实际，确定符合事业单位特点的选人用人标准，采取多种办法配齐配强事业单位领导班子。对医院、学校、蒲剧院、设计院等业务性强、专业技术要求高，工作相对独立的单位，不参加全市统一的选拔工作，拿出来单独考虑，对内部有成熟人选的通过民主推荐和组织考察，大胆任用；对暂时没有成熟人选的，采取公开招聘、竞争择优的办法进行选任。撤乡并镇工作中对新的乡镇领导班子职数设置和配备等提出明确要求。具体操作中，各县（市、区）吸取干部制度改革优秀成果，采取民主、公开和综合评价的办法选人用人，乡镇领导班子成员总数由 2388 人减少到 1396 人，减少 41.5%，达到精简机构人员、提高工作效率的目的。

【“三个代表”重要思想学教活动】 超前准备，强化指导，扎扎实实推进学教活动。对撤乡并镇后农村面临的情况进行认真调查研究，制定实施意见，组建市、县两级学教领导组及其办公室，建立健全学教活动督查指导队伍，使学教活动在全市扎实有序地开展。全市学教活动先后分乡镇和县直部门，村级试点，村和乡、镇站所 3 大块进行，共涉及学教单位 8334 个，学教对象 103912 人。第一批从 3 月 26 日开始到 8 月 10 日告一段落，历时 4 个多月，全市 18 个县（市、区）（含临汾经济技术开发区）的 151 个乡镇、1269 个县直部门、342 个垂直条管部门，共计1862个学教单位、55026名学教对象参加学习教育。村级试点工作从8月15日到10月中旬结束，侯马市做为全市的试点与其余16个县（市、区）各确定的一个乡镇共21个乡（镇、办），739个学教单位、5056名学教对象参加试点。第二批学教活动于11月15日后全面铺开。参加的单位共5733个，其中行政村3057个，乡镇站所2676个；学教对象共43830人，重点对象27929人。共组建3个巡视组6人，18个检查组52人，348个县（市、区）指导组968人；村级试点工作中，组建指导员队伍639人；村级和乡镇站所学教活动中，组建141个督导组705人，驻村和站所指导组3948个10663人。以学教活动为契机，大力加强农村基层组织建设。全市共健全村党支部班子245个、村委班子185个，协调两委班子关系359个，基本解决村级班子不健全，两委关系不协调的问题。通过学习实践“三个代表”重要思想，真正达到使“干部受教育，农民得实惠”的目的。

【筹备撤地设市三个会议】 广泛宣传，为首届人代会、政协会、党代会召开奠定思想舆论基础。通过在电视台、临汾日报开辟专题栏目和印发宣传资料等方式，提高对开好“三会”重要性的认识，增强参政议政责任感。宣传《中国共产党地方组织选举工作条例》。通过以会代训等形式，组织基层从事这项工作的同志认真学习、深刻领会其核心内容，严格按《条例》办事。抓住姜建忠贿选县长和岳更生等5人贿选人大代表两起典型事件，大力宣传《选举法》和党的组织原则与纪律，端正选举风气。营造良好舆论氛围。悉心筹备，为3个会议召开奠定扎实的工作基础。协助省委组织部对市级领导班子进行民主测评、民主推荐和考察，并提出四大班子初步人选。及时向市委呈报，并以市委文件分别下发有关召开“三会”的决定、决议以及代表、委员选举推荐工作通知，对人大代表、党代表及政协委员的名额、构成比例、条件要求、分配原则、提名推荐和选举产生办法及组织领导等事宜做出具体安排部署。严格程序，为3个会议的代表和委员的选举推荐工作奠定组织基础。坚持发扬民主，划分若干个选举单位，反复酝酿协商，层层讨论提名，广泛征求各方面意见，保证代表、委员人选的先进性。坚持严格把关。在提名推荐的基础上，根据省、市委关于代表、委员的构成比例要求和全市的实际，会同纪委、信访、审计、计生等执法执纪部门对其进行严格资格审查和考察；分别产生389名、297名和395名高质量、高素质的人大代表、政协委员和党代表。坚持依法办事。在人代会和党代会选举期间，无论是进行分团预选，还是大会正式选举，都严格按照会议通过的《选举办法》进行，并首次采用计算机计票，保证统计结果准确性和科学性。

【干部培训工作】 制定《2001~2005年临汾市干部教育培训规划》。采取个别走访、召开座谈会和问卷调查等方式，在全市17个县（市、区）和市直有关单位广泛征求意见。在此基础上，召集有关干教联席会人员，反复修改、制定这一《规划》。同时，积极指导各县（市、区）根据市《规划》精神，结合各自实际制定本县（市、区）的“十五”规划；以“三个代表”为主要内容，引深基层干部理论学习。抓住中央在全国农村开展“三个代表”重要思想学教活动有利时机，采取集中培训、分散学习、请专家教授辅导、举办演讲比赛和学习成果汇报会及组织统一考试等多种形式开展学教活动，组织部还积极协助市委“学教办”抽调专人组成督查组和宣讲团到基层检查指导，掀起理论学习高潮，有力地促进农村各项工作开展；通过举办专业、专题培训班的方式，进一步增强干部培训的实效性。与乡镇局共同举办全市乡镇企业铸造专业技术培训班，聘请北京、西安、太原等地有关专家、教授做《中国加入WTO后乡镇企业面临的形势和应采取的对策》和《铸造企业如何做好产品质量、节能、环保》等报告，来自全市各地的100多名厂长、经理参加培训，对铸造行业的优化升级和乡镇企业的战略性结构调整起到积极的推动作用。与妇联共同举办全市首届妇女干部培训班，来自全市各基层单位的700余名妇女干部参加培训。协助市农干校与山西农业大学共同招收两批共200

人的农经专业资格证书培训班。此外，积极配合省委组织部圆满完成200余名县级干部调训任务和各级党校在临汾的招生工作。全市共举办各级各类培训班200余期，审核报考各级党校人员2800名，其中省委党校研究生30名，累计培训各级各类干部3000余人。

【干部监督工作】 强化对领导干部特别是“一把手”的监督。借鉴“三讲”开门整风经验，指导各县（市、区）委及市直党委（党组）民主生活会，特别注意围绕重大决策、重要干部任免、重要建设项目安排和大额度资金使用等问题开展批评与自我批评。以落实制度为突破口，强化上级监督。落实领导干部重大事项报告制度、财产申报制度，回复本人有关问题制度，谈话诫勉制度等。强化群众监督。尤其是配合机构改革，成立举报中心，设立举报电话，全年共受理群众来信、来访、来电465件（次），直接调查了解4件反映县级主要领导干部的信访案件，调查核实反映提拔使用对象问题的信访案件50余件，并对46名干部进行谈话诫勉。以经济责任审计为手段，强化财经纪律监督。市委成立干部任期经济责任审计联系会议领导组，下发《临汾市党政领导干部经济责任审计实施办法》，组织部对全市副县级以上的党政领导干部和企业领导人员等经济责任审计对象进行全面调查摸底，分级建立经济责任审计档案。在此基础上重点对32名将离任的正县级领导干部进行经济责任审计。

【开展纪念建党80周年活动】 认真组织全市党员参加全国党的基本知识竞赛活动。全市参赛的基层组织达3131个、党员43324名，市委组织部被评为“全国优秀组织奖”和全省“最佳活动奖”；开展慰问老党员活动。“七一”前夕，采取分级负责、登门看望、召开座谈会、发送慰问信等多种形式开展一次慰问老党员活动。从市留存党费中向各县（市、区）和市直工委各划拨5000元做为慰问补助，市委领导分三组登门看望市直和市营企业的部分老党员，并召开有老党员代表、各条战线优秀党员代表参加的座谈会，使他们感受到党组织的关怀和温暖。各县（市、区）委、各单位党组织也采取多种形式对老党员进行慰问；组织开展纪念建党80周年评比表彰活动。推荐上报受中组部表彰的先进党支部、优秀党务工作者和优秀党员各1名，推荐上报受省表彰的先进基层党组织10个、优秀党员15名、优秀党务工作者7名、农村基层党组织建设先进县（市、区）3个。同时，通过层层评比筛选，严格考察审核，市委对成绩显著的100个先进基层党组织、200名优秀共产党员、50名“十佳”书记进行命名表彰。

【领导班子和干部队伍思想政治建设】 在各县（市、区）“三讲”教育回头看活动结束后，继续认真解决好“三讲”教育中查摆出来的问题，使整改方案落到实处。同时，借鉴和运用“三讲”教育的成功经验，以学习“三个代表”重要思想为核心，进一步加强和改进领导班子和干部队伍的思想政治建设。理论学习上，以邓小平理论、江泽民“七一”讲话和十五届六中全会《决定》为主，采取专家辅导、集体讨论、实地考察和下乡调研等多种学习形式，建学习笔记、写心得体会。坚持完善民主生活会制度。市直117个单位党组和17个县（市、区）委普遍召开一次领导班子民主生活会。全市500余名副县级以上领导干部，对自己1年来的思想和工作情况进行认真的对照检查和回顾总结，并针对班子内部及自身存在的问题，认真改进。各县（市、区）委还对县乡两级党委领导班子自身建设和实行民主集中制的情况进行检查。作风建设上，党的十五届六中全会做出《中共中央关于加强和改进党的作风建设的决定》后，市委及时出台《关于贯彻落实＜决定＞精神，集中解决当前几个突出问题的意见＝，查处违纪行为，万名干部下农村，市、县两级精简会议、减少应酬、改进作风，接待群众信访，确定市级领导信访接待日，全市副县级以上领导干部全年下基层工作和调查研究的时间普遍达3个月以上。

【知识分子工作】 为有效实施科技兴临战略，本着尊重知识、尊重人才的原则，下发《临汾市优秀专家拔尖人才管理意见》和《关于选拔第三批临汾市优秀专家拔尖人才的意见》，经初审和考察，确定160名各行各业的优秀专家拔尖人才预备人选；贯彻落实市委《关于进一步加强知识分子工作的意见》，努力为知识分子办实事，落实并发放第三批优秀专家拔尖人才每月50元的津贴补助，督促有关单位为每位优秀专家拔尖人才订阅报刊杂志，推荐部分优秀知识分子参加省委举办的理论培训班；加强管理，强化知识分子队伍建设。根据省、市安排及时组织第二批山西省优秀专家考核和本市第二批拔尖人才实地考核，初步建立起知识分子人才库，为科学、规范地管理好知识分子队伍提供依据。

【建立离休干部“两费”保障机制】 认真贯彻落实中办、国办转发的《关于落实离休干部离休费、医药费的意见》，初步建立起离休干部“两费”保障机制。特别是从7月1日起将市直建国前参加工作的企业、自收自支和差额事业单位的离休干部（含建国前参加工作的退休人员），共581人的“两费”和各项补贴及有关费用全部转入财政开支，彻底解决这部分离休干部的后顾之忧。同时，已有14个县（市、区）将企业和自收自支的事业单位离休干部“两费”（少数为一费）转入财政，未转入财政的则纳入社会养老保险，由社保部门按时足额发放。各县（市、区）还根据各自实际建立起有自己特色的医药费保障机制。

【推荐出席党的十六大代表候选人】 根据中央、省委精神通过召开党员会议，发送宣传材料，并在报纸、电视、电台设专题栏目等多种形式，在全市范围内对推荐工作进行广泛深入的宣传，为推荐工作营造良好舆论氛围，采取自下而上、全额推荐、逐级分类汇总方法，组织全市广大党员进行认真推荐。全市17个县（市、区）委、3个党工委、17个直属党委的171527名党员参加推荐，占全市党员总数的93.4%。共推荐山西省出席党的十六大代表候选人初步人选255名。根据省委提名候选人的构成设想及推荐名额，按得票多少，市委常委会共确定42名党的十六大候选人初步人选，并及时报送省委。

（李智英）

·市委老干部管理局·

【概述】 全市共有离退休干部26907人，其中离休干部5159人，退休干部21748人。离休干部中，党政机关2635人；事业单位1331人；企业单位1193人；享受厅级待遇的164人，享受处级待遇的1558人，一般待遇的3437人。老干部工作突出落实中办61号文件和晋组通字35、36号文件，加大清理拖欠离休干部“两费”（离休费和医药费）工作力度。组织离退休干部学习江泽民“七一”重要讲话，发挥老干部在两个文明建设中的重要作用，加强老干部活动中心和老年大学阵地建设，开展新世纪第一个老年节活动，不断加强老干部工作队伍的自身建设，较好完成全年工作任务。

【离休干部“两费”清欠工作】 中办61号文件和晋组通字35、36号文件要求抓好离休干部“两费”清欠和建立离休费、医药费保障机制、财政支持机制，确保今后不再发生新拖欠。在“两费”清欠方面：安排使用好中央关于一次性补发1999年底前的“两费”拖欠下拨的150万元资金，很快将这批资金发放到老干部手中。市委、市政府研究决定从7月1日起将市直企业、自收自支和差额事业单位建国前参加工作的离休干部（含建国前参加工作的退休人员）共581人的“两费”和各项补贴全部转入财政开支，支持资金增加到1500万元。各县（市、区）也分期分批把企业离休干部的“两费”转入财政开支。到年底，全市已有霍州市、侯马市、尧都区、洪洞县、襄汾县、曲沃县、翼城县、浮山县、古县、安泽县、大宁县、蒲县、乡宁县、汾西县14个县（市、区）将企业和自收自支事业单位离休干部“两费”转入财政开支，未转财政的离休干部纳入社会养老保险，由社保部门按时足额发放。

【开展新世纪第一个老年节活动】 市直和各县（市、区）都举办书画展、体育运动会、门球赛、各种文体表演和联欢活动。“七一”期间，市直单位在老干部活动中心举办庆祝建党

80周年老干部书画联展。重阳节期间，市委、市政府向市直享受副县级待遇离退休干部通报全市政治、经济形势，传达山西省第8次党代会精神。市委老干部局组织市直各单位老干部文艺表演队在梨园堂进行联欢汇演。洪洞县委在重阳节期间，召开全县离退休干部暨老干部工作"双先"表彰会和文艺演唱会；尧都区在区电视演播厅举办老干部大型文艺联欢；汾西县举办金秋菊花展、门球比赛、"活到100岁"健康知识讨论；永和县开展庆"重阳"书画展、健身操表演、自行车竞技和各种球类赛；霍州、襄汾、曲沃、翼城、隰县、乡宁、古县、安泽等县（市）都相继开展和举办适合老年人特点的九九重阳系列活动。通过这些健康有益、丰富多彩的活动，不仅使老干部们强身健体，丰富他们的精神文化生活，还大大激发了他们老有所为的热情。

（杜明池）

宣传工作

【概述】 宣传战线紧紧围绕市委、市政府提出的推进"三件大事"，实施"六大战略"，实现率先发展，建设中西部经济强市的目标，深入开展"三学"活动：即学习"七一"讲话，学习"三个代表"重要思想，学习十五届六中全会《决定》。"三学"活动中，积极为市、县两级党委中心组提供学习资料和辅导。根据市委要求，组建由市委宣传部、机关党委、党校、讲师团等有关单位组成的"七一"讲话宣传团，从9月下旬到10月上旬，分赴17个县（市、区）和市直机关进行宣讲，共计30余场，直接听众4．5万人。以临组通字［2001］51号文件下发《在乡镇设立报告员的通知》，全市151个乡镇、18个街道办事处配齐报告员，并分2批赴省委宣传部和市委宣传部接受培训。参与编写30万字的《农村"三个代表"学习教育读本》，编印《干部理论知识学习问答》，《临汾月谈》，编印"七一"讲话和十五届六中全会精神资料专辑本。强化舆论引导工作，牢牢把握团结、稳定、鼓劲、正面宣传为主的方针，加大当地新闻媒体的宣传力度，同时对在各条线涌现出来的先进事迹和模范人物及时进行系列报道。

【公民道德建设宣传】 《公民道德建设实施纲要》颁布后，先后组织临汾日报社、临汾电视台等新闻单位集中宣传报道。召开各阶层人士参加的座谈会，编印下发《公民道德建设实施纲要》学习辅导手册，并先后推出一批以德治厂、治村、治家的先进典型和成功经验。

【精神文明创建活动】 开展以"新世纪、新临汾、新形象"为主题的文明创建活动。临汾电力公司被命名为省级文明单位，壶口瀑布风景区、洪洞赵城镇分别成为文明景区和文明小城镇，侯马发电厂社区、尧都区太茅社区被评为先进社区。全市涌现省级文明单位30个，文明村30个，军民共建文明单位2个，市级文明县城6个，文明单位77个，文明乡镇4个，文明村7个，文明机关10个，文明小区10个。同时经过推荐争取，由省文明办批准立项，中央、省、市、县共同投资100万元，完成4个乡镇宣传文化站的建设，隰县3个文化站基本建成，吉县壶口文化站立项。全市共争取到乡镇文化站建设项目8个，总投资200万元。

【建党80周年纪念活动】 在整个纪念活动中，坚持唱响共产党好、社会主义好、改革开放好的主旋律，举办研讨会、文艺晚会、歌咏演唱会，举办为期一个半月的候波、徐肖冰夫妇《从延安到中南海》摄影展和庆祝建党80周年革命传统电影回顾展映。在8月11日召开的省宣传部长会议上，纪念建党80周年活动协调领导组及10项活动受表彰。

【文化市场管理】 全市出动文化、公安、工商等部门检查、稽查、侦察人员3000余人次，取缔非法印刷厂60个，非法书店及非法书刊经销商45个，收缴教学辅导资料和其他非法书刊20余万册，没收印刷机2台、印刷机零部件1000余件，逮捕犯罪嫌疑人6名，刑事拘留25人，行政处理30人，罚款200余万元，有效地净化了文化市场。

【“三下乡”活动】 组织2000余人次参加文化下乡，放映电影500余场；800余人参加科技下乡，发放各种科技磁带、录像带358盘，各类书刊、资料20余万份，培训农民30万人次；卫生医药部门先后有100余人组成的40支医疗队深入到各县（市）农村进行义诊，办培训班40余期，受培训1500余人，并赠送价值20余万元的器械、药品，有20850多群众接受治疗。

（陈永江）

·市委讲师团·

【概述】 理论辅导讲课首次突破400次大关，其中贾成奎210场次，景宝庆130场次。学习“三个代表”重要思想辅导讲课录制成光盘，向全市发行6000张。举办全市农村“三个代表”乡镇报告员培训班一期，98人参加。同时，省委宣传部、讲师团邀请贾成奎为全省报告员讲授《如何做好农村辅导报告》讲座4场；理论研究宣传方面，组织编写《农村“三个代表”教育学习读本》共10万余字，印刷5万册，下发全市乡镇和农村；纪念建党80周年组织编写两组文章。一组为理论文章，共8篇，分别发表于《临汾日报》和《临汾月谈》；一组为“七·一”讲话学习问答，发表于《临汾日报》；张学文获《半月谈》杂志社组织的知识竞赛二等奖；任炯获《求是》杂志社组织的思想政治工作征文优秀征文奖，撰写的《“三个代表”之间的辩证关系》一文，发表于《山西省委党校学报》；撰写的《唯物辩证法与党的三代领导核心》一文，发表于《临汾日报》和《临汾党建》。

（任炯）

统战工作

【概述】 统战工作认真贯彻落实全国、全省统战工作会议精神，紧紧围绕市委中心工作，同心同德，扎实工作，发挥统一战线独特优势，为推动全市改革、发展、稳定，取得明显成效。研究统一战线各领域的工作重点，制定切实可行，相应配套的政策和措施，有重点地解决突出问题。参加中央统战部在全国开展的统战知识竞赛活动，全市共寄出答题卡7000余份，还利用报纸、电台、电视、板报等形式宣传统战知识，有力地扩大统一战线在全社会的影响。召集各民主党派、工商联、无党派人士等就政府工作报告，党代会工作报告，人大、政府、政协班子人选及其它方面的重要问题召开协商会、座谈会、通报会。积极、认真、稳妥地做好党外代表人士的协调和推荐工作。

民主党派、工商联及无党派代表人士充分发挥各自的优势，为全市经济建设献计献策、发挥作用。在市一届一次人代会和政协会上，民主党派的代表和委员提出议案和提案183件。无党派代表和工商界人士加强提案和社情民意工作，全年共提出提案938件，社情民意426条，采纳率95%以上。市监委、检察、审计、教育、公安、工商、土地、环保、质量技术监督等部门先后聘请民主党派成员、无党派人士262名担任特约“监察员”或特约人员，在纠风、治理“三乱”、廉政建设、社会治安综合治理等专项检查工作中充分发挥监督作用。

海外统战工作坚持“围绕经济抓联谊，抓好联谊促经济”的指导思想，广交朋友，联络感情，通过广泛收集、传递、交流信息，大力开展“三引进”工作。有5批60多人次来临汾探亲，参观旅游，吸引外资2000多万元。市侨联成立“招商引资办公室”，吸引多方资金建立临汾市侨联眼科医院，取得较好的社会和经济效益。

深入开展基层统战工作的调查研究。各级领导、理论工作者积极撰写理论文章，调研报告70多份。其中有21篇被市委部和理论研究会创办的《统战调研》发表。同时，市委统战部超额完成统战刊物征订1327份，被省委统战部评为刊物征订二等奖；全年共刊发信息23期96条，85%被省委统战部采用。

【民族经济建设】 在回、汉杂居区开展“少数民族离不开汉族、汉族离不开少数民族”教育，坚持以发展促团结，以团结保稳定。曲沃县城关镇东关村支部书记买林祥，模范地执行党的民族政策，引导回、汉族群众和睦相处。先后投资700多万元，建学校、兴水利、修道路、办企业，回族群众中个体专业户和私营企业主已占到总户数的近80%，涉及行业20多个。翼城县少数民族企业发展到15个行业500余家。其中，产值在100万元以上的经营户有10余个，少数民族人均收入7000余元，超全县人均水平。

【宗教工作】 建立网络化的管理体系，各县（市、区）都成立由分管副书记为组长，分管副县（市、区）长和统战部长为副组长，有统战、民族宗教、公安、民政等部门负责人参加的领导组。蒲县、隰县、曲沃、洪洞、汾西等县还建立县、乡、村、村民小组4级管理网络。举办神职人员培训班，培训180余人、教徒2000余人次。积极稳妥地做好宗教界的思想工作，全市宗教界没有一起集体上访事件。全市宗教爱国团体普遍开展“五好”、“三热爱”活动。汾西县在各宗教团体之间开展“四比一争”活动，引导信教群众互相学习，共同劳动致富；吉县基督教在开展“五好堂点”、“五好教徒”的基础上又开展“爱国爱教奔小康”的活动；古县制定“十要十不准”做为宗教活动的基本准则并在全体教民中继续推广马家节教会发展生产的经验，引导教民发展经济，脱贫致富，教民人均收入2300元。

【非公有制经济人士教育引导工作】 深入开展非公有制经济人士思想政治工作，在非公有制经济代表人士中开展“学习讲话精神，实践三个代表，为发展先进生产力做贡献”的教育活动。学习江总书记“七一”讲话，举办专题辅导讲座和培训，参加培训教育的非公有制经济代表人士900人次。通过学习培训激发广大非公有制人士爱党爱国和走社会主义道路的自觉性。在年初召开的市一届人大、政协会议上，52名非公制经济代表人士担任人大代表，占全体代表的13%；政协委员中有42名非公制经济代表人士担任委员，占全体委员的14%。

【工商联工作】 按照工商联章程规定，3月份，市工商联成功召开第一届会员代表大会，随即组织指导县级工商联换届工作。市工商联积极为会员企业服务，市正和中小企业信用担保为企业提供贷款担保，被担保的企业税收比上年增加3560万元。担保公司被列为全国36家试点担保机构之一。乡宁县工商联建立的会员服务中心，组织5次38人进行商务考察，提供各种信息82件，调解经济纠纷8次，为会员清理外欠40余万元。积极推进光彩事业进一步发展。向省光促会推荐光彩事业重点项目5个，其中2个项目被省推荐到中国光彩事业促进会。向省光促会推荐“光彩小学”2所。组织非公有制经济代表人士积极参与社会公益事业和扶贫救灾活动，为当地建校修路、架桥，赞助失学儿童捐资捐物1000多万元，安排下岗职工1500余人。

【党外知识分子工作】 市委统战部和市委组织部共同起草《关于党外干部培养、选拔、安排的意见》和《关于在撤并乡镇中进一步做好党外干部安排的通知》，全市党外干部实职安排232人（地级干部5人，副处级干部43人，科级干部184人）。其中，市直单位安排94人，各县（市、区）政府职能部门安排41名，乡镇安排49名。同时，撤地设市后，为加强党外后备干部队伍建设，市委统战部专门下发《关于调整充实副县级党外后备干部的通知》，培养副处级党外后备干部105人，科级300人，并分别建立党外干部档案。选送5名党外副处级以上领导干部，参加中央统战部在苏州举办的党外干部培训班。非党知识分子在政治经济建设中发挥重要作用。非党知识分子中有4名省人大代表，5名省政协委员，300名县（市、区）人大代表，600名县（市、区）政协委员。全年共提出合理化建议1000余条，65%被有关部门采纳。科研成果有15项获得国家级奖，100多项获省部级奖，部分新技术、新产品达到国内先进水平。有25人被评为市专业技术拔尖人才，享受政府特殊津贴。

附：

·获奖情况·

市委统战部荣获省委统战部“经济统战工

作”二等奖

（李睿煜）

·市委对台办公室·

【概述】 认真贯彻落实中办发［2001］15号和晋办发［2001］39号文件精神，改进加强对台宣传工作措施，组织全市对台专职干部和业余宣传队伍，积极向《人民日报海外版》、“中新社”、“海峡之声”、中央台台播部，以及台湾《中央日报》、《工商时报》、《山西文献》等新闻媒体提供稿件、图片300余篇件，采用发表131篇件。其中外宣单位采用文字稿件53篇、图片35张；台湾媒体采用文字稿件23篇，图片20张。还先后接待台湾电视台、年代电视台、《中央日报》社、《山西文献》杂志社等单位20多位台湾记者，到临汾采访。加强涉台教育，提高广大干部群众对祖国统一的认识。各县（市、区）共举办台湾形势、台湾知识等报告会、座谈会36场次，受教育人数2580人。

【文化交流】 开展与台湾的文化交流，应台湾海峡两岸学术文化交流协会邀请，组成尧文化交流团赴台。台湾的“三晋文化研习营”、“黄河一方土之行”、“山西古文化之旅”等大型交流团，到临汾交流，实现单项交流向双向交流的历史转变。国务院台办确定的全国重点交流项目“海峡两岸尧文化研讨会”，两岸参会论文89篇，两岸专家学者100多人云集临汾，就尧文化的定位、开发、意义等问题进行学术交流，受到国家台办和省台办通报表扬。台湾“台湾年代电视台”、“台湾山西同乡会参访团”等到尧都区、洪洞、吉县等进行参访和交流。

【对台经贸】 本着中央制定的“组织、指导、管理、协调”的政策原则，抓住西部开发和台湾投资大陆的第三次热潮，发挥当地优势，积极招商引资，努力扩大与台湾的经贸交流。台资企业由1992年的2家扩大到31家，项目总投资4.9亿人民币，利用台资3500万美元，台资到位3100万美元，台资到位率88%。台商独资企业山西锦成铁业有限公司，总投资2000万元人民币，年产值5000万元，利税1000万元，成为临汾台资企业中的纳税大户；尧都区旺安医院，采用先进医疗设备，聘用专家座诊，外地慕名求诊者不断，年利税200万元人民币；普乐福房地产公司已收回前期投资，准备投资1亿人民币，参加临汾旧城改造；龙兴饮品公司1996年投产时，固定资产2000万元，现发展到7500万元人民币。

【对台联络】 积极探索新路子，取得新进展。襄汾县人士，曹友萍，已同意适当时候回家乡探视和考察。海峡两岸的“永和”县（市）都表达要建立经贸合作关系的愿望，并制定两县（市）合作方案。台湾民主青年党副主席兼秘书长曹俊煜先生到尧都区、蒲县、吉县进行工业、农业开发等方面的投资考察。接待山西同乡会总干事长赵清福先生一行7人，为同乡会征集、赠送部分县志，并为同乡会主办的《表里山河话三晋》一书提供稿件和图片。

【继续强化四项服务】 坚持不懈地开展“四项服务”（牵线服务、宣传服务、维权服务、跟踪服务）。协助43位台商到尧都区、曲沃、吉县等地进行农业、采矿、建材等方面考察。利用台湾《工商时报》宣传临汾资源优势和投资环境，在台湾引起很大反响。认真贯彻落实《台湾同胞投资保护法》，维护在临汾投资的台商合法权益。协助台商办理立项、批复、注册等事宜。

（刘志勇）

政策研究工作

【概述】 市委政策研究工作围绕市委中心工作，对全市政治、经济、文化和社会各方面实施政策过程中的情况进行调查研究；组织协调有关职能部门对重点、难点问题进行调查研究；深入基层调查收集广大人民群众的各种意见，及时反馈并提出建议；起草或修改市委部分重要会议文件和文稿。全年共撰写调查研究报告15篇，其中有《农村经济产业化》、《民营经济超常发展思路》、《招商引资与环境改善》、

《临汾基层党建调研》、《临汾大运公路经济带发展构想》、《忠诚实践三个代表努力推进政研工作》等文章。

（贾逸先）

机构编制工作

【概述】 经省委.省政府批准，从6月份起，市县两级机构编制部门全部单列，并列入党委序列。市机构编制委员会办公室为市机构编制委员会的常设办事机构，既是市委的工作机构，又是市政府的工作机构，主要负责全市行政管理和机构改革，以及机构编制的日常管理工作。本年度，市编办坚持以机构改革为重点，狠抓机构编制的日常管理，取得明显成效。5月初，拟定上报《临汾市市级党政机构改革方案》，并经省委、省政府正式批复。9月8日，筹备召开全市机构改革动员大会，机构改革全面铺开。严格执行晋发[2001]8号《关于强化机构编制管理、严格机构编制监督的意见》，实行规范化管理，从严控制机构编制，保证机构改革的有序进行。认真做好事业单位登记管理，按照上级编制部门要求，为全市事业单位换发全国统一的《事业单位法人证书》，并开展首次事业单位年检工作。全市共受理换证年检事业单位1942个，其中法人单位708个、非法人单位1234个。

【机构改革工作】 在深入调研和广泛征求意见的基础上，拟定并报批《临汾市市级党政机构改革方案》。牵头组织拟定临汾市机构改革“三定”工作实施意见、人员定岗实施办法、人员分流实施办法、分流人员学习培训实施意见，以及机构变动部门和单位经费、物资、房地产等资产处置意见和加强档案管理工作的意见。认真审核市直各部门“三定”方案。注重把握转变政府职能、精简人员编制两个重点，做到科学界定党委、政府各部门的职能。理顺党委与政府各部门之间、上下级政府之间的职能；同时，根据省委、省政府核定的1200名编制总额，采取按方案切块分配与按职能调整划拨相结合的办法确定编制，做到公正、合理、科学。严格审批县（市、区）机构改革方案。按照晋编字[2001]8号文件规定，对各县（市、区）的党政机构进行规范设置，没有突破机构限额，并按时进行了批复。

【机构编制管理】 按照晋发[2001]8号文件和省编委有关政策规定，市编办一方面探索机构编制、人员工资与财政预算管理相互配套的管理办法，对市直党政群机关和全额事业单位进入银行统发工资进行审核把关，无编人员坚决不允许进入统发工资渠道。另一方面，加强机构编制的日常管理，严格控制机构编制增加，注意把好“进人关”，使全市党政群机关人员增减始终处于有序状态。

（闫建昌）

市直工委工作

【概述】 市直工委认真落实年度工作计划和任务，抓学习，强素质；抓组织，促提高；抓廉政，树形象；抓务实，变作风，使整体工作有新进展。强化各级党组织和全体党员的政治理论学习，安排学习邓小平理论“发展是硬道理”、“科学技术是第一生产力”、“精神文明与物质文明两手都要硬”等基本原理和江泽民“三个代表”重要思想、“四个如何认识”、“七·一”重要讲话等内容，进行专题学习讨论和专门辅导讲解；年底对市直县、科级干部进行考核考试。开展活动树形象，组织建党80周年大型群众歌咏演唱会。结合全国开展的揭批“法轮功”邪教组织的形势教育，开展《崇尚科学文明反对迷信愚昧》的科普图片展宣教活动；组织市直党员干部参观著名摄影家候波、徐肖冰夫妇举办的《从延安到中南海》摄影回顾展，对广大党员进行革命传统教育。

【基层组织建设】 “七·一”期间，表彰先进党委11个、先进党总支4个、先进党支部55个、优秀党员120名、优秀党务工作者60

名；检查验收合格46个五星级支部；全年集中培训入党积极分子400余名，预审发展对象380名。

【党风廉政建设】 组织市直各党委广大党干部观看党风廉政教育片《胡长青、成克杰警示录》等录相片，进行警示教育；扩大党风廉政教育覆盖面，征订《正气》598份，《监督时报》561份；严肃查处违纪违法人员，成立市直纪检监察办案领导组，下设9个办案联组以及案件综合组和审理组，办案过程中采取查案业务培训、筛选、交办、督办，责任到组，任务到人，查办案件工作取得显著成效。共初核案件70件，查处违纪违法案件41件，其中大要案19人，41人受到党政纪处分，1案1人移送公安机关查处，是10年来市直纪检监察机关查处案件最多的一年。

党校工作

【概述】 党校工作坚持“政治立校、质量兴校、勤俭办校、从严治校”的办学思想，加强政治思想工作，继续深化教学改革，建立和完善党校教学新布局。以江泽民同志“三个代表”重要思想为主题，以学习邓小平理论为中心，丰富和完善包括“理论基础”、“世界眼光”、“战备思维”、“党性修养”在内的党校教学内容，及时调整和改革课程设置和单元设置。结合临汾社会经济发展的实际，突出和强化市情教育，培养高素质的领导干部。教师队伍建设，坚持抓规模，抓质量，抓提高，抓管理，先后聘任副教授10人，续聘讲师等中级以上职称的31人，班主任18人，外聘兼职教授9人。派出两名教师进修硕士学位，分6批28人到外省市和中央党校培训。同时积极建立科学的激励约束机制，促使教师不断改进教学方法，提高教学水平，扩大科研成果。学校成立课题组，编著《临汾市经济结构调整问题研究》一书，由山西人民出版社出版发行。在教学基础设施建设上，自筹资金56万元，新修办公楼、学生宿舍楼的厕所；增加小车一部；建设中央党校至该校的远程教学网络。为学生楼、读书楼增添热水器、自助餐具、电扇、桌椅等，对一些设施进行修缮。筹备新建宿舍楼3800平方米，容纳34户，审批手续，规划图纸已基本完成。

【干部培训】 先后举办1998年以来新提升县级干部培训班，年轻副县级干部培训班，中青年干部培训班，公务员培训班，乡镇企业家培训班，民营企业家培训班，林业专业干部培训班，铸造业培训班，妇女干部培训班。请北京、太原的专家学者讲课，使4000余人受到党的知识、党风党纪、党规和专业知识的教育。根据市委的安排，组织有关教师深入各县（市）宣讲“七一”讲话。参加编写农村“三个代表”学习教育读本，录制村级学习“三个代表”活动光盘。

【函授教育】 2001级中函本科班录取831人，省函专科班共录取1104人，招生规模连续第5年在全省名列第一。中函98级本科班460名学员，省函大专班1335名学员毕业。先后组织各辅导站教师125人次参加省院组织的函授培训，并择优选聘80名优秀教师，组建函授教师团。函授学区下发关于落实《学员自学管理试行办法》的实施意见。函授学员的自学工作由班主任负责直接管理，各辅导站负责组织领导，函授学区负责检查监督。实行“班主任负责、教务处考核、年终奖惩”的管理机制，面授到课率有明显提高。先后组织8次全市范围内的考试，参加学员21689人次。对725名违纪学员进行处理。

党史研究工作

【概述】 党史研究工作认真贯彻落实省史志院“十五”计划。围绕市委、市政府的中心工作和重大决策，根据“挖掘、研究、开发、利用、宣传、收藏”的工作思路，正确阐述和总结党在临汾的历史和经验，发挥党史工作“鉴古知今、资政育人”的作用。8月，市党史办领导班子进行调整，理顺机关内部关系，宣布了科室负责人。启动《2001年临汾大事记述》一书的编纂工作。恢复《平阳党史》杂志的出版、发行工作，准备编辑出版《中共临汾民主革命时期历史纪事》和《中流砥柱——当代临汾党史人物志》。

【全市党史工作会议】 10月全市党史工作会议在临汾召开。各县（市、区）委分管党史工作的副书记和党研室主任参加会议。市委常委、市委秘书长卢健清代表市委到会讲话。提出“一年打基础、两年见成效、三年出成果的工作目标”。研究室主任关正堂做工作安排。

（刘远）

干部下乡工作

【概述】 干部下乡工作紧紧围绕农业增效、农民增收这一中心任务，组织1万多名机关干部深入到全市17个县（市、区）的156个乡镇3170个行政村，大打一场减灾促增收总体战。全市从市直、县（市、区）直共抽调10032名机关干部，其中：处级领导35名、科级干部3500名，每村3名工作队员，历时4个月。广开门路，多种渠道，短小平快，有利就上，从5个方面增效增收：科技入手，提高单产，改善品质；提供信息，开辟市场，拓宽渠道，帮助促销；宣传发动，组织劳力，外出打工；发展庭院经济，搞小创收，小加工，以小取胜，以小致富；建立经济组织，壮大队伍，扩大营销。各种渠道筹措资金1300多万元，贷款4400多万元；兴建、改善水利设施708处；扩浇地10万公顷；提供红枣优质苗木180万株；改善学校教学设施、设备233所，为2.8万名农村中小学生创造良好学习环境；举办科技培训班1260期，培训人员93000人次；推广优良品种5.33万公顷、25万公斤、地膜覆盖7.4万公顷；征订《农村工作通讯》、《农民文摘》、《百姓》等杂志1千余份；帮助销售农副产品15万吨，价值1.5亿元；组织28000多名劳力参加公路建设、企业施工、退耕还林还草、外出打工、劳务服务等，增加收入1800多万元，人均增收640元；组织30万农村闲散劳力开展小秋收、小加工、小养殖等增收活动，增加收入2000多万元，人均增收60多元；捐赠面粉3万多袋、煤炭1200吨、布匹2.2万米、衣服4.5万件，解决2.3万户、8.8万特困户生活困难；维修改造电路2.8万米，解决4500多户农民用电问题；开展义诊活动390多场次，接受服务农民近3万人；捐助种子、化肥、农药、面粉、煤炭、水泥等物资4100吨，折合520万元；为群众办实事、好事2.5万多件，效果显著，赢得广大基层干部群众普遍赞誉。评选出先进单位40个，模范工作队员100名，先进工作团3个，先进下乡办5个。

【干部下乡管理模式】 市、县两级均成立干部下乡领导组，由组织、人事、纪检、政法、农业、民政、财政等方面领导组成，由1名分管农业的副书记负总责，下设办公室。市直以县为单位组成工作团，设团长、政委。县（市、区）直组成工作大队，设大队长、政委。市直各单位一村3名工作队员，由1名处级领导为队长，一蹲1年，1年一换。在工作上，坚持“四定一包”目标管理责任制和1月召开一次工作团例会制度，充分发挥各个工作团中间环节的领导作用。工作队员认真执行学习、请假和“三簿一卡”工作制度。下乡办公室设有综合组、督查组、考评组。3组既分工明确，各负其责，又统一行动，密切合作，充分发挥、调动各组的职能作用。综合、督查、考评3个组，除半年一检查，一年一验收，全年一总结外，平时不定期地采取不同形式对各个工作队进行抽查，听取汇报。综合组负责掌握全面情况，编发简报，互通信息，交流经验；督查组严格督查，发现问题，及时解决，对个别流于形式，不在岗不到点的单位，进行通报批评；考评组严格标准，年终按照2%和1%的比例，评选出先进单位和模范工作队员，在年度总结表彰会议上进行表彰和奖励。依靠这样一套管理激励机制，极大地调动工作积极性，工作一茬接一茬，坚持连续性、持久性，使全市干部下乡工作走上正常化、规范化、制度化管理轨道。

市政府办公厅工作

【概述】 围绕政府中心工作，本着“务实、高效、规范、有序”的原则，把“服务领导、服务基层、服务群众”作为根本目标，改进工作作风，提高工作质量，充分发挥参谋、助手、联络、协调作用。

【文秘工作】 在提高文稿质量上下功夫，在上级精神和临汾实际结合上做文章，紧扣市委、市政府确定的中心工作，树立“精品意识”，努力使文稿达到思想性、政策性、规范性和可操作性的统一。一年来，共起草、审核、编辑领导讲话和市政府、市政府办公厅各类文件540余件，近400万字，在《山西政报》、《山西日报》等报刊上发表文章80多篇。根据国务院办公厅《国家机关公文处理办法》和省政府办公厅《关于进一步改进政务工作的通知》，进一步规范公文审签流转程序，强化“一张办公单”制度，加强部门间协调会签机制，加大审核把关力度，对进一步提高政府工作效率，减少和避免文件倒流与部门职能“撞车”，发挥了积极作用。严格制度，强化管理，认真搞好文件保密、分发、传阅工作，全年共办理国家和省级各类机要近600件，及时分发传阅23500份件，并将领导批示一一按时落实。

【信息工作】 及时、准确、快捷反映各县（市、区）、各部门工作动态和经验，密切关注热点、焦点和难点问题，深层次挖掘工作中出现的典型现象，努力提高信息参与政务决策的能力，为领导提供有价值的决策参考资料。全年共收集各种信息900余条；整理编发《临汾政务信息》180期、1000余条，近50万字；编发《一周要情》51期、185条；编发《信息摘要》12期。被省政府各类信息刊物采用80余条，被国办各类信息采用25条。积极创造条件，打造临汾电子政务平台，建成市视频会议系统。

【督查工作】 进一步加大督查力度，改进督查方法，在抓好批办督查的基础上，重点抓好决策督查，有效地促进政府决策的落实。全年共协调各县（市、区）和有关部门完成领导交办的督查事项60多件，接待处理群众来信来访20多起。并配合省政府，协调市直有关部门，组织了饮水解困工程、产业结构调整、领导干部廉洁自律等重大督查调研活动。

【政府法制工作】 积极组织有关部门和人员认真贯彻落实由办公厅建账主管执行和配合执行的各项法律法规，进一步推行执法责任制，加大对重点行政执法单位和重点工作的执法检查监督力度。市政府做出《关于全面推进依法行政的决定》，明确规定以依法行政统揽政府和部门的各项工作，实现行政管理的全面法制化。全市17个县（市、区）政府中都有相应的法制机构，配备强有力的领导主管。建立完善规范性文件备案审查制度，对具体行政行为的监督检查制度，行政复议工作制度，对重大行政处罚案件备案制度，行政执法证件发放、管理、年检制度，执法责任制检查考核制度，行政人员定期培训和考核制度，举报和投诉制度等。各级政府法制机构全年共受理行政复议案件60起，各级行政机关共受理各类复议案件163起，大部分没有引起行政诉讼。共审查各类规范性文件86件，确保市政府文件的合法性，保证市政府的政令畅通。实行行政机关首长负责制，继续推行行政执法责任制百分制考核办法，建立完善错案追究制、公示制和政府内部层级监督机制。进一步加强对执法队伍的管理与整顿。适应加入WTO的要求，认真进行规范性文件清理工作，清理行政审批项目1000余项，分两批废止283项审批项目和收费项目。大力推行行政审批制度改革步伐，筹建临汾市行政审批服务中心，按照“一窗口受理、一站式审批、一条龙服务”的办事原则，实行服务“六公开”，（公开办事项目、程序、内容、时限、依据、结果），使行政审批工作向着公开、公正、公平、优质、高效、便捷的方向迈进。认真及时办理人大代表议案、建议和政协委员提案。全年共收到市人大一届一次会议代表建议71件，办理答复69件；政协委员提案185件，全部办理完结。

【机关管理和干部队伍建设】 完善规章制度，内强素质、外树形象。结合实际制定出台《关于进一步改进和规范政府工作的意见》，使落实行政首长行政分工负责制、实行请示报告制度、严格政府领导公务活动、推行政务公开等方面的工作得到进一步规范；进一步完善各种会议的申报、组织、落实制度，提高会议质量和效率，全年共组织全市性会议70多次，电话会议30多次；建立“市长接待日制度”，直接听取群众意见，解决群众关心的问题。规范行为、履行职责、强化措施、改进作风，对因公外出和会议接待等方面应注意的事项，做出明确规定。建立了一套行之有效的廉政制度。认真履行政务公开制度，坚持公平、公正、公开原则，密切联系群众，自觉接受群众和社会监督。按照市委、市政府的部署，完成办公厅机构改革任务，理顺内部职能，实施竞争上岗，对部分行政岗位的事业人员进行调整。通过机构改革，办公厅职能设置更加科学，人员配置更加优化，工作流程更加规范，整体效能大为增强。

（贾晓林）

人事工作

【概述】 人事工作以实施人才战略为主线，按照“围绕中心、大胆创新、突出重点、深化改革、优化结构、争先创优”的工作思路，突出两项创新，建好三支队伍，开展两个活动，取得明显成绩。

【实施人才创新选拔机制】 建立“公开招考”制度，创新人才选拔培养机制。围绕优化人才结构，在全市推行全额事业单位补充录用工作人员实行公开招考的制度。各级人事部门抓住为市县两级会计核算中心选配人员的契机，组织公开招录考试。全市共为市县两级补充录用人员近200名；市直和7个平川县（市、区）还将这一制度引入到大中专毕业生就业分配工作中，有效地保证人员的高素质。

抓住事业单位人事制度改革，创新人才成长环境。组织力量对全市各级事业单位的基本情况、现状、人员结构等进行详细的调查，结合实际，制定《关于加快推进事业单位人事制度改革的实施意见》，选择市教育系统和尧都区卫生系统做为改革试点。将全面建立和推行聘用制和岗位管理做为改革的重点，把搞活内部分配做为关键。全市教育系统参加考试的教师共44090人，改革后，共有5299人转岗或下岗，有525名中小学校长落聘，共调整选聘校长967名，占总数的37.06%。通过改革，重新确定单位与职工的人事关系，明确单位同个人的义务与权利，建立淘汰机制和能上能下的动态管理机制，为人才的成长创造宽松环境。

【抓好“三支队伍”建设】 严格管理，建设高素质公务员队伍。把好公务员队伍的“进口”，坚持“凡进必考”的原则，出台《临汾市录用公务员（工作人员）程序规定》、《临汾市录用国家公务员实施细则》，坚决杜绝通过调动的办法进入公务员队伍；推行竞争上岗和任前公示制，把好公务员职务晋升的“楼梯口”，严格干部任免的工作程序和职数控制；畅通公务员队伍“出口”，严格实行到龄即退制度，制定《临汾市市级党政机构改革人员分流实施办法》，提出人员分流安排的8个主要途径，杜绝人员的回流现象。“严格一个考核”，就是严格公务员年度考核。与此同时，起草制定《临汾市市级党政机构改革人员定岗实施办法》和《临汾市市级党政机构改革分流人员学习培训实施意见》。

强化服务，优化专业技术人员队伍。突出“考、评、聘”3个环节。在“考”字上，重监督，严肃考风考纪。推行“第一责任人”制度，实行3条“责任链”，保证各工作环节的顺利进行；在“评”字上，重质量，严格评审条件。制定《临汾市专业技术职务任职资格评审推荐申报程序规定》、《临汾市专业技术职务任职资格评审委员会工作程序规定》,保证评审质量;在“聘”字上,重业绩,引入竞争机制。制定《临汾市事业单位专业技术职务聘任管理暂行规定》,实行结构比例控制,认真组织事业单位专业技术人员的年度考核,通过考核,对全市500余名考核不合格的专业技术人员及时办理解聘手续。

面向“三农”,壮大优化乡土人才队伍。做到“四个到位”,即在政治上关心乡土人才,做到政策到位;在工作上支持乡土人才,做到市场到位。各县(市)相继在150多个乡镇建立乡镇农村人才服务工作站,在1100多个行政村建立人才信息服务点,初步形成县、乡、村3级乡土人才工作机构和网络;在技术上指导乡土人才,做到培训到位。市人才中心与市农业干部学校联合举办较高层次的2年制“农村经济管理人才大专班”,参加培训的农村乡土人才达到100人。一年来,全市共举办各类农业实用技术培训班548期,共有16840余人次参加培训,组织人才下乡85次;在管理上激励乡土人才,做到服务到位。全市共为502名乡土人才评定初级技术职称,涉及农技、农经、畜牧等6个专业。编印《临汾市乡土人才资源开发工作经验选编》和《临汾市优秀人才先进事迹选编》两本书,推动全市乡土人才工作的深入开展。

【人事计划管理】 严格按照“宏观管理,分类指导,面向基层,调整结构”的原则,逐步建立和完善人事宏观调控机制,有效地遏止机关事业单位职工人数和工资总额盲目增长的势头。为各条战线输送一批急需的专业人才。加强工资基金的管理,严格审批,工资基金审批实行“一册、一卡、一簿三对照”管理办法,组织完成临汾市人才资源开发状况调查,及时向省厅上报《临汾市人才资源状况调查报告》。

【军转干部安置】 全市接收军转干部78名,其中计划分配55名,自主择业23名。在计划分配的转业干部中,团职13名(含正团5名),营职15名,连排职15名,技术干部12名,随调随迁家属9户20人。截止年底,军转干部安置工作全部完成,做到部队、个人、单位三满意。

【人事信息调研】 将信息工作列为工作人员年度考核指标。结合实施人才战略,制订下发全市2001年度人事工作调研课题18个,共收回调研文章80篇;市局局长黄士恒撰写的《创新人才机制,实施人才战略》的理论文章在《中国人事报》、《临汾党建》刊载,并入选全省实施人才战略研讨会。加强信息人员队伍建设,组织人员参加中国人事报刊社举办的驻地记者暨通讯员业务培训,在各县(市)人事局及市直各部门人事科建立信息报送网络。有10个县(市)办起“工作简报”。全年各级人事部门共有180余条(篇)信息及经验材料在《中国人事报》、《人事》、《山西人事》等国家和省级刊物上刊载。

【强化人才市场服务】 建立完善各项规章制度,加强流动人员人事档案管理。全市人才部门存放流动人员档案达1500余份。拓展人事代理范围,将代理领域拓展到各种形式的用人组织。代理内容包括,审批档案工资、申报职称、管理人事档案等。强化培训功能,各级人才中心共与省内外50余家学校建立联合办学协议。充分发挥市场交流的功能,积极为各级用人单位和各类人才“双向选择”提供服务。先后两次组团参加“新世纪北京人才招聘洽谈会”和“新世纪首届山西人才技术交流大会”。各级人才市场共举办不同规模的人才交流活动百余次,接待求职人员近万人,共为150余家用人单位提供不同层次的人才4000余人,使市场交流成为人才资源配置的一个主要形式。

【开展“争先创优”和“行风评议”活动】 制订下发《2001年全市人事系统“争先创优”活动实施方案》,拟定考评内容、标准、考评办法(包括加分与扣分标准)以及优秀人事工作者的标准条件,单项工作创优评比办法。制定《临汾市人事局2001年重点工作目标责任制》,“争先创优”活动贯穿于人事工作的全过程,做到年初有安排,平时有检查,年终有考评。坚持推行政务公开,搞好民主行风评议。成立全市人事系统行风评议组织领导机构，制定《关于进一步推进政务公开民主评议行风的实施方案》和《行评工作纪律》，并在《临汾日报》刊发答记者问，坚持做到“五个结合”，即：把“一把手”负总责与领导组具体抓相结合；把行风评议与实践“三个代表”重要思想相结合；与“争先创优”活动相结合；与源头治理相结合；把条条抓与块块抓相结合。同时积极推行政务公开，促进行评工作的开展。

（景晓卫）

民政工作

【概述】 民政工作开拓创新，奋发进取，扎实工作，服务大局，较好地完成各项任务，以抗灾救灾和城乡低保工作为主要载体的社会救济工作卓有成效；以解决优抚对象困难为重点的“双拥”优抚工作深入扎实；以探索新形势下安置方式为突破口的退役士兵和军队离退休干部安置工作成绩显著；以城市社区建设和农村村委会自制建设为中心内容的基层民主建设取得新进展；以撤并乡镇工作为重心的区划地名勘界工作有历史性突破；以社团清理整顿为新起点，民间组织管理工作得到加强；以民政行政执法为手段，社会事务管理全面推进；以“星光计划”为龙头的社会福利事业扎实推进；以实践“三个代表”重要思想为核心，民政部门自身建设得到加强。

【勘界和地名区划】 积极协调处理边界争议，一些多年遗留下来的争议较大、矛盾集中的难点问题得到圆满解决。全市勘界工作基本完成，共勘定省级界线1条171公里，地（市）级界线5条910.2公里，县级界线34条1290.3公里，3市（地）交会点4个，3县（市）交会点18个，共埋设界桩138根，乡镇界468条，4300余公里。对勘界成果资料进行汇总整理，共形成文书类2卷，协议书类324卷，附图类268卷；上交协议书157卷，附图161卷，按时保质保量地完成任务。完成全市政区名称用字读音的申报审定工作，对各县（市、区）所辖乡镇、居委会、村委会的标准名称和数量进行全面普查，对各县（市、区）在地名补查与资料更新工作中形成的文、表、卡进行整理、归档，体现地名档案的永久性，持续性，运动性，为加强地名管理，推进地名标准化管理打下基础。

【撤并乡镇情况】 圆满完成撤并乡镇工作任务。全市乡镇数由242个（镇77个，乡165个）撤并为151个（其中镇75个，乡76个），减少乡镇91个，撤并率37．6%。

【民间组织管理】 认真开展社团组织清理整顿工作，加强审批管理、日常管理和监督管理。特别是协助做好清理法轮功邪教组织等，保证社会稳定。积极稳妥地开展气功类社团专项清理整顿。加强对气功组织监督检查和查处力度，阻止非法社团的违法活动，对8个气功类社团进行注销。启动全市民办非企业单位登记管理工作，并全面铺开。

附：

·临汾市社会团体·（2001年12月31日前）

市个体劳动者协会	市平阳颉苑书画研究会
市新闻学会	市新闻工作者协会
市体育总会	市老区建设促进会
市女干部联谊会	市私营企业协会
市公共关系协会	市UFO研究会
市警察学会	市接待服务协会
市海外联谊会	市周易研究会
市律师协会	市红十字协会
市消费者协会	市社团管理协会
市青年商会	市广告协会
市企业管理协会	市乡镇企业协会
市钱币学会	市读书研究会
市企业家协会	市三晋文化研究会
市老年学学会	市灯谜协会
市档案学会	市基层政权建设促进会
市见义勇为基金协会	市检察官协会
市足部反射健康法研究会	市企业联合会
市康健协会	市广播电视学会

市老年法律工作者协会	市勘察设计协会
市监察学会	市扶贫协会
市残疾人文化体育协会	市驾驶员协会
市建筑市场与招标投标协会	
市国际贸易促进委员会	
市会计学会	市财政学会
市地震学会	市林学会
市农业会计学会	市护理学会
市种子协会	市老年书画研究会
市铸造业协会	市通信协会
市设备管理协会	市质量管理协会
市畜牧兽医学会	市机械工程学会
市环境科学学会	市植物保护学会
市珠算协会	市土地学会
市计划生育协会	市包装技术协会
市焦炭协会	市企业技术创新促进会
市金融学会	市青少年科技教育协会
市集邮协会	市建筑工程造价管理协会
市烹饪协会	市建筑业协会
市老年摄影家协会	市道路运输管理协会
市信鸽协会	市农村专业技术协会
市数学会	市中药材开发农民服务协会
市心理卫生协会	

（张海波）

方志编纂工作

【概述】 市地方志办公室系临汾市政府直属的具有行政职能的一级机构，负责全市地方志工作。前身系行署地方志编纂委员会办公室，成立于1989年2月。其主要职能：制订地方志工作规划；组织指导督促全市地方志工作；组织编纂各类志书；征集、考证史料，开展地情调查和研究；组织整理当地旧志；代市委、市政府审定、验收志稿；组织指导编纂出版地方综合年鉴；开展方志理论研究；开发方志资源，提供地情信息咨询服务。

【《山西旅游景区志丛书》临汾市承担任务编纂工作会议】 9月10日，市政府召开《山西旅游景区志丛书》临汾市承担任务编纂工作会议，市旅游局、文物局、宗教局、林业局、地方志办、壶口管理处的负责人和吉县、霍州、洪洞、隰县、翼城、尧都、侯马7县（市、区）分管副县（市、区）长、志办主任参加会议。省史志研究院副院长侯文正专程到临汾出席会议并讲话。这次由省政府组织统一编纂的旅游景区志丛书，临汾承担编纂《壶口瀑布志》、《洪洞大槐树志》、《尧庙志》、《霍山志》、《小西天志》、《东岳庙志》等6部。副市长苗元礼就编纂意义、指导思想、组织领导和具体要求进行部署。会后，市政府办公厅以临政办发（2001）90号批转印发《山西旅游景区志丛书临汾市承担任务编纂工作会议纪要》。

【《临汾年鉴（1998~1999）》出版】 于德全主编的《临汾年鉴（1998~1999）》，2001年9月由香港天马图书有限公司出版。该书设特载、政治、经济、行政、群众团体、军事、公检法、科教文、市县、人物、大事记等11个栏目、132个分目（单位）、全面记述了各条战线所取得的成就。全书42万字、146个彩版，图文并茂，共印500册，这是经原地委、行署决定，由地方志办公室具体组织编纂出版的惟一一部地方综合性年鉴。

【编制方志科学编研课题五年规划】 2001年8月，市委调整市地方志办公室领导班子后，新班子在调查研究的基础上，走访专家学者，广泛听取意见，着手编制《临汾市2001~2005年方志科学编研课题规划》，10月8日，召集有各县（市、区）志办主任参加的课题规划研讨会进一步论证。定稿后，经市委、市政府领导审定批准，于12月12日以市委办公厅、市政府办公厅名义正式印发。根据这个规划，5年里，全市将编纂出版：临汾市（原地区）志1部；临汾年鉴每年1部，各县（市、区）年鉴每两年1部；旅游景区志6部；县（市、区）志7部（古县、浮山、尧都区、洪洞、霍州、侯马、隰县）；旧志整理8部；市专业志9部；乡镇志22部；村志12部；厂店志8部；启动县志续修7部；编纂地方志丛书12部。完成这个规划，临汾市地方志工作将迈上一个新的台阶。

【《古县志》出版发行】 黄翠莲主编、傅珍祥总纂的《古县志》，11月由陕西人民出版社出版发行。古县史称岳阳，历史上先后6次修志，最初修志于明万历年间，但因年代久远，原志已荡然无存。二次于清康熙元年（1662）。三次于清雍正十二年（1734）。四次于清光绪六年（1880）。五次、六次分别于民国2年（1913）和民国21年（1932）。这部社会主义新县志始于20世纪80年代，迄于2001年，时空跨越20年，是古县历史上的第7次修志。该志记事断限，上溯有史料记载之时，下限至1990年底。设建置、自然环境、人口、经济综述、农业、核桃生产、工业、交通邮电、商业、城乡建设、财税金融、经济行政管理、科技、党派团体、政权、教育、司法、民政、人事、军事、文化、卫生体育、民情民俗、方言、人物等25编、71万字。著名电影表演艺术家赵子岳题写书名。中共古县县委书记安双荃作序。

（鞠豫霞）

经济研究工作

【概述】 9月，体改委撤销组建临汾市经济发展研究中心。主要职能：围绕全市经济、社会发展和改革开放的工作大局，开展前瞻性、战略性和综合性研究，为制定全市经济发展规划提供依据，为市委、市政府指导经济工作提供政策性建议；按照全市经济发展的总体部署，把握经济走势，了解各县（市）各部门经济工作的运行情况；总结经验，发现问题，研究对策，为市委、市政府领导决策当好参谋助手；联络有关研究机构和专家学者，组成紧密或松散型议事机构，进行重要专题和综合性研究，解决全市经济改革与发展中的突出问题；研究国内外经济和社会发展的重要信息，组织学习考察，推广先进经验。为各县（市、区）部门、企业制定发展规划和改革方案提供指导与咨询服务。

【企业改制】 组织协调临汾染化（集团）公司重组上市论证、实施工作。2000年6月开始进入企业上市前期操作阶段，但由于自身净资产规模较小，合作方一直无法确定，土地资产、非经营性资产重组、剥离存在法律障碍等诸多因素，一直没有取得实质性进展。4月，东基实业公司介入，提出投资3000万元，做为控股方与染化公司共同组建股份有限公司的改造方案。体改委积极与企业联系协调，协助企业向会计事务所和审计事务所就上市重组有关问题进行专业咨询，并主持召开染化公司与东基公司的协调会议，起草制定染化公司进行重组上市的2套方案。组织协调山西汾河生化有限公司股份改造实施工作。经过深入调查，先后10余次召开改制协调会议，就国有资产评估、国有股权资信证明、职工合股基金会、变更注册登记等改制所需各类手续及程序逐项予以协调、落实。到年底，基本完成汾河药厂改制工作。起草《临汾市国有企业改制程序及监督办法》。帮助市新华书店制定实行合并、连锁经营内部经营机制改革方案。对省公路二公司组建有限责任公司的方案制定、实施操作进行指导帮助。帮助市电业局劳动服务公司研究起草改制方案。对市互感器厂、乡宁中南凹煤矿等10余户企业的改革思路及政策问题提供咨询服务。

【行政审批制度改革】 组织人员赴陕西西安、河南焦作及太原、阳泉等地进行考察学习，对全市行政审批情况进行全面摸底，设计下发《临汾市行政机关现行行政审批、审核、核准项目申报表》和《临汾市市直机关现行行政（事业性）收费项目申报登记表》。通过1个月时间，掌握全市63个部门的审批和收费1448个项目的情况。在此基础上依据国务院、省委、省政府的要求，结合临汾实际，对现行的审批收费事项进行认真清理，把审批、收费的1448个项目减为1105项，取消343项，其中审批事项697项，取消131项，占审批项目总数的22%，收费项目408项，取消93项，占收费项目总数的23%。到年底，又取消审批和收费事项183项，还保留912项。为了进一步简化办事程序，市政府规定组建临汾市行政审批服务中心，第一批进大厅的有 31 个单位设 54 个窗口。

【调查研究】 按照市领导对尧都区企业产权制度改革的批示，体改委牵头组织市经委、财委、国资、劳动、土地等部门两次到尧都区调研，向市政府领导提交关于尧都区国有企业产权制度改革情况调研报告。会同省委调研室和市直 9 个部门先后赴侯马、襄汾、翼城、曲沃、洪洞等县（市）调研，提出民营企业进一步发展的政策思路。对大宁县工业体制状况进行调查会诊，形成调研报告，报告分析大宁县工业发展的特点和体制创新中存在的问题，提出推进企业体制创新的意见和建议。

（阴　黎）

机关事务管理

·市委机关事务管理中心·

【概述】 以建设庭院式机关为目标，认真规划、精心设计、努力改善工作环境。用两个多月的时间，建成两条宽 6 米的水泥环形车道、一条宽 12 米的花岗岩人行道。安装 60 米不锈钢护栏、18 米电动伸缩门、14 盏具有现代气息的路灯。完成楼前绿化，拉运花池脏土 2700 余立方，回填黄土 2300 余立方，栽植雪松 47 株、大冬青球 30 株、各种花卉 2000 余株，种植草坪 4000 余平方米。完成钟楼巷市委家属院危旧平房改造，新建住宅楼 3 幢，建筑面积 13063 平方米，解决百余户干部职工的住房困难。更换新办公楼采暖管道，检修 2 台 4 吨锅炉，更换电器配件，保证水、暖、电正常供应。坚持值班制度，保证机关安全和通信联络的畅通。修订完善经费管理、差旅费管理、固定资产管理、劳保发放制度。机关财务工作，年度审计受到财政部门表彰。机关幼儿园被评为一类幼儿园。

（马新）

·市政府机关事务管理中心·

【概述】 努力改善服务设施，延伸服务范围，转换运行机制，强化后勤管理，有力地保障市政府机关后勤工作的正常运转。被省综治委授予“全省社会治安综合治理先进单位”，被市委、市政府授予“先进单位”，被市综治委授予“社会治安综合治理红旗单位”等荣誉称号。

【机关综合治理工作】 按照“三创一跨越”工作思路，机关综治工作实现新跨越。把提高居民素质和社区文明程度做为综治工作的主要内容，完善综治网络。健全机关社会治安领导组和消防领导组，完善小区安全文明创建领导机构，与机关各单位签订综合治理责任书；将党建工作引入社区。在小区设立临时党支部，实行双重领导；开展形式多样的综治活动。对机关办公区和住宅区的卫生、安全、消防、绿化、暂住人口、违章建筑等进行例行的和不定期综合检查。开展评选文明楼、文明单元和文明住户活动，利用阅报栏、黑板报，广泛进行普法教育和《公民道德建设实施纲要》教育，成立市政府机关预防和减少青少年违法犯罪工作领导小组。成立“老年书法协会”、“老年门球协会”，组织老年合唱队、老年门球队、老年舞蹈队，开展警民联欢。通过开展形式多样的活动，使小区安居功能、服务功能、文化功能、娱乐功能都得到发挥，提高了环境品位。

【优化机关环境】 在机关大院和住宅小区开展《管理服务征求意见》百卷调查活动，针对群众提出的建议和意见，短期内进行整改。多方筹资，新建建筑面积 752.05 平方米的机关老干部活动室。对住宅小区 23#～24#住宅楼道路和机关医疗室门前安装防护栏，杜绝事故隐患。在北办公楼新建三层 160 平方米的卫生间，彻底改善北楼脏、乱、差局面。国庆节期间配合临汾市整体规划，安装彩灯和大型射灯，使机关面貌焕然一新。对屋面渗水严重的印刷厂以及小区内 3 幢楼顶进行维修。与市交警队联手行动，彻底整治行署巷交通混乱局面，使行署巷交通秩序井然有序。彻底改造电信通讯设备，全部与市话接轨，实现全国联网。解决城网改造遗留问题，双回路电路电源切换问题得到解决。对消防器材进行更新和更换，新配 46 具灭火器，对原有 140 具灭火器进行换粉处理，做到防患于未然。

民主党派

中国国民党革命委员会

【概述】 1月召开的“两会”上，民革2位同志当选为市人大代表，其中1位当选为市人大常委，7位推荐为市政协委员，并有1位担任市政协常委。一年来，民革人大代表、政协委员多次参加中共临汾市委、市政府召集的有关经济发展和结构调整民革等重大情况通报会、汇报会、意见征求会，积极建言献策。代表、委员共写议案、提案12件，其中郑九云委员提出的“垃圾围城，急待解决”受到市委、政协、政府高度重视，解决市环卫处800万元新增车辆费，缓解城市垃圾运输困难。郭鸿禧常委提出的教育问题提案也受到政府极大关注。民革省委到临汾考察壶口——克难坡，民革临汾市委陪同考察，促成开发克难坡与壶口旅游景区出口道路项目，省给予开发款1.9亿元。不少同志还担任县（市、区）的行风监督员，由于出色完成任务，受到市行风办表彰。还涌现出模范先进工作者，优秀企业家20多人。完成各级组织组建与换届。民革临汾市委负责人多次到各县（市）进行民主考评，并与各地统战部取得联系，协商班子人选。曲沃支部、洪洞支部、侯马支部换届顺利完成，霍州支部、襄汾总支也准备换届，使一批知识层次高、热心民革工作、年富力强的同志走上民革基层组织的领导岗位。召开声讨“法轮功”会议，使民革党员提高识别真伪的能力，教育家属、亲戚远离“法轮功”。

（郑九云）

中国民主同盟

【筹备民盟临汾市首次代表大会】 民盟临汾市筹委会认真贯彻落实盟中央和盟省委的指示精神，自2000年12月25日成立民盟临汾市筹备委员会后，为选举产生第一届民盟临汾市委开始全面筹备工作。4月22日，筹委会召开第二次会议，根据《关于成立五个民主党派市委及召开全市代表大会若干问题的座谈纪要》，制定工作方案，推荐民盟临汾市委委员候选人，选举参加代表大会的代表，其中，尧都区45名，侯马市26名，襄汾总支9名，洪洞支部7名。根据盟省委的意见提出正、副主委候选人。

【参政议政】 1月召开的“两会”上，民盟出席“两会”的政协委员11位（有4位盟员由其他界别推荐），其中常委2位；人大代表4位，其中常委1位。他们先后参加中共临汾市委的情况通报会、协商会、征求意见会、关于临汾市“十五”规划的座谈会和市政府召集的关于政府工作报告的讨论会，并积极建言献策，提出建议和意见。杨益民在市政协会议上关于基础教育的发言受到市委和市政府的重视。一年中，民盟人大代表、政协委员就经济建设、教育发展、企业改革、民主法制建设等方面共撰写议案、提案20余份。民盟有省、市、县、区人大代表和政协委员56人，有不少人担任了特邀监督员、审计员、教育督导员、行风评议员，发挥了参政党的作用。

【积极开展活动】 组织盟员学习盟章盟史学习会，迎春茶话会、经验交流会、新盟员培训会、统战知识竞赛会各一次，特别是在重大问题上，盟员旗帜鲜明，立场坚定，坚决同中共党中央保持一致，狠批法轮功，声讨以美国为首的北约轰炸中国驻南使馆以及李登辉的“台独”卖国论。面向社会发挥人才智力优势。在办学方面，有精华中学、文明小学、长宏职业技术学校、西京外语学院、黄河英文中学等。临一中语文特级教师杨益民，在全国各级报刊发表论文60多篇，做学术报告50多场，示范课100余节。医务界人士开展“三下乡”义诊活动。科技方面，临汾长宏电脑公司、小麦研究所科研项目、侯马银杏公司都做出新成绩。

（田云）

中国民主建国会

【筹备民建临汾市首次代表大会】 民建临汾市筹委会按照民建中央和民建省委的要求，在中共临汾市委的统一领导下，开展各项筹备工作。4月，民建临汾市筹委会召开第一次扩大会议。宣读民建中央《关于同意成立民建临汾市筹委会的批复》和民建山西省委《关于建立民建临汾市筹备委员会的决定》。9月，民建临汾市筹委会召开第二次扩大会议。研究民建临汾市委首次代表大会代表名额和首届市委委员名额的分配问题，研究提出各县（市、区）民建组织按五比一的比例，推选代表72人，列席代表 10 人；民建临汾市第一届委员会规模19 人的建议。会后各地方组织相继推选出代表，并协商产生市委委员建议人选。筹委会将具体情况送交中共临汾市委统战部和民建省委。

【履行参政党职能】 1月召开的“两会”上，民建有3位会员当选为市人大代表，16位会员当选为市政协委员，同时成员中有省政协委员 1 人，县人大常委 2 人，县政协常委 12人，县政协委员 42 人。民建中的市人大代表、政协委员多次参加市委、市政府召开的协商会、座谈会、通报会和视察、行风评议活动，就政治稳定、经济发展、法制建设以及重大人事变动方面的问题，认真发表意见和建议。民建会员中的市人大代表、政协委员共撰写议案、提案30余件；社情民意总分1178分，居各界别之首，其中成继东的《建议采取措施分离企业办社会职能》和《企业办社会的问题应引起高度重视》的建议被中办、国办采纳，省级采纳单篇条目13条，市级采纳单篇条目51条。基层组织也在所在县（市）两会上发挥积极作用，民建尧都区委共提交提案14件，民建洪洞支部共提交团体提案6件，个人提案40件，民建侯马支部共提交提案41件，民建霍州支部共提交提案15件。民建临汾市筹委会被市政协授予提先进单位和信息先进单位。先后有5名会员担任市级行风监督员，有2名会员担任行风评议组组长，22名会员担任县级监督员。

【自身建设】 召开揭批、声讨“法轮功”座谈会，300 多名会员中没有一人参与“法轮功”；组织全市民建会员参加“全国统战工作会议知识问答”收到答卷230份；创办民建临汾市筹委会《参政报》（试刊）；召开有80余人参加的庆祝建党80周年大型座谈会；11月临汾民建主要负责人和后备干部赴太原参加省委统战部举办的“山西省民主党派骨干成员培训班”。民建侯马支部圆满的完成换届，市直总支筹备领导组也已成立，积极开展组建工作。在基层支部建设方面，民建尧都区委开展培训办学和信息工作，培训各类学员500余人，被民建中央授予民建办学先进单位和省、地、社会力量办学模范单位。民建侯马支部成立民建企业家联谊会。民建洪洞支部组织下乡义诊成绩显著。被县政协评为参政议政先进党派。

（高标达）

中国民主促进会

【筹备民进临汾市首次代表大会】 2001年1月8日，民进临汾市筹委会召开第一次扩大会议。中共临汾市委统战部的负责人受民进山西省委的委托，宣布民进山西省委对成立民进临汾市筹委会的批复。会议研究并提出临汾民进首次代表大会的代表比例、第一届民进市委委员名额和大会召开日期的建议。4 月 3 日，民进临汾市筹委员召开第二次会议。会议研究民进临汾市首次代表大会代表名额和首届市委委员名额的分配问题，研究并提出首届市委正、副主委人选建议。会后，各地方组织和直属支部相继选出代表 50 名，筹委会按照会章规定协商产生代表 5 名，共产生正式代表 55 名。同时，各地方组织和直属支部也协商产生市委委员建议人选。在此基础上，筹委会于 6 月 12 日以［2001］4 号文件的形式将民进临汾市第一届委员会组成人员建议名单送交中共临汾市委统战部。12 月 22 日，民进临汾市委在侯马召开第三次扩大会议暨临汾民进代表会议。会议通报了 6 月份以来筹委会就一届市委领导班子等问题与中共临汾市委统战部协商的情况，选举产生出席民进山西省第五次代表大会的代表 12 名，推举出五届省委委员候选人 3 名。

【履行参政党职能】 1 月召开的“两会”上，民进有 1 位会员当选为市人大代表，6 位会员当选为市政协委员。其中筹委员会主任方熔当选市政协副主席，副主任郭申生当选为市政协常委。先后参加由市委、市政府召集的关于临汾市调整经济结构的情况通报会、关于政府工作报告和“十五”规划的意见征求会共 6 次，提出的意见和建议，受到有关方面的重视，其中不少意见和建议被采纳。9 月，民进负责人带领市行风评议检查组对汾西等县（市）的纠风工作进行督查，随后又参加省行风评议检查组在临汾市的工作。民进的人大代表、政协委员共撰写议案、提案 10 余份。共有 11 名会员的 36 篇稿件被临汾市政协《社情民意》采用，6 篇被包括《人民日报》内参在内的各级新闻媒体和内部刊物转载。会员中涌现出各级劳动模范、教学能手、学科带头人 40 余名。教师节，民进会员、尧都区解放路小学教师樊青获“山西省优秀教师”称号，临汾五中教师郭静获“临汾市教学新秀”称号；段爱国、张艳荣、安敏、赵以淳、杨春山、申明俊 6 人获“山西民进优秀会员”称号。国庆节前夕，民进临汾市筹委会召开表彰会议，对 18 名会员进行表彰奖励。

【自身建设】 民进临汾市筹委会在全市会员中开展统战知识和统战理论学习研讨活动。召开庆祝中国共产党建党 80 周年座谈会，民进主要负责人和后备干部赴太原听取张正明主席关于国际形势的传达报告。全国民进 2001 年统战理论研讨会在太原召开，方熔撰写的《在弘扬和建设先进文化方面民进工作的几个侧重点》论文参加会议研讨，姚砚库、褚小平、杨茂元、李秀玲、安先富撰写的论文也被收入《民进山西省 2001 年统战论文汇编》，论文数量居全省地方组织之冠。在临汾市政协召开的揭批、声讨“法轮功”座谈会上，民进的市政协委员愤怒声讨“法轮功”。民进临汾市筹委会和民进尧都区委联合召开两次座谈会，揭批“法轮功”的罪行。250 余名会员及其亲属中，没有一个参与“法轮功”练习的。2001 年是临汾民进的换届之年，受民进省委的委托，民进临汾市筹委会担负起领导下级组织换届任务。一年中，筹委会的负责人两次赴侯马，三次到霍州，就两市换届的领导人选与各家民进组织的班子成员、资深会员和当地中共统战部的负责人反复协商，达成共识。侯马市民进于 12 月 22 日换届，尧都区和霍州市的班子人选也基本敲定。

（姚砚库）

九三学社

【筹备九三学社临汾市首次代表大会】 九三学社临汾市筹委会，自觉贯彻中共中央方针政策，认真落实九三学社中央和省委的指示精神，认真做好首次代表大会的筹备工作。6 月 3 日，九三学社临汾市筹委会召开第一次扩大会议，宣布九三学社省委对成立九三学社临汾市筹委会的批复，明确九三学社临汾市筹委会的地位、职能及工作内容，提出并讨论九三学社临汾市第一次代表大会工作方案（草案）。8 月 13 日，九三学社临汾市筹委会召开第二次扩大会议，通报筹备工作情况，研究九三学社临汾市第一届委员会委员的名额分配，提出九三学社临汾市第一届委员会主、副主委人选建议名单。11 月 24 日，九三学社临汾市筹委员召开第三次扩大会议，通报筹委会就第一届九三学社临汾市委领导班子成员等问题与中共临汾市委统战部协商的情况。

（赵强）

群众团体

市总工会

【概述】 全市各级工会组织认真贯彻党的全心全意依靠工人阶级的根本指导方针，履行维护职能，加强自身建设，保护、调动和发挥职工的积极性、创造性，大力推进新建企业工会组建工作，维护困难职工群体的合法权益，广泛深入地组织实施以合理化建议、劳动竞赛、岗位练兵和技术革新、技术发明、技术创造为主要内容的经济技术创新活动；全市8万余名职工参加“安康杯”竞赛活动；市劳动竞赛委员会表彰“五一”劳动奖状荣誉称号15个；“五一”劳动奖章50名；记集体一等功21个；二等功26个；三等功16个；记个人一等功54名；二等功15名；三等功48名。

【《工会法》执法检查】 7月底8月初，市总工会配合市人大，协同市劳动局、工商局、经贸委、乡镇局组成《工会法》执法检查组，兵分四路，对8个县（市、区）和31个机关、企事业单位通过听、看、查、谈等形式，进行了一次较为全面、认真的检查。11月，又对《工会法》执法检查情况进行一次回头看活动，把《工会法》执法检查工作引向深入。通过《工会法》执法检查，侯马市成立私营企业工会联合会，有15家市直单位新建工会组织，洪洞县、襄汾纺织厂、侯马市运输公司等单位补交拖欠工会经费28.3万元，补发拖欠职工工资32.3万元；浮山县、尧都区解决了工会经费列入财政预算问题。通过这次检查，使一些领导干部学习了解《工会法》，进一步提高对工会工作的认识。也对工会的依法维权、组织建设、建立和落实职代会制度、签订集体合同等方面起到促进作用。

【困难职工群体状况调查】 为履行工会第一知情人、第一报告人、第一帮助人的职责，市总工会与市经贸委、劳动局、民政局等单位组织开展职工群体大调查。调查对象是：生产经营困难企业和破产中生活缺乏保障的职工群体；下岗、失业职工中再就业难的职工群体；被长期拖欠工资、医疗费的职工群体；劳动安全卫生无保障的职工群众；人身权利、民主权利受到严重侵犯的职工群体。调查涉及全市各类企业938个，职工129487人。基本上摸清5种困难职工群体的基本情况，建立和夯实三级贫、特困职工档案，386个基层工会及市总工会建立健全困难职工家庭档案6215个，涉及家庭人口30763人。

【实施帮困送温暖工程】 实施以帮困、再就业为基本框架的送温暖工程。建立健全各种规章制度，即：困难职工的一年两次报表制度，困难职工建档立卡制度，工会干部与贫困职工子女上学救济制度，大灾大病救济制度。为职工办了5件实事：元旦、春节广泛开展“进万家门、知万家情、解万家难、暖万家心”送温暖活动。两节期间共筹措资金196万元，参加走访慰问的各级党政工干部837人，走访慰问困难企业162个，困难职工6936个，救济特困职工2628个。中秋节送温暖，各级工会共筹措资金26.3万元，慰问困难职工1300多户，劳动模范38人，离退休人员288人，扶持特困职工子女上大学。高考结束后，通过调查摸底，在全市范围内筛选29名高考成绩达本科分数的困难职工子女给予资助，每个子女500元，共资助14500元；对患有大病、重病的贫困人员进行救济，共救济 6 人，发放救济款 3000 元；市总工会在经费紧张的情况下，挤出 5 万元对困难企业临汾纺织厂进行救济；开展扶贫帮困结对子活动。各级党政工干部通过提供信息、资金、技术等多项服务，帮助贫困职工脱困，有 196 名职工实现脱贫，118 户先后有好转，扶贫帮困的有效率 30% 以上。

（郭孝忠）

共青团市委

【概述】 全市各级团组织认真实践“三个代表”的重要思想，围绕市委、市政府的中心工作，团结带领广大团员青年“建功三件大事，服务六大战略”，与时俱进，开拓创新。5 月，在全市广泛开展形式多样、丰富多彩的“五四”运动 82 周年纪念活动，对杰出青年和先进团组织进行表彰奖励。永和、隰县、尧都区、侯马、汾西、乡宁举办文艺晚会、知识、演讲比赛、杰出青年评比等活动。洪洞、大宁、吉县、襄汾、霍电团组织以建党“80 周年”为契机，组织团员青年学习党章、党史，学习江泽民“七一”重要讲话，引导广大团员青年“树爱党之心，立兴临之志，走成才之路”。党的十五届六中全会召开之后，在广大团员青年中积极开展“三观（人生观、世界观、价值观）”“校园拒绝邪教”等教育活动，倡导文明、崇尚科学、反对迷信。团市委表彰命名市级“青年文明号”38 个，对现有的创建集体进行全面规范监督。

【“双新双送”活动】 开展“双新（新产品、新技术）双送”活动。团市委联合山西北方种业公司、省农科院，结合本地实际为农民定期提供“新技术”服务。同时大力培养选树“青年星火带头人”，通过青年致富典型，带动青年走科技兴农之路。洪洞县在 16 个乡镇分别成立“双新工程工作站”，培训农民 1500 余人次，培养青年产业带头人 390 余名。全市共有省级青年星火带头人 166 名、市级 600 余名，有 27 名青年星火人才，13 个青年科技示范受到团省委表彰。

【创新创效创业行动】 国有企业团组织大力开展青年创新创效活动。山焦、霍电通过评选“青年创新创效能手”，在青年职工中开展“开发一项新产品，创造一项新工艺、推广一项新技术、转化一项新成果”活动，将管理、营销、服务创新与技术创新紧密结合。临钢、三维广泛开展“五小活动”、“先进操作法”、技术革新、专利发明和提合理化建议等青年技术创新活动。霍矿、侯马、尧都区在企业中加强青工业务和劳动技能培训。在“青年文明号”和“青年企业家”中开展“一助一”结对帮扶活动，安排下岗青工再就业。培养选树“青年兴业领头人”，全市有 30 名“青年兴业领头人”受到团省委表彰。霍矿、临纺采取多种渠道为下岗职工提供就业门路、就业信息、就业培训，为下岗青工牵线搭桥，使 600 余名下岗青工实现再就业。

【青少年维权工作】 各级团组织通过创建“青少年法制教育基地”，开展“珍爱生命，拒绝毒品”、“青年文明社区反邪教行动”等宣传教育活动，加强青少年遵纪守法的观念。翼城团县委组织在校生 800 余人走进看守所，通过座谈、文艺演出等活动，对在押犯罪人进行感化、帮教的同时，也使在校学生受到教育。浮山县结合普法教育，组织学生、教师、家长，举办“青少年模拟法庭”展演。

【青年志愿者活动】 依托中专学校围绕“三个代表”宣讲、文化宣传、支教扫盲、医疗服务、环境保护等内容，组织百名青年志愿者下乡服务。启动青年志愿者社区服务活动，为社区居民、孤寡老人和残疾人提供多种服务。团市委以“保护母亲河”为主题，开展青年志愿者环保宣传活动，引导广大青年争做保护环境和生态建设的排头兵。永和团县委机关建立林草示范草地，承包治理 20 公顷荒山。大宁、蒲县、安泽、古县等县（市）开展“我为家乡增秀美”志愿者活动，建设青年绿色文明园、青年世纪林、青年绿化示范工程、青年生态建设园等。

【“雏鹰争章”活动】 尧都区、霍州市、侯马市、汾西县、乡宁县以“雏鹰争章”为载体，以爱国主义教育为目标，以体验教育活动为落脚点，通过开展丰富多彩的中队活动，成立“假日社区小队”，利用节假日服务孤寡老人、清洁社区卫生等，为孩子们提供展示自我、表现自我、体验自我的空间。

【学校工作】 抓住“成人预备期教育，成人预备期志愿服务，成人宣誓仪式”3个环节，广泛开展“18岁成人仪式教育活动”。组织以“环保、科普、敬老”为主题的全市中学生志愿者服务统一行动日，近千名学生走上街头，散发1万余份宣传材料。尧都区组织3千余名学生在“临汾解放纪念日”到烈士陵园，开展以“缅怀先烈遗志，做新世纪接班人”为主题的18岁成人宣誓仪式。团市委被共青团中央评为全国“18岁成人仪式教育活动”优秀组织奖。

【创建五四红旗团委活动】 以班子建设好、主题活动好、支部建设好、活动阵地好的标准，狠抓基层组织建设。全市共申报省级“五四红旗团委”创建单位17个，其中申报全国“五四红旗团委”创建单位8个，已受到省级表彰的“五四红旗团委”4个，基层团组织建设先进县1个。

附：

•获奖情况•

临汾纺织厂一车间贾丽萍同志、临汾万家福仓储超市李龙飞同志、市人民检察院反贪局李国希同志、襄汾县白马坡农牧水产开发公司原国民同志、乡宁县盛宝王绿色资源开发公司孙英杰同志、临汾市中级人民法院民一庭贺洁同志、临汾卫校秦国杰同志、侯马市公安局樊宇同志、临汾华盛有限公司张华杰同志、临汾尧风画社贾岩鸿同志被评为首届“临汾市十大杰出青年”

临汾供电分公司输电工区检修一班郭立户同志、襄汾县南辛店铸造总厂李世荣同志、隰县午城镇刁礼村闫锁保同志、工行临汾分行尧都办事处客户部贾季丽同志、临汾市邮政局计算机中心刘小鹏同志、洪洞煤焦集运站田迎光同志、临汾九中刘玉江同志、临汾市公交集团总公司杨向东同志、建行临汾分行办公室李小青同志、临汾市农建指挥部任树功同志、临汾电视台贺云强同志、中国银行洪洞县支行曹全旺同志、霍州市公安局李胜同志、临汾日报社总编室安宏伟同志、尧都区东城信用社王来顺同志被评为首届“临汾市杰出青年人才”

（张军）

市妇女联合会

【概述】 全市妇联工作以强化自身建设为保障，以“四大工程”（女性素质工程、科技致富工程、社区服务工程、家庭文明工程）和“三项主体活动”（“双学双比”活动、“巾帼建功”活动、“五好文明家庭”创建活动）为主线，以创特色为重点，突出抓“百村千户十状元”养殖竞赛活动和女性素质工程两项特色工作。组织以“两纲”、“两规”、“两法”为内容进行2次大型法律宣传活动，发放宣传资料近万份。接受上访案件860件，结案率达95%，同时根据撤乡并镇工作，加强组织建设。市妇联及时对科级以上干部和乡镇妇联干部配备情况进行摸底统计，积极主动与组织部门联系配齐154个乡镇妇联主席。调整充实妇女儿童工作委员会。协调27个成员单位调整充实临汾市妇女儿童工作委员会，成立监测评估组织，起草《临汾市妇女发展“十五”规划》和《临汾市儿童发展“十五”规划》。使全市妇女工作充满生机和活力。

【“百村千户十状元”养殖竞赛活动】 引导农村妇女积极参与全市产业结构调整，开展“百村千户十状元”养殖竞赛活动。10月，在尧都区、霍州市组织县（市、区）、乡、村三级妇联干部和养殖大户代表参加的养殖竞赛观摩会，取得明显的社会效益、经济效益和人才效益，参赛妇女47万人，达标养殖大户216户，专业养殖村110个，创经济效益7343万元，涌现出10名女养殖状元，10名女企业家，省妇联八届执委会工作报告中肯定这一做法，同时受到市委、市政府各级领导的肯定和支持。

【“双学双比”活动】 在农村以“双学双比”

为突破口举办962期多种形式的科技培训，培训妇女136220人次，推广21项新技术，开发14种新品种，建立科技种植基地160个，养殖基地173个，小康示范基地10个，营造"三八"村154处，建立"三八"绿色工程166个。

【"巾帼建功"活动】 在城市妇女中围绕"巾帼建功"活动的总体要求，针对不同行业、不同岗位采取条块结合、以块为主的方式，开展争创"巾帼文明示范岗"，争当"巾帼建功标兵"、"再就业明星"活动，形成创一流、争最佳的工作格局，各行各业女职工岗位练兵、岗位建功、岗位成才，提高女职工的业务技能和服务质量，一大批女强人竞展风采。全市涌现出"巾帼文明示范岗"20个，"巾帼创业明星"20名，"再就业明星"1名，"巾帼建功标兵"100名，培训下岗女工2174人，帮助1894名下岗女工再就业。

【万名妇女学技术活动】 针对妇女养殖业活动开展的需求，9月，组织"万名妇女学技术，建功立业建强市"活动并召开新闻发布会，9家新闻单位参加，真正起到妇联搭台，社会唱戏，妇女受益的效果。市妇联建立妇女学技术培训基地，设7个专业，免学费培训1万名妇女，各县（市、区）妇联也因地制宜地为妇女送技术下乡到村到户，全市不同形式培训妇女42万余人，掌握1～2门先进实用技术或高新技术39万人，获得职称和证书2400人。

【举办妇女干部理论培训班】 10月，举办1期100人参加的市、县、乡三级妇女干部培训班，邀请专家教授和省妇联领导讲课，开设基本理论、马克思主义妇女观、妇女工作与WTO、区域经济等12门课程，收到良好效果，首开妇女干部培训班先河。

附：

•获奖情况•

临汾市、尧都区、曲沃县、襄汾县妇联受省妇联表彰、"三八"活动创意奖

临汾市、浮山县、大宁县、洪洞县妇联被授予《新婚姻法》宣传贯彻先进集体

（亢玉兰）

市文学艺术界联合会

【概述】 文联努力建设先进文化，开展文学艺术活动。全年举办美术展览18次，书法展览6次，摄影展6次，参展各类艺术作品3400件；出版《平阳文艺》3期，内载文学作品156篇，在省以上刊物发表文学作品82篇；发表美术作品85件，推荐参加省以上美术展览320件，入选78件，并有15件美术作品获省以上奖励；发表摄影作品206幅，并有10人次获大奖；发表书法作品73件，11件获奖。先后组织3批文艺骨干赴新疆、深圳及本省各地学习采风。召开文学研讨会3次，举办书画、摄影讲座4次；对所属各协会进行整顿，健全会员档案，发展会员165人，其中省级会员40人，市级会员125人。

（张旭红）

市科学技术协会

【概述】 各级科协组织团结广大科技工作者，深入开展科技宣传、科技教育和科技普及活动。举办"崇尚科学文明，反对封建愚昧"大型科普展，在尧庙广场、临汾一中、三中、临师展览馆等地展出250多场次，受教育群众达20多万人，组织"科技下乡"活动186次，培训农民15.6万人次，发放技术资料16万余份。新组建各级各类农技协200个，全市农技协总数达1580个。举办第十一届优秀学术论文征集评审活动，共征集各类学术论文63篇，评出一等优秀论文26篇、二等优秀学术论文26篇、三等优秀学术论文11篇。其中一、二等论文报送省科协参加山西省第十一届优秀学术论文评审。开展"第六届青少年生物和环境科学实践活动"的评选工作。有8个县（市）50多所中小学参加，历时9个月，共收各类选题420余项，评选出一等奖22篇，二等奖42篇，三

等奖79篇。对全市科技人员进行普查摸底，分类建档，建立“人才库”。中国融资网临汾分部11月在市科协挂牌成立。《科技与信息报》共发行4期2000份。

（杨凡）

市工商业联合会

【概述】 市工商联紧密围绕市委、市政府建设经济强市，实现率先发展的目标，按照市工商联一届一次会员代表大会的部署，全面履行工商联职能，参政议政，谏言献策。全市工商联组织及会员共提出各类提案、建议案、调研报告总计320件，市工商联共提建议案和提案16件，其中，16名非公有制经济界人士联名起草签字的《关于进一步加强工商联建设意见》、《我市民营经济发展的现状》、《民营经济适应新形势首先要解决的问题》、《当前严重困扰我市民营经济发展的四大因素》、《关于保护我市个体私营经济合法权益的条例》（草案）5章42条，《关于大力推进民营经济发展的意见》等建议案，得到市委、市政府的重视，有的已被采纳。

【服务民营企业】 临汾正和信用担保公司在全省率先成立并成功运作，为民营企业解决融资难的问题，累计为符合国家产业政策、产品有市场、发展前景好的38家民营企业提供371笔贷款及银行承兑汇票担保，累计担保金额达7803万元。该公司被国家经贸委列入全国信用担保试点单位之一。组建临汾市工商联法律顾问处和财税顾问处，为会员企业管理上档次、权益受保障提供服务。翼城县工商联为民营企业引进1000万元港币。乡宁县工商联专门成立会员清欠服务中心，为会员清理欠款，调解纠纷。组织举办“2001临汾财智论坛”，邀请北京3位专家对400余名企业界人士进行专题讲座。帮助民营企业建立党组织，江南纸业、东方装璜公司等10家民营企业建立党支部。全市共建立和完善民营企业党支部46个。通过新闻媒体对会员企业进行宣传报道。动员民营企业积极投入“致富思源，富而思进”的光彩事业活动，有15家民营企业资助15名大学生直至学成业就。成功地举办有13家民营企业参加的庆祝中国共产党建党80周年文艺晚会。全市工商联组织在发挥服务职能中赢得信任，发展壮大，新发展乡镇分会、同业公会，行业协会20余个，在原来8000个会员的基础上，新发展企业会员380个。

（张建梅）

市老区建设促进会

【概述】 各级老促会围绕当地党委、政府的工作部署，认真贯彻中央有关老区建设的一系列重要指示，坚持量力而行、尽力而为的原则，在基层学教活动、调查研究、科技扶贫、兴学助教、大办实事等方面做了许多卓有成效的工作。在思想建设方面，坚持用“三个代表”重要思想统帅老促会工作。县（市、区）老促会部分同志还参加村级“三个代表”学教活动指导组，不少同志还担任组长。在宣传老区方面，尧都区和古县开始编写革命老区史，浮山县编写革命回忆录，汇编成《血与火》一书印刷出版；在调查研究方面，王德贵多次到浮山、安泽、古县、曲沃、翼城等县（市）搞调研，考察民办学校、三元杂交种猪厂、獭兔养殖村、万亩核桃园等典型村点；陈健民同尧都区老促会一同搞的《如何使山老区农民尽快脱贫致富》的调查报告被《山西农经》刊登，《汗水洒满育枣路》在《山西日报》、《山西科技报》上刊登；翼城县老促会围绕全县的“十五规划”、日光蔬菜大棚、“三个代表”重要思想的学教活动、撤并乡镇等重大工作进行调研，大部分意见和建议被县委采纳；古县老促会按照县委部署，对全县7项重点工作进行考察，提出许多好的意见均被县委采纳；浮山县老促会对张家坡铁矿私挖乱采、偷税漏税等情况进行调查，并写出报告，县委、县政府高度重视，迅速采取措施，使破坏性开采得到收敛。在科技扶贫方面，安泽县老促会会长王修印被县委、县政府聘为药材开发、世行贷款养牛、特种养殖3个主导产业顾问，老促会成员从宣传发动、制定规划、基地建设、工程实施、技术培训等都积极参与，同时还协助县、乡、村成立养牛、药材、兔业协会；在办实事方面，老促会成员都能够做到尽责尽力。程满仓深入原来的扶贫联系点古县郭店乡陈香村，组织有关职能部门解决联系点的难点问题，4年共投资60万元，给陈香村新建村委、党员活动室，解决吃水问题，投资新建郭店中学，改造卫生院，引进小尾寒羊等；在兴教助教方面，发挥各自优势，开展兴学助教活动。襄汾、翼城近几年共创办4所民办学校。市老促会兴办的山西医学院对特困生实行减免学费。

【第三届理事会议】 11月29日召开老促会第三届理事会议。市委副书记刘合心、副市长常富顺参加会议并讲话。参加会议的理事75人，比上届减少23人，年龄结构降低，知识结构提高。会议宣读并通过第三届理事会章程。选举产生第三届理事会名誉会长、会长、副会长、秘书长。名誉会长董启民、会长程满仓、副会长王德贵、毛恩隆、牛文山、樊玉龙、张传华、李木达、王玉柱、秦瑞亮、张伟能、黄登高、张家骏；秘书长王德贵兼任。常务副会长兼秘书长王德贵代表第二届理事会做工作报告。刘合心在讲话中充分肯定第二届理事会的工作，并对今后工作提出希望和要求。常富顺介绍了临汾市农业和农村经济发展情况。程满仓对今后如何搞好老促会工作讲了话。

（王德贵、仇克宽）

经济管理

计划管理

【概述】 计划管理围绕“在建项目抓督查，前期项目抓资金，计划项目抓落实，‘十五’项目抓筛选，转变职能抓服务”5个工作重点展开。以与“1311”规划衔接为重点，促进全市产业结构由适应性调整向战略性调整转变。“1311”规划是省委、省政府为确保全省调产目标落到实处，促进经济发展而采取的重要举措，具体内容是：在第一产业重点扶持100个农业产业化龙头企业；第二产业重点扶持30个战略性潜力产品；第三产业重点扶持10个旅游景区；在高新技术产业方面，重点扶持100个高新技术产业化项目。计划工作把争取入选“1311”项目规划做为一项重要工作来抓，积极向省计委推荐上报符合条件的项目，配合项目单位完善资料，做好项目的入选争取工作。具体结果是：100个农业产业化龙头项目全省初步确定61个，临汾市洪洞大槐树乳业有限公司1个项目入选；30个工业潜力产品备选项目35项，临汾市5项入选：临汾华翔15万吨高科技出口铸造工业园区、山焦30万吨/年煤焦油加工改造、华晋公司乡宁矿区王家岭煤矿、侯马平阳制药厂“男康片”扩建及GMP改造工程、侯马中药厂男宝生产线GMP改造；10大旅游景区全省初步确定10个，临汾市吉县壶口黄河峡谷生态旅游项目入选；100个高新技术项目全省初步确定63项，临汾市7个项目入选：侯马瑞洁生化有限公司L－乳酸、侯马晋光药业年产50亿粒猴头健胃灵、曲沃三川药业止血纤维、乡宁琪尔康公司超临界萃取翅果油、山西金座农业滴灌管材、临汾尧梦水射流除尘脱硫、翼城东寿城新型“腐磷二铵”。为实现“1311”规划与全市调产相衔接，制定“6911”规划：即十五期间全市新上项目69个，投资110亿元，同时各县（市、区）也制定相应的调产5年项目规划。通过规划引导全市大力发展新兴产业和高新技术项目，实现产业结构调整的战略性转变。

【争取国家、省投资】 积极向国家计委和省计委汇报项目情况，及时了解国家和省里的投资方向，加强联系，沟通感情，增进了解，全年共争取资金3.35亿元，其中：国家资金1.92亿元，省资金1.43亿元。按行业分类，农林水利项目18个，投资9281万元；工业项目9个，投资7622万元；交通城建项目22个，投资10718万元；文教卫生项目15个，投资1055万元；公检法司项目8个，投资520万元；财贸项目5个，投资3125万元；国土地质项目2个，投资100万元；旅游及其他项目5个，投资1143万元。与此同时，事关全市未来5年经济发展的6个重大项目立项工作也取得实质性进展。总投资1.66亿元，可恢复和发展水地0.66万公顷的引沁入汾马房沟提水工程国家计委已批复立项；总投资12.5亿元的襄汾纸业集团林纸一体化项目通过中国工程咨询公司评估，国家计委会签文件，拟安排国债资金2094万元；乡宁琪尔康翅果油项目，国家计委在肯定项目的同时，提出具体操作意见，正在加强前期工作，争取列入国家计委食品工业专项资金；平阳制药厂男康片、晋光药业猴头健胃灵项目也已上报国家计委，争取高新技术中药产业化专项资金；霍州二电厂可研已报国家计委待批。

【招商引资】 根据国家产业政策，结合临汾优势，精心筛选出40个科技含量高、有发展潜力的项目，参加山西经贸洽谈会、深圳高交会和山东烟台APEC招商投资洽谈会，取得丰硕成果。共签订经济技术合作项目20个，总投资14.5亿元，协议外资6540万美元，省外资金2.7亿元。新批准成立华翔同创、山西晋怡等5家三资企业，项目总投资4938万美元，协议外资2195万美元。

【建设项目督查调研工作】 列入市政府监测计划有162个项目，其中，打基础项目63个，年计划投资8.3亿元；调结构项目86个，年计划投资20.7亿元；治环境项目13个，年计划投资0.9亿元。这些项目总投资占全市当年固定资产投资计划的67%。计委建立重点监测项目月报制度，一月一报表，一季一汇报，半年一督查，发现问题，及时向市政府提出针对性建议。一些单位在项目建设中存在重建设、轻管理；重眼前效益，轻科技开发；重财政、银行投资，轻社会民间投资；个别县（市）抓调产重行政手段，轻市场调控的现象，及时召开调产项目工作会议，解决调产项目建立现代企业制度、科技创新机制、投融资社会化、企业经营和政府管理市场化4个方面的问题，并建议对以前招商引资政策进行修改完善。

【电子网络建设】 信息中心重点建设的调产项目网、民营经济网、环保网、旅游网、煤焦铁电子商务网框架基本建成，其中调产项目网正式开通。加快推进电子政务工程，开通临汾人大网站。对《每周网讯》进行全面改版，使之成为融前瞻性、导向性、操作性、实用性、资料性于一体的信息产品，得到市政府领导和各有关部门好评。

【改革项目审批制度】 制定《关于简化项目审批制度的有关规定》，简化审批程序，提高办事效率。通过报纸、电视等新闻媒体向全社会公开承诺，对市计委审批权限以内的项目，只要符合产业政策、环保和土地要求，在3天内完成全部审批手续，需考察论证的项目，在15天内完成审批手续或做出答复。对需省计委审批的项目，主动帮助项目单位完成全部上报资料，并配合项目单位向省汇报。同时，根据项目性质不同，对资金充足，符合产业政策，能自行平衡土地、环保、资源需求的项目，大幅度下放项目审批权限。

统　计

【概述】 统计工作以服务经济建设为主线，充分发挥统计信息、咨询和监督职能，为全市社会经济发展做出积极贡献。定期公布月度考核资料，初步建立起一整套比较科学规范的监测考核指标体系。开展对策研究，不断对统计资料进行深加工，为各级党政领导和有关部门提供统计分析报告。在全省统计分析“精品工程”评比中，荣获一等奖。开展统计科研，在省级以上学术期刊杂志先后发表论文30余篇，其中，被国家级报刊采用4篇，5篇在全国、省优秀统计论文评比中分获一、二、三等奖。通过各类新闻媒体及时宣传和报道全市经济、社会、科技发展的最新动态，及时发布统计公报。在《临汾日报》、临汾电视台分别推出《临汾经济建设十件大事》，在《临汾日报》推出“国庆”专版，反映建国52年来全市经济建设成就；编印《临汾市情概览》统计资料提要本，编辑出版大型统计资料《临汾年鉴》(2000)。发布统计信息200余条（篇），充分发挥统计信息职能。

【统计调查和重大国情国力普查】 积极开展各项调查工作，先后组织实施并圆满完成规模以下工业清查、人口变动情况抽样调查等多项常规和专项调查任务。重点组织第五次全国人口普查和第二次全国基本单位普查工作。在人口普查方面，顺利完成质量验收、资料编码、快速汇总、发布公报、光电录入和数据处理等工作，多次受到省普查办好评。

【统计执法大检查】 根据全国、全省统一部署，统计、纪检、司法三部门紧密协作，深入开展《统计法》和“两办通知”执行情况大检查。全市共有8029个单位开展自查，对938

个单位进行重点抽查，发现统计违法行为162起，立案122起，结案116起。给予通报批评29起、警告7起、罚款52起、其它处理31起，罚款18.17万元，其中5000元以上的18起。在全省统计执法大检查评比中，被授予“先进单位”称号。

国土资源管理

【概述】 国土资源管理立足服务，强化管理，深化改革，夯实基础，确保全市耕地总量动态平衡，努力提高矿产资源管理水平，严肃查处各类违法案件，维护全市经济发展和社会稳定。全年完成矿产资源补偿费628万元，国土收益2319.6万元。突出资源管理秩序整治，认真开展煤、铁矿整顿。临钢铁矿“8·20”地面塌陷事故发生后，从8月28日开始对所有铁矿实行停产整顿，未经验收合格一律不得恢复生产。全市共组织开展大规模集中排查整治行动49次，取缔无证采矿313个，查处越界采矿56起，清理关闭违法多井口煤矿38个，关闭地质灾害危险区内铁矿33个，拆除房屋建筑2000间，驱散从业人员12000余人，没收非法采矿设备1000余台件，没收违法所得和给予行政罚款151.64万元，移送法院强制执行案件25起，行政拘留19人，移送司法机关追究刑事责任7人。经过整治，全市277个有证铁矿坑口，批准复产137个，708个有证乡镇煤矿，批准复产的340座。整顿规范土地市场，市政府下发《关于在全市范围内开展整顿和规范土地市场秩序工作的通知》，成立领导组，制定《临汾市土地收储供应程序规定》，召开全市整顿规范土地市场秩序工作会议。通过集中整顿，基本摸清土地市场底子，1999年以来全市超出法定范围划拨用地289宗，原划拨土地转为经营性用地未上交土地收益108宗；同时边整边改，大部分县（市）建立了土地有形市场，推行土地收购储备制，有效地防止土地资产流失。

【实现耕地总量动态平衡】 进一步完善基本农田保护划定工作。全市共划定基本农田411086.7公顷，保护率77.3%，绘制基本农田保护图518幅，签订基本农田保护目标责任书6790多份，设立基本农田保护标志1134个，并建立保护档案。认真落实耕地“占一补一”政策，超额完成补充耕地任务。全市有建设项目的9县（市、区）共补充耕地122公顷，有99.1公顷进入补充耕地储备库。认真落实大运高速公路补充耕地项目及资金，对有关县（市、区）补充耕地位置进行实地勘查，落实地块面积，其中霍州、洪洞、尧都、襄汾、侯马等县（市）30%以上补充耕地专项资金已经到位，保证耕地开垦工程顺利启动。各级政府采取有力措施，大搞土地整理复垦开发，新增耕地1297公顷，实现全市耕地总量和耕地占补两个平衡。

【保障经济建设用地需求】 充分发挥规划“龙头”作用，完成乡级土地利用总体规划修改审查，并于2月份经市政府批准实施。乡镇撤并之后，又按省厅安排对所涉及的乡级规划做了修编，12月份报省备案；对全市较大的单独选址建设用地项目所涉及的翼城、曲沃等县级土地利用总体规划进行修改并报省政府批准。全年先后5次向省厅申请回计划外指标32项，163公顷。同时建立便捷用地报批制度，及时掌握用地项目信息，预审各类建设用地项目8宗，上报省厅用地46宗，批准建设用地82宗，批准用地面积210.3公顷，使滨河路建设、贡院街拓宽改造等一大批重点项目和基础设施按时开工建设。

【矿产资源管理】 认真开展采矿证换发、矿山“年检”及“三率”考核工作。完成对896座矿山采矿许可证换证工作，其中煤矿759座，铁矿109座，石膏矿20座，石料厂8座。新审批办理矿山135座，其中铁矿19座，石膏矿15座，石料厂11座，砖瓦粘土和河沙矿80座。对矿山重点进行“年检”和“三率”考核，全年对57座回采率偏低煤矿采取停产整顿和加收补偿费处理；对21座铁矿和14座煤矿越界开采，采取罚款、封闭等措施；对3座严重违法采矿进行立案查处。

【地籍管理】 加强土地产权管理，逐步扩大土地登记发证覆盖面。发放集体土地所有权证书 1113 宗；房改房土地登记发证 2360 宗；颁发国有土地使用证，集体土地建设用地使用证 35729 宗；完成洪洞、安泽、吉县、蒲县、隰县、大宁、永和、汾西等 8 个县城镇地籍调查扫尾工作；采用新系统软件进行微机统计汇总，按时上报变更调查成果。全年共变更各类土地面积 5687.7 公顷；调处各类土地权属纠纷 113 起。

【国土资源调查评价】 完成全市坡耕地和耕地后备资源调查评价。全市 15 度以上坡耕地 86691.4 公顷，其中，15 度至 25 度坡耕地 70834.8 公顷，25 度以上坡耕地 15856.6 公顷；成片可开垦耕地大于 66.7 公顷，复垦耕地大于 33.3 公顷的土地有 4387 公顷；全面铺开农用地分等定级与估价工作，在吉县召开农用地分等定级现场会，完成侯马国土工程各项数据和图件数据库建立；划定地质灾害危险区，浮山、襄汾、翼城、曲沃 4 县范围内划定地质灾害危险 16 处；“四项调查”全面铺开。按照技术要求，对全市范围内的矿山尾矿、固体废料、土地复垦和地质环境进行全面调查，编写专题报告，编制有关图件，取得阶段性成果。

（刘志刚）

工商行政管理

【整顿规范市场经济秩序】 1～2 月，组织开展“元旦、春节”两节市场整治，3 月，集中开展“农资市场打假”专项执法活动，4 月初，全国整顿和规范市场经济秩序工作会议之后，对全系统开展市场整顿和规范工作进行具体部署。市局和县局分别成立以局长为组长的整顿和规范市场经济秩序领导组，公布举报电话，制定实施方案，加大办案力度。有计划、有重点、分阶段地开展重点整顿和综合治理。截止 11 月 30 日，全市工商系统共出动执法人员 11200 人次，出动车辆 3800 台次，清理各类市场 265 个，检查各类经营户 8260 户，查处各类经济违法违章案件 2796 起，总案值达 2835 万元，捣毁、取缔制假售假窝点 202 个，罚没款 282 万元，查获假冒伪劣商品总值 650 万元，集中销毁价值 95 万元的假冒伪劣商品，为经营者和消费者挽回经济损失 380 万元。

【规范市场主体准入行为】 加大企业“年检”力度，出台《关于进一步明确企业管理权限、加强企业登记管理工作的规定》，明确全市各级管理机关的企业名称核准、登记注册权限以及监管工作权限，对“无照经营”、“三无企业（无厂名、无厂址、无产品质量合格证）”依法进行严厉查处。全市应检企业共 11369 户，实际“年检”企业 10448 户，注销 369 户，“年检”率 96％。共查处各类虚假出资、擅自改变登记事项的企业 112 户。加大对特种行业和企业的审核检查力度，重点对煤铁矿开采、建筑安装、易燃易爆等涉及人民群众生命安全的生产经营企业以及网吧、游艺厅、发廊、桑拿按摩、歌舞娱乐等特种行业经营者进行监管和审查。全市共取缔存在严重安全隐患和无照开采的各类矿产企业 119 户，不规范建筑安装企业 98 户，查处取缔违法违章经营网吧、茶屋、游艺厅、娱乐服务性行业 850 户。建立科学的企业“经济户口”管理制度，各县（市）局统一“经济户口”管理标准、内容及细则，实行县级以上登记主管机关与基层工商所上下联动监管模式，及时发现和查处违法违章行为。截至 11 月底，全市共登记各类企业 11176 户，注册资金 953951 万元；外资企业发展到 70 户；个体工商户 51137 户，从业人员 93525 人，注册资本金 72085 万元；私营企业 1505 户，从业人员 29143 人，注册资本金 64740 万元。

【打击假冒欺诈违法行为】 按照国务院“铲除窝点，严打惯犯，冲破保护伞”的方针，全市工商系统坚持“三重一打”，（重点地区、重点市场和重点商品的专项整治，严厉打击一批制假分子。）集中打击制售假冒伪劣商品，维护消费者和经营者合法权益。全市共受理消费者投诉举报 2160 起，查处制假售假案件 950 起，端掉制售假冒伪劣商品黑窝点 202 个，其中查处万元以上大要案件 171 起，涉案价值 820 万元。集中对粮食、棉花市场清理整顿，共查处未经批准、擅自经营粮食和棉花的案件28起，查扣非法收购粮食43吨，罚没款4.2万元。集中打击商标侵权和虚假广告专项行动，共查处商标侵权、虚假广告案件118起，罚款9万元，收缴商标标识6万套，收缴印刷品广告16万份。集中打击合同欺诈专项治理，立案查处合同欺诈案件83起，罚没款16.3万元。截至11月底，共办理动产抵押登记320份，涉及抵押金额128413万元，共鉴证经济合同854份，鉴证金额164526万元，评选县级“重合同、守信用”单位500家，省级“重合同、守信用”单位96家，推荐国家级“重合同、守信用”单位2家。集中开展打击走私贩私和“扫黄打非”斗争，共查处制售非法出版物、盗版光盘5680盘，非法书刊20000余册，查处传销及变相传销案件6起，处理非法传销分子15人，疏散传销参与人员、受骗人员124人，罚没款5.8万元。进一步净化市场。打击和取缔收购、拼装旧机动车市场，依法取缔曲沃县沣汶村和洪洞县辛村、屯里非法拆解、拼装汽车市场，取缔拆卸经营户215户，责令并监督经营户将报废车辆及零部件统一交由县物资部门处理。

【打破行业垄断行为】 对电力、保险、铁路、邮政、供气、供水、商业银行、农村信用社等重点垄断行业滥用优势地位，强制交易实施限制竞争行为进行严厉查处，全市工商系统共检查烟草、电力、保险、银行、煤气、农村信用社等垄断行业及部门150余家。其中，市局立案并委托县局依法调查案件75起，涉案金额650万元，结案14起，罚没款41万元，违法案件比较突出的农村信用社47起，电力14起，保险5起。针对浮山县城关镇等11家农村信用社在发放小额支农贷款过程中，违背贷款人意愿强制贷款，先入股后申请贷款的交易行为，市局依据《反不正当竞争法》做出责令停止违法行为，罚款16万元的行政处罚。

【市场“办管脱钩”】 根据《山西省人民政府办公厅转发省工商行政管理局关于工商行政管理机关与所办市场脱钩的实施意见的通知》和《山西省人民政府关于印发山西省工商行政管理体制改革实施方案的通知》，按照“人随市走，债随市移，彻底脱钩，移交政府”的要求，完成侯马新田市场（自办）和新港市场（联办）人、财、物的移交工作，临汾市政府确定的接收部门接收两个市场和两个市场服务中心核编内人员共计140人，并免除侯马市工商局所欠市场服务中心的债务。浮山县的神山市场、安泽县的万象市场、蒲县的蒲城市场、隰县的龙泉市场也完成移交手续。12月5日临汾市市场“办管脱钩”领导组召开会议敲定完成市场移交的最后时限。彻底顺利地完成市场办管脱钩任务。

附：

国家级重合同守信用单位（2家）

霍州煤电集团有限责任公司

平阳制药厂

省级重合同守信用单位（76家）

山西省霍州市化学工业有限责任公司

霍州市工业建设有限公司

中国工商银行山西省霍州市支行

霍州煤电集团有限责任公司

中国人民保险公司霍州市支公司

山西省电力公司霍州发电厂

山西省翼城县医药药材公司

翼城县北关建筑工程公司

山西省翼城县农业生产资料公司

山西省古县鹏锐焦化厂

山西省烟草公司古县公司

山西隰州天天饮料有限公司

乡宁县管头镇乌泥沟煤矿

乡宁县管头镇小河沟联办煤矿

山西省乡宁县食品加工有限公司

山西省乡宁县西坡镇窑咀煤矿

山西省煤炭运销总公司临汾分公司蒲县公司

山西省蒲县东胜（集团）有限责任公司

山西省蒲县宏源有限公司

曲沃县宏远建筑工程有限公司

曲沃县双喜糖酒有限责任公司

山西省曲沃县泰淇农机有限公司

曲沃县宏远建筑工程公司第六分公司

山西金尧焦化有限公司

上海大众汽车临汾特约维修站
临汾三佳拍卖有限公司
中国人民保险公司临汾分公司营业部
中国人寿保险公司临汾市分公司营业部
临汾市尧都区城区农村信用合作社
山西临汾汽车修配有限公司
临汾市尧都区秦蜀路农村信用合作社
临汾华凌煤炭运销有限公司
临汾日报印刷厂
山西省临汾双诚实业有限公司
中铁十五局集团第三工程有限公司
山西临汾友谊（集团）有限公司
临汾铁路分局临汾工务工程总公司
临汾市尧都区城郊农村信用合作社
临汾市第一建筑安装总公司第一工程处
山西省临汾市乡镇建筑安装公司
临汾华讯通信有限公司
山西冶金岩土工程勘察总公司第一分公司
山西省第二地质工程勘察院
山西省临汾地区医药药材公司侯马分公司
山西三皇侯马运业集团股份有限公司
山西建邦集团有限公司
中国人民保险公司侯马市支公司
山西省侯马市建达商贸有限责任公司
东风汽车公司侯马技术服务站
侯马市豪利摩托车有限公司
侯马市新城建筑安装有限公司
山西汤荣汽车配件制造有限公司
侯马市恒裕建筑安装有限责任公司
山西省侯马市建筑安装总公司
中铁十五局集团第一工程有限公司
山西凯吉建筑工程有限公司
山西省第一建筑工程公司
侯马市华翔建安有限公司
侯马市宏泰建筑安装有限公司
侯马市汇丰建材有限责任公司
山西地盛建设工程有限公司
山西虹通酒类饮料有限公司
山西鼎立化工有限公司
山西焦化集团有限公司
洪洞县宏达实业有限公司
洪洞县（市）政工程公司
洪洞县恒泰建筑安装有限公司
山西省洪洞县建筑工程总公司
山西晋芳纸业有限公司
山西省洪洞县土产日杂公司
洪洞县三利建筑有限公司
临汾送变电工程公司
临汾市万信拍卖有限公司
临汾福利永盛铸造厂
山西新奥路桥有限责任公司
山西省临汾市永泰建筑有限公司

审　计

【概述】 审计工作大力推进“人、法、技”建设，突出重点，加大执法力度，不断提高审计质量，圆满完成各项审计工作任务。全年共审计 9 大类 27 个项目 1444 个单位，审计查出违纪违规金额 48861 万元，应交财政 10671 万元，应归还原渠道资金 5197 万元，当年底已上缴财政 1711 万元，实现任务计划与审计质量双提高的目标，在全省审计系统综合考评中被评为第 2 名，受到省厅表彰。

【经济责任审计】 认真贯彻中办、国办两个《暂行规定》和省委、省政府两个《实施办法》，按照“推动、发展、规范、提高”的 8 字方针，抓落实，探新路。在具体的方法上采取 3 个结合：即经济责任审计与财政财务收支审计相结合；国家审计与社会审计相结合；离任审计与任中审计相结合，做到全面调查，详细摸底，注重真实，掌握线索，公正评价，严格执法，实行一人一档，微机管理，随用随调，随时分析的制度。经济责任审计在促进依法行政、制约权力、规范行为、廉洁勤政等方面发挥重要监督作用。全市共完成 325 个单位的经济责任审计任务，审计行政领导干部 145 人，乡镇干部 170 人，国有企业 10 个，提拔 30 人，调整 171 人，退休 6 人，免职 7 人，辞职 1 人。

【财政预算执行审计】 审计局把财政预算执行审计放在各项审计的首要位置，集中优势力量，联合行动，坚持开好审前动员大会，审中汇报会和审后分析研究会，确保审计质量。全年共审计一级预算单位43个，二级预算单位60个，查出违纪违规金额15307万元，增加财政收入18465万元，收缴罚款15583万元，向纪检监察部门移交大要案1起。在农网改造项目审计中，成立领导组，全市抽调100名审计人员组成18个小组，历时5个月，查出违纪资金 1500 万元，向司法机关和主管部门移送 7案8人。

【金融审计】 金融审计以调查摸底，核实盈亏，揭露问题为主，全年审计12个单位，查出违纪金额800万元，罚款20余万元，上缴国库14万元，向司法机关移交案件1起，当事人被依法追究刑事责任。

【大要案查处】 全市各级审计机关把揭露查处大要案做为严格审计执法的重中之重，在“全面审计，突出重点”的方针指导下，注重发现大要案线索，全年共查处大要案53起。洪洞县左家沟乡原党委书记陈某采取虚开收据，抵顶借款等方式，涉嫌贪污55000元，审计查清事实后，及时移交纪检部门，陈某受到开除党籍，撤销职务的处分。

【审计干部队伍建设】 认真执行《全市审计干部教育培训纲要》，把提高审计干部素质做为“人、法、技”建设的重要内容，与审计工作一起安排，一起检查，一起落实，一起考核，使队伍整体素质明显提高。在培训教育上采取短进修、常培训，请过来、走出去的方法，收到明显效果。尤其是坚持“三个学习笔记制度”后，政治理论和业务水平进一步提高，有8名同志获得会计和计算机等专业毕业证书。16名同志被评为优秀党员。全市各级审计机关撰写审计工作报告和信息328篇，被地方党政部门和上级审计机关以及新闻媒体采用125篇。其中：国家级刊物27篇，省级刊物采用50篇。审计局下功夫狠抓自身廉政建设，从局长、副局长到科长、科员，层层实行党风廉政建设责任制，先后建立巡视制度、报告制度、考核制度和责任追究制度。为掌握审计队伍廉洁从政的真实情况，局党组经常走访被审单位，召开座谈会，开展问卷调查，个别询问，实行重大审计项目跟踪监督检查回访制，有效地促进自身廉政建设。广大审计人员廉洁从政，依法审计，用模范行动塑造审计机关的良好形象，维护审计机关依法监督的权威。

（鲁双成　王志义）

物价管理

【概述】 全市各级物价部门加强物价基础管理，价格调控，依法治价，全市市场价格总水平基本平稳，低位运行，与全省价格水平基本持平。居民消费价格总水平比上年增长 0.1个百分点。从主要价格指数看，非食品价格水平上涨0.6个百分点，食品价格总水平下跌0.8个百分点，服务项目价格水平上涨 3.7 个百分点。全年共查处各类价格违法案件638起，违法所得金额736.52万元，实施经济制裁629.62万元，上缴财政金额369.08万元。加强对重要商品价格的监测、预测工作，包括农副产品零售价格、工业消费品零售价格、工业生产资料市场成交价格、生产资料零售价格、服务类价格和粮食定点监测等报表和分析报告，每月分4次用微机及时上报省局，上报率86%。开展价格司法鉴证，全市有13个县（市、区）开展交通事故车损及物损评估。市认证中心为企业资产重组提供优质高效服务，评估金额 1000多万元。共受理涉案物品价格举证认证评估案件9602件，评估鉴证金额6845.3万元。3·15消费者权益日，全市设立宣传台、咨询台、投诉台24个，出动宣传车6辆，散发传单16万余份，接受咨询200余人次，受理投诉200余人次。“5·1《价格法》”宣传日，设宣传站20个，出动宣传车10辆，散发传单24万份，有力推动依法治价工作。

【价格调控】 积极发挥价格杠杆作用，促进需求增长和结构调整。合理调整农产品收购价格，制定吉县、大宁、乡宁、永和等与邻省接壤县的小麦收购价格，解决临汾市与邻省价格衔接问题，兼顾农民和粮食企业的利益；科学合理地制定农村机井和小型水利工程水价，制定农网和城网改造入户材料费标准；继续支持城市公用事业发展，调整制定尧都区、翼城县、汾西自来水价格，每年可为企业增加效益600万元；加强药品价格管理，规范公路客运价格管理；调整成品油销售价格；对全市有旅游资源的县（市、区）进行调查摸底，进行规范和调整。加强房地产价格管理。

【价格监督和煤炭专项稽查】 先后开展对石油、旅游、电力、中小学统一学生装、学生课本、煤炭、药品和医疗服务价格及涉农价费、土地和住房建设收费进行重点检查。开通“12358”价格举报电话，共受理举报案件80件，涉及电力、铁路、煤气、物业管理、行政事业收费等行业和部门，查处64件，没收非法所得6.9万元。同时对全市煤炭价格重点单位实行专项检查。召开全市11个产煤县（市、区）会议，进行重点稽查工作，共收缴水资源补偿费410万元，收缴稽查管理费18万元。

【全省创建规范检查所经验交流会在侯马召开】 4月，全省创建规范化物价检查所经验交流会在侯马市召开。省物价局张吉兆局长、常皓副局长，高清亮副市长出席会议并讲话。会议肯定侯马所的主要做法：明确目标、严格标准、改善硬件设施，加大执法力度，服务地方经济建设。2年来，该所共查处违纪案件182起，上缴各级财政142万元，退还用户131万元，经济制裁率为86%，比1998年提高17个百分点，没有出现一起复议案件和诉讼案件；充分发挥监督作用，努力维护消费者合法权益。先后聘请市委、市政府、人大、政协、纪检委和退休老干部及社会知名人士组建职工价格监督检查组，完善群众监督机制；继续推进明码标价制度。市区内明码标价普及率98%，农村普及率95%以上；健全举报机制，成立“侯马市价格举报中心”，受理来人、来信、来访52件，查处回复率100%。

附：

·获奖情况·

物价局获国家计委全国成本调查优秀集体、获国家计委、中国价格信息中心价格法规政策公布先进单位、被省物价局评为模范单位、“三五”普法先进单位、价格法规政策公布先进单位、案卷管理与制作先进单位

（张晓莉）

安全生产管理

【概述】 全市安全生产形势依然严峻，道路交通、工矿企业、火灾、农机、农电共发生事故3608起，死亡403人，伤2250人，事故起数，死亡人数，受伤人数、直接经济损失分别比上年上升24%、2.3%、30.2%、15.2%；其中：道路交通共发生事故3431起，死亡363人，受伤2243人，直接经济损失5938502元，分别比上年同期上升26.3%、23%、30.1%、25.9%。火灾事故共发生165起，死亡5人，受伤7人，直接经济损失2626779元，事故起数、死亡人数、受伤人数、直接经济损失分别比上年同期上升2.5%、25%、75%、2.9%；工矿企业共发生伤亡事故12起，死亡35人，事故起数比上年同期上升50%，但死亡人数较上年同期下降62.8%。其中，矿山企业共发生伤亡事故9起，死亡30人，事故起数比上年同期增加350%，死亡人数比上年同期下降61%。非矿山企业发生伤亡事故3起，死亡5人，事故起数、死亡人数分别比上年同期下降50%、70.6%。

安全工作存在的主要问题有：交通安全问题突出，新驾驶员安全意识淡薄违章现象多；公路建设及安全设施滞后，交通标志、标线及其它交通设施不齐全；道路交叉路口多、路况差；夜间交通管理力度不够。火灾隐患多，防火设施不健全，管理有疏漏，特别是个别大型商场消防设施存在严重问题。易燃易爆物品，特别是烟花爆竹生产企业生产、储存都存在不

安全因素。化学危险品及放射源管理不完善。

【安全生产监督管理】 9月中旬～10月底，对全市17个县（市、区）、近30个行业的安全状况、基本情况、存在问题以及相关的法律法规进行全面普查。拟定“十五”期间安全生产实施方案。加强对事故多发行业的监控与协调，遏制事故多发势头。对全市事故多发点、段进行全面排查，就排查结果提出整改措施。加强对重大事故隐患的监督管理，对“冷凝器氨液泄漏”和“钴－60机放射源”两大危险源进行深入调查，妥善处理。加大事故查处力度，重点对“8·20”塔山矿区地质塌陷死亡8人的重大事故进行调查处理。开展“10·1”旅游黄金周安全督查。对全市旅游景点安全设施进行检查；对人员密集场所及文化娱乐设施火灾隐患进行督查，对节日期间的车辆管理、易燃易爆物品重点监控，特别是烟花爆竹生产企业从生产、储存、运输到销售实行全过程监控。

质量技术监督

【概述】 质量技术监督部门围绕临汾经济建设实际，强化服务意识，狠狠打击假冒伪劣产品，大力整顿和规范市场经济秩序。全年开展10项打假斗争，为企事业单位办理代码证书3500余套，年检2000余套，为130家企业进行标准、情报资料和条码咨询服务工作。新增三相电表检定、瓦斯计检定、纯净水检验等25个项目；建立乡宁煤炭实验室；侯马局新建1425平方米的检验测试大楼；并增加6个检验项目。为推动全市经济、社会发展和维护市场稳定发挥重要作用。

【开展专项打假斗争】 组织开展汽配、建材、食品农资、烟花爆竹、粮油、土炼油、成品油、“黑心棉”、“鬼秤”等10个专项打假斗争。查获标值近25万元的假冒汽车配件；查获无证钢材74吨，标值11万元；查获假冒水泥135吨，无证水泥1057吨，标值40余万元；查获假冒伪劣食品标值30余万元；查处假冒伪劣农资标值47万元；没收不安全烟花爆竹30000余头（串）；对全市159个面粉加工企业进行检查，及时纠正面粉中添加剂超标的问题；查处制造“黑心棉”窝点6个，没收劣质棉制品2000余件；没收木杆秤2219支；捣毁土炼油窝点96处，查获土炼油及原油500余吨，查处土炼油、原油贩运车辆34台，货值80余万元，有4人移送司法部门处理。8月，开展“万人千店百品”交叉打假活动，共出动执法人员10494人次，查获假冒商品标值571万元，查处违法案件480起。同时培育购物放心店300余户，其中给达标的153个门店授予“购物放心店”的牌匾。

【推进名牌战略】 组织全市企业参与省级名牌商品推选工作，如期完成省级名牌商品初审、现场审查及市场调查工作，初审申报企业45户，现场质量体系审查35户，其中31个企业的40种产品上报参评，确定21种产品为提名产品；经过山西省名牌办公室认定，山西焦化厂等13个企业的4种产品获山西省标志性名牌产品、9种产品获山西省名牌产品，相应的企业获山西省名牌优秀企业和名牌先进企业。10月，临汾市人民政府下发了《临汾市质量立市实施方案》。侯马市质量局配合侯马市政府及有关部门狠抓质量立市工作，被国家质检总局命名为全国“质量立市”先进单位。

【质量技术标准化工作】 完成对古县、汾西、大宁、吉县、隰县、蒲县6县的消灭无标生产省级验收工作；对225项标准进行时效性认定；完成省局下达的10项产品的“采标”任务；对侯马市银杏树栽培规范、曲沃无公害蔬菜栽培规范的实施进行指导，帮助乡宁县起草、审定和发布无公害长山药栽培规范标准；对隰县天天饮料公司的沙棘汁、蒲县溢生源食品厂的荞麦方便面、霍州工商联公司的果树多微营养液等12个企业的产品标准进行帮助指导；对25项企业产品标准进行备案。

【“计量执法年”活动】 制定方案，成立专项领导组，检查各类在用计量器具3000余台件，定量包装商品1500余件；制定临汾市“光明工程”实施方案，“6·6”全国爱眼日，设立咨询台50多个，接受咨询5万人次，散发宣传资料3万余份，并在当天查获一经销劣质眼镜窝点，没收劣质太阳镜、老花镜4600余副，货值达1万余元。

附：

·机构设置·

临汾市质监局下属17个县（市、区）质监局，共有人员931人（不含离退休人员83人），其中公务员224人，其他人员707人；系统平均年龄36岁，超编335人。大专以上学历209人，中级以上职称40人。全市系统固定资产1006万元，其中市局固定资产158万元，土地0.64公顷，房屋3670平方米，车辆9台，仪器设备266台（件）。

（李仙丽）

乡镇企业管理

【概述】 全市乡镇企业管理部门围绕“结构调整”，发展加工制造优势产业，提升改造煤焦铁传统产业，扶持培育新型科技出口创汇产业。同时深化企业改革，实行多元化结构和规模化经营。全年投资总额17.75亿元，实施重点项目45个，其中：投资亿元以上，利税上千万元的项目16个，投资总额9.54亿元；投资500万元以上的项目29个，投资总额8.21亿元。各项经济指标都有较大幅度增长。工业增加值完成81.2亿元，同比增长25.2%，位居全省第一；上缴税金4.82亿元，同比增长18.3%，占到全年财政总收入的25.7%；为农民提供收入1060元，占到农民人均纯收入的45.7%。

【实施“三个十”工程】 按照总量控制，集约发展，提高质量，治理污染的思路，改造升级焦、铁传统产业，重点抓10个40万吨以上大型机焦项目的建设，投产达效达到95%以上，年机焦生产能力达500万吨；扩建10个125立方米以上的高炉，消除污染，形成初具规模的煤焦生产基地。扶持培育新型科技产业，重点发展铸造、农副产品加工和第三产业。着重抓了侯马市乳酸、翼城县镁合金铸件、华尔铸造、襄汾粒状碳酸钾、尧都区喷灌管材等10个重点项目建设。开发龙头优势产业。全市乡镇企业共建立产学研基地8个，各类研究中心13个，开发新产品43种，如华盛公司胶膜铸铁健身器材，丰昆钢铁公司球墨铸件，乡宁煤化公司高档碳黑等产品，均具全国领先水平。

【培养民营企业家】 4月，市政府召开民营企业家座谈会，听取意见，征求建议，对民营经济的发展提出指导性意见。以优惠的政策，支持民营企业的发展，实行“四个放开”：放开发展比例、放开经营范围、放开经营要求、放开经营规模，让企业家充分展示经营才能。10月，市委组织部和乡镇局在市委党校对乡镇企业的百余名厂长、经理进行为期一周的培训，并邀请北京等地专家学者前来授课。11月，组织部分民营企业家到江浙等地参观考察，扩大视野，更新观念。

【乡村集体企业产权制度改革】 市政府出台《关于加快个体私营企业发展的意见》，积极引导民营企业进行产权改革。鼓励个体私营企业加快向第一、第三产业拓展。大胆扶持私营企业领办、创办或参股新兴产业项目、开发潜力产品，组建企业集团。通过项目投资、嫁接改造、联合重组等形式，参与国有企业改革，参股或控股国有企业。临汾柏松有限公司与洪洞虹通酒类饮料公司分别与河南金星啤酒厂，染化集团投资合作，临汾龙兴饮品公司与隰县饮料公司合作发展。全市乡镇企业改制达到92.5%，其中股份制94家，股份合作制1082家，组建企业集团16家，累计吸纳股金21亿元，盘活存量资金5.1亿元。

【鼓励企业通过ISO－9002认证】 华盛有限责任公司、侯马建邦集团、襄汾县恒泰制品有限公司、乡宁煤焦实业公司、侯马银杏茶厂等5家企业，通过ISO-9002质量体系认证。

附：

·大中型乡镇企业名单·

临汾华盛有限公司

临汾市普国装饰城

金座集团临汾塑胶管道有限公司

临汾双诚实业集团有限公司

山西海姿焦化有限公司

山西亚光实业集团股份有限公司

襄汾冶金集团有限公司

襄汾县星原焦化有限公司

襄汾县汾城高益焦化厂

襄汾县腾达焦化厂

襄汾县古城镇北姚鸿达焦化厂

襄汾县古城镇三星焦化厂

襄汾县襄暖集团公司

乡宁县煤焦实业公司

乡宁县茂源煤化有限公司

山西三晋焦化实业有限公司

曲沃乔山铸造有限公司

曲沃县恒通铸造有限公司

霍州辛置镇选煤厂

侯马市新田炭素厂

侯马市汇丰水泥厂

侯马市大利焦化厂

侯马怡鑫大酒店

洪洞县赵城焦化实业集团公司

山西律普敦俊峰铸造焦化有限公司

山西洪洞官庄企业总公司

山西洪洞正杰实业公司

洪洞县大运实业有限责任公司

洪洞县宏达实业公司

洪洞县赵城北街企业集团

洪洞县浩溢煤焦化有限公司

古县第一焦化厂

山西丰昆冶金股份有限公司

（高国雄）

出入境检验检疫

【概述】 检验检疫工作围绕检验检疫法，依法行政、依法把关的主题，夯实检验检疫业务，加强实验室建设和全体干部职工的业务培训，促进了各项工作的快速发展。全年共检验检疫出入境货物 605 批，比上年同期增加 132%。货值 23232176 美元，减少 30%，其中出境货物 260 批，比上年同期批次增加 18.2%，货值 15867890 美元，减少 6%；入境货物 25 批，批次比上年同期减少 10.7%，货值 7364786 美元，增加 11%；包装 320 批，比上年同期增加 2186%。出境主要商品有：金属镁、金属硅、焦炭、棉布、五金工具、哑铃、钢坯、电缆、塑料、网眼袋等；入境主要商品有：机电、铜矿粉、牵引电机、烧结炉等。收入检验检疫费 39.39 万元，比上年同期增加 3.82%。

【检验检疫工作管理】 “严把检验质量关，确保全年证单无重大差错”。确定“三个一”即：每月 5 日对证书进行一次检查、每月 25 日召开一次业务例会、每月请人讲一堂业务课；“三不”即：报验手续不全不能拒绝报验，先报验，再完善，谁受验，谁完善；检验数据不准确、检验记录不完备的不能签字，证书不合格的不能入档。先后 11 次召开业务例会，对各科室提出的检验疫业务中出现的情况进行研究，对所出的 605 份证书从证单内容、检验记录、有关资料填写，到文字、书面整洁和装订整理等方面逐份进行质量排查。“三个不”的工作思路得到省局的肯定。

【实验室工作】 实验室管理科学化、技术规范化。配合技术中心完成 122 批芦笋微生物检测和 103 批出口芦笋罐头重金属检测。开验柠檬酸、陶瓷中的铅、镉溶出量，柠檬酸项目和商品等。综合实验室被国家认证认可监督委员会批准为出入境检验检疫注册实验室。

农　业

农村工作

【农村小康建设】 市委、市政府重新调整充实农村小康建设领导组，分头行动，全力配合，督促评比，检查落实，全市小康工作取得突破，促进了村镇建设。市委分别于3月和6月在洪洞官庄和翼城县2次召开村镇建设会议，部署落实小康新村建设。首批确定的12个小康新村，到年底有7个初具规模，有2个在继续提高、完善，有3个正在加紧建设当中。侯马乔村、翼城北关、洪洞南段、曲沃西南街等村标准高、样式新，特别是翼城县的新村连片建设，起点高、规模大，为市小康新村建设树立标杆。大力开展绿色通道建设，清理违章建筑、标牌、污染源、垃圾及路障。制定年度任务目标，年初规划的蒲县、乡宁2个县，通过自查和市里验收，全县整体基本达小康，有待省进一步验收确认。全年完成4个乡（镇）、100个村、7.23万农业人口的基本达小康任务，19个村的宽裕型小康建设有新的进展。

【实施移民搬迁和沼气两大扶贫工程】 全市扶贫工作在加大项目资金扶持、机关定点扶贫和科技扶贫等措施的同时，有重点地实施移民搬迁和沼气扶贫两大工程。5月，在移民搬迁重点县乡宁县召开全市移民扶贫工作会议，推广吉县、乡宁移民扶贫的经验。积极采取“建立新村，集中安置；依托集镇，吸纳移民；集体迁出，分散安置；依靠亲友，自发迁移”等办法，迁移贫困人口3160人，圆满地完成移民搬迁任务。在沼气扶贫上，10个山区县向沼气扶贫工程投资总额300多万元，培训技术骨干250名，农民投工13000余个，新建沼气池1687个，投入使用的有465个，其中“三位一体”或“四位一体”模式320个，仅汾西县就新建沼气池1249个，成为市沼气扶贫开发建设中的先进典型。

【落实各项农村政策】 开展税费改革的前期准备、“三乱”治理、土地延包扫尾、村账乡管、基金会清欠等项工作。全市预算向农民收取“三提五统”1355.21万元，人均44.37元；对不合规定的67个乡镇、879个村的预算进行修改，减轻农民负担183万元。全市166个乡镇3379个村的预算额均未超《条例》5%限额规定，也未超1997年的预算额。全市实行农民负担专项公开的村3277个，占总村数的97%；农民负担卡入户率96%，实现农民负担公开化。在土地政策落实方面，17个县（市、区）、3379个村、73万农户、41.2万公顷（前一轮土地承包时的耕地面积统计数字）耕地，完成土地、合同、经营权证书“三到户”的村3256个，占应延包村数的98.5%；完成“三到户”的农户70万户，占应延包户的97.6%；签订30年以上承包合同的耕地为38.3万公顷，占应签数的96%；通过对承包合同的完善，使已签订的合同规范率98%，签证率达100%，合同兑现率98%，合同纠纷率控制在3‰以内，纠纷结案率98%；建起规范的农村土地登记簿的村3245个，占总村数的96%，农村土地进入规范化管理轨道。农村财务已有98.9%的村实行村账乡管，有65%的村实行组账村管，93%的村健全“六账三簿”。在农村基金会清理整顿方面，清收欠款1.98亿元，清欠率74%；兑付农村基金会股金2.086亿元，兑付率91%。

（于靖华）

综合开发

【概述】 农业综合开发部门贯彻执行国家农业综合开发方针政策，探索前进，创新发展，圆满完成各项经济建设任务。项目区农业基本生产条件明显改善，产业结构的战略性调整成效显著，科技示范园区效益凸显，运营机制与管理办法更加规范、科学。同时，适应新形势新任务需求，农业综合开发机构建设得到理顺与加强，农发队伍管理水平与综合素质进一步提高。全市农业综合开发完成总投资 10382.03 万元，其中：争取中央财政资金 2776 万元，省财政配套资金 1508 万元，市财政配套资金 1255 万元，群众自筹 4225.03 万元。完成中低产田改造 0.89 万公顷，发展节水农业示范 0.14 万公顷，新建 13 个多种经营及龙头项目。项目区新增及改善灌溉面积 0.6 万公顷，新增粮食生产能力 2624.5 万公斤，农民收入总额增加 3129 万元，农民人均增收 260 元，多经项目新增利税 1341.5 万元。

【科技示范园区建设】 曲沃太子滩高新科技示范园区核心建设全面完工，并投入使用，其中节能日光温室 10 公顷，工厂化育苗 2.3 公顷，引进无公害新品种 5 个，高新技术 2 项；襄汾邓庄新世纪农业科技示范园在 2000 年建成 26 座日光温室的基础上，增建多功能服务区 1 个，建蔬菜大棚 15 座，占地 2 公顷，全部承包到户；尧都屯里绿万家农艺园建成 28 栋“四位一体”生态节能日光温室，先后引进先进实用技术 13 项，生产 36 种无公害蔬菜产品，年底产量达 110 万公斤，实现产值 65 万元。侯马香邑、翼城武池、洪洞天井、霍州退沙等科技示范园区建设全面铺开，并取得阶段性进展。

【大力发展品牌农业】 襄汾县依托农副产品批发市场和苜蓿加工厂、“金田园”粉条加工厂等龙头企业，大力发展蔬菜、苜蓿、薯类种植，全县粮经作物比例达 6：4；曲沃县大力发展名优新特稀农产品，太子滩牌礼品果蔬经过包装加工，在周边地市设立专柜促销，实现多次增值；翼城武池项目区南水北调工程的建成使用，激发农民自发进行结构调整的积极性，连片建成 100 多个蔬菜大棚，实现单棚收入超万元。项目区还推广种植雪枣、优质专用小麦中优 9507、高蛋白玉米中单 9409、1263 号花菇等高新产品，促进和带动周边地区农业结构的调整。大力发展品牌农业，襄汾的食用淀粉及粉丝、洪洞县生产的大槐树牌奶粉、曲沃“太子滩”牌无公害绿色产品、尧都别样红牌金梨汁、莲藕汁系列饮品等均被省工商局认定为“2001 山西省著名商标”。

【重点项目工程建设】 洪洞县南垣灌区农业综合开发水利骨干工程圆满完成国家批复计划，完成总投资 2141.34 万元，其中：中央财政资金 700 万元，省财政资金 200 万元，正在进行续建工程项目的前期准备工作；曲沃太子滩高新科技示范项目处于第二个建设年头，完成总投资 1400 万，争取中央、省财政资金 680 万元，集旅游观光、科技示范、技术推广的精品园区格局已初步形成。组织专门力量，多次跑太原、进北京，全方位汇报农业综合开发工作，积极争取滨河节水农业示范项目、侯马北水南调水利骨干工程、浮山秸杆养牛项目投资立项，其中扶持滨河路生态项目建设的 500 万元中央财政资金已经到位。

【创新农业综合开发管理模式】 在乡宁、汾西率先探索实施。襄汾试点示范取得成功的基础上，全市 9 个开发县（市、区）全面推行资金管理的县级报账制和工程概预算制。大型水利及重点项目工程按照竞争择优机制实施招投标制。在引资融资上，曲沃县面对春季植树造林任务重、资金缺的困难，多渠道筹资，按照利益分层的原则，以优惠政策在太子滩花卉基地从江苏一次引入资金 20 万元搞绿化；洪洞县对耗资大的水林及林网工程实施专业队全权承包制，对建成的国有水利资产进行使用权拍卖。按照竞争激励的原则，对各县（市、区）的总体工作分项分类制定年度目标责任考核办法和奖惩措施。

（靳亚伟）

种植业

【概述】 各级农业部门坚持农业发展、农民增收、农村稳定的指导思想，按照“平川抓精品、山区抓特色”的总体思路，积极调整农业产业结构，全力推进农业产业化经营；组织万名干部下乡减灾促增收，把灾害带来的损失减少到最低；粮食生产实现恢复性增长，全市粮食总产12.16亿公斤，比上年的12.09亿公斤增长0.58%；其中小麦总产6.57亿公斤，比上年5.11亿公斤增长28.5%；秋粮总产5.59亿公斤，比上年6.97亿公斤减少19.8%；果、菜生产均创历史新高，蔬菜突出规模发展，品种搭配，反季节生产，总产8.77亿公斤，增长3.5%；水果生产着力推广以果实套袋、果园覆盖为主的10项新技术，总产4.68亿公斤，比上年4.2亿公斤增长11.4%；油料总产3021.5万公斤，比上年（历史最高年）4769.3万公斤减少36.6%；农民收入稳定增长，人均纯收入2320元，比上年的2195元增长5.69%，增幅名列全省前茅。

【平川“121”工程】 农业部门通过调查研究、实地论证，提出在平川用5年左右时间发展13.3万公顷专用小麦、6.7万公顷枣粮间作、13.3万公顷高效果菜的平川“121”工程实施方案，得到市委、市政府的高度重视，并且下发文件，使“121”工程得以迅速启动付诸实施。据初步统计，平川7县（市、区）播种优质小麦面积7.3万公顷，其中专用小麦面积2.5万公顷；种植蔬菜2.6万公顷，其中日光温室面积0.18万公顷；拱棚为主的保护地面积0.46万公顷；枣粮间作面积发展到2.7万公顷；以红提葡萄为主的小水果发展到0.72万公顷。到年底，全市已经建起5个专用小麦基地、10个优质水果基地、10个反季节蔬菜基地、3个小杂粮基地，优质农产品基地规模进一步扩大。

【农业精品示范园区建设】 在平川霍侯路沿线建设15个精品示范园区，包括：洪洞李堡、尧都洪堡、侯马乔村、香邑、霍州许村高科技示范园区；洪洞马牧、尧都东高河、襄汾贾罕、邓庄、曲沃太子滩、翼城中卫反季节蔬菜示范园区；曲沃里村水果示范园区；尧都东张、刘村、乔李特种养殖示范园区。具体采取4项措施：实行捆绑机制，形成合力开发；改变传统的农村经营管理体制，建立健全科学的管理制度；依靠科技，增加科技含量；提供优质服务，形成农业服务体系。到年底，各示范园区按照“道路砂石化、方田林网化、田面平整化、灌溉节水化、种植区域化、管理科学化”的“六化”标准，基本完成园区基础设施建设。农业精品示范园区的建设，辐射带动周边区域的农业结构调整，形成霍侯路沿线百公里精品农业走廊。

【减灾促增收活动】 面对持续干旱给农业生产和农民生活带来的严重困难，市委、市政府采取果断措施，从9月开始，在全市范围内开展万名干部下乡减灾促增收活动，从市、县、乡3级共抽调干部10032人，深入到151个乡镇、3170个村开展工作。在4个月的时间里，共为农民集资捐款、捐助物资、协调贷款6500多万元，捐助种子、化肥、农药、面粉、煤炭、水泥等各类物资5000多吨，为农民办实事好事3万多件，帮助农民增加收入2.95亿元，下乡所涉及到的村农业人口人均增收111元。

【农业产业化经营】 全市农业系统共筛选农业产业化经营储备项目98个，通过竞标，基本确定9个，计划总投资1340万元。有24个农产品注册品牌，太子滩园区通过积极申报，15个蔬菜产品取得绿色食品认证。标准较高的农业科技示范园区52个，比上年新增10多个。具有一定带动作用的各类农副产品龙头企业57个，其中加工企业25个，大中型农贸市场23个，贮藏保鲜企业9个。各类中介组织、农民合作经济组织153个，农民经纪人队伍发展到1.1万人，“订单农业”面积5.6万公顷，占到农作物总播种面积的11.8%。

【提高农业服务水平】 市农业部门转变职能、强化服务，收到较好效果。信息服务，编发《农业信息》45期，市、县两级农业部门共发布各种信息2000余条，其中300余条被市委、市政府和省农业厅信息刊物和其它新闻媒体采用。农业新技术引进、试验、示范、推广工作，共引进各种农作物新品种 150 多个，示范面积 3.86 万公顷，其中 1.13 万公顷专用小麦平均亩增收 100 元左右；举办各种培训活动 2500 余场次，印发资料 35 万余份，制作农业电视节目 200 余期，培训农民 180 多万人次。农业生产资料的查假打假，共查处种子案件 86 起，吊销证件 143 件，查封没收不合格种子 14430 公斤；查处不合格农药 56 种，没收假劣农药 23 种 2200 公斤；查处不合格化肥 150 吨，取消 4 家经营资格，共计挽回经济损失 286 万元。考核评比，市农业局把全年的任务目标分解到各县（市、区）和局属各单位，用目标责任书的形式确定下来，坚持平时考核与定期考核、定性考核与定量考核相结合的方法，狠抓考核工作，使全市农业系统干部职工精神面貌和工作作风都有明显转变。

附：

·获奖情况·

集　体

市农业局组织参与“中国国际农业博览会”，被山西组委会授予“优秀组织奖”

市农业局技术站在山西省农业“双千工程”粮食综合开发配套技术项目中，获农业部“全国农牧渔业丰收一等奖”

市农业局土肥站“土壤供钾能力与小麦需钾特点及其施钾技术研究成果”获“山西省科学技术进步奖评审委员会应用研究类二等奖”

市农业局植保站被省农业厅授予“植保工作先进集体”

市农业局环保站被省农业厅授予“环能工作先进单位”

市农业局技术站被省农业厅授予“农业技术推广先进单位”、“‘双千创优工程’蔬菜项目开发建设先进单位”

市农业局农广校被省农业厅授予“山西省农业广播电视教育先进集体”

个　人

雷震宇同志被授予山西省劳动模范称号

席延泽同志在全国小麦全生育期病虫害综合防治技术项目中，获农业部“全国农牧渔业丰收奖二等奖”

雷振宇同志与其他几位同志共同研究的“土壤供钾能力与小麦需钾特点及其施肥技术研究”项目获“山西省科技进步奖”

孙红权同志被农业厅评为“农业信息先进工作者”

杨焦梅、贾云翠二同志被省农业厅授予环能工作“先进工作者”

梁岩华同志被省科学技术协会授予“山西省优秀科技工作者”

秦文萍同志在全国农业植物有害生物疫情普查工作中被评为先进工作者

（于靖华）

林　业

【概述】 林业工作按照“以通道绿化为中心，以国家林业工程为重点，强化生态环境建设，搞好育苗生产，保护森林资源，加快发展速度，为实现林业跨越式发展起好步，开好头”的基本思路，克服困难，真抓实干，全市共完成人工造林 5.74 万公顷，占任务的 101.3%，其中经济林完成 1.13 万公顷；完成植树 4100 万株，占任务的 102.5%，其中义务植树 1050 万株；新建和完善农田林网 2.33 万公顷，其中新建 1.53 万公顷；完成育苗 0.34 万公顷，占任务的 118.6%，其中新育 0.25 万公顷，容器育苗 1820 万袋；完成公路绿化 1103 公里，其中国省道绿化 1075 公里，栽植各种苗木 100 余万株。退耕还林工程、天然林保护工程等重点工程全面完成；霍侯路通道绿化、“121”枣粮间作和森林防火等重点工作成绩显著。

【退耕还林工程】 列入国家退耕还林示范县的吉县、乡宁、蒲县、永和、隰县，按照“退耕还林，封山绿化，以粮代赈，个体承包”方针，认真总结 5 年退耕还林工作的经验，进一步加大工作力度，全市完成退耕还林 1.97 万公顷，其中退耕还林 0.49 万公顷，荒山造林 1.48 万公顷，分别占任务的 100%。退耕地中，经济林 13440 公顷，生态林 4037.5 公顷；荒山造林中，生态林 14796.5 公顷，经济林 4.2 公顷。为群众兑现粮食补助 1480 万公斤（含 2000 年退耕地粮食补助 740 万公斤），兑现医教现金补助 296 万元（含 2000 年退耕地医教补助 148 万元）。

【天然林保护工程】 天然林保护工程分为有林保护和植被恢复两项。全市植被恢复任务涉及 11 个县（市、区）共 1.44 万公顷，包括造林 1.15 万公顷，其中人工直播 0.96 万公顷，植苗造林 0.19 万公顷；封山育林 0.29 万公顷。经省厅 3 项工程检查小组抽查，封山育林面积核实率 98.9%，植苗造林 91.9%，直播造林 82%。天然林保护方面，进一步加大保护力度，全年没有发生任何火灾火情。经省天然林保护办公室森林管护小组检查，天然林保护管护工作全部为优秀。

【森林防火】 严格实行森林防火行政领导负责制，对市护林防火指挥部领导成员进行调整充实并进行职责分工、划分责任区。落实各项森林防火措施和制度；加强基础设施建设；投资 25.5 万元建立市森林防火指挥中心；开展森林防火知识培训，举办全市森林防火培训班，提高基层扑火技能，全年没有发生森林火灾。

【林业严打整治斗争】 利用各种形式宣传《森林法》、《野生动物保护法》及有关林业政策和法规，造成较强严打声势；依靠当地党委、政府和基层林业工作站，广泛发动群众检举揭发破坏林业的违法分子，并认真调查取证，对违法分子进行严肃处理；工作人员到重点林区进行督查；对重大要案、群众举报、上级批转案件，主要领导带队到案件发生地，协调当地政府认真查处。在林业严打整治斗争中，共查处各种毁林案件 105 起，查处率 98%，其中盗伐案件 17 起，滥伐案件 10 起，违法占用林地 16 起，违法运输木材 15 起，捕猎野生动物案件 4 起，非法烧木炭 9 起；没收非法所得 1.5 万元，木材 30 立方米；罚款 7 万多元，补偿林业税金 1.7 万元，行政处罚 103 人，行政开除及拘留 5 人。

【“两区”森林资源调查】 “两区”森林资源调查即全省天然保护工程区和生态工程区森林资源调查。其目的是为全面实施全国重点地区天然保护工程，做好“十五”期间全国重点林业生态工程规划，对工程建设成效实施有效监测提供科学依据。这次调查，采用 1∶5 万地球卫星影像图室内判读与野外实地调查相结合的全新调查方法，调查精度高、数据真，为林业建设与发展提供可靠依据。经调查：全市土地经营总面积（不含省直林局经营面积，以下类同）179.5 万公顷，其中：林业用地面积 91.7 万公顷，非林业用地 82.8 万公顷，暂难利用地面积 5.56 万公顷。在林业用地面积中：森林面积 28.9 万公顷，经济林 6.25 万公顷，疏林 5.49 万公顷，灌木林 11.74 万公顷，未成林造林地 1.07 万公顷，宜林荒山 37.5 万公顷，苗圃等其它林业用地 0.09 万公顷。经国家林业局西北林业勘测设计院验收，各项调查成果全部达到国家技术规程要求。

【红脂大小蠹防治工程】 安泽县、古县、浮山县、翼城县、吉县、乡宁县、大宁县、蒲县、汾西县、永和县等 10 县油松林 1999 年受到外来有害物红指大小蠹的危害。该虫害来势凶猛，蔓延快，不到 1 个月时间由原来的星星点点发展到 2.4 万公顷，有 79 万株濒临死亡。2000 年国家林业局把防治红脂大小蠹工作做为全国 6 大病虫害防治工程的第二号工程。成立由分管市长负责市防治红脂大小蠹虫害领导组，各县（市、区）也相应成立由县长挂帅的红脂大小蠹防治指挥部，并投入大量人力物力，进行防治，先后采取塑料裙密闭熏杀、诱木捕杀和清理虫源木等压低虫口密度办法，马拉硫磷原油喷杀办法、诱捕器引诱等办法。全市有 8 个县完成防治任务，共防治红脂大小蠹 1.70 万公顷，把有虫株率控制在 1%以下，虫口密度 2 头以下，控制该虫发展势头。截至 2001 年底，该工程还有 5 年，防治、监测、检疫、诱捕和释放天敌是今后工作重点。

【国家级森林病虫害中心测报点正式运营】 国家林业局在全国范围内布设 500 个国家级森林病虫害中心测报点，主要观测、记载森林病虫害发生情况，预测森林病虫害发生趋势，为全国森林病虫害防治策略提供可靠基础数据。吉县、安泽县先后被列入中华鼢鼠和红脂大小蠹国家级中心测报点。两个中心测报点配备计算机、传真机、发电机、喷雾喷粉机、交通工具等机械设备和仪器，各类图表、资料全部归整。内业建设工作全部完成，外业布点工作结束，进入正常工作状态。

【全国退耕还林还草试点工作座谈会在临汾召开】 9月11～14日，全国退耕还林还草试点工作座谈会在临汾召开。国家林业局副局长李育材、副省长范堆相、国家林业局退耕办主任张鸿文、省林业厅厅长曹振声，以及全国22个省（区、市）主管退耕还林还草工作的厅、局长、退耕办主任，国家林业局有关司局的同志参加会议，市领导张茂才、常富顺等参加会议。会议全面总结退耕还林还草3年试点工作的成绩与经验，实事求是地分析存在的问题，研究对策措施，讨论修改工程建设的一系列标准办法，为退耕还林还草工程正式启动做准备。国家林业局副局长李育材、副省长范堆相在会上讲话，市长张茂才在会上介绍退耕还林还草的基本情况和主要做法：“夯实一个基础，坚持两个原则，做到三个结合，采取四种模式，统一五个标准”的经验在全国得到推广。与会代表现场参观吉县、乡宁县的退耕还林还草工程。

（赵锦珺）

水　　利

【概述】 全市水利工作继续坚持治水、引水、改水、节水、保水“五水兴农”的发展战略，全面超额完成年度各项任务指标：新增有效灌溉面积 0.15 万公顷，占年初计划的 230%；改善水地面积 1.67 万公顷，占计划的 120%，完成实灌面积 13.15 万公顷，占计划的 107%，完成水土保持初步治理面积 8.2 万公顷，占计划的 246%；成鱼总产量 3350 吨，占计划的 102%；小水电发电 110.7 万度，占计划的 110.7%；解决 18.9 万人的饮水困难，占计划的 378%；争取各类水利投资 1.87 亿元，比上年增加 0.27 亿元，水利资金到位率 100%；完成水利经济总收入 1.95 亿元。全年各项水利水保工作中，有 15 项重点工作实现历史性的突破。市水利局两次被省委、省政府授予模范单位称号。

【农村饮水解困工程】 全市农村缺水人口 81 万人，从 2000 年开始，按照省委、省政府的部署，全面启动“实施农村饮水解困工程”，层层签定目标责任状，把实施工程的决策责任、领导责任、组织责任和保障责任，具体落实到市、县、乡各级政府主要领导身上，形成一级抓一级、一级包一级的饮水解困责任体系。具体实施中，围绕“降低工程‘造价’‘水价’，减轻农民负担”的目标，在资金筹措上，探索和建立了“分级筹措、定点帮扶、政府贴息、群众贷款、产权置换、社会捐资”的 5 项投入机制。在工程规划设计上，坚持“多方案优选”和“因地制宜，大工程与小工程相结合，蓄水、引水、提水并举，‘土’工程与‘洋’工程相结合”等行之有效的办法。在工程建设上，严把“施工队伍选择、工程质量、材料采购、验收建档”四关。在工程管理上，按照“管理从建设开始”的原则，每处工程在建设之初就明晰产权，确定经营方式，落实管理办法，建立水价明白栏，配套建设相应的更新基地。在发挥工程综合效益上，坚持一水多用，在保证人畜饮水前提下，把解困工程同农业调产、移民并村、山地微灌等结合起来同步建设，扩大用水市场，提高水的利用率。在水价改革上，实行用途不同、价格有别的新水价，对水费实行专帐管理。努力使饮水工程一次建设永续利用，在全市初步形成规范化、法制化、市场化的农村饮水解困工程新机制。本年度，大宁、蒲县、汾西、浮山、古县、安泽、隰县 7 个省级饮水贫困重点县任务全部完成，共投入资金 6083.5 万元，建成饮水工程 623 处，解决了 940 个自然村 18.9 万人，4.32 万头大牲畜的饮水困难。

【汾河治理工程】 全年投资 380 万元，新建铅丝笼坝 104 条，完成护岸护基工程 54 公里，整修堤坝 80 公里，组织栽植杨树和樟河柳 32

万株，栽植黄花菜 299.7 万株，使生物防护林带达到 170 公里。“六道治水防线”得到进一步巩固和完善，规范水政人员依法管理、专业人员专业管理、群众承包专门管理的 3 支管理队伍，初步建成集防洪、生态、观光于一体的汾河治理工程。

【农田水利建设】 全市筹集资金 10152.4 万元，上工劳动力最高达 74 万人，总投工 4405.5 万人，干部参加农建劳动人数达 38415 人（其中县处级以上干部 437 人），共投入机械 8142 台（其中大型机械 1014 台）；全市共实施农建工程 18464 处，已完成工程 7643 处，完成工程量 9448.9 万方；新增水地 0.42 万公顷，改善水地 1.2 万公顷，新增节水面积 0.8 万公顷，解决饮水困难人口 40.67 万人，新增水保治理面积 6.43 万公顷，新增四田 1.36 万公顷，平整水地 5.09 万公顷，整修四田 5.55 万公顷，渠道清淤 2403.6 公里，整修机电设备 3790 台件。主要措施：用“责任一本帐，评比一把尺”，激发干群投身农建的热情，坚持农建与调产相结合、政府引导与市场需求相结合、投入和效益相结合、农建与产权改制相结合、综合治理，确保工程质量，加强管理。确保农建工程良性循环，永续利用；通过召开全市农建现场会，动员、部署、落实农建工作。

【水保生态建设】 启动实施黄河重点支流项目、黄河生态工程项目等一批重点水土保持治理项目。在全市开始实行禁牧封育治理，初步建立有政策规章和组织保障及支持服务的系统运行机制，制定出西山 7 县《水土保持坝系生态工程建设规划》、《水土保持国债项目可行性研究报告》，涉及乡宁、永和等 4 个县的《鄂河、芝河片水保生态工程项目建议书》，涉及隰县、乡宁、大宁的《农业开发水保治理项目》等 8 个贮备项目。铺开水土保持精品工程 30 处，水保庄园经济大户 50 户，建设城市水土保持工程 1 处，恢复人为破坏水土保持工程 8 处，共完成水土保持初步治理面积 8.24 万公顷，占省下达任务的 124.6%。其中：修建水平梯田 1.19 万公顷、坝滩地 0.069 万公顷，营造水保林 5.26 万公顷，经济林 0.9 万公顷，建设治沟骨干坝 15 座、淤地坝 123 座、谷坊 115 座、人字闸配套 100 余座、旱井整修 10000 眼。黄河多沙粗沙区项目、黄河重点支流项目等一批重点项目顺利通过上级部门验收。全市有两个县被水利部命名为“十、百、千”生态环境建设示范县，有 19 条小流域被水利部命名为“十、百、千”生态环境建设示范流域。

【节水增产园区建设】 完成节水面积 0. 41 万公顷，新建、扩建节水增产园区 16 处，累计建成节水增产园区 62 处，控制面积 2. 45 万公顷，通过开展“喷黴灌工程管理效益年活动”，新组建专业化灌溉服务组织 16 个，累计组建各类专业化灌溉服务组织 108 个，使节水工作由过去的单纯抓工程建设逐步向建设、管理同步发展转变，初步形成沿“一河两路”100 多公里的节水增产园区走廊。市水利局被国家水利部授予“全国节水增产重点县建设先进单位”。

【世界银行水保项目】 完成治理面积 0. 32 万公顷，占计划的 102. 5%；完成投资 2016 万元，占计划的 100. 8%，其中回补世行贷款 1230 万元，占计划的 102. 5%。

全面实行先申请落实贷款、后实施的办法，先后共与 2771 个农户签订落实贷款合同 12763 份，落实贷款 1200 万元。

全市 0. 113 万公顷梯田工程，全部实行招投标制。对 5 个县的一、二期工程 49 条流域，严格按照项目管理及验收办法，进行逐项抽检验收。

【水资源管理和保护】 划定各县（市、区）城市规划区、地下水超采区地下水保护范围，制定开采地下水的有关规定和保护措施；建立健全水资源论证和水源工程竣工验收制度，进一步规范和完善取水许可审批程序；建立水资源公报、水质季报和水情月报制度。开展水资源日常监测工作，加强对水资源使用的日常监督管理，征收水资源费 287 万元；圆满完成省里下达的水井普查、工业企业及城镇生活节水问卷调查、规模以下企业用水调查、全省节 2 次水资源评价和总体规划有关调查，为第二次水资源评价工作奠定基础。

【水利行政执法】 全市共查处各类水事案

件82起，结案66起，结案率80%以上；在执法体系建设上，完善“立位一体”综合执法体系，组建专职查案中队，制定《水行政执法年度考核办法》，开展执法培训，使全市各级执法队伍的整体水平明显提高；开展以整顿凿井市场为重点的执法活动。重点查处霍州煤电集团采矿排水、蒲县电厂违法打井、霍州矿务局拖欠水资源费等大要案件，使水事秩序比上年有明显好转。在《中国水利报》等20多家新闻媒体发表稿件48篇，编发水利执法简报15期，组织和参加3场专题文艺演出。“世界水日”“中国水周”水法宣传，共制作版面73块，刷新固定标语1800余条。散发宣传材料23万份，各级领导发表署名文章和电视讲话23篇，设立水法咨询台19个，出动宣传车32辆次。有力地促进全市各项水利工作的顺利开展。

【在全省率先实现自动化防汛调度】 防汛工作配置高性能计算机、扫描仪等设备，对原有计算机防汛软件系统进行添加完善，完成GIS地理信息防汛调度系统建设，形成较为完整的防汛办公自动化系统，在全省率先实现用现代科技手段指挥调度防汛。

【全国农村饮水工作现场会在临汾召开】 4月3～4日，国家水利部在临汾召开“全国农村饮水工作现场会”，水利部副部长翟浩辉、农水司司长冯广志、副司长李仰斌、山西省副省长范堆相、水利厅厅长李英明、副厅长姚高宽出席会议，来自全国25个省、市、自治区代表参加会议，市水利局局长张健做典型经验介绍。《中国水利报》、《山西日报》分别以“机制创新稳定解困——临汾市实施农村解困工程的启示”、“临汾农村饮水解困经验走向全国”为题，对本市的饮水解困工作进行专题报道。

【全省渔业工作会议在临汾召开】 3月6～9日，省水利厅在临汾召开“全省渔业工作会议”，推广临汾渔业产业化和养殖大户发展经验。省水利厅副厅长袁浩基、副市长常富顺出席会议并讲话，全省各地市100余名代表参加会议。会议参观曲沃县、襄汾县的5个先进典型基地，大会表彰12个“全省渔业先进集体”，市水利局、襄汾县水务局、曲沃县水务局名列其中。至此，市水利局已连续15年荣获“全省渔业先进集体”称号。

【全市发生严重旱情】 全市3～6月份降雨仅53.1毫米，比历年同期减少112.4毫米，减少67.9%，且气温持续偏高，沙尘暴不断，土壤蒸发量增大，普遍失墒严重。干旱期间旱地和未浇过的麦田20厘米深土含水量普遍在8%左右，比农作物生长所需含水量减少一半。白地干土层达10～20厘米，最多的在25厘米以上。6月，全市7座中型水库中仅有“七一”水库蓄水2011万立方米，比历年同期少蓄2956万立方米，其余水库大都放干和干枯。72座小型水库共蓄水240万立方米，有56座干枯。井水位普遍下降5～10米。2800余眼机电井出水不足或吊泵。主要河流来水量大幅度减少，汾河、浍河、洪安涧河、鄂河于3月中旬断流，比上年断流时间提前半个月。沿河个别电灌站只能靠城市污水继续上水浇地。农村人畜饮水和城市供水矛盾加剧。严重干旱造成全市夏秋两季受灾面积达223.87万公顷，损失粮食35万吨，粮食作物、经济作物共损失2.1亿元；林业植树减少，落果、果小等问题损失0.2亿元。畜牧业牧坡减少、牲畜出卖、宰杀等损失0.5亿元，工业因缺水损失5.29亿元。以上共计损失8.7亿元。

附：

·获奖情况·

集　体

市水利局获水利部全国水利系统水资源工作先进单位、全国水土保持先进集体、全国节水增产重点县建设先进集体、在2001年工作中成绩突出评为先进通联站

市水利局被中共山西省委、省人民政府授予山西省模范单位称号、山西省劳动模范大会模范单位

市水利局获省委干部下乡领导组扶贫攻坚先进单位、省实施农村饮水解困领导组农村饮水解困先进单位、省委办公厅、省政府办公厅农田水利基本建设先进市（地）指挥部、省水土保持委员会水土保持监督工作先进单位、机关档案工作目标管理省一级单位

市水利局获省水利厅全省水利工程质量监督先进集体、水利基本建设统计工作先进集体、年报二等奖、山西省水利勘测设计先进单位

个　人

张健同志被全国总工会援予全国“五一”劳动奖章、被省农建指挥部授予农田水利基本建设优秀领导干部、获水利厅全省农村饮水解困先进工作者

薛锦安同志获水利厅省水保监督工作先进个人

关云山同志获省水利厅农村饮水解困先进工作者

张建国同志获省水利厅“九五”期间全省水利基建先进工作者

李英泽同志获省水利厅水保监督工作先进个人

宿辉同志获省水利厅省水资源管理先进个人

杨杜学同志获省水利厅省水保监督工作先进个人

任树功同志获省农建指挥部省农建先进个人

吴江平同志获省水利厅全省渔业先进工作者

郃爱庆同志获省水利厅农村饮水解困先进工作者

李建华同志获省防汛抗旱指挥部抗旱服务组织建设先进工作者

王玉环同志获水利厅省水资源管理先进个人

郑娉同志获水利厅年报二等奖、统计分析报告优秀奖

晋芳同志获水利厅水利基建统计工作一等奖

郑建民同志获水利厅农建先进个人

陈学东同志获水利厅计划管理先进工作者

朱俊华同志获水利厅抗旱服务组织建设先进工作者

程有辰同志获水利厅财务管理先进工作者

卫梦龙同志获省水资委水资源财务工作先进个人

亢捷同志获省水利厅水利基建先进工作者

张广峰同志获省科协优秀科技工作者

（张荣华）

·引沁入汾工程建设管理局·

【概述】　引沁入汾草峪岭隧洞工程建设按照“抓质量、促进度、保安全”工作思路，克服困难，精心组织，工程进度超额完成。省计委下达投资计划1930万元，其中省拨资金1300万元，市自筹630万元。面对资金不足，且到位较迟的困难，通过借、贷、赊等办法多渠道筹集资金560万元。通过与施工单位团结协作，共渡难关，全年共完成主洞掘进1010米，主洞衬砌1650米，分别占全年施工计划的100.1%和100.3%，完成投资1380万元，还实现5#斜井与4#斜井的顺利贯通。截至12月底，草峪岭隧洞累计完成主洞掘进16400米，主洞衬砌14878米，投资20457万元。进口、出口、4#下、4#上、5#斜井段全部完工，先后有4个标段间顺利贯通，其中进、出口和4#下通过省、市主管部门验收。

【工程质量和安全生产管理】　严格实行工序控制、验收程序、原材料检验“三检制”，对施工单位进行正常质量检查，还组织质检科、施工科会同监理公司组织人员进行夜间突击检查，共签发质检证卡780份，抽查试验280次，收集整理资料850份。共完成单位工程187个，合格率为百分之百，其中优良工程150个，优良率达80.2%。安全生产坚持做到“四个结合”即：年检、月检与旬检、周检相结合，定期检查与突击检查相结合，管理局大检查与施工队小检查相结合，一般性检查与科学性监测相结合，发现事故隐患及时采取措施，有效地避免事故发生。举办形式多样的安全生产教育，增强搞好安全生产自觉性，健全安全组织，管理局、施工单位、施工班组等安全生产机构先后进行调整充实，共配备专、兼职安全员61人，初步形成强有力的安全网络，工地未发生工作事故，实现连续10年无事故的好成绩。

【马房沟提水工程可行性报告通过国家审查】　通过不懈努力和积极协调，马房沟工程在一年间迈出可喜的三大步：2月11日，国家水利部审查通过引沁入汾马房沟提水工程项目建议书；6月29日，马房沟提水工程项目建议书由国家计委审查通过；11月1～4日，国家水利部委托黄河水利委员会在临汾市召开马房沟提水工程项目可行性研究报告审查会，通过专家的坝场查勘、允分讨论和认真审议，马房沟提水工程可行性研究报告审查通过，为全面实施工程建设奠定坚实的基础。

（丁栓平）

·汾西水利管理局·

【概述】　全年引水2.29亿立方米，其中农业用水7499万立方米，灌溉面积1.35万公顷，2.49万公顷·次；发电用水645万立方米，发电32万度；工业及城市生活供水3985万立方米；蓄水1600万立方米。灌区改扩建一期工程，七一渠渠道防渗配套3.5公里，国家投资442万元，工程全部完工。灌区节水续建工程，七一水库二支渠17.2公里的防渗配套，总投资800万元，其中国拨400万元，省补200万元，地方自筹200万元，改善灌溉面积0.32万公顷。该项目国拨资金400万元全部到位，省市筹资金正在落实；通利渠防渗配套工程，总投资800万元，其中国拨400万元，省补200万元，地筹200万元，工程已立项，正在排列计划。《灌区节水续建配套工程可行性研究报告之二》编制完成，主要包括七一渠、反修渠、红旗渠、统一渠的防渗配套，总投资3000万元，上报省计委、省水利厅；同时完成跃进渠防渗工程、七一水库加固除险工程和节水续建工程竣工资料的整编工作。

【灌区改革】　针对灌区存在的问题，在田间工程管理和水费收交方面进行改革尝试。洪洞分局成立以村为单位的用水协会，解决乡镇截留水费和收费难的问题；尧都分局对26条支斗渠“三权”（管理权、使用权、经营权）进行拍卖，迈开管理型向经营型转变的步伐；襄汾分局实行渠道承包制，实现企业、事业分开，收到较好效果；七一水库管理处机构消肿，减少人员，提高竞争意识和工作效率；西贾电灌站对人事、经营机制、考核等全方位改革，收到良好效果。二分局的田间工程产权改制经验在全省水利管理工作会议上交流，同时被定为山西省灌区改革试点。8月，新班子派考察团到省外先进灌区考察学习，成立灌区改革领导小组，灌区全面改革方案准备出台。

农业机械

【概述】　全市农业机械总动力发展到238.1万千瓦，比上年增加11.4万千瓦。大中型拖拉机新增40台，推土机新增58台，各种小四轮拖拉机新增310台，农用运输车新增399辆，农用三轮车新增4800辆，联合收割机新增15台，各种动力机械新增666台。全年农机经营总收入6.53亿元，纯收入2.75亿元，其中农机经营户总收入6.23亿元。农机为农民人均增加纯收入106元。

全市共完成机械化生态农业工程面积0.9万公顷，机械化旱作农业工程面积1.5万公顷，机械化保护性耕作面积0.72万公顷。完成机收小麦“南征北战”工程面积13.21万公顷，推广农业机械（具）860台。共完成机械化化肥深施面积31.5万公顷，机械化玉米精少量播种面积3.07万公顷，机械化秸秆还田面积10.45万公顷，机械化节本增效面积0.93万公顷，地膜覆盖面积8.67万公顷，完成机耕作业面积30.67万公顷，机械耙耱面积20.67万公顷，机播面积21.3万公顷，机收面积14.67万公顷。

全市机动车年度检审验合格18264台，驾驶员年度检审验合格16402人，核发农业机械牌证7253付，完成驾驶员新训3610人，驾驶员复训16870人，培训农机操作手10543人。

【机械化保护性耕作示范】　农机部门实施机械化保护性耕作试验示范项目，应用旋耕、少耕、免耕、镇压、深松、硬茬播种、秸秆还田、生物覆盖等技术，收到良好效果，引起国内外农机和农业专家广泛关注。5月19日，来自全国15个省、市、自治区的农机管理部门领导、大专院校教授、学者及美国、澳大利亚专家百余人来临汾参观尧都区机械化保护性耕作示范区，对市机械化保护性耕作所取得的经验、成效给予高度评价，认为保护性耕作将对我国延续几千年的耕作模式产生革命性影响。

【小麦跨区机收作业】　市、县成立由农机、公安、交通、物价、纠风、石油等部门组成的跨区作业领导机构；开展形式多样的技术培训和安全生产教育活动，全市共培训联合收割机驾驶员1000余名；组织农机技术维修人员和监理人员对千台联合收割机进行检修、保养、审验工作。对符合作业条件的机车、机手发放作业证，严格杜绝无证、无牌、技术状态差、不审验或审验不合格的机车参加作业，农机部门负责组织、安排作业，联系配件、油料供应，帮助营机户解决各种困难。整个夏收期间，有2736台联合收割机、3823台小型割晒机和3万余台拖拉机及各类农用运输车辆，投入夏收之中。

【机械化秸秆还田】 市委、市政府加大对焚烧秸秆治理力度，农机部门从秸秆利用入手，采用机械化秸秆还田技术。作物秸秆还田是将秸秆粉碎，翻入地下，让其自然分解，这样既增加土壤有机质，培肥地力，又能起到蓄水保墒作用，减少成本，增加收入，很受农民欢迎。焚烧秸秆现象得到有效制止，全市机械化秸秆还田10.44万公顷，占小麦种植面积的47.5%。

【农业机械产品质量投诉站成立】 根据省人民政府139号令《山西省农业机械产品质量鉴定和日常监督管理办法》及有关法律、法规，经批准，市“农业机械产品质量投诉站”成立。主要任务是加强农机市场监督管理，保护广大农机消费者、生产者、经营者合法权益，打击假冒伪劣农机产品，及时受理农机产品投诉案件。

（景国平　赵春林）

畜牧业

【概述】 畜牧工作以产业结构调整为主线，以科技进步和体制创新为动力，克服特大干旱和市场疲软两大困难，畜牧业稳中有升，全市大牲畜饲养量51.4万头，羊190万只，猪160万头，鸡1354万只，分别比2000年同期增长8.1%、6.1%、11.1%、10.5%；肉类总产量8.2万吨，蛋4.4万吨，奶2.8万吨，分别比2000年同期增长6%、10.3%和7.1%；畜牧业总产值8.9亿元，增长6.6%，农民人均畜牧纯收入140.9元。畜禽品种改良全面推广黄牛冷配细管冻精、猪的二元、三元杂交、肉用羊和本地羊的杂交，取得良好成果。疫病防治全面推广程序化免疫达280万头（只）；饲养管理积极推广人工种草、秸秆青贮、EM、舔盐砖、虫克星、饲草氨化等新技术、秸秆利用率30%。全年举办各种科技培训班60余次，共培训各种专业人员3000余人。各项科技推广使畜牧业取得较好经济效益和社会效益。

【畜牧“四大工程”建设启动】 畜禽改良工程，以畜禽品种结构调整为中心，良种繁育体系建设、杂交改良示范为重点，使良种牛存栏50万头，羊66万只，优种鸡1010万只，良种猪80万头，猪的二元、三元杂交20万头，改良肉用羊13万只，推广黄牛冷配10万头。审核挂牌畜禽良种场44个。草地建设工程，扩大草地面积1.54万公顷，其中人工种草1.08万公顷，草地改良0.47万公顷，种子田0.1万公顷。秸秆饲草加工63万吨，其中青贮25.57万吨，氨化15.3万吨，微贮3.3万吨，EM发酵5万吨，其它加工11.8万吨，有力的保证畜牧业的发展。畜禽保健工程，坚持“预防为主”方针，以W病、布病、禽流感为重点，全年共注射各种疫苗猪140.7万头份，密度达91%；鸡1974万份，密度达94%；羊167.8万只，密度达71%；牛48.4万头，密度达94%；生猪定点屠宰检疫率100%，产地检疫率92%，免疫总数及密度均达到国家要求。市场信息工程，建设各种活畜交易市场31个，羊绒批发市场1个，瘦肉猪生产基地1个，三黄鸡销售基地3个，分别在广东、天津等地建立畜产品销售办事处6个。

【畜牧精品工程】 8项畜牧精品工程全部启动，琳浩鹧鸪养殖有限公司存栏成鸪15万只，幼鸪7万只，出栏5万只；尧都区东张乌鸡特种养殖示范园，现存栏40万只，年出栏60万只；翼城优质商品猪示范园，存栏达到6000头；洪洞万安万头猪场完成施工和设备安装，引进良种230头；尧庙乳鸽养殖基地存栏种鸽3万对，年出栏10万只；大宁引进良种小尾寒羊7600只。黄牛改良冷配工程，全市建站（点）89个；洪洞梅花鹿养殖基地存栏600余头。8大重点工程为全市的畜牧业起到扩大规模，打造品牌，带动全局的示范作用。

【世行肉牛项目和特种养殖】 世行肉牛项

目工程在洪洞、尧都区、襄汾、安泽4县（区）完成建设投资6554万元，其中世行贷款1818万元，农户自筹4516万元。发展营养改良户7060户，新增母牛户1804户，肉牛育肥户630户，新建奶牛户250户，建立县级服务站4个、乡镇服务站25个。特种养殖品种30余种，其中禽类品22种，动物及其它类11种。发展较快的乌鸡已达100万余只，肉鸽3万对，鹧鸪30万只，蜜蜂12000余箱，梅花鹿2000余头。

【饲料兽药】 全市饲料、兽药生产企业31家，生产各种品牌的饲料兽药140余种，其中参加全省畜牧产品展销30余种，通达饲料厂生产的产蛋鸡配合料等3种产品获大会金奖，猪浓缩料分别获银奖和铜奖。

【畜牧行业执法】 坚持“依法治牧，依法护牧”原则，多形式、多渠道对畜牧系统“两法三条例”进行宣传，全年共出动宣传车110余次，印发材料、张贴标2万余份，电视宣传、专题讲座13次。在执法过程中动检方面“明确权责，实行屠宰检疫责任制”，全市动检达到农业部“四到位”标准。饲料兽药方面，依据《条例》对62家不符合《条例》规定的厂家和营销单位下发了停业整顿通知，检查100个饲料生产和饲料经销单位，查获各种失效预混料786袋，无许可证252袋，假氨基酸170余公斤。草地和种畜禽管理完善草地承包制，发放草地使用证，固定草地使用权。对60余家种畜禽场进行检查、审核，对不符合条例的16家坚持予以取缔，保护消费者权益。

【全省畜牧科技大会在临汾召开】 为适应中国加入WTO的新形势，加快畜牧产业结构调整，11月23日全省畜牧科技大会在临汾八一宾馆召开。山西农大、农业厅、农科所的20余名省内外畜牧教授、专家到会。全国著名养猪专家郭传甲、养牛专家黄应祥等教授，对全市养殖场及700个养殖专业户进行专业培训和技术咨询。农大校长董常生在大会做了热情洋溢的发言，常富顺副市长代表市委、市政府向大会表示祝贺，会上进行经验交流、论文评选，并对畜牧科技先进单位和个人进行表彰。各县（市）畜牧局长、科协主席参加大会。到会专家应市政府邀请对全市畜牧业如何应对入世进行座谈。

附：

·机构设置·

市畜牧中心，为市政府直属事业单位，内设办公室、财务科、人事科、生产动态科、物管中心。下属：家畜改良站、牧草机械管理站、家畜防治站、动物检疫站、饲料监察站。中心企业单位牧工商贸易中心、社会团体畜牧兽医学会，2001年末共有干部职工154名。

·获奖情况·

集　体

市畜牧中心被省委农村工作委员会、省农业厅评为“增加农民收入先进单位”

市畜牧中心被省农业厅评为“科技进步二等奖”

家畜繁育改良站被省农业厅评为“良种繁育先进单位”

市畜牧中心财务科被省农业厅评为“财务年度报表二等奖”

市畜牧中心人事科被省农业厅评为人事劳资年报一等奖

市畜牧中心动检站被省农业厅评为“监督执法先进集体”

市畜牧中心动检站被省农业厅评为动检比武集体二等奖

个　人

李林虎同志被农业部评为“全国动物防疫先进个人”

邓文平同志获省科技厅农村技术承包一等奖

陈汉中、解建平同志被省农业厅评为“动物防疫先进个人”

崔益琴同志被省农业厅评为“财务年报先进个人”

董玉刚、王旭明、邓文平同志被省畜牧兽医研究所评为“黄牛改良先进个人”

郃国伟同志获省科委农村高效养殖配套技术二等奖

郃国伟同志获省科委兽用中药高效免疫科技进步二等奖

李宏同志获省农科院、研究所“提高肉牛综合生产力”科技进步二等奖

（李建民）

工　业

企业工作

【概述】 全市工业系统以结构调整为主线，以深化改革、科技进步为动力，以发展潜力产品为切入点，突出结构调整、企业改革、民营经济、扶优扶强、企业管理、协调服务，开拓进取，扎实工作，工业经济快速增长，经济效益大幅提高。限额以上工业企业工业总产值147.8亿元，同比增长22.4%；工业增加值48.1亿元，增长20.8%，提前50天完成全年任务。其中：轻工行业4.4亿元，增长9.3%，重工行业43.7亿元，增长22.4%；分级次看，中央企业5.47亿元，增长41.6%；省属企业13.2亿元，增长23.5%；市属企业2.5亿元，增长10.1%；县级企业8.5亿元，增长15.6%；乡镇企业5.3亿元，下降1.3%；村级以下企业13.1亿元，增长26.3%。限额以上工业企业完成销售收入137.2亿元，增长29.4%；实现利税15.1亿元，增长44.8%；实现利润3.9亿元，增长71.7%；亏损企业亏损额1.3亿元，减亏22.8%。各项工作取得明显成效，被省政府评为2001年完成工作目标优秀单位。

【产业结构调整】 对煤炭、焦化、冶炼、纺织、造纸5大传统产业在“总量控制，科学规划，合理布局，淘汰落后，节能降耗”的原则下，运用高新技术和先进实用技术提升改造；同时，扶持、培育和发展精细化工、生物制药、新型材料、精密铸造、绿色食品等5个新兴主导产业。确定襄汾有色2.6万吨金属锌、晋光药业20亿粒猴头健胃灵、霍州交通万吨硫酸钾、霍州化工20万吨尿素配套改造、广东佛塑9500吨透光宽幅塑编农用大棚模及系列产品、翼城实业镁合金100万套压铸件、汾河生化3万吨柠檬酸、海姿焦化40万吨焦化项目一组、翼城城东钢铁公司300立方米高炉改造等10个标志性工业调产项目。全年共安排调产项目94个，落实调产资金7.3亿元。通过项目建设，全年新增销售收入7.4亿元，同比增长99.5%；利润43.7亿元，利税6244万元，同比增长112%。

【国有企业改制】 制定《临汾市国有企业改制程序规定》，从改制形式和改制程序、国有资产处置、改制责任追究等方面，规范企业改制工作。翼城县率先在五一机械厂、翼城针织厂实行“两退”（即：国有资产退出，职工身份退出）取得成功。尧都区、侯马等县（市、区）也积极采取“两退”形式，对企业实行2次改制。全市共有9户企业破产，涉及国有资产1.13亿元，拍卖企业8户，安置职工2731人，付出安置费用4000余万元；对大中型企业实施战略性改组，原地区水泥厂划转山西焦化有限公司；平阳制药厂整体下放侯马市，组建药业集团；银湖制药厂实现一次性买断；互感器厂、平阳钢铁厂、临汾粮油进出口公司实施破产重组。

【焦化、冶炼行业规划管理】 按照国家产业政策和环保要求，坚决取缔土焦、淘汰改良焦、鼓励上大机焦。全年先后考察上报洪洞康老焦化集团、洪洞恒福焦厂、洪洞河西铁厂、洪洞晋洪焦化集团、洪洞远中焦化公司、古县森润焦化公司等6个40万吨以上的项目，已经省经贸委批准立项；严格控制总量。根据省下达的1000万吨焦的规划指标，规划洪洞、尧都区、乡宁、侯马、山焦5个焦化小区和古县、安泽、蒲县等重点产焦县。对规划内的焦化企业，建立项目档案管理制，实行一厂一档。加强对1996年以来省经贸委立项项目的督促检查和跟踪服务，协调、解决项目建设中存在的问题。全年共有临汾海姿焦化厂、侯马寰达实业公司、乡宁振兴焦化厂、安泽一焦厂、古县一焦厂 5 个企业投产，新增机焦生产能力 100 万吨，机焦总产量达到 450 万吨。炼铁行业“关小上大”，取缔 50 立方米以下高炉，规划 18 座 125 立方米以上的重点冶炼项目。年底，翼城城东铁厂 300 立方米、浮山方兴铁厂 125 立方米、浮山康达铁厂 128 立方米、襄汾龙兴 125 立方米、襄汾襄陵镇 125 立方米、侯马建邦 128 立方米等 6 座高炉竣工投产。

【加强企业管理】 继续开展“外学邯钢，内学山焦”的活动，全面推广邯钢“模拟市场核算，实行成本否决”的管理模式，以降低成本为突破口，用市场价格确定目标成本，大胆使用成本包干、工效挂钩、节约分成等办法，降低物耗。实行公开招标，规范企业物资采购管理。认真贯彻质量管理和质量保证系列国家标准，开展 GB／T19000－IS09000 质量体系认证，建立和完善计量检测体系，完善计量检测手段，做好管理的基础性工作。经委举办 IS09000 质量体系认证内审员培训班，30 名内审员取得资格证书。加强职工队伍和企业家队伍建设，出台《临汾市加强企业家队伍建设的实施意见》，对企业管理干部进行工商管理培训，提高企业干部队伍素质。

【整顿规范市场经济秩序】 整顿和规范市场经济秩序工作，按照市委、市政府的部署，经过近一年的努力，取得阶段性成果，矿山秩序有了大的改观。718 座乡镇煤矿实施停产整顿，关闭无证小煤矿 52 座、二坑口 32 座；停产整顿铁矿 277 个，取缔无证开采 313 个，关闭地质灾害危险区铁矿 33 个，查处越界采矿 56 起。对污染环境、浪费资源的小炼油、小造纸、小化工、小土焦等“土小企业”实施关停，全市共炸毁烟囱 304 根、焦炉 1860 个，取缔“土小企业”1100 个，查处经营土炼油加油站 364 家次，查获土炼油车辆 34 辆，取缔土炼油窝点 91 个，关停交通干线两侧污染单位 300 余家。

【全省工业调产项目现场会、观摩会分别在临汾召开】 11 月下旬和 12 月中旬，全省工业调产项目现场会和全省工业项目观摩会分别在临汾召开。会议充分肯定临汾市工业调产项目建设工作取得的成绩，省政府领导和全体与会代表实地参观山西三维集团、山西焦化集团、襄汾有色公司、侯马霸王药业等单位的调产及项目建设情况。

【临汾市销售收入上亿元的工业企业名单】

山西新临钢钢铁有限公司
太钢集团临汾钢铁有限公司
霍州煤电集团有限责任公司
山西焦化集团有限公司
山西省电力公司霍州发电厂
山西三维集团股份有限公司
中条山有色金属公司侯马冶炼厂
侯马普天通讯电缆有限公司
山西省电力公司临汾供电公司
霍州市化学工业有限责任公司
霍州矿务局洪洞煤焦总公司
洪洞县赵城焦化实业集团
山西平阳机械厂
山西临汾染化（集团）有限责任公司
山西鸿昕焦化有限公司襄汾选煤焦化公司
山西金尧焦化有限公司
洪洞县宏达实业公司
襄汾县焦铁实业有限公司
乡宁县枣岭乡煤焦实业公司

（尚军　陈永森）

煤　炭

【概述】 全市原煤产量 1850 万吨，比计划 1600 万吨增加 250 万吨，超计划 15.6％；完成精煤产量 1540 万吨，比上年同期增长 12％；煤炭工业总产值 37.55 亿元，增加 8.6 亿元，增长 29.7％；出口煤炭 70 万吨，增加 24 万吨，增长 52.2％；创汇 2660 万美元，增加 1004 万美元，增长 61％，原煤产销率 100％；发生各类煤矿事故 6 起，死亡 10 人，百万吨死亡率

0.76人，与上年同期相比，死亡人数减少42人，百万吨死亡率降低4.56人。

【煤炭行业管理】 坚持依法行政，加强对专项费用的收缴工作。市纪监委、审计局与安监局组成联合收缴组，赴15个产煤县（市、区），依照有关法律、法规对专项费进行审计和催交。共收取维简费1056.9万元，完成年预定计划。突出项目建设，提高矿井装备水平。完成建设项目432项，其中矿井改造项目5项，采煤方法改革21项，安全项目411项，加工转化项目5项。完成投资2.6亿元，其中省、市投资5500万元，县（市、区）及煤矿自筹2.05亿元，资金到位率达到100%。新增原煤生产能力590万吨。加快矿井技术改造，有213座煤矿进行采煤方法改革，296座煤矿制定采改方案，509座煤矿建立洒水灭尘系统。建成甲级通风矿井5座，乙级通风矿井169座。强化安全培训和管理，共举办矿长培训班5期，培训矿长428名；举办特殊工种培训班30期，培训5160人。有证煤矿的矿长和特殊工种基本做到持证上岗。层层落实安全目标责任制，统一实行安全生产绿、黄、红牌和填卡管理制度。认真贯彻实施“一法一例”，推动煤炭企业法制化建设，查处违法煤炭企业75家，在全省“一法一例”执法检查中，受到省人大执法检查组的肯定。

【煤矿专项整治】 全市共有各类煤矿809座，其中市营矿2座，县营矿30座，乡镇煤矿777座。“四证”齐全的煤矿569座，其中具备基本安全生产条件的一类矿井330座；经整顿可以达到基本安全生产条件的二类矿井179座；整顿难度大，无法如期验收的三类矿井60座。全市列入关闭的乡镇煤矿208座，其中年初省政府下达关闭任务157座，市确定新关闭矿井51座。已关闭91座。323座煤矿报省审批，其中审批通过168座。市委、市政府对煤矿专项整治工作高度重视，成立以张茂才市长为组长，成洪才副市长为常务副组长，各职能部门主要负责人为成员的整治领导组。并与各县（市、区）政府层层签定整治目标责任书。利用多种形式进行宣传发动。坚持依法行政，严格督查，确保关停措施落实到位。市督查组查处案件7起，查处群众举报案件42起，全部结案，并对20名非法生产矿主刑事拘留。坚持标本兼治、综合治理，全市用于安全整改的投入达9300万元。严格标准，加快验收，年底，有28座国有煤矿恢复生产。省乡镇煤矿验收抽检组对报省审核的185座煤矿按10%的比例进行抽检，抽检的21座煤矿，全部合格通过。

【存在的主要问题】 煤炭工业发展存在的突出问题主要有5个方面：产业结构和产品结构不合理的矛盾比较突出，集中表现在产业集中度低，安全隐患多；产品加工档次低，产品升级转化步伐慢，缺乏整体竞争优势；煤矿企业改革力度小，经营机制转换滞后，企业缺乏自我发展的活力和实力，难以面对“入世”后的市场竞争局面；专项费用收缴困难较大，资金上交率低，影响煤矿改造和安全投入；煤矿安全管理缺乏行之有效的制约手段，存在着力不从心的问题。

煤炭运销

【概述】 全市煤炭运销系统按照“企业集团化、产业多元化、煤炭洁净化”的要求，理清思路，确定目标，制定措施，扎实工作，圆满完成全年各项任务。铁路、公路合计出省煤焦477万吨，完成考核指标的115.8%，比上年增加39万吨，增长9%。其中：铁路出省煤炭289万吨（含出口73万吨），完成考核指标的121.8%，增加45万吨，增长18%，提前两个月完成考核任务；公路出省煤炭83万吨，完成考核指标的101.2%，提前1个月完成考核任务；铁路出省焦炭66.2万吨，完成考核指标的116.1%，同比增长1.4%；提前1个月完成任务。公路出省焦炭38万吨，完成考核指标的108.6%。铁路、公路累计完成省内电厂用煤51万吨，完成考核指标的141.7%；上缴当年省、市煤炭专项基金1.43亿元。其中：上缴省政府7688万元，上缴市政府6600万元，均超额完成上缴任务，创历史最好水平。归还省、市煤炭专项基金历年旧欠1100万元。其中：归还省公司300万元，归还市政府800万元。回收货款5.3亿元，回收率97%；清理历年旧欠5517万元，占旧欠总数的28%。

【公路煤炭经销】 在乡宁、蒲县实行公路煤炭统一经销，煤炭产业整体效益明显提高，全年经销煤炭400万吨，原煤价格每吨平均提高30元，个别地方甚至提高40～50元。精煤价格每吨提高45元，焦炭价格每吨提高60元，产生社会效益近3亿元。

【实体化运作】 铁路运销。通过优化站点、分区域、分煤种、采取多种形式建立200万吨的货源基地。洪洞县公司以两个大型发煤站为依托，自办煤矿和洗煤厂取得成效，货源基地建设走在全省前列；公路运销。实行管理和经营分离，组建煤炭交易市场，设立交易大厅，建章立制。严格合同管理，发展焦炭出口业务，在申请到1万吨焦炭出口配额的基础上，代理出口棉布12批，创汇50万美元。通过租赁买断站台的方式，改善发运条件，与赵城炼焦厂、立新洗煤厂等单位签订联营销售发运合同，保证货源，稳定质量，为建立焦炭货源基地创造良好的条件。

【强化经营管理】 实行统一结算，减少中间环节，盘活资金，缩短结算周期，及时足额完成专项基金上缴任务，创造交纳专项基金历史最高记录，彻底扭转10多年来基金收缴工作的被动局面。深入基层，调查研究，现场办公，解决一些实际问题。与用户确立良好的战略合作伙伴关系。加强任务指标管理，实行“双向考核，月度交账”，极大地调动干部职工积极性，各单位任务完成情况出现建司以来最好水平，上交款任务每月完成率均达到100%。加强人事财务管理，实行档案上划，减员分流800余人。并先后出台《财务收支管理办法》、《财务监管办法》等20余项规章制度，对基层单位进行全面审计，理清财务，摸清家底，为全市煤运系统资产经营提供科学依据。

化　工

【概述】 化学工业以结构调整为主线，以企业改制为动力，以项目为切入点，以抓上市和资产重组为突破口，建立现代企业制度，促进化工结构优化产品升级，加快资本运营，化工生产效益取得较好成绩。工业总产值（90）31642万元，比上年增长31.39%；工业总产值（现价）26651万元，增长31.39%；工业增加值8227万元，增长31.39%；工业销售产值24419万元，增长19.3%；产销率101%；产品销售收入20662万元，增长5.8%；实现利税2211万元，增长7.03%。

【项目改造与建设】 重点抓染化集团、汾河生化、医药中间体、有机化工厂等技改项目的建设和试制，项目总投资1.99亿元，年新增销售收入2.5亿元，新增税金3075万元，税金3428万元。山西汾河生化有限公司柠檬酸项目，一期3万吨总投资1.74亿元，新增销售收入1.64亿元，新增利润2000万元，新增税金2400万元；染化集团年产2000吨直接染料项目竣工投产，总投资1618万元，年新增销售收入7000万元，新增利税2000万元，运城银湖制药厂GMP改造项目总投资960万元，新增销售收入1650万元，新增利润75万元，新增税金28万元，临汾染化集团华阳公司医药中间体左旋对羟基苯氨酸试制成功，填补了临汾空白。

【企业改制工作】 在山西汾河制药厂清产核资、资产评估基础上，从产权制度改革入手，坚持走股权多元化的路子，以3万吨柠檬酸项目改造建设为契机，由山西汾河制药厂、霍州煤电集团、省经贸经营公司3家共同出资组建山西汾河生化有限责任公司。在运城银湖制药厂实行“两退”改革，产权改革一步到位，法人代表持大股，职工入股，社会自然人参股及债权转股，实行产权转换。国有资本和职工身份全部退出，对国有资产进行一次性买断。将侯马平阳制药厂由市属管理整体划转到侯马市组建“霸王药业”集团。对市直化工企业改制的规范、完善工作进行全面的检查验收。针对山西橡胶厂整体租赁中出现的租赁双方因租金、养老保险金、职工上岗等问题引起的上访事件，抽出专人配合经贸委组成调查组赴企业调研，多方协调，化解矛盾。

【安全生产和环境治理】 在安全上，层层签定安全生产责任书，将安全责任制落实细化到每个岗位和人头；全年8次下发通知组织进行6次安全大检查，共签定安全整改书40余份，整改意见160余条，安全状况明显好转。在环境治理上，临汾染化集团公司投资476万元，利用铁碳床微电解预处理技术和高效生物好氧生化处理技术，兴建污水处理设施；汾河制药厂投资300万元兴建污水处理设施；有机化工厂投资20余万元购买新锅炉，净化环境，控制有毒烟尘和污水的排放。

（李松河）

电　　力

【概述】 临汾供电分公司拥有35KV及以上变电站83座，其中：500KV变电站1座，主变容量1000MVA；220KV变电站4座，主变容量930MVA；110KV变电站27座，主变容量1012.6MVA；35KV变电站52座，主变容量397.7MVA。35KV及以上线路126条，线路总长2082.498公里，其中：500KV线路1条124.717公里；22KV线路9条，长度456.78公里；110KV线路41条，长度631.34公里；35KV线路75条，长度869.661公里。分公司全面落实安全生产、资产经营、党风廉政建设三项责任制，各项工作取得可喜佳绩。安全生产实现全年无事故，安全记录达到594天。售电量累计完成389028.81万千瓦时，完成年计划的111.5%，比计划多售电量39028.81万千瓦时；较2000年多售电量60732.62万千瓦时，增长18.50%：销售收入累计完成116098.37万元，完成进度计划的110.97%，增加收入11480.65万元；增加收入21596.24万元，增幅22.58个百分点；平均电价：售电均价完成298.43元/千千瓦时，比计算价格低0.59元/千千瓦时，提高10.57元/千千瓦时；内部利润：累计实现5387.26万元，完成年计划的150.57%，与进度计划相比多完成1680.12万元。劳动生产率：累计59338元/人，提高11.4%；多种经营：累计完成11680.8万元，完成分公司年度计划的119.2%，同比增收1188.8万元；利润累计完成711万元，为计划的103.1%，同比增收186.4万元。全省第二座500KV临汾变电站和500KV线路建成并交付运行；侯马供电支公司创国电公司县级一流供电企业通过省公司验收；城乡电网改造成绩显著，顺利通过省公司验收；临汾临能电力有限责任公司正式揭牌成立，多种经营体制改革步伐加快，全公司工作、生活环境得到明显改善，企业文化初显成效。

【电网建设与两网改造】 电网建设：配合省公司完成临汾500KV输变电工程的用地征购工作和500KV线路的拆迁及青苗赔偿工作，500KV侯临线和500KV临汾变电站于12月20日启动投入运行，分公司做为分建设单位全面完成分包内容，完成投资3077万元。农网改造工程：110KV工程，襄汾襄陵输变电工程于2002年1月31日投产主变一台容量25000KVA，110KV进线1回2.5KM，10KV出线6回6KV，工程投资787万元，古县110KV输变电工程主变一台16000KVA，110KV进线1回线路7.5KM，完成投资900万元，基本具备投产条件。35KV工程：完成35KV输变电项目15个，投资3711.7万元。城网改造工程：完成市政府小区、三元小区、贡院街、城北配电室扩建、6条10KV线路改造，城中站与王庄站等增容改造工程，累计完成投资6021万元。

【开展优质服务年活动】 建立客户服务中心，值班室、营业场所实行无周休日工作制度，提供24小时电力故障报修。制定《优质服务工作标准和考核办法》及《客户投诉举报管理制度》、《客户服务中心管理办法(试行)》、《支公司客户服务中心管理办法(试行)》、《供电服务考核办法(试行)》、《计划检修停电公告管理办法（试行)》。分公司统一印制《客户服务中心值班日志》、《客户故障报修管理台账》、《投诉举报登记台账》、《客户电话报装管理台账》、《客户服务中心居成客户报装通知单》等 12 种台账、记录和报表。制定规章制度 72 项，修改规章制度 53 项。全年全市客户服务中心共受理客户投诉举报等 1190 件，故障报装 5509 件，客户的投诉举报、报修均在规定的期限内进行调查、处理和答复。共聘请监督员 223 名，召开监督员会议 25 次。开展为重点企业、重点工程服务活动，在襄汾锌冶炼厂、临钢变电站增容改造、佛塑集团临汾经纬分公司投产、山焦扩建以及山西橡胶厂转供电、临钢水源线改造、汽源厂事故处理中，分公司均提供方便、优质、快捷的服务。收到客户表扬信 217 件，锦旗和牌匾 45 个，感谢信 16 件。公司有 11 个县（市）支公司获得山西省 2000～2001 年度“省级文明”单位殊荣。

【整顿电力市场】 11 月 15～30 日在全市范围内开展营销稽查互查活动，参加人员由各用电所主任、用电检查队长和一些业务素质高、责任心强的人员等 90 余人，组成 14 个互查组，分别对营销工作全过程进行检查，并采取内查和外查相结合方式，检查客户 3000 户左右、线路 14 条次，台区 14 个，乡镇 14 个，发现应执行营业电价而未执行的 100 余户，追补高挂低等违约用电电费 19.6 万元。8～10 月，针对本市的实际情况，有计划、有措施、有步骤地深入到基层展开用电检查活动 136 余户，堵漏增收 25.6 万元，消除安全隐患 69 起。

【审计工作】 年内完成 2000 年财务审计 1 项，任期经济责任审计 1 项，其它审计 1 项，农村电网改造审计 1 项，共查出违规违纪金额 922.25 万元，按政策和规定全部进行纠正。

城镇集体工业

【概述】 临汾市城镇集体工业联合社（总会）有成员企业 169 户，其中，市直企业 18 户，县（市、区）城镇集体企业 151 户。拥有净资产 9000 余万元，从业人员 2.2 万人。主要行业有：机械制造、皮革制衣、工艺印刷、塑料化工、建筑装饰、冶金铸造、五金工具、物贸流通、餐饮服务等 14 个行业，主要产品 120 余种。城镇集体工业创造性地开展“擂台对手赛”，全面完成全年各项经济指标，累计完成工业总产值 4.7 亿元，工业增加值 1.6 亿元，工业销售收入 4.2 亿元，第三产业经营收入 4.1 亿元，实现利税 4700 万元，产销率 97%。

【继续推进“优二兴三”发展战略】 “优二兴三”即提升和改造传统的城镇集体工业中的第二产业，再造产业、产品优势，激活城镇集体工业；同时，果断对一些长期亏损、扭亏无望、失去产品市场的进行关、停、并、转，利用地理优势，发展第三产业，盘活集体资产，培育新的经济增长点。通过实施“优二兴三”战略，全系统累计投资 5000 余万元，发展一批具有高科技含量、高附加值的龙头企业：霍州文通钾盐项目、翼城 7 万吨金属球团项目、大宁黄河化工机械总公司 3000 吨膨化炸药生产项目、襄汾油漆厂系列油漆开发项目、市锅炉制造有限公司大吨位系列环保锅炉、市工艺美术印刷有限公司高速胶印项目和生日园海上皇餐饮服务项目等。开发方面，累计建成 14 个专业市场、安置再就业人员近 3000 人，实现经营收入 791 万元。

【实施“三调整一转换”运行机制】 实施以“调整产业结构、产品结构、产权结构、实现向民营企业经营机制转换”为主要内容的“三调整一转换”运行机制。全市城镇集体工业系统培育工艺印刷、冶金铸造、锅炉制造、商贸流通等龙头产业；打造霍州文通钾盐、襄汾“铁环”牌油漆涂料、大宁膨化炸药、翼城化金属球团、尧都区“临龙”牌泵业、临汾环保锅炉、蒲县 SII 变压器等知名品牌，进一步规范和完善企业改制工作，使改制企业的法人治理结构、经营观念和运行机制更趋合理。

【强化联社服务职能】 增强联社的服务职能，采取定点帮扶企业，实行任务、责任与个人经济利益相结合的办法，蹲点包片，跟踪服务。市联社选派 7 名干部驻企业帮扶，帮助企业规范改制和选择项目，解决群众关心的如医疗、生活保障、后勤服务等热点难点问题，市联社新班子成员还帮助市直5个困难企业了结了7起多年悬而未决的经济官司，为企业挽回经济损失100余万元。

（李　斌）

交通邮电

铁　　路

【概述】　临汾分局坚持“安全第一”，摆正安全与效益，安全与营销，安全与发展的关系，1～10 月，运输收入实现 21.6 亿元，同比增长 3.8 亿元，增长 21.3%；客运完成 717 万人，同比增长 11 万人，增幅 1.6%；货运完成 4562 万吨，同比增加 644 万吨，增幅 16.4%；换算周转量完成 170.6 亿吨公里，同比增加 27.2 亿吨公里。多元经济实现销售收入 6.2 亿元，同比增长 2.1 亿元，增长 52.4%。

根据铁道部铁劳卫函 408 号批复，从 11 月 1 日起撤销临汾铁路分局，并入太原铁路分局，同时在临汾设立办事处。

公　　路

【概述】　全市交通系统围绕市委、市政府提出的“实现率先发展，建设中西部经济强市”的目标，及时调整交通发展战略，以改革、发展、稳定为主题，以提高公路等级、优化路网结构，加强公路养护为重点，加强资金管理、项目管理和质量管理，公路建设、运输生产和规费征收都取得较好成绩。2001 年底，全市公路通车里程 8761 公里，其中国道 581 公里，省道 951 公里，县道 2115 公里，乡道 5434 公里，专用道路 80 公里。按技术等级分：一级公路 148 公里，二级公路 1242 公里，三级公路 3195 公里，四级公路 3892 公里。有 145 个乡镇、2111 个行政村通油路。

【公路建设与养护】　全年共开工建设 36 项，已完工 32 项，合格率 100%，优良率 75%以上。汾西投资 1360 万元拓宽改造什佃线建成一级公路 2 公里；霍州投资 500 万元新建一级旅游路 3 公里，投资 300 万元新建悬泉山二级旅游路 5 公里；襄汾投资 380 万元改造丁村旅游二级公路 4 公里，侯马投资 66 万元新建侯马香邑至邑湖三级公路 2.3 公里。

全年公路养护里程 7179 公里，其中县公路 2127 公里，乡公路 4972 公里。按路面分，水泥路 144 公里，油路面 3167 公里，砂砾路 3650 公里，土路面 218 公里。按照“县道县养、乡道乡养、村道村养”的原则，建立“依据车流划分等级，按类确定养护经费，重点公路专业养护，一般公路乡村为主”的公路养护新体制。全体养护员工在资金缺乏、水毁严重、超载难控的艰苦条件下，共清理塌方 82748 立方米，处理翻浆 34093 平方米，填补坑槽 125114 平方米。年底县乡公路好路率 82.9 %，比计划提高 9.9%，年平均好路率 80.9%，比计划提高 9.9%。公路养护综合值年末达到 79，年平均养护综合值达到 78.2，县、乡公路 GBM 工程完成 33 公里。针对超限车辆增多，侵犯路产路权时有发生，公路损坏日趋严重的现象，年初组建临汾市路政巡查大队，加大路政巡查力度，广泛宣传《中华人民共和国公路法》、《超限运输车辆行驶公路管理规定》，依法行政、文明执法，全年清理路障 4530 处，16068 平方米；拆除违章建筑 389 处，2645 平方米；全年发生路政案件 51720 起，查处率 100%，结案率 100%，收回路产赔偿费 200 多万元。

【运输市场管理】　全市共有运营汽车 13284 辆，其中货车 10604 辆，客车 2680 辆，营运线路366条，汽车维修网点817个。全年完成客运量2822万人，旅客周转量95844万人公里；完成货运量6153万吨，货物周转量216050万吨公里。在开展道路运输市场管理年活动中，制定公布《临汾市开展道路运输市场管理年活动实施办法》，重点打击各种无证经营和非法经营活动，全市共检查车辆22000次，查处违章、违规车辆8600次，查处欺行霸市、社会黑势力窝点4个，补收规费290万元。严把营运车辆年度审验关，共审验客车1500部，出租车1200部，货车8132部。淘汰客车20部，不合格危货车20部；培训危货从业人员252人次；加大对货运代理、配载服务和搬运装卸业行业管理，对无经营资格的单位和个人依法进行取缔和处罚。驾管中心对全市9所驾驶员培训学校教学设施、师资力量、制度建设等方面进行检查验收，先后更新教学车辆40部，对不按行业规定施教、拖欠规费及教学措施、设备不完善的，责令其停业整顿。全年查处违法行为20余起，取缔非法招生点10余处，有力维护驾培市场的正常秩序。

【规费征收】 征费稽查处坚持依法征费、文明征费，完成拖拉机养路费2200万元，公路站场建设费1000万元，运输管理费1200万元，商品路桥通行费3061万元。

【交通规费管理核算中心成立】 成立交通规费管理核算中心，实行集中核算、统一票据、统一标准、统一账户、集中审批、联合会签的管理模式。制定资金的分项、上解、返还、留成、支付程序，中心会计全部公开招聘，经考试考核录用。中心的成立将各单位的收支活动纳入规范管理，避免了交通规费、资金的截留、坐支、挪用等现象，保证交通建设资金的专款专用。

【精神文明建设】 严格执行领导班子成员双层民主生活会制度，把党建工作列入全局工作重要日程。局机关开展党员理论教育，党的知识百题考试，开展学习江泽民总书记《在中国共产党建党80周年大会上的讲话》学习月活动，邀请市讲师团讲师进行专题辅导。积极开展“四五”普法教育，对交通行政执法队伍进行法律知识、专业知识和职业道德岗位培训。制订全市交通行政执法和公路通行费收费工作纪律。与各县（市、区）交通局及局直各有关单位签订“依法治交责任书”，在全系统形成依法行政、文明执收的良好氛围。

【实施反腐败源头治理“132”工程】 即建立一个中心，规范三个程序，实行两个公开。建立临汾市交通局规费管理中心，主要负责各项规费的征收、规费建设费用的支出、工程费用核算管理；规范三项程序：选拔任用干部和录用（聘用）工作人员程序、地方公路建设工程招投标程序及临汾市交通局资产采购程序；实行政务公开、企务公开。

附：

·获奖情况·

集　体

市交通局征费稽查队、路政管理办公室被省交通厅评为全省交通行政执法先进集体

市交通局交通机械工程处被省交通厅评为山西省交通行业文明集体

个　人

华志刚、王福记、许小根、庞忠海、宗红继、令狐文选同志被省交通厅评为安全生产工作先进个人

王福记同志被省交通厅授予全省交通行政执法“十佳执法员”

吉天星、王福记同志被评为山西省行业精神建设先进个人

王全武同志被省交通厅评为全省交通行政执法先进工作者

闫小毛、汤杰、周兴龙同志被省交通厅评为全省交通行政执法先进个人

（李世雄　李玉洲）

交通征稽

【概述】 全市交通征稽系统征收养路费、货运附加费15557万元，占年计划的106.55%，

占追加计划的100.24%，同比增加1958万元，增长14.4%，创分局费收历史新高。先后开展“春季稽查大行动”、“主题月稽查活动”、“大干10月份，确保全年费收任务”3次大规模全市稽查行动。分局稽查大队坚持定期、不定期地深入重点区域、重点所站对无费车辆进行专项治理。所站联合稽查，树立严查重处意识，坚持文明执纪、依法行政。不断改善稽查基础设施，加大稽查工作的科技含量，提高工作效率。打击偷逃漏欠费的行为，全分局共查漏补征1000余万元。

【精神文明建设】 大力开展争创“五星级党支部”活动，有8个党支部被市直工委评定为“五星级党支部”；组织党员干部职工参观“从延安到中南海”摄影展和反对“法轮功”邪教图片展，召开庆祝建党80周年座谈会，开展党史知识竞赛答题活动。严格规范执纪行为，推行政务公开，开展行风评议；开展关心老干部生活，“送温暖、献爱心”活动，在经费紧张的情况下，保证老干部福利待遇和医疗费用。组织老干部观看红太阳颂大型专题文艺晚会。

附：

·获奖情况·

临汾所、洪洞所被省交通厅评为“省级青年文明号”

市征稽分局人事劳资教育科被省交通厅评为老干部工作先进集体

市征稽分局工会荣获省交通厅《婚姻法》知识竞赛集体二等奖

（张一凡）

邮　　政

【概述】 市邮政局坚持“以经营工作为中心，以强化管理为手段，以深化改革为动力，以优质服务为宗旨，以科技兴邮为支撑，全市邮政业务总量12395.5万元，完成计划109.21%；业务收入11403万元，完成省局计划109.02%，同比增长20.9%，完成计划进度和收入增幅连续3年列全省第1位。全员劳动生产率达到67076元/人；首次实现收差679万元，实现3年扭亏的奋斗目标，获全省经济效益杯优胜单位第1名和经营责任制考核及扭亏增盈一等奖。

【实施特色经营】 采取抓大促小，全面发展的经营策略。把铁路沿线局、地方经济条件较好的大局，收入比重高的大业务，使用邮政业务较多的大用户做为经营工作的重点来抓，加大政策倾斜力度，以推动各项业务快速发展。坚持把金融业务做为吃饭业务，在余额快速发展基础上，积极开发金融中间业务市场，代发工资、代发养老金形成经营规模，代收电信资费业务位居全省第一。在储蓄、报刊、集邮3大支柱业务快速发展的同时，积极开发新业务市场，与当地小麦研究所合作推出种子邮购业务，实现收入30余万元，其中小麦种子邮购量占全省60%以上。与当地公安、法院、人行等部门合作推出身份证快递、法律文书专递、银行票据交换快递等业务，扩大特快业务经营范围，开辟新的经济增长点，其中身份证快递业务量占全省44%以上，收入比重占全省45%以上。与当地翠云山饮品有限公司合作。推出矿泉水配送业务。在全省首家开通185客户服务中心。

【改革与管理】 按照精简、高效原则，将“大宗邮件服务中心”撤销并入营销分局，将“邮件处理中心”和“邮运站”合并到临汾邮区中心局，优化中心局生产作业组织管理，提高运行时限和质量。加强人事、用工、分配等3制度改革，完善副科级以上党员干部廉政档案。按照“公开、公平、竞争、择优”的原则，对市局机关缺编的管理岗位进行公开竞聘。全市有130人办理内退手续，减轻企业人员压力。加强成本费用管理，先后出台“通信工具费用定额管理办法”、“机动车辆管理办法”、“机关费用开支管理办法”、“低值易耗品费用管理办法”、“差旅费管理办法”等一系列规章制度。大力压缩文印费、通信费、招待费，对公关邮品礼品、业务宣传品进行统一审批管理，仅管理费1项就为企业节省200余万元，业务宣传费较上年也有较大幅度的下降。安全生产管理，保证生产、车辆、人身、资金安全，被省局评为综合治理和安全生产先进单位。行业管理工作得到强化，有力打击扰乱邮政通信市场秩序的邮商、邮贩和非法收集特快的窝点，为邮政业务发展创造良好的外部环境。

【通讯建设】 绿卡网正式并入全国大网。信息中心广域网与省中心、全国中心连通，广域网工程完成建设任务，中心机房局域网设备和主机系统软件安装完毕。全市 16 个电子汇兑中心网点正式开通。平阳营业厅、东大街营业厅、侯马市局邮政所、襄汾县城邮政所、洪洞县城邮政所等 5 个支局所电子化支局改造完毕。蒲县生产楼通过省局验收，霍州、大宁邮政生产楼通过初验，襄汾生产楼前期准备工作基本就绪。平阳营业厅、解放西路储蓄所、储汇中心安装电视监控设备，对平阳营业厅储蓄台进行隔离改造，职工生产和工作环境得到一定的改善。

【精神文明建设】 开展机关作风整顿，树立机关为基层、管理为生产服务的思想，机关部门向基层全部推行承诺服务，将承诺服务的履行情况做为各部门的考核指标。把精神文明建设做为考核县（市）局一把手的主要指标，纳入方针目标进行动态管理。把精神文明建设延伸辐射到科室、班组，责任到人，形成党政工团齐抓共管。积极开展形式多样的劳动竞赛活动，针对不同时期各类业务发展特点和薄弱环节，又开展季度常规赛，临时的短程赛，季季有安排、月月有重点。注重企业文化建设，在全市范围内开展征集企业精神活动，以“团结奋进、开拓创新、不畏困难、率先发展”的精神来凝聚人心，鼓舞士气，为邮政发展提供强大的精神动力和思想保证。

（程俊飞）

电　　信

·临汾电信公司·

【概述】 临汾电信公司坚持“有效益快速发展”，以经营为龙头，一手抓业务发展，一手抓话务量开发，全市固定电话放号 11.2 万户，完成省公司计划的 125.84%，用户总数达 38.28 万户，其中无线市话完成放号 15713 户，完成省公司计划的 104.75%；来电显示用户净增 70515 户，总数达 94325 户，渗透率 24.64%；公话用户净增 2352 户，总数达 7448 户；其中卡式公话净增 2495 户，总数达 3788 户；数据基本业务新增 169 户，达 765 户；增值业务新增 32000 户，达 49048 户；上网时长完成 11164.217 万分钟，完成年计划的 111.53%，较上年增长 240%；ISDN 完成 518 户，总数达 788 户。快速发展有效促进业务收入增长，业务收入完成 34350 万元，增长 17.20%，收支差额实现 1563 万元，首次由支差变为收差。

【通信建设】 完成投资总额 19766.67 万元，其中本地网完成投资 12889.6 万元，土建完成投资 1711.8 万元，数据完成投资 777.9 万元，运维、经营等其他项目完成投资 4387.04 万元。完成工程项目 130 余项，新建接入网点 258 个，新增交换容量 79084 门，新增光缆 1050 皮长公里。网点数达 561 个，交换容量达到 516742 门（含小灵通），光缆达到 3200 皮长公里。数字数据网节点机端口数达 884 个，宽带业务端口数达 32 个。

【打好“服务牌”】 3 月 15 日向全市客户正式开通“经理服务热线”，截至 12 月底，共受理各类用户投诉、咨询、建议电话 15632 起，投诉处理及时率 100%，咨询建议答复及时率 100%；加大监督检查力度，把服务工作推向深入，对平川 6 县（市、区）局采取电话督促、下乡检查与回访相结合的方式，开展“百日整改”活动，对装移修“五个一”、IC 卡公话使用情况进行全面调查和落实。同时，根据省公司两次对“首问负责制”暗访结果，对落实不力的综合办公室、计划财务部等几大部室及相关部门进行经济处罚，涉及 65 人次，处罚金额 44000 元。服务质量进一步提高，全市电话装移机时限平均 3.6 天，电话装移机及时率达 99.81%；用户申告障碍修复及时率达 98.79%；数据通信入网时限：专线方式 5 天，拨号方式 1.33 天，数据业务装机及时率 100%。114 查号台共受理查询电话 460 万次，应答及时率 97.2%，用户满意率达 98.95%；180 经理热线受理用户投诉 2391 次，用户综合满意率 95%。

【"五集中管理"】 市县财务集中管理，将各县（市）局的账号收回，在农行统一建立收入账户和费用账户，收入全部划回市分公司，实行收支两条线，实现县（市、区）财务统一管理和报账制。本地网计费账务集中管理工作，分 3 批成功完成对 17 个县（市、区）局记费账务集中处理工作，对深入挖掘客户信息、提高经营分析水平、灵活经营方式起到重要作用。本地交换网维护集中管理，25 个端局全部接入本地网网管系统，实现临汾网管中心对各交换端局进行话务、告警统计、维护操作及自动停复话等业务，且将农话电话网的管理和维护纳入本地网网管和监控系统，真正实现本地网的端到端的全程集中维护管理，彻底改变以往各级网管的分段监控方式。网络资源集中管理，根据《山西省网络资源管理办法》和《山西省本地网资源管理细则》，确定本地网资源管理系统建设原则，具体实施。物资采购的集中统一管理，临汾分公司主要设备采购集中到省公司一级（统谈分签），对通信建设工程所需器材进行招投标。

·中国移动临汾分公司·

【概述】 临汾移动通信分公司围绕"创建国内一流通信企业"的奋斗目标，抓机遇，迎挑战，拓市场，增效益，全年累计净增客户 146490 户，其中全球通 40657 户，神州通 72833 户，模拟－2574 户，神州行 35574 户，完成省公司年计划的 225.37%，奋斗计划的 146.49%，超分公司进度计划 107.22%。客户总数累计到 270737 户，其中全球通 106565 户，神州通 81285 户，模拟 128 户，神州行 82759 户。移动客户市场占有率 80%。全年累计净增较上年同期增幅 146.4%，8 月 1 日～11 月 20 日期间开展的租机业务共发展租机用户 33622 户，占累计净增客户数 23%。通信业务收入（不含两费）全年累计完成 24018 万元，完成省公司年计划 24000 万元的 100.08%，与上年 18194 万元相比，增加 5824 万元，增长 32.01%。新业务收入全年累计 1221 万元，占总收入的 5.04%。成本费用累计完成 11314 万元，较年计划 13046 万元节约 1732 万元；管理费用累计完成 738 万元，营业费用完成 3462 万元。累计实现收支差额 10385 万元，完成年计划 10162 万元的 102.19%，较上年 1860 万元增长 558.33%。完成办公自动化网络建，生产大楼于 11 月 11 日主体工程竣工。

【网络建设】 临汾 GSM 移动网 MSC 的容量为 30 万门，HLR 容量 40 万门。4 个 G2BSC，221 个基站，360 个小区，共有载频 958 个，话音信道 6730 个，信令信道 5555 个。以提升网络总体能力和效率为中心，加快"网络覆盖工程"和"网络传输工程"的建设，网络覆盖全市 17 个县（市、区）的主要乡镇所在地、村庄、公路干线、铁路和旅游景点，还解决地下商场、电梯、各大饭店等室内的覆盖不足问题。现网络容量 40 万门，达到单个阿尔卡特交换局的最高容量。六期扩容工程新建基站 12 个，扩容基站 64 个，新增载频 328 个，基站总数 297 个，完成平川县（市）700 公里的本地网传输及 30 公里的城域网建设，覆盖县到县、县到乡的主干公路以及 80%的行政村，为实现 GSM 网逐步向 GPRS、向第三代移动通信过渡奠定坚实的基础。

【调整经营策略】 建立完善的营销体系。通过"农村、城乡、社会力量（手机经销商代办，金融代办，邮政代办）"3 种途径，逐步实现"营销社会化"。截至 11 月，自办营业厅 19 个，合作营业厅 2 个，代办点 764 个，其中指定专营店 107 个，城区 81 个，农村 26 个；甲类代办点 182 个，城区 92 个，农村 90 个；乙类代办点 475 个，城区 268 个，农村 207 个；银行缴费点 144 个；非银行缴费点 50 个，形成以移动专业营业厅为主，邮政、银行营业和代办代销点为辅的从城镇到农村的多层次立体营销体系。围绕"沟通从心开始"的服务理念，为客户提供"个性化服务"。调整业务代办流程，启动营账系统代办管理模块，设立电话＊／＊营业厅，由计费中心和客户服务中心统一操作，欠费短信催缴，形成具有临汾特色的客户服务体系。“全球通”、“神州行”两大品牌以及“中文短消息”、“1258 移动秘书”、“全球通 IP 电话”、“手机银行炒股”、“全球呼”等多种新业务的推广和普及，满足用户多元化和个性化的服务需求。

·中国联通临汾分公司·

【概述】 中国联通临汾分公司贯彻执行中国联通总部“建立新机制、建设新网络、运用高技术、实现高增长、发展综合电信业务”的战略方针，通过卓有成效的工作，在市场经营、工程建设以及各项财务指标的完成情况等方面，取得较好成绩。完成寻呼业务新增用户14000户，移动业务新增用户55000户，193长途电话累计发展26000户，165互联网拨号业务累计发展6050户，IP电话发展用户9050户；寻呼业务实现收入1210万元，130业务实现收入3800万元，长途业务实现收入210万元，数据业务实现收入125万元，互联网业务实现收入约40万元，各项业务实现总收入5385余万元。

【工程建设】 G网五期基站建设，新增3.2万户容量，建设基站30个，扩容基站22个，新增1个直放站。此期工程结束后，公司的覆盖率大大提高，全市各县和重点乡镇全部开通，网络总容量7.5万户，基站总数74个。C网一期共建18个基站，容量为1.9万户；G网6期基站新建900M基站57个，新建1800M基站12个，扩容基站11个；光缆建设完成三、四期400公里，五期260公里，其中本地网540公里，城域网80公里，二干接入20公里的光缆建设任务，为25个基站开通解决光缆传输。

【市场营销】 对临汾市电信市场进行认真细致的调查研究，收集汇总消费者反映的第一手资料，根据不同类别和层次的消费需求，在省分公司、临汾分公司经营政策许可的范围里，适时推出切合实际的营销方案，变一揽子营销为有目的营销；认真开展各种业务宣传活动。充分利用报纸、电视、条幅、灯箱、标牌等各种新闻传播媒体，广泛深入地宣传介绍联通业务，扩大联通知名度，得到用户接受和认可；因地制宜、因“时”制宜，不失时机地开展各种营销活动；提高用户质量，发展精品用户。在确保实现省分公司下达营销任务的同时，注重提高用户的质量，组织公司全体员工，通过各种社会关系，努力发展高费用户。

【全面拓宽服务平台】 随着公司综合电信业务的不断拓展，客服工作量日益繁重，公司对外服务有3条热线，为扩大服务覆盖面，减少占线现象，公司又新增开辟2条热线，其中免费业务咨询电话13008025130、13008026130专人值守，24小时开机，每天来去电话突破200次，固定电话2011130从无间断，客服人员每天接听180次余次。

（齐红民）

建设环保

城乡建设

【概述】 全市城乡建设工作按照市委、市政府建设大连式生态园林城市发展战略，以规划、建设、管理为中心，改革城建机构和城建投融资体制，以城市建设、小城镇建设、市容市貌整治带动市政公用事业、房地产管理、建筑市场规范等各项工作，开展规划执法大检查，启动市区建设5大重点工程，开展公用设施、市容市貌、环境卫生、园林绿化、建筑市场和房地产市场的整治，城乡建设出现良性发展的局面。

【编制城市规划】 根据市委、市政府确定的城镇扩张战略，聘请专业技术人员调查研究，实地勘测，科学分析，广泛论证，完成1:10000比例尺数字地形图和1:1000比例尺数字地形图测绘任务，完成城市总体规划和绿地系统规划资料收集工作。新的规划将市区发展规模定位为：到2005年人口规模达50万，建成区面积约50平方公里；到2020年人口规模达80万，建成区面积约90平方公里，远景规模人口达到100万，建成区面积达120平方公里。近期目标是：未来5年内将临汾市建成大连式生态园林城市。以大力发展河西，适当发展城北为指导思想，临汾市区形成“一城三组团”（即临汾市区、河西组团、城南组团和城北组团）的新的空间发展格局，根据各个组团不同的特点，形成不同的职能专业化中心。

【城市建设】 实施5项重点工程：滨河路建设工程、贡院东街联片改造工程、城市供水工程、污水处理厂一期工程竣工投产，解放路人行天桥交付使用。尧都区借鉴贡院街的运作模式，完成总投资7800万元，建筑面积8.6万平方米的建设路拓宽改造工程；侯马市东风路改造工程、曲沃县东大街拓宽改造工程、洪洞县南外环东段改造工程；乡宁县主街道拓宽改造工程；霍州市城市供水工程；总投资2200万元；占地面积125亩的侯马新世纪广场、洪洞城市休闲地建设工程；浮山县休闲绿地广场建设工程；总投资6400万元，总建筑面积65000平方米的侯马文锦苑小区建设工程；总投资2000万元，总建筑面积48800平方米的霍州滨河小区建设工程。

【小城镇建设】 以霍侯路沿线乡镇为重点，加快小城镇建设步伐，高起点，高标准，科学编制规划。截至年底，全市共有尧都区屯里镇、尧庙镇，霍州市白龙镇，侯马市凤城乡，曲沃县曲村镇，里村镇等乡镇的小城镇规划编制已经完成。襄汾县汾城等乡镇的规划正在由省、市规划设计部门进行编制。全市用于小城镇基础设施建设投资近亿元，比上年增加26%。屯里镇做为临汾市最主要的商品集散地和对外开放窗口，宽24米，长100米的商业步行街已经完工，村中心至霍侯路两旁高标准的住宅小区正在做前期准备工作；试点乡镇工作起步良好，尧都区屯里镇、尧庙镇等小城镇已列入全省100个小城镇建设试点，50多个小城镇列入临汾市小城镇建设试点。

【编制城市绿化系统规划】 经市政府批准，委托山西省城乡规划设计研究院承担，重新调整、完善市区绿化整体规划。绿化系统总体构思是，充分利用现有的河流水体等自然生态资源建设回归自然的生态绿色系统。规划南北长15公里，东西宽700米的汾河城市绿轴，形成临汾市绿色呼吸主干；规划东西宽 1～1.8 公里（西城墙至河西大运路），南北长 4.8 公里（即滨河路），面积 6 平方公里的滨河生态区；规划 300 米宽涝河绿化生态带；规划 100 米宽城市新外环绿化辐射带。“四纵三横”绿色系统的规划建设，将使本市形成一个绿色环抱百平方公里的生态园林网络。旧城改造保留 25%绿地，新建工程保持 30%绿地的标准。宣传和动员全市人民进行义务植树造林，使绿化面积逐步增加。

【市容市貌整治】 改变城市“脏、乱、差”状况，开展两次规模较大的市容市貌整顿，取缔流动摊点 5400 余人次，清理马路仓库 17 处，清理乱贴乱画广告 3800 余张，取缔和治理不规范牌匾 1548 块；在拆迁和整改方面，共下达拆迁和整改通知 160 份，拆除有碍观瞻的永久建筑 180 余间 1000 余平方米、临时建筑 90 余间 800 余平方米、临时搭建 60 余间 850 平方米、装修房屋门店近 2000 平方米；在环境卫生方面，狠抓主次干道的“三坚持”工作，调整和延长保洁时间；加大专项整治力度，全年共查处违章进城车辆 100 余辆、乱抛乱洒车辆 206 辆，督促施工单位清扫垃圾百余次 300 余方。

【建筑市场整治】 以工程质量为中心，重点抓工程报建、招投标、监理、监督、检验、企管 6 个环节，全市新建工程 1 00 余项，报建率 100%，招投标率 98%，监理工程 3 8 项；对全市 565 名项目经理进行全面复查，对 88 名项目经理资质进行申报升级；规范施工许可证颁发程序，全年共发放 32 份施工许可证，发证统计工程总面积 10.2 万平方米，总造价 12414 万元；狠抓施工现场管理，倡导文明施工，组织力量对全市施工工地进行拉网式检查，对施工围栏、建筑材料堆放、职工食堂使用散装烟煤、工地厕所等进行检查整顿，同施工工地签订 115 份《建筑施工工地管理目标责任书》，共检查施工工地 6 次，处理违章违纪工程 12 项。

【房地产管理】 经济适用房建设持续发展，全市城镇住房建筑面积 60 万平方米，与上年同期相比增长 10%。截至年底，全市经济适用住房在建施工面积 13 万平方米，竣工 11 万平方米，住房成套率 100%；积极培育房地产开发市场，扶持开发企业规模经营，对全市 25 家房地产开发企业开展资质年检，并对企业的建设手续和材料进行原件审查；规范房地产中介机构，加强人员培训，按照国家有关规定对 7 家房地产评估单位进行脱钩改制，组织房地产估价师执业资格考试，完成估价师的再教育和注册管理工作。

【城市公用事业】 加大城市公共设施投入。投资 1.5 亿元，维修城市道路 200 多万平方米，硬化人行便道 24 万平方米，疏通下水道 9800 米。新增无人售票车 100 余部，开通公交一卡通，市民乘车更为便利；以打击非法运营、实施星级管理为重点，加大稽查力度，依法严厉打击“黑车”120 余部（次），净化客运市场；不断改善城市照明条件，全年共维修路灯 4000 余盏次，路灯照明率达到 98%以上；大力整顿燃气市场，取缔非法营业门店 28 个，限期整改 8 个，使燃气市场走上健康有序的发展轨道。

【城建投融资体制改革】 积极鼓励开发建设主体多元化，利用优厚的条件和优惠的政策，内引外联，多方筹集资金，变政府包建为全民共建。通过引进外资，建设一条高标准的欧式风格一条街——建设路，以及东关商贸城、紫薇小区、解放三校等小区改造工程。积极争取国债资金，组织建设污水处理厂工程和启动城市供水工程。以“以房养路”模式筹措城市建设资金，政府给政策，由施工组织者在市场经济条件下，采用企业化运作机制，解决城建资金。开放公用市场吸收社会闲散资金，推行政府统一规划管理，由社会投资经营受益的市场化模式，对市区主干街路路灯广告权、公交候车亭广告权以及出租车经营权进行公开拍卖，所筹集的资金全部用于城市建设。

附：

·市区重点工程简介·

城市污水处理厂工程

工程总投资 1.06 亿元，日处理污水 7 万余吨，采用氧化沟生物处理技术工艺，处理后水质达到国家二级标准。整个工程分为两大部分：主体工程包括格栅间、硼泵房、出水井、沉砂池、计量槽、氧化沟、污泥浓缩池、脱水机房等14个生产构筑物；附属工程包括厂外截污干渠、厂内供电、绿化、硬化、办公楼等。施工中大力采用新技术、新工艺，提升泵房、氧化沟的基坑支护、二沉池高标号混凝土施工技术等均达到较高水平。总建筑面积11498平方米，共动用土方15万立方米，浇筑混凝土11600立方米，绿化厂区46500平方米，埋设各种地下管线13600米，铺设截污干渠3 500米，架设双回路供电线路5500米。

该工程填补临汾市无污水处理厂的空白，将有效地改善汾河临汾段的水质，改变污水渗漏污染地下水的状况，提高城乡居民的生存质量。

解放路人行天桥

解放路人行天桥总投资200余万元，以十字路口为中心放射四角，中心设有一直径5.6米的空心圆分散人流，对角向跨径38.43米，高5.1米，人行平台总宽度2.8米。整个桥体，采用钢构式全焊接箱梁，由A3q钢板焊接而成。造型新颖、坚固耐用。解放路人行天桥的建设，不仅大大缓解解放路交通拥挤的状况，而且填补临汾市区没有人行天桥的空白。

滨河路建设工程

滨河路建设工程是市委、市政府为实施城市总体规划和可持续发展战略兴建的跨年度重点工程。

滨河路建设工程总投资1.5亿元，北起河汾路，南至平阳大桥大运路，西至汾河东坝，全长4800米，堪称“十里长街”。路面按城市过境路标准设计，采用柔性路面，路面平、坡度小、南北高差仅70公分。总宽60米，其中机动车道为8车道，宽28米，两边绿化带各5米。非机动车道各6米，人行便道各5米，共占用滩涂地28.3公顷，道路宽度、直度、平度为全省城市道路之最。路两边50米左右为生态绿化园，占用滩涂地76.6公顷。绿化、路灯、排水、管线公用沟、过街桥、排污管沟等配套齐全，通信、电缆、输电线路、有线电视、上下水等各种管线全部敷设地下。滨河路对于充分发挥中心城市功能，改善投资环境，促进经济增长，实现“率先发展”，建设经济强市必将起到积极的推动作用。

（鹿剑英）

环境保护

【概述】 环境保护工作以改善环境质量为目标，坚持宣传发动，整体推动，上下联动，环保主动，取缔“土小企业”，管理达标企业，整治城市环境，规范新建项目，全市环境质量持续改善。据监测，侯马、曲沃及乡宁、古县等10个山区县空气质量达到国家二级标准；襄汾等5个县（市）环境质量持续好转；市区（省定监测点）大气首要污染物，总悬浮颗粒物比上年同期下降12.96%；在发布的48期空气质量周报中，达到国家三级的周数为23次（达到国家二级的周数为2次），占总周数的47.9%（2000年全年达到国家三级的周数为18次，占总周数的34.6%）。汾河水质4个断面主要污染物浓度与上年相比呈下降趋势；出境端面的COD下降43%。

【城市环境综合整治】 以“两市一区”为重点，以烟尘和尾气治理为突破口，先后引进北京、大连汽车尾气治理技术、地垫利用系统、旋流旋风湿式除尘脱硫设施和环保型锅炉，积极开展试点。全市4000多台锅炉，除山区县的治理进展较慢外，平川地区80%的城市锅炉都得到有效治理。市区有锅炉787台，治理率为90%；民用锅炉1万余台，全部推广使用低硫煤和型煤。与交警部门联手，协同作战，开展汽车尾气、超载、抛洒、二次扬尘的治理工作。同城建部门一道，进行建筑工地的封闭作业、噪声的治理工作；环保部门深入锅炉使用单位，检查监督锅炉脱硫除尘设施的安装和运行，确保达标排放。

【取缔“土小企业”】 按照产业政策和环保法律法规及国务院部署开展的“关于查处环境违法行为专项行动”的要求，对“土小企业”严加防范，发现一处，取缔一处。与市监委联合下发《关于巩固达标成果追究违反环保法规责任人的紧急通知》；4月召开全市环保执法会议，环保执法队与工商、公安、电力等部门积极协作，联合执法，全市共炸毁烟囱304根，焦炉1860个，取缔“土小企业”300多个，关停不符合国家产业政策的小高炉17座。

【清洁通道建设】 发布《关于建设大运、霍侯公路清洁通道的通告》和《开展畅通工程、文明道路联合整治大行动的实施意见》，采取果断措施，对大运路、霍侯路、霍汾线、洪古线、曲翼线、临浮线、临大路等交通干线千米以内的改良焦炉全部炸毁。山区县公路沿线的改良焦炉全部取缔。乡宁县光华到西坡80公里沿线的64根改良焦炉烟囱全部炸毁；蒲县、古县、汾西、吉县等山区县对临大线等4条清洁通道范围内的15户改良焦厂的15根烟囱，184座焦炉进行爆破，彻底取缔改良焦炉。对工业废渣等固体废弃物和垃圾倾倒物，疏堵结合，集中整治，清理沿路垃圾，划定固体废物堆放场所，清理工业废渣65万吨。同时，霍侯路沿线基本实现绿化，北线霍州收费站到大桥一段公路两侧各有约10米的绿化带，乔灌草立体栽植，完成清洁通道植树54.07公顷，5万株，沿路两侧第一山脊线植树44公顷，17万株；南线侯马以建设生态环保型城市为标准，新田路段新建占地6.6余公顷，总长7.5公里的绿色通道，成为一道亮丽的风景线。

【环境监测】 各级监测机构围绕中心工作，拓展服务领域，提高监测水平，圆满完成各项监测任务。市环境监测站全年共完成监测任务92项，监测数据13972个，创收近百万元，获全省环境监测工作先进集体称号。

（刘城宏）

财政税务

财　　政

【概述】 各级财政部门贯彻积极的财政政策，深化财政改革，强化财政管理，构建公共财政的基本框架，支持和促进产业结构调整，为全市经济发展和社会稳定做出积极贡献。坚持“两手抓，两手都要硬”的工作方针，转变工作作风，加强财政干部队伍建设，全市财政工作保持全省一路领先的良好势头。财政总收入187777万元，为年预算的115.79%，同比增长25.8%，增收38512万元，增长幅度是1997年以来最高值，全省排队增长幅度和收入进度均为第1名，收入总量仅次于太原市成为全省第2名。其中：上划中央收入完成81975万元，为预算68390万元的119.86%，同比增长34.25%，增收20915万元；一般预算收入完成105802万元，为预算93785万元的112.81%，同比增长19.95%，增收17597万元。分级次：市本级收入完成3200万元，为年预算的99.91%；县级收入完成184577万元，为年预算的116.11%，同比增长26.98%。分系统：国税系统组织的收入完成108436万元(不含先征后退361万元)，为年预算的119.99%，同比增长34.47%；地税系统完成59909万元，为年预算的111.91%，同比增长21.28%；财政系统完成19432万元，为年预算的106.36%，同比增长1.07%。

全市财政支出执行227036万元，为年预算的94.12%，同比增长32.29%。其中：各项生产建设性支出执行23689万元，为年预算的85.14%，同比增长21.26%；各项事业发展支出执行85135万元，为年预算的98.10%，同比增长40.52%，各项社会保障性资金支出执行40860万元，为年预算的92.22%，同比增长38.63%。收支相抵，实现当年收支平衡，略有结余。

全市基金收入完成4053万元，为年预算的92.03%，同比下降10.67%。全市基金支出执行3298万元，为年预算的39.72%，同比增长28.93%。

【实施积极财政政策】 筹措资金，支持产业结构调整和基础设施建设。全市筹集调产资金7800万元，其中市本级4100万元，重点用于滨河路、乡宁振兴焦化厂、霍州化工公司尿素项目。组织争取国际金融组织贷款，申报亚行、外国政府贷款项目7个，总投资8.03亿元。政府加强正在实施中的贷款项目监管，保证各项资金的合理有效使用。继续开展新经济增长点调查。从5月下旬开始，组织专人对全市产业结构调整后的159个企业的161个项目进行全面追踪调查，掌握全市税源情况及存在的问题，提出相关意见，为全市结构调整提供真实可靠的依据。

【调整财政支出结构】 按照《预算法》安排收支预算，节减财政支出，保证重点支出需要。加强专项支出考核，保证科技、教育、农业等法定支出的执行进度和增长幅度；按照公共财政要求，加大支出结构调整，压缩人、车、会、话等一般预算支出，对大额专项补助实行“事前现场调查、事中监督检查、事后验收审查”的监管办法，杜绝浪费挪用现象，确保重点支出需要；落实“两个确保”，拨付社会保障资金。全年共筹集再就业资金5069万元，为企业下岗职工发放基本生活费、再就业资金3313万元，为离休干部发放“两费”1700万元，为48707名低保对象发放最低生活保障金1127万元。

【强化财税征管工作】 定期研究和解决财税工作中遇到的问题，为完成财政预算任务创造良好的环境。强化对财税工作的宣传教育，利用多种形式举办财税知识培训，通过新闻媒体、设立街头宣传点、开展百题竞答、文艺小品等活动，在全社会形式重视和支持财税工作的舆论氛围。加强财税部门协调配合，市财政、国税和地税部门负责人经常碰头开会，研究工作，对重大问题则采取集中办公的办法加以解决，做到应征尽征，确保财政收入任务的完成。落实责任，强化征管。年初，市政府与各县和财税部门签订财税收入目标责任书，把抓好财政收入纳入各级政府和财税部门的主要议事日程。每个季末，市“一财两税”部门领导干部亲自下到包点县（市），坐阵催收。6 月和 12 月，按照制定的收入倒计时考核制度，对收入进度每 5 天向市委、市政府通报 1 次，为市领导及时掌握工作动态，正确决策提供全面准确的依据。强化国债资金管理，全年国债资金到位 13248 万元，是历史上最多的一年。支持生态、节水及人畜吃水工程。对 1998 年以来的财务换算、项目立项、工程进度、配套资金到位、运行进行检查，规范国债资金管理。对粮食企业、粮油实物量实行网络化管理，提高工效、节约开支，加大监管。

【财政管理体制改革】 根据省财政厅对各地市财政体制调整意见，出台市财政体制调整方案，经市委常委（扩大）会议通过，从 2001 年开始实行。体制调整按市场经济体制要求，落实全国所得税收入分享改革部署，打破现行财政收入分配格局，将部分企业增值税上划市级；扩大共享收入范围，对部分主要税种实行市、县共享；科学测算核定县级收支基数，合理调整县市财力水平。初步形成财权与事权相适应的收入管理机制，加大市对困难县的转移支付力度，促进共同发展和共同富裕。对各级财政开支人员进行清理摸底，市直和 17 个县（市、区）和 2 个经济技术开发区全部建立工资专户制度，实行统一发放工资。市直和各县（市、区）都建立财政会计核算中心、政府采购中心、预算外资金管理中心并制定相关实施方案和配套办法。稳步实施农村税费改革试点工作，出台配套办法，举办培训班，对农村税费改革中的问题进行深入细致的调查研究，掌握全市农村税费改革情况，为全面推行农村税费改革打好基础。

【依法治财工作】 在全市范围内设立咨询点、出动宣传车、张贴标语、召开座谈会等形式，继续宣传《会计法》。以依法建账为中心，进一步完善账簿监管工作，全市监管户 6659 户，监管面 85%以上。在预算外资金管理上，严格按照“收支两条线”规定要求，从项目和账户的清理到票据的严格管理，从收费大厅的建立到稽查队的认真查处，建立一套完整的管理机制，堵塞漏洞，减少截留、坐支等违纪问题。全市清理行政事业单位账户 2866 个，撤销违规账户 244 个。全市应年检各类票据 23700 本，实际年检 21897 本，年检率 92.4%，其中，市直单位年检前核销 3728 本，通过年检清理出各种票据 1523 本，涉及收费金额 1800 万元，清理出应缴未缴专户金额 20.3 万元，追缴 9.9 万元。市直单位上缴财政专户资金 35073 万元，同比增长 21.18%，增加 7495 万元，财政专户率 98%。

【开展民主评议行风活动】 各级财政部门高度重视，加强组织领导，健全办事机构，制订可行方案，充分宣传发动，向社会公开承诺，公布举报电话，设置举报箱，开展自评和社会问卷调查活动。对评议中发现的问题，边查边改，马上可以纠正和解决的，立即予以纠正和解决；对不能立即纠正和解决的提出具体期限，基本做到查纠并重，边评边改，经过努力，全市财政系统行风评议活动取得明显效果，综合评比位居 4 个部门第 1 名。

【搞好调研服务】 为准确掌握税源变化情况，搞好财政经济运行形势分析，当好领导和决策部门的“参谋”。在有关部门的配合下，重点搞好 3 个调查。对新的经济增长点影响财政收入情况进行追踪调查，7 月，组织实施全市新经济增长点以及潜力产品调研的安排、布置、搜集、整理、分析等工作；9 月，对调研对象进行部分实地考察与验收；10 月，对企业设立进展情况进行跟踪服务与运行情况落实。根据调查情况，通过分析研究，先后向市委、市政府写出专题报告与情况分析，得到市政府领导高度重视，并转给有关经济主管部门和国税、地税部门研究落实。进行临汾、侯马两个经济开发区的财政体制调查摸底测算工作，由财政牵头，国税、地税参与组成调查组，深入到全市 17 个县（市）。对“六五”环保行动影响全市财政收入情况进行全面调查，对环境治理影响财政收入情况做出准确估价。建立 4 种关系：即建立市财政与部门联系制度，在各县（市、区）建立起调研组，建立与部门企业项目的利税大户电话联系制度，建立企业项目的资料档案。全市写出财政工作调研报告 8 篇，在省级以上报刊发表 3 篇。

【认真履行财政内部监督职能】 开展财政预决算专项审查，根据省财政厅安排，结合本市实际，7 月中旬～8 月底分别对翼城县、蒲县 2000 年度财政预决算执行情况进行专项审查，查出违纪金额 1857.7 万元，处罚金额 13.9 万元，全部入库。加强会计信息质量监督检查，6 月，市财政组织专人对临汾市博新会计师事务所审计过的临汾染化公司 2000 年度会计信息做了抽查，查出违纪金额 142.6 万元，处罚金额 2.5 万元。10 月下旬～11 月底，完成对全市教育事业费，教育专项经费的检查，共查出违纪金额 564.1 万元，罚款 20.18 万元，全部追缴国库。依法清还财政借款，配合市中级法院开展对进入诉讼执行程序的财政间歇资金进行全面清收，及时追回到期归还的资金，共清还财政间歇资金 190.37 万元，收回财政周转金 237.93 万元，维护国家的合法权益不受损害。积极推行执法责任制，为使全局的执法行为做到有法可依、有序可循，以法理财，明确责任，市财政局成立执法责任制领导组，制定财政检查程序和行政执法实施方案，编写《临汾市财政局行政执法工作手册》，进一步规范依法行政秩序和责任追究制度。

（郭新民）

·临汾市世界银行贷款项目办公室·

【概述】 临汾市世界银行贷款项目办公室（简称世行办）是主管国际金融组织贷款、外国政府贷款项目的职能部门。其主要职责是：行使财政监管职责，负责申报世行、亚行、外国政府贷款项目和可行性报告；组织世行、亚行、外国政府贷款各项目转贷协议的签订工作，落实世行、亚行、外国政府贷款债务；落实各项目的还本付息计划，审查各项目年度财务计划；国内外培训考察计划；管理各项目费用账户，办理项目的报销支付，督促项目资金的配套；审查上报，批复各项目会计决算，组织项目招标、评标、谈判工作；审查监督各项目采购计划，提款报账、财务核算、工程验收工作，指导各县（市、区）世行部门的工作。

市世行办以加入世贸为契机，严格履行财政职能，加强项目监管，千方百计回收贷款本息，积极申报争取国际金融组织和外国政府贷款项目，为促进全市经济发展做出积极贡献，多次受到省市有关部门表彰。截至年底，引进实施政府外债项目 10 个，即：“贫困省教育发展项目”、“贫困地区基础教育项目”、“黄土高原水保一期项目、二期项目”、“农村卫生人力开发项目”、“疾病防疫项目”、“艾滋病/性病预防与控制子项目”、“贫困地区林业发展项目”、“小规模肉牛发展项目”、“日元植树造林项目”，总投资 69318.17 万元，其中：贷款 37445.57 万元，国内配套 31872.60 万元（其中争取到国家和省里无偿配套资金 12001.41 万元）。还积极申报科技含量高、能消化利用本地资源后续项目 7 个：“临汾市城市环保综合治理项目”、“农村能源生态项目”、“增大小规模肉牛发展项目规模”、“农业旱作县项目”、“尧都区第一医院引进先进医疗设备项目”、“侯马城市集中供热项目”、“尧都区粉煤灰制砖项目”。

【实行“六严六保”项目监管】 实行严格有序的贷款项目监管，参与贷款项目申报、科研、立项、实施、关闭后运行的全过程，立足于政府外债“引得来、用得好、还得起”，建立“责、权、利”相统一的管理机制和工作程序：严格贷款程序，确保贷款项目顺利实施；严格自筹配套资金到位，确保工程进度；严格资金监管，确保贷款资金合理使用；严格项目验收，确保贷款项目工程质量；严格项目档案，确保资料完整；严格贷款落贷，确保还贷付息。通过实行“六严六保”的管理，促使政府外债项目的高质量、高速度、高效益。教育项目，已帮助浮山、汾西、隰县等贫困县建起265座中小学校，改善办学条件；卫生项目，改善卫生防疫基础工作；水保项目，改善蒲县、隰县、大宁等县农业基础设施条件；养牛、林业项目，为调整产业结构，改善生态环境，帮助山区农民脱贫创造一定条件。

【落实债务签订落贷合同】 层层签订转贷协议，把贷款落到实处。根据各项目特点，对林业项目推行林业大户和林业小户承包的办法；对养牛项目推行5户或10户自由组合、联户担保的办法；对实施时间长的项目，贷款户不仅签订第一继承人，还签订第二继承人，为以后的依法收贷，还贷付息打好基础；根据项目实施情况，世行办共报账8次，回补项目资金2630.30万元，有力地保障全市项目顺利实施。

【咬住还贷付息不放松】 全市实施的10个外债项目，现进入还本期的项目3个，每年需还本付息2695万元。因是政府外债，一旦到期项目户归还不了，按照转贷协议，上级财政要从预算中逐级扣款。世行办把还贷付息列入财政预算，年末测算出各县（市）下年度各项目应还贷付息数额，以市财政局、世行办文件下达各县（市）政府、财政局。对教育、卫生项目列入财政支出预算；对有收益的项目，各县（市）制定还贷付息办法，及时从项目户收贷收息，必要时实行依法收贷。认真落实工作目标责任制，把还贷付息列为各级财政、世行办目标责任制考核。全办人员也分为两组，责任到组、任务包干、奖惩兑现，根据各项目转贷协议还款日期，不断深入各县（市、区）和项目单位催收贷款本息，取得较好效果。年底，已归还省厅世行贷款本息1283.60万元，是多年来归还最好的一年。

【加强队伍素质建设】 世行办把队伍建设做为一项重要工作来抓。组织大家学习有关国际金融组织贷款、外国政府贷款方面知识，先后派4人次参加财政部举办的国际金融组织贷款管理培训班，从财政部和财政厅购置回《国际金融机构贷款管理》等5种业务书籍，分发给全市世行办系统的同志学习；组织贷款业务学习班。逐步形成创一流佳绩、当一流人才、建一流机关、争一流服务的政府外债管理队伍。

临汾市政府外债贷款项目基本情况表（人民币）

表三

项目名称	投资总额 小计（万元）	投资总额 贷款额（万元）	投资总额 国内配套（万元）	启动时间	实施期	还款年限	贷款利率%	首次还本时间	年平均还本息额（万元）	项目区域
合计	69318.17	37445.57	31872.6						3361.7	
教育“贫一”项目	13138.68	4342.33	8796.35	1992	4	15	3%	1996.8.15	215.23	浮山、汾西、隰县、蒲县、吉县、大宁、永和
教育“贫四”项目	930	480	450	1998	5	12	3%	2002.8.15	47.8	临汾师范、安泽
卫生“卫四”项目	2868.39	1652.45	1215.94	1993	6	8	3.5%	1999.7.1	239.06	地区卫校、全区17个县市、市卫生局
卫生“卫七”项目	1089.97	680.63	409.34	1996	5	10	2.6%	2002.5.1	69.19	全区17个县市、市防疫站、市卫生局
卫生“卫九”项目	720.75	432.45	288.3	1999	5	10	4.2%	2004.7.1	53.21	尧都区、侯马市、临汾市血站、临汾市防疫站
水保“一期”项目	18220.51	10974	7246.51	1994	8	11	5%	2002.4.1	1299	隰县、蒲县、大宁、吉县、市项目办
水保“二期”项目	10810.17	6699.07	4111.1	1999	5	10	5.25%	2004.10.1	404.4	吉县、乡宁
林业“三期”项目	2689.19	1477.4	1208.79	1999	5	7	5.8%	2004.7.1	108.44	浮山、汾西、隰县
养牛项目	9932.94	4966.47	4966.47	2000	5	15	7.95%	2005.7.1	709.68	尧都、襄汾、安泽、洪洞
日元林业贷款项目	8920.57	5740.77	3179.8	2001	10	30	1%	2011.3.3	215.69	尧都、洪洞、浮山、古县、襄汾、霍州

（张红岩　关红丽）

税　务

·临汾市国家税务局·

【概述】 全市国税工作围绕突出依法治税、科技兴税、素质强税3个重点，规范税收管理，强化税务稽查，整顿和规范税收秩序，以税收信息化建设为依托，全面推行和完善税收岗位执法责任制和工作目标责任制，积极稳妥地进行人事机构改革，加强思想、业务和党风廉政建设，各项国税工作取得可喜成绩，提前70天完成全年税收任务，首次突破10亿元大关，增速和增幅均位居全省前茅。全市国税系统完成税收收入125994万元，占税收收入省计划的124.99%，同比增长35.29%，绝对额增长32864万元，完成税收考核收入119716万元，占税收考核收入省计划的123.85%，增长33.13%，绝对额增长29792万元。与历史同期相比，增收最多，进度最快，为临汾的经济建设做出积极的贡献。

【落实税收岗位执法责任制】 根据全市整体情况，设置10个执法岗位，明确各岗位职责，采取10种手段，分6个档次，对60个重点执法过错行为实施责任追究。在追究形式上，根据税务人员执法过错的情节轻重，通过执法检查、征管质量考核、内部审计，到纳税户调查及发放税务执法回复单等形式进行考核追究。推行税收岗位执法责任制，以规范税收执法行为为基点，以落实执法过错责任追究为突破口，严把健全组织，规范制度，执法到位3个关口，形成局长亲自抓，分管领导专门抓，各职能部门具体抓的机制，真正把推行岗位执法责任制落到实处。对3名科级干部，93名一般干部，15种过错行为进行追究，通报批评28人次，经济追究3724元，有效地解决“疏于管理、淡化责任”的问题。到年底，全市的税务登记率、申报率、入库率等硬性指标均达95%以上。

【清缴欠税】 采用定计划、定人员、定期限、定措施的“四定”方针，坚持实行清欠目标责任制，按季下达清欠任务，按季考核通报。严格延期审批和滞纳金加收，滞纳金加收率100%，对拒不清缴的欠税企业，根据《征管法》规定，坚决采取税收强制和保全措施，实现年初确定的整体欠税下降25%，当年基本无新欠的目标。

【整顿税收秩序】 市国税局结合全市经济秩序大整顿的时机，开展全方位、多层次税收秩序大整顿，重点对集贸市场和个体工商业户进行彻底清理整顿，对漏征漏管户、无证经营业主进行处罚和补办税务登记证，对“钉子户、难缠户”实行公开处理，收到良好的社会效果。同时与公安部门协同配合，严厉查处偷、逃税案件，做到有举必查，有查必果，极大地震慑偷、逃、骗、抗税分子。全年共查偷逃税款167.1万元，罚款55.4万元，滞纳金36万元，追缴入库203.1万元。以税务违法案件举报中心为渠道，以“金税工程”增值税发票协查网络为依托，利用增值税协查网络查出虚开增值税专用发票23份，非法抵扣进项税额30.56万元，配合公安机关查处涉税案件30多起，对5人进行刑事拘留。

【学习宣传新《征管法》】 以“税收与公民”为主题，利用新闻媒体报道，散发宣传材料，召开座谈会等形式，深入宣传税收法律、法规，贯彻新《征管法》，开展对征纳双方权力和义务的宣传。邀请省局征管处的同志给全市副科级以上税干讲解新《征管法》，各县（市、区）举办新《征管法》培训班19期，参训人员1300人次。与市财政局、地税局、临汾日报社联合在《临汾日报》开辟“三长谈财税”专栏，在全市印发税法宣传材料1万余份，悬挂宣传标语890余条。打造声势，取得实效，使税收的社会环境得到优化。

【税收信息化建设】 将信息化建设纳入全年工作思路，加强组织领导，层层成立机构，制定总体规划，保证人力、物力、财力。面向社会公开招聘20名计算机专业毕业的大学生充实到各基层单位。投资280万元，进行机房，网络的建设和硬件设备的配备。为配合金税工程网络的推广应用，先后举办5期培训班，对163户防伪税控企业操作人员和100多名税务系统金税工程操作人员进行操作培训。制定金税工程岗位职责及责任追究制度，落实7个管理岗位的职责，明确对29种差错行为进行追究。“金税工程”一个网络、一个平台、四个子系统运行顺畅、平稳。抄报率、采集率、准确率等各种基础数据位居全省前茅。在加强软件管理和操作方面，市局举办3期培训班，分期分批组织税干学习操作要领、方法和规程，保证软件运行安全正常，如期完成软件优化升级和基础数据录入工作，并完成3.1征管软件县（市、区）局与市局的网络连接。

【机构人事制度改革】 坚持“公开、平等、竞争、择优”的原则，经过“精心组织、公开竞争、双向选择”3个阶段，历时70天圆满完成机构改革任务。全市国税职工由1525人精减到1275人，大专以上学历人员定岗后为680人，所占比例由原来的44.6%提高到53.3%，正副科级干部平均年龄分别为46岁和42岁，比改革前平均降低5～6岁，干部的年龄结构、知识层次得到完善和提高，有551名同志进行岗位轮换，实现工作人员的优化重组。

【干部队伍业务技能培训】 重点培养和选拔“拔尖人才”，制定奖励措施重奖成绩优秀者。7月，对各县（市、区）推荐的300名税收业务能手进行考试后，将前100名树立为全市业务标兵。10月，又集中前50名业务标兵进行为期1个月的全封闭式培训，经考试选送25名同志赴省参加全省业务能手考试。大力加强对计算机技术人员专业知识的继续教育，使广大技术人员不断改善和更新知识结构，为下一步征管改革的现代化打下基础。

【党风廉政建设】 在全系统继续推行领导干部廉政建设目标责任制，坚持从严治队，依法治税，从源头上预防和遏制腐败。在执法程序、监督机制、责任追究等方面制定具体、详细的“两权”监督落实方案，将一般纳税人认定、税额核定、公开办税、减免退税审批等容易发生问题的岗位和环节做为监督的重点。开展“为税清廉用好权，不为名利干事业”的教育活动，开展自查自纠活动。进一步强化审计检查，完善财务管理。在人事、机构改革中，有5个基层单位“一把手”离岗或交流，均采取先审计、后走人、交清账、再上岗的办法。全系统在纳税服务、税风税纪方面狠下功夫，推行“首问责任制”、“回访制”等一系列便民措施，规范税收执法程序，加强执法队伍监督。年终市纠风办评议结果，全市有10个县市局在当地行风评议中名列第一。

【纳税大户名单】

表四　　　　单位：万元

名　　称	税　　额
太钢集团临钢公司	5023
山西新临钢钢铁有限公司	10796
临汾市供电局	1178
金尧焦化有限公司	1338
太原卷烟厂曲沃分厂	3150
襄汾县焦铁实业有限公司	1224
山西焦化股份有限公司	7245
霍矿洪洞煤焦总公司	1303
洪洞县电业局	1138
山西三维股份公司	3143
霍州煤电集团	8725
霍州发电厂	1025
霍州化工公司	1619
洪洞浩溢煤焦化公司	1222
安泽焦化总公司	1768
乡宁毛则渠煤矿	1046

（程立新　窦全明）

·临汾市地方税务局·

【概述】 以组织收入为中心，强化税收征管，搞好干部人事改革，狠抓党风廉政建设，圆满完成各项工作任务。全年完成地税收入70508万元，占年计划119.65%，同比增长31.4%，在全省名列第二。其中，工商税收首次超过6亿元，完成64478万元，占计划121.55%，同比增长38.61%，增幅居全省第一；增收额18111万元，增收绝对额为历史最高。农业税、农业特产税和契税完成6030万元，占省局核减后计划的102.52%，增收148万元。耕地占用税完成4379万元，超省局计划1681万元。税收收入各项指标名列全省前列，被市委、市政府授予“为经济建设贡献奖”，被省地税局表彰为全省地税系统党风廉政建设目标责任制考核优秀单位、农业税收工作先进单位、林业建设基金征管工作先进单位。

【税收征管】 澄清欠税底子，加大清欠力度，清回欠税8000多万元，占整个工商税收年计划的14 .8%，超过省局要求的5%的目标。狠抓国有企业所得税管理，对342户企业的所得税进行汇算清缴，带来增量税收3765万元。以强化稽查为重点，逐步对税收秩序进行整顿和规范。全市地税系统对纳税人检查1956户次，查补入库税款及滞纳金、罚款2640万元，入库率94%，同比提高13.6%，处罚率17%，同比提高8.9%。稽查局先后对21起税收违法案件予以公告。通过征管改革、建立监督制约机制，实行“阳光作业”以及发挥计算机管税作用，尧都区地税局城域网正式投入运行，80%的县（市）局使用省局4.01版征管软件。狠抓行政事业单位、专业市场、车辆、房屋租赁以及煤焦铁发运等薄弱环节税收，堵塞税收流失漏洞。

【“两个转移”取得成果】 推进工作重心向税收征管转移、向基层转移的“两个转移”工作，取得成果。率先开展解决文件多、会议多、检查多、评比多、办班多、出书多等“六多”问题，从制度入手，采取分口把关、综合治理等措施。精简各类文件和会议，减轻基层的负担。千方百计增收节支，局党组多次就理财问题进行专题研究，招商引资获得成功，仅此1项，减少投资1000多万元，即节省大量开支，又盘活资产，把办公大楼由消耗性资产变成盈利性资产，偿还各类债务1000万元，市局严重的财务困难得到缓解。各县（市、区）局建设和装修一些基层税务所，配备交通和通讯工具，改善基层人员工作条件。尧都区、浮山县、侯马开发区、永和县等加快信息步伐，计算机管户率都在80%以上。

【干部人事制度改革】 制定周密实施方案，通盘考虑，分步实施，有情操作。县（市、区）局科级领导职位竞争上岗，采取由县（市、区）局党组推荐后备人选，市局党组决定的方式；市局机关和直属机构科级领导职位实行竞争上岗。对部分在特殊岗位的同志，采取直接由党组任用的办法。通过改革，领导干部的年龄结构、知识结构和性别结构更加合理，队伍素质明显提高，更富有朝气和活力。全市科级干部的平均年龄由原来的43.9岁，降低为39.1岁；大专以上文化程度科级干部人数由86人增加到140人；35岁以下的科级干部47人，年龄最小的科级干部只有25岁，其中市局机关以及直属机构科级干部平均年龄由43.4岁下降到37.8岁。全市有9名省级征管能手被提拔到科级岗位，一批市级征管能手和计算机等专业人才被提拔重用。

【“两权监督”】 在行政管理权监督方面，进行清产核资，加强财务管理。对市局机关、各科室以及基层自建局以来所购置资产进行清理核查。在税收管理权监督方面，进一步推进“文明办税八公开”，市、县两级普遍设置举报箱，公布举报电话，面向社会公布办税监督卡和税务人员工作纪律。广泛开展优质文明服务活动，文明办税工作和行风建设取得显著成绩。党风廉政建设得到进一步加强。通过讲座、竞赛、收看教育片、交流心得等方式，相继开展“三个代表”及理想信念教育，开展警示教育、法纪条规教育，启动廉政建设“十个一”工程，广大地税干部廉洁自律意识普遍提高。

【纳税大户名单】

临汾钢铁公司　霍州矿务局
山西三维集团股份有限公司
山西焦化集团　侯马普天通讯电缆厂
太原卷烟厂曲沃分厂　临汾金尧焦化公司
霍矿洪洞煤焦总公司　乡宁县台头煤矿
蒲县煤炭运销公司　安泽焦化总公司
临汾染化集团　临汾石油公司
二峰山铁矿　临汾纺织厂
山西平阳机械厂　鸿昕焦化公司
襄汾选煤厂　临汾市电信局
临汾市邮政局　临汾移动公司
临汾联通公司　霍州化工公司

附:

·获奖情况·

集 体

市地税局被评为全省地税系统党风廉政建设优秀单位、农业税收工作先进单位、林业建设基金征管工作先进单位、税收科研工作先进单位、税收工作目标责任制先进单位

古县地税局、浮山县地税局被评为全省地税系统文明单位

霍州地税局被山西省文明委评为文明单位

安泽县地税局良马税务所、乡宁县地税局管头税务所被评为山西省地税系统文明税务所

个 人

谢静萍、李江、孙小平被授予山西省十大杰出女税务工作者、山西省“三八”红旗手称号

（杨志刚）

金融保险

金　　融

·中国人民银行临汾市中心支行·

【概述】 认真贯彻落实总、分行工作会议精神，坚持以发展为主题，以深化金融监管为中心，以抓好“三项工程”为重点，继续贯彻落实稳健的货币政策，支持经济快速健康发展；防范化解金融风险，维护辖区金融稳定；强化内部管理，确保安全运营，努力提高金融服务水平；抓好党建工作和班子队伍建设，营造团结和谐的工作氛围，建设精明强干的职工队伍，圆满完成全年各项工作任务。

【认真执行稳健的货币政策】 出台《认真执行货币政策，积极支持地方经济发展的指导意见》，指导金融机构信贷工作。坚持按季召开联席会，组织金融机构研究辖区经济金融运行状况和信贷资金投放运行情况，引导金融机构加大对优势企业和技术改造的支持力度，改善对中小企业、非国有经济的金融服务，增加个人住房贷款、助学贷款及个人消费贷款发放。到12月末，全市金融机构各项存款余额230.9亿元，较年初增加37.8亿元，增长19.6%，是近年来增加最快的1年。各项贷款余额161.1亿元，较年初增加19.8亿元，增长14.1%。强化金融债权管理，制止企业逃废债务行为，督促商业银行完善内控制度,保证质押、抵押手续，切实加强贷款管理，维护金融债权；组织金融机构重新对辖区开户企业逃废债务行为进行调查摸底和认定，查出逃废债企业19户，涉及贷款本息1.5亿元。加强对现金、利率管理的常规检查，共检查金融机构112个，对现金管理中存在的制度不健全、不规范、转账套现、用途不合理等5类问题和利率管理中变相提高存款利率、计息错误等6类问题进行通报批评和经济处罚。灵活运用货币政策，积极搞好资金融通，累计向农村信用社发放再贷款16.7亿元，其中：用于临时头寸调剂10.5亿元，支农贷款6.2亿元；累计办理再贴现4.2亿元，促使商业银行办理贴现20.4亿元；累计发放商业银行短期融通资金2.8亿元，支持地方经济发展。

【创建金融安全区】 建立和完善3大监管体系，即：金融机构自律系统、社会监督制约系统、人民银行监管系统。改进监管方法，提高监管效率,对金融机构高级管理人员实行动态的、连续性的监管；完善非现场监管，实行分级负责制；实行“一行一策”、“一社一策”监管办法。全年共向商业银行发出预警通知书120份，提出监管意见318条，纠改问题107项；向农村信用社发出预警通知书1078份，提出监管意见1759条，纠改问题254项。实施两大监管重点,对商业银行重点做好不良资产“降点”工作的监管。从把握不良贷款结构、趋势、增减变化成因等方面完善不良贷款监测体系，建立“五表三账”,“五表”即：不良贷款结构监测表、不良贷款上升下降趋势监测表、新增不良贷款成因监测表、不良贷款增减变化监测表、不良贷款成因监测表，“三账”即：商业银行新发生不良贷款逐笔监管台账、商业银行历年形成不良贷款逐笔收回监管台账、商业银行当年发放当年形成不良贷款监管台账。从而全面地反映金融机构不良贷款状况，到12月末，4家国有商业银行不良贷款较年初下降6.57个百分点。对农村信用社重点是努力防范化解金融风险。到12月末，农村信用社不良贷款比较年初下降21.7个百分点；各项存款净增12.9亿元；农贷净增9.6亿元，占到贷款增量的80%；股金净增8902万元；实收利息3.7亿元，利息收回率超过100%的联社10个；盈余社175个，占73.2%。全市农村信用社实现净利润447万元。

【调研统计信息工作】 及时、准确、完整上报统计数据，认真做好货币监测分析，按时完成专项课题的调查研究和工业景气、物价、定点储蓄问卷等调查。积极推行银行信贷登记咨询系统，加大检查力度，强化系统管理。按照《银行信贷登记咨询系统联网工作规范》要求，顺利完成全国联网，保证联网数据及时上报。对金融运行中的热点、难点、新情况、新问题进行广泛调研，共上报调研文章600篇，被上级行采用112篇；编发《临汾经济金融动态》196期681条，被上级行采用59条；编发《情况通报》91期，《临汾金融信息》117期，信息量400余条，被上级行采用《情况通报》14期；《金融信息》51条，编发《专题调研报告》28期，被上级行采用6期。信息工作在天津分行排名第一。

【金融信息网络建设】 成立计算机安全管理领导组，加强计算机病毒防范及计算机密码管理，充分利用现有设备条件，开通新办公大楼网络系统，全行开通100多个信息网点，办公效率明显提高；实现X.25专网与太原中支、县市支行和“一网两系统”全线开通，金融信息网站建设初具规模；完成HP OPENVIEW网络节点管理器，外管专业传输通道等网络平台、业务平台、网管系统、安全体系等工作，对全辖28个广域网地址和100余个局域网节点机进行网络监控，实现各种数据、信息、报告、公文的及时传送。

【电子联行业务建设】 完成电子联行小站和中继站的搬迁，实现电子联行业务的不间断运行，办理电子联行业务72000笔，金额182亿元，比上年增长54%。对“电子联行业务到县”工作进行检查指导和业务监督，完成电联密钥更换；中支会同曲沃县支行开发“会计结算监管档案管理程序”，建立结算管理档案，保证结算监管、检查资料的完整性和结算监督效果的延续性。改革同城票据交换方式，委托邮政局对各金融机构统一收票，统一送票，形成“网状结构、信息传输、集中处理、分线投递、当日结平、当日核对”，杜绝金融机构私自换票、压票，保证清算资金安全、完整、及时，票据当日抵用率99%。

【人事制度改革】 按照总、分行深化干部人事制度改革的精神，推进领导班子年轻化，选拔干部公开化，干部任期管理目标化的总体要求。在领导班子建设上，对4名年龄男满55岁，女满50岁的县支行“一把手”改任非领导职务，5名在1个支行工作满5年以上的“一把手”进行异地交流，4名年龄在45岁以下、任副科级职务2年以上、大专文化程度、年度行员考核为优秀、干部考察民主测评优秀票数50%以上、政治业务知识测试成绩优良的优秀副科级干部提拔为支行“一把手”。全年调整、交流部分县市支行行长12名，中支机关科长2名。经过调整，全市科级干部35岁以下所占比例由调整前的4%提高到12%，专科以上文化程度由原来的41%上升到46%。在选拔中层干部上，中支党委决定从2001年起，凡有空额的副科级职位，全部实行公开选拔。出台《选拔副科级领导干部暂行规定》、《公开选拔副科级领导干部实施方案》。首次公开选拔副科级领导干部工作，经过组织报名、必备知识考试、演讲答辩、工作业绩考核、组织考察、公示、党委任命6个阶段，历时3个多月，从219名职工中选拔出13名优秀同志走上副科级领导岗位。公开选拔干部的做法在天津分行干部人事改革工作会议上做经验介绍。在实行干部任期管理目标上，与支行、科室签订工作目标责任书，制定下发考核实施细则，坚持按季通报，半年督查，全年总评。规定1年完不成目标责任的黄牌警告；2年完不成的原则上自动辞职，3年完不成的，就地免职。

【政治思想教育和业务培训】 加强对江泽民同志“三个代表”重要思想的学习，辖区16个支行参加当地县（市）委开展的“三个代表”重要思想学教活动，开展4个专题教育学习，即：“理想信念”教育、“爱岗敬业”教育、争先创优教育、法律法规教育；引深揭批“法轮功”活动，提高广大职工同邪教做斗争的自觉性；坚持业务学习和培训，学习计算机知识、金融监管、WTO与中国金融发展、“三基”知识、党务培训、法律法规教育等。开展“铁账本、铁算盘、铁规章”的“三铁”教育活动；各级领导干部坚持整顿工作作风，落实“一岗双责”，全市进行为期一个月的作风整顿，行风行貌、工作作风有较大转变。

【党风廉政建设】 制订《各级领导干部加强廉政自律的若干规定》和6条配套措施，对副科级以上干部配偶子女从业、收受现金、有价证券和支付凭证等情况予以摸底登记；党委每季召开1次党风廉政建设专题会议，每半年召开1次案件防范分析专题会议，研究党风廉政建设和案件防范工作；制订党风廉政建设责任制量化管理实施细则，聘请35名廉政监督员，对各支行、各部门执行情况进行监督；制定《反腐败抓源头工作实施办法》，重点围绕管好“权、钱、事、人”等核心环节，抓源头，立项目，标本兼治，综合治理。重点明确对金融管理权、信贷资金管理权、外汇审批权、国库退库审核权、财务管理权、人事管理权、金融监督权等7个方面的防范治理措施。对金融系统1985年以来携款潜逃案件进行摸底排查，对农村信用社1998年以来出现的携款潜逃案件，查找问题，分析原因，完善有关规章制度。

附：

·获奖情况·

集　体

中心支行获天津分行目标责任制考核专业前三名、内审工作获分行辖区第一名、货币信贷管理工作获分行辖区第一名、办公室信息工作获分行辖区第一名、群工部团委工作获分行辖区第一名、合作金融监管工作获分行辖区一等奖、纪检监察工作被评为分行辖区优秀单位

中心支行获太原中支目标责任制考核专业前三名、货币金银工作获全省人行系统第一名、调统工作获全省人行系统第二名、资金清算工作获全省人行系统第二名、科技工作获全省人行系统第三名、保卫工作获全省人行系统第三名、货币信贷工作获全省人行系统第三名、农信社管理工作获全省人行系统第三名

吉县人行被评为总行“双文明单位”青年文明号先进集体

侯马市支行被天津分行评为“双文明单位”，被天津分行授予“青年文明号”、“青年岗位能手”

洪洞人行被天津分行授予“青年文明号”先进集体

个　人

侯马市人行冯青珍同志被天津分行授予“青年岗位能手”

闫福龙同志被天津分行评为优秀信息员

李文杰同志被天津分行评为优秀信息员

宁浩亮同志被天津分行评为优秀团干部

王东红同志被天津分行评为建设“一网两系统”先进个人

张国亮同志被天津分行评为建设“一网两系统”先进个人

柴晓东同志被山西省外汇分局评为优秀科技个人

樊立信同志被太原中支评为先进工作者

（郭北印）

·中国工商银行临汾分行·

【概述】 围绕“经营战略性调整”，以效益为中心，以质量为重点，以市场为导向，推进业务整合创新，较好完成上级行下达的主要任务指标。分行全辖各项存款余额49.5亿元，较年初净增3.24亿元，增长7%；各项贷款余额39亿元，较年初增加2.76亿元，增长7.6%；分行全辖共开办各种中间代理业务7大类35种，代理业务总额9.87亿元，实现各项中间业务收入644.2万元，完成省分行下达任务463万元的139.2%，分行全辖实现各项收入35913万元，较上年同期减少5985万元；各项支出41797万元，减少8585万元，收支相抵账面利润亏损5884万元，减亏3096万元，为省分行下达任务减亏计划任务100.04%。

【实行“三集中”管理模式】 建立银行承

兑汇票贴现中心，对银行承兑汇票贴现实行集中审查、集中办理、集中管理的“三集中”模式，扩大融资范围，拓展收益渠道，提高风险防范水平。对分行出纳中心库和会计核算监督中心进行全面改革。认真落实总行提出的“减库、减人、减枪、管少、管好”的10字方针，对出纳中心库加快守库、押运工作社会化的改革步伐，将临汾市城区内的守库、押运工作交由尧都护卫中心代理；与建行签订《同业寄库协议》，并已在乡宁等支行正常运作。同时，加强事后监督工作，将零售业务和银行卡等业务纳入监督范围，采取全面监督和重点监督相结合的办法，使会计核算事后监督更加科学有效。成立报账中心和资产管理中心，促使账务工作和不良资产管理更加规范化。

【实施信贷结构“四调整”】 从贷款的客户结构、行业结构、品种结构及县域经济结构入手，有针对性地实施促进式调整、开拓式调整、淘汰式调整、内涵式调整的“四调整”工作。强化信贷投向管理，实施促进式调整，结合临汾实际，制定“总体规划、区别对待、分类指导、分类实施”的《信贷管理办法》，当年项目贷款新增6800万元，投向基础产业、支柱产业、高新技术产业和垄断行业、前景好的竞争性行业。新增流动资金贷款2.7亿元，投向AA级以上客户和总行确定的“八大板块”目标市场，并在贷款、签发承兑汇票、贴现等方面予以倾斜。从BBB级以下及限制类客户收回贷款2.05亿元，用于甲类客户及优秀客户。增强市场营销意识，实施开拓式调整，加大对优秀中小企业的扶持力度；开拓旅游、教育科研、文化卫生、新闻出版等非生产流通领域；发展个人住房、汽车、大额耐用消费品、小额抵押贷款等消费信贷业务，其中当年累计发放小额抵押贷款1291.7万元；信用证业务年末累计开证3笔，金额731万美元，无一笔垫款发生风险。完善市场退出机制，实施淘汰式调整，把退出重点继续放在“煤炭、冶金、建材”3个行业，年末，退出68户，余额20520万元，分别完成省分行下达任务的194%和380%。严格信贷管理，实施内涵式调整。以严格管理为手段，以提高信贷资产质量为目标，进一步完善“全额锁定、双向考核、两条线控制、年终兑现奖惩”的不良资产管理办法。

【干部人事制度改革】 认真落实总行、省分行的精简计划，采取下岗、自谋职业、内部退养、解除劳动合同等方式，辅助于优化劳动组合、加强宣传引导、强化内部管理等手段，积极稳妥地推进分流工作，全年分流正式人员95人，清退临时工和代办员109人。调整配备8个基层行办领导班子和分行机关2个科室，提拔任命、聘任副科级干部12人。首次实行任前公示制，在员工中引起良好反响。按照“公开、平等、竞争、择优”原则，在市分行机关实施全员竞聘上岗工作，在更大的范围实行干部公开选拔工作。同时，圆满完成隰县、古县2个县支行的撤并工作，对全辖41个储蓄网点进行优化整合。

【实施党员目标管理】 进一步完善《党员目标管理办法》，推出“四个侧重”：即对领导干部侧重于管理和工作作风目标的考核，对业务部门的党员侧重于规范经营和完成任务目标的考核，对机关党员干部侧重于为一线服务和自律目标的考核，对业务一线党员侧重于客户服务和自律目标的考核。全行推广翼城县支行引深“党员责任区”形成的“三包一联”为主要内容的党建工作经验，省分行党委授予临汾分行“党建工作先进单位”荣誉称号。

【综合业务系统一期、二期工程开通】 根据省分行统一安排部署，成立工程指挥部和业务、技术支持小组，对工程每个阶段工作做出精心部署。全辖上下密切配合，协同作战，加班加点，严格测试，历经8个多月，分别于5月8日和11月11日顺利开通综合业务系统一期、二期工程。根据综合业务系统管理核算的特点，及时制订实施《会计结算岗位制度操作规范及评价》，把各项制度进行分解后，落实到每个岗位、每个员工，对各行办会计结算岗位业务操作进一步规范。

【AAA级信用企业名单】

山西三维股份有限公司

山西焦化股份有限公司

附：

·获奖情况·

集　体

临汾分行在省分行总结表彰大会上获行长经营绩效考核综合得分第三名，行长经营绩效考核进步得分第一名，公存竞赛先进单位第二名，收息竞赛先进单位第二名，中间业务收入竞赛单位第二名，资产质量竞赛先进单位第一名，综合业务系统工期工程改革创新奖，市分行营业部再次列入“全省效益十强”

分行办公室、管理信息科、计划财务科、资金营运科、个人金融科、银行卡科、工商信贷科、项目信贷科、住房信贷科、出纳科、人事科、教育科、保卫科、工会科被评为“全省先进集体”

会计结算科被评为“综合业务系统二期工程先进集体”

个　人

高代兴等 37 名同志分别荣获综合业务系统二期工程特等、一等、二等、三等奖

黄临鹏等 7 名同志被评为全省“先进工作者”

（陈　旸）

·中国农业银行临汾分行·

【概述】　认真贯彻执行各项金融方针政策，坚持“机制更新，管理更严，服务更优，形象更好，效益更高，发展更快”的指导思想，牢固树立市场、竞争、人才、效益、创新 5 种观念，大力弘扬团结、奉献、拼搏、进取、务实 5 种精神，迎难而上，开拓进取，各项工作取得可喜成绩。各项存款当年净增 87959 万元，完成分行计划的 179.5%；各项贷款增加 52102 万元；全年实收利息 10943 万元，完成分行计划的 110.3%，在全省 11 个地（市）行名列第 2；综合利息收回率为 90.13%，名列全省第 3；全行实现盈利 555 万元，在全省名列第 2，一举摘掉多年亏损的帽子。

【打造精品银行】　实施名牌发展战略，按照“装潢最高档、设施最先进、人员最优秀、服务最优良、机制最灵活、管理最严格”的标准，着力打造精品银行。先后在市区推出金钥匙支行、家家乐金融超市、心连心高科技银行 3 个特色网点。同时各支行也加强名牌网点的创建工作，相继推出新星办事处、开发区分理处、喜洋洋分理处等一批精品银行。大胆改革分配机制，在名牌网点推行年薪制，在一般储蓄所推行承包制，同时在客户经理队伍中推行年薪制，激发广大员工忘我的工作热情。40 个名牌网点当年净增储蓄存款 25043 万元，占到全行当年储蓄净增额的 73.4%，名牌效应显著。

【实施积极信贷结构调整战略】　优化信贷结构，支持地方经济发展。全年累计投放贷款 285660 万元，累计签发银行承兑汇票 1865 笔，74094 万元，重点支持侯马晋光制药厂、山西瑞洁生化有限公司等 10 余家优良客户；同时通过贴现融资手段，支持众多的中小企业经营活动；支持住房消费、家庭系列消费、农机消费等贷款需求。

【全省农行系统信贷规范化管理现场会在临汾召开】　7 月 12 日，省农行在临汾召开全省农行系统信贷规范化管理现场会，推广临汾农行的信贷规范化管理经验。市农行实施信贷规范工程，加强“六化”管理，即：客户管理层次化、信贷操作程序化、信贷监管严格化、信贷检查经常化、信贷手续规范化、信贷责任明确化。在全系统组织开展信贷基础管理规范化达标升级活动，同时向侯马、曲沃等 6 个支行派驻信贷监管员，全面规范信贷管理，收到显著效果。

【执法监察工作】　完善内控机制，筑牢安全屏障。会计、信贷、计划等部门切实履行业务自律监管职能，加强检查监督，按季组织会计账务展评、信贷手续展评，发现问题，及时纠正。稽核部门认真组织开展常规稽核、10 个重点稽核、突击稽核，及时排查风险。保卫部门认真落实《安全保卫抵押承包责任制》，定期不定期的组织安全检查，增强全员安全防范意识。纪检监察部门认真处理群众来信来访，强化执法监察工作。形成全方位的监督防范工作格局，实现全年安全经营无事故。

【AAA 级信用企业名单】

临汾市民富实业有限公司

山西省临汾奥凯高新技术有限公司
侯马市亨丰贸易有限公司
侯马市蓝星电器有限公司
侯马市建达商贸有限责任公司
侯马市建邦铁厂
侯马市豪利摩托车有限公司
侯马市通盛经贸有限公司
侯马市汇丰建材有限责任公司
侯马市津海自行车销售有限公司
侯马市开达电器有限责任公司
洪洞县槐荫商贸公司
山西省虹通酒类饮料有限公司
山西焦化股份有限公司
山西三维集团股份有限公司
浮山县三利选矿厂
乡宁县茂源煤化有限公司
山西省临汾华丰实业有限公司
临汾市中轻商贸有限公司
山西省华盛有限责任公司
山西省友谊集团有限公司
山西省临汾金丰贸易有限公司
临汾市诚信副食经销部
临汾市五交化集团尧泰影视有限公司
临汾市再生资源开发利用中心
山西省临汾汽车运输有限责任公司一汽服务站
山西省临汾阳光生物制品有限公司
山西省临汾恒源制镜有限责任公司
临汾市东兴汽贸有限公司
山西临汾亚飞汽车贸易有限公司
山西临汾佳乐化工有限公司
山西省祥华汽车贸易有限公司
临汾宏运有限责任公司
山西省东汽技术服务站;
山西临汾格林有限公司

附:

·获奖情况·

集　体

农行被授予山西省劳动模范单位、在全省农行系统信贷手续展评中荣获团体第一、在全省业务技术比武中荣获团体第一

贡院街分理处被农总行评为优质服务先进集体

翼城支行储蓄所被授予总行级青年文明号单位

个　人

尧都区支行张贵玲同志被评为全国农行十佳储蓄员

杨巧菊同志被评为全国农行“三五”普法先进个人

高剑虹同志被授予全国农行系统青年岗位能手

（王侯旺）

·中国银行临汾分行·

【概述】 贯彻落实总行、省行工作要求，以建立良好公司治理机制为目标，努力实施大公司、大零售并重联动发展战略，狠抓清贷收息和企业存款两个重点，不断强化内部管理，加强作风建设，开展自查自纠，提高科技水平和服务质量，促进各项业务的持续稳健发展，圆满完成各项主要业务指标。各项人民币存款余额 187590 万元，较年初净增 28464 万元。其中储蓄存款余额 131753 万元，较年初净增 18532 万元；企业存款余额 55837 万元，较年初净增 9932 万元。各项外币存款余额 1266 万美元，较年初净增 251 万美元。其中个人外币存款余额 1235 万美元，较年初净增 233 万美元；单位外币存款余额 31 万美元，较年初净增 18 万美元。各项人民币贷款余额 120335 万元，较年初净增 28741 万元，其中消费贷款余额 5857 万元，较年初净增 3686 万元。各项外币贷款余额 270 万美元，较年初净增 13 万美元。不良贷款余额 21660 万元，较年初下降 4812 万元，不良率 17.67%，较年初下降 10.57 个百分点。全年核销呆账 1672 万元。叙做国际结算业务 1303 万美元，实现收益 50 万元。长城系列有效卡量为 32230 张，较年初净增 11936 张。长城卡直接消费额 687.74 万元，实现收益 45.9 万元。叙做票据贴现 1614 万元。经营效益有所好转，本外币利润折人民币为－1006.81 万元，较上年减亏 3452.49 万元。

【联动发展】 成立“业务发展协调委员会”，增强业务信息交流和部门协调配合。实

施“会商单”制度，出门一把抓，回来再分家，本外币业务一齐上，大中小客户一齐抓，存、贷、结算一条龙，公司、零售一体化，分层次锁定，全方位营销，多品种合作，初步创建“全行一盘棋，重点出击，全面开拓，公司、零售业务联动发展”的新格局。

【服务地方经济】 实施有进有退，量力而行，发展优质客户，巩固重点客户，限制清理杂小户的发展战略。结合国家与地方产业结构调整政策，有选择有计划地对山焦集团、山维集团、山西海姿焦化公司、临汾河西电厂、侯马晋田热电公司、霍州煤电集团、襄汾有色金属公司等一批投资结构好、生产规模大、科技含量高、有较强发展潜力、有稳定的存款和结算业务的优质客户给予重点支持，累计投放信贷资金 106651 万元。消费信贷业务以住房和汽车为重点，累计发放消费贷款 12225 万元。

【增收节支】 加大资金调度、库存限额和财务核算管理力度，防止资金浪费，压缩库存现金，降低无息资金占用，提高资金使用效益。实施新的费用管理办法，将费用指标分为固定费用、基础费用和考核费用 3 部分，其中考核费用与各单位发展能力、资产质量、经营效益等挂钩分配，充分发挥费用考核的激励作用。推行财务核算集中化管理，全辖一个财务中心，各项费用开支实行报账制和报审制，有效地杜绝不合理开支，整体经营效益有所好转，实现大幅减亏。

【内控建设】 坚持依法治行和从严治行，狠抓各项基础管理制度的落实，开展“铁数字，铁账本，铁规章”的“三铁作风”教育，多次自查自纠，对“评议考核制度”和“四项管理制度”实行责任追究制，确保检查的全面性、深刻性和纠改的真实性、严肃性，有效地规范经营管理，防范经营风险。

附：

·获奖情况·

集　体

侯马支行被授予全国金融系统“五一劳动奖状”、被评为全省中行先进集体、侯马支行党支部被评为全省中行先进基层党组织

北青分理处被评为省行“学北城样板单位”和“文明服务红旗单位”

解放路分理处被授予总行“青年文明号”、被评为省行级“巾帼文明示范岗”和“精神文明创建先进单位”

个　人

樊文莲、任雪莲、王春生、郭激雷、张严萍、张东拽同志被评为省行先进个人

（郝勤猛）

·中国建设银行临汾分行·

【概述】 以市场为导向，以客户为中心，以效益为目标，突出“压不良、增存、增效”工作，不断强化市场营销，深化内部改革，改进内部管理，提升管理服务水平，加快信息科技建设和业务创新步伐，各项工作迈上新的台阶。全行实现营业收入 15737 万元，完成利润计划的 131.58%；全口径存款余额 263852 万元，比年初新增 38163 万元，完成全年计划的 203.15%，增长率 16.9%，同比多增 1628 万元。其中：储蓄存款比年初新增 25758 万元，完成全年计划的 165.11%；企业存款比年初新增 4033 万元，完成全年计划的 123%；同业存放比年初新增 8372 万元，完成全年计划的 364%，同比多增 3766 万元；信贷资金贷款余额 100221 万元，全部贷款利息实收额完成年计划的 130.69%，利息实收率同比提高 5.55 个百分点。不良贷款较年初大幅减少，完成“压不良”任务 105%；中间业务净收入比上年新增 114 万元，完成全年计划的 135%，增长率 89.06%；委托性住房资金存款比年初增长 21.8%，市场占比 75%；住房公积金存款比年初增长 42.17%，市场占比 77.8%。

【压缩不良资产】 成立攻坚领导组，建立“压不良”工作例会制度、情况通报制度和监测、反馈制度，重点项目跟踪催收，动态管理，全程监控。市分行与基层行处一把手签订目标责任状，实行风险抵押金制度。按照现金—实

物—核销和催付—保全—执行两条思路开展工作，提出“八个抓紧”：抓紧现金回收计划落实和兑现；抓紧非现金回收入账；抓紧呆账核销上报；抓紧案件执行；抓紧保全、起诉；抓紧转贷申报和以新还旧；抓紧对各行处上报请示的答复和处理；抓紧不良贷款责任认定工作。攻大户，清散户，盘活存量不良贷款，采用清收、转贷、核销、抵债物处置等多种办法，对一批钉子户依法提出诉讼，申请资产保全，实施强制回收和“威慑”回收。对每笔到逾期贷款逐户登记，制订相应措施，监测督促回收；加强激励考核措施，对减额降比、重点攻坚成绩突出的给予重奖，对完成任务欠佳的及时警示、追究责任。全年回收双呆本金 2945 万元，完成计划的 121%，盘活不良资产 2819 万元。

【打造“两卡一汇”品牌特色】 以储蓄卡和生肖卡、个人电子汇兑、个人消费额度贷款 3 大拳头产品，以在校学生、代发工资户、个体工商户及私营业主为 3 大营销对象，组织大规模营销宣传与阶段宣传，强化营销攻势，提供上门服务，现场咨询办卡，加强网点柜台服务和客户服务中心的工作，做好 POS 机、ATM 设备维护，改善用卡环境，提高服务质量，形成自己的品牌特色，培植稳定的持卡消费客户群体，“两卡一汇”蓬勃发展。年末，累计发行储蓄卡和生肖卡 132945 张，比年初新增 65832 张，增幅 98%，两卡存款余额 24388 万元，比年初新增 14674 万元，增幅 151%，银行卡业务连续 2 年占有市场主份额；个人电子汇兑全年汇入汇出 15396 笔，金额 28112 万元，分别是年初的 11.4 倍和 10.8 倍。代发工资业务获突破，累计发展代发工资单位 607 个，代发人数 3 万多人，月代发额 2100 万元。

【网点多元化服务】 零售网点不断推出新产品种类，已开办代理保险、代收寻呼费、代收联通和电信话费、代售电信 IC 卡、银证转账、速汇通等 10 多种业务，使网点代理业务和中间业务收入有明显增长。进一步调整和优化网点布局结构，集中资源扶植临汾市辖网点和重点所柜，培育一大批高产所柜、精品网点，网点建设向大门面、闹市区、多功能、标准化方向发展，网点综合竞争实力进一步提高。

【调整信贷结构】 把全部贷户划分为重点支持型、一般支持型和退出型 3 类，把好准入和退出关，从高风险行业逐步退出，对重点客户密切关注其发展，主动上门营销贷款。积极支持地方经济调产，累计向襄汾财政担保中心和临汾正和担保公司贷款 6815 万元，择优扶植有较好发展前途的民营企业，培育绩优中小企业客户群体，优化对公存款结构。

【发展中间业务】 制订出台《临汾分行中间业务综合考核办法》，把中间业务收入首次纳入年度综合经营计划之中，建立绩效费用挂钩考核机制；制订 5 年发展规划，明确中间业务市场定位和今后发展方向；规范业务报表系统和收入入账管理办法；抽调骨干充实分行咨询部专业力量，7 个机构经人行批准将工程审价业务纳入营业范围；加强营销公关，开通理顺代理证银联、临汾国旅、体育彩票、华旅寻呼费及代销联通电话卡业务，与尧都区财险和临汾寿险公司签订代理协议，涉足商业保险领域，中间业务范围扩大到 5 大类 10 多个品种，确保重点业务收入稳定增长。

【引深文明优质服务活动】 采取组织学习培训、座谈、研讨、典型经验交流等方法，教育引导员工逐步提高竞争意识、市场营销意识和服务意识；开展一线网点公开服务承诺，完善服务制度和考核办法，规范服务行为；开展“文明优质服务竞赛月”活动，对 12 个支行和 62 个营业网点全面检查考评，评选出“十佳”服务网点，授予流动红旗，给予物质奖励；对服务差的网点通报批评，限期整改；设立曝光台，建立检查情况通报制度，以“青年文明号”创建活动为载体，提高柜台服务水平和窗口形象；对存、贷、代理业务大户实行客户经理制，提供差别化服务，客户经理定期回访大客户，征求意见和要求，各网点规范大堂经理制和导储服务，推出个性化、跟踪法等服务，完善服务内容；加强业务培训，先后举办 6 期培训班，共培训一线人员 408 人，153 名储蓄员达到省分行二级标准，占全部代办员的 51%。

（张永亮）

·中国农业发展银行临汾分行·

【概述】 坚持以收购资金封闭管理为中心，实行风险管理，密切银企关系，搞好代理业务，加大考核力度，较好地完成各项工作任务。全行各项贷款余额191923万元，较年初减少8058万元，其中：粮食收购贷款余额163345万元，较年初减少7955万元；棉花收购贷款余额28578万元，较年初减少105万元。新发放粮棉油收购（含调销）贷款与粮棉油新收购（含调入）价值比率达100%；粮棉油及其它不合理占用贷款余额8935万元，较年初9423万元下降487万元，下降率为5.18%；粮棉油贷款收回率为100.14%；各项贷款应计利息11324万元，实收利息10243万元，利息收回率90.45%，超省分行下达任务2.47个百分点。

【加强收购资金封闭管理】 在贷款投放上，对保护价粮食收购坚持敞开收购政策，推行收购供应票、核打码单等管理办法，严格按“收一斤粮，贷一斤粮的款”的原则供应资金。全市共验打收购票近95万余张，支持企业收购小麦71408万公斤、玉米2776万公斤。对非保护价粮棉收购，坚持购得进、销得出、有效益的原则，严格掌握，共发放棉花收购贷款5566万元，收购棉花7333.7吨，收购平均价格7580元/吨。在库存监管上，实施仓单管理办法，落实责任信贷员制度，加大台账跟踪监管力度，新建企业分布图和企业经济档案，推出挂牌标仓举措，使监管措施落到实处。在收贷收息上，按月分析，加大考核，津贴与收贷收息任务挂钩，狠抓补贴资金拨付工作；开展帮信息、帮销售、帮结算“三帮”服务，取得比较好的效果。

【清资核贷工作】 全国、全省清资核贷电视电话会议结束后，随即向市政府有关领导和部门进行汇报，向市粮食部门传达会议精神，共同研究实施办法，联合下发清资核贷工作文件。成立全市清资核贷领导小组，由行长带队，兵分三路，对各支行、信贷组清资核贷工作进行检查督促。针对清资核贷工作中的问题，相继召开5次清资核贷汇报分析会议，制定具体的清收和解决办法。全市共清理收回不合理资金1829万元，占任务的83.86%。

【完善内控机制】 开展多种形式的爱岗敬业教育和岗位练兵活动，组织业务知识培训和计算机业务培训。每季度进行1次信贷、会计、计划赛账活动，赛账后有反馈、有通报、有奖罚。加强内部检查稽核，坚持定期、不定期地对各行、信贷组进行稽核检查。建立健全安全保卫工作机制，拓宽安全保卫工作新路子，实现安全经营无事故、无案件。

保　　险

·中国人民保险公司临汾分公司·

【概述】 保费首次突破亿元大关，各项工作走在全省前列。全年保费收入12321万元，完成年计划的123.8%，同比净增3026万元，增长32.6%。各险种的业务完成情况是：机动车辆保费922.6万元，企业财产保险费1587.6万元，责任险保费835万元，家财险保费205万元，货运险保费418万元。全年保险金额158亿元，为321户企业、20000余户家庭财产提供风险保障。全年处理各类赔案10171件，结案率92.5%，支付赔款6262万元。设在全市17个市（县、区）的18个（尧都区2个）机构，家家超额完成全年任务，设在尧都区的营业部、办事处分别超年计划的44.36%和78.76%。在全省系统保费规模1500万元以上的21个公司中，临汾分公司有3个，分别是营业部、办事处、侯马市支公司；其中营业部、办事处分别位居第3和第10名。

【推进“三个中心”建设】 将机关的业务二部改建为客户服务中心，将业务一部改建为业务处理中心，将计财部改建为财务中心，初步实现承保与理赔分离管理和财务收支分离管理。将中心城市的营业机构营业部、办事处的理赔权限收回分公司管理，变为纯展业（专门承保）单位。同时改革山区小公司管理体制，按照人保山西省分公司改革精神，对2001年撤并降改保费在200万元以下小公司采取就近管理办法，汾西县支公司由霍州市支公司代管，大宁、永和县支公司由隰县支公司代管。

【电子化管理应用】 对15个县（市）支公司三级网进行全面升级和改造。成立信息技术科，配齐技术力量。新一代财产险业务处理系统、财会数据集中和分析系统、新版收付费软件处理系统、95518专线服务电话计算机配套系统、机动车辆事故定损系统、办公自动化系统、金锁家财险业务处理系统在15个联网公司得到推广应用，使公司电子化应用水平迈上新台阶。

【重大承保和理赔】 重大承保。4月，山西焦化厂向人保洪洞县支公司投保企业财产保险，保险金额2.3亿元。6月，山西三维集团公司向人保洪洞县支公司投保企业财产保险，保险金额1.9亿元。

重大理赔。9月27日零晨1点左右，位于临汾市五一东路的临汾铁锁茶叶有限公司库房发生火灾，经查失火原因为室内照明电线短路起火，电线落在茶叶包装纸箱上引起，属于保险责任事故。该公司向人保临汾分公司投保财产综合险，经省、市人保公司查勘审核后，于11月16日一次性赔付铁锁茶叶有限公司保险赔款837871.61元。6月9日，霍州煤电集团团柏焦煤分公司赤峪工区井下2－202回采工作面因断层水突然涌出，将工作面淹没，使井下设备受损，人保公司接到报案后，迅速查勘施救，于9月28日，一次性支付赔款27.6万元。

附：

·获奖情况·

集　体

分公司2001年被国家审计署评为“内审工作先进单位”、荣获人保山西省分公司经营目标管理特等奖、荣获人保山西省分公司业务发展突出贡献奖、荣获人保山西省分公司机动车辆保证保险业务考评优胜奖、荣获机动车辆保险业务考评一等奖、家财险考核一等奖、企财险考核二等奖、责任险考核三等奖

人保洪洞县支公司被评为山西省“精神文明单位”

人保临汾分公司营业部、洪洞县支公司被共青团山西省委评为“青年文明号”先进集体

个　人

吴世相同志被全国金融工委授予“五一劳动奖章”

薛建华同志被省妇联授予“三八红旗手”

（李长文）

·中国人寿保险公司临汾分公司·

【概述】 解放思想，大胆创新，抓机遇，快行动，早计划，快部署，全年完成总标准保费15000万元，占省公司下达计划的107%，其中：意外险完成保费1570万元，占省公司计划的101%；全市共发案7161件，结案6258件，结案率为87.4%，赔付金额681.9万元，业务发展形势良好。

【营销队伍建设】 贯彻大营销、大队伍、大发展的指导思想，先后举办“行销高手培训班”、“新人培训班”、“增员培训班”、“新人模式化培训师资培训班”、“两个规范及五大会报培训班”、“主管培训班”、“代理人全员模式化培训班”、“分红保险培训班”等9个类别19期，参加人员3200人次，代理人员由上年的700余人增加到1500余人，持证率由上年的60%增加到85%。同时，制定考核方案，精心组织“增员活动”、“竞赛方案”、“挑战108业务竞赛”、“一举攻克‘八五’关”等系列活动，并组织7个营业部去北京参加培训，赴山东考察学习。

【业务中心和财务中心正式运营】 7月1日，业务中心正式运行，制定工作方案、工作制度、运行细则共16种200余条；对基层16个营业单位的业务逐个接收，到7月28日，全辖业务集中完毕，实现统一集中出单、统一编号、统一归档、集中管理。全体人员苦练微机基本功，严格执行工作制度，日处理新单250～300份，保单500～600份以上，先后3次进行业务大清理，使用CBPS排查信息19万多次（每次），共排查修改17类32912条错误信息，确保数据准确，按时完成全省业务数据合并任务。同时，加紧财务中心的筹建工作，配备领导班子，建立健全规章制度，招聘工作人员，进行专业培训，对代办所的业务集中处理。全辖全部使用会计辅助程序，进行部分业务和财

务接口。

【“95519”客服专线开通】 7月31日开通“95519”客户服务专线，截至11月底，共受理电话1134个，其中咨询电话1113个，投诉电话14个，理赔报案电话7个，实现咨询、查询、投诉、受理、投保、报案登记、客户服务6大功能，架起同客户沟通的桥梁。

（毛瑞军）

商　贸

城市商业

【概述】 商贸系统针对主营萎缩，市场份额下降的严峻形势，及时调整经营决策，充分利用自身优势，积极寻找新的经济增长点，广泛开展物业开发，资产经营，市场建设，门店出租，千方百计扭亏增盈，创收增效，取得明显效果。全年实现利润 107 万元。17 个县（市、区）商贸公司，盈利 14 个，持平 3 个；197 个独立核算企业全部盈利，实现全系统无亏损企业的目标，其中 5 个市直企业中，盈利 3 个，持平 2 个，完成销售 1.6 亿元，同比增长 1.4%。屠宰和酒类执法成效明显。1998 年国务院《生猪屠宰管理条例》和 1999 年省九届人大通过的《山西省酒类管理条例》相继颁布实施以来，商贸部门被经贸委授权为执法主体。在生猪定点屠宰工作上，严格按照《条例》标准，规范建设屠宰场点，认真实行肉品检疫检验制度，严厉打击私屠滥宰，全市 67 个屠宰场点累计宰杀生猪 31.5 万头，共检查出有害病猪 506 头，全部实行无公害化处理，累计上缴代扣税 489 万元，同比增长 17%。在酒类执法管理上，严格审核、发放、年检酒类批发经营许可证，组织专业执法队伍深入门店，查处无证经营，手续不全，过期使用，标识不符 100 余起，28000 余万瓶，金额 30 多万元。两项执法工作在全省名列前茅，省经贸委在全省推广临汾的经验。重点市场建设，加大批发市场建设的协调服务力度，进一步加强对市政府确定的 24 个重点市场项目的服务、督查工作。对区域性农副产品批发市场项目进行多次考察，向省经贸委申报隰县果品批发市场、洪洞蔬菜批发市场 2 个项目。跟踪检查省经贸委贴息支持的襄汾苹果批发市场、洪洞莲花市场、侯马粮油批发市场、大宁果品批发市场等项目建设进展情况。加大对成品油市场的监管力度，对全市原有批发企业 17 个、加油站 550 个按规定条件进行逐一审核，上报省经贸委批发企业 7 个、仓储企业 10 个、零售企业 449 个，7 个批发企业、449 个加油站已全部办理《成品油批发经营批准证书》和《成品油零售经营批准证书》；对全市的典当行业进行调查摸底，完成对典当行业管理的接收工作，并对全市申请设立典当行的 6 家单位进行考察。

（尚军　陈永森）

农村商业

【概述】 全市各级供销社按照省社 7 次社代会议精神，从实际出发，立足于服务“三农”，积极参与农村产业结构调整，促进农民增产增收。全年组织农业生产资料供应 14245 万元，完成棉花收购 2989 吨，商品购进总值 53745 万元，商品销售 64239 万元，为繁荣农村经济发挥积极作用。

【企业改革】 根据市社制定的《深化和完善供销社社有企业改革的实施意见》，推行股份有限公司、股份合作、租赁、承包、兼并等多种改革形式。对资不抵债、生存无望的企业进行拍卖破产。按照实现“三个转换”，抓好“两个重点”的改革思路，即：基层社转换体制，社有企业转换机制，联合社转换职能；重点抓好社直企业改制和基层社改革，全市供销社系统有 37 家企业推行股份制改革。

【扭亏增盈】 供销社历史形成包袱多、负担重，经营困难。面对严峻的局面，供销社系统从自身找原因，从工作找差距，从每个环节找问题。组织工作队先后深入市直各企业和部分县市供销社，调查研究，现场办公。召开全市供销社系统扭亏增盈动员会，会后组织人员深入部分县市检查落实情况，从 11 月开始，部分县市明显减亏，情况大有好转。年底，全市供销社系统盈利县市 6 个，盈利额 25.4 万元，同比减少 19.7 万元；亏损县市 6 个，亏损额 70.2 万元，同比减亏 158.3 万元；5 个县盈亏相抵持平。市直企业盈亏相抵后，亏损 40.9 万元，同比减亏 59.6 万元。

【市场建设】 全市供销社系统先后申报立项 9 项，建筑面积 22000 平方米，总投资 1900 余万元。其中：市场建设项目 4 项，建筑面积 17300 平方米，投资 2280 万元；仓库扩建项目 2 项，面积 2800 平方米，投资 168 万元；营业大厅 3 项，面积 5900 平方米，投资 500 万元。其中，襄汾鞋帽批发市场、大宁鞋帽批发市场和翼城食盐仓库已竣工。

（乔丽萍）

粮食购销

【概述】 全市粮食系统克服市场疲软、销售不畅、仓储暴满、费用紧缺的困难，实现粮食工作自粮食放开以来的新突破，全年收购粮食 23.952 万吨，超任务 1.5 万吨的 59.7%；全年销售粮食 5.9699 亿斤，超任务 3 亿斤的 99%；全年完成利润 107.41 万元，超任务 25 万元的 310%，被省局授予模范单位称号。在仓库建设方面，投资 2737 万元，新建仓库 74 座，增加仓容 8.5 万吨；投资 113.5 万元，维修仓库 87 座，仓容量为 3.335 万吨；投资 63.4 万元，硬化地面 15495 平方米；投资 1.7 万元，维修仓库围墙 400 米；襄汾南辛店国家储备库建设进展顺利，临汾 5 万吨库、翼城王庄 0.5 万吨粮库扩建项目主体工程基本完工。在安全保粮方面，科学保粮率达到 80%，全部达到“一符四无”标准。完成 1.465 万吨的省储备粮轮换任务和陈化粮技术鉴定工作。全市共发放救灾粮 658 万吨，供应退耕还林粮 2000 万吨。在全市 122 个附营企业中，完成改制 56 个，分流人员 1320 人，其中买断工龄的 226 人。

吉县粮局突出收储企业工作的增收节支、开源节流，创造盈利 15 万元的好成绩，名列全市第一；安泽县粮局狠抓粮食销售工作，采取设立营销网点和工效挂钩等措施，全年销售粮食 5310 万吨，名列全市榜首；尧都区粮局以改制促经营，45 个附营企业，除“两有三无”单位外全部改制，人员、资产实行双置换。企业在新的机制下焕发生机和活力，收到良好的经济效益；翼城、襄汾县粮局一手抓仓储建设，一手抓企业经营，翼城 0.5 万吨仓库如期完工，夏粮收购投入使用；襄汾 4 万吨仓库按进度高标准、高质量地完成前期工作，秋粮收购投入使用。同时，这两个县积极采取经营对策，经济效益也名列全市前茅；曲沃、永和县粮局和侯马储备库也各尽其物，积极开拓经营渠道，特别在企业改制、企业财务管理、企业经营管理等方面取得突破和发展，拉动经济效益的稳步增长；洪洞县粮局在粮食收购工作上，方法得当，措施得力，完成粮食入库 3309 万吨，名列全市之首；侯马市粮局狠抓品牌效益，“浍源牌”面粉赢得较好的市场信誉，使经济效益和社会效益同步提高；隰县粮局在收购销售上措施硬、办法多、经营活，经济效益明显提高。

石油营销

【概述】　临汾石油公司隶属于中国石油化工集团公司，下辖17个县（市）公司，共有干部职工1138人。现有运作中的油库4座，总容量5.09万立方米，拥有加油站214座，农村网点80个，分布在全市区域各城市中心、霍侯路、大运路及国道、省道等主要交通要道和重点乡村，覆盖面达到85%以上。同时，拥有集住宿、餐厅、娱乐为一体的三星级黄河大酒店等7个经营实体。全市石油系统按照“发扬一个精神（开拓进取、求实创新、尽职尽责、争创一流的企业精神），狠抓五项创新（营销服务、机制转换、科学管理、思想政治工作、本职岗位创新），完善两个体系（县市公司一体化管理体系、加油站形象管理体系），实现两个最大化（市场控制力最大化、经济效益最大化）”的总体工作思路，开拓进取，真抓实干，较好地完成各项工作任务。全年共销售成品油26.92万吨，完成省公司下达销售计划22万吨的122.4%，较上年多销6.91万吨，增长34.53%，其中零售总量完成17.41万吨，多销4.81万吨，增长38.28%，完成省公司下达销售计划14.5万吨的120%；实现利润780.69万元，完成省公司下达计划880万元的106.47%；东芦油库安全管理工作再创全省系统第一；加油站管理工作继续保持全省系统领先。

【营销服务】　深入市场调研，建立统一、完整、详细的用户档案，构筑“三足鼎立，中心开花”的批发配送格局，规范内部经营管理秩序，加强市场整顿工作，先后在乡宁、吉县、洪洞等地取缔土炼油炉51座，截堵贩运劣油380余吨，查封经销劣油个体加油站38座，没收油品79吨，有效净化外部市场。推进优质服务工作，深入开展加油站达标创星”竞赛活动。对各县（市）公司进行督查，对城市、主要交通要道的站点普遍进行检查，检查面95%以上，督查内容囊括标准化服务、油品数质量、安全生产、站容站貌等各个方面，有力地促进加油站的各项管理。

【机制转换】　重新制定《临汾石油公司中层干部考核试行办法》，对县（市）公司领导班子成员和市直机关、实体副科以上干部进行考核。按照“公开、公平、公正”的原则，择优选拔12人担任站长。制定《临汾石油系统加油站工资与销量和管理目标挂钩办法》，向每位员工发放逐日销量记录册，使当班员工依据当日加油量就能知道个人所得，从而大大增强员工的销售积极性。实施“七统一、一挂钩”管理办法，即：统一资源配送、统一销售价格、统一资金管理、统一投资决策、统一关联交易清算、统一人力资源配置、统一利润分配和可控费用定额包干、工资福利和销售挂钩的市、县公司经营管理一体化管理体系。

【科学管理】　全面落实安全管理“五个到位”（即制度到位、教育到位、规范到位、检查到位、整改到位），全市系统安全生产无事故。根据集团公司、省公司有关加油站管理的规定，结合自身实际，编排印发内容具体、便于操作、约2.4万字的《临汾公司加油站形象管理体系》，指导全市系统加油站管理工作。加强人事教育与管理。通过多次召开职工大会，讲政策、讲形势和采取座谈谈心形式，帮助职工更新观念，提高认识，促进减员分流工作顺利进行。6月底，全市系统共协议解除劳动合同关系人员567人，占职工总数的43.2%，占省公司下达年度任务306人的185%，完成5年减员分流计划617人的92%。同时，严格按年销量200吨定编1人的标准核定加油站员工，减少临时用工227人。监察工作紧密结合企业实际，成立效能监察领导组，制定实施方案，通过自查、抽查办法，全市系统财务收支两条线执行情况和2000年加油站建设资金使用情况收到较好效果，避免经济损失57万元，追、清回各种应收款2178万元。对全市17个县（市）公司完成目标审计，审计金额7.8亿元，审定不合理资金200余万元，占审计金额的3.5%。

【思想政治工作】 坚持思想政治工作紧紧围绕企业中心工作进行，以“创名流、树形象”为目标，党政工团齐抓共管，开展多种形式的劳动竞赛活动，每季度对加油站“达标创星”工作进行一次考核，奖优罚劣，末位淘汰。开展本职岗位创新工作。广大干部职工出智慧、想办法，尽职尽责、爱岗敬业，形成“人人乐于奉献，个个争创第一”的工作氛围，涌现出近百名加油能手和12名服务标兵。

附：

·获奖情况·

集　体

石油公司被全国总工会、国家经贸委授予全国“安康杯”竞赛活动优胜企业、被山西省消防协会授予会员单位、被山西省政府授予消防工作先进单位、被山西省总工会、财贸工委评为优质服务先进集体、被团省委评为创建“青年文明号”活动优秀组织单位

个　人

任保才同志被山西省委、省政府授予山西省特级劳模、被山西省企业家协会评为山西省优秀企业家

乔彩峰同志获全国财贸工委优秀工会工作者

王英同志被评为中国石化集团公司思想政治工作先进个人

李翼萍同志获中国石化集团公司、团中央青年岗位能手

李灵喜同志被评为中国石化集团公司安全生产管理先进个人

范丽同志被评为中国石化集团公司销售公司优秀加油员

张钢同志被团省委评为创建“青年文明号”活动先进工作者

曹萍同志获山西省石油总公司“百日零售立功活动优秀加油员”

（张晓燕）

烟草专卖

【实现地产烟盈利“零”的突破】 全市烟草系统提出“奏响地产烟销售主旋律，大打临汾烟草翻身仗”目标，制定地产烟销售实施方案和奖惩措施，放开地产烟购进权。各县、市公司研究本地市场，以销定购，确定品牌，培育品牌，坚定不移地执行省公司规定的地产烟最低限价，使地产烟逐步由总体亏损到总体盈利，年底，全市纯地产烟盈利达到111万元，其中翼城县公司盈利31万元，取得历史性突破。全市累计购进省外卷烟66440箱，比上年的78667箱减少12227箱，下降15.54%。

【城乡销售网建设】 城网建设基本模式为“全面访销，全面配送，访销分离，管销一体”，对东西两山的小县采取“城乡兼顾，分类实施”的办法。在平川7县（市、区）取消城区批发部，建起配送中心，并投资200余万元购置送货工具；投资260余万元购置计算机及联网设备，向社会公开招聘88名大中专毕业生，经过计算机知识全面培训充实各网点。坚持做到“四化”，即设置合理化、管理标准化、服务优质化、经营规范化；经营上做到“四个一”，即一个笼头放水，一道价格供货，一种方式管理，一套制度考核。通过大投入、大运作收到大回报：全年城网销售达8378箱，同比增长136%，实现毛利385万元，同比增长150%，入网销售户由年初的384户增加到1079户，增加695户，日成交率达到45%以上。在主攻城网的同时，

对农网进行优化，撤并8个无效益点；针对网点布局不合理的状况，打破行政区域划分，重新核定送货线路，加大考核和奖惩力度，全市涌现出洪洞广胜寺、翼城里砦、浮山响水河、安泽河川、襄汾邓庄等一批优秀农村网点。

（宋建国）

盐业专营

【概述】 全市盐业系统坚持深化改革、食盐专营、盐政稽查、供好碘盐，积极开展各项工作，全年购进各种盐21313吨，完成年计划23400吨的91.1%，比上年增加1318吨。销售各种盐20889吨，完成年计划23400吨的89.3%，比上年增加506吨，其中：食盐完成13413吨，完成年计划17400吨的77.1%，比上年增加834吨；精碘盐完成5658吨，比上年减少3026吨；工业盐7476吨，完成年计划6000吨的124.6%，比上年减少328吨。销售总值1256.3万元，完成年计划1450万元的86.6%，比上年减少25.9万元。费用总额452万元，比计划454万元降低0.4%，比上年降低8.4%，其中经营费用269.4万元，比计划287万元降低6.1%，比上年降低13.5%；管理费用177.6万元，比计划160万元增加11%，比上年增加0.48%；财务费用5.2万元，比计划7万元降低25.7%，比上年降低16.1%。主营利润140.2万元，完成年计划140万元的100.1%。多种经营利润56.5万元，完成年计划55万元的102.7%。

【盐政宣传活动】 先后进行了“3·15”、“5·15”、“12·4”宣传日活动，组织宣传车队，配备盐政宣传人员，由分局领导带队，深入14个县（市）的100余个乡镇，一边宣传一边稽查，发现私盐，立即收缴，并现场讲法。3次宣传活动，市内共设宣传咨询站7个，出动宣传车40台次，宣传员370人次，发放宣传材料8万余份，接受宣传50万人，《临汾日报》刊登分局通告，省、市电视台2次采访报道。

【盐政稽查】 成立临汾公安盐务打假打私办公室，以临政办发明电（2001）50号下发《关于进一步整顿规范盐业市场，打击非法加工经营食盐专项行动的紧急通知》。霍州、洪洞、浮山、吉县等县（市）政府也下发通知，联合公安、派出所、刑警队、110进行路查、夜查，给私盐贩子以震撼和打击。全年查办各类盐业违法案件159起，查获各类违法盐产品112.6吨、假标假袋16057余条，罚款33620元，捣毁私盐加工窝点1个、私盐销售窝点10余个，查扣贩运私盐车辆5部，经司法机关以“非法经营罪”批捕2人，直捕1人，直诉2人。

对外贸易

【概述】 全市对外贸易经济合作工作，坚持优化外经贸结构，实现出口主体的多元化、出口市场的多元化和出口渠道的多元化。对外经贸企业采取重点扶持、政策激励的策略，先后对17家企业实行挂牌保护，对出口创汇企业进行奖励，组织企业参加华交会、广交会、大连出口商品交易会、乌洽会、晋洽会等国内各类外经贸交易会和商品展览会，结识客户100多家，签订出口合同金额超过2000万美元。积极应对“入世”，克服国际形势起伏、世界经济增长减缓的不利影响，超额完成全年各项任务。全市外贸进出口总额完成6410万美元，占全年任务5114万美元的125.3%，比上年增长34.9%，增幅超过全国、全省平均水平，在全省名列第3。其中，出口完成4245万美元，占全年任务4043万美元的105%，同比增长13.7%；进口完成2165万美元，占全年任务1071万美元的202.1%，同比增长112.3%。进出口相抵，实现贸易顺差2080万美元。招商引资不断扩大，抓住国家向中西部地区投资机遇，对外推出一批有发展潜力、有吸引力的招商引资项目，在烟台"亚太经合组织招商洽谈会"、"山西国际经贸旅游周"、厦门"第五届中国投资贸易洽谈会"，共签订利用外资项目意向31个，协议外资总额1.1亿美元。为企业争取到焦炭出口许可证38万吨、桐木板出口配额150立方。帮助乔山公司申请到出口贴息11万元。对25家贸易公司、生产企业进出口资格进行年审。对全市外经贸企业进行WTO知识培训，协调出口企业与银行、税务、工商、外管等部门的关系，为全市外贸企业的发展创造条件。

【优化出口结构】 采取扶强扶优，优化出口主体结构。对有出口实力和潜力的山焦集团、新临钢、华翔互兴冶铸、惠通达、华盛等企业重点扶持、政策激励，鼓励出口，共同发展。全市有进出口实绩的企业达到27家，同比增加6家，其中进出口总额超过100万美元的企业14家，同比增加5家，超过500万美元的5家。优化重点出口商品结构，扩大环宇牌染料、汾河牌柠檬酸、乔山牌铸铁管件、华盛体育器材等一批潜力商品的出口，铸件出口312万美元，比上年增长60%；硫化染料出口368万美元，增长50%；机电产品出口1220万美元，增长46%。工业制成品出口2552万美元，占全市出口总额的60%。培育出芸豆、聚乙烯醇、金属硅、硫酸铝、远志筒等新的出口商品。全市出口商品达23类50多个品种。

【积极引进外资】 全年合同外资总额3273万美元，完成任务的218%，实际到位外资245万美元，到位率比上年增长380%。坚持引资重点向基础设施、环保、高新产业项目和传统产业技改项目上的转移，批准新建了山西华翔同创铸造有限公司（合同外资36万美元）、山西晋怡机械铸造有限公司（合同外资30万美元）、山西天德工业燃气有限公司（合同外资280万美元）、山西宏昌能源开发有限公司（合同外资1283万美元）、侯马普天荣盛光缆有限公司（合同外资564万美元）、山西华英焦化有限公司（合同外资1080万美元）等6家大型"三资"企业。

【中国国际电子商务中心临汾分部成立】 中国国际电子商务网是一个跨国界、跨部门、跨地区、跨行业、覆盖全国、连通世界的国家级电子商务网，是集外经贸业务管理、信息、服务三位一体的国家惟一的外经贸专用网络，国家"金关工程"的骨干网络，被称为中国永不闭幕的广交会。现已实现网上配额许可证管理、进出口贸易统计管理、进出口许可证管理核查、进出口许可证联网申领、国家原产地证EDI（电子数据交换）方式申领、全国出口商品招标管理、加工贸易项目申报审批等业务。临汾市对外贸易经济合作局2001年5月组织成立中国国际电子商务中心临汾分部，有10家外经贸企业通过该"电子商务中心"上网，为20家企业发布供求信息100多条。

（郭子岚）

临汾市出口产品名录

表五

代　号	品　名	单　位	数　量	金额（美元）
00	总　值			51675301
01	粮油			1832001
0102	豆类	公吨	4990	1832001
010202	蚕豆	公吨	268	80400
010207	红小豆	公吨	3753	1421373
010208	豇豆	公吨	162	64800
010209	芸豆	公吨	702	230148
010299	其他豆	公吨	105	35280
03	食用植物及其产品			8900
0305	干菜及制品			8900
030516	辣椒干	公吨	10	8900
16	纺织品			1194709
1609	化纤布	万米		1194709
160901	棉涤纶布	万米		1194709
16090101	坯布	万米	4027905	1194709
24	纸浆、纸张及制品			534934
2402	纸张	公吨		534934
240299	其他纸	公吨	713	534934
29	黑色金属	美元		9346270
290107	钢坯	公吨	15454	3276337
2909	铸铁制品	公吨		6069933
290901	铸铁件	公吨	5759	1866350
290903	铸铁管	公吨	12386	4213583
30	有色金属			1700000
3001	有色金属矿产品			1700000
300110	锌	公吨	2350	1700000
32	煤炭及煤制品			28879620
3202	焦炭	公吨	400495	28879620
34	化工原料			2344471
3421	醇、醛化工品	公吨		2344471
342106	聚乙烯醇	公吨	120	160441
342199	其它醇、醛化工品	公吨	2199	2184030
36	油漆、油墨及染料			3413170
3601	各种染料	公吨	3556	3413170
40	中药材			65100
4001	植物药材			65100
400148	柴胡	公吨	10	38000
400156	远志	公吨	5	23100
400199	其他植物药材			4000
42	医药原料			2267072
4299	其他医药原料			2267072
429924	柠檬酸	公斤	3876000	2267072
48	汽车、电车、摩托车及零件			89054
4805	汽车零件			89054
480501	发动机及零件			89054
48050109	曲轴			79800
480504	行驶转向及制动零件			9254
48050403	盘式制动器			9254

临汾市“三资”企业名单

表六

企业名称	地址／住所	企业类别	国家或地区	从业人数	投资总额（万美元）	注册资本(中)(万美元)	注册资本(外)(万美元)
山西太阳神焦化有限公司	山西古县城关镇	合资	日本	90	73.51	55.05	18.46
山西临汾瑞域炼铁有限公司	山西省襄汾县陶寺乡刘贾村	合资	马来西亚	55	72.46	12.7	59.76
山西晋升彩艺印刷有限公司	临汾市造漆厂院内	合资	台湾省	40	78.4	14	43
山西拉克曼钻石开发有限公司	临汾市五一东路10号	合资	俄罗斯	286	60	40	20
山西大吉房地产开发有限公司	山西省临汾市古楼东大街47号	合资	美国	11	91.95	28.73	63.22
山西锦城铁业有限公司	山西省浮山县东张乡西张村	独资	台湾省	135	84	0	84
山西圣源酒精制品有限公司	霍州市城南乡圣佛村	合作	加拿大	100	988.8	48.8	940
山西襄翼道桥基建有限公司	临汾市解放东路26号	合作	香港	100	1985.55	357.58	437.04
山西临洪道桥基建有限公司	临汾市解放东路26号	合作	香港	100	1551.6	279.29	341.36
山西三丰冶炼有限公司	临汾市解放东路42号	合资	香港	102	72.29	54.22	18.07
山西金尧焦化有限公司	临汾市河西工业开发区	合作	香港	870	1605.28	1025.28	580
山西龙兴饮品有限公司	临汾市屯里台商投资开发区	合资	台湾省	98	295	154	126
山西海姿焦化有限公司	山西省临汾市小榆乡录井村	合资	香港	516	242	181	61
山西光宇电源有限公司	临汾市育红路8号	合资	香港	76	37.5	16.5	21
山西富临房地产开发有限公司	临汾市五一西路54号	合资	香港	12	120.5	24.1	96.4
山西惠通达焦化有限公司	山西省临汾市河西果树厂	合资	香港	125	144.4	101.4	43
山西普乐福房地产开发有限公司	临汾市向阳路16号	合资	台湾省	25	41	19.3	10
山西尧龙铁业有限公司	临汾市平阳南街73号	合资	香港	3	20	8	12
山西桃源实业有限公司	临汾市平阳北街7号	合资	香港	48	126	84	42
山西临汾祥和大厦	临汾市鼓楼东大街182号	合资	香港	366	300	200	100
山西华阳染化有限公司	临汾市尧庙乡	合资	日本	100	272.5	127.5	145
山西临汾旺安医院	临汾市东关大街51号	合资	台湾省	50	195	49	146
山西玉泉轩餐饮娱乐有限公司	临汾市鼓楼西大街路南31号	合资	香港	16	37.5	28.5	9
山西汤荣汽车配件制造有限公司	侯马市南郊	合资	捷克	300	84.85	45.45	15.15
新港房地产开发（山西）有限公司	临汾市东关大十字东关商城	独资	香港	20	400	0	210
山西泰盛焦化有限公司	山西省霍州市三合村	合资	香港	10	28.33	14.73	13.6
山西亚华制盖有限公司	曲沃县府西街4号	合资	香港	214	210	98	79
山西虹铄焦化企业有限公司	山西省洪洞县广胜寺镇	合资	香港	82	82	57	25
山西银茂煤业有限公司	汾西县僧念镇僧念村	合资	香港	80	96.6	36.9	35.4
山西华翔互兴冶铸有限公司	山西临汾市解放东路71号	合资	日本	306	120.48	72.29	48.19
山西汾华道桥工程有限公司	临汾市广宣街26号	合作	台湾省	14	1000	357	343
山西塔山纸质降解餐具有限公司	山西省襄汾县滨河路65号	合资	香港	65	36.3	7.6	17.8
山西切克斯精密机械有限公司	山西省洪洞县堤村乡堤村	合资	美国	35	50	24.5	25.5
山西力士机械铸造有限公司	山西省襄汾县邓庄镇	合资	美国	230	38.55	18.89	19.66
山西临台铁路发展有限公司	山西省临汾市兵站路31号	合作	香港	20	2997	10	1190
山西千禧冶炼有限公司	山西省临汾市土门镇	合作	香港	250	1000	0	998
山西三维欧美科化学有限公司	山西省洪洞县赵城镇	合资	美国	46	361.45	271.08	90.36
山西华翔同创铸造有限公司	临汾市北城镇党家楼中心街	合资	日本	106	169	85	36
山西天德工业燃气有限公司	山西临汾经济技术开发区	合作	澳大利亚	120	580	10	280
山西晋怡机械制造有限公司	襄汾县北高一工业区	合资	罗马尼亚	30	45	15	30
侯马普天荣盛光缆有限公司	山西侯马新田路258号	合资	香港	300	2712	520.48	563.86
山西华英焦化有限公司	山西省洪洞县赵城镇	合作	英国	247	2800	120	1080
合计：42				5799	21306.8	4672.87	8516.83

科学技术

科技管理

【概述】　全市科技工作全面实施科技强市战略，“围绕1条主线，实施5大工程，建立6大支撑体系，采取3项保障措施”展开。即：紧紧围绕“加强科技创新，发展高科技，实现产业化”主线；实施高新技术产业化工程、传统产业高级化工程、农业现代化工程、产学研合作社会化工程、民营科技企业规模化工程，建立完善科技投入体系、科技创新体系、信息网络体系、科技队伍体系、科技法制体系和科技普及体系，切实加强领导，创造良好环境，严格目标考核3条保障措施。出台《2001年科技依法行政目标责任制考核办法》，把科技工作纳入对各县（市、区）综合考核内容，科技3项费用依法到位。有15个县（市）科技3项费用达财政预算支出的1%以上。其中，古县、浮山和洪洞县科技3项费用分别达1.8%、1.5%和1.4%。全年科技3项费用1385万元，比上年增长38%，占当年财政预算支出的1.1%。

【农业科技示范】　以培训科技当家人和星火带头人为依托，大力开展农业科技成果的普及、推广。安泽、古县、吉县、乡宁、蒲县、襄汾等6个食用菌生产县对1.5万人进行“食用菌高效生产综合技术”培训；吉县、古县、洪洞、永和、隰县5个林果生产县有12万人进行“林果优质高效栽培技术”培训；平川县（市）有6万人接受“蔬菜栽培技术”培训。科技示范基地建设，全市有12个农业科技示范园区和10个科技成果示范基地，洪洞园区通过省科技厅验收、尧都屯里园区通过市级验收，其它3个市级园区具备验收条件。全市17个县（市、区）都建有示范园区，园区总面积0.2万公顷，实施新技术或新产品59项。山区特色农业，古县双孢菇食用菌在上年2000棚、40万平方米的基础上增至3000棚、60万平方米，建设100万瓶生产能力的菌种厂和年产3000吨的双孢菇罐头厂，实行产、加、销一条龙。安泽香菇、大宁火鸡、浮山元宝枫等特色农业已形成一定规模。开展农村技术承包，有16个县（市、区）组织各类农村技术承包66项，其中承担省级农村技术承包项目6项，涉及水利、畜牧、粮食、林果、蔬菜、经济作物等专业，参加承包57人，其中科技人员53人。

【科技宣传和科技网络】　开展多种形式的科技宣传月、周、日活动，全省“科技活动周”期间，市科技局会同市委宣传部、市科协共同制定出台《临汾市关于开展“科技活动周”的实施方案》，广泛开展“科技在我身边”为主题的科普宣传活动。市科技局组织科技下乡服务团，深入安泽县冀氏镇开展科技下乡服务活动，聘请养殖、种植、蔬菜、林果等农业方面的专家，现场为农民提供咨询服务，发放各类相关图书资料5000余份，参加活动的群众2万余人。襄汾、霍州、曲沃等县（市）分别举办各具特色的“农家”、“农民之友”、“金桥”等群众喜闻乐见的电视节目。全年市县两级通过各种媒体和上级部门发送各类科技动态信息300余条。17个县（市、区）都建立科技网络，部分县（市）还建立项目数据库，绝大多数县（市、区）实现计算机网络传输。

【首届“产学研”高新技术项目发布洽谈会】9月24～26日，首届“产学研”高新技术项目发布洽谈会在临汾宾馆召开。国内41所大专院校和科研院所的111位专家教授考察会诊、现场指导。各界人士1500余人参加会议，会上共签署技术和项目合作意向143个，签订项目合作协议13项。会议就加入WTO和企业创新战略举办两个专题讲座，市委、市政府和各县（市、区）有关领导近300人听讲。

【省级科研项目】

1．优质银杏种植及产品加工

开发能优化环境、挂果早且市场广阔的园玲9号、金坠13号等优质银杏新品种，形成立体种植区域。

侯马市银杏种植有限公司承担

2．浓缩苹果汁

充分利用当地丰富的苹果资源，尤其是大量的残次果，进行苹果深加工，开发浓缩苹果汁。经济、社会效益较为显著。

襄汾农机公司承担

3．引进DISAMATIC技术生产汽车和航空精密铸件

该项目主要运用DISAMATIC工艺生产线生产精密铸件产品，主要以小型精密部件为主，如汽车发动机上的零配件、曲轴类、进排气歧管等，飞机发动机上的精密零配件等高级精铸配件。

山西临汾华翔实业有限公司承担

4．1000吨／年硫酸钙晶须

该项目是以石膏为主要原料，生产纤维状无水硫酸钙晶须，具有固定的横截面形状，完整的外形，完善的内部结构。

山西丰繁技术发展有限责任公司承担

5．PP－R热水管、上水管及高效像塑渗水管

该产品是一种以塑化钢为原料的新型建材，原辅材料达到食品卫生要求。PP－R管材质轻、无毒、耐磨、耐热、耐腐蚀。

山西省洪洞县兴人绿色塑管厂承担

6．2万吨／年石膏晶须（配产高强度石膏）

该产品是采用特种生产工艺制成的一种高性能新产品。补强效果十分明显，主要用于橡胶、塑料、造纸的填充剂或主要原料，提高产品的拉伸强度、白度、光洁度、抗冲击性能。

山西汾西县银河石膏有限公司承担

7．杂交玉米制种技术

1～12月对翼城县隆化镇、桥上镇的800公顷农田进行杂交玉米制种承包。采用父母本花期调节、超前去雄等技术进行优化育种。

翼城县种子公司、种子管理站承担

8．双季脱毒马铃薯生产技术

2001～2005年对洪洞县龙马、万安镇等乡333.4公顷脱毒马铃薯二季栽培进行全程技术承包。采用优种，配方施肥，覆盖栽培，立体种植，化学调控，病虫害无公害防治技术，达到增产增收的目的。

洪洞县农业技术推广站承担

9．高标准节水灌溉工程

1～12月，对洪洞县城关镇204.7公顷水地采用自压喷灌、自压管灌、加压喷灌、加压管灌及园田化节水畦灌，计算机控制及自动化测墒技术。实行喷灌、管灌设备、园田化设备由灌区统一管理，园田化由受益村承包管理。

洪洞县霍泉水利管理处承担

10．旱作农业综合技术

1～12月，对乡宁县昌宁镇733.4公顷小麦、玉米进行技术承包，采用晋麦54号、57号，药剂微肥拌种，地膜覆盖、平衡施肥，综合防病除虫等技术，进行技术培训和现场技术指导。

乡宁县农技站承担

11．元宝枫丰产技术

2～12月，对浮山县寨圪塔等6镇1333.4公顷苹果进行技术承包，采取统一调购苗木，统一使用ABT生根粉、根宝等试剂。应用经流林业、覆盖林业综合丰产技术，建立10个高标准示范区。

浮山县科委承担

12．大棚经济作物优质无公害生产技术

1～12月，对吉县兰家河乡13.33公顷大棚作物进行无公害生产技术承包。通过组织培训、技术服务、物资供应等形式，科学利用生物防治、物理防治、控制化学防治，提高作物品质和产量，达到无公害标准。

吉县科技服务中心承担

13．波尔山羊杂交肉用羔羊生物技术

1～12月，对浮山县7乡共25000只山羊进行技术承包。采用种羊引进和培育、饲养管理配套、人工授精等技术，提高出栏率和出栏体

重，增加农民的经济效益和社会效益。

临汾市农畜改良站、浮山县畜牧局承担

14．新型液态混合发酵法生产果醋

果醋是新型高档调味品、保健食品，还是饮料、食品、医药化工等工业中的添加剂和重要原料。

山西省临汾太行果类食品有限公司承担

15．黄河壶口景区生态综合治理技术研究

通过对该区域采取土质类型普查，生态治理区域规划，林种配置及树种、草种选择，蓄水保墒，植树种草，乔、灌、草生态林的培育等技术措施与工程措施的综合开发，逐步改善壶口旅游区的生态环境面貌，促进我省旅游业的健康发展。

吉县科委承担

16．变态润滑油（剂）

该项目利用可再生资源替代石油资源为主要原料，生产环保型系列润滑油。项目主要原料为蓖麻籽和马铃薯，重点解决变态润滑油（剂）添加。

山西省临汾双诚实业集团总公司承担

17．日光节能温室配套技术推广

推广适合我省情况的新型日光温室标准构型，引进示范、推广先进的架构材料、无土栽培技术、局域环境控制技术、温室耕作机械、微灌设备等。推广面积 333.35 公顷。

浮山县科委等承担

18．玉米芯栽培平菇、金针菇高产高效配套技术

该技术以玉米芯为主料，原料不经高温堆积发酵，石灰水浸泡和加热灭菌，而是改变传统的栽培方法，选出适宜玉米芯栽培的高产菌株改用整玉米芯或玉米芯粉为颗粒，改加通气塞为刺孔通气，大棚覆土等技术内容，使其达到高产高效的目的。

安泽县食用菌研究所承担

19．三倍体毛白杨新优良种的繁育与栽培技术

三倍体毛白杨有着速生、优质、抗病、高速优势，是我国目前急需的短周期造纸和人造板优良树种，也是国土绿化造林所急需用的优良品种。该项目计划在襄汾县育苗 66.67 公顷，造林 600 公顷。

襄汾县科委等承担

20．果口美容防裂防锈技术

应用“三喷果面净”进行果品美容防裂防锈，该技术既能保留套袋栽培技术的全部优点，又克服其成本高、品质差的缺陷，能有效提高果品的外观和内质，是替代套袋栽培的理想技术。推广规模为 0.667 万公顷。

吉县科委承担

21．红枣保鲜贮藏系列技术

主要采用紫外线辐射灭菌、聚丙烯塑料袋小包装和两个不同低温度调控区段方法，使鲜枣恒温库存 6 个月以上，好果率大于 95%，Vc 含量损失小于 10%，保留原鲜枣的品质和风味。

山西临汾巨龙实业有限公司、临汾市科委承担

22．绿光系列生物肥推广

该系列生物肥及菌种能全面增加土壤肥力、保肥、保水、通气、营养全面、肥效持久、增强植物抗病旱能力，使用简便，是适合当地推广的国家专利产品。项目计划推广小麦专用肥 0.26 万公顷、苹果专用肥 0.13 万公顷、蔬菜专用肥 333.4 公顷。

霍州市科技开发服务中心、霍州市科委承担

23．SV 高效有机无机复肥推广

该肥料集有机、无机、生物菌、无土矿物肥四维互混，具有低成本、全营养、长效、生态型等特点。本项目拟通过测土与配方施肥技术，在果树、小麦、蔬菜、瓜类等作物上推广施用约 1.67 万公顷。

曲沃县科委承担

24．晋蓖 1 号推广

与汾阳蓖麻研究所协作，主要推广“晋蓖 1 号”的播种和田间管理等栽培技术，以及蓖麻蚕养、茎叶和秸秆加工技术。

推广建设种植基地 1.67 万公顷、蓖麻蚕养殖基地 0.667 万公顷。

临汾市尧宇农业发展有限公司承担

25．香菇双孢菇品种选育及配套技术开发

安泽县科委、古县科委承担

26．香菇袋料生产技术应用研究
蒲县科委、吉县科委承担

附：

·全市各类科研所名单·

临汾市科技情报研究所
临汾市林业科学研究所
临汾市水利科学研究所
临汾市地方病防治研究站
临汾市农机机械研究所
临汾市水土保持科学研究所

·民营科技企业名录·

山西省临汾双诚实业集团总公司
山西金尧焦化有限公司
山西临汾华翔实业有限公司
襄汾县油漆厂
山西襄汾县有色金属实业有限公司
山西省侯马市银杏种植有限公司
侯马市黄河高效农业研究所

（朱洪幸）

气　象

【气候评价】　全年气候概况：3～7月中旬几乎无大范围的好雨过程，降水日数也明显偏少，总降水量较历年同期平均值偏少70%左右，对农业生产造成严重威胁。8月份降水日数虽较多，但雨量不大，对麦田底墒蓄存不利。直到9月中旬，气候背景才有明显改观，出现长时间的连阴雨天气。进入冬季又干旱少雨雪。

主要气候要素值：

气温　全市年平均气温12.3℃，较历年平均值偏高1.3℃，个别区域高出1.7℃。年内极端最高气温40.3℃（7月1日，尧都区）。年内极端最低气温－17.4℃（1月14日，隰县）。无霜期较历年偏长10天左右。

降水　全市年平均降水量400.5毫米，较历年平均值偏少131.3毫米，偏少3成，比上年偏少74.8毫米。2月下旬～7月下旬末没有出现一场有效降水。

日照　全市平均年日照时数为2214.6小时，较历年平均值少308.4小时。近年来日照时数呈下降趋势。

主要气候事件及影响：

干旱　春夏之际高温连旱，据气象资料，如此干旱为50年不遇。自2月下旬～7月下旬，高温持续且无一场有效降水，秋作物下种困难，造成秋作物大幅度减产。

“7·27”暴雨　百日无雨天大旱、一日暴雨水横流。本年度在经历5个月之久的高温干旱后，7月27日受副热带高压和西风带小槽共同影响，全市大部分地区出现一场暴雨，由于雨势强劲，出现较大的地表径流，汾河第一次行洪，乡间道路、农田渠道出现积水，并造成一些危房、土墙倒塌。

多年不遇的秋季连阴雨　入秋后，大气环流出现调整，暖湿气流异常活跃，在人工影响天气的作用下，9月降水日数17天，连续降水日数10天，降水量突破历年平均值。10月虽然降水量不大，但阴雨日数也达14天之久，一改15年秋季高温少雨的状况。虽缓解污浊干燥的大气状况，但对晚熟秋作物的收获及部分冬小麦的播种造成一定影响。纵观全年气候，对小麦影响利大于弊，对秋作物是弊大于利。

【气象服务】　市气象局共向市委、市政府及农业部门提供各种决策服务材料50余份；各县（市）气象局向当地政府提供决策服务材料100余份。力求在服务的多样化和多元化上下功夫，在服务质量上做文章。针对全市农业产业结构调整对气象信息的需求，重新制定决策服务方案，将党政机关“要什么给什么”改变为“可能会要什么，提前做什么、上门送什么”，服务更加主动。人工增雨在严重干旱的关键时刻成功地解除旱象，《临汾日报》和临汾电视台等媒体都做了相关报道，受到市委、市政府的肯定和勉励。

【气象现代化建设】　市气象局组织业务骨干对16个县（市）局的所有地面观测仪器进行全面巡回检修、鉴定，共鉴定仪器30余套，修理自记风20余台，安装调试雨量计20余台，并对分级交换网的防雷及接地安装进行测试，保障业务工作的正常开展。在搞好基础业务的同时，花大力气发展气象现代化建设，4 月，邀请无锡雷达厂的技术人员对雷达天线重新进行调试、标定，使之正常投入使用。同时，在省气象局网络中心的指导下，全面完成 VSAT 单收站的安装，并对 10 个综改台站的地面仪器全部进行更新。气象台局域网服务器升级，使“121”天气自动答询系统的服务信箱增至 10 个。

【科研教育】 在搞好常规气象服务的同时，先后开展城市环境气象、森林火险警报、生活指数预报等研究，部分成果如空气质量预警系统通过专家鉴定，并投入业务试运行。在做好日常天气预报的同时，研究开发出许多实用性强、操作灵活且运行稳定的应用软件，如地市级报文收集和自动转发系统、县级自动发报系统、周边城市及铁路沿线天气预报等信息收集系统等，这些实用软件的应用大大提高气象服务工作的效益。本年度，市局先后举办各类全市性培训班 5 个，培训人数 200 人（次）；另有 13 人参加各类学历教育。

【气象法制建设】 全市气象部门学习、宣传《气象法》和《山西省气象条例》等法律、法规。蒲县气象局利用庙会期间印发宣传材料 2 万份，扩大《气象法》的宣传，收到良好的效果。市气象局执法大队在全市范围内开展执法大检查，查处一些违反气象法律、法规的行为，促进地方气象事业的发展，保护气象探测环境。

（郭杰　王安民）

防震减灾

【概述】 地震减灾工作围绕 7 月 25 日发生的尧都区魏村 4.5 级强有感地震，紧密联系监测预报、灾害预防、地震应急 3 大工作体系实际，找差距、摆问题、定措施，克服资金短缺、设备落后等困难，积极强化 3 大工作体系建设，使防震减灾工作扎扎实实向前推进。

【防震减灾示范区项目】 临汾被列入国家“实现防震减灾 10 年目标”示范（达标）区，示范区项目主要包括：临汾防震减灾指挥中心大楼、指挥中心技术系统、数字地震与前兆观测系统、临汾市活断层探测与地震危害性评价工程、震害预测与评估系统、宣传教育系统等 6 大内容，项目建成后，将成为山西省防震减灾指挥中心二级平台，大大增强山西中南部防震减灾综合防御能力。该项目得到市委、市政府领导重视，目前正在立项阶段。

【监测预报网络化】 解决监测网络设备老化、台网布局不合理、监测手段单一等问题，发挥传统地下水监测手段优势，加快洪洞坂塌、侯马北庄井数字化改造；充实完善辖区电磁波观测网络，新增 3 个电磁波观测站，使布局趋于合理，观测更加科学。监测手段的加强，大大提高震情会商质量。除坚持平时 1～2 个月召开 1 次会商会和有情况及时召开会商会外，还坚持“24 小时震情值班制度”、“会商卡片制度”、“异常落实不过夜制度”，为具备监控 6 级以上地震能力奠定良好基础。

【震灾预防工作】 开展辖区内抗震设备管理和安全性评价管理工作。5 月，对全市重点县（市、区）抗震设防工作提出明确要求：确保 3 个 100%（即：凡是在计划部门立项的工程项目，都要 100%审批；凡是须做安全性评价的项目，要 100%评价；凡是审批的抗震设防，要 100%正确）。全市共审批抗震设防要求 80 余项，并对临汾移动公司、霍州二电厂、临铁高层住宅楼等 10 几个项目进行地震安全性评价。

【尧都区发生 4.5 级地震】 7 月 25 日上午 9 时 07 分，尧都区魏村一带发生 4.5 级和 3.8 级强有感地震，是临汾市自 20 世纪 90 年代以来发生的一次最大地震。地震发生后，市地震局立即派人到地震台了解地震情况，20 分钟内收集到地震参数，并及时向市政府和省局上报，迅速启动市地震局应急预案，所有工作人员按照各自职责分工开展工作。监测中心人员密切监视震情，电话收集异常情况，认真分析地震及前兆观测资料，按照《临汾市震后趋势快速判定工作方案》，并结合省局紧急会商意见，对震后趋势做出初步判断：“认为近期内本市发生5级以上破坏性地震的可能性不大”，从而安定社会，稳定民心。

附：

·获奖情况·

市地震局获全国地市防震减灾综合评比二等奖、全国地震应急单项奖、全省防震减灾综合评比第一名

（廉涛）

测　绘

【概述】 测绘管理工作认真贯彻《测绘法》和《山西省测绘管理条例》，紧抓市场，主动参战，依法治测，以法兴测，为全市经济建设和社会发展服务。受市建设局委托，组织实施临汾市城市规划1：10000和1：1000比例尺地形图的测绘工作。从省内外多家测绘单位中，挑选山西省基础地理信息院承担测绘项目，两项成果分别于3月28日、10月25日通过全省专家组评审验收。整个工程外业部分采用GPS全球基础控制系统，内业采用国内最先进的全数字摄影测量工艺进行数字化成图。测绘成果包括正射影像图、数字高程模型和全要素数字线划图3个类别。不仅能满足临汾市2000年～2020年城市总体规划和详细规划的需要，还能满足城市建设和城市管理需要，并且为“数字城市”奠定基础。配合全市小城镇建设和村镇建设，组织市测绘院完成8个乡镇、12个村庄共计19平方公里，76幅1：1000比例尺地形图的测制。为服务于 “一河两路”及16个卫星城镇进行重点开发， 2～5月，对101个I、II等国家级水准点修建测标保护警示牌，9月，通过测绘局项目验收。

【测绘市场管理】 以复核测绘单位资格证为契机，检查各测绘单位测绘任务登记、测绘成果目录汇交、测绘产品质量、测绘生产技术、测绘档案资料管理制度等。制定3个标准：测绘单位必须取得测绘资格证，必须在施测前按照登记管理权限，到市、县两级测绘主管部门进行任务登记，必须定期到各级测绘主管部门进行成果目录汇交。明确了市、县两级测绘主管部门责任，提高测绘生产率和质量，规范测绘市场。联合有关单位，先后编制出版《临汾地区交通图》，临汾市、侯马市、翼城县、洪洞县、襄汾县5个县（市）商贸交通旅游图，临汾市尧都区行政区划图，对全市各大书店和各书摊进行突击检查，对无编制单位、无出版单位、无地图审图号的“三无”地图和盗版地图进行严肃处理。

【开展测绘系统质量年活动】 坚持“四个结合”：质量抽检和全面检查相结合，动态管理，不定期实地检查指导；开展质检活动，进行质量通检；质检结果和测绘单位的工序管理相结合，检查关键环节是否设立处是否有主要负责人，是否有工序管理流程表，是否明确相应的技术措施和质量标准；质检工作和提高硬件建设相结合，按照新的《测绘资格证书》进行核查，协助5家单位购置全站仪；质检工作和提高人员素质相结合，对测绘单位技术人员素质进行抽查，包括基本功、专业技术理论和新技术更新等。

（郭红霞）

地质勘探

【概述】 213地质队设生产经营、物资管理、地质调查、技术实验、施工队等科室16个，干部职工500余人， 坚持“地质找矿、工程勘查与施工、多种经营三业并举”方针，团结开拓，全面完成局下达的各项经济指标。累计完成产业经济总收入1206万元，实现到账收入1052万元；国有资产净增值40.37万元，增值率5.9%；安全生产达标，全年表内外伤亡“双为零”。调整机构，转换经营机制。树立和统一地盛公司的品牌和形象，建立现代企业组织结构，将机关和原五勘院管理机构进行合并重组，根据施工特点划分水井一处、二处、岩土工程一处、二处4个处，由公司进行直接管理，提高市场竞争能力。通过划小核算单位，实行项

目经理负责制等，堵塞漏洞，降低野外施工生产成本。扩大信息收集量，增加合同份额。

机关实行中层干部聘任制，工作人员取消档案工资，实行岗位工资；二级实体与机关签订《经营目标责任书》，按照多劳多得原则，由各单位负责人自主分配职工工资，拉开工资档次，充分调动职工工作积极性和主动性。严格按照 IS09002 质量体系要求运行，强化质量管理，顺利通过北京世标中心年度审核。单位成立物资管理部，完善物资设备的管理制度，对全队的物资设备进行全面清点整理，严格出入库手续，同时筹资 102 万元投入各种设备和配套，加大设备和配套材料的投入。

【实施 6 个矿产资源普查项目】 开展临汾十村山金矿普查、浮山刘家庄金矿普查、浮山诸神沟铝土矿详查、吉县东城膨润土普查、乡宁坂儿山花岗岩普查、洪洞安子坪花岗岩普查等 6 个资源补偿费项目工作。上述 6 个资源补偿费项目是从 4 月下旬开始野外工作，到 10 月底结束，历时 6 个月。主要成果是：进行 1／5000 地形测量 4.82KM^2，1／5000 地质填图 11.06 KM^2，1／2000 地质填图 7.92 KM^2，钻探 706.8M，坑探 1466M，槽探 7050KM^3，浅井 479.6M，试采 365KM^3。除吉县东城膨润土普查项目和汾西县诸神沟铝土矿详查项目，只做矿体分布和产状控制，发现两条好的断层，没搞储量计算外，其余四个项目分别做了矿产评价，累计求得金、花岗石矿石储量 897182 吨。11 月 19 日通过省国土资源厅的野外验收，并转入室内的资料整理和报告编写工作阶段。与此同时，面向市场，开展商业性地质勘查服务，完成和提交对外的各类矿山地质报告 190 份。实验室严格按照 IS09002 质量认证和国家计量认证的标准加强质量管理，筹资购置生产设备，修订质量手册，编制程序文件，增加焦碳转鼓强度试验、发热量测试等项目，全室职工坚持挂牌服务，制作宣传册，在市场疲软的不利形势下经济有所发展。此外，7 月还与山西天瑞房地产开发有限公司签订开发南家院意向书，积极培育新的经济增长点，巩固发展多种经营。

（徐颜兆）

学术论著

·论文选登·

【结构调整应处理好的若干重大关系】 2001 年 1 月 13 日《临汾日报》发表张茂才署名文章，称：改革开放以来，特别是近年来，临汾狠抓“打基础，调结构，治环境”三件大事，工业经济得到长足发展，基础设施建设取得突破性进展，结构调整起步良好，初步走出一条经济结构调整的新路子。截至到去年 10 月底，临汾共上各类重点调产项目 137 个，投资总规模为 44.95 亿，其中工业结构调整项目 103 个，主要集中在医药化工（14 个）、铸造（8 个）、农副产品加工（18 个）及传统产业的升级改造（42 个）等 4 大类产业。一些重点项目起步良好，环境治理力度加大，新的经济增长点不断涌现，各县（市、区）干部群众和企业调整产业结构、发展县域经济的决心很大，精神状态良好，方法对头，正呈现出你强我更强、互帮互赶、互学互促、各家争先恐后发展经济、调整结构的良好局面。很多省里来的同志和各县（市、区）的干部群众都认为这是多年来没有出现过的好形势。总结临汾经验，我认为在经济结构调整过程中应处理好以下重大关系。

（一）要处理好传统产业与新兴产业的关系

建国以来，特别是改革开放 20 多年来，临汾依靠资源优势，发展起以煤炭、焦炭、化工、冶炼等为主导的传统产业，应该说，这些产业在今后很长一段时间里还将是临汾的主导产业。根据经济学中的比较优势原理，以自己较高生产率的产品来交换别人较高生产率的产品，对双方来说都是有利的，可以获得事半功倍的效果；如果我们放弃优势而发展我们不具备优势的产品，那只能是事倍功半。目前来看，煤焦铁是我们先天的优势，发挥好这个传统优势，对临汾来说是十分重要的。

但是，世界经济发展的规律表明，仍然依赖于煤焦铁的发展已无法支撑临汾经济的快速发展。据原能源部部长黄毅诚透露，能源产业的增长与国民生产总值GDP的增长相关系数是0.4，即GDP增长1个百分点，能源工业的增长大约为0.4个百分点。由于越来越严重的污染压力，我国政府正在积极调整能源结构，一次能源中煤炭的比重在可以预计的时间内，会稳中有降，水能、核能、天然气、风能、太阳能等新兴能源的比重将会提高，这将给煤炭生产的增长更加增加了政策限制。据最近在荷兰召开的世界气候公约缔约国大会上，国家计委副主任刘江透露，去年我国每1万美元国民生产总值消耗的一次能源比上年下降 0.5 个百分点。

随着世纪之交以信息产业为代表的新技术革命风起云涌，在国民经济中的比重将会越来越提高，将会越来越不依赖于能源产业的增长。因此，把临汾未来持续快速发展只寄希望于煤炭是短视的，也是有害的。

焦炭和生铁冶炼主要依赖于钢铁工业的增长。美、日、欧等发达国家和地区钢铁工业总量已多年停滞不前。近年来，我国钢铁工业生产总量的增长也放慢了速度，更多地转向质量、品种、结构、效益等方面来，因此做为能源原材料来讲，焦炭和生铁的量的增长将是一个缓慢过程。

因此，炼焦铁今后面临的主要任务是如何加大生产过程的技术含量，提高产品的技术档次，增加产品深加工和延伸加工，提高产品的附加值和竞争力。这是发展新兴产业的一个主要方面。

第二个方面，就是发展一些技术含量不是很高但有很大市场潜力的产品如旅游产品、农副产品加工品和日常生活用品，关键是形成产业规模，形成市场营销网络。像浙江嵊州市领带工业就是明显的例子，年产领带2亿多条，我们为什么不能这样搞？

第三个方面，就是利用高技术和适用技术，发展新的经济增长点。我们应当有这个信心、决心和勇气，利用临汾的后发优势，借助于沿海发达地区和大中城市高新技术企业和大企业力量，搞配套加工、来料加工，成为他们的加工基地，借鸡生蛋，借船出海，这是一项大有前途的产业，以此起步，才能发展起自己的高新技术产业。苏南是我国经济最发达的地区，像苏州、无锡却基本上没有国内或国际名牌产品，但他们大力发展为国内外大型企业配套加工和来料加工，形成强大的加工工业，如苏州一家为国内外汽车厂加工零部件的企业，年产值10亿多，利税1亿多元。在这方面，临汾也有一些企业搞得不错，他们积极实施“双大”战略，即托大专院校和科研单位搞技术开发，依托大中型企业开拓市场；比如一县市把生铁冶炼延伸到铸铁、机械加工，为省内外一些大企业搞产品配套，收到了十分好的效果。

当然，无论是发展传统产业，还是新兴产业，都要充分利用和发挥资源优势，因地制宜地进行结构调整，切不可一哄而上。

（二）要处理好存量调整与增量调整的关系

目前一些地方对增量调整十分重视，引进资金、建设新项目的积极性很高，但对盘活存量重视不够，有的甚至放任自流。存量资产的调整主要是要解放思想，开拓思路，勇于改革，开拓创新。

要充分利用破产、租赁、拍卖、国有民营、股份合作制、股份制等改革形式，让存量资产活起来。尧都区把一座60万吨洗煤厂无偿划给山焦集团，盘活存量，增加税收，稳定就业，壮大集团实力，国有资产也没有流失，反而从整体上壮大国有资产的实力。当然，对于存量调整还有一个政策配套的问题。国家和省里的政策要用足用活，如沉淀、死滞资产的核销，国有、集体企业土地的开发利用等。

对存量调整和增量调整要同等重视，同时，要以增量调整引导和带动存量调整。在存量调整上，要大搞产品的深加工和延伸加工，为上游产品创造市场和提高附加值。

存量调整应注意的一个问题是必须创新，产品要创新，不能搞重复建设；体制要创新，不能复归老体制；科技要创新，不能低水平低档次；市场要创新，敢于到国内外大市场去竞争。

（三）要处理好政府调控、市场导向、企业投资的关系

政府要进行强有力地引导、规划、调控、

监督，特别要制定好政策，治理好软硬环境，搞好对企业的服务。

政府的调控要建立在符合市场规律的基础之上，结构调整的实质是资源的重新配置，要充分发挥市场机制在资源配置的基础作用。决不能搞长官意志，干预甚至代替市场规律，凡是市场能做的事，政府不要去管，不要去干涉，不要越俎代庖；要坚持有所为，有所不为。做为政府来讲，主要是创造公平的竞争环境，创造宽松发展环境，而不是代替企业去决策。

当然，市场也有失灵的时候。市场失灵主要表现为外部不经济，如企业过度竞争，造成价格不稳，一方面，使价格做为市场最敏感的信号失灵，导致企业决策失误；另一方面，造成价格暴跌，导致利益流失、企业倒闭和工人失业。外不经济还表现在环境污染、分配不公等。这就需要政府利用行政、法律、经济手段进行调节，对污染环境的企业进行关停并转，对下岗职工健全社会保障体系，构筑社会稳定的“安全网”等。

要充分尊重企业做为投资主体和市场主体的地位和作用，政府在宏观调控中，不能伤害企业自主决策的权力，特别是要防止操好心而办坏事的宏观决策和指导，这一点是很多基层党政领导同志容易犯的毛病。

（四）要处理好企业改革、改组和结构调整的关系

调整结构的过程也是企业改革、改组的过程，是一个所有制结构调整的过程，国有经济进行战略性改组，逐步“集中”和“退出”的过程，是多种所有制经济大发展的过程。要通过改革、改组，短期内促进结构调整的加快进行；从远来看，使企业有了适应市场竞争而自动进行结构调整的内生动力和机制。通过结构调整，加快企业改革、改组的步伐，造就企业新兴的现代企业制度。对优势企业、重点企业和列入潜力产品企业，要加快改制步伐，如条件允许，应积极扶持到证券市场上市；对新上项目，要建立完善项目法人制度，要按照投资主体多元化原则建立股权分散、合理、规范的现代企业制度；积极培育企业集团和龙头企业，围绕龙头企业组建跨地区跨行业的企业集团，增强产业联动和带头作用，促进全市经济的整体发展。在经济结构调整过程中，要大力发挥民营经济先天的体制优势，以所有制结构的调整来带动经济结构的调整。

（五）要处理好结构调整与可持续发展的关系

可持续发展是党中央、国务院确定的基本国策，是跨世纪发展的重大原则，是中国获得国民经济社会发展的基本准则，必须坚定不移地执行。在结构调整的过程中，要充分重视可持续发展的问题，坚持资源、环境、人口、生态、效益的均衡发展，决不为了眼前利益和局部利益而牺牲长远利益和整体利益。特别是生态环境问题，在调整结构的过程中，做为一个基本原则来考虑，凡是污染严重的小煤矿、小焦炉、小炼铁、小纸厂等国家政策明令禁止的要坚决关闭，不能心存侥幸。市、县政府调整过程中要讲清政策、积极引导，在政策上、利益导向上、行政手段上多管齐下，促使企业遵照执行国家政策。凡是违反国家政策的项目，规模再大，效益再好也不批准。要搞好资源的综合利用，在项目建设时，综合考虑。如尧都区新建的发电厂一家综合利用的典型，利用煤矸石发电、废渣用来制砖，综合效益是十分可观的。

（六）要搞好项目布局与区域协调发展的关系

经济结构的调整，包括产业结构、产品结构、行业结构、城乡结构、企业组织结构和区域布局等内容。无论涉及到哪一个层次的结构调整都要遵照市场经济规律。但在现行体制下，各级政府都掌握有一定的财力和权力，都有发展经济的积极性和利益趋动，这就在遵照市场规律和投资决策的关系上有了现实的矛盾。临汾市做为一个中观调控层次，应当协调好区域布局问题。

首先，要充分发挥中心城市的积聚、辐射、带动功能。目前，临汾市所在地尧都区尽管发展势头很好，但经济实力、基础设施、社会发展等还不具备中心城市应有的积聚、辐射和带动作用。如果一个具有 400 多万人、面积 1 万多平方公里，所辖县（市、区）达 17 个的临汾

市没有一个核心，是无法促进全市经济发展的，特别是地改市以后，对这样的一个核心的要求更强烈，这应当引起我们的高度重视。如果尧都区信息无法传递，基础设施无法适应，生活条件无法满足人们需要，人才与技术没有强大的科教基础支持，商品无法得到集聚与功能提升，资金无法供给，可以想象，临汾市的经济和社会的整体发展将受到极大制约。

其次，要加快沿汾河、沿霍侯、大运路重点区域的发展，这里集中了临汾70%以上的人口、80%以上的经济活动、90%的重点，这一狭长的地带人口密集、城镇密布、文化发达、交通便捷、土地肥沃，应当集中力量建设和发展，只有这样，才能整体带动全市经济和社会发展。

再次，加快城镇化步伐和东西两山脱贫致富步伐。城镇化是我国经济发展到一定阶段所要求的，农村过剩人口的消化，内需市场的扩大，脱贫致富奔小康目标的要求等，都对加快城镇化步伐提出更高的要求。临汾应把结构调整战略与城镇化战略结合起来，统筹规划，积极引导，促进二者的良性互动。东西两山面积广大，资源丰富，应当重点发展资源综合利用，农副林草综合加工项目，使这里的农村人口尽快富起来，使这里的生态环境尽快绿起来，美起来。

（七）要处理好加强企业管理、大力开拓市场与调整结构的关系

一个项目上去了，一个新产品开发出来了，如果没有严格而科学的企业管理，这个项目和产品也长久不了；如果没有大力开拓市场，这个产品也会藏在深山无人识，实现不了最终效益。新项目、新产品很多是技术含量高、规模比较大、现代化机器设备生产的，需要与之相适应的现代化管理和经营手段，传统的家庭作坊式的管理，计划经济条件下形成的管理模式已不适应了；好酒不怕巷子深的市场观念，舍得花钱搞投资、搞生产而不搞市场开拓的旧观念，都应及时更新，要在全市范围内大张旗鼓地掀起现代化管理和现代化市场营销的良好风气，培养一大批适应现代经营管理的高素质专业人才，让他们挑起重担，为临汾经济的腾飞而贡献聪明才智。

【老年人的社会价值与老有所保】 2000年中国社会出版社出版的《中国区域经济发展战略论文集》中收录甄作武署名文章，称：面对我国人口老龄化的挑战与市场经济的竞争，老龄问题越来越成为人们所关注的一个重要的社会问题。老龄问题，概括起来就是人们常说的五个“老有所”，即：“老有所养、老有所为、老有所学、老有所医、老有所乐”。这既是老龄问题的基本内容，又是老龄工作的战略任务和老龄人的追求目标。如何解决这五个“老有所”的问题？我认为首先从思想上正确认识老龄人的社会价值，在此基础上寻找一条从法规和制度上解决老龄问题的基本途径，也就是探索一条“老有所保”的根本之路。

正确认识老龄人的社会价值，为解决老龄人问题奠定一个良好的思想道德基础。

我们评价老龄人的社会价值，必须从联系发展的观点看，不能用孤立片面的观点看。我国当今这一代老龄人，是经历了我国建国前后艰苦创业的一代，也是用血和汗为今天现代化建设积累财富和经验的一代。没有这一代的艰苦卓绝的努力和牺牲，就没有今天的繁荣昌盛的景象，也没有明天腾飞于世界的强大物质基础和思想基础。

我们评价老龄人的社会价值，不是指单个人，而是把老龄人做为一个群体。从老龄群体在人口结构中的比重，从老龄群体与社会之间的关系上去观察老龄人的社会价值。我国12亿人口中拥有约一亿多老龄人这样一个群体，这里蕴藏着极其丰厚的社会资源，是我国社会义改革开放和现代化建设中的一支重要力量，而且在好些方面具有不可缺少和无法替代的社会作用，尤其是在继承和发扬革命传统、民族优秀思想、文化道德传统以及稳定社会方面。老龄群体中，特别是这一代无产阶级革命家、离退休老红军、老干部、老科技专家、老模范，他们德高望重资深阅广，知识渊博，社会关系广厚，具有独特的思想优势、智力优势、经验优势、技术优势和权威优势。这些都是其他社会群体所无法比拟的。

老龄人的社会价值，还应该从人的生理年

龄上观察。人的衰老是渐变的、相对的。国家规定的离退年龄是一个绝对界限，男60岁，女55岁。但这些人不是因离退休就丧失了工作能力。一般讲，从人生的历程看，老龄阶段要占去人生全程的1／4时间，离退休后还要在社会上生活20年～30年，其中有10年以上还能继续为社会做贡献。从现代医学生理上观察，人的大脑有100亿以上的神经细胞，每天死去几万个，即使活到99岁，神经细胞比30岁时也不过少10%左右。事实上，绝大多数离退休的老干部、老科技人员，人虽离岗，但壮心不已，志在千里，担任着“智囊团”、“参谋部”重要角色，他们从事着各种社会活动，有不少的人在社会主义现代化建设中仍发挥着顶梁柱的作用。

（我们在评价老龄群体的社会价值时，一定要充分肯定农村这部分老龄人的社会价值。）因为，农村老龄人不仅人数绝对优势，更重要的是他们在人生的长河中不仅把青壮年黄金岁月献给土地，而且在他们69岁后，并不像国家离退休后的老龄人每月领上工资可以在家颐养天年，而是继续为家庭为儿女辛勤劳作，一直到他们七老八十卧床不起实在干不动时才停止劳作。所以，我们在评价老龄人社会价值时，特别要重视宣传农村老龄人的社会价值，尊重和维护他们享有的社会地位和各种权利。

抓住老龄问题的主要矛盾，依靠法制力量是解决“老有所保”的基本途径。

现阶段我国老龄问题的主要矛盾是什么？我认为是“老有所养”。五个“老有所”包含人类的三种需要；生存需要、发展需要和享受需要。三种需要首先是生存需要，“老有所养”和“老有所医”就属于这一需要；“老有所为”和“老有所学”是属于发展需要；最后“老有所乐”就属于享受需要。人类首先要生存，只有满足生存需要之后，才能谈得上发展和享受。目前，我国处于社会主义初级阶段，生产力水平还比较低，对于大多数家庭只可以说基本解决温饱问题。所以，我们在解决五个“老有所”问题时，必须抓住“老有所养”这个主要矛盾，解决老龄人的吃穿用医等基本问题。

如何才能从根本上解决“老人所保”的问题，保障老龄人的合法权益呢？

最基本的途径，是从立法制度上对老龄人以“老有所养”为基本内容的权利，加以具体的肯定和有效的保障。当前，首先应认真贯彻执行宪法、婚姻法、继承法、刑法、民法等法律中关于保护老龄人合法权益的规定。同时，建议全国人大结合我国国情，参考世界有关保护老龄人的法律，制定全国性的“老年法”，从而使老龄人的“老有所养”落到实处。

实行养老保险社会化是解决“老有所保”的根本出路解决老龄人的“老有所保”问题，仅仅依靠法律还不能解决全部问题，如果子女们本身还不能自养，哪有余力去养活父母呢？这就要社会养老，建立国家、单位、个人相结合的社会养老保险制度。

根据目前我国农村情况和全国22个省市实行部分农村养老保险制度的经验，一般应以家庭自我保障为主，辅之以集体和国家必要支持的农村养老保险体制，集体经济实力雄厚的地区可以以集体养老保险为主，辅之以家庭、国家相济的养老保险体制。从目前绝大多数农村来讲，还必须坚持“家庭养老”为主的方针。实行这种养老保险体制，关键是要对于低龄老人中，在50岁以后就开始进行养老的积累和储备，并通过社会保险部门进行一定范围的统收、统管，建立乡镇或村级的养老保险。

在城市特别是在经济体制改革和劳动制度改革的过程中，面临多种经济成分并存、多种用工制度并存的情况，要求对过去的老年保险制度进行改革。

根据十四届三中全会《决定》指出的“社会统筹和个人账户相结合”的原则，国务院已着手建立社会统筹和个人账户相结合的养老保险新体制。这一新体制是适合我国社会主义市场经济需要、具有中国特色的社会养老保险制度。它的特点是养老主要靠自己的劳动积累，把每个人退休后的切身利益紧紧地同在职期间的劳动以及个人和单位的缴费连在一起，多交费多收益。这里蕴藏着一种积极的激励机制，既可大大有利于调动职工和企业的积极性，又利于促使企业和职工积极缴费和养老金的正确管理和使用。

·在省级以上公开刊物发表的论文·

表七

论文题目	作 者	单 位	发表刊物	获奖情况
对国有商业银行不良贷款的再认识	张转方	中国人民银行临汾市中心支行	《华北金融》2001年6期	
对临汾市“九五”时期金融运行形势的分析	张转方 张海霞	中国人民银行临汾市中心支行	《山西金融》2001年7期	
拓宽农民增收领域，提升农村经济发展水平	冯 勋 孙 涛	中国人民银行临汾市中心支行	《山西金融》2001年8期	
建设“职工之家”是工会工作的主题	温水清	中国人民银行临汾市中心支行	《山西金融》2001年9期	
对监管国有商业银行信贷资产的认识与思考	崔晓初 张海霞	中国人民银行临汾市中心支行	《山西金融》2001年8期	
推进干部人事制度改革必须依靠法制	杨素霞 温红丽	中国人民银行临汾市中心支行	《山西金融》2001年10期	
对国有商业银行不良贷款的解析	孙 涛	中国人民银行临汾市中心支行	《山西金融》2001年5期	
加强央行会计内控，确保核算资金安全	邢世伟 郭雅丽	中国人民银行临汾市中心支行	《山西金融》2001年9期	
国有商业银行发展中间业务的制约因素及对策	崔晓初 孙 涛	中国人民银行临汾市中心支行	《华北金融》2001年8期	
浅议开发区在实践“三个代表”过程中的典范作用	梁希民	临汾经济技术开发区	《山西政报》2001年第22期	
对农村开展“三个代表”学教活动重要性的认识	梁希民	临汾经济技术开发区	《山西政报》2001年第14期	
县（市）级事业企业如何实施“赶超战略”	梁希民 段引兰	临汾经济技术开发区	《中外科技信息》2001年第3期	
知识经济环境下的档案工作	高玉平	尧都区档案局	《华北地区学术讨论会论文集》中国华北出版社出版	山西省第四次档案学优秀成果奖论文类二等奖
也谈档案的真伪	刘红英	洪洞县档案局	《中国档案》2001年第9期	山西省第四次档案学优秀成果奖论文类二等奖
重新认定国有企业案案工作目标管理的思考	李国忠	霍州市档案局	《中国档案报》2001年9月13日	2001年度跨世纪人才工程二等奖
档案标准编制中的几个问题	杨培鹰	平阳钢铁厂	《山西档案》2001年第4期	2001年度跨世纪人才工程二等奖
《自然学＜自然＞轻松能创新＝	高彩平	临汾市教育局	《小学教师教与学》2001年第5期	2001年度跨世纪人才工程二等奖
《临汾市信息技术教育的现状和发展思路》	韩玉涛	临汾市教育局	《山西电教》2001年第4期	
《话说“减负”》	左艳霞	临汾市教育局	《中国教育论坛》	
《发展农村自考工作的若干思考》	霍云光	临汾市教育局	《山西教育》2001年第23期	

续表七

论文题目	作者	单　　位	发表刊物	获奖情况
加强对门诊更年期妇女的健康咨询教育	王文萍	临汾市妇幼保健所	《中国妇女保健》2001年第16卷专刊	
重视子宫后位防治促进妇女身心健康	郭建农	临汾市妇幼保健所	《中国妇幼保健》2001年第16卷专刊	
学习贯彻《指导意见》改革妇幼保健工作	闫新华	临汾市妇幼保健所	《中国妇幼保健》2001年第4期	
喂养方式儿童的健康影响	闫新华	临汾市妇幼保健所	美中国华健康卫生杂志	
中西医结合治疗婴幼儿秋季腹泻	闫新华	临汾市妇幼保健所	世界传统医学杂志	
抗乙型肝炎病毒的临床研究	杨惠民	临汾市妇幼保健所	《中华中西医》2001年第6期	
中西医结合治疗乙肝	张志敏	临汾市妇幼保健所	《中国中西医结合》2001年第6期	
高频电刀治疗腋臭128例体会	杨麦琴	临汾市妇幼保健所	《中国临床医药研究》2000年第38期	
浅谈水管单位水价改革	张建国 王吉魁	临汾市水利局	《中国水利报》2001年第6期	水利部工程管理单位体制改革论坛三等奖
临汾市实施庄园大户的经验与探索	张　健 龚孟建 杨杜学	临汾市水利局	《水利政策研究》2001年第3期	
土坝涵洞灌浆浅议	廉　翔	临汾市水利局	《水利水电科技进展》2001年第1期	
临汾市农村灌溉服务实践与探索	李玲绒 关云山 龚孟建	临汾市水利局	《节水灌溉》2001年第3期	
人字闸坝在临汾地区的应用	亢　茹	临汾市水利局	《中国农村水利水电》	
大中型灌区现行低水价的弊端及其改革措施	王吉魁	临汾市水利局	《中国农村水利水电》2001年第4期	
洪水利用建设的探讨	张广峰	临汾市水利局	《西北水资源与水工程》2001年第3期	
试述方案比较在设计工作前期的重要性	茹玲玲 周瑞馨	临汾市水利局	《水科学研究文集》2001年第11期	
浅述加筋土技术	茹玲玲 陈意平	临汾市水利局	《水科学研究文集》2001年第11期	
临汾市水保生态建设调查与思考	张　健	临汾市水利局	《山西水利》2001年第5期	
用市场经济理论建设与管理农村饮水工程实践	李玲绒 关云山 郃爱庆	临汾市水利局	《山西水利》2001年第2期	
学会生存与发展环境探讨	郝　江	临汾市水利局	《山西科协》2001年专辑	
临汾市发展水保庄园治理大户的实践与思考	杨杜学 陈海滨 李郭云	临汾市水利局	《山西水利》2001年第5期	

续表七

论文题目	作者	单　位	发表刊物	获奖情况
临汾市实际禁牧轮放的实践与体会	李英泽 张文英 王艳红	临汾市水利局	《山西水利》2001年第5期	
汾河下游临汾段河道特性及治理对策	俎晓东 王　兵	临汾市水利局	《山西水利》2001年第4期	
提高浍河水库供水效益对策研究	张年田	临汾市水利局	《山西水利科技》2001年第4期	
浍河水库主次汛期的划分及运行分析	张年田 亢　捷	临汾市水利局	《山西水利》2001年第2期	
引黄太原供水区自来水价格分析	张年田 孙瑞杰	临汾市水利局	《山西水利》2001年第1期	
喷微灌工程专业化灌溉管理的实践与探索	关云山 郃爱庆 安　超	临汾市水利局	《山西水利》2001年第4期	
快速法流塑限试验浅析	刘文华	临汾市水利局	《山西水利》2001年第6期	
七一水库堵坝提蓄泵站设计思路与分析	沈焕珍 杨　瑛	临汾市水利局	《山西水利》2001年第9期	
几种渠道灌溉工程的蓄水设计与建设要点	沈焕珍 张文峰	临汾市水利局	《山西水土保持科技》	
民营经济市场准入机制的探索	郭玉宝	临汾市乡镇企业管理局	《中西部乡镇企业》2001年第10期	

军　事

临汾军分区

【概述】　军分区坚持以“三个代表”重要思想为指导，以对台军事斗争准备为龙头，以省军区党委工作部署为依据，结合分区工作实际，按照“承前启后乘势发展，固强补弱再上台阶，坚持抓好五个重点，努力实现三个突破”的工作思路和目标，团结带领广大官兵，开拓创新，锐意进取，圆满完成各项工作任务，整体建设形势呈现出良好发展势头。

按照“三个代表”重要思想抓核心，提高党委班子凝聚力。坚持把思想作风建设做为党委班子建设的关键环节，进行“坚持革命意志、抵御不良风气”教育整顿，在全市人武部主官中开展争当“三好”活动，强化主官队伍的事业心和工作责任感。坚持分区党委常委与人武部、干休所定点挂钩责任制，提高基层建设的水平。针对党委班子建设存在的问题，研究制定《分区党委端正工作指导思想，切实改进领导作风的措施》和《进一步加强人武部党委班子建设的措施》，促进党委班子建设的健康发展。深入开展向荀义贵同志学习活动，有力地激发全市人武干部爱岗敬业、争先创优的积极性和创造性。坚持实行事务公开，落实廉政建设责任制要求，树立党委班子的正风正气。

思想政治建设基础更加牢固。分区党委始终坚持把思想政治建设摆在各项工作首位抓住不放。采取专题学习、专家辅导、体会交流等方法，不断深化对江主席“七·一”、“五·三一”重要讲话和党的十六大精神的学习贯彻，进一步加深对党最新理论成果的认识与理解，加快国防和军队现代化建设的信心和决心。组织开展“赞颂新成就，迎接十六大”教育活动，形式活泼，收效明显，做法和经验分别被省军区、北京军区转发。分区干休所组织老干部“抚今追昔话成就、坚定信念跟党走”的做法得到北京军区首长的充分肯定。“严肃政治纪律，维护安全稳定”教育贯穿全年，不断强化官兵的政治意识和政治纪律观念，确保全区官兵政治信念坚定，始终与党中央、中央军委保持高度一致。积极开展揭批“法轮功”斗争，全市上下先后组织 3 次排查清理，采取有效防范措施，防止“法轮功”的渗透破坏活动。积极协助地方政府做好企业军转干部稳定工作。

正规化建设进一步加强。根据省军区的部署和要求，针对全市现状，研究制定《临汾军分区 2001～2003 年人武部正规化建设与管理规划》，通过现场观摩，明确实施依法治部、按纲建部、从严管部，加强正规化建设的标准。各单位认真落实《规划》，坚持建与管齐抓，软硬件并举，推动正规化建设发展。襄汾县、翼城县、古县、隰县、永和县人武部，加大资金投入，完善基础设施，正规化建设有长足发展。在省军区组织的巡回观摩中，对侯马、霍州两个人武部正规化建设给予充分肯定。加强民兵武器装备仓库管理。民兵武器装备仓库的建设和管理按照党中央、中央军委关于加强民兵武器装备管理工作的指示精神，以北京军区、省军区《关于县（市）民兵武器装备仓库正规化建设检查标准》为依据，狠抓基础设施建设和安全管理工作，确保民兵武器装备绝对安全。全市 17 个民兵武器装备仓库都达到“六面坚固”，实现报警、监控系统自动化，消防设备现代化，防犯设施网络化。广泛开展以“四查四解决”为重要内容的作风纪律整顿。成立教育整顿领导小组，制定计划、下发通知，召开动员会，并采取个人自查、大家互查、领导讲评的方法进行对照检查，使干部、战士从根本上认清安全管理工作重要性和紧迫性。强化责任意识和组织纪律观念。

【民兵整组与训练】 全市共编民兵256092人，其中基干民兵38000人，民兵应急分队20支2200人，专业技术分队44支2610人，对口专业技术分队44支1378人，共配民兵连（营）长3400人。

针对城市民兵组织布局上存在的突出问题，尤其是企业中存在的民兵组织难落实、活动难开展、人员难集中的矛盾，在调整布局上，立足“一个为主”，实行“三个转移”，即：以大中型企业为主，随着青年流向转移，向经济效益好的单位转移，向人员相对稳定的单位转移。在农村编组布局上，把“三支队伍”重点向新组建的中心集镇、铁公路沿线、重要警卫目标、优胜企业单位转移，适当减少非中心集镇、边远山区和非重点目标中的民兵比例。通过调整，使全市民兵组织建设逐步形成以中心集镇为中心，乡镇企业为依托，主要交通沿线为重点的编组格局。在优化编组结构上，形成“四多四少”编组配置：铁公路沿线多编，边远山区少编；重点地区多编，非重点地区少编；优胜企业多编，一般企业少编；有技术兵的单位多编，无技术兵的单位少编。在专武干部配备上，采取考试与考核相结合的办法，实行公开竞争上岗。全市278名专武干部中，有204名是复转军人，有63名从人武学校毕业，大专学历的占30%以上，平均年龄30岁。在兵员编配上，做到“六优先”、“一放宽”。即：党团员优先、复退军人优先、文化程序高的优先、有技术特长的优先、参加过军事训练的优先、经常保持在位的优先。一放宽是：适当放宽复退军人和专业技术人才的年龄、比例，确保兵员素质的提高。

突出抓好民兵应急分队、对口专业分队和高炮分队应用性军事训练，全年度共训民兵8359人，其中基干民兵4908人，民兵应急分队2240人，民兵对口专业分队448人，民兵干部763 人，专武干部263人，两级机关干部220人。新临钢有限公司民兵高炮分队在参加北京军区组织的民兵预备役高炮分队比武竞赛中，理论考核获第二名，实弹射击获三等奖。尧都区、霍州市、安泽县人武部被省军区表彰为军事训练先进单位。

【征兵工作】 坚持好中选优原则，高标准完成新兵征集任务。10月17～12月16日，经过兵役机关、各有关部门和接兵部队共同努力，圆满完成2308名新兵（解放军1393人，武警915名）征集任务。征集新兵中，党团员1048人，具有高中以上文化程度的880人，经过军事训练的占71.3%，兵员整体素质较往年有明显提高。其特点有三：征集高学历青年办法多，市征兵办公室根据全市考入各类大中专院校学生较往年增加，高中以上文化程度应征青年数量明显减少的实际，会同教育、劳动、人事部门和人才交流中心及大中专院校，切实摸清底数，积极鼓励他们应征入伍。并规定凡是具有高中以上文化程度的适龄青年都要优先安排上站体检；在审批定兵中，打破城乡界限，择优定兵，保证具有高中以上文化程度适龄青年合格一个走一个。征集条件兵的方法活。在北卫仪仗兵划拨上，考虑到山区各县适龄青年较少的实际，把25名仪仗兵安排到兵员素质比较高的尧都区、侯马市。在潜艇兵划拨上，考虑到潜艇兵相对要求比较严的实际，把潜艇兵安排到体检经验比较丰富的侯马、霍州、襄汾等平川县（市）。在北卫条件兵的划拨上，针对北卫部队对身体条件、政治条件要求比较严格的实际，将兵员安排到社区比较稳定、教育质量较高、“法轮功”和宗教活动比较少的霍州、襄汾、洪洞、曲沃等县（市、区）。由于针对特点，科学划分兵员计划，有效地保证条件兵质量。控制非农民征集比例的措施得力。按照国务院、中央军委对严格控制非农业户口青年征集比例要求，各县（市、区）人武部从讲政治、讲稳定高度，会同民政部门共同研究贯彻落实措施。征兵工作结束后，市征兵办公室根据上级指示精神和本市的实际，拟定下发《关于严格审查核对，认真搞好入伍新兵优抚安置证发放工作的通知》，要求县武装部要将《应征公民入伍批准书》和《入伍通知书》存根复印件、新兵花名册一同移交市征兵办，市征兵办再与市民政部门协调发放《优抚安置卡》。

【党管武装工作】 在总结全市党管武装工作的基础上，市委出台《关于进一步加强新形势下党管武装工作的意见》；组织人武部党委第一书记、大型企事业单位、院校党委书记和市委、市政府有关部局领导进行党管武装工作专题培训，有效地提高第一书记抓武装、管武装的综合素质。省军区党委对分区组织召开党管武装工作会议和举办培训给予充分肯定并加以推广。大宁县、吉县、汾西县等县（市、区）召开议军会议，进一步明确党管武装的思想要求，研究解决民兵工作面临的各种实际问题。广泛开展《国防教育法》宣传活动，加大全民国防教育的力度，曲沃县“靠活动活跃工作，以活动促进落实”的做法，得到省军区首长和机关充分肯定。侯马市、浮山县注重扩大国防教育的社会影响，古县把国防教育纳入中学生教学内容，翼城县、蒲县重视国防教育大面积落实，收到良好社会效益。《战友报》对本区强化全民国防教育的做法进行突出报道。以“四懂一会”为目标，提高干部队伍的整体素质。按照“打基础、重素质、上层次”的思路，认真抓好干部队伍建设，组织“四懂一会”素质专题研讨，编纂党的三代领导核心对素质建设论述选编，制定《樊升计划》，通过抓学习、抓培训，促进干部队伍素质的整体提高。坚持抓干部素质与考核使用相挂钩，形成靠素质立身，凭能力进步的良好局面。尧都区、霍州市人武部党委，汾西县人武部部长、政委一对好搭档，永和人武部党委书记荀义贵，安泽县军事常委余新华，分别受到省军区的表彰。洪洞县人武部党委积极适应新形势，研究新对策，制定的“四靠”措施，促进党委班子建设的质量。

【后勤工作】 稳步提高后勤战备建设水平。按照上级新的战备建设标准，加强各级“三室一库”建设，完善战备设施，更新战备器材，重新制定后勤战备方案。指导17个县（市、区）人武部完成北京战区（临汾地区）国民经济动员油料保障潜力调查；全市展开国民经济动员潜力调查，完成《临汾市国民经济潜力调查表》，制定《临汾市国民经济动员预案》，撰写《对新时期搞好国民经济动员工作的几点建议》、《适应“两场”要求、推动“五化”建设、不断提高经济动员平战转换能力》。通过这些工作，准确地掌握临汾市的经济动员潜力，为做好战时后勤保障工作奠定了坚实的基础；结合民兵整组和训练，认真抓民兵应急保障分队的组、装、训，民兵应急保障分队的装备水平、训练效果和保障能力明显提高。

科学编制经费预算。严格按照规定程序办理，先由各业务部门预审，后经分区党委集体研究审批，人武部年度经费预算在经部党委审批后，按时上报分区后勤部审核，100%的单位实现经费收支平衡。8月，分区召开经费预算编制改革工作会议，组织零基预算编制业务集训，后勤干部都能掌握预算编制政策，增强预算的权威性。周密组织经费保障。坚持“以民兵预备役工作为中心，以基层为重点”的原则，认真组织全区经费保障工作。各单位在资金普遍紧迫的情况下，不等不靠，积极想办法，努力做工作，采取向地方要一点、自己补一点、开支省一点的办法筹措资金，全区年度筹措资金130余万元，有效地保障民兵整组、训练、比武、征兵等大项工作的顺利开展。分区本级筹措经费10万余元用于贫困人武部基层建设和老干部生活服务保障，筹资6万元保障机关干部政治教育和军事训练。强化家底经费管理。加大预算外经费“归拢”力度，不同渠道取得的收入纳入分区家底，由分区财务统一管理；积极开展有偿服务和农副业生产，分区党委年初提出农副业生产“三个一”工程，即：平川县（市、区）人武部栽种一片经济林、出租一栋门面房、种好一块菜地；山区县人武部栽种一片经济林、饲养一群牲畜、种好一块菜地。先后在洪洞、吉县、蒲县等人武部抓试点，6月，在蒲县人武部组织召开农副生产“三个一”工程现场会，为全区提供借鉴。通过大力发展种植、养殖业，各单位肉、蛋和蔬菜自给率达到70%以上，省军区专门将这种做法在全区进行转发。分区家底经费80余万元，多数人武部达到或超过13万元，其中，侯马人武部27万元，翼城人武部24万元，霍州人武部16万元，洪洞、襄汾、安泽等人武部均达15万元。军需工作，应用新的被装管理软件，对全区官兵被装号重新进行登记，健全公用被装管理制度，请领发放夏冬季服装，服装发放适体率 100%。车油管理，继续开展“做遵章守纪模范，树军车良好形象”活动和“双红”评比工作，在全区开展车辆管理大检查，加强对车辆运行凭证管理，清理个别违规车和驾驶员，确保全区车辆运行更加规范有序；4月，组织车辆和驾驶员进行年度审验，车辆完好率和驾驶员合格率达90%以上，战备率100%；全区连续14年没有发生任何车辆安全责任事故，车、油费用较好的控制在最低限度。营房管理，全区积极开展春季绿化，分区营院新增绿化面积600余平方米。研究制定新的营区规划方案；贯彻落实《军队房地产管理条例》，配合《三年规划》达标工作，对营房、营产、营具进行清查登记，对分区机关办公楼和营区进行维修，确保机关及家属吃水、用电、取暖、洗澡有保障；新建灯光球场，丰富官兵业余生活；抓紧抓好干部、职工经济适用住房建设的收尾工作，认真搞好基础设施配套建设，新建锅炉房、购买新锅炉、更换变压器，确保干部、职工及早进住。医疗卫生，贯彻全军爱国卫生会议精神，积极开展经常性卫生防病工作，广泛开展“第14个爱国卫生月”、“饮食卫生百日安全”和创建“文明卫生军营”活动，进一步提高卫生工作正规化水平；落实家属子女医疗包干，完成干部体检，体检率95%以上，部队昼夜发病率控制在1‰以下，传染病控制在30%以下；分区机关和干休所卫生所狠抓内部管理，服务水平明显提高。职工管理，完成职工技术等级考核，组织办理职工社会保险。对职工档案进行重新整理，使档案管理走上正规化。积极推行职工用工制度改革，逐步与地方劳动用工制度改革接轨，全面推行全员劳动合同制，加快职工分流速度，确保职工定额只减不增。

【国防动员工作】 面对机构改革及时指导各县（市）落实人员编制配强配齐工作人员，对办公室进行重新布置，对软硬件建设进行弥补。组织领导组对全区国防动员工作逐条逐项进行检查指导。侯马、临汾、霍州接受省国动委检查组验收，受到高度评价。针对国防动员潜力存在着“情况不清，底数不明”问题，从人民武装建设、国民经济和科技、教育、卫生、人民防空等方面进行国防动员潜力调查，全面准确地掌握市国防动员潜力底数，对分析判断市国防动员形势，准确有效地制定和完善国防动员方案，合理确定国防动员建设发展目标等。

附：

·获奖情况·

集　体

军分区民兵装备仓库、侯马、隰县人武部分别被北京军区评为“民兵武器装备管理”先进单位

临汾军分区干休所被北京军区评为“先进干休所”

临汾军分区获山西省军区政治部表彰新闻报道工作先进单位

个　人

临汾军分区供应科苏建生同志记三等功一次

汾西县人民武装部杜斌生同志记三等功一次

临汾市人民武装部张孝庆同志、洪洞县人民武装部王公社同志、襄汾县人民武装部孟昭辉同志、霍州市人民武装部马领人同志、蒲县人民武装部陈振华同志、隰县人民武装部李升科同志、吉县人民武装部贾凤山同志、永和县人民武装部史志俊同志获山西省军区表彰的先进人武干部

临汾军分区宣保科蒲渝成、关阳获山西省军区政治部表彰新闻报道工作个人

（刘英华）

武警临汾市支队

【概述】 武警临汾市支队，正团级编制。根据中共中央〔中发（1982）〕30号文件，1983年11月，由原临汾地区公安处所属武装警察部

队和解放军临汾军分区独立营合并组建。2000年7月更名为武警临汾市支队。按照总队党委的工作部署和要求，紧密结合自身实际，着眼部队整体建设和安全稳定，坚持与时俱进，狠抓各项经常性工作落实，保持部队的高度稳定和集中统一，推动部队建设的全面发展和进步，圆满地完成年度各项工作任务。

【思想政治建设】 围绕政治坚定、道德纯洁，狠抓以学习“三个代表”重要思想为主线的理论武装。认真落实士兵、基层警官和团以上干部理论学习计划，深入学习江泽民主席“三个代表”重要思想论述、“七• 一”讲话和“五• 三一”讲话，注重使学习联系实际，促进官兵对党的信心、信仰、信念和信任等带根本性、方向性问题的解决。抓住有利时机，认真开展以永远做党和人民忠诚卫士为主题的教育，较好地解决官兵中的思想问题。结合上级指示，突出抓了“赞颂新成就，迎接十六大”教育，广大官兵政治立场坚定，思想道德纯洁，争先创优意识增强，违纪问题明显减少。

【加强执勤和“处突”能力】 着眼于部队担负任务的新情况，认真贯彻新的训练大纲，积极拓展训练内容，努力提高训练质量，较好地完成各项训练任务，部队参训率和年度兵轮训面分别达到86%和95%，“晋阳二号”演习受到总队好评。以落实中心工作会议精神为契机，争取经费190余万元，按期保质完成支队局域网和三级查勤监控系统工程建设，较好地实现人防、技防、物防的有机结合，全面提升执勤保障能力。狠抓勤务教育与各项执勤制度落实，积极开展冬季执勤送温暖活动，部队的执勤能力明显增强。全年未发生任何勤务事故，直属三中队成功制止犯人逃跑事故一起。圆满完成庞杜村古墓看护、霍州煤矿和重大节日安全保卫等重大临时勤务，赢得驻地党委政府和人民群众的信任。

【部队正规化建设】 注重部队的内部安全稳定和正规化建设。从普遍提高官兵贯彻执行条令、条例的自觉性、融洽内部关系、规范4个秩序（工作生活学习训练）入手，根据不同时期部队的特点与规律，深入开展条令、条例学习教育活动。以培训和试点引路的方法统一内务秩序，部队4个秩序逐步正规。不断加大对士官管理力度，认真组织士官称职评定工作，队伍素质和履职尽责能力有明显提高。坚持不懈地狠抓“5个重点问题（人车枪弹油）”的治理，深入开展百日安全无事故活动，促进部队安全稳定和正规化建设。

【强化后勤保障能力】 围绕提高综合保障能力，狠抓队伍建设、制度落实和规范化管理，有效促进“三管”工作。财务管控力度加大，各项开支监督到位，难管易超经费稳中有降，基层经费管理日趋正规，家底经费余额逐步上升。物资管理制度落实，计价挂账普遍实行，堪用物资更新加快，制式化、统一化程度有所提高，在用物资完好率89%。较好地完成驻铁路和储备系统部队营房整治工程，改建、新建面积分别达1500平方米和640余平方米。县区部队营房部分改建、修缮8处，总面积6351平方米。伙食管理通过分餐制试点逐步深化，跑冒滴漏问题得以有效遏止，初步实现由温饱型向营养型转变。基层农副业生产收益较往年有所增长。车辆管理工作成效明显，全年安全行驶36万公里，被总队评为车辆管理先进单位。

【基层建设】 坚持按“三十条”、《纲要》为指导，进一步规范基层秩序，提高指导工作的效能。注重建设“一个班子、两支队伍、两大组织”，抓住工作标准和工作落实两大环节，以教育培训、蹲点帮扶、双向讲评、双争评比等为主要手段，有力推动部队建设稳步健康发展。基层中队都有新的不同程度的进步，先进层和后进层距离缩小，部队建设出现全面建、整体上的良好局面。

【党委和机关建设】 坚持不懈地抓中心组学习，班子成员思想素质明显提高，自律意识明显加强，整体形象明显好转。始终扭住党委制、民主集中制等重要问题，采取专题学习、专项整顿、民主生活会等形式，增进决策的民主化、科学化，班子凝聚力战斗力明显增强。注重加强班子作风建设，较好地转变领导方式和领导作风，服务基层，士兵第一的思想得到巩固，促进部队各项工作落实。注重党委建设的整体效应，狠抓机关建设，开展以“八个坚持、八个反对”为主要内容的党风教育，机关综合素质有新的提高。投资46余万元建成支队局域网，新增加微机10台，基本实现办公自动化，查勤网络化，指挥系统化。教导队在各类人员集训的组织和保障上，卫生队在重点人员医疗、下基层巡诊上，直属大队在抓自身和所属部队建设上都做了大量工作，较好地完成任务。支队纪律检查、史志编撰、计划生育、保密档案、扶贫帮困等工作也都取得较好成绩。

附:

·获奖情况·

支队司令部参谋唐智跃同志被共青团山西省委评为“山西省杰出青年卫士”，并荣记个人一等功

翼城县中队张槐芬同志被武警山西省总队荣记个人二等功

（王栋）

消防支队

【概述】 支队党委带领全体官兵强基固本、创新工作，提高业务素质和实战能力，圆满完成以防火监督，执勤训练、灭火救援为中心的各项工作，全年共出动火警152次，出动人员1686人，车辆287台，抢救财产价值5435万元，灭火成功率100%，尤其在处置“6·18”氯化苯泄漏火灾事故中，支队、大队组织得力，参战官兵勇敢顽强，取得处置突发性恶性火灾事故的伟大胜利，受到总队战训处的表扬。

【消防宣传教育】 市政府印发《关于开展公众聚集场所消防安全专项治理的通告》，在繁集闹市和村头巷尾张贴8000余份，向社会群众散发标语和传单20000余份。对一些存在重大火灾隐患的单位和违法行为进行公开曝光和跟踪报道；在“119消防宣传周”活动中，组织彩车巡游，利用散发传单、张贴标语、播放录音、设立咨询站等方式进行宣传，全年累计出动宣传车15辆次，散发宣传材料30万份，大型标语200多条。全市各电视台播出各类消防节目累计达580分钟。

【消防监督管理】 狠抓公众聚集场所消防安全专项治理工作。由消防部门牵头，工商、劳动、质监等部门密切配合、专项治理期间共检查单位883个，整改火灾隐患1616处，下发《责令当场改正通知书》175份，《责令限期改正通知书》414份，《重大火灾隐患责令限期改正通知》4份，《复查意见书》380份，责令停产停业24家，罚款4.7万元。不断提高执法监督水平，加强各项防火监督业务工作，全年共审查办证55个，审验许可证508个，准运证83个，准驾证57个，押运证89个。查封取缔私设加油摊点和无证经营易燃易爆化危品的单位12个，对已批准的销售网点进行排查，依法严肃查处，全年发生的165起火灾查处率达到95%。

人民防空

【概述】 随着临汾撤地建市，原临汾地区人民防空办公室更名为临汾市人民防空办公室。在市级机构改革中，市人防办由原市政府办公厅内设机构升格为行政正处建制，既是市国防动员委员会常设办事机构，也是市政府人民防空工作的主要部门，新的领导班子已正式任命。临汾市重新被国务院、中央军委确定为国家三类人防重点城市。侯马市、霍州市被省政府确定为省级人防重点城市。人防工作深入贯彻中发［2001］9号文件精神，第四次全国人防会议精神和人防法律法规，广泛开展宣传教育活动。全市17个县（市、区）及驻临大中型企业，共发表电视讲话16人次，出动宣传车18台次，办宣传专栏90余期，散发宣传材料4万余份。

人防通信警报建设得到加强。组织人员对全市现有通信警报设施设备进行全面普查，维护管理，完好率100%。平战结合工作有新发

展。在保证战备效益的前提下，在工程开发利用方面取得良好社会效益和经济效益，全年收取工程使用费63万元。同时狠抓安全防汛防火措施落实，所有工程未发生任何安全责任事故。尧都区、侯马市、浮山县、蒲县、隰县、临铁分局、临运公司等单位还举办人防知识竞赛专题活动。各级人防系统干部职工积极参加《国防教育法》知识竞赛，完成答卷707份，使全社会人防意识明显增强。

【省人防专业队组训试点现场会在临汾召开】 会议贯彻落实第四次全国人防会议精神，更好地适应高技术条件下局部战争快速动员和城市防空袭作战需要。在市政府、军分区领导直接组织指挥下，市办3月初从市直和尧都区18个单位和部门，挑选680多人，组建抢险、医疗、治安、消防、通信、防化、交通运输等7个专业队，开展专业队训练。5月15日省政府、省军区在临汾召开全省人防专业队组训试点现场会。国家人防办、北京军区人防办领导，副省长王显政、省军区副司令员高富、副参谋长肖作通、省人防办及各市（地）政府、军分区、人防办领导共200余人出席会议。与会人员参观交通运输、治安、防化等专业队部室建设，观摩抢险、医疗、治安、消防、通信等5个专业队的现场实兵演示。副省长王显政、省军区副司令高富、省人防办主任常高才先后在会上做重要讲话，对组训给予高度评价和肯定。这次试点，为全省各市（地）人防专业队建设探索路子，提供经验。

【“结建”工作】 在市（县）机构改革情况下，“结建”（结合民用建筑，修建防空地下室）工作稳步发展，呈现出良好局面。全市共征收易地建设费290多万元，超额完成省办下达任务指标。尧都区人防办不断加大执法力度，使“结建”工作取得突破性进展。在查处临汾钢铁公司修建民用建筑柜拒建防空地下室工作中，冲破阻力，严格执法。当该公司起诉法院时，沉着应诉。经过二审，最终赢得胜诉，一次为国家追缴易地建设费160多万元。临汾铁路分局投入28万元结合民用建筑，建设300平方米的地下防空室器材库一处。侯马市人防办与市广播电视台结合建设市广播大楼，在地下建设一处660平方米的平战结合工程。

【工程维护管理】 组织人员对全市已建人防工程进行全面普查，做到底数清、情况明。共普查5万余平方米，按已开发、待开发、维护现状、待报废等4个类型造册登记。对不符合“两防”（防空、防灾）要求的设备设施及时进行维护和更换，堵塞漏洞，清除隐患，保证安全。同时配合省人防办对9501工程进行竣工验收，对平阳广场地下工程建设进行预决算。

附：

·获奖情况·

霍州市、尧都区、襄汾县、隰县人民防空办公室，临汾铁路分局人防办公室，尧都区人武部、侯马市人防办通信站等7个单位被省国防动员委员会评为“人防工作先进单位”、“先进集体”；有3名政府、分区分管领导，11名人防干部职工被评为“人防工作先进工作者”

（吴虎林）

交通战备

【概述】 全市交通战备工作，紧紧围绕“国防交通、深化改革”的主轴线，以新时期军事斗争交通需求为牵引，坚持平战结合，军民兼容的原则，以省交战办“正规化建设验收标准”为基准，狠抓机构建设，修订战时交通保障计划和重点目标保障方案，完善交通战备指挥网络，经国家地震总局防震检查，获先进单位称号。担负检验临汾市4.7级地震的应急值班和保障任务，结合壶口——克难坡扶贫、旅游、国防路的改造拓宽，按国家八部委的规定，及时与当地驻军联系配合，对驻军进出口道路进行现场勘察和立项，为战时交通保障奠定基础。

（李世雄　李玉洲）

政　法

政法工作

【概述】 全市政法工作认真贯彻落实十五届六中全会和全国、全省政法委工作会议精神，为实现社会政治稳定和人民安居乐业创造良好环境。加强隐蔽战线对敌斗争，防范和打击敌对势力的渗透破坏活动，共获取各类情报信息2021条，发现制止闹事苗头253起；强化各敏感期的国内安全保卫措施，狠抓重点人员监控；深入开展“严打”整治斗争，社会治安形势趋于好转；打击“法轮功”等邪教组织，有力地维护社会政治稳定；加大打击力度，有效遏制各类经济犯罪；齐抓共管基层基础工作，形成全方位防范网络；矛盾纠纷排查调处工作成效明显，预防和妥善处置大量群体性事件；狠抓政法队伍建设，取得明显效果。

【“严打”斗争】 全市公安机关以“破目标、打现行”为重点，狠抓目标案件和大要案件侦破。全市共立刑事案件3312起，破获2995起，与上年相比，立案上升幅度下降17个百分点，破案率提高7.3%。检察机关共批准逮捕1687件2667人。法院一审判决刑事案件1767件2649人，对36人执行枪决。对塔儿山、二峰山等87处乱点进行重点整治，其中17处进行挂牌督办。治爆缉枪行动中收缴大量非法违禁物品。开展侦破目标案件和现行案件为重点的“平阳一号”行动，共打掉犯罪团伙26个，其中恶势力团伙1个，破获案件278起，抓获犯罪人员318人。追逃成果显著，共抓获688名。强化“严打”宣传工作，取得良好成效。

【取缔“法轮功”邪教组织】 加强对进京赴并滋事“法轮功”人员的拦截工作，降低案件发生；狠抓重点人员的监控，将“法轮功”重点人员控制在视线之内；主动出击，强化专案侦察、深挖工作，全市共打击处理“法轮功”顽固分子67人，其中判刑18人，劳教25人；强化教育，举办法制教育学习班，有效转化了一部分“法轮功”顽固分子。

【打击经济犯罪】 严厉打击走私、涉税、制售假冒伪劣产品、诈骗、制贩假币等犯罪活动，重点查办金融、财税等领域的严重经济犯罪。全市共破获破坏社会主义市场经济秩序案件260件455人。立案侦查渎职、侵权类职务犯罪案件60件72人。

【社会治安综合治理】 开展创建“十户联防”、“十星级文明户”活动，加强流动人员、开释解教人员等重点人口管理，有效预防和减少流动人口的犯罪。大力加强预防青少年违法犯罪工作，开展多种形式的宣传教育活动，在全市95%的学校中聘请法制副校长。加强基层“两会一队”的建设，做到“五有五落实”，形成全方位防范网络。铁护联防工作取得一定成绩，“安全文明走廊”创建工作顺利开展，11月11日在临汾召开全省铁道安全创建现场会。

【矛盾纠纷排查调处工作】 建立健全排查工作7项制度，完善排查工作网络建设，促进排查工作经常化、制度化、规范化管理。全年共排查矛盾纠纷660件、调处541件，做到领导重视，责任明确，措施有力；强化月报制度，对个别单位零报告与事实不符的情况及时进行通报；加强重点案件督查督办，3次下发《重点矛盾纠纷案件督办通知》，对102件重点案件进行督办；9月下旬专门组织有关部门对各县（市、区）的矛盾纠纷排查调处情况全面检查，并进行通报。

【政法队伍建设】 认真贯彻中央6号、省委12号文件精神，以“争创”活动为载体，以强化基层建设为重点，加强政法队伍的建设。广大政法干警宗旨观念、法制观念和职业道德观念有所提高。政法各部门党的建设进一步加强，政法队伍的思想政治工作得到改进。政法干警的教育培训工作取得成效，基层政法队伍的管理工作较以往更加严格、规范。执法检查工作进一步加强，加大对干警违法违纪案件的查处力度，共立案查处101案104人。

【全省铁道现场会在临汾召开】 11月11～12日全省创建安全文明铁道走廊现场会在临汾召开。省委常委、政法委书记、省综治委铁路护路联防领导组组长杜玉林，省军区副司令、省综治委铁路护路联防领导组副组长高富，市领导樊纪亨、刘合心、李平郎参加会议。临汾市坚持各级各部门一起动、综治各项措施一起用、安全与文明一起抓、稳定与发展一起搞，创建铁路安全文明走廊的经验得到与会代表的认同和赞扬。

（景晋彪）

公 安

【概述】 公安机关深入开展“严打整治”斗争，积极进行公安队伍“三项教育”，连续开展“平阳一号”、“平阳二号”、“平阳三号”行动，有力地打击刑事犯罪，整治治安乱点，刑事立案同比下降。省公安厅在霍州、洪洞分别召开“三项教育”、“公安督察”工作现场会，尧都分局队伍管理长效机制、洪洞县督察工作得到公安部肯定。

【打击和控制“法轮功”邪教活动】 深入贯彻中央、省、市有关会议精神，严厉打击和控制“法轮功”邪教活动，妥善处置各类不安定因素，全年共搜集情报信息2032条，打击处理“法轮功”顽固分子67人，查缴“法轮功”宣传品330余份，书籍42本，录音磁带75盘。在重大节日、敏感日期间，为防止“法轮功”顽固分子进京滋事，对法轮功人员进行认真细致摸排，对135名“法轮功”重点对象采取“单位（或村委）、派出所、家庭”三包措施，没有发生一起进京滋事事件。在做好打击和控制“法轮功”活动的基础上，公安机关及时掌握群体性闹事苗头，化解一批社会矛盾，确保全市政治稳定。

【严厉打击各类刑事犯罪】 开展“打黑除恶”专项斗争。先后打掉恶势力犯罪团伙14个。襄汾县公安局打掉塔儿山矿区以陈俊为首的被当地群众称为“小日本”的恶势力团伙。6月下旬，根据中央、省、市领导指示精神，市局与襄汾县公安局联手行动，对“古城收费站”周边恶势力进行集中打击，经过4个月的奋战，36名违法犯罪分子落入法网。10月初～12月中旬，全市开展“追逃”专项斗争。对1998年以来的逃犯登记造册，共录入上网逃犯1100名，装订成册分发各县（市、区）全力追捕。全市共抓获逃犯688名，其中网上逃犯673名，未上网逃犯15名；外地逃犯38名。各级经侦、经文保部门按照省公安厅部署，认真开展打击信用卡恶意透支犯罪、文化市场犯罪等。全市共受理经济犯罪案件409起，立案322起，破获320起，抓获犯罪嫌疑人377人，挽回经济损失2227.88万元，追缴非法所得479.4万元，汽车4辆，摩托车2辆。市、县两级禁毒部门认真贯彻落实中央关于禁毒的方针、政策，强化侦查破案，对毒品犯罪保持高压态势。全市共破获各类毒品案件161起，抓获涉毒人员163名，收缴各类毒品27880余克。开展禁毒宣传工作，特别是“6·26”宣传日活动中，在平阳广场举办大型禁毒宣传活动，全年有9个县（市、区）没有涉毒案件发生。

【治爆缉枪“平阳二号”行动】 专项行动中，各级公安机关共出动宣传车200余车，进行电视宣传100余次，张贴公安部通告65000余份，散发最高人民法院司法解释73000余份，案例宣传35000份，印制宣传手册3000余份，签定责任书31840份，保证书29703份；在强大的舆论攻势下，全市共1485名群众主动上交枪支1485支，占枪支收缴总数的67%。全市共清查涉爆单位1036个，整改隐患579处，发出限期整改通知书210份，发出停业整顿通知书82份，督促整改落实161处，吊销许可证54个，共收缴非法炸药34262公斤，雷管237992枚，导火索67017.8米，各类枪支4769支，子弹18175发，炸弹19枚，烟花爆竹5138.8万头。共查处涉枪涉爆案件446起，其中涉枪案件84起，涉爆案件362起，捣毁私制炸药窝点54个，处理违法犯罪人员1222个，其中逮捕36名，刑事拘留177人。

【强化治安管理】 按照打击和防范结合、管理与服务并重的方针，加大特种行业管理力度，规范经营秩序。全市共清查歌舞娱乐服务场所1265个，取缔60个，吊销证照12个，停业整顿303个，限期整改124个，处理违法犯罪人员169人；全面加强户政工作，开展清理整顿出租房屋、规范流动人口管理专项行动。全市共清查暂住人口75432人，其中新登记暂住人口20790人，补办暂住证12860人；清查出租房屋5607户；取缔非法出租房屋177户，处罚非法出租房屋户主138人，取缔非法出租房屋中介机构8家。同时还开展刑释解教人员清查排查工作，对2587人列为重点人口，576人列为重点对象；继续强化出入境管理工作，接待临时入境人员1594人，批准公民出国境1234人，依法查处涉外案件8起，没有发生不准出境人员出国申请现象；消防工作力度进一步加强，全市消防官兵狠抓安全防事故工作，积极进行消防安全培训，成功扑救了“4·29”二硫化碳槽车泄露和“6·18”氯化苯储罐火灾，受到党委、政府通令嘉奖。

【积极推进公安工作现代化】 构建严密治安防范体系，不断强化群防群治队伍建设。全市共有治保会3934个，治保人员13361名，治安联防队2048个10816人，专职巡逻队904个3853人。建成安全文明小区522个，安全文明村镇1287个；充分发挥技侦优势，加大侦办案件工作力度。获取信息826条，深层次情报信息33份，侦办各类重特大案件110起，抓获犯罪嫌疑人86名；全面加强刑事技术工作。共受理基层理化检验60起，法医化验134起567件，共出具各类鉴定书410份。全市基层17个三级点也有不同程度发展壮大，技术水平显著提高。

【加强公安队伍建设】 深入开展“三项教育”，市局党委针对队伍建设和公安工作中存在的突出问题，研究制定开展“三项教育”的具体方案，对每个阶段、每个步骤、每个环节都提出明确的目标、重点、措施和标准。各单位始终坚持把理论联系实际，立足教育提高，打牢思想基础放在首位，普遍采取集中学习和自学相结合，通读与精读相结合，集体讨论与个人撰写心得体会相结合，正面教育与剖析反面典型相结合等多种形式，取得较好的学习效果。通过“三项教育”，广大民警受到一次深刻的观念教育，思想上有明显进步；队伍凝聚力有新的增强，也有力地促进公安机关党风廉政建设，全市公安机关共查处民警违法违纪案件36起42人。

（范建刚）

·市公安局交通警察支队·

【概述】 坚持“我为人民管交通，管好交通为人民”的思想，把“纠违章、压事故、清路障、保畅通”做为工作着力点，首创并引深推广交通事故处理“一快三卡四公开”的“阳光作业”机制和交通安全宣传教育“小手拉大手”娃娃工程，将“阳光作业”机制从交通事故处理推广应用到公安交通管理工作的各个部门、各个环节，全面推行警务公开，实施“畅通工程”，创建“平安大道”，不断加强交警队伍建设，全面实施“科技强警”战略，加大信息系统建设力度，交通管理为全市改革发展稳定做出贡献，受到各级领导和广大人民群众的一致好评。

【开展“三项教育”】 开展以全心全意为人民服务的宗旨教育、实事求是的思想路线教育、严格公正文明执法的法制教育为内容的“三项教育”。在思想发动阶段，明确各级交管部门一把手为“三项教育”的第一责任人，对全体民警做深入细致的动员，解决民警在学习、工作、生活中遇到的实际困难，以此调动民警投身“三项教育”的积极性。在理论学习阶段，采取个人自学、集体导读、专题研讨相结合的方式，深入学习必读篇目，每位民警都写出2万余字的学习笔记、体会文章和专题小结。同时，组织全体民警参加了全国公安机关“三项教育”知识竞赛。在查摆剖析阶段，向社会公布投拆电话，设置意见箱，并向社会发放《征求意见表》1600份，回收1473份，群众提出意见和建议1180条。整理归纳群众意见后，各部门和每位民警“对号入座”，认真剖析存在问题和根源。“三项教育”结束后，支队机关3名民警离岗培训，4名车管民警交流到其他岗位，经群众推荐、公示、考试，6名民警到车管窗口工作。

【集中整治货运车辆超载】　主动与煤管、运输等部门取得联系，形成合力。成立集中整治货运车辆超载违章工作领导组，分片包干、责任到人。开展声势浩大的摸底调查和宣传发动工作。设立交通安全宣传站和超载检测点，通过宣传车、印发宣传材料、刷写公路两侧标语、发表电视讲话、报纸宣传等形式，使货运车驾驶员知晓并理解集中整治工作。在各大煤矿、煤焦站、煤焦售卖场点等源头，对超载车辆采取现场拆除马槽加高板、卸载等强硬措施，并对货运车辆进行集中检验。领导深入一线，加强检查督导，规范民警执勤执法行为。全市共出动警力59200余人次，散发宣传材料20余万张，利用电视、报刊、广播宣传940余次，刷新标语4500条，设立超载检测点51处，卸煤场点430处，检查超载车辆81301辆次，查纠改装车4992辆，强行拆除自加高的槽帮550个，责令其返回装货点卸货处理的3426辆，在源头堵截超载车辆800余辆，违章记分28644人次，吊扣驾驶证5000个，行政拘留43人，打击车匪路霸39起，查扣“两无”车辆21068台。

【规范交通事故处理】　全市共发生交通事故3771起，死亡392人，受伤2405人，直接经济损失6540458元。以“阳光作业”机制为主题，加快交通事故处理工作法制化、规范化进程。尧都区交警大队狠抓内部规章制度的完善，实施《岗位目标考核实施细则》，同时邀请义务执法监督员，召开事故处理工作座谈会，公开听取社会各方面意见；襄汾县交警大队针对多年来工作中存在的薄弱环节，提出抓住“五个环节”（接警与处警、勘察与取证、成因分析与责任认定、处罚与教育、赔偿与调解），强化“四个意识”（证据意识、程序意识、时效意识、诉讼意识），开展“三项服务”（服务于经济建设、服务于交通管理、服务于人民群众）的新举措；吉县交警大队结合实际，适时组织公处大会，依法对交通肇事者给予严惩。全市事故案卷进一步规范，案卷整理规范率达到80%以上，同时，全市事故处理微机操作人员参加全省计算机事故统计系统学习培训，业务素质进一步提高。

【开展交通安全宣传教育】　把交通安全宣传教育的重点向公路沿线广大农村、农民、驾驶员、中小学生延伸，充分利用报纸、杂志、广播、电视等新闻媒体，多形式、多渠道广泛进行交通安全宣传。襄汾县交警大队利用“宣传月”，与县文联共同举办以“小手拉大手、交通安全进万家”为主题的有奖征文活动。支队在省级电视台播发稿件5条，市级电视台、广播电台播发稿件18条，省及以上报刊发表稿件16篇，与临汾日报社合办“交警之窗”专版17期，刊登文字稿件130篇，登载图片52幅。

【全省交警落实“五个规定”现场会在临汾召开】　2月16日，全省交警落实“五个规定”经验交流流动现场会在临汾交警支队召开。全省11个地、市交警支队分管车管业务的领导、车管所所长、省厅交管局车管处、办公室、政治处的有关领导以及临汾交警支队机关全体正式干警共80余人参加会议。副市长董彩霞、省厅交管局副局长周靖球、车管处处长刘敏、副处长王志勇、刘德荣、临汾公安处党委书记逯全锁、临汾公安处副处长兼交警支队长李占德、政委张康敏等领导出席现场会。临汾交警支队副支队长兼车管所所长闫绥包向人会介绍“机动车驾驶员考试监控指挥系统”的研制目的、研制过程及试运行所收到的效果。与会人员到埝下考场观看“机动车驾驶员考试监控指挥系统”现场演示，互相交流车管工作的经验和体会，并提出进一步完善该系统的意见和建议。会议认为，该系统研制成功和投入使用，是临汾交警支队实施公安部“科技强警”战略，认真贯彻落实公安部“五个规定”，确保人民群众满意的具体举措，密切警民关系的桥梁和纽带。

【市交警支队和公路巡逻民警支队揭牌】 5月18日上午，“临汾市公安局交通警察支队”、“临汾市公安局公路巡逻民警支队”揭牌仪式在支队办公大楼前举行。市委副书记刘合心、市人大常委会主任陈长禄、市政协主席张岗望、市政府副市长董彩霞、市纪律检查委员会副书记韩福元、市政法委副书记吕正祥、省厅交管局事故处副处长姚玉璜、市人民警察学校校长逯全锁、市纠风办主任冯学智、市公安局在家的党委成员出席了揭牌仪式。临汾日报社、市电视台等新闻单位以及各县（市、区）公安局交警大队大队长、教导员和支队机关全体干警参加揭牌仪式。揭牌仪式由张康敏政委主持。市公安局副局长兼交警支队长李占德发言，副市长董彩霞代表市委、市政府向临汾市交警支队及全市交警表示祝贺。

附：

·基本情况·

临汾市公安局交通警察支队现有正式干警146人，机关科室共分6科（政工科、计财科、交管科、宣传科、事故科、刑事治安科），1室（办公室），1所（车管所），1队（公路巡警支队），3中心（警务中心、教考中心、培训中心）。下辖全市17个县（市、区）公安局交通警察大队，有民警1600余人，担负着对全市243757辆机动车，251652名机动车驾驶员和9000余千米道路的交通安全管理任务。

·获奖情况·

集　体

临汾市公安局交通警察支队被评为全国跨区机收小麦工作先进单位

临汾市公安局交通警察支队被山西省精神文明建设指导委员会评为“省级文明单位”

临汾市公安局交通警察支队被省人事厅、省档案局授予“九五期间全省档案工作先进集体”称号

尧都区公安分局交通警察大队公路巡警中队被共青团山西省委授予“青年文明号”称号

霍州市公安局交通警察大队荣获“全省治超先进大队”称号

个　人

霍州市公安局交通警察大队李永华同志被省公安厅授予“全省治超标兵”称号

临汾市公安局交通警察支队公路巡警大队柴勇同志、襄汾县公安局交通警察大队直属中队巨根富同志、侯马市公安局交通警察大队林城中队史峰、尧都区公安分局交通警察大队公路巡警中队张小义同志、洪洞县公安局交通警察大队城关中队张峰同志、乡宁县公安局交通警察大队巡警中队杨建平同志、西坡中队刘国平同志、蒲县公安局交通警察大队秩序股王风平同志被省公安厅授予“全省治超先进个人”称号

临汾市公安局交通警察支队公路巡警大队白建军同志、霍州市公安局交通警察大队巡警二中队张红杏同志荣立省公安厅“二等功”

（师太平　贾永波　牛茂才）

检　察

【概述】 检察机关坚持“公正执法、加强监督、依法办案、从严治检、服务大局”的新时期检察工作方针，突出打击重点，加大监督力度，以争创“五好”、“两满意”为载体，稳步推进各项检察工作，取得明显成效。在连续4年全省综合考评第一名的基础上，2001年又有5项工作跨入全国先进行列，9项工作在全省继续保持一流水平。

【积极投入“严打”整治斗争】 精心组织，周密部署，迅速行动，集中优势兵力投入“严打”整治斗争，及时介入重、特大案件的侦查活动，批捕、起诉一批严重危害社会治安的刑事犯罪分子。全市检察机关共受理提请审查批捕的各类案件2048件3413人，经审查批准逮捕1687件2677人；受理移送审查起诉的各类

案件 1958 件 3077 人，经审查向人民法院提起公诉 1500 件 2201 人，有力地打击了犯罪分子的嚣张气焰。

【严厉打击三类重点刑事犯罪】 坚持依法“从重从快”方针和“两个基本”的原则，将打击重点对准有组织犯罪、带黑社会性质的团伙犯罪和流氓恶势力犯罪，配合有关部门开展治爆缉枪、打击破坏市场经济秩序犯罪等专项斗争。4～12 月，共批捕 3 类重点案件 1110 件 2348 人，其中，重特大案件 675 件 1162 人，恶势力团伙犯罪案件 175 件 731 人，破坏社会主义市场经济秩序犯罪案件 260 件 455 人。起诉故意杀人、放火、爆炸、抢劫、强奸等暴力犯罪案件 315 件 543 人，重大盗窃、故意伤害、抢夺等严重影响群众安全感的多发性犯罪案件 214 案 319 人，打掉犯罪团伙 185 个，起诉破坏社会主义市场经济秩序犯罪案件 75 件 128 人。

【查处职务犯罪】 按照高检院的部署和要求，集中查办一批国家工作人员职务犯罪案件，共立案侦查贪污、贿赂、挪用公款类职务犯罪案件 192 件 221 人，立案侦查渎职、侵权类犯罪案件 60 件 72 人，为国家和集体挽回经济损失 1000 余万元。立案侦查贪污、贿赂、挪用公款等大要案 46 案 53 人。立案查处渎职、“侵权”大要案 9 件 11 人，县处级领导干部犯罪案件 1 案 1 人。立案侦查党政机关、司法机关、行政执法机关和经济管理部门干部犯罪案件 29 件 32 人。

【为国企改革服务】 市院党组研究制定《临汾市检察机关为国有企业服务的意见》。采取把查办职务犯罪做为为国企改革和发展服务的一项重要内容，对涉及危害国企利益的案件优先受理，优先查处，重点查办。一年来共查处国有企业干部犯罪案件 64 件 72 人，涉案金额 1700 余万元，有效地保护了国有企业的利益；做好预防职务犯罪工作，结合办案，开展重要领域系统预防、重大工程专项预防、发案单位个案预防、以案释法警示预防，受到社会各界的广泛关注和好评。

【侦查监督工作】 全市检察机关审查批捕部门共受理立案监督线索 178 件，要求公安机关说明不立案理由 166 件 197 人，公安机关立案 130 件 153 人，共对 736 名犯罪嫌疑人做出不批捕的决定，对 133 名犯罪嫌疑人做出追捕决定，发出书面检察建议 236 份；审查起诉部门通过适时介入、审查案件、跟踪调查等方法，共提出纠正违法意见 308 条，追诉漏犯 36 人，追诉漏罪 67 条，发现司法人员犯罪线索建议立案查处 3 人。

【民事行政检察】 实行“三个公开”和“四项制度”，主诉检察官作用得到充分发挥，公开审查制度进一步落实。全年共受理各类民事、经济、行政申诉案 305 件，立案审查 268 件，经审查提请省院抗诉 57 件，向人民法院提出抗诉 76 件，协调当事人服判息诉 115 件，出席再审法庭支持抗诉 73 次，初查审判人员枉法裁判、徇私舞弊案 5 件 5 人。

【控告申诉检察工作受到表彰】 控告申诉检察处，严肃认真对待群众控告申诉案件，为群众排忧解难，保护人民群众合法权益。全年共受理来信来访 2096 件（次），受理举报线索 436 件，立案复查刑事申诉案 116 件，改变原决定 13 件。有 10 个县（市、区）院的接待室获省级“文明接待室”称号，其中 4 个获高检院“文明接待室”称号，一个被高检院授予“示范窗口单位”称号。

【保密工作获全省先进集体】 市院保密工作先后被中共临汾市委保密委员会评为“临汾市‘三五’保密普法先进单位”，被省委、省政府评为 1997～2001 年全省保密工作先进集体。《立足五个坚持，狠抓定密工作》经验材料先后被高检院《检察工作简报》、省院《山西检察简报》、省保密委、省保密局《山西保密工作》刊登转发。

【开展调研活动】 市院将高检院制定的 8 个检察应用理论研究课题和 28 个专题调研题目印发到各县(市、区）院，各单位层层分解，划分到科室，做到“四定”（定调研人员、定研究课题、定质量标准、定完成时限）。全市检察干警共撰写各类调查报告、法学论文 342 篇，其中被国家级刊物采用 4 篇，省级刊物采用 15

篇，地级刊物采用38篇。

【教育培训工作】 共有1506名干警参加全国检察干警素质教育统一考试，320人参加法律专业自学考试。全年参加自学考试1317科次，及格753科次门，72人通过自学考试取得专科或本科文凭。在全市检察干警（1566人）中，大专文凭979人，本科文凭138人，研究生11人，占全市检察干警总数的72%。

【基层检察院建设】 按照高检院和省院关于加强基层检察院建设的总体规划，结合临汾基层县院多、贫困县院多的特点，不断加大工作指导力度，扎扎实实地开展争创“五好”检察院活动，年终17个单位全部达标，实现了“三年任务两年完”的奋斗目标。市院荣获高检院“基层检察院建设组织工作奖”，被省政法委评为“学创工作先进单位”。10月24日，省检察院在临汾召开全省“五好”检察院动态管理经验交流会。

（李汾生）

审　判

【概述】 人民法院认真履行宪法和法律赋予的职责，积极开展各项审判工作，推进法院改革，提高审判质量和效率，大力加强队伍建设，提高法定职业道德和素质，接受监督，提高审判工作透明度，为维护社会政治稳定，促进改革开放和经济发展，做出积极贡献。全市法院全年共受理刑事、民事（经济）、行政等各类一审、二审、再审和执行等案件21745件，审（执）结18324件，结案率84.27%。坚决按照中央和省、市关于开展“严打”整治斗争方针要求，全力以赴，精心组织，周密部署，既从重从快，又“稳、准、狠”地惩治和打击各种犯罪活动。全年共受理一审刑事案件1767件2649人，同比上升8.60%；结案1601件2378人，结案率90.06%。在判决发生法律效力的1227件1759人中，给予行政处罚的1634人，其中判处无期徒刑直至死刑的69人，5年以上有期徒刑的330人，判处重刑的占24.42%。严厉打击有组织犯罪、带黑社会性质的团伙犯罪和流氓恶势力犯罪，爆炸、杀人、抢劫、绑架等严重暴力犯罪以及盗窃等严重影响群众安全感的多发性犯罪。全市法院共受理并审结3类重点案件585件991人。4月25日和7月27日先后两次召开声势浩大的宣判大会，将分布于全市范围的21案36名犯有故意杀人、抢劫、强奸等罪行的犯罪分子集中公开宣判和执行，数万名群众参加宣判大会。各基层法院分别召开宣判大会30余场次，宣判114案119人，推动“严打”整治斗争深入开展；受理涉“法轮功”案件7件21人。侯马市张广军、李怀玉等7名被告人复制、散发、传播以“法轮功”歪理邪说为内容的非法宣传材料和经文，破坏国家法律实施，造成极坏政治影响，经教育仍不悔改，依法对张广军从重判处有期徒刑3年。受理贪污、贿赂、挪用公款、涉税、职务侵占、非法吸收公众存款、金融诈骗、合同诈骗等案件142件，审结123件，共判处经济罪犯114人，为国家和企业挽回经济损失300余万元。市中院所审结的107件一审重大刑事案件坚持严把事实关、证据关、严格区分罪与非罪的界限，对不构成犯罪的34名被告人宣告无罪，切实做到不枉不纵、公正执法。

【民事（经济）案件审理】 法院全年共受理各类一审民事（经济）案件12007件，审结10395件，分别比上年上升5.94%和6.99%；共受理民事（经济）二审案件1731件，审结1501件，同比上升5.52%和3.34%；共受理婚姻家庭案件3435件，占民事案件总数的34.95%，审结2987件，其中离婚案件2184，解除同居关系案290件，抚养、赡养案188件。审结山林、水利、土地及果园承包合同纠纷等涉农案件108件；受理涉及企业间的经济纠纷案件2178件，诉讼标的额40223.5万元，其中受理金融、借贷纠纷案件200件，占总案数的32.14%；购销合同纠纷案件69件，占3.17%。国营五四零一厂是国有困难企业，在履行与四川省现代企业发展公司电解铜购销合同中，被拖欠货款135万元，法院多次开庭，行程万余公里，数次往返于临汾和成都之间，做了大量艰苦细致工作，对方从不应诉到愿意接受调解，最终达成给付100万元货款，免费刊登3次广告调解协议。

【行政案件审理】 受理一审行政案件230件，审结201件，分别比上年上升2.68%和6.91%；受理行政二审案件26件，审结73件，同比上升15.15%和23.73%。群众反映较大的公安、土地、工商等行政部门的案件分别占总数的19.03%、18.58%和4.87%。审结的案件中，维护被告具体行政行为50件，仅占25.38%。通过对行政案件的依法妥善审理，有效地化解"官"、"民"矛盾，增强行政机关依法行政的自觉性和公民运用法律武器依法维权的意识。受理执行案件4545件，执法3250件，执法率71.51%，执法数额8028.31万元。

【司法救助工作】 法院全年共办理诉讼费"缓、减、免"180余万元，其中免交诉讼费20余万元，对27名需要提供法律援助的刑事案件被告人指定有法律援助义务的律师出庭辩护，切实保护被告人合法权利。

【法院改革】 大力推行公开审判，深化庭审改革，确保各类案件在符合法律规定的条件下全部做到公开审理；通过强化当事人举证责任，当庭举证、当庭执证、当庭认证不断规范；通过全面推行立审、审执、审监"三个分立"制度，将审判活动和审判管理逐步纳入制度化、规范化的轨道；实行接待、办公、审判"三区"分离，进一步规范审判活动，规范法定行为，防止案件审判和审务活动中"暗箱操作"，增强审判工作透明度；进一步健全和完善审判流程管理，建立大立案、精审判、强监督、重执行的审判管理和运行机制。全市法院普遍推行审判流程管理。实行排期开庭后，96%以上的当事人都能按时到庭应诉，减少当事人的讼累。全市法院普遍推行审判长、独任审判长选任制。市中院制定《审判长量化考核实施办法》，在全省法院率先推行审判长量化考核，动态管理；进一步强化和完善内部监督制约机制。坚持违法审判案件听证制度。全年共对10案进行听证，建立审判监督委员会，对涉及基层法院的6案进行检查，并对其中2案发出督办令。对中院审结的135案进行了评查。不断强化违法审判责任追究制。全市法院共查处22案26人，其中对7案7人予以追究，分别给予党政纪处分；实行案件通报制度，分4期对11案进行通报。坚持院、庭长值班接待制度。全年全市法院通过院、庭长接待处理人民群众来信来访4000余件（次），许多群众反映的疑难热点问题都得到及时解决。

【法官队伍建设】 深入开展"一教育三整顿"活动，并与在基层开展的"三个代表"学习教育活动相结合。通过集中学习、展开讨论、举办讲座、专题辅导、辩论演讲、自查自纠、集中整改等形式，学教活动取得较好效果。加强司法职业道德教育。认真学习贯彻《公民道德建设实施纲要》和《法官职业道德基本准则》，围绕"公正与效率"和在新的历史条件下法官应具有什么样的职业道德，如何提高法官职业道德等举行演讲和辩论会等活动，进一步推动"争创"活动的开展。强化法官培训，提高整体素质。市中院先后组织庭室领导、审判长到山西大学法学院学习深造，赴山东青岛、潍坊等先进法院考察调研。1年来，参加各种学习培训的法官242人，攻读研究和专升本学历的法官500余人，法官队伍的文化结构和法律专业水平不断提高。强化对干部的管理。全市法院普遍强化廉政责任制，层层鉴订党风廉政建设责任书，建立个人廉政建设档案。市中院、尧都区法院还制定《加强法院干警八小时以外管理的规定》。市中院被评为全市党风廉政建设A级责任。

【社会监督】 全市法院不断增强接受监督的自觉性和主动性，虚心接受来自人大、政协、新闻媒体和社会各方面的监督。加强与人民代表联络工作。确定专人负责与人大代表联络，制定《关于加强与人大代表联络工作的意见》，接受人大监督，及时处理人大代表来信、意见和建议，及时办理人大督办事项。在市第一届一次人代会期间，市中院邀请侯马、曲沃、浮山等县、市人大代表视察、监督指导法院工作。全国人大代表、省人民代表先后3次在中院视察工作，有效地推动各项工作的开展。市人大一届五次常委会专门听取和审议市中院《建立和完善内部监督制约机制，加大错案责任追究力度》的工作报告，并对3起民事、经济案件予以重点监督。在市委、人大支持监督下，市中院坚持实事求是，有法必依，对数起由于历史原因造成的错案，严格依照法律程序，实事求是地予以纠正。全年共收到人大批转督办案件78件，其中全国人大批转1件，省人大批转10件，市人大批转67件。对要求答复的45件全部答复，均予以妥善处理。

附：

·获奖情况·

集　体

临汾市中级人民法院被省高院授予全省“人民满意的好法院”称号

临汾市中级人民法院被山西省军队转业干部安置办评为先进单位

临汾市尧都区人民法院被最高人民法院授予全国“人民满意的好法院”称号

尧都区人民法院小榆法庭被省高院授予全省“人民满意的好法庭”

个　人

中级法院法警支队乔志民同志被评为“优秀军队转业干部”

临汾市中级人民法院王树旗同志、尧都区人民法院南街人民法庭张慧芳同志、侯马市人民法院研究室申计田同志、霍州市人民法院执行庭药红杏同志、曲沃县人民法院武国界同志、翼城县人民法院刑事审判庭宋兆林同志、襄汾县人民法院杨盖明同志、洪洞县人民法院城关人民法庭樊丽琼同志、隰县人民法院刑事审判庭席忠玲同志、汾西县人民法院　香人民法庭赵红耀同志被省高院授予全省“人民满意的好法官（干警）”称号

（王维民）

司法行政

【概述】 司法行政工作不断引深依法治市，积极参与综合治理，圆满完成各项工作任务，为进一步实施率先发展，建设中西部经济强市创造良好法制环境。全面启动“四五”普法。省“四五”法制宣传教育暨依法治省工作会议后，对“三五”普法工作进行全面检查验收，出台《关于进一步开展法制宣传教育的决定》、《临汾市开展法制宣传教育和依法治市工作第四个五年规划》等文件，调整市委依法治市领导组，召开“四五”法制宣传教育暨依法治市工作会议。各县（市、区）积极行动，认真落实，召开法制宣传会。强化法律服务。全市法律服务机构积极为经济结构调整、重点工程建设、国企改制等提供法律服务。市公证处为汾河制药厂年产3万吨柠檬酸改造扩建、侯马晋光制药厂“猴头健胃灵”出口泰国等项目提供公证法律服务。晋尧律师事务所为涉及尧都区、襄汾、翼城等地702户农民因使用“肥力高”产品导致大面积农作物受害减产一案提供诉讼代理服务，使受损农民获赔457万余元。加强队伍建设。在全系统开展思想、纪律、作风集中教育整顿活动，进行公务员、司法助理员基本素质教育培训。律师系统开展职业道德和执业纪律教育评查活动，公证系统开展公证案件质量检查活动。通过开展系列活动，提高了司法干警队伍的整体素质。

【依法治理达标示范活动】 在全市范围内推广古县依法治县办、浮山教育局、市交通局等5个单位依法治理先进经验，收到典型示范、整体推进效果。全市依法治理达标示范县（市）11个，乡镇130个，行政村1200个，学校220个，工商企业120个，行政事业单位400个。

【“12·4法制宣传日”活动】 12月3日，召开全市“12·4法制宣传日”座谈会，市委、市人大、市政法委领导到会，市委副书记刘合心发表电视讲话。12月4日，市直40余个单位在平阳广场开展法律宣传咨询活动。各县

（市、区）也举办法制版面展览、现场法律宣传咨询、悬挂张贴标语、上街宣传等形式多样的法制宣传活动。受教育群众 26 万人，产生良好的社会效应。

【参与严打斗争】 配合“严打”整治斗争开展法制宣传和法律服务。全市各级司法行政机关先后 3 次参与“严打”公判大会，共散发整治社会治安专项治理宣传材料 10 万份，出动宣传车 120 余台次，干警 2000 余人次，深入人口密集的市区繁华区、中心乡镇、国有企业等重点区域集中宣传。共办理刑事辩护案件 973 件。各法律援助机构共为 73 名拟判刑的刑事案件被告人指定辩护人。

附：

·律师事务所名单·

山西晋尧律师事务所　　山西如山律师事务所
山西今宇律师事务所　　山西师达律师事务所
山西启正律师事务所　　山西荣辉律师事务所
山西诚敏律师事务所　　山西晋都律师事务所
山西宁天律师事务所　　山西中正平律师事务所
山西秀竹律师事务所　　山西二峰律师事务所
山西金贝律师事务所　　山西飞虹律师事务所
山西昕水河律师事务所　　山西丹心律师事务所
山西岳南律师事务所　　山西尧诚律师事务所
山西韩红律师事务所　　山西诚明律师事务所
山西正渊律师事务所　　山西平阳律师事务所
山西靖华律师事务所　　山西新田律师事务所
山西天元盛律师事务所　　山西鑫华律师事务所
山西唐尧律师事务所

·公证处名单·

临汾市公证处　　蒲县公证处
隰县公证处　　尧都区公证处
古县公证处　　洪洞县公证处
侯马市公证处　　翼城县公证处
安泽县公证处　　霍州市公证处
大宁县公证处　　乡宁县公证处
襄汾县公证处　　曲沃县公证处
吉县公证处　　汾西县公证处
浮山县公证处　　永和县公证处

（王继平　魏晓民）

典型案例

【吉县原副县长姜建仲破坏选举案】 吉县副县长姜建仲等人破坏选举一案，7 月 19 日在曲沃县人民法院公开审理。庭审持续近 4 个小时。被告人对自己的犯罪事实供认不讳。一审当庭宣判被告人姜建仲犯破坏选举罪，判处有期徒刑 1 年，缓刑 2 年；被告人冯建忠、冯爱忠犯破坏选举罪，各判处有期徒刑 1 年，缓刑 1 年。判后，三被告人均表示服判，不上诉。

法院审理查明，吉县第十二届人大常委会第十七次会议，决定于 2001 年 1 月 12 日召开吉县第十二届人民代表大会第五次全体会议，其中一项议程是选举吉县人民政府县长。没有被列为候选人的姜建仲为能在这次选举中当上县长，当天便将与自己关系密切的吉县政府办公室司机冯建忠、冯爱忠叫到自己家中，就拉选票一事进行密谋。从 2000 年 12 月 30 日～2001 年 1 月 2 日，由姜建仲提供各位县人大代表名单、住址、姜建仲名片及 39 个各装 500 元的信封，由冯建忠、冯爱忠驾车到各乡镇贿赂人大代表。每找见 1 名人大代表，二冯都要将其叫到车内或无人处向其宣扬姜建仲为人如何好，政绩如何突出，要求选举时投姜建忠一票。遇到文化程度不高的人大代表，二冯还拿出姜建忠的名片让其照着写一遍姜建仲的名字，临走时均留下 500 元钱。到 2001 年 1 月 3 日群众举报案发，姜建忠一伙共向 39 名人大代表行贿 19500 元。因姜建仲等人破坏选举，致使吉县第十二届人民代表大会第五次全会推迟至 2001 年 2 月 4 日召开。

【利用职权肆意侵吞国有资产案】 7 月，一起利用职务之便肆意侵吞国有资产的贪污大案在临汾市中级人民法院得到审结。原侯马市商业集团总公司五交化批发中心经理（前系侯马市五交化公司紫金山商店负责人）芦明才犯贪污罪，一审被判处无期徒刑，剥夺政治权利终身，并处没收个人财产20万元；同案犯杨红旗被判处有期徒刑3年，并处没收个人财产2万元。

法院审理查明，1992～1994年间，被告人芦明才以紫金山商店名义与侯马市邮电知青商店发生业务往来，致知青商店欠紫金山商店货款15996元。被告人芦明才遂于1998年6～8月间，分3次从该商店提走现金10500元据为己有；1998年4月，被告人芦明才经人介绍，将属于紫金山商店的67辆自行车、6台电扇，以10520元的价格处理给临汾市尧都区的张某，张当即给付卢现金10000元，卢未将该笔货款入账，据为己有；1998年7月20日，被告人芦明才以紫金山商店名义，向侯马市利民轴承专营部出租商店一间，卢将2次收取的7500元房租据为已有；1998年7月25日，被告人芦明才将侯马市综合公司所有的北京1041型双排客货车出售他人，除2000元用于支付职工工资外，将其余18000据为己有；1998年8月24日，被告人芦明才从侯马市华晋电缆厂拉走价值201450元的铝塑复合带10卷，以冲抵该厂欠款，芦又以31000元的低价转售给收废品的人，并将款据为己有；1998年，被告人芦明才2次从侯马饭店财务科领取电视机款7000元，据为己有；1998年后半年，被告人芦明才与杨红旗一道，将紫金山商店存放于侯马外贸仓库内的价值266818.42元的交通、五金、电料等货物处理给他人得款20350元，同时芦还将47辆自行车处理给曲沃北大街自行车商店，得款9400元，被告人芦明才将该29750元据为己有；1998年后半年，被告人芦明才、杨红旗共谋将单位价值26649元的6台空调拉走，芦明才让前妻杨俊拉走1台，价值3080元，被告人杨红旗自用1台，其余4台由杨红旗处理。庭审中，法院共查实被告人芦明才个人或伙同杨红旗14次利用职务之便，将自己经手、管理、使用的国有财产，以上述种种收入不入账、非法侵吞、将货物随意低价处置变卖等手段，予以非法占有。认定被告人芦明才贪污公款126100元，侵吞国有财物价值385315.98元，变卖国有财物得赃款61350元。被告人杨红旗伙同芦明才通过变卖国有财物得赃款10250元。

法院认为，被告人芦明才身为国家工作人员，利用职务之便，监守自盗、侵吞占有巨额国有财物，构成贪污罪。被告人杨红旗虽非国家工作人员，但其与具有国家工作人员身份的芦明才一道，为达到侵吞国有财物的犯罪目的，彼此分工，互相配合，采取共同做为形式，将部分国有财物据为已有，构成贪污罪的共犯。二被告人在共同犯罪中，被告人芦明才起决定、组织作用，系主犯，应从重处罚；被告人杨红旗积极参与犯罪，并具体实施变卖国有财物行为，其作用较主犯次之，系从犯，应从轻处罚。故依照《中华人民共和国刑法》之规定，依法做出上述判决。

【屡次抢劫拐卖儿童案】 6月，市中院公开开庭审理一起团伙抢劫、拐卖儿童案，以拐卖儿童、抢劫罪从重判处被告人刘则兵死刑，剥夺政治权利终身，并处没收个人全部财产；以抢劫罪判处李习武死刑，剥夺政治权利终身，并处没收个人全部财产；以拐卖儿童罪、抢劫罪判处被告人殷华有期徒刑18年，并处罚金1万元；以拐卖儿童罪判处被告人董敬仁有期徒刑9年，并处罚金1万元；以抢劫罪判处被告人黄志清有期徒刑7年，并处罚金5000元。

刘则兵、李习武、殷华、黄志清等4名被告人分别系湖北房县、竹溪县和河北省任县人。在临汾结伙打工期间，萌生抢劫的恶念。1999年1月10日，李习武、殷华、郭运城（在逃）共谋在尧都区一平垣乡段家凹村某小卖部抢得财物价值400余元。同年9月11日凌晨1时许，被告人刘则兵、李习武预谋后窜至尧都区一平垣乡段家凹村姬某小卖部，蒙面入户，用木棒将姬某打致轻微伤，抢得钱物总价值1700余元。时隔13天，又窜至一平垣乡联营煤矿肖某小卖部，刘则兵用毛巾塞住肖某的嘴，另一同伙王刚（在逃）用电线将肖某捆绑，抢得现金和部分物品，总价值1770余元。同年10月21日凌晨2时许，被告人李习武、殷华来到临汾市尧都区西头乡小腰村贺某家小卖部，撞门入室，李用木棒将贺夫妻2人打伤，抢得钱物价值130余元。2000年2月1日凌晨1时，被告人刘则兵、李习武、黄志清、陈俊（在逃）持菜刀、擀面杖等作案工具，又窜至蒲县黑龙关镇南湾村祁某家小卖部，破墙入室，刘则兵用菜刀将祁妻砍伤，抢得财物价值1800余元。对当地群众的人身、财产安全构成严重威胁。

这几名被告人在疯狂实施抢劫作案的同时，还将罪恶之手伸向无知的幼童。1999年11月12日晚12时许，被告人刘则兵、王刚、殷强（均在逃）持菜刀、木棒蒙面窜至市枕头乡鸭儿坪煤矿黄某处，用木棒将黄某打晕，将其1岁半儿子黄雷雷抢去，以13000元的价格卖到河北省任县。2000年1月7日晚8时许，被告人刘则兵，再次伙同他人窜至尧都区枕头乡尖坪村丁某家，用木棒将丁某打伤，抢走其1岁半的儿子丁广晋，经董敬仁介绍以12000元卖给河北省任县骆庄乡东望村村民谢某。

（胡敏生）

【骗领虚开增值税发票案】 蔡乐建为非法获取利益，采取伪造身份证、假印章等手段，骗领并虚开增值税专用发票，数额特别巨大，被市中级人民法院判处无期徒刑和罚金。

1999年8月，被告蔡乐建冒用“朱志军”名字伪造假身份证，以“太原永佳达物贸有限公司”的名义进行法人登记，并先后伪造14枚印章，从太原市尖草坪国税局骗取万元版增值税专用发票11本，共275份，大肆进行虚开增值税专用发票的犯罪活动。共计虚开257份，涉及96个单位，给国家造成巨额税款流失。1999年10月～2000年1月，被告人蔡乐建虚开增值税专用发票3份，涉税金额1707385.33元，已抵扣税款计1614377.24元，非法获利30余万元；被告人张秀清介绍为他人虚开增值税专用发票12份，涉税金额99267.02元，抵扣税款61021.37元，非法获利9706.34元；被告人李雨胖任襄汾县冶金公司冶炼厂厂长期间，经被告人张秀清、张建平介绍，从被告人蔡乐建处为自己虚开增值税专用发票4份，涉税金额56165.37元，抵扣税金额56165.37元；被告人张建平介绍为他人虚开增税专用发票8份，涉税金额36664.13元，抵扣税款34288.60元。

法院经审理认为：被告人蔡乐建为获取非法利益，采取伪造假身份证、假印章等手段，进行法人登记，骗领并肆意虚开增值税专用发票，虚开数额特别巨大，情节特别严重，应予以严惩。被告人张秀清介绍为他人虚开增值税专用发票，数额较大，情节严重，系本案从犯；被告人李雨胖经人介绍为自己、被告人张建平介绍为他人虚开增值税专用发票，但认罪态度较好，并能积极主动补交税款，依法应从轻处罚。依照《中华人民共和国刑法》有关规定分别判处被告人蔡乐建、张秀清、李雨胖、张建平无期徒刑、有期徒刑5年、有期徒刑3年缓刑3年和拘役6个月，并处罚金。

（胡敏生）

【张六陵贪污玩忽职守案】 案犯张六陵，又名张荣鑫，男，1960年3月24日出生，汉族，山西省洪洞县曲亭镇范村人，高中文化，原任临汾市国税局金殿中心税务所所长，1999年9月14日因涉嫌贪污被临汾市人民检察院（现尧都区人民检察院）刑事拘留，同年9月24日被依法逮捕。此案由山西省人民检察院临汾分院（现临汾市人民检察院）提起公诉，临汾市中级人民法院2001年5月9日开庭审理。

本案张六陵在1995年3月～1999年5月期间，利用职务之便，采取收入不记账、高开低收增值税专用发票等手段，侵吞、骗取国家税款共计人民币1074310.1元，该犯违反相关发票管理规定，在开具增值税专用发票的同时未及时征税，致使国家税收遭受重大损失。

临汾市中级人民法院于2001年8月22日以贪污罪判处被告人张六陵死刑，缓期两年执行，剥夺政治权利终身；犯玩忽职守罪，判处有期徒刑3年；数罪并罚，决定执行死刑，缓期两年执行，剥夺政治权利终身，并处没收个人全部财产。

（李汾生）

【过早结婚违法】 12月，曲沃县一对青年男女不到法定年龄，却虚报年龄骗取《结婚证》。后因感情不和，当他们因纠纷官司打到法院时，却被审判为无效婚姻。这一结果让他们大吃一惊。

靳某（男）与黄某（女）同为曲沃县南山脚下村民。靳某生于1981年9月28日，黄某生于1980年4月28日，两人在未达到法定婚龄的情况下，虚报年龄，骗取《结婚证》，并于2000年农历十月二十六举行婚礼。婚前，黄某借婚姻之由从靳某处得到财物共计25000余元，除4000元系靳某为其购买金首饰及礼尚往来外，其余21000黄某得款后大都置办陪嫁物品并陪嫁于靳某家。婚后没几天，两人因无感情基础而分居，期间，经他人多次说和无效，2001年5月8日，靳某向曲沃县人民法院递交起诉状，要求撤销无效婚姻关系，并判令黄某返还其25000元彩礼款。

法院审理判定，原、被告以欺骗手段领取《结婚证》，且在诉讼时也未达到法定婚龄，应宣告其婚姻无效。根据原、被告共同生活时间很短的事实，判决被告随身物品及受赠的金首饰为被告所有，其余物品均为原告所有。被告酌情返还原告2500元。

（小周）

纪检监察

党风廉政建设

【概述】 全市各级纪检监察机关认真贯彻中纪委五次全会、国务院第三次廉政工作会议和省纪委九次全会、全省党风廉政建设干部大会精神，按照"围绕一个中心（经济建设为中心），坚持三项格局（领导干部廉洁自律、查办案件和纠风治乱），实施六项工程，突出源头治理"的总体思路，以案件查办、源头治理、队伍建设为突破口，不断加大工作力度，创新工作方法，全面推进源头治理、惩处打击、正风治乱、教育监督、公开透明、形象素质6项工程，扎实有效地开展党风廉政建设和反腐败斗争，整体工作迈上新台阶，为全面加强党的建设，维护全市改革、发展、稳定大局，提供强有力的政治和纪律保证。

【党风廉政建设责任制】 党政齐抓共管的力度进一步加大。纵的方面，通过层层签订责任状，狠抓责任考核和责任追究，形成一级抓一级，上下齐动手的工作氛围；横的方面，普遍把全年部署的任务分解到党政领导、职能部门和纪检监察机关各内设机构，形成责任明确、齐抓共管的工作格局。在加强纵横责任网络建设的基础上，通过监督检查，严格责任考核，对62名违反党风廉政建设责任制的干部进行责任追究，其中县级干部13人、科级以下干部49人。有55人受到党政纪处分，7人受到组织处理；党风廉政建设和业务工作结合的更加紧密。各级党政领导和职能部门坚持把落实党风廉政建设责任制和分管的业务工作一起部署、一起落实、一起检查；各级纪检监察机关主动争取党委、政府的支持和重视，协调有关部门分解任务，制定措施，相互支持，形成党风廉政建设的整体合力和舆论氛围。

【教育监督】 广泛开展宣传教育活动。通过在各级电视台播放并组织观看《中国共产党纪律处分条例（试行）》、《一代廉吏于成龙》、《好人》、《警笛声》等反腐倡廉教育片，在市委党校函授班增设廉政课程，在《临汾日报》开辟"反腐倡廉"栏目，编印《警示录》、《基层党员干部案例教育读本》，在全市党员干部中开展"廉洁勤政先进典型"评选，举办反腐倡廉演讲比赛等活动，加大党风廉政建设宣传教育力度，增加党员干部的党性党风党纪观念，强化全心全意为人民服务的思想。认真进行自查自纠、专项治理。市、县两级四大班子及各部门、各单位结合"三个代表"学教活动，坚持定期召开专题民主生活会，针对党风廉政建设方面存在的突出问题，深入剖析，积极整改，思想作风、领导作风都有明显改进。先后就公款吃喝、大操大办及全市现任的1178名副县级以上领导干部配偶子女从业、健身活动、收受礼金及有价证券、因私出国（境）和多占多购住房等，集中进行专项清理整治，有效地遏制不正之风的滋生和蔓延。同时，开设"581廉洁自律专用账户"，进一步完善廉政档案，开展诫勉谈话、任期经济责任审计等工作。制定出台《关于聘请党风廉政建设监督员的通知》、《党风廉政监督员工作暂行办法》，全市聘请人大、政协、各民主党派、无党派人士等党风廉政监督员200名。

（段效毅）

源头治理

【概述】 在深入调查研究的基础上，抓住公共权力相对集中的行政审批、政府采购、税费征收、干部选任、土地出租转让等9大腐败源头，提出源头治理“353”工作新思路，即建立“三个中心”，规范“五项程序”，抓好“三个公开”。在17个县（市、区）和大型企业进行试点，取得经验后，市委、市政府于8月召开全市动员会并做出《关于在全市加强反腐败源头治理工作的决定》，同时出台12个相关文件，全面推进“353”工作。据统计，市、县两级筹建财政核算、预算外收费、行政审批、政府采购4个中心，占地面积11609平方米，其中属于自建1825平方米，租用9764平方米。4个中心共投资1837.45万元，其中共配备台式工作电脑437套、电子流动屏幕8台、触摸屏10台、服务器28台、监视器28套、复印机20台、传真机11台、办公桌椅957套、档案柜484组，其他验钞机、空调、保险柜等设备222套。

【建立三个职能中心】 “三个中心”即财政集中核算中心、行政集中审批中心和预算外集中收费中心。市、县两级共建立财政核算中心18个，其中侯马、乡宁、蒲县、隰县、翼城、曲沃、浮山、襄汾、霍州等9个县（市）开始运行。中心有工作人员323名，应纳入管理的行政事业单位1707个，已纳入管理的1168个，占应纳入总数的68.4%；共纠正和拒付260笔违纪资金和不合理开支共计191万元；市、县两级共建立预算外收费中心18个，并全部运行。1365个单位的2037个项目应纳入中心管理，已有1333个单位的2037个项目纳入管理，全年共纳入专户资金7.45亿余元，比上年收缴的6.49亿余元，增加9698.7万余元，入库99.8%。市、县两级共建立行政审批中心18个，霍州、蒲县已受理审批事项。中心有工作人员453名，其中管理人员95名，窗口人员358名。市、县两级原有868个单位的审批项目3967项、收费项目5860项。经过清理，已取消审批项目997项、收费项目1545项，涉及527个单位。735个单位的2453个审批项目、4054个收费项目应纳入中心管理，已有569个单位的1981个审批项目、1943个收费项目纳入管理；已受理审批项目2784项、收费项目224项，涉及金额10.35亿余元。

【严格五项程序】 “五项程序”即规范选拔任用干部和录用公务员（工作人员）程序、政府采购程序、建设工程项目招投标程序、土地收储供应程序、国有企业改制程序。在干部选拔任用工作中，本着公开公平、竞争优选的原则，实行“阳光作业”。全市严格按程序选拔任用干部1873名，录用公务员390名，录用工作人员863名。市直及16个县（市、区）政府采购中心，其中侯马、蒲县、乡宁、洪洞、翼城、曲沃、尧都区已进行政府采购，有317个项目纳入政府采购目录，已有164个单位采购168宗物品，节约资金270余万元。同时，有的县（市、区）还通过招投标实行定点打印材料、车辆定点加油和维修等，节约资金约15%左右；全市已收储土地69.33公顷，出让土地39. 41公顷，政府收入1亿余元；建设工程项目招投标，一年来已办理项目报建188个，招投标172次，办理质监委托、安监手续274份，发放施工许可证195个，竣工验收148次，查处违纪违规案件60起，追缴规费135.33万元；全市570个国有企业，已有340个按程序进行改制，制止资产流失14. 3亿余元。

【抓好三个公开】 “三个公开”即抓好村务公开、政务公开、企务公开，在普及、规范、引深上下功夫。全市151个县（市、区）政权机关和86%以上的基层所实行政务公开，共建立公开阵地2004个，公开内容14000多项，实行办事公开一条龙服务窗口单位133个。全市3379个村全部推行农村财务、农民负担、集体经济承包经营情况、农户宅基地审批和计划生育“五公开”，普遍建立“两议一组”；3348个村实行“村账乡管、集中办公、两级审核、民主监督”制度，占全市总数的99.1%。598个国有、国有控股企业已全部按公开办法实行企务公开。

（段效毅）

正风治乱

【概述】 认真纠正医药购销中的不正之风。全市共取缔非法药品生产、经营户227个，通过换证，淘汰生产经营企业4个，清理销毁假劣和过期药品总案值147.51万元，查处案件26件，涉及金额42.02万元。全市县级医院和部分乡镇医院基本实行明码标价，县级医院基本达到国家定价药品的价格标准，全市药品价格降幅达20%。全市招标采购药品的数量达到要求的60%以上，实行部分药品集中招标采购的医院达到100%。狠抓农民、企业减负工作。对全市不符合规定的67个乡镇、879个村的预算进行纠正，为农民减负3250万元。全市17个县（市、区）、151个乡镇、3379个村农民负担上年预算均未超过5%限额规定。全市废除302项针对企业的收费项目，可减轻企业和社会负担306万元。对“三乱”问题的举报及时组织查处，共查处案件5件，涉及金额16万元。从严治理公路“三乱”和中小学乱收费。市县两级纠风部门查处公路“三乱”案件47件，43人受到党纪政纪处分。省“两厅一办”对全市达标工作进行检查验收，基本达到所有公路基本无“三乱”标准；全市共查处中小学乱收费案件7件，减轻中小学生费用负担224.12万元。认真开展行风评议工作。计划、劳动、人事、财政重点评议单位，采取多种形式的宣传教育活动、开展自查自纠、对照整改、聘请行风评议监督员、基层服务“窗口”行风建设等措施，狠抓行风评议整改工作。全市共建立完善制度和整改措施745条，解决群众反映的问题129个。

【执法监察】 对全市2000年通过财政渠道到位的3550万元国债资金进行执法监察，对存在问题进行纠正；国有企业下岗职工基本生活保障资金、失业保险基金、基本养老保险基金、城市最低生活保障资金进行全面检查。同时对市属813家企业欠缴养老保险金情况进行督促检查，共清缴养老保险金1042万元；环保执法监察共取缔反弹企业232家，对3名工作不力的责任人进行处理；对排污费、污染防治基金使用情况进行专项执法监察，追缴入库40余万元；对全市1999年、2000年到位的扶贫资金进行专项执法监察。检查10个县（市）扶贫资金共计13305万元，查出违纪金额84万元，没收16万元。对大宁、永和、汾西3个县的扶贫移民资金进行重点检查，共查出挪用移民资金60余万元。对大宁县问题严重的5人进行严肃查处，其中开除党籍1人、留党察看1人、撤销党内职务1人、党内严重警告1人、行政撤职1人；对全市煤炭能源基金进行清理，共追缴回4000余万元。

（段效毅）

查办案件

【概述】 全市案件查办工作实现数量和质量双突破，名列全省前茅。全市纪检监察机关共受理群众来信来访2036件（次）；初核案件1312件，比上年同期增长67%；立查案件1160件，增长65%。其中万元以上大案170件，县处级干部26件，乡科级210件；结案1175件，增长85%；共处分1197人，增长82%，通过办案挽回经济损失1436万余元。全市两次对273案292人进行公开处理。其中县处级干部8人，乡科级185人，其他人员99人，万元以上大案81案81人。案件查办工作的特点：围绕党委、政府中心工作，主动查办案件。即围绕整顿和规范市场经济秩序以及农村稳定，加大经济案件和侵害农民利益的案件的查办力度。加强组织领导，形成办案合力，以系统为单位成立9个办案联组，划分区域，统一调配，集中力量，交叉办案。办案联组全年立查案件58件，处分58人，比过去几年办案总数还多，其中最多的办案19件。要求各级纪检监察机关在认识上要做到“三个定位”：就是必须把案件查处做为全市反腐败工作的重点，要通过查案为源头治理工作创造宽松环境，要以查办案件的实际成效，取信于民。切实加强对案件查办工作的组织领导。在继续坚持领导包案、实行办案责任制的基础上，完善党委领导，纪委牵头，检察、法院、公安、审计等单位主要领导参加的反腐败协调小组工作制度。创建纪检监察机关办案新机制。确定市纪委监委由书记全面负责办案工作，一名副书记专抓，一名常委协助；县（市、区）纪委由一把手总负责，分管领导具体抓，乡镇纪委、纪检组抓落实。严格考核奖惩，增加办案动力。科学确定各县（市、区）纪委、市直和各大厂矿纪检组（纪委）以及市纪委机关办案科室的全年办案考核指标。同时，制定《全市查办案件工作奖惩办法》。不断拓宽案源，积极主动出击。在案件查办中，始终注重在充分发挥信访举报主渠道作用的同时，积极主动出击，依靠执法监察、专项检查、重点审计、剖析亏损企业等多种途径和方式，发现和挖掘案件线索，全年仅在专项执法监察和办案中就发现案件线索254件，查结248件，占办案总数的21%。

（段效毅）

队伍建设

【概述】 加强思想建设。全市各级纪检监察机关通过在职学习和集中培训，组织广大干部认真学习党的基本理论，特别是江泽民“三个代表”的重要思想和六中全会《决定》。在学习中，各级纪检监察干部不断加强四个方面的修养，即：任重道远、知难而进的奋斗意识；安于清苦、乐于奉献的平和心态；敢于创新、勇夺一流的工作标准；严管善待、精诚协作的团队精神。加强考核奖惩。制定《考核办法》，对全面工作实行量化考核，达到对全市纪检监察干部动态管理。年终按照《考核办法》，严格考核，其中曲沃、翼城、霍州、侯马、蒲县、市直纪工委被评为全市纪检监察工作先进集体；洪洞、曲沃、翼城、霍州、浮山和市直司法办案联组、公安办案联组被评为查办案件先进集体；侯马、蒲县、翼城被评为源头治理先进集体。同时对没有完成查办案件考核指标的61个单位和一案未办的8个市直单位进行黄牌警告并通报全市。加强作风建设。按照《纪检监察机关工作人员守则》，对5名违纪干部进行处理，其中2人受党政纪处分、2人调离纪检机关、1人写出检查。为配合《守则》的执行，在全市纪检监察机关开展向“百姓书记”梁雨润学习和评选“十佳”纪检监察干部的活动。经过单位推荐，组织考察，李孟彬等10名同志被评为全市“十佳”纪检监察干部。加强组织建设。市委、市政府高度重视纪检监察队伍建设，并认真贯彻落实中央关于“地方各级纪委书记由同级党委副书记担任”的精神，机构改革中，有5名县（市）纪委书记担任同级党委副书记，其中2人同时担任纪委书记；市纪委有15名同志被提拔或调离，其中1人提拔为市人大副主任、5人被提拔为市纪委机关副县级室主任，9名机关室主任分别被调整为市纪委常委、县市纪委书记、市直纪检组长。撤并乡镇工作中，撤并后的161个乡镇纪委书记全部由同级党委副书记担任，其中属原纪委书记升任的52名，占32%。

（段效毅）

教育体育

教　育

【概述】 全市教育部门继续加强“两基”达标和巩固提高工作，翼城、洪洞、霍州、汾西、吉县、尧都区、襄汾、曲沃、侯马、隰县等10县（市、区）通过省政府复查，大宁、永和、古县、安泽、乡宁、蒲县、浮山等7县通过省专项督查。基础教育、职业教育、成人教育三位一体协调发展。职业教育进展顺利。社会力量办学进一步规范，对全市296所社会力量办学校进行全面检查，暂停5所学校招生。依法治教，规范管理，对教育“一把手”工程和千分评估指导体系进行重新修订，对全市教育行政执法人员进行培训，在各项考试、招生工作中全程引入监察工作。学校乱收费情况得到遏制，全年共接信访案件86件，转各县（市、区）查处的71件，市局直接查处的15件。全年总投资6103万元（其中中学投资4664万余元，小学投资1439万元），有87所学校达到“四化”标准。加上1998～2000年已验收挂牌的72所，全市“四化”达标学校已有159所，总投资13763.53万元。

【基础教育】 幼儿园392所。在园人数81688人；教职工310人，其中专任教师1572人；占地面积375057平方米，其中校舍建筑面积152761平方米；图书149319册。

小学校4350所，教学点570个。在校生423662人；教职工数24174人，其中专任教师22644人；学校占地面积10100245平方米，其中校舍建筑面积1991316平方米，体育运动场（馆）面积3490002平方米；计算机19264台；图书藏量5295993册，电子图书藏量4695片；固定资产总值23617520.61万元。

初中学校396所（其中：完全中学43所，九年一贯制学校16所）。在校学生总数241077人；专任教师13377人；学校占地面积5053016平方米，其中：校舍建筑面积974168平方米，体育运动场（馆）面积1416183平方米；计算机23765台；图书2987147册，电子图书藏量28252片；固定资产总值727649.94万元。

高中学校57所（其中：完全中学43所），在校学生总数45140人；专任教师2749人；学校占地面积2185394平方米，其中：校舍建筑面积599573平方米，体育运动场（馆）面积600064平方米；计算机4712台；图书1252766册，电子图书藏量13091片；固定资产总值51882.87万元。

特殊教育学校6所。在校生516人；教职工131人，其中专任教师112人；学校占地面积33196平方米，其中校舍建筑面积8109平方米，图书1150册。

【高等教育和中等专业教育】 高等院校1所（山西师范大学），研究生在校人数180人，普通本专科在校生人数12500人，专任教师1124人；学校占地面积701836平方米，其中校舍建筑面积389294平方米；图书146.7万册，固定资产总值15624万元。

中等专业学校8所。其中：省属学校2所（行政管理学校、临汾工商管理学校），在校生人数2185人；教职工数159人，其中专任教师87人；学校占地面积202718平方米；其中校舍建筑面积32595平方米；学校藏书13.6万册；固定资产总值1890万元。市属学校6所（临汾市农机校、洪洞农业学校、临汾卫生学校、山西师大临汾学院中专部、临汾人民警察学校、文化艺术学校），在校生人数14170人；学校占地面积 704499 平方米，其中校舍建筑面积 175650 平方米；学校藏书 31.7 万册；固定资产总值 6217.9 万元。

【职业教育】 学校 31 所（初高中合设 6 所、高级中学 22 所、初级中学 3 所）。在校学生总数 11564 人；教职工数 1238 人，其中专任教师 944 人；学校占地面积 448117 平方米，其中：校舍建筑面积 122153 平方米，体育运动场（馆）面积 67970 平方米；计算机 1007 台；图书藏量 567827 册，电子图书藏量 7472 片；固定资产总值 6941.61 万元。面对职业中学招生难的严峻形势，采取局长包县、校长包乡、教师包人等多种方法，向家长、学生耐心细致地宣传职业教育的重要性，使职中的招生情况较上年有较大好转。全市共录取新生 3456 人，增长 2%。

【成人教育】 成人中等专业学校 18 所（职工中专 3 所、进修学校 15 所）。在校生数 991 人；教职工数 479 人，其中专任教师 289 人。撤并乡镇期间，培训农村基层干部，狠抓科教兴乡（村）工作。全市两级农技校共举办各种培训班 4600 余期，培训农民 19.7 万人。同时举办两期（215 人）农村干部专业证明培训班。

【构建课堂教学新模式】 学习引进江苏“洋思”经验，把“先学后教，当堂训练”课堂模式做为切入点，展开形式多样的交流活动。翼城、浮山、襄汾、霍州、古县等用成果汇报会、培训会、经验交流会等形式，推广学习洋思课堂改革的经验；临汾一中、师大附中、临师附小等单位举办学洋思公开课等教研活动。赴洋思学习的教师 300 余人，收听洋思模式专题报告的教师 6000 余人次。成立全市课堂创新百人导师团，充分发挥骨干教师和优秀中小学校长在开展课堂教学改革与创新中的指导、示范、辐射作用。对全市 40 多所高中实施教学常规工作及高一研究性学习进行检查评估，并对高三学生进行模拟测试；对全市城市、乡（镇）、农村 128 所学校采取随机抽查形式，进行教学常规管理工作检查评估。积极开展课题研究，全市学校教师已申报关于课堂教学改革课题 40 余项，市局教研人员自选课题，确立实验学校，进行《学生自主学习与指导》、《构建学生自主活动教学模式实验研究》、《科学教育与素质教育》等 10 多个课题研究，市“课堂教学改革与创新”已申报省“十五”重点课题。国家“九五”总课题组在临汾召开中小学活动课分课题学术研讨会，受到专家们好评。

【教师队伍建设】 采取先选派教师进修校和高中优秀教师去省参加一级培训，再在各县（市、区）分期分批组织教师培训的办法，取得良好效果。全市有 40350 名教师参加全省统一考试；加强进修校信息技术教育工作。组织各县（市、区）教育局长赴运城参观教师进修校建设。侯马、蒲县、大宁、乡宁各投资 16 万元为进修校配置计算机教室，古县、翼城、襄汾县、尧都区等县（市、区）对原有计算机进行升级改造，全部达到省教育厅要求，能够承担中小学教师信息技术培训与考核的任务。经检查验收，全市已有合格培训点 12 个，基本合格培训点 10 个。信息技术考核除曲沃、蒲县、永和、隰县 4 县外已全部启动，共考核教师 7586 人；加大骨干教师和学科带头人培训。全市高中、初中、小学教师学历达标率分别达到 71.5%、84.8%、98.2%。评审出省级骨干教师 139 人，学科带头人 81 人；市级骨干教师 206 人，学科带头人 252 人。另外对 48 名 1998 年省级学科带头人进行省级考评，得到省评审组良好评价。全年共举办校长岗位培训和提高培训班 21 期，基本上做到持证上岗。全市普通中小学专任教师 38770 人，高中教师 2749 人，初中教师 13377 人，小学教师 22644 人。其职称构成为：高中教师中高级教师 335 人，占 12.2 %，一级教师 988 人，占 35.9%，二级教师 1426 人，占 51.9%；初中教师中高级教师 144 人，占 1.1%，一级教师 3082 人，占 23%，二级以下 10151 人，占 75.9%；小学教师中高级教师 4792 人，占 21.2%，一级教师 12160 人，占 53.3%，二级以下 5692 人，占 25.5%。

【重点建设】 建设规模 28585 平方米的山西师大临汾学院，12400 平方米的职业技术学院教学楼，8460 平方米的市教育局电视电教培训大楼，20966 平方米的临汾一中教学楼、科学实验楼、学生公寓楼，已全部竣工投入使用。其中装备计算机4755台，装备语音室15个，装备多功能电教室 35 个，装备闭路电视系统52套，软件购置共计172万元。200所计算机教育达标校任务额超完成。全年累计装备有计算机教室的学校293所，计算机总数11366台；装备语音室的学校60所共75个；装备多功能电教室的学校45所共51个；装备闭路电视系统的学校 86 所；与 Internet 网联通的学校 84所。

【解放路小学组团赴日本学习交流】 应日本国爱知县西春井郡师胜町立师胜小学邀请，尧都区解放路小学组团于11月25日东渡日本进行为期8天的访问交流参观活动。代表团由李敏才校长带队，7 名师生组成，亲身体验日本国教育体制及不同的教育方式，与日方教育工作者共同探讨交流教学工作。

附：

·临汾市2001年高考优秀学生·

理工类总分前10名

姓　名	总分	考生单位
秦元坤	676	临汾三中
柳曙光	659	侯马502中学
梁晶晶	657	临汾一中
张仲一	651	临汾一中
陈　楠	651	临汾三中
贾煜亮	646	临汾一中
贾　蒙	646	襄汾中学（往届生）
师　峰	642	临汾三中（往届生）
谢灵波	641	临汾六中
张　尧	641	临汾一中

文史类总分前10名

姓　名	总分	考生单位
张宇麟	601	临汾一中
邓彩芳	600	翼城中学
刘丽琴	595	临汾一中
王慧霞	585	临汾一中
宋丽俊	585	翼城中学
杨雨欣	582	临汾三中
张军军	581	临汾一中（往届生）
郝智强	580	洪洞一中（往届生）
张小亮	576	临汾宏昌中学
王　娜	576	翼城中学
刘　佳	576	古县中学

外语类总分前10名

姓　名	总分	考生单位
姚璐佳	589	临汾六中
赵　超	582	侯马502中学
刘　冬	579	临汾一中
韩艳辉	573	临汾六中
段娟娟	573	翼城中学
容　怡	566	侯马一中
陈　岑	564	侯马一中
孙　琴	562	临汾平阳中学
孟庆玲	556	翼城中学
牛俊芳	553	师大实验中学

理科类综合前10名

姓　名	总分	考生单位
秦元坤	281	临汾三中
柳曙光	281	侯马502中学
连佳佳	279	临汾三中
梁晶晶	272	临汾一中
李　峰	270	临汾三中
马振民	270	曲沃中学（往届生）
陈　鹏	269	临汾一中
付颖峰	269	临汾一中
李中三	268	临汾一中（往届生）
张　口	267	临汾一中

文科综合前10名

姓　名	总分	考生单位
张小亮	247	临汾宏昌中学
陶伟中	238	曲沃中学
张守麟	234	临汾一中
王文军	233	襄汾南辛店中学
李　丽	232	临汾平阳中学
李国强	232	洪洞二中
于海燕	228	大宁中学
姚　伟	227	霍州一中（往届生）
郝智强	226	洪洞一中（往届生）
张宏宇	225	临汾平阳中学
蒋路生	225	侯马一中（往届生）

文科语文前10名

姓　名	总分	考生单位
邓彩芳	131	翼城中学
李晓雯	130	侯马一中
王　宁	129	蒲县中学（往届生）
郭穗子	128	临汾三中（往届生）
王　潇	127	临汾一中（往届生）
刘　冬	127	临汾一中
王艳华	126	临汾三中（往届生）
李文婧	126	临汾三中（往届生）
许迪文	126	临汾精华中学（往届生）
翟晓芳	126	翼城中学

文科数学前10名

姓　名	总分	考生单位
裴云路	150	翼城中学
刘　佳	150	古县中学
宋世杰	146	侯马一中（往届生）
刘丽琴	145	临汾一中
宋　荣	140	曲沃中学（往届生）
宋丽俊	140	翼城中学
梁如愿	140	洪洞一中
李红红	140	洪洞二中
张军军	139	临汾一中（往届生）
王金霞	139	临汾三中（往届生）

理科数学前10名

姓　名	数　学	考生单位
贺　鹏	150	临汾一中
赵　伟	150	临汾一中（往届生）
李慧阳	150	师大实验中学
曹　乐	150	侯马一中
刘寒冰	150	霍州一中（往届生）
张冬宁	150	翼城中学
张　帆	150	翼城中学
柴甲旭	150	襄汾中学
张仲一	149	临汾一中
李晋豪	149	师大实验中学（往届生）
贾煜亮	149	临汾一中
任德志	149	霍州一中（往届生）
千　鹏	149	曲沃中学（往届生）
索延龙	149	翼城中学
张娟锋	149	翼城中学
宋亚飞	149	翼城中学
陈永甲	149	襄汾赵曲中学（往届生）
崔如心	149	洪洞一中
王俊奎	149	洪洞一中（往届生）

理科外语前10名

姓　名	外　语	考生单位
秦园博	139	临汾一中
孔　妍	138	临汾三中
张　莉	135	临汾三中
张　尧	134	临汾一中
贾婷婷	134	临汾一中
胡旭东	134	临汾三中
张续红	133	临汾一中
贺慧宁	133	临汾三中
秦元坤	132	临汾三中
杨　欣	132	侯马一中

外语文史类前10名

姓　名	外 语	考生单位
容　怡	130	侯马一中
秦　静	129	临汾一中
许　爽	128	临汾一中
刘丽琴	128	临汾一中
杨雨欣	128	临汾三中
段娟娟	128	翼城中学
韩丽娜	127	临汾精华中学
牛俊芳	127	师大实验中学
赵　超	127	侯马502中学
许亚楠	126	临汾一中

理科语文前10名

姓　名	语　文	考生单位
张　尧	133	临汾一中
杨　峰	133	翼城中学
杨　婧	132	临汾平阳中学
陈　娜	131	侯马一中
郭春峰	131	洪洞一中（往届生）
刘　栋	130	临汾三中
刘　娟	130	霍州一中
贯　蒙	130	襄汾中学（往届生）
张临霞	129	临汾三中（往届生）
张夏莹	129	临汾三中

·获奖情况·

集　体

市教育局电教馆被省教育厅评为“电教教材建设先进单位”

市教育局计财科被省教育厅评为“教育经费统计先进单位”

市教育局仪器站被省教育厅评为“普及实验教学先进集体”

市教育局幼教科被省教育厅评为“山西省‘九五’幼教教科研先进集体”

个　人

高彩平同志被评为山西省“九五”教科研优秀工作者、山西省学科带头人

柴林喜同志被授予山西省模范教师称号

陈晓玲同志被评为山西省“九五”教科研优秀工作者

孟庆莲、陈飞同志被评为省教育经费统计先进个人

裴长文同志被省人民政府办公厅评为全省“两基”工作先进个人

吴兰芳同志被教育厅评为山西省教育系统精神文明建设先进个人

田富贵同志被教育厅评为普及实验教学先进个人

韩玉涛、许素爱同志被教育厅评为“九五”期间现代教育技术课题研究先进工作者

韩玉涛、曹强同志被教育厅评为电教教材建设先进工作者

张林川、张英同志被教育厅评为省教育厅颁发的山西省“九五”幼教教科研先进个人

亢创基同志获北京军区招飞工作领导组、山西省高等学校招生委员会、山西省公安厅“招收飞行员工作先进个人”

（王慧军）

体　育

【概述】 全市体育系统以打好省十一届运动会为目标，贯彻落实“全民健身计划”和“奥运争光计划”，使体育工作迈上新征程。竞技体育方面，圆满完成山西省第十一届运动会资格比赛任务。经过体育健儿顽强拼搏，在10个项目中夺得金牌18枚、铜牌23枚、总分596分的成绩，共有265名运动员取得参赛资格。为全面检阅全市业余训练水平，及时发现和选拔优秀体育后备人才，市体育局于8月15～17日举办全市体育苗子调赛，共有13个县（市）、107名运动员参加比赛，经过认真观察，科学选材，使一批有天赋、有潜力的优秀体育苗子得到及时发现和培养。成功取得承办全省第十一届运动会的射箭比赛资格。自筹资金举办全市传统武术暨首届散打比赛，有11个武校的

228 名武术精英汇聚一堂，切磋技艺，共同提高。为提高教练员业务水平，组织 11 名教练员参加省内外培训，选派 9 个项目的 30 名优秀裁判员参加省级、国家级裁判员培训晋级考试，审批二级运动员 23 名。体育基础设施建设方面，市体育局与洪洞赵城鸿利焦化厂签订协议，投资近 800 余万元，新建华都游泳健身中心，并于 6 月 18 日正式剪彩向社会开放。群众体育工作方面， 7～9 月，在全市范围内开展大规模体制监测工作，克服时间紧，任务重，经费紧缺的不利因素，圆满完成省局下达的国民体质监测任务。临汾经济技术开发区路径工程建设，经过全面评估，被列为第四批全民健身工程受赠单位。对全市 17 个县（市、区）群众体育工作进行量化考核打分，以预周期综合排队、奖优罚劣的方式，促进群众体育普遍开展。老年体育工作发展势头强劲，市体育局老体协在洪洞召开全市老体工作经验交流会，各县（市、区）老体协都能坚持例会制度，城乡老体协组织有新发展，培养出一批新典型。学校体育方面，竞赛热潮迭起，先后组织全市中学生足球赛、5 人制足球赛、“奥星杯”篮球赛，以及派队参加全省中学生田径运动会、全省中学生篮、排球比赛。

【杨五义骑摩托车万里行】 临汾铁路退休职工杨五义为支持北京申办奥运，骑摩托车西部万里行。从 3 月份起，利用 4 个月时间，途经 15 个省、市、自治区，进行支持申办奥运签名活动，受到沿途广大群众热情接待和赞扬。先后在太原省电视台、北京申办奥运总部召开记者招待会，并于 7 月 9 日将沿途收集签名条幅送到北京市申办奥运总部，受到省体育局、国家体育总局和北京市领导的好评。

（王元龙）

临汾市国家税务局

LIN FEN SHI GUO JIA SHUI WU JU

党组书记、局长 郝建悌

省国税局局长李思温（右四）在临汾钢铁公司调研

全市国税系统机构人事制度改革工作会

全市国税系统创建"文明单位"现场会在蒲县召开

全省国税系统税收征管电子化研讨会

《税收征管法》培训班

采购计算机设备开标会

临汾市世行办

LIN FEN SHI SHI HANG BAN

领导班子成员在一起研究工作

主任　成凤香

领导深入襄汾指导世行贷款小规模肉牛养殖工作

丹麦专家考察城市集中供热项目

世行贷款"水保项目"吉县机修梯田工程

临汾市统计局

党组书记、局长　师学瑾

开拓创新、团结进取的局领导班子

局党组研究党建工作

深入普查登记现场指导工作

临汾市统计局为全市社会经济信息的主要部门和国民经济核算中心，也是政府重要的信息、咨询、监督机构和执法部门之一。2001年新一届局领导班子组建以来，市统计局紧紧围绕市委、市政府提出的实现率先发展、遥遥领先和建设中西部经济强市的奋斗目标，以“三个代表”重要思想统揽全局，以服务经济建设为主线，以提高统计数字质量、再创一流工作水平为目标，内强素质，外树形象，锐意改革，团结进取，使全市统计工作保持了蓬勃向上的发展势头，统计改革和建设又取得新成绩，受到前国家统计局局长朱之鑫和省、市领导高度评价。2002年，全局共受到市级以上各类表彰奖励38次，其中，统计工作在全省综合评比中名列第一，实现“八连冠”；统计分析报告在全省评比中荣获一等奖；在第三届山西省统计科研优秀成果奖评选中，市统计局选送的3篇作品分获课题类一、二、三等奖，6篇分获论文类一、二、三等奖；同时，在市级以上各类新闻媒体发布统计信息200余篇（条），有效发挥了统计整体功能，为促进经济和社会发展做出积极贡献。

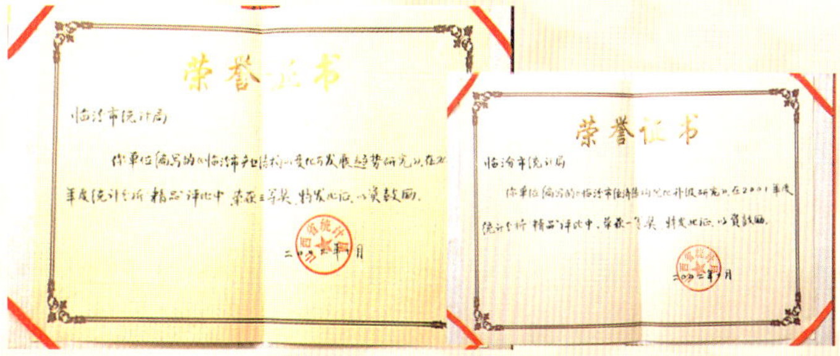

临汾市供销合作社联合社

LIN FEN SHI GONG XIAO HE ZUO SHE

第一届社员代表大会

副市长郝忠礼与班子成员畅谈供销社的改革与发展

临汾市畜牧中心

LIN FEN SHI XU MU ZHONG XIN

党组书记、主任　刘苏寿

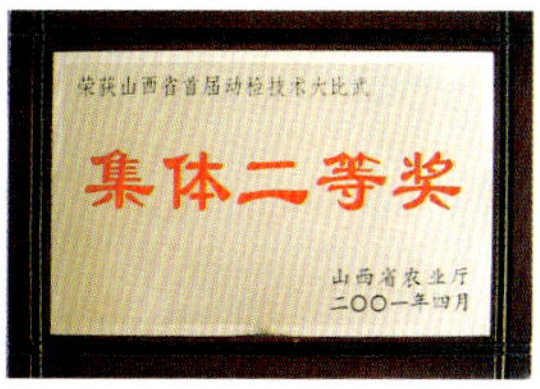

以“三个代表”重要思想为指导，以市场为导向，以产业经营为途径，以科技进步为动力，以优化品种和增加效益为核心，以增加农民收入和改善生态环境为目的，完成市委、市政府畜牧十五规划的“356”工程（农民畜牧业纯收入增加30%，畜牧组织化递增5%，科技贡献率60%）。

领导班子在一起研究工作

畜牧科技人员为群众讲授科技知识

畜牧动检人员严格执法检查

市委机关事务管理中心

SHI WEI JI GUAN SHI WU GUAN LI ZHONG XIN

被省爱卫会授予"省级爱国卫生先进单位"

领导班子成员在一起研究工作

市委机关办公楼

市委机关中心花园

西苑小区

市委机关藤廊架

市政府机关事务管理中心

SHI ZHENG FU JI GUAN SHI WU GUAN LI ZHONG XIN

局长　任和畅

局党总支一班人

省人大常委会副主任薛军在市府小区检查工作

国家卫生部科教司司长祁国明在市府小区检查工作

省管理局局长石国匡在市府小区检查工作

任和畅（左六）被评为全省机关后勤工作十大先进标兵

临汾市公安局
交通警察支队

市公安局副局长、
交警支队支队长　李占德

支队班子成员（左起：任庆、荆波、宋锦堂、李占德、张康敏、闫绥包、闫戈）

省委副书记、省长刘振华（右二）在支队视察工作

临汾市汾西水利管理局

LIN FEN SHI FEN XI SHUI LI GUAN LI JU

局长　迪德俊

局领导班子在一起研究工作

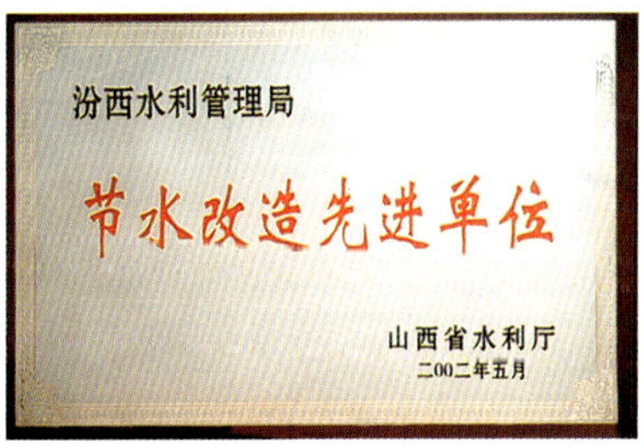

小麦研究所

XIAO MAI YAN JIU SUO

所长张定一（左）指导研究生做科研工作

获奖成果证书

中国联通
CHINA UNICOM
临汾分公司

总经理　陈龙华

领导班子成员（左起：胡平顺、陈龙华、党建军）

中国联通山西分公司总经理骆耕清（右二）在临汾调研

山西焦化集团有限公司

SHAN XI JIAO HUA JI TUAN YOU XIAN GONG SI

董事长　　薛佩珍

地址（ADD）：中国·山西·洪洞广胜寺
电话（TEL）：0357－6626380
传真（FAX）：0357－6627907
邮编（POST　CODE）：041606

一厂全景

山西焦化集团有限公司生产区域鸟瞰图

霍矿洪洞煤焦股份有限公司

霍州煤电集团公司副总经理、洪洞焦煤股份有限公司经理　陈嘉喜

党委书记　陈俊杰

军事化职工队伍

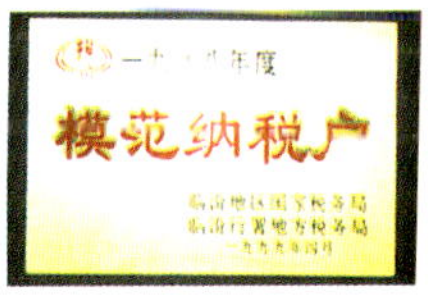

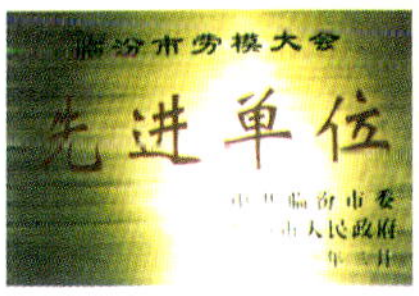

洪洞县人民法院

HONG TONG XIAN REN MIN FA YUAN

院长　陈　伟

依法裁判扬公信、规范管理创精品、刻苦学习强素质、道德自律树形象。

团结奋进的领导班子

建设中的甘亭法庭

在“烈士亭”前宣誓

12·4普法宣传

中国石化洪洞分公司

ZHONG GUO SHI HUA HONG TONG FEN GONG SI

经理　王晋宝

中国石化洪洞分公司拥有25座加油站。2002年，发扬“开拓进取、求实创新、尽职尽责、争创一流”的企业精神，抓管理、促销售、抓服务、促效益。全年销售成品油18850吨，销售收入6500万元，进入全市零售量前3名；取得全市安全生产先进单位称号。经理王晋宝被评为洪洞县2002年度十大新闻人物。

领导班子成员在研究公司发展规划

宣传油品知识

热情为顾客服务

中国人民银行

洪洞县支行

ZHONG GUO REN MIN YING HANG
HONG TONG XIAN ZHI HANG

党组书记、行长　许忠忠

人行洪洞县支行现有员工50人，内设5股2室，主要承担金融监管和金融服务等职责。全体干部团结进取，内部管理规范有序，建立“1728”监管档案、三位一体监管体系，基础工作扎实，建立高速信息局域网，增加电子化办公室设备，实现无纸化办公，累计发放再贷款25300万元。会计国库工作，规范业务操作，货币发行，发行库管理规范，档案管理各项工作成绩名列临汾前列。2001年，天津分行授予先进基层党组织、青年文明号单位，获省级治安先进单位，获得天津分行创新效成果奖。

人行天津分行行长刘崇明、临汾中心支行行长张转芳在洪洞支行检查指导农村信用社监管工作

人行洪洞县支行办公楼

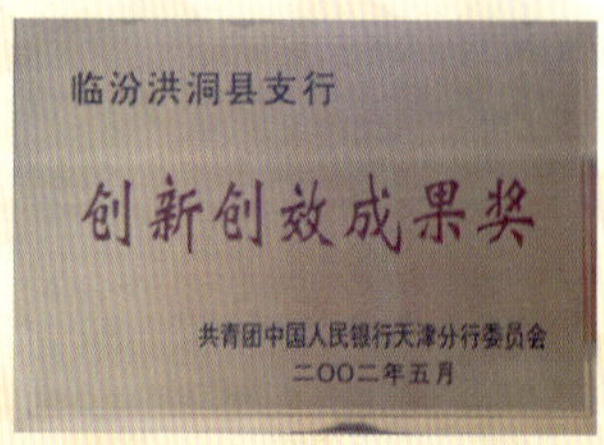

山西晋畅达塑料建材有限公司

SHAN XI JIN CHANG DA SU LIAO JIAN CAI YOU XIAN GONG SI

晋畅达

山西晋畅达塑料建材有限公司系山西省起步较早的生产三型无规共聚聚丙烯（PP－R）管材及管件的专业公司。设备先进，实力雄厚。采用国际最新技术和进口原材料生产，产品各项理化指标均达德国DIN8077（78）标准。公司通过ISO9002质量管理体系和ISO14001环境管理体系认证。

“立足环保品牌，奉献健康给人间”。

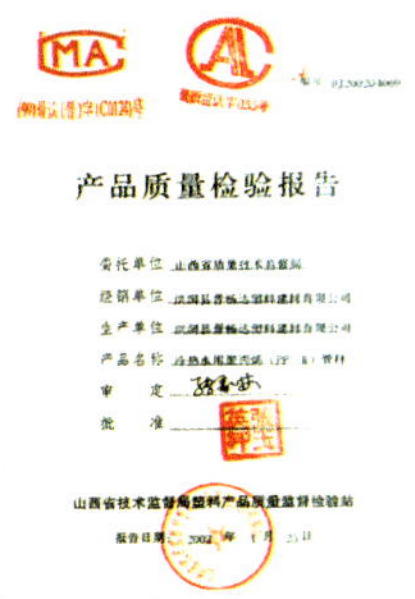

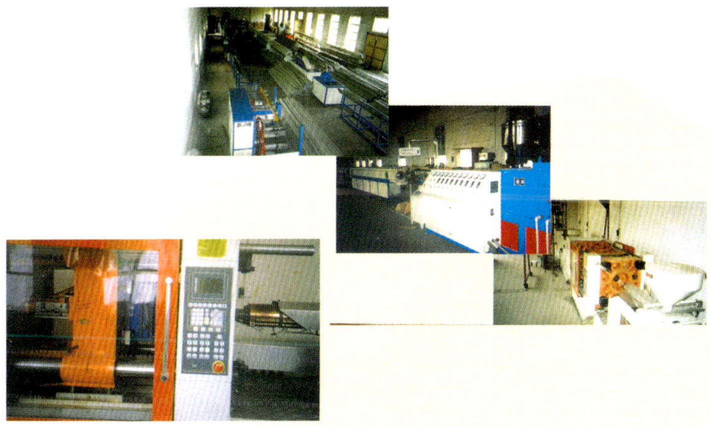

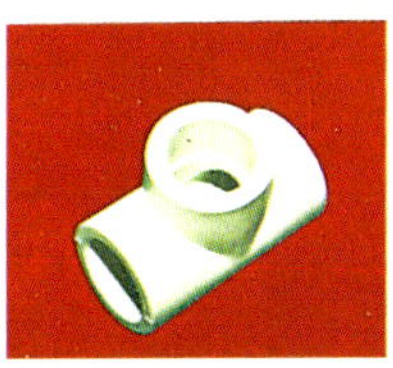
正三通

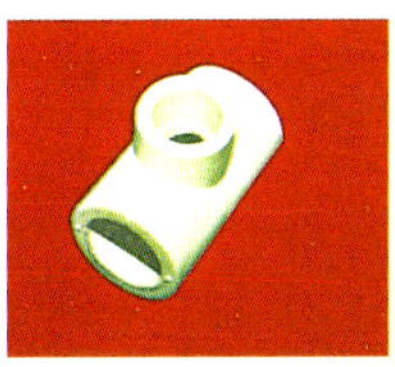
异径三通

内螺纹三通

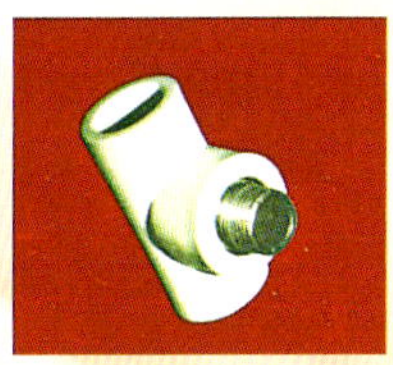
外螺纹三通

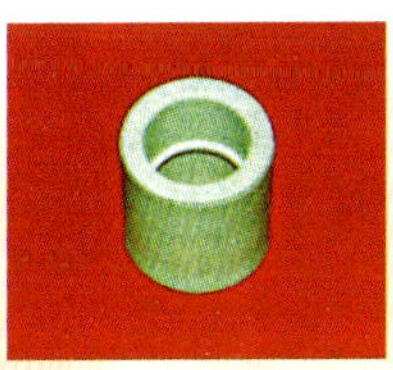
管　套

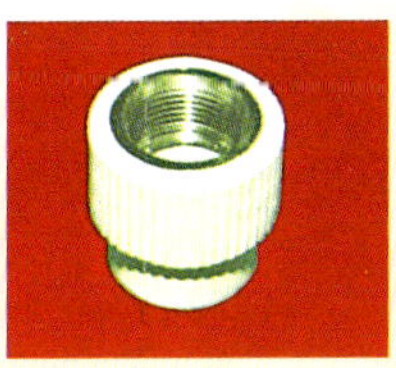
内螺纹管套

外螺纹管套

外螺纹弯头(带座)

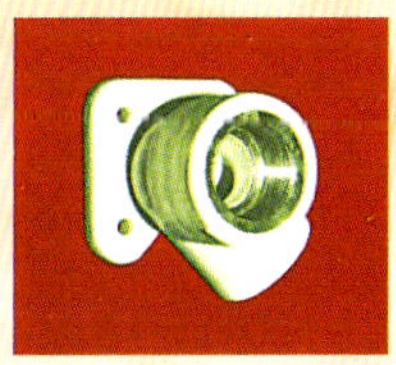
内螺纹弯头(带座)

洪洞县自来水公司

HONG TONG XIAN ZI LAI SHUI GONG SI

经理　郭马子

新建的水厂一座，内设 1500m³ 的调压蓄水池两座

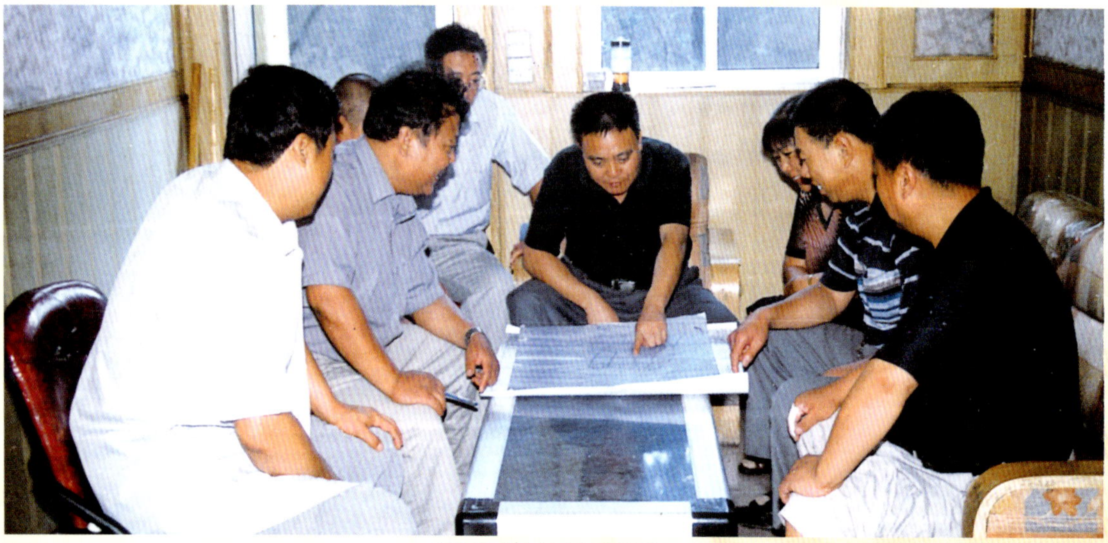

精诚团结的领导班子

浮山县财政局

FU SHAN XIAN CAI ZHENG JU

局长　李红星

浮山县财政局现有干部职工60人，内设办公室、预算股、综合股和社保股，管辖世行办及会计核算、政府采购、财政收费3个中心。2002年，乘势而上，开拓创新，各项工作保持了超常发展的强劲势头。财政收入完成10120万元，首次突破亿元大关，筹措预算内外资金6500万元，支持农村饮水、市政建设、公益事业长足发展，18项重点工程建设。荣获临汾市政府“先进单位”光荣称号。

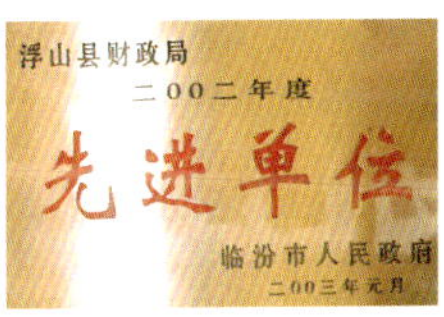

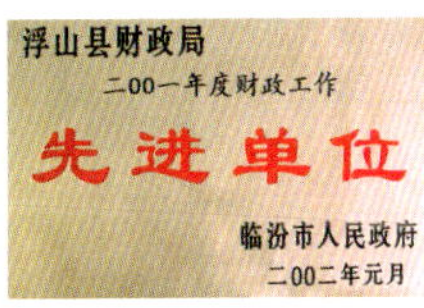

浮山县财政会计核算中心

临汾市中心血站

站长　梁海峰

市政协副主席成继东在血站考察工作

采血车献血现场一景

乡宁县国土资源局

局长 刘 波

局领导班子召开民主生活会

班子成员制订土地规划

组织全局同志进行军事训练

临汾市解放路小学

校长　李敏才

与时俱进
打造品牌

副市长高清亮在学校检查工作

区长宿青平看望少年军校学员

多功能教室

自然教学实验

好朋友书屋

赴日交流活动

学生花鼓队

文艺演出

走进襄汾中学 迈向人生辉煌

襄汾中学

XIANG FEN ZHONG XUE

花园式美丽的襄汾中学

襄汾中学是一所十二轨制的全日制普通高中，现有40个教学班，在校学生2300余人，专任教师123人，其中全国优秀教师2人，中高级教师72人，省、市优秀教师、学科带头人、骨干教师46人。襄汾中学先后荣获“山西省德育示范学校”“山西省文明学校”“山西省绿色学校”“山西省电教实验学校”“山西省教育科研基地”“山西师范大学教育实习基地”等荣誉称号，被临汾市教育局确定为“十五”期间重点发展的高中和首批现代化学校之一。

县委书记涂树荣、人大副主任张如俠在学校指导工作

教师胡跃平、张森茂、巳颜亭被评为县“十佳教师”，校长张杨管被评为县“十佳校长”

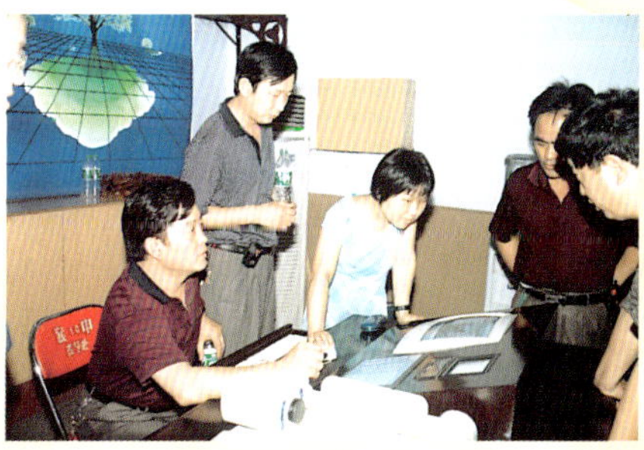

县教育局和学校领导研究学校规划方案

新校区奠基仪式

霍州市第二中学

霍州市二中高中部建设工程2002年3月3日正式开始建设，9月3日部分交付使用，高一、高二1380名学生喜迁新校。截至目前，该工程除多功能活动室正在进行内装修外，其余工程已全部完工，共投资1568万元，已完成总投资的98%。霍州市二中高中部工程占地70亩，由教学楼、办公楼、实验楼、餐厅和多功能大厅、男、女生公寓楼等6幢建筑组成。

校长　贺成钦

副市长高清亮在学校检查工作

文　化

群众文化

【概述】　文化工作努力创新思路，内强素质、外树形象，提升人气，争取地位，举办多项文化活动。围绕市委、市政府中心工作营造良好文化氛围。在重大节庆期间组织丰富多彩的文化活动，尧都区从正月十二起，广场天天有活动。侯马市的社火、灯展，霍州市的电影下乡，襄汾县的戏曲、歌舞、电影晚会，洪洞的锣鼓赛，翼城、浮山、汾西的文艺演出、焰火晚会，古县、乡宁、吉县、蒲县、隰县的街头文艺表演，曲沃县彩车展，市直的马年企业广场文化活动都具有新的创意。市群艺馆举办各类少儿艺术培训班，在全国第二届“蒲公英奖”山西选拔赛中获多项奖及组织奖。全市有10个农民书院被省政府授予省级“农民书屋”称号，吉县进入“全省文化先进县”资格评审行列，曲沃县图书馆荣获全国知识工程活动领导小组颁发的“读者喜爱的图书馆”称号。全市各级各类影剧院，先后组织接待几十台高品位艺术团体演出，活跃和丰富群众文化生活。

【文化市场监管】　在全市进行声势浩大的文化法规宣传，印制宣传单10万份。严把证照发放关，堵塞漏洞。先后3次对市重点文化娱乐场所进行安全大检查，杜绝各类事故的发生，市局被评为2001年度“全市综合安全生产模范单位”。开展两次大规模集中整治行动，取缔游戏厅80家，无证经营网吧、歌舞厅60个。查处非法印刷厂108个，非法书店、非法书刊经销商45个，协助破获6个非法出版案件。组织举办3期印刷企业负责人和执法人员培训班。市局新闻出版科、霍州市文体委被省新闻出版局评为先进集体。

（蔡承暄）

文学艺术

【戏剧】　蒲剧现代戏《土炕上的女人》在南宁第七届中国戏剧节演出中，荣膺“中国戏剧曹禺奖”和7个单项奖，任跟心获得“二度梅”名冠榜首，之后又获得文化新剧目奖。市委、市政府召开隆重庆功表彰会，给予奖励。眉户现代戏《村官郭秀明》被山西电视台拍成电视片。市艺校把教学同实践相结合，艺术教育成绩斐然。在“全省艺术中专第七届美术展览”中，有35幅优秀作品入选，居全省之冠。市实验蒲剧团、市眉户剧团、侯马市、霍州市、蒲县等剧团，全年演出场次都在2、3百场以上，并且积极开展“三下乡”活动。在山西电视台《走进大戏台》栏目中，市实验蒲剧团多次组织参加，薛三勤、周忠孝都勇夺擂主；全年新创作小品、本戏、文艺节目27个，发表10余篇有价值的理论文章和艺术评论。其中，宋庆云《威风锣鼓探源与临汾民俗》在全国第十届“群星奖”群众文化科研成果评奖中获铜奖。

【美术】　5月，由市文联、市美协同运城市文联联合举办“晋南地区十人画展”，展出两地近几年活跃在美坛上的10名青年画家的美术作品102幅。7月，为庆祝中国共产党建党80周年，由山西省美协、临汾市文联、市美协在铁路体育馆联合举办“山西省中国画邀请展”。展出省内著名画家及中青年优秀画家作品120幅。9月，由临汾市文联、美协、市艺校在市博物馆联合举办“市艺校师生优秀作品展”，展出师生创作写生作品230件。10月，由临汾市文联、美协、山西师大美术系在市博物馆联合举办“张德禄美术作品展”，展出作者历年来油画、国画、写生等作品130件。6月，宁积贤创作的藏书票《家乡的山》，崔惠民的藏书票《风竹》获中国美协、中国藏书票协会联合举办的第八届全国藏书票大展优秀奖。9 月，宁积贤创作的藏书票《永乐仕女图》获第九届全国藏书票大展优秀奖。11 月，市美协获中国美协和国家体委联合举办的第五届全国体育美展颁发的“美术创作组织奖”。12 月，山西省美协、临汾市美协联合在临汾召开“山西美术工作会议”，对近年来临汾美术工作给予充分肯定。

【摄影】 摄影家协会狠抓出作品、出精品、出人才，深入生活创作大量艺术作品。“3·15”活动中，市影协与尧都区影协在万家福超市举办“摄影一日”活动，有 25 人参加，拍摄作品 103 幅。7 月，市摄影家协会、旅游局联合举办“壶口杯”大型展览，展出 12 位摄影工作者作品 80 幅。朱宝林在省摄影家协会、山西日报组织的梨花节摄影大赛上获一等奖。市摄影家参加全国摄影家“看上海南江”活动，其作品取得山西省唯一一个优秀奖。《南湖之光》全国摄影大奖赛，临汾市荣获 2 个优秀奖。在全国《人说山西好风光》摄影大赛中，又取得 1 个铜奖、3 个优秀奖、7 个入选奖。

【文学】 市作协召开三次文学创作座谈会，汾西、大宁、安泽县各有 50 余名文学爱好者参加。《平阳文艺》出版 3 期，发稿 100 余篇，50 余万字。推荐省作家协会会员 15 名，发展市作家协会会员 42 名。作家齐国宝、王鹰合著的长篇小说《天地民心》由作家出版社出版发行。该作品反映检察战线上工作者同腐败分子的斗争，在社会上引起强烈反响，《检察报》、《文艺报》做了大篇幅介绍。本年度出版的图书还有：王天胜专辑《承载正义》、王月喜主编《霍山如画》、王月喜著《王月喜随想录》、赵光明著《霍邑之战》、房桂花、齐福生合著《汾水浪花》。

（张旭红）

文　物

【概述】 临汾市现有各级各类文物保护单位 3000 余处，其中全国重点文物保护单位 13 处，省级重点文物保护单位 52 处，县（市、区）级文物保护单位 2900 余处。总体有“四大优势”：黄河（汾河）流域旧石器时代文化优势；尧文化（根祖文化）优势；晋国文化优势；戏曲文化优势。特别是根祖文化，全国独一无二，颇具特色。全市现有文博工作人员 560 余人，其中具有高级专业技术职务的 13 人，中级专业技术职务的 68 人，初级专业技术职务的 200 余人。2001 年 8 月机构改革中，新成立文物局，内设 3 个科室（办公室、文物管理科、文物安全督察科）。直属单位有市博物馆和丁村民俗博物馆 2 个全额事业单位。9 个县（市、区）成立文物局或文物旅游局，6 个县成立文物管理所，2 个县为博物馆。文物局成立以来，确定“坚持两个第一（保护第一、安全第一），加大 3 个力度（宣传力度、执法力度、管理力度），实施‘5 大工程’（抢救性保护工程、安全防范工程、大项目工程、行政执法工程、宣传工程）”的工作目标，开拓创新，锐意进取，努力变文物大市为文物强市，开创全市文物工作新局面。

【文物保护与管理】 文物局组建后主要抓 3 项工作：制定市保单位申报有关内容、要求和规范文本，对申报单位进行评估筛选，初步筛选出 82 处做为首批候选名单。抓紧遗址保护规划工作，向省里申报侯马晋国遗址、曲沃和翼城的曲村一天马遗址、襄汾丁村遗址、陶寺遗址 4 处保护规划方案，其中前两处遗址已被省文物局列入投资计划。配合省文物局完成全市馆藏玉石器鉴定登记工作。

【文物勘探和发掘工作】 先后配合完成大运高速公路临汾段、曲沃北柴 220 千伏变电站、古县 110 千伏变电站、襄汾南辛店国家直属粮库、临钢第一生活区及翼城宏阳钢铁公司等重点建设工程中的文物勘探任务，共勘探发现汉至明清各个时期的古墓葬近千座。大运高速公路临汾段建设工程中发掘古墓面积 6000 多平方米，清理发掘古墓 60 多座，出土一大批重要文物，并在临汾举办大运高速公路出土文物展览。3 月底，组织抢救发掘尧都区庞杜墓地，共发掘古墓 2 座，1 座祭礼坑，发掘出陶器、铜器、玉石器等 50 余件，仅铜器达 30 余件，并发现有人殉牲殉重要现象。据有关专家认定，是一处非常重要的商代晚期墓地，填补了晋南地区的考古空白，具有重大学术意义，引起省文物局和考古界高度重视。继续同中国社会科学院考古研究所配合，对襄汾县陶寺遗址城墙基址进行考古发掘，已探明城址为2000×1500平方米，对该城址有进一步认识和了解，将为中华文明起源提供有力佐证。

【文物执法】 成立文物稽查队，配备人员、购置交通工具和服装、制定有关处罚规定、设立电话等，为文物执法工作提供有力保障。加强建设工程中的文物执法工作。针对浮山、翼城、霍州、尧都区等县（市、区）先后发生在建设工程中毁坏文物事件，深入建设工地进行宣传教育，不同程度地制止破坏文物事件的扩展。初步整顿理顺全市文物市场。先后对古旧家具市场、书画拍卖市场、文物复制品市场等进行稽查和规范整顿，取得初步成效。

【文物工作存在问题】 文物抢救保护问题是由于以往投入不够，欠账较多，致使一些重要文物建筑残破不堪，时刻都有倒塌危险。文物局成立以来，接到全市各县（市、区）抢救性报告60多份，请求抢救性保护文物单位100多处。建设工程与文物保护矛盾愈来愈突出，在建设工程中破坏文物现象屡有发生，致使一些重要古文化遗址和古墓葬遭到破坏，一些珍贵文物流失于社会甚至被走私到境外。

附：

临汾市国家级文物保护单位

文物保护单位	时　代	县、市、区	类　型	级别
丁村遗址	旧石器时代	襄汾县	古遗址	国保
陶寺遗址及墓地	新石器时代	襄汾县	古遗址、古墓葬	国保
侯马晋国遗址	东　周	侯马市	古遗址	国保
曲村－天马遗址	西周－东周	曲沃县 翼城县	古遗址	国保
柿子滩遗址	旧石器时代	吉县	古遗址	国保
献亭（戏台）	元代	尧都区	古建筑	国保
广胜寺	元、明	洪洞县	古建筑	国保
霍州州署大堂	明代	霍州市	古建筑	国保
千佛庵（小西天）	明代	隰县	古建筑	国保
丁村民宅	明、清	襄汾县	古建筑	国保
大悲院	宋、金	曲沃县	古建筑	国保
洪洞玉皇庙	元代	洪洞县	古建筑	国保
柏山东岳庙	元一清	蒲县	古建筑	国保

临汾市省级重点文物保护单位

文物保护单位	时　代	县、市、区	类　型	级　别
高堆遗址	新石器时代	尧都区	古遗址	省保
金城堡遗址	新石器时代	尧都区	古遗址	省保
舞台（东岳庙）	元代	尧都区	古建筑	省保
后上庙	元代	尧都区	古建筑	省保
尧陵	明、清	尧都区	古建筑	省保
铁佛寺	明、清	尧都区	古建筑	省保
尧庙	清	尧都区	古建筑	省保
侯村遗址	新石器时代	洪洞县	古遗址	省保
上村遗址	商、周	洪洞县	古遗址	省保
坊堆遗址	西周	洪洞县	古遗址	省保
永凝堡遗址	西周	洪洞县	古遗址	省保
泰云寺	宋、金	洪洞县	古建筑	省保
碧霞圣母宫	明代	洪洞县	古建筑	省保
明代监狱	明代	洪洞县	古建筑及历史纪念建筑物	省保
明代移民遗址	明代	洪洞县	石刻及其他	省保
真武祠	元、明、清	汾西县	古建筑及历史纪念建筑物	省保
师家沟民居	明、清	汾西县	古建筑及历史纪念建筑物	省保
追封吉天英碑	元代	汾西县	石刻及其他	省保
老君洞	唐、元、明	浮山县	古建筑及历史纪念建筑物	省保
文庙大成殿	元	浮山县	古建筑及历史纪念建筑物	省保
清微观	元、明、清	浮山县	古建筑及历史纪念建筑物	省保
千佛洞	北齐、隋、唐	乡宁县	石窟寺	省保
寿圣寺	宋、元	乡宁县	古建筑及历史纪念建筑物	省保
千佛洞	北齐－唐	隰县	石窟寺	省保
麻衣寺砖塔	金代	安泽县	古建筑及历史纪念建筑物	省保
霍州遗址	宋代	霍州市	古遗址	省保
娲皇庙	清代	霍州市	古建筑及历史纪念建筑物	省保
里村西沟遗址	旧石器时代	曲沃县	古遗址	省保
方城遗址	新石器时代	曲沃县	古遗址	省保
曲沃古城遗址	周	曲沃县	古遗址	省保
汝女遗址	旧石器遗址	襄汾县	古遗址	省保
寺头遗址	新石器遗址	襄汾县	古遗址	省保
南大柴遗址	新石器遗址	襄汾县	古遗址	省保
赵康古城遗址	春秋	襄汾县	古遗址	省保
晋襄公墓	春秋	襄汾县	古墓葬	省保

文物保护单位	时　代	县、市、区	类　型	级　别
普净寺	元、明	襄汾县	古建筑及历史纪念建筑物	省保
南石遗址	新石器时代	翼城县	古遗址	省保
枣园－南橄遗址	新石器时代	翼城县	古遗址	省保
河云遗址	新石器时代－周	翼城县	古遗址	省保
苇沟－北寿城遗址	商、汉	翼城县	古遗址	省保
舞台（乔泽庙）	元代	翼城县	古建筑及历史纪念建筑物	省保
四圣宫	元代	翼城县	古建筑及历史纪念建筑物	省保
隆裕和尚墓碑	元代	翼城县	石刻及其他	省保
薛关遗址	旧石器时代	蒲县	古遗址	省保
腰东汉墓群	汉代	蒲县	古墓葬	省保
芝麻滩遗址	旧石器时代	大宁县	古遗址	省保
翠微山遗址	新石器时代	大宁县	古遗址	省保
义尖－安坪遗址	新进器－西周	吉县	古遗址	省保
狄城遗址	东周	吉县	古遗址	省保
大墓塬墓地	西周－唐	吉县	古墓葬	省保
挂甲山摩崖	隋、唐、元	吉县	石窟寺	省保
历代长城	战国－清	乡宁县 吉县 大宁县 永和县	古建筑及历史纪念建筑物	省保

（付向平）

·三晋文化研究会·

【概述】　市三晋文化研究会集中全力完成系统编纂全市范围内石刻目录工作。课题要求将全市17个县（市、区）管辖范围内的文博单位、国家机关团体和旧衙署、仓廪、寺观、庙宇、祠堂、冢墓及城乡公寓、阡陌、神道、山崖、崖樵、峡谷、水域等处的碑碣、经幢、塔铭、墓志、摩崖、刻贴题名题记、线刻图像、造像浮雕及其他杂刻等，凡是镌文于石或刻图像于石的各类石刻全部登记列目，而且还要把每件石刻的石质、形制、三维尺寸、石刻名称、石刻内容和镌文者、篆额者、书丹者、立石者、刻石者及立石年月（以甲子纪年者要推算成公元纪年）都要有详细记录。同时著录于地方志和有关文献上的佚碑存目也要一律收录进来，费时费力，工作量相当大。于是本着先易后难，分步骤地进行，先完成各研究小组或成员手头已掌握或基本掌握足够资料，在短期内可以完成的研究项目。组建《三晋石刻总目·临汾市卷》编辑委员会：会长董启民任主任、王德贵任副主任、副会长兼秘书长张彪任副主任，成员27位。编委会成员根据统一的内容和要求，首先分头将过去已登记的区、县（市）范围内的石刻资料，一一加以澄清并列出条目。过去未登记的遗漏部分，通过广泛寻访、实地勘查，搜集补充进来。对佚碑存目，则主要通过史料逐条登记。这一阶段的工作大体用了半年时间。然后编委会以正副主编为主，分县（市、区）一一进行审核、整理、改写。实地勘查多是在野外进行，老同志们凭着对事业的责任心和荣誉感，不怕吃苦，不辞辛劳，废寝忘食，不计报酬，竭尽全力、一丝不苟地完成这项工作。被誉为“神山活字典”的理事邢作梅同志，不顾75岁高龄和多病的身体，毅然担起这一重担，勘查访问，查阅资料，编纂文字，按期完成任务，终因劳累过度，旧病复发，离开人世。为保证编纂质量，减少遗漏，对编著的全部石刻条目，经过打印修改，再打印再修改，反复进行过多次。至2001年10月底，将已核实的石刻条目分上下两集装订成册。然后又用1个多月的时间，进行一次全面复查，从更多的史料中再查再找，又发现被遗漏的420件石刻，主要是佚碑，编辑成一册做为补充条目，待正式出版时并入正卷。

【山西石刻总目·临汾市卷】　共收录石刻4088件，分布最多的是洪洞县627件，依次是襄汾县601件，浮山县460件，尧都区415件，翼城县286件，蒲县266件，乡宁245件，曲沃217件，汾西214件，隰县127件，大宁124件，安泽97件，永和52件，古县40件，侯马市35件。按类型分：存碑2182件，佚碑1906件。碑碣3442件，墓志铭72件，经幢20件，造像碑94件，其他如石牌坊、石门额、摩崖造像、午台石联等460件；按年代分：存碑中以北魏的4通碑时间最久远，清代的数量最多；佚碑中最远可收录到汉代、西晋。北魏、北齐、北周、隋、唐、后周、后晋、宋、金、元、明各朝代的石刻共有 1404 件，存留下来的只有 489 件，其余 915 件都毁于战火、自然灾害或人为破坏。按内容分：有历代名人的神道碑、功德碑、墓表、墓志铭；有创建与重修、增修庙宇、衙署、祠堂、寺观、午台记事或各种造像碑；有历代帝王御制御书、牒文碑；有记载有关政治、经济、宗教、文化、水利、田亩、教育、格言、生产生活，地震灾荒，乡规民约及自然景观方面的记事碑。还有的记述抗日战争和解放战争中重要战役，如 1943 年伏击日军观战团的《韩略战斗遗址碑》、1946 年歼灭国民党天下第一军的官雀战役记事碑，1948 年临汾攻坚战纪念碑等。

现存的 2182 通（件）石刻中，具有重要价值，在三晋大地可以称得上名碑的很多。如浮山三圣宫保存完好的唐玄宗李隆基的御制御书《大唐龙角山庆唐观纪圣铭》，吉县锦屏山北魏、隋、唐及宋、元的《摩崖石刻》，襄汾北魏、北齐、隋、唐的造像碑，霍州唐、宋《圣佛崖摩崖石刻》，唐代王勃撰文的《释迦如来成道碑》。曲沃宋代吴勉之的《晋公世子庙碑铭》，乡宁元代《重修晋荀息大夫庙碑铭》，翼城元代赵孟頫的《大元晋宁路翼城县金仙寺住持弘辩兴教大师裕公和尚道行碑》，洪洞宋代《大宋新修女娲庙铭》，尧都区宋代《晋州姑射洞新修功德碑》，翼城苏轼的《醉翁亭记》和《元大德十一圣旨碑》，浮山元代《蒙哥皇帝圣旨碑》，襄汾明代董其昌的《昼锦堂记》，安泽北魏、北齐造像碑等。历代名人撰文书丹的有唐代虞世南的草书碑，宋治平元年（1064）郭子仪奏牒碑，金代张商英霍州诗碣，金代元好问的《荣禄大夫翰林院承旨摄刑部尚书冯公神道碑序》，宋代苏轼的行草圆碑，明代文徵明的草书碑，清代郑板桥的草书碑，侯马市清高宗乾隆御笔千叟宴诗碑，赵邦清的行书、楹联，以及地方一些名人书写的篇章、铭文、诗词、楹联等。这些石刻在历史、科学及石雕艺术、书法艺术诸方面都有着重要的价值。唐玄宗李隆基的《大唐龙角山庆唐观纪圣铭》称太上老君为其远祖，在高祖、太宗之际，其远祖显化于龙角山。该碑碑文的汉隶八分体书飘逸潇丽，结体紧峭，笔力遒劲，点画之间自有其异趣，实为唐代的杰作。《晋公世子庙碑》的书法，颜体，端严秀键，笔力遒劲，古朴豪放，是宋碑之佳作。《裕公和尚道行碑》书法刚劲沉着，圆浑遒美，千百年来为书坛所推崇。全篇气势连贯，法度严谨，笔志墨秀，洒脱超逸，横竖点画，笔笔着力，一丝不苟，臻于炉火纯青之境，是赵体中最完整的一通碑刻。再如明正德九年（1514 年）《增修尧、舜、禹庙图碑》和明嘉靖十八年（1539 年）镌刻的《帝尧陵寝图碑》均分别记述、绘制元明以来尧庙、尧陵之规模、布局、建筑形制和陵寝祠宇规模形制等并用图例刊于石，是研究其建置、沿革的佐证。浮山明代老君洞石梁殿壁嵌绘画刻石，大小 39 块，总面积近 10 平方米，线刻老君八十一化图，被认为是中国最早的石刻连环画。襄汾的普静寺，霍州的中镇庙，翼城的乔泽庙，临汾的大云寺、牛王庙，洪洞的广胜寺，吉县圣母庙，蒲县东岳庙，尧都区坡子村等地石刻碑碣，都较详细的记载元大德七年（1303 年）和清康熙三十四年（1695 年）平阳两次大地震的实况，是考察历史地震，探索地震规律重要的历史证据。《重修康泽王庙碑》记述了平水源头，方圆百里到处涌泉，严禁开山凿石，保护源泉。洪洞《重修明应王殿碑记》，明确规定三七分水的制度，并设置铁栏记标，管理灌溉。另外，乡宁、大宁、古县、曲沃、隰县、蒲县等地都用碑刻记载争水、斗水、分水等方面的史料。再如有关教育兴学、发展生产、灾荒赈济、民间习俗、乡规民约之类碑刻，都具有重要的历史价值和现实教育意义。

《三晋石刻总目·临汾市卷》全卷近百万字。开卷是序言、凡例、概述，接着是石刻简目，占用篇幅最多的是分域、目录和佚碑存目，尽可能详细地记录石刻的石质、三维尺寸，刊立时间（墓碑则包括卒、葬日期），重刻翻刻时间，撰文书丹人及官衔，书体、立碑人、刻石人姓名及石刻现存放或曾存放地址等。

（张彪）

临汾市石刻分域、分类统计表

表八

类别 单位	存碑 佚碑	碑碣	墓志铭	经幢	造像碑	其 它	小 计	合 计
全 市 合 计	存碑	1940	43	19	79	101	2182	4088
	佚碑	1502	29	1	15	359	1906	
尧都区	存碑	165	6	2	1	4	178	415
	佚碑	187	6		2	42	237	
洪洞县	存碑	269	6	2	2	1	280	627
	佚碑	266	3			78	347	
襄汾县	存碑	171	3	4	17	48	243	601
	佚碑	250	2			106	358	
翼城县	存碑	199	5	4		16	224	286
	佚碑	60			2		62	
浮山县	存碑	207	8	2	9	10	236	460
	佚碑	162		1	5	56	224	
蒲 县	存碑	142				3	145	266
	佚碑	80	1			40	121	
曲沃县	存碑	130	6	1	1		138	217
	佚碑	75	4				79	
霍州市	存碑	104					104	167
	佚碑	61	2				63	
侯马市	存碑	14	3	1	4		22	35
	佚碑	11			2		13	
安泽县	存碑	65		1	2	1	69	97
	佚碑	25			3		28	
古 县	存碑	25	2		3	2	32	40
	佚碑	8					8	
乡宁县	存碑	164					164	245
	佚碑	75	6				81	
大宁县	存碑	27					27	124
	佚碑	68				29	97	
吉 县	存碑	23	1		32	13	69	115
	佚碑	37			1	8	46	
隰 县	存碑	42	1		2		45	127
	佚碑	78	4				82	
汾西县	存碑	173	1	2	6	2	184	214
	佚碑	29	1				30	
永和县	存碑	20	1			1	22	52
	佚碑	30					30	

临汾市石刻分域、分年代统计表

表九

		汉	西晋	北魏	北齐	北周	隋	唐	后梁	后唐	后晋	后周	北宋	南宋	金	元	明	清	民国	建国后	年代不清	合计	
全市总计	存碑			5	9	2	7	34	1	2	2	3	42	3	19	81	279	1362	207	27	97	2182	4088
	佚碑	5	3	3	3	1	2	62		4		3	69		58	212	490	755	26	2	208	1502	
尧都区	存碑				1			1	1				4		2	6	31	106	9	1	16	178	415
	佚碑	2	1	1	1			15				2	6		10	37	37	62	6		57	237	
洪洞县	存碑							4				1	10		6	16	33	167	17	10	16	280	627
	佚碑	2	1					5					8		13	28	119	151	2		18	347	
襄汾县	存碑			1	3	1	4	4				1			2	16	43	157	3		8	243	601
	佚碑				1			3					3		3	52	133	151			12	358	
翼城县	存碑							1					3		1	7	33	114	55	4	6	224	286
	佚碑				1	1	1	4					13		2	10	10	9	3		8	62	
浮山县	存碑			2	1			10		2		1	15	2	2	12	22	123	34	10		236	460
	佚碑	1	1	2				14		2		1	16		9	15	30	124	4	2	3	224	
蒲县	存碑															2	24	106	11		2	145	266
	佚碑							2					1		2	8	34	71			3	121	
曲沃县	存碑							1					2	1	1	7	26	84	3		13	138	217
	佚碑							1					4		5	6	13	15			35	79	
霍州市	存碑												2			2	15	76	9			104	167
	佚碑							6					4		2	9	5	6	2		29	63	
侯马市	存碑							3					1			3		12			3	22	35
	佚碑							4								1					8	13	

临汾市石刻分域、分年代统计表（续）

表九续

		汉	西晋	北魏	北齐	北周	隋	唐	后梁	后唐	后晋	后周	北宋	南宋	金	元	明	清	民国	建国后	年代不清	合计	
安泽县	存碑				2			1					1		1	1	6	39	16		2	69	97
	佚碑												4		2	1	4	8			9	28	
古县	存碑																8	15	2		7	32	40
	佚碑														1	1	3		1		2	8	
乡宁县	存碑														1	2	19	123	19			164	245
	佚碑							3					3		5	14	11	35	4		6	81	
大宁县	存碑															1	4	13	8		1	27	124
	佚碑												1			6	47	37	3		3	97	
吉县	存碑			2	2	1	2	6			1		1		2	1	3	16	10	1	21	69	115
	佚碑						1	3		1			4		1	6	9	14	1		6	46	
隰县	存碑															2	2	36	3		2	45	127
	佚碑												2		3	11	10	50			6	82	
汾西县	存碑						1	3			1		3			1	2	166	6	1		184	214
	佚碑							2								7	9	11			1	30	
永和县	存碑														1	2	8	9	2			22	52
	佚碑									1							16	11			2	30	

博　物

【概述】 博物馆努力提高全体人员的法律意识和业务素质，各项工作取得可喜成绩。基础设施建设方面，文物库房工程于3月初破土动工，主体建筑全部完工，内装修已完成70%的工作量。展事活动方面，举办各类展览10余项，6月28日与临汾日报社联合举办《庆祝建党八十周年大型书画展》，市四大班子领导题词并参加开幕式。9月23～29日展出《崇尚文明、反对邪教》大型展览。参观者达2万余人，签名1万余人。省、市电视台，省、市报纸以显著位置予以报道，受到市委展览领导组表彰，荣获“最佳工作奖”称号。还举办10余项专业性展览：《张德录画展》、《临汾市艺校赴省汇报展》，《段鸿义千梅展》、《侯波、徐肖冰摄影回顾展》、《晋南十人画展》、《李晓峰书法展》、《临汾市书协培训中心学员作品展》、《崇尚科学文明、反对迷信愚昧》图片展，《大运路出土文物展览》。文物普查及文史研究方面，基本完成省文物局交办的对全市古寺庙遗址调查工作。书画、摄影创作方面，全馆书画、摄影业务人员深入社会生活，潜心艺术实践，创作了百余件具有较高思想性、艺术性的新作，部分作品参加市、省、全国展览。在庆祝山西省书法家协会成立20周年大会上，樊习一同志荣获省文联颁发的“在发展山西省书法事业中，做出突出贡献”奖牌。11月13日受到省委书记田成平同志的亲切接见。郭悱同志有多幅佳作在国家级、省级刊物发表。馆藏安全方面，制定各项安全制度和措施，层层签订安全责任书，责任到人。对重点部位坚持巡查守护。节假日及重要展事活动，24小时轮流值班巡逻。消防设施定期检查更新，保持完好。全年未发生任何事故。

图　书

【概述】 新华书店紧紧围绕全省图书系统“管理效益年”要求，强化市场观念，狠抓企业内部管理，社会效益和经济效益实现双丰收。全市书店系统销售计划9190万元，实际完成10110万元，完成计划的110%，比上年增长108.71%；利润年计划为211.37万元，实际完成236万元，完成年计划的111.85%，增长129.67%；一般图书年计划为3216万元，实际完成4600万元；人均销售年计划为22.2万元，实际完成25.4万元；人均购书年计划为23.5元，实际完成28元，资金回笼率95%；费用率18.54%。

【市场营销】 在教材发行上，主动与当地教育系统加强联系，听取教材发行的意见和建议，尽一切可能为各学校、教办提供优质服务，教材发行比上年增加300万元。一般图书发行上，加快图书超市建设步伐，对解放路图书门市部店内布局、图书陈列、图书品种结构等进行大调整，以适应读者需求。同时对门市部营业人员分批分次进行系统培训，使营业员整体素质有较大提高。全市书店系统销售收入首次突破亿元大关，跃居全省书店系统第二。

【管理机制改革】 年初，出台《关于实施企业内部机制改革的方案》，本着公平、平等、择优的原则对店内原有的13个部门定岗定编；对店内所有职工实行竞争上岗，双向选择，优化组合，以建立精干高效、结构合理的用人机制。5月，首先对中层干部进行公开竞聘，市店科室由原来的16个减少到12个，中层干部平均年龄由原来的46岁降到38岁，干部队伍整体素质有了较大提高。对各县（市）新华书店进行全面综合考察，一批年轻有魄力的同志走上领导岗位，工作扎实，开拓创新，为企业带来活力。

（吴向勤）

档　案

【概述】 全市档案工作以实施《山西省档案管理条例》为契机，继续推进全市档案工作目标管理活动。业务指导500个单位，进行目标管理等级评定25次。经过指导和评定，有5个单位达到机关档案工作省一级标准；12个单位达到省二级标准；1个单位达到企业档案工作国家一级标准（中行霍州支行），4个单位达到国家二级标准，3个单位达到省级先进标准。进一步搞好“窗口”服务，共接收进馆2500卷，接待查阅人员8000余人次，提供各类档案58975卷（次）；充分开发档案信息资源。市县两级档案编研工作者不断强化“以史为鉴，存史育人”的社会教育功能，编写约百万字的档案史料。

【完成撤乡并镇档案整理】 全市18个综合档案馆相继下发《关于在撤并乡镇工作中加强档案管理工作的意见》。业务指导人员克服时间紧、任务大、人员少、经费紧缺等困难，分赴各乡镇进行业务指导，整理撤并乡镇档案上万卷，防止档案资料流失。

【依法治档工作】 加大对各级综合档案馆、机关、团体、企事业单位档案管理的执法力度，拓宽监督范围。尧都区档案局针对已达标升级单位工作停滞不前、严重滑坡的问题，先后对经济、农业、金融、执法执纪等系统15个重点部门档案工作进行年检，吊销5个已达标升级单位的等级证书。对尧庙镇政府、农机局、地税局3个单位不仅吊销其达标证书，下达限期整改通知，还分别做出罚款和行政处分决定，在社会上引起很大反响。

【侯马、翼城收集名人档案】 侯马市档案馆向社会公开征集名人档案，一些政府要人、文化名人、优秀企业家、优秀科技人员以及对侯马有突出贡献的个人将自己珍藏保存的资料和作品移送到市档案馆收藏，建立名人档案专柜12个。翼城县档案馆已收集全县知名作家、诗人、书画家、政府人物等作品100余件（册）。

【档案学会工作】 市档案学会重新登记并发展山西省档案学会会员3批，共计93人，被省档案学会评为“先进档案学会”，胡元剑同志被评为“山西省优秀学会工作者”。全市各级档案系统积极参加省局开展的第4次档案学优秀评奖活动，共申报论文31项，有18项获奖，其中论文类：二等奖3项，三等奖14项；史料类：三等奖1项。获山西省“跨世纪档案人才工程”优秀成果二等奖2项。

（辛慧芳）

新闻出版

市委通讯组

【概述】 市委通讯组坚持正面宣传为主和团结稳定鼓劲的舆论导向，认真学习和研究市委、市政府“实现率先发展，建设中西部经济强市”工作思路，积极宣传市委、市政府的重要决策和重大活动。具体工作中，注重抓好宣传机遇，如在年初召开的山西省九届人大四会议期间，通讯组随团参会人员抓住全省人大代表齐集省城的有利时机，及时采写《加速调产，率先发展》、《深化改革促发展》、《实施六大战略，力争率先发展》、《强化人大监督职能》、《认准目标，埋头苦干》等10多篇新闻稿件，整理临汾代表团代表发言摘要30多条，分别在省级以上报刊发表，对外介绍和宣传临汾市委、市政府发展战略和广大代表奋发图强精神，起到凝聚力量、鼓舞人心作用。处理重点稿件时，把目光瞄向首都重要媒体。如在《中国改革报》发表的《临汾建设创业型干部队伍》、《人民日报》发表的《为仆何曾半日闲，情系千家万户间》和《瞭望》杂志发表的《一个市长的双休日》等报道，反映临汾市改革干部使用制度、建设高素质干部队伍的成功实践和市领导心系群众、深入调查研究的优良作风。在省级以上报纸电台发表反映临汾成就和经验的新闻稿件100多篇。同时，通讯组积极协调和配合上级新闻单位大力宣传临汾的改革成果和先进典型，接待来访上级新闻单位领导和记者300多人，积极为他们提供报道线索，充分介绍临汾、宣传临汾。本着化消极因素为积极因素原则，坚持实施正确舆论监督，对于各级新闻媒体的调查和监督，热情诚恳地欢迎和配合，以此畅通发现问题和解决问题的渠道。对于传播有误的消息，通过调查及时予以澄清；对于个别地方确实存在的问题，通讯组在配合调查、了解情况过程中，如实向领导反映，使问题及时得到处理和解决，维护工作大局。

（裴振龙）

·山西日报临汾记者站·

【概述】 紧紧围绕省委、省政府中心工作，按照报社要求，配合临汾市委中心工作，加大宣传力度，加强贴近性，不断推出一批深度报道，共在山西日报发稿300余篇，其中100篇被评为社内好新闻，10多个头版头条在全省记者站名列前茅。

配合市委中心工作方面，时刻掌握全市阶段性工作和全年大盘子工作，不断推出重点稿件。如《在不断否定中赶超》、《临汾突出体制创新》、《临汾市县领导干部一心谋调产》、《临汾民营经济实现全新突破》、《临汾全力封杀腐败源头》等一批有份量的稿件，受到市委、市政府的称赞。在深度报道方面，《蒲县整顿基层站所》、《以群众满意为标准——洪洞农村学教活动记事》、《从官场到市场——对大宁百名干部走出机关搞实体的调查》、《希望在调整中孕育——翼城县经济结构调整渐入佳境》、《在创新中崛起——襄汾县依靠制度创新振兴县域工业》等稿件，从一点入手，深层次客观反映临汾的各项工作，在全省推出典型，为当地干部、群众鼓劲、加油，让群众看到调产希望；一批走近百姓的文章《记者放牛乐悠悠》、《七嘴八舌说站所》、《公安交警也有泪》等赢得好评；江泽民“七一”讲话后，记者站配合临汾报社宣传小分队，深入采访临汾各地学习贯彻讲话精神，聚精会神抓经济的动人情景和各行各业的崭新面貌。

山西日报临汾记者站加快改革进程，根据山西日报社改革方案，成立山西日报报业集团临汾分社。分社设正副社长各一名，由报社任命。分社下设采编部、办公室、广告部、发行部、经营开发部。采编部主要以发稿为主；广告部主要承揽临汾全市企事业单位在山西日报和山西晚报的广告，同时承接配送加页广告，价格比较优惠；发行部主要发行山西晚报，并保证市区当天上午10时以前送到订户手中；开发部主要开发与报业相关产业，开办新闻培训中心，还在尧都区贺家庄乡李家庄村开发“桃王九九”千亩桃园等。

（杨木林）

·山西电视台临汾记者站·

【概述】 始终把宣传党和政府的路线、方针、政策、宣传人民群众的奋斗业绩、正确引导社会舆论做为自己的天职，发挥独特的个性优势，取得一定成绩，发稿量达276篇，平均每月23条，在省台驻地记者站中名列前茅。记者站突出广播电视“短、新、快、活”特色，在第一时间将驻地发生的最新消息及时传向全省。临汾市召开第一次人代会选举产生第一届新的领导人，仅以半个小时时间就将这一消息传出，成为省级媒体发稿第一家；创造性推出广播行动、全方位张扬广播个性，主动出击，积极参与社会性活动，配合总台顺利地完成各项采访活动。中国共产党建党80周年，省台举办《奋斗的足迹》大型采访活动，做为驻站记者，采写了《临汾攻坚战》、《血染的风采》、《老区人的心声》等20多篇稿件，节目播出后在全省引起强烈反响，该节目因此荣获2001年度中国广播电视新闻三等奖，山西好新闻特别奖，山西广播电视奖一等奖；临汾市工业调产成功入轨，全省工业调产现场会在临汾召开。抓住这一契机，深入临钢、山焦、翼城、洪洞等地采写一系列录音报道，并引起一定反响；临汾市3次公开选拔县级以上领导干部，建立优胜劣汰用人机制，在全省乃至全国引起反响，根据这一线索，采写了《优胜劣汰干部用人制度的新革命》，也得到有关领导好评。

（万晓英）

·山西经济日报临汾记者站·

【概述】 成立于1993年。第一任站长李胡贵（1993～1995）；第二任站长靳淑琴（1995～至今）。1995～2000年，连续5年在11个记者站综合考核中荣获全省第一。配合市委、市政府“三件大事”，进行重点报道，同时报道财政、税务部门以及组织、人事部门的工作经验，起到舆论监督作用，对干部违法违纪事件给予及时曝光，起到警示作用。

（靳淑琴）

广播电视

【概述】 大力宣传“三个代表”重要思想、“七一”重要讲话和十五届六中全会精神。在电视新闻节目中开辟“学习讲话精神，建设经济强市”、“学讲话、谈体会、见行动”等专栏，报道全市学习活动，同时组织记者深入基层，采访实践“三个代表”重要思想的模范人物和典型事迹。全力以赴搞好重大会议报道。市第一届人大会、政协会、党代会期间，电视台组织强大阵容现场直播，宣传报道。围绕市委、市政府年初确定的8项工作搞好重点报道。根据阶段性宣传报道重点，电视台先后开辟《滨河路报道》、《平阳环保行》、《小康新村建设》、《反腐败源头治理》等专栏，进行系列、连续、战役性报道，共发稿2018条，在省台发稿469条，名列全省前茅；同时依托山西卫视优势，在全省、全国宣传临汾，电视专题节目共播出383期，省台播出14期，中央台播发2期，在省级刊物刊发稿件10件；广播电视节目质量不断提高，组织全市广播、有线电视、学术论文、广播文艺、播音和主持作品评比，一批优秀作品脱颖而出。临汾台摄制的专题片《奶奶》获山西电视奖长篇类特别奖；《让烈士的妈妈活得更好》获山西电视奖短篇类一等奖；第二届中国记者节到来之际，组织全市首届广播电视宣传工作先进工作者暨“四优”人物评选，对42名先进工作者隆重表彰，张明锁、吉仙红荣获首届山西省百佳新闻工作者。

【基础设施建设】 市电视台新购50多万元设备，进一步完善采编播设备，广播电视综合业务网建设取得初步进展，完成全市网络建设总体规划和技术方案的论证工作，与厂家签订供货合同，市中心机房已开通省至市中行、工行、建行、机要、统计等项业务。平川7县市的网络机房正在抓紧建设，9个县（市）城区光缆改造已经完成，13个县（市）上了可寻址收费系统，解决收费难问题。洪洞、襄汾、蒲县新建广播电视大楼，侯马广电大楼正在建设之中。广播电视先进县（市）评比活动进一步开展，翼城、襄汾、隰县3个县被省评为广播电视先进县。同时加强技术工作，确保安全播出。对入网设备进行严格把关，对播出机房、制作机房、发射机房等重点部位建立岗位责任制，杜绝各种事故的发生，保证正常播出。继续开展技术工作先进评比活动，在全省评比中获集体奖1个、个人奖2名。

【队伍建设】 坚持每周半日制学习制度，人人建立学习笔记，各单位都开办学习专栏，26名副科级以上干部先后7次在局、台全体人员大会上带头交流学习体会，通过开展“学讲话、谈体会、见行动”活动，边学边改边行动，不断把思想和行动统一到“三个代表”重要思想上来，有力地推动各项工作。综合治理工作被市委评为“文明单位”；信息工作名列全省第一，荣获省局特别奖。先后派10余名同志到省以上广播电视部门学习，组织35名同志参加广电总局组织的空中课堂远程教育。还聘请华北广播电视学院专家教授对全市广电系统150名采编人员进行电视编辑、电视摄像、电视新闻、电视专题等方面集中培训。认真贯彻执行《关于禁止有偿新闻的若干规定》和《中国新闻工作者职业道德准则》，先后制定《关于纠正行业不正之风，禁止有偿新闻的规定》、《节目管理制度》、《节目评审制度》、《节目监听监看制度》。设立公布举报电话，开展群众问卷调查，维护广播电视新闻工作的声誉和形象。

【加强行业管理】 继续开展贯彻落实《广播电视管理条例》等有关法规的宣传和督查，对全市25个广播电视台（站）进行年检。根据国家广电总局和省广电局要求，先后3次，出动73车次、205人次检查85个单位和个人。对五洲酒店、绿苑酒店、红楼大酒店进行验收规范发证；对临汾平阳宾馆、福临酒店、洪洞华龙酒店等擅自接收境外电视节目问题进行纠正；对6个擅自销售卫星地面接收设施经营单位进行取缔。对全市各台站转播中央台和省台节目情况进行执法检查，对群众反映比较强烈的电视节目飘字广告问题进行纠正。市局被评为“三五”普法先进单位。

【音像管理】 根据中央、省、市关于整顿和规范市场经济秩序要求，从4月开始对整顿和规范音像市场工作进行安排部署，成立领导组，制定实施意见，与公安、工商等部门密切配合，采取明查暗访、早晚突击检查等形式，先后5次深入到东西两山和铁路沿线7个县（市、区）进行检查。9月10～17日全市开展第三届音像法制宣传活动，发放张贴标语375条，建立举报箱26个，发放扫黄打非监督牌175个，执法大队10多人深入到尧都区音像市场，向经营户送贴法制宣传品并进行执法检查。全市整顿和规范音像市场共出动车辆146次，出动人员468人次，收缴非法音像制品4615张（盘），取缔无证经营户22户，电视跟踪报道54次，关闭音像制品集中经营场所。取得阶段性成果。

【“村村通”广播电视工作】 完成全市行政村“村村通”任务后，狠抓制度完善，逐级成立“村村通”技术维修站，颁发“村村通”专用《山西省接收卫星传送境内电视节目许可证》。同时，制定出全市1667个自然盲村实现“村村通”落实规划。市“村村通”领导组和隰县、安泽、乡宁被省政府授予“村村通先进集体”称号，5名同志被评为先进个人，隰县被评为全国先进单位。

临汾日报

【概述】 中共临汾市委机关报——《临汾日报》，创刊于1948年9月10日。50年来，四办三停，八易其名，在曲折和困难中不断发展壮大。自1998年1月1日小报改大报后，硬件和软件建设有重大突破，2001年底固定资产达5000余万元，跨入全省地（市）一流报纸行列。报社坚持正确舆论导向，紧紧围绕市委、市政府“率先发展，建设中西部强市”战略部署，开展以深化“三件大事”和滨河路宣传等为主要内容的战役性报道，把党的各项方针、政策，省委、市委的中心工作，宣传给全市400万干部群众，充分发挥党报的喉舌与桥梁作用，推动各项工作的开展；逐步完善和探索报业经营新路子，形成临汾日报，临汾日报农村版、晚报版、教育周刊、周末版“一正四周”报纸格局，报纸发行量稳定在10万份以上。同时，加大内部改革力度，对广告经营进行第二轮招标经营，广告收入由上年300万元增加到380万元；投资3000万元、建筑面积12000m^{2}的新闻大楼外装修基本完成。报社工作得到省、市领导及社会各界赞扬，省委常委、省委宣传部部长申维辰在视察报社时，对报纸产业化道路的工作思路给予肯定，报社被评为山西省劳动模范、临汾市红旗单位。

【重点工程宣传报道】 积极宣传市十大重点工程，努力为工程顺利进展营造良好舆论氛围，先后共刊发150余篇文字稿件、40多幅图片。3月7日市区建设十大重点工程动员大会后，本报全力以赴宣传十大工程，在一版开辟专栏《来自十大工程的报道》，并派专人常驻重点工程，孙延林总编亲自挂帅，牵头组织多次大型采访活动，对十大工程报道进行大篇幅、大版面处理。滨河路建设关键时刻，报社组织百名记者上工地，不但给筑路工人送去矿泉水、饮料等慰问品，还与工人同吃同劳动，用手中的笔和照相机，真实地记录一线工人的劳动场面和感人事迹，学习他们艰苦奋斗的创业精神，随后把这些鲜活的事迹印成一张张精美的报纸送到工地，鼓舞工人搞好工程建设。

【作品获省新闻奖】 由山西省新闻工作者协会组织主办、运城日报具体承办的第十一届（2001年度）山西新闻奖于4月22日在夏县评选揭晓。本报有11件作品获奖，另有6件作品获年赛奖。获一等奖的作品是孙言兵、王振芳、秦天文采写的消息《73岁老人为啥珍藏半个世纪的年画》；获二等奖作品3件：张天斌、来祥生、景秀红、柏东丽采写的消息《张礼乡有个恶霸在横行》，安宏伟采写的通讯《挤奶房出了俩大学生》，张瑞芳的漫画作品《走火入魔》；获三等奖作品7件：刘吉玲、贾晓梅、高红生采写的消息《植保专家梁岩华秉笔拳心可鉴》，陕文喜撰写的言论《金融超市好》，杨萍、张春生采写的通讯《此生跟定共产党》，高秀云采写的《王蓝林含泪拆厂》，员红安、张宝平采写的通讯《让烈士的妈妈活得更好》，刘长青采写的通讯《冯治水妙语话枣经》，王燕的漫画作品《一往情深庆奥运》。另有6件作品获年赛单项奖：刘玉林编画的2001年4月7日一版获报纸版面年赛铜奖，张旦拍摄的照片《别拿孩子的尊严开玩笑》获新闻摄影年赛铜奖，王燕采写的散文《从延安到中南海》获报纸副刊年赛荣誉奖，曲秀萍采写的散文《去大寨接触名人》获报纸副刊年赛银奖，张瑞芳的漫画作品《走火入魔》获新闻漫画年赛金奖，王燕的漫画作品《一往情深庆奥运》获新闻漫画年赛银奖。

（席铁军）

山西师大学报

【社会科学版】 《山西师大学报》（社会科学版）创刊于1973年11月。初名《山西师院》，内部发行。1979年1月改为《山西师院学报》，省内发行。1980年10月15日，经山西省委和省新闻出版局批准，在国内公开发行。1981年10月21日，经山西省委宣传部批准，《山西师院学报》向国内外公开发行。1985年1月，随着山西师范学院的升格，《山西师院学报》改名为《山西师大学报》，国内统一刊号 CN 14-1072/C，国际标准刊号 ISSN 1001-5957。总编辑兼主编齐峰，常务副主编畅引婷。《山西师大学报》（社科版）是山西师范大学主办、山西省教育厅主管的哲学社会科学综合性学术季刊。学报突出学术性、师范性、地方性等特点，注重论文的现实性、理论性、前瞻性和独创性，并力求在哲学、政治学、经济学、法学、文学艺术、美学、语言学、历史学、教育学、语言文字学等传统栏目的基础上打造品牌。现增设的三晋文化研究、山西戏曲文物研究、编辑出版研究、妇女研究以及各学科的方法论研究等特色栏目已引起学界的广泛关注，并产生积极影响。该刊发表的文章被权威文摘报刊转摘、转载、复印的比例一直处于较高水平，受到省内外许多专家、学者的充分肯定和大力支持。原中国书法家协会主席启功先生曾两次为该刊题写刊名；原中国戏剧家协会副主席马少波、原国家新闻出版署副署长梁衡、北京大学教授吴组缃、北京师范大学教授郭预衡诸先生曾为该刊题词。创刊以来，严格遵守党和国家新闻出版的政策法规，始终坚持学术质量第一的用稿原则。1979 年 12 月，山西省人民政府授予学报“先进集体”奖，1985 年山西省劳动竞赛委员会给予学报立功嘉奖，1993～2001 年连续 9 年被评为山西省一级期刊，多次被评为华北地区优秀期刊，1999 年被评为首届全国“百强”社科学报（名列第 12 位），2000 年被北京大学图书馆列为全国中文核心期刊，被中国社科院文献信息中心列为人文社会科学类核心期刊，2001 年入选中国期刊方阵“双效期刊”，被中国学术期刊（光盘版）编辑委员会、中国科学文献计量评价研究中心认定为《中国学术期刊综合评价数据库》来源期刊、《中国人文社会科学引文数据库》来源期刊。

（畅引婷）

【自然科学版】 《山西师范大学学报》（自然科学版）创刊于 1986 年，1987 批准为省内期刊，1999 年经新闻出版署批准为季刊。国内统一刊号，主编侯晋川，副主编武海顺、王剑波。《山西师范大学学报》（自然科学版）由山西师范大学主办，山西省教育厅主管。其主要栏目有：应用数学、泛函分析，算子理论，数理统计学，高能核物理，理论物理，结构化学，应用化学，运城盐湖卤虫研究，生物学基础理论研究，山西地方区域性地理研究，可持续发展研究等。创刊以来，始终将提高刊物质量放在编辑工作的首要地位，经过多年的编辑工作的磨练，已形成一支具有扎实的专业基础知识的编辑队伍和作者队伍。所发表的许多科研成果，在国内外学术界获得广泛影响。据不完全统计，数学物理栏目被国家一级检索期刊《中国数学文摘》、《中国物理文摘》摘录率达 90% 以上；生物学栏目所开辟的“运城盐湖卤虫研究”专栏独具特色，受到国内外学者高度重视；以山西地方区域研究为特征的地理学栏目，对山西地方经济发展起了较大作用。随着期刊影响不断增大，《山西师范大学学报》（自然科学版）已成为《中国期刊网》全文入网期刊，《中国学术期刊（光盘版）》全文收录期刊，《中国学术期刊综合评价数据库》来源期刊，《万方数据—数字化期刊群》全文收录期刊，《中国核心期刊（遴选）数据库》收录期刊，《中文科技期刊数据库》（全文版）收录期刊，《中国数学文摘》、《中国物理文摘》、《中国物理学文摘》、《中国生物学文摘》及数据库收录期刊，中国《CAJ-CD 规范》执行优秀期刊。

（王剑波）

【山西师大体育学院学报】 《山西师大体育学院学报》创刊于 1986 年，前身是《山西省临汾师专学报》，1991 年更名为《山西师大体育学院学报》。1999 年经国家新闻出版总署批准，《山西师大体育学院学报》转为正式学报。国内统一刊号 CN 14-1249/G8，国际标准刊号 ISSN 1008-8571，季刊，主编为吕天敖。《山西师大体育学院学报》由山西师范大学主办，山西省教育厅主管，为体育科学综合性学术期刊。主要栏目有：体育人文社会科学、体育教学与训练、运动人体科学、民族传统体育学、中小学体育教学、高校体育教学与评价等，尤为注重山西地方民族体育科学的研究。其读者对象是全国大中小学体育教师、体育工作者、体育科研人员等。自创刊以来，虽几经变迁，但始终将提高刊物质量放在编辑工作首位。经过多年的工作实践，已形成一支具有扎实专业基础知识的编辑队伍，积累了丰富的办刊经验，培养一大批具有较高科研水平的科研人员和作者队伍。同时，本刊发表的许多科研成果，也在国内外学术界产生广泛影响。许多文章被人大复印报刊资料《体育》和《体育科技文献通报》等全文转载和转摘。随着《山西师大体育学院学报》质量的不断提高和影响的扩大，现已成为《中国学术期刊（光盘版）》全文收录期刊；《万方数据一数字化期刊群》全文收录期刊；《中国核心期刊（遴选）数据库》收录期刊；《中文科技期刊数据库》（全文版）收录期刊。

（于兴汉）

英语周报

【概述】《英语周报》创刊于1983年4月，由山西师范大学主办，山西省教育厅主管，是一份面向全国大中小学师生的外语教学辅导类报纸，国内统一刊号：CN14-0705/（F）。1983年4月30日，《英语周报》的前身《中学英语辅导》正式出版发行，1985年经国家新闻出版署批准改名为《英语周报》。1988年，扩版为初中版、初三版、高中版、高三版。1990年，在原有版别的基础上，扩版为初一版、初二版、初三版、高一版、高二版、高三版。1995年，全部扩版为四开四版，并首次使用新闻纸套色印刷，同时将报纸交邮局发行。1996年，增设教师版，并逐步调整为小学教师版、初中教师版和高中教师版。1996年，小学版创刊，现调整为小学三年级版、小学四年级版、小学五年级版和小学六年级版。1999年，创办《英语周报·阅读写作版》，后改版并调整为初中听说读写版、高一听说读写版、高二听说读写版和高三听说读写版。与中央电视台科教部合作，创办《英语周报·希望英语》，2001年改名为《英语周报·大学综合版》。报社深化编辑制度和业务流程改革，构建先进激光照排系统，拥有现代化交通、通讯工具，实现编辑及发行管理电脑化和网络化。在发行方面，大力提高发行队伍素质，在稳定原有发行网络同时，逐步扩大周报覆盖范围，减少市场空白点，发行量比上年度增长315万份，保持发行量自1996年以来成倍数增长的成绩。2001年《英语周报》再一次被评为“山西省一级报纸”，社长席玉虎、副社长孙志勇被山西省新闻出版局评为“报业管理先进工作者”。12月，报社总部从山西师范大学顺利搬迁到省城太原，并与语文报社、数学报社、物理报社等几家教辅类报社联合成立山西师大报业集团，报社充分发挥集团化、规模化、产业化和信息化优势，努力把报社建设成为集全国英语报刊、图书、音像及电子产品出版、印刷、教学和培训为一体的按照现代企业制度建立的教育产业集团。

【组织外语教学科研活动】 积极组织和支持全国各级各类外语教学、教研活动，举办“全国中小学素质教育英语知识能力竞赛”、“思中杯”阅读原著翻译有奖竞赛和“全国小学英语教育教学优秀科研成果奖”，开创全国小学英语等级水平考试、“英语周报杯”全国网络英语写作大赛，设立了一年一次的“全国英语素质教育优秀论文奖”，同时认真贯彻执行教育部制定的《面向21世纪教育振兴行动计划》，启动“150万元跨世纪助教工程”。8月，中国外语教育研究中心、中小学英语教育研究中心成立，秘书处设在报社教研部，承担该中心的两项招标科研课题，并在全国建立数十个“英语教育实验基地”，同时在全国范围内招聘外语研究员。

（丁国勇）

蒲剧艺术

【概述】 《蒲剧艺术》创刊于1980年，由山西临汾蒲剧院主办。国内统一刊号：CN14-1048/J，国际标准刊号：ISSN1005-779X，系面向国内外公开发行的综合性戏曲艺术刊物（季刊）。主编李安华，社长任跟心。《蒲剧艺术》，始终坚持以繁荣社会主义戏剧事业，弘扬民族文化为办刊宗旨，收集整理、研究临汾戏剧发展史、蒲剧史、蒲剧艺术，立足蒲剧，面向戏剧理论、戏剧史、舞美、音乐、编剧、表演、导演等专业。开展不同流派、不同见解的学术讨论，记录总结艺术经验，推荐优秀剧作，宣传优秀表演，创作人才，跟踪报道和宣传蒲剧艺术的发展动态。主要栏目有：百家论坛、艺术研究、剧本园地、艺苑人物、剧史探源、戏曲教学、蒲剧音乐、随笔杂谈、趣闻轶事、梨园诗词等。本年度刊发近百篇文章，特别是蒲剧赴南宁参加中国第七届戏剧节，《蒲剧艺术》为《土坑上的女人》刊发专题，长城内外产生广泛影响。

（蔡承暄）

省内刊物

·《平阳文艺》·

【概述】 《平阳文艺》由市文联主办，创刊于1978年，原名为《战地黄花》，后改名《春风》，1979年更名为《平阳文艺》至今。著名作家西戎同志题写刊名。《平阳文艺》办刊宗旨是：坚持“两为”方向和“双百”方针，立足临汾，培养文学新人，繁荣文艺创作。本省著名作家李锐、石山、周宗奇先后在《平阳文艺》发表过作品。小说《钓鱼》被《小说选刊》转载，受到社会普遍好评。《平阳文艺》创刊以来，共出版发行80余期，发稿1200余万字，作品格调积极、高昂、为群众喜闻乐见。

（齐国宝）

·《平阳市场》·

【概述】 《平阳市场》是经省新闻出版局批准，由临汾市人民政府主管、市政府办公厅主办的内部连续性出版物，出版周期为每月一期。主要栏目有平阳论坛、市场与法、文化广场、本期话题、县域采风、记者调查、经济观察、农村风情等。紧紧围绕市委、市政府的总体部署，立足临汾，坚持面向市场，面向基层，面 向城乡人民群众，唱好主旋律，打好主动仗，宣传各行各业在经济建设中的新举措、新变化、新气象和新风貌，宣传涌现的先进人物及模范事迹。该刊发表的《保健食品，究竟能起多大作用》，对于正确引导消费，产生积极的影响。《家庭，让血腥暴力消失》、《物业管理路在何方》等文章，触及到具有典型性的社会问题，受到读者欢迎。在歌颂主旋律方面，陆续推出了农村好支书张安平，公安好民警郭振宇等一批优秀的党员干部和改革先锋人物，在广大群众中引起很大反响。

卫生医药

卫　生

【概述】 卫生系统围绕卫生改革与发展，明确目标，突出重点，狠抓科技兴医、人才培养、科学管理、创优争先，成效显著。全市共引进新技术、新项目230项，筛选创建特色专科42个，推广适宜技术51项。284人参加省级以上医疗单位学习进修，254人参加市级医疗机构学习进修，1431人参加学历教育。举办各种类型的培训班257期，受训3000余人次，提高医疗卫生工作人员的业务素质。制订《临汾市科学管理年实施方案》，下发各县（市、区）及市直各医疗卫生单位，并制订详细的考核实施细则，有效规范医护行为。

【整顿规范市场经济秩序】 市卫生局确定食品打假、药品打假和打击非法行医3个重点，组建3支队伍，即卫生局防疫科与卫生防疫站组成食品、化妆品打假队伍；市药检所组成药品、医疗器械打假队伍；医政科牵头组成医疗服务秩序治理整顿队伍。7月24日，对平川7县（市、区）在卫生打假中查获的17卡车价值66万元的假劣食品、药品进行集中销毁。

【计划免疫】 加强法定传染病的监测、报告及预防、控制，加强健康教育，完善疾病预防控制措施。对3570名1999年出生儿童的抽查结果显示，计划免疫接种建卡率99.83%，建证率97.06%；卡介苗接种率97.83%，卡痕阳性率86.81%；脊灰糖丸全程接种率97.76%；百白破全程接种率96.78%；麻疹疫苗接种率97.25%；乙肝疫苗全程接种率77.76%（城镇96.15%，农村74.44%），五苗全程接种率76.33%，总体好于往年，乙肝疫苗接种较2000年提高20%。

【地方病防治】 投资140万元完成襄汾赵康、曲沃曲村集中联网降氟改水工程，受益人口近1.2万人。积极开展布病、鼠病的预防控制以及打击私盐专项治理，有效巩固防治成果。地方病防治工作继续走在全省前列。

【爱国卫生】 改水改厕和创建卫生城市，开展夏季爱国卫生大会战，改善全市城乡的环境面貌，自来水饮用人口和卫生饮水人口较上年分别增加2.35%和4.72%。省爱卫办在古县召开全省农村改厕现场会议，古县被确定为国际援助项目县。侯马市连续7年被评为国家级卫生城市，尧都区、吉县、乡宁、古县、霍州等县（市、区）被评为省级卫生城市（县城）。

【开展“双满意”创建活动】 评选群众满意的医疗卫生单位和群众满意的医护人员，是行风建设的主题。经过层层评比，评选出群众满意的“十佳医疗卫生单位”、“十佳医生”、“十佳护士”。“双满意”创建活动的开展，有效促进卫生系统的行业作风建设，受到广大群众和社会各界的好评。

【药品招标采购】 共组织药品公开招标采购两次，有96家药品生产经营企业应标，中标品种113种，药品中标价与原零售价相比，平均降价幅度为18.5%。药品招标采购已经在全市县级以上医疗单位推广执行。

【医疗机构分类管理工作】 医疗机构分类管理是适应我国卫生资源现状，宏观调控卫生资源配置所进行一项重大改革。全市17个县（市、区）的82家非营利性医疗机构和131家营利性机构，以及68家其它非营利性医疗机构严格按照有关规定进行核定登记和造册上报工作基本结束。

附：

·推行病人选医生制度的县级以上医疗机构·（46家）

临汾市人民医院　临汾卫校附属医院
临汾市骨科医院　临汾市肿瘤医院
临汾市传染病医院　临汾市中医院
临汾市精神病医院　临汾市妇幼保健所
尧都区医院　尧都区中医院
尧都区眼科医院　尧都区第二人民医院
侯马市医院　侯马市中医院
霍州市医院　霍州市中医院
曲沃县县医院　曲沃县中医院
翼城县县医院　翼城县中医院
襄汾县县医院　襄汾县中医院
襄汾县第二人民医院　洪洞县县医院
洪洞县中医院　洪洞县第二人民医院
古县县医院　古县中医院
安泽县县医院　安泽县中医院
浮山县县医院　浮山县中医院
吉县县医院　吉县中医院
乡宁县县医院　乡宁县中医院
大宁县县医院　大宁县中医院
隰县县医院　隰县中医院
永和县县医院　永和县中医院
蒲县县医院　蒲县中医院
汾西县县医院　汾西县中医院

·十佳医疗卫生单位·

侯马市人民医院　隰县人民医院
大宁县人民医院　曲沃县中医医院
洪洞县中医医院　永和县中医医院
安泽县卫生防疫站　古县妇幼保健站
襄汾县大邓乡卫生院　汾西县勍香中心卫生院

·十佳医生·

临汾市人民医院　宋金喜
临汾市中医医院　王明元
临汾市肿瘤医院　张金萍
临汾市传染病医院　刁士琦
临汾市精神病医院　崔　菁
襄汾县人民医院　耿俊童
乡宁县中医医院　王为民
尧都区第二人民医院　王赵虎
吉县人民医院　李万林
霍州市白龙镇卫生院　梁明星

·十佳护士·

临汾市人民医院　邓双艳
临汾卫校附属医院　程　荣
临汾市骨科医院　贺彩燕
侯马市人民医院　买艳婷
襄汾县人民医院　杨爱云
翼城县人民医院　王玉梅
汾西县人民医院　任莉英
隰县人民医院　刘小丽
临汾铁路中心医院　许　媛
太钢集团临钢医院　任海燕

（原效国）

·中心血站·

【概述】　通过内练素质，外树形象，深入开展优质服务，年采血量4.5吨，比上年增加1吨，初、复检4万余人次。市、县外出采血10余次，街头流动采血300余次，急救供血100余次，返还用血报销270人次，成份输血率15%，圆满地完成采供血任务。微机网络升级总投资50余万元。国债新建“临汾市中心血站”项目已经省计委立项，国债总投资686万元，正在积极组织启动。重视科技兴站，建立血型研究等科研机构，健全各项激励机制，培养学科带头人，全站职工参加各类自学者40%，参加集中培训10余次，业务水平不断提高，经本站筛选的RH阴性血液多次被太原、北京等地所应用。发表论文5篇，参加各种学术会议3次。体采科被共青团临汾市委授予“青年文明号”，平阳广场管理处荣获“全国无偿献血奉献奖”，经省卫生厅同意申报“全国无偿献血先进城市”。

（冯　斌）

防　疫

【概述】全市共报告发生乙类传染病15种，2939例，无死亡报告，报告发病率为73.27/10万，与上年相比，报告发病率下降9.91%；病种减少疟疾、HIV；报告率上升的有菌痢、淋病、麻疹、流脑、布病、肺结核，上升幅度分别为18.66%、31.82%、220.00%、66.67%、383.33%、30.76%；报告发病率下降的有：病毒性肝炎、伤寒、梅毒、百日咳、猩红热、出血热、斑疹伤寒、乙脑、新生儿破伤风，下降幅度分别为41.07%、48.48%、50.00%、26.09%、59.09%、42.31%、50.00%、60.78%、66.67%。

【放射卫生监督管理工作全面达标】采取成立机构，制定方案，完善资料，健全档案，落实措施，加强宣传，责任到人等措施，出色完成任务。对全市228户单位进行放射卫生学监测；监测X线机252台，CT机10台，核子共振成像仪2台，核子秤、料位仪等设备；制作规范法律文书、现场监督笔录、卫生监督意见书700余份；发出监测报告、卫生评价书490份；还举办3期332人的放射工作人员健康体检和防护知识培训工作；给280个单位审核换发《射线装置许可证》。省专家组审核评比一举达标，获得“全省放射卫生监督管理先进单位”。

【卫生监督监测】配合全市整顿和规范市场经济秩序，开展打假联合行动，对食品、化妆品、一次性医疗用品进行专项整治活动。出动357余次，出动监督人员5075余人次，检查各类单位5184户，对1191户采取行政处罚，没收和销毁产品合计317173公斤，化妆品376件，标值18.53万元。同时还对市直公共场所、食品生产经营单位进行监督监测，覆盖率100%，发证率和体检率均在95%以上。完成对4752名中、高考学生及入校新生健康检查，举办“学生常见病综合防治终期考评”，全年没有发生重大食物中毒事件。

【首次完成大型工业项目卫生学预防评价】根据省卫生厅的安排，接受山西焦化股份有限公司委托申请，从9月4日开始，历时25天，完成对该公司90万吨/年焦炉易地改造项目竣工验收、职业卫生预防性评价工作。共检测：粉尘、噪声、辐射热、一氧化碳、苯、甲苯、二甲苯、盐酸、氢氧化钠、硫化氢氨、氰化物、酚、照度、气象条件等15种有毒、有害因素，共832份样品，1600多个监验监测数据。做出“山西焦化有限公司焦炉易地改造工程从设计、施工到试生产，基本上做到卫生防护设施与主体工程同时设计、同时施工、同时投产使用，厂址选择及各车间布局基本合理，经过半年试运行，大部分卫生防护设施运行良好”的评价结论。

【艾滋病抗体检测初筛中心实验室建立】按照卫生部《全国艾滋病病毒抗体初筛实验室开展审评验收》通知精神，从2001年3月开始建设，历时5个月，投资6万元购置酶标仪，抽调业务技术骨干参加卫生部艾滋病预防与控制中心在广西、北京、福建举办的“HIV检测实验室质量管理和HIV抗体确诊技术”培训班学习，修订完善实验室工作制度，技术操作规范和规程，建立健全质量控制体系与技术资料档案，接受审评验收专家组考试，硬件配套设施严格审评，顺利通过审评验收。

【卫IX行为监测工作】根据世界银行贷款卫生IX项目临汾市可行性研究报告要求，市防疫站抽调业务骨干，统筹安排，组织尧都区、侯马市防疫站有关人员对监测方案进行认真学习，并进行模拟演练。对于娱乐场所服务小姐、长卡司机、煤矿工人、青年学生等危险行为产生原因、动机和他们的需求等行为进行监测，为制定卫IX项目行为干预计划、评价干预效果提供可靠依据。由于组织严密，措施得力，方案详实可行，卫IX行为监测工作顺利完成，受到国家、省疾控中心专家们高度评价。

【卫生部专家在侯马市进行艾滋病对中国社会经济影响调查】12月22日，卫生部艾滋病预防与控制中心、卫生部卫生经济研究所、北京信息控制研究所的专家一行8人在侯马市进行艾滋病对中国社会经济影响评价的项目调查。调查涉及卫生、公安、民政、计委、司法、农业和经贸部门的有关领导，进行7项访谈。发放35份问卷进行相关问题调查，深入高危人群比较集中的场所对艾滋病感染者进行访谈，参观该市安全套营销试点、艾滋病预防宣传现场，并给予技术指导。同时收集医疗卫生机构管理、艾滋病防治措施、投入及艾滋病流行对该市社会经济发展影响方面的相关数据。

附：

·获奖情况·

集　体

临汾市卫生防疫站被评为“山西省放射卫生监督管理先进单位”、获全国地（市）级一等防疫站称号

侯马市卫生防疫站获效引奖励全国县级一等防疫站称号

大宁县卫生防疫站获全国县级三等防疫站称号

（强志胜）

妇幼保健

【概述】 以推行病人选择医生为突破口，将临床医师简介、医药价目、服务项目及价目上墙公示，加大服务透明度，以便广大群众的监督；后勤工作实行社会化管理全额承包，落实到人；药品采购服从全局，集中招标购销，有效降低医药费用，减轻患者负担。同时强化各级医师责任制，尤其是首诊负责制，并定期按《量化实施方案》检查考核，检查结果与奖金、晋升、晋职、评先、评聘相结合，促进全体医务人员参与管理的主动性和积极性。全所门诊量较上年同期有所增长，特别是协助抢救新生儿窒息复苏成功率高，填补该所此项工作的空白。一年来没有发生医疗事故差错，同时各科室协调一致，圆满完成各项工作任务。

【创建家庭医疗保健服务中心】 开展集医疗、预防、保健、母乳喂养、计划生育技术指导、健康教育为一体的家庭医疗保健服务。专门配备1辆服务车，为孕产妇产后访视和新生儿访视服务。除对到所门诊的病人进行访视外，从9月份开始与红十字妇产医院联合开展产后访视工作，仅3个月访视达500余人次。

【人才培养】 成立由所长挂帅、分管业务副所长负责及各科负责人参加的“科技兴医”领导小组，专门设立科研科。把人才培养工作纳入所务工作议事日程。制定《临汾市妇幼保健所人才建设发展规划》、《临汾市妇幼保健所2001～2003年科研教学发展规划》及相关学习进修奖惩制度。每年人才培养诸方面所需经费，从业务纯收入中提取1%的资金专项管理使用。按规划要求对全所、全区妇幼人员进行业务知识更新和新技术的培训学习，本年度对全所及各县（市、区）业务培训8次，组织各科室业务学习4次，并对新上岗人员进行岗前培训。根据该所业务人员结构层次不同，把基础教育、知识更新、内外学术讲座、专项技术培训及后续学历提高做为继续医学教育模式，鼓励和选送业务骨干外出进修学习；参加新项目、新技术的培训，对学历达不到规划要求的业务人员，督促其完成再教育工程。有14名医务人员参加成人高考，27名参加自学考试，1名考取辽宁中医院研究生，8名已取得大专文凭，1名考取本科文凭，2名正攻读经济管理和行政管理研究生。外出进修6个月以上人员7名，其中地（市）级医院6名，省级医院1名。

【“母乳喂养”宣传周活动】 做为爱婴医院龙头单位，在6月1～7日“母乳喂养”宣传周期间，组织专家在市内主要街道进行咨询、宣传活动，口号是“健康母亲、健康宝宝”。讲解母乳喂养政策、措施、技巧与方法，使更多的人了解到母乳喂养对小儿及母亲的好处。同时，成立社会联合服务组织，设置社会母乳喂养随访系统，产妇出院后按序进行访视，安装母乳喂养热线电话——2210009，设立母乳喂养咨询门诊，以保证产后4～6个月纯母乳喂养成功。多次派专业人员深入到各单位具体指导、帮助、督促，并加强对爱婴医院内部监督管理。截至年底，已连续7次顺利通过省爱婴医院评估团抽查验收。11月1～2日，省爱婴医院评估组

对市医院、洪洞县医院进行评估验收，全部为优秀。

（闫新华）

医　药

【概述】 全市医药系统以服务人民群众安全用药为宗旨，勇于开拓，积极进取，圆满完成各项经济指标和任务，取得较好的社会效益和经济效益。商品销售收入32001万元，比上年同期增加4771万元，增长18%，超额完成年计划7%；商品销售毛利实现5384万元，增加177万元；毛利率16.8%，下降2.3个百分点；三项费用5413万元，上升61万元，其中：经营费用2431万元，增加17万元，管理费用2679万元，增加127万元。财务费用303万元，下降83万元。费用率16.9%，下降2.7个百分点。应收账款2819万元，比年初增加693万元，实收利润7万元（上年同期亏损额1012万元）。3月，被中国消费者协会授予“诚信单位”；10月，成为首批全国GSP认证单位。

【连锁经营】 成立“竹林大药房连锁有限公司”。在经营策略上坚持“六个到位”：品种到位。用名、特、优、新品种占领市场，5月28日，在临汾成功地举办了全国首届工商业务洽谈会，与156家名优厂家签订长期的供货协议，确立可靠的业务联系。配送到位。在全市推行统购分销经营体制，从全国各大名优厂家购药，然后根据各县市销售需求量统一配送下去。质量到位。成立质量检测中心，研制医药防伪监管标识。7月1日，对全市批零药品均实行检验合格加贴医药防伪监管标识的制度。价格到位。在不超过国家牌价的情况下，对青霉素、阿莫西林等常用品种依据产地、进价、销售情况实行高、中、低档3个价位，并在药品包装上印制零售价格的公示制度。服务到位。以“竹林大药房”为形象窗口，进行创新性的特色服务。相继推出“电话购药”、“免费送药”、“代邮药品”、“缺药登记服务”、“咨询服务热线”等便民措施。被国家药监局确定为全国第三批跨省连锁试点企业。宣传到位。利用农村广播站、电视网、流动宣传车广为宣传《药品管理法》，印发《医药监督报》、《安全用药服务手册》，开展合理用药教育，在零售药店里悬挂警示语或忠告语等，通过宣传教育，确保患者用药安全、有效、经济、方便。

【实施科学管理】 采取“五项经营战略”。电脑网络化。成立微机管理中心，实现对药品进销存、成本利润、无销售药品提供当日或当期即时查询，对某一药品进行如购进、销售、报损、报溢等情况的全方位综合分析。信息速效化。成立信息管理科，派信息人员到市场上了解实情，反馈信息。管理程序化。GSP认证即是与国际医药接轨。在GSP的实施过程中，严格按要求完善各种软件和硬件，并投资上百万元，完善配置质量检测和规范管理设备，建立以质检科为轴心的扇形辐射管理网络，对药品生产、经营、批发、零售全过程实行一条龙检测督查。品牌创优化。精心培育和塑造出“临汾医药人”和“竹林”两个响亮品牌，成为无形资产，提高公司在全国医药界的知名度和信誉度。人力资源化。注重加强对人的管理和创新，提高职工素质，建立新的企业运行机制，分配机制和用人机制。

附：

·临汾竹林大药房·

山西临汾竹林大药房连锁有限公司，是一家面向全国连锁经营的大型医药零售企业。2001年12月正式挂牌运营。到年底，在临汾设立连锁门店200家。

按照现代化企业管理，实行“六统一”，即：统一标识、统一购进、统一价格、统一质量、统一配送、统一服务的连锁经营模式。集中人、财、物、产、供、销6大优势，优化资源、合理配置，率先实行竹林标识制度，统一在药品外包上粘贴印有“竹林”、“临汾医药”字样的标识。并相继开展“竹林药店无假药”、“创放心药店、树企业形象”、“药品质量信得过药店”活动和“留言购药”、“电话预约购药”、“代客炮制煎药”等特色服务，使竹林大药店日益成为人民群众心目中的理想品牌。

外事旅游

外事侨务

【出国团组审批】 认真贯彻党的外事工作方针政策，严格外事纪律，完善各项程序，增强可操作性。撤地设市后，修订、印制相关表格，对出访人员提出明确、具体要求，及时了解出访任务完成情况，为决策提供可靠依据。同时，增强工作透明度，严把审批关，经过认真分析，科学归类，合理安排，制定《临汾市因公出国团组申报程序》，发往各县（市、区）和市直各委办局，方便出国人员。对各类因公出国团组和人员严格把关，使出访团组做到手续齐全，任务明确，精干合理。2001 年，全市共计审核上报 50 个团组，135 人。在批准出国考察人员中，没有发生任何违反外事纪律和借公款出国旅游现象。坚持外事专办员制度，全年出国申报专办率达 90%以上。

【外事接待】 先后接待日本《朝日新闻》记者、日本秩父市友好人士西村胜一先生一行、日本秋田县协和町议员代表团、日本山形县日中友协事务局局长高桥幸喜先生、加纳共和国驻华公使马乌特先生等来本市进行友好访问、考察，扩大对外交流渠道，加强双方友好合作。

【侨务工作】 认真贯彻《中华人民共和国归侨侨眷权益保护法》，维护归侨、侨眷合法权益，接待处理来信来访 40 余件次，处理涉侨事务 5 件。举办归侨、侨眷揭批法轮功座谈会，凝聚侨心，统一思想，使广大归侨、侨眷更好地服务于经济建设。

（杨文革）

·侨　　联·

【概述】 全市现有归侨 111 人，侨眷 3000 余人，归国前分布于蒙古、印尼、缅甸、马来西亚、越南、印度、美国、日本、俄罗斯、朝鲜、泰国、新加坡、英国、荷兰、澳大利亚、毛里求斯、巴西、意大利、挪威、比利时、菲律宾、捷克、德国、加拿大、韩国等 25 个国家和中国台湾（省）、香港、澳门 2 个特别行政区。从 20 世纪 60 年代陆续回国参加祖国建设。1980 年，临汾成立侨联组织，2000 年解决机构、编制、人员和经费问题，同年 8 月召开第四次归侨、侨眷代表大会。市侨联积极为归国华侨济困解难，为 13 名老归侨及其子女，基本落实退休金的及时发放和再就业问题。帮助一名蒙古归侨，将其全家 5 口人的户口从河北迁到临汾。配合省侨联“扶贫助学工程”落实扶侨助学学生 6 人，发放助学金 5100 元。应加拿大籍华人夏先生的要求，在市公证处为其办理出国前的有关公证。

（程雪梅）

旅　　游

【概述】 全年接待海外旅游者 12300 人次，创汇 235 万美元；接待国内旅游者 233.8 万人次，国内旅游收入 6.7 亿元人民币，分别完成全年任务的 106.4%、114.2%、121.1%、103.7%，分别比上年同期增长 28.1%、37.1%、46.1%、27.6%，为历年之最。全市旅游产业规模不断扩大，旅游涉外星级饭店 22 家，经营旅游接待业务的旅行社、公司 16 家，接待服务水平明显改善，旅游行业管理覆盖面不断延伸；旅游市场宣传招徕渠道进一步拓宽。启动《临汾市旅游业总体规划》编制工作。旅游景区（点）质量等级评定工作在国家、省旅游局支持下全面铺开，壶口景区、古槐寻根祭祖园申报 4A 级工作取得明显突破。黄河壶口旅游月、寻根祭祖节、华夏州署旅游月活动、首都绿家园志愿者“世纪之林”活动相继取得积极效应，有力推动客源增长和对外知名度的提高。

【宣传促销工作】 4 月份，组织县（市、区）旅游管理部门、旅行社、星级饭店、威风锣鼓队等 60 余人的队伍参加省旅游局在北京西单文化广场举办的“山西旅游宣传周”活动，粗犷、豪放的威风锣鼓，独具特色的旅游产品，引起众多北京市民和首都旅行商的关注。在首都市场促销效果明显，“5·1”、“10·1”黄金旅游周期间，北京客源较往年有大幅度增加。如组织参加“中国国内旅游交易会”、“中国北方旅游交易会”、“赴华东旅游推介会”、“山西经贸旅游周”等重大旅游活动，散发各类宣传品 10 万余份，进一步加强与外地旅行商联系，提高旅游产品对外知名度；将旅行社、景（区）点、星级饭店与目标市场的旅行商、客源层紧密结合起来，与省商务国旅、新加坡大运旅游公司联合采取“捆绑销售”方式，在新加坡《联合早报》推介临汾旅游产品及线路，持续时间 1 个月，吸引该国客源千余人，有力地推动海外市场的增长；连续组织 4 批首都绿家园志愿者“世纪之林”义务植树活动，总计 400 多人，大多为首都各大新闻媒体记者、教师、驻华使馆人员。他们来旅游考察，通过媒体和口碑宣传，对扩大首都客源市场有显著作用。

【节庆活动】 继续举行吉县壶口国际旅游月，洪洞古槐寻根祭祖节、霍州中镇霍山·华夏州署旅游月活动。霍州市在“中镇霍山·华夏州署旅游月”期间，邀请浙江、山东、辽宁、陕西客人，联合举办“五大镇山”连袂对接仪式，沟通与 4 省市旅游业界联系，还邀请有关方面专家就霍山文化开发进行有益探讨；吉县在壶口国际旅游月期间，与有关方面携手推出“泰阳限挑战”活动，产生积极效果。还组织“壶口杯”旅游摄影大赛，在市区街头、壶口景区进行展览，使众多市民了解旅游，增加参与旅游的热情。

【编制旅游业总体规划】 为进行全方位科学合理的开发旅游资源，市政府果断决策，启动《临汾旅游业总体规划》的编制工作，市政府分管领导挂帅，有关部门领导参加。由中国社会科学院旅游研究中心及北京、太原等地的知名旅游专家组成《规划》编制组，从 7 月份开始，编制组专家进行详细的实地考察，历时 1 个多月，11 月初，由各县（市、区）政府、市直有关部门、各旅游管理部门、各旅游经营单位负责人参加的 4 个大型座谈会，充分听取各方面意见和建议，《规划》初稿年内编写完成。

【旅游资源开发】 围绕“打好两张牌，培育十大产品、突出一个中心、形成一条热线”旅游发展思想，以黄河文化、根祖文化为主线，进行旅游产品开发，全社会参与旅游开发的氛围逐步形成。吉县以建设“旅游名县”为目标，继续加强和完善壶口瀑布风景名胜区建设，加大对景区环境治理力度，借开展旅游区（点）质量等级评定，使景区环境发生较大变化；洪洞县开发以根祖文化为主要内容的旅游产品建设，古槐寻根祭祖园项目建设迈出实质性步伐，争取国债资金800万元，省里配套资金80万元；尧都区以尧文化开发为龙头，全面建设尧庙游览区，完成尧都广场、中华第一华表、中华姓氏壁等项目，使尧庙游览区面貌发生根本性变化；霍州市将旅游业做为调整经济结构、促进经济发展的突破口，全民动员，掀起开发霍州署衙、陶唐峪风景区、七里峪国家森林公园热潮；襄汾县围绕丁村民宅、丁村遗址大唱旅游戏，投资 400 万元，拓宽通往丁村旅游公路，保护和修复民宅，整个丁村遗址和民宅保护与开发规划有条不紊地进行。

【行业管理工作】 强化指导服务，完善和培育旅游市场，形成竞争有序的市场格局。加强旅行社规范管理，对旅行社超范围经营、削价经营等不正当竞争行为予以坚决打击，维护旅客合法权益；对旅游涉外星级饭店管理，严格掌握标准，不间断地明查暗访，发现问题及时纠正，使涉外星级饭店管理与服务水平有很大提高；与市精神文明办联合举办“全市文明导游员大赛”。导游员有2人被省旅游局、省精神文明办授予“全省优秀文明导游员”称号；全行业成立旅游安全领导组，各县（市、区）局长为安全第一责任人，做到组织落实、措施到位，确保旅游安全。

附：

·临汾市旅行社名单·（14家）

临汾中国国际旅行社	临汾华尧国际旅行社
临汾京铁旅行社有限公司	临汾飞虹旅行社有限公司
临汾尧夏旅游有限公司	临汾绿苑旅行社
侯马神州旅行社	临汾中国旅行社
洪洞淼源旅行社	霍州鑫源旅行社
临汾康达旅游公司	临汾尧都旅社行
襄汾丁村人旅行社	临汾新闻旅行社

·临汾市三星级饭店名单·（5家）

黄河大酒店	五洲酒店
绿苑大酒店	红楼大酒店
五洲休闲广场	

·临汾市二星级饭店名单·（17家）

福临大酒店	临汾宾馆
临汾友谊宾馆	临汾平阳宾馆
临汾煤炭大厦	侯马花园大酒店
侯马怡鑫大酒店	曲沃宝丽大酒店
襄汾交通大厦	洪洞财政宾馆
洪洞赵城宾馆	洪洞信合宾馆
翼城园义园大酒店	翼城长乐大酒店
霍州明悦大酒店	安泽宾馆
古县宾馆	

·获奖情况·

市外事旅游局被省旅游局、省文明办评为山西省文明（优秀）导游员大赛组织奖、被省旅游局评为旅游涉外星级饭店评定工作先进单位、被山西国际经贸旅游周组委会评为优秀组织奖、被省旅游局评为省旅游教育培训工作先进单位

（杨文革）

社会生活

劳动和社会保障

【两个确保】 全市有下岗职工的国有企业231户，下岗职工17155人。共筹集下岗职工基本生活保障和再就业资金3369.1万元，发放基本生活费和代缴社会保险费3312.7万元，进入再就业中心的国有企业下岗职工全部领到基本生活费并缴纳社会保险费。全市养老保险参保人数248813人，统筹覆盖面96.4%，超年度目标1.4个百分点；征缴养老保险费22991万元，同比增长11.2%，征缴率99.96%，超年度目标4.96个百分点；清理历年拖欠4396万元，同比增长6%；发放养老金32490万元，增长22.7%，养老金支付率和社会化发放率均达100%。全市养老金积累由2000年的2100万元增加到2001年底的9300万元，净增7200万元，创历史最好成绩。

【再就业工作】 通过政府帮助、社会联动、改革驱动、典型带动、督察促动等办法，积极开辟就业渠道，采取依托改制企业安置，立足企业内部挖潜，以非国有、非公有制经济为重点引导就业，组织下岗职工到城市社区、外出打工或承包劳务等，开发就业岗位，并开展再就业援助行动、再就业优惠政策落实情况检查及评选再就业“双十佳”等活动，帮助下岗职工走出中心再就业。全市有5267名下岗职工实现再就业，再就业率达47.8%，超年度目标2.8个百分点，名列全省前茅。

【医疗保险制度改革】 通过落实配套办法开通计算机网络，强化业务培训，广泛宣传等措施，稳步推进医疗保险制度改革。年底，全市已有7个县市区启动运转，参保单位316个，参保人数达15.4万人。共征缴保险费1135.9万元，支出296.7万元，参保人员的基本医疗得到保障，实现以比较低廉的费用为广大职工提供较优质医疗服务的目的。尧都区、襄汾县、汾西县党政机关带头参保，乡宁县、隰县企业大部分进入，走到全市各县（市、区）的前头。全市的医改工作，在省内各地市首家出台15个配套办法，首家实现微机网络化管理，在省确定的第二批启动的6个市地中率先启动。

【劳动关系和谐稳定】 各县市区进一步加强劳动合同和集体合同的管理，对26户省属、52户市属及重点县属企业的劳动合同进行系统检查，帮助企业理顺劳动关系，及时纠正工作中出现的偏差，共鉴定合同2.6万份，纠正合同中不合法、不合理条款689处，帮助16家改制企业理顺劳动关系，总结推广山西锻造厂、翼城针织厂、中条山林局等5家企业妥善处理下岗职工劳动关系的典型经验。同时继续深化企业工资分配制度改革。全市企业统一实行工资指导线制度，积极进行劳动力市场指导价位试点，探索生产要素分配的多种方式。15户企业实行经营者年薪制，19户民营企业实行工资集体协商办法，部分企业开始推行以岗位工资制为主的基本工资制度，使分配向管理、技术、人才短缺岗位倾斜。据初步统计，全市在岗职工年平均工资为8082元，同比增长17%。

【劳动保障监察】 制定《临汾市劳动争议仲裁委员会公开开庭程序规则》、《临汾市劳动争议仲裁委员会证据规则》、《临汾市劳动争议仲裁委员会会议规则》等规章制度，严格程序，公正执法。全年接待群众来信来访2647件（次），同比增长12.5%。配合企业、行业主管部门及时处理平息223起群体性突发事件。劳动监察共立案585起，同比增长19%，结案580起，结案率99%。劳动仲裁共审理各类劳动争议案件365件，同比增长12.8%，结案率95%。开展以劳动用工和社会保险费征缴为重点的劳动保障执法监察，共检查用人单位3860户，涉及劳动者29.8万人，清退不合理用工318人，为民工追回克扣拖欠工资135万元，督促补缴拖欠的社会保险费5863万元，签订补缴协议175份，对12户拒不缴费单位申请人民法院强制执行。维护用人单位和劳动者的合法权益，维护青少年合法权益工作被团中央、劳动保障部授予“优秀青少年维权岗”光荣称号。

【劳务输出】 派专人分赴北京、深圳、新疆等地考察劳务，学习先进经验，建立业务渠道，签订合作意向，不断开辟新的输出地域，扩大输出规模，共向外省输出劳动力14000余人，其中：向新疆输送摘棉务工人员5600余人，向北京输送保安人员362人，向深圳输送技术工1141人。

【安全生产监督监察】 开展以非煤矿山安全、建筑施工安全、易燃易爆行业安全、锅炉压力容器及起重机械等特种设备安全为主的安全大检查，有效防止重特大事故的发生。全年共检验锅炉16000台，压力容器480台，安全阀650只，气瓶2600余只，起重机械461台，定检率均达98%以上；共培训电工、焊工、司炉工等特种作业人员4000余人，对考试合格者发给安全合格证，做到特种作业人员持证上岗；坚持秉公执法、依法办案和“三不放过”的原则，公正客观地查处每一起事故，事故报告及时率、结案率均达100%。

附：

医疗保险制度新规定简介

按照有关方案，基本医疗保疗费用由用人单位和职工共同缴纳，用人单位的缴费率为本单位在职职工工资总额的6%，职工个人缴费率为本人工资收入的2%。并出台一些新的指导意见，要求高度重视困难企业职工医疗保障问题，妥善解决困难企业职工特别是退休人员的医疗保障问题；对部分缴费能力困难的企业，适当降低单位缴费率，先建立统筹基金、暂不建立个人账户的办法，纳入基本医疗保险资金。对仍在再就业服务中心的国有企业下岗职工，继续按照“三三制”原则，落实基本医疗保险缴费资金，制定灵活就业人员参加基本医疗保险的办法，采取由个人缴费的办法将其纳入基本医疗保险，进一步明确和细化医疗保险管理措施，确定定点医疗机构和定点零售药店必须签订定点协议，强化基本医疗保险用药、诊疗和医疗服务设施等医疗服务项目及费用支出管理，建立医疗保险监督检查制度；充分利用医疗保险管理信息系统，动态监控定点医疗机构和定点药店的医疗服务和医疗费用发生情况，建立医疗保险日常监督管理制度；加强宣传，提高对医疗保险制度改革的理解和认识，坚持建立合理的医疗费用分担机制的改革方向；妥善解决少数患者个人负担较重的问题，切实加强管理，杜绝滥开药、滥检查等不规范医疗行为，强化医疗保险基金征缴和管理，健全基本数据统计制度和医疗费用监测系统。

（张振荣）

计划生育

【概述】 人口与计划生育工作围绕全面实现“三为主”（以宣传教育为主，以避孕节育为主，以经常性工作为主）总体目标，加大领导力度，严格依法管理，强化技术服务，加强舆论宣传，圆满完成省下达的各项指标。全市总人口399.2万人，出生率13.4‰，计划生育80.67%；完成“四术”38648例，其中上环23168例，结扎15062例，人流354例，引产64例，一孩妇女上环率82.55%，二孩妇女结扎率78.18%，长效节育率83.32%，综合节育率89.18%，全市13个的县（市、区）基本达到“三为主”县的标准。

【计划生育目标责任制】 市委、市政府领导多次听取计生部门汇报，针对存在问题下发文件，四大班子主要领导身披彩带上街宣传计划生育，市长张茂才在全市计生工作会上与各县（市、区）长签订计划生育目标责任书，把责任落到各级党政一把手头上。切实解决计划生育工作中机构、编制、待遇等问题。市、县、乡三级四大班子成员分别包县、包乡、包村、责任到人。市委、市政府领导包县、包乡镇，先后深入到64个乡镇和58个村指导工作，解决问题。

【大力营造舆论氛围】 开展“婚育新风进万家、优质服务进万村”的“双进万”活动，在活动中涌现出一大批先进集体和先进个人；印发宣传资料200多万份，刷新书写大型固定标语3500多条，举办街头咨询150多场次，出动宣传车辆80余辆次；在报刊、电视、广播电台开辟人口与计划生育工作的固定栏目600余期；组织广大干部群众进行计划生育业余文艺汇演150余场次，文艺演出50余场次，制作版面208块，先后在195个行政村中利用高音喇叭坚持每天宣传人口与计划生育；在《公开信》发表21周年、世界人口日和国庆节期间在市中心广场举办大型宣传版面展览和文艺节目宣传，在社会上引起轰动效应。

【基层基础建设】 全市152个乡镇服务所建所率100%，合格率95%；村建所率75%，合格率70%。乡镇计划生育助理员工资全部纳入财政开支，部分县（市）村级信息员的工资也全部纳入财政。安泽县做为全市计生工作的先进县，85%的村达到合格村的标准。

【查处违纪超生案件】 集中查处一批群众反映强烈的违纪超生案件，市、县两级共立案366起，结案362起，全部按有关政策受到党政纪处分和经济处罚，查处率99%，其中党纪处分235人，政纪处分127人，双重处分5人，对38个单位实行计划生育“一票否决”。在各级党政干部的评模、提干过程中，严格把关，全市共否决207名违纪超生人员，在全市县级干部公开选拔中，严格执行计划生育“一票否决”权，因计划生育问题否决5名提拔对象。加大对农村违纪超生对象计划外生育费的征收力度，全市农村累计共有违纪超生对象7738人，按照《条例》要求，应征金额为5954万元，实征2472.6万元，政策兑现率43.1%。

（裴高照）

民政事业

【引深“双三好”活动】 继续引深“双三好”活动，以建党80周年纪念活动和优抚普查为切入点，在办实事、重实效上下功夫，双拥优抚工作中热点、难点问题的解决有新的突破。以尧都区为试点，积极探索优抚对象抚恤补助金的社会化发放。全市各级财政累计拨款96.5万元，用于解决重点优抚对象生活难、治病难、住房难的“三难”问题，并得到基本缓解。建立“公费医疗与医疗减免”相结合，“定点医疗与大病补助”相结合，“最低保障与临时救济”相结合的优抚医疗保障制度；抚恤补助经费自然增长机制的探索试点在侯马、曲沃、乡宁、蒲县4县（市）初步启动；优待金社会统筹正在进一步规范化、制度化。重新修订和完善《中共临汾市委、临汾市人民政府关于进一步做好新时期拥军优属工作的若干意见》、《临汾市双拥工作领导组成员岗位职责》，重新调整市双拥工作领导组，出台配套法规，以法律维护和保障广大优抚对象的合法权益。完成“挥戈01”军事演习的相关保障任务，社会各界向部队赠送慰问品价值6万余元。演习期间，市委、市政府组成慰问团，赴驻训地点慰问亲人子弟兵，并送去价值10万余元的慰问品和慰问金。

【退役军人安置】 积极探索多渠道、多形式安置退役士兵的新路子，全年共接收退役士兵2433人。为保障转业士官等重点安置对象及时安置，市、县两级还采取双向选择与组织分配相配合、接收单位按比例接收转业士官等办法，制定优惠政策，收到较好效果。根据省关于退役士兵自谋职业的工作安排，确定侯马、霍州、永和、安泽等4县（市）为退役士兵自谋职业试点县（市）。在军队离退休干部安置工作方面，继续强化管理服务工作，加强所、站管理，军休干部的“两个待遇”得到全面落实。

【抗灾救灾】 针对所遭遇的特大旱灾和其它多种自然灾害，全市各级党委、政府和民政部门高度重视，投入大量的人力、物力、财力，全年下拨救灾款1506万元，落实地方财政自然灾害救济事业费321余万元，减免农业税2748万元，一些灾情特别严重地方，还采用政府担保，开仓借粮的办法解决群众口粮短缺问题，基本解决灾民的吃、穿、住等实际困难。市委、市政府抽调市、县、乡3级万名机关干部下乡全力抓减灾促增收；各县（市、区）党委、政府普遍组织单位与乡镇、村委结对子活动，帮助群众解决缺粮缺水问题，有效地开展以工代赈、以秋补夏、以副补农等工作。全部累计接收社会捐赠款253万元，捐赠粮10.5万公斤，捐赠衣被45000余件。

【城市居民最低生活保障】 全市城市已保对象48707人，分别占全市非农业人口866730人和城市应保对象65539人的5.62%和74.32%。在已保对象中，按家庭成员身份分类，包括在职职工6643人，下岗职工16502人，离退休人员3185人，失业人员10842人，“三无”人员2762人，其它人员8773人。按单位性质分类，包括国有企业职工21651人，集体企业职工14186人，其它人员12870人。全市共投入低保资金1308.91万元，比年初预算增加3.7倍，其中市财政投入200万元，县（市）级财政投入332.91万元。

【福利彩票发行】 全年销售福利彩票7391万元，其中电脑福利彩票销售火爆，电脑彩票7268万元，即开型彩票123万元，为全市筹集社会福利资金813万元，创市彩票发行史新高。

附：

·获奖情况·

市民政局获省民政厅2001年度“全省民政事业费财务年报一等奖”

市民政局优抚科被省民政厅评为“全省优抚安置普查工作先进集体”称号

市福利彩票发行获省福利彩票发行中心“福利彩票发行工作一等奖”

（张海波）

民族宗教

【概述】 全市共有少数民族22个，总人数10141人，占全市总人口0.25%，其中主要少数民族有回族、蒙古族、苗族，分布在7个县（市、区），主要是翼城北关、曲沃东关、尧都区东关、吉县辛村、侯马市西街、襄汾古城、浮山响水河等7个少数民族居集村。

民族宗教事务部门组织少数民族群众学习法律法规，引导少数民族群众树立法律意识、法制观念，按照法律规定和正当程序解决问题；为切实帮助少数民族贫困村早日脱贫致富，通过深入细致调查了解，提出可行性扶贫方案，并引回资金32万元；为进一步提高少数民族学生综合素质，市局将价值4万元的少儿百科丛书分别赠给尧都区、翼城、侯马、曲沃、吉县5所民族小学；另外还对29名少数民族考生出具身份证明，使他们享受降分录取的政策照顾。

【稳妥处理伤害少数民族群众感情事件】 先后发生5起伤害回族群众感情事件，引起中央领导高度重视。国务院副总理李岚清、国务委员司马义·艾买提分别做出重要批示，省、市主要领导也做了批示。事件发生后，市局及时深入第一线，积极配合侯马市委、市政府，按照各级领导的指示精神，认真细致开展工作，稳妥化解矛盾、解决问题。依法管理宗教事务，为全面贯彻中央6号文件和中办发［2001］23号文件精神，把宗教事务管理工作进一步引向深入，对415个宗教活动场所进行年检，对符合条件的临时场点转为正式场所，不符合条件的予以撤并。同时加强对宗教界人士法律、法规和爱国主义教育。组织各种形式培训班，对宗教界教职人员进行爱国主义法制教育，先后有基督教活动场所正式讲道员及主要执事 55 人参加培训。通过培训提高教职人员的神学修养、讲道水平和抵制异端邪说的能力，增强政策法规及社会主义道德法律意识。

【改善宗教活动场所设施】 为使信教群众能在安全、舒适的场所进行宗教活动，同时也为吸引一些自由活动的教徒回到合法的宗教活动场所，对破旧、狭小、不安全的宗教活动场所进行移建、改建。侯马市、曲沃县、翼城县、汾西县、洪洞县基督教新教堂均落成并投入使用，侯马市清真寺也在重建之中。

附：

· 机构设置 ·

1982 年成立临汾行署民族宗教事务科，后升格为民族宗教事务处，为副处级建制，编制 4 人；1998 年机构改革，成为行署办公室的内设机构，单位规格、编制未变。2001 年机构改革，升格为民族宗教事务局，为正处级单位，编制 13 人。

（史京）

老龄保障

【概述】 老龄工作认真贯彻《中华人民共和国老年人权益保障法》和全国第一次老龄工作会议精神，运用多种宣传形式，广泛开展尊老敬老活动。各级老龄组织和市、县、乡领导深入乡村户进行慰问、座谈。元旦、春节送慰问金、面粉、衣被，给革命老战士和百岁老人送旗送匾，大力表彰尊老敬老事业，形成全社会尊老敬老的良好氛围。在建党 80 周年期间，举行老党员座谈会，市老龄委邀请曾经参加过抗日战争、解放战争和新中国建设做出贡献的老党员欢聚畅谈。举办老年体育和书画活动，市老年书画研究会举办“庆祝七·一第十届老年书画展”，展出书法作品 230 件，绘画作品 79 件。

（李娟）

残疾人事业

【扶贫解困】 落实对残疾人的各种优惠政策，共为残疾人免收各种税费 54.3 万元，为 83411 名残疾人免除摊派、提留、义务工，为 7120 户贫困残疾人免除农业特产税，为 1800 名贫困残疾儿童及残疾人子女免除学杂费；把无生产劳动能力、无生活来源的 6200 名残疾人贫困户纳入最低生活保障线，为 5400 人办理社保手续，占应享受最低生活保障线人数的 87%；落实残疾人康复扶贫贷款及残疾人专项扶贫资金 310 万元。采取基地加农户的办法，使 21000 名残疾人贫困户解决温饱。在 12 个乡镇建立农村残疾人扶贫服务站。传授科技扶贫项目 1091 条，聘请专家和农业科技人员为残疾人培训各种种植、养殖技术 5042 场次，培训人员 9 万余人次；有 12 个县（市、区）政府分管领导与“包扶”单位签订“扶贫责任书”，109 个乡镇把干部对残疾人的“帮扶”列入年度工作考核。

【劳动就业】 6 月，市政府办公厅以（2001）51 号文件下发《关于残疾人就业保障金实行代征、代扣的通知》。利用 1 个多月时间，集中对有关单位按比例安排残疾人就业情况进行调查，摸清底数，为代征代扣的实施打下良好基础，12 月中旬，以临地税所字（2001）33 号文联合下发《关于地税部门代征、财政部门代扣残疾人就业保障金有关问题的通知》，全市收缴就业保障金 48 万元。举办各类残疾人技能培训班 65 期，培训残疾人 1238 人，安排残疾人就业 719 人，其中按比例安排 313 人，集中就业 107 人，自谋职业 351 人。

【康复工作】 落实 5 年专项康复经费 50 万元（每年 10 万元），并列入预算；为耳病患者义诊 238 人次，免费检测 305 人，优惠配助听器 15 台。建成普及型假肢装配站，市财政一次性拨付配套资金 10 万元，共完成普及型假肢装配 52 例，完成省下达任务（35 例）的 148.6%。完成白内障复明手术 1230 例，完成低视力配戴助视器104名，培训低视力家长37名，对53名聋儿进行听力语言训练（市语训部收训32名），完成听力助残任务35人，培训聋儿家长56人，完成用品用具供应2034件（市残供站供应1080件），完成矫型器装配217件，完成肢体残疾人康复训练101人，脑瘫儿童康复训练23名，智残儿童康复训练51名。

【“助残日”活动】 5月20日，第十一次“全国助残日”，以“深入贯彻保障法，携手迈向新世纪”为主题，广泛开展形式各异的扶残助残活动，中国联通临汾分公司出资1万元，印制1万张“助残”明信片。与临汾百汇物业（集团）有限公司联合举办“百汇情”广场大型文艺晚会，全市各级党政领导共走访慰问残疾人家庭6036户，送款送物折合人民币33.4万元，出动宣传车51天次，散发各种宣传材料8万余份，张贴标语、悬挂横幅742条幅，出版面41块，参加扶残助残的社会各界近30万人次，为社会义务服务的残疾人3180人次，残疾人集中的厂矿企业召开残疾人座谈会23场。

【宣传工作】 在各种新闻媒体发表稿件77篇，其中省级以上新闻媒体发表稿件26篇，为山西残疾人《简讯》提供稿件264篇。组织参加全省第六届山西省残疾人事业好新闻奖评选活动，选送各类作品8件，其中文字类《用爱心开垦出一片绿洲》获三等奖，广播类《美无界定》获二等奖，图片类《圪垛风雨中的美丽》和《为了生命》分别获二等奖、三等奖。山西省维纳斯“电信杯”之星大赛中洪洞县残疾人郭果园的金鼓合奏——“山丹丹开花红艳艳”获荣誉奖。组织10名残疾人运动员参加省第八届全国残疾人运动会选拔赛。成立“临汾市残疾人文化体育协会”。残疾儿童、少年教育工作全面完成对残疾儿童、少年入学情况调查统计工作，全市残联共建立特殊教育学校3所，成立特教班28个，普遍开展残疾学生随班就读。各县（市、区）教育部门把特殊教育纳入“达标”评比的工作范围，残疾就读学生5109人，盲、聋、弱智儿童少年入学率90%。

餐饮服务

【开展技术培训】 餐饮服务管理中心坚持“面向农村市场，开展培训业务，以培养临汾餐饮行业后备军”为出发点，强化内部建设，规范教学管理，提高培训质量。本年度共培训学员4期，为社会输送烹饪专业技术人员300人。利用现有培训场地对全市从业厨师进行晋级培训，并常年为下岗职工提供免费再就业培训，得到社会好评。

【职业技能鉴定】 职业技能鉴定所会同市劳动监察部门对黄河大酒店、湖南饭店、龙之都、永泰酒店等进行持证上岗检查，宣传推行职业资格证书的重要性。对隰县、侯马、五洲大酒店、绿苑大酒店等进行考核鉴定。全市共鉴定各级各类人员835人，其中，中式烹调师748人（中级329人，初级419人），服务员87人，考核鉴定合格率98%。被临汾市职业技能鉴定中心评为“先进单位”。

【参加省首届“面食节”大赛】 组织开展技术交流，技术比武，先后组织全市考评员参加全国首届“红口袋中餐技术大赛”，省“春到江南大型美食节”活动。在山西省首届“汾酒杯”面食节大赛中，临汾市选手取得6金、6银、3铜的好成绩。

（付青萍）

人　物

人物传

李　辉

李辉（1921～1974）　女，稷山县城关镇杨家巷人。1935～1937年在运城山西省第二女子师范学习。1937年秋，在河津牺盟会参加革命工作。1938年6月加入中国共产党，在延安中国女子大学、社会科学院、鲁迅艺术学院、中央军委军事工业局工作。1947年9月回到晋南，担任万泉县土改工作队队长。1949年任新绛县副县长。解放后任解州县代县长、县长。1951年参加中国人民赴朝慰问团访朝，到战斗前线慰问志愿军战士。回国后热情宣传志愿军的英雄事迹，推动抗美援朝。1954临运专区合并后，任晋南专署副专员。被选为第一届全国人民代表大会代表，后又连续担任二届、三届全国人大代表。在担任副专员的10多年中，分管文教、卫生、农业、妇女、共青团等工作，创建全国卫生模范稷山县“太阳村”，树立曲沃杨谈村等棉花“八大仙”，洪洞官庄村等小麦“十杆旗”先进典型。提倡戏剧改革，蒲剧“窦娥冤”、“朝阳坡”等走出山西，唱红京城。亲自培养优秀教师，提高教育质量，使晋南的重点中学在全省知名度大为提高。1966年任山西省教育厅副厅长。文革期间被批斗、军管、参加学习班。1974年11月20日因病逝世，享年53岁。

王　克

王克（1916～1993）　洪洞县封里村人，1936年在太原友仁中学求学时，参加新文学读书会，宣传抗日救亡，1937年10月～1939年8月在洪洞县牺盟会、县游击队、决死四纵队、县公安局任政治工作员。1938年10月加入中国共产党，参与洪洞县汾东抗日游击区的创建，先后在沁源地委党校、太岳区党委党校学习，在晋冀鲁豫边区第三专署、路西办事处、太岳区农会工作。此后，担任临汾县抗日政府民政科长，浮山县抗日政府责任秘书。1943年9月在反扫荡斗争中被捕，在狱中与敌人进行顽强斗争，始终未暴露身份。后经党组织通过敌工站营救出狱。出狱后即奔赴太岳区党委参加整风运动。历任太岳区二专署、临汾专署民政科长兼支部书记、人事科长、临汾专署办公室主任。1954年临运合并后，又先后担任晋南地委农工部副部长、晋南专署副专员、西山工委副书记，长期领导农村工作，为晋南地区发展农业、改善农民生活做出了艰辛的努力。文革开始后，受到不公正待遇。1972年落实政策后，在临汾地区电业局、金建化公司、侯马电厂、地区计委工作。1981年任临汾行署顾问。1984年离休后，仍然保持着共产党人的优良传统。1993年1月13日因病逝世，享年78岁。

李文库

李文库（1919～2001）　洪洞县赵城镇弯里村人。1937年12月从军，1945年任冀东四分区司令部作战参谋，参加过辽沈、淮海、平津三大战役。解放前夕在东北163师489团任营长、团参谋长。此后两次参加抗美援朝，在枪林弹雨中，英勇杀敌、屡建奇功。1960年3月任炮兵工程学院行政处处长。1964年转入地方工作，任晋南农机公司经理、支部书记。1973年任临汾地区农机局任顾问。继续保持部队优良作风，为企业的发展和农业机械化做出积极贡献。2001年2月28日，因病医治无效与世长辞，享年83岁。

张耀廷

张耀廷（1916～2001）　男，临汾县贾得乡小程村人。1937年1月，在家乡从事教育和农会工作，担任农救会秘书，9月加入中国共产党。抗日战争爆发后，秘密建立临汾县汾东农村第一个党支部，开展发展组织、发动群众、收集敌伪情报、收集粮款等工作，还掩护过襄临游击大队长姚登山等百余名革命骨干。1939年8月，在中共襄汾县委报社任总编辑。此后担任中共襄汾县委宣传部长、组织部长，创建临汾河东县委、县政府。解放后，为发展农业生产，力主兴建“泽垣渠”。先后担任洪洞县委副书记、书记、临汾地委秘书长、晋南地委组织部长，1956年11月～1962年5月在任晋南地委书记处书记的同时，兼任曲沃县委书记、侯马市委第一书记、晋南地委监察委员会书记等职。在此期间带领群众修建了晋南地区当时最大的水库——浍河水库，受到人民群众的赞誉。无产阶级革命家彭真夸他为民立了大功，并提到为他和建库牺牲的同志盖座功德庙。80年代初，时已退居二线，又担任山西维尼纶厂党委书记，上任后，大刀阔斧，治理整顿，使企业很快出现转机。1985年6月离休后，仍然关心国家大事，热心公益事业，钟情书画，吟诗撰文，出版《张耀廷诗文集》。1997年5月经山西省委组织部批准享受正厅级待遇。2001年10月18日因病逝世，享年85岁。

人物简介

孙自瑾

孙自瑾　男，汉族，1958年8月生于上海市，大专文化，中共党员，高级工程师，现任山西三维集团股份有限公司副总经理、基建技改处处长、丁二醇分厂厂长。2000年“全国劳动模范”。

担任基建技改处处长后，带领全体工程技术人员完成1000吨季戊四醇改造、7000吨PVA扩改、DCS改造、2万吨白乳胶改造、2.5万吨1，4—丁二醇及其配套的2000吨制氢和6万吨甲醛、1.5吨四氢呋喃等重大项目。其中2.5万吨／年1，4—丁二醇项目的建成，成为国内最大的1，4—丁二醇生产基地，填补国内空白。聚乙烯醇从原来的单一品种增加到20余个品种，白乳胶产品扩大到十大系列、40余个品种，产量质量均居全国同类企业之首，为公司改变产品结构单一的现状，在激烈的市场竞争中站稳脚跟、发展壮大做出突出贡献。被授予“临汾地区特级劳模”、“山西纺织行业科技功臣”等荣誉称号，1999年荣立省劳动竞赛二等功。

张连水

张连水　男，汉族，1959年生于乡宁县枣岭乡长咀湾村，中共党员。现任乡宁县煤焦实业有限公司董事长，山西省琪尔康翅果生物制品有限公司总经理。2000年“全国劳动模范”。

1988年，仅29岁的张连水走马上任濒临倒闭的乡宁县枣岭乡长咀湾煤矿矿长，短短10余年，煤矿不仅甩掉亏损的帽子，而且一跃而成为集原煤开采、洗选精煤、焦炭冶炼、煤气发电和经济林开发科技示范园建设为一体的集团公司——乡宁县煤焦实业有限公司。立足乡宁特有翅果油树资源，以乡宁县煤焦实业有限公司为依托，组建高新技术生物资源研发公司——山西琪尔康翅果生物制品有限公司。与中国林科院、北京农业大学、山西师范大学等院所合作，在北京中关村组建“晋嘉琪尔康翅果生物研发中心”。该公司“CO_2超临界萃取翅果油技术”获国家专利，翅果油软胶囊经国家卫生部审批通过，翅果油树综合利用关键技术经山西省科技厅组织有关专家论证，具有“国际先进水平”。还积极支持社会公益性事业，先后出资800余万元，支持乡村农建工程、兴学育人希望工程、公路建设等。获“全国优秀乡镇企业厂长（经理、董事长）”、“全国煤炭工业劳动模范”、“全国优秀乡镇企业家”等荣誉。2001年被选为临汾市一届人大代表，省九届、十届人大代表。

张占中

张占中　男，汉族，1957年8月6日出生，大专文化，中共党员，工程师，现任吉县林业开发中心主任。2001年山西“省劳动模范”。

1975年4月在吉县红旗林场参加工作以来，长期奋战在林业第一线。为退耕还林、天然林保护工程、种苗基础建设、“三北”工程、黄河林带等5个项目立项引资1600万元，成功地创建和尚岭、西史尖等样板工程8处。2001年3月30～31日，朱镕基总理视察吉县的退耕还林工作，给予高度评价；9月，国家中西部地区退耕还林现场会到吉县参观。以荒山造林为主，配套旅游景点，对壶口景区绿化坚持高起点、高标准、高质量，5年完成壶口绿化0.147万公顷，其中经济林0.067万公顷，栽植地埂经济林4万余株，风景树10万余株，林木保存率达到86%。他按照区域化布局、产业化经营、生态建设与效益同步发展的目标，创建阳庄至蔡家川0.067万公顷防护林，马连滩至教场坪0.067万公顷用材林两大林区和蔡家川、李家垣、和尚岭等5个生产基地。荣立临汾地区劳动竞赛一等功，荣获“全国青少年绿化祖国突击手”称号、临汾市特级劳动模范。

王红星

王红星　男，汉族，1963年4月生于浮山县城关镇，中共党员，大专学历。现任襄汾县交通局局长。2001年“山西省劳动模范”。

自1998年霍侯一级公路开工建设到1999年全线竣工通车，积极配合县指挥部搞好征地、拆迁、赔青等协调工作，确保了全线顺利施工，受到市委、市政府和临襄段指挥部的表彰。在襄汾县实施“主干公路超二级化，平川村村油路化、河东河西网络化”的公路“三化”建设中，团结带领全体干部职工，大打公路建设翻身仗，3年总投资2.8亿元，新改建油路、水泥路808公里，兴建襄兴、襄侯两座汾河桥，实现该县公路建设的历史性突破。1998～1999年，筹借资金3000余万元，兴建9层建筑面积为9640平方米的三星级交通大厦和建筑面积为4300平方米的省标二级汽车客运站，填补了襄汾无上星级宾馆和达标汽车站的历史空白。2000年被授予“山西省五一劳动奖章”。

高　峰

高峰　男，汉族，1954年11月生于陕西省子洲，中共党员，工程师，现任中铁十五局三处项目长。2001年“山西省劳动模范”。

1998年以来，带领全体职工，在参加宝成铁路复线等国家和省部级重点工程建设中，实现技术革新5项，合理化建议9条。共完成投资12323万元，承揽任务7350万元，所承建工程的合格率100%，优良率95%以上，其中新熊家河隧道获铁道建筑总公司优质工程，王家沟大桥等3项工程获局优工程，2项获总公司QC成果奖。在工程管理上，视质量为生命，多次在劳动竞赛中创优夺冠，该分处项目部始终在同行业中处于领先地位。他本人多次被评为局处文明职工标兵、优秀共产党员，1997年荣立山西省劳动竞赛一等功，2000年荣获山西省五一劳动奖章。

孙明旺

孙明旺 男，汉族，1952年12月生于山西省兴县，中共党员，现任临汾市邮政局局长，党委书记。2001年“山西省劳动模范”。

1998年10月担任临汾市邮政局局长以来，连续两年业务发展在全省持续高增长，被省局称之为独特的“临汾现象”。对中层干部建立了以政绩为主要依据的考察、考核和使用任免新机制，通过公开招聘、代理使用等方式，不拘一格选拔和使用人才，实行同工同酬。他率先对铁路沿线局领导试行年薪工资制考核办法，随后在县市局、专业局、区域局共24个生产单位的领导干部中全部实行年薪工资制，在部分营业、投递、储蓄、发行等岗位推行以量计酬、计件工资和承包等分配办法，使储蓄业务一直位居全省第一。邮政业务上“精品化、系列化、礼品化、专业化、定向化、个性化”，礼仪业务上“抓集团、抓系列、抓节日”，邮购业务上提出以名、优、土、特、廉为市场定位，推动了业务持续高速增长，连续两年获全省经济效益优胜单位奖，完成计划进度和收入增幅都位居全省第一。由于他的突出贡献，被省企业家协会评为“优秀企业家”、“跨世纪突出经营者”，2000年荣获山西省“五一劳动奖章”。

李万定

李万定 男，汉族，1949年2月生于襄汾县，中共党员，现任山西省临侯高速公路建设有限责任公司董事长。2001年“山西省劳动模范”。

1998年以来，率领分局干部职工承建了霍侯一级公路临襄段30公里的施工任务，工程进度快，质量好，创出了样板。同时完成了原太、晋焦、长邯、山东栖莱、陕西宁棋等省内外高速公路建设。2000年承担临侯高速公路建设任务，精心组织、精心部署，工期两年完，概算不突破、工程创优良。积极实施二级以上路网建设，建成一级公路147公里，二级公路800公里，使临汾平川县市实现了公路二级化。建成文明公路360公里，里程和标准居全省之首。1998年被授予“全国五一劳动奖章”。

郭益民

郭益民 男，汉族，1954年5月生于大同市，中共党员，现任临汾市公安消防支队队长。2001年“山西省劳动模范”。

加强部队思想政治建设，提高官兵军政业务素质和正规化建设，推行科技练兵，依法开展消防监督，圆满完成以防火监督和执勤灭火为中心的各项工作任务，使支队各项工作都走在全省前列。在1999年7月全省消防基层基础建设现场会和12月份河南安阳全国学天津消防暨支队正规化建设会议上，代表山西省介绍经验。1999年5月，支队荣获“山西省五一劳动奖状”荣誉称号。他本人于2000年3月被公安部授予“全国优秀人民警察”荣誉称号，4月荣获“山西省五一劳动奖章”荣誉称号，11月被省公安厅荣记三等功一次。

马希贤

马希贤 男，汉族，1957年1月生于翼城县里砦镇，中共党员，高级讲师。现任临汾卫校附属医院心内科主任。2001年“山西省劳动模范”。

结合临床实践先后撰写论文36篇，其中23篇在国家级医学刊物上发表。由他担任副主编的两本医学专著成为中等专业卫生学校的教材。撰写的一篇论文被入选国际心血管病学术会议，应邀出国出席，并宣读了论文；主持的两项关于急性心肌梗塞治疗的科研成果被省科委鉴定为“国内领先水平”。1987年他破格晋升为内科讲师，1992 年晋升为副主任医师，1999 年又被破格晋升为主任医师。先后被评为山西省“赵雪芳式白衣战士”、“临汾地区科技十佳标兵”、“临汾地区劳动模范”、“临汾地区优秀专家拔尖人才”、“山西省五一劳动奖章获得者”、“临汾地区十大新闻人物”、“临汾市特级劳动模范”等荣誉称号。

黄黑蛋

黄黑蛋 男，汉族，1952 年 4 月生于洪洞县赵城，中共党员。现任洪洞县赵城焦化实业集团总经理。2001 年“山西省劳动模范”。

担任赵城汽车队队长后，为摆脱铁路运输限制，先后筹资 200 万元修建铁路专用线，配备火车自备列，建成 1750 米长的铁路专用线，105 个货位的站台。大胆改革，勇于创新，对村办企业全面进行改制，实行股份制。先后与外地联营，兴建“发电厂”，发展旅游服务业和搞房地产开发，使赵城跻身于全省小康乡镇行列。先后被共青团省委授予“明星青年乡镇企业家”，被国家农业部授予“全国优秀乡镇企业厂长（经理、董事长）”称号。2000 年 4 月被授予“山西省五一劳动奖章”。

苏家栋

苏家栋 男，汉族，1927 年 4 月生于河北省秦皇岛市，1958 年 11 月任临汾文工团导演。曾任九三学社临汾市（现尧都区）第一届委员会副主任委员。2001 年 10 月执导的大型眉户剧《酸枣树，甜枣树》获第六届中国“映山红”民间戏曲大赛导演一等奖，演出一等奖。

1949 年毕业于华北革命大学，同年 11 月分配到人民解放军山西省军区文艺工作团任演员、演员队分队长。1955 年转业到山西省话剧团（现省话剧院）任演员、演员组长。1959 年任侯马市文工团导演，1963 年任晋南文工团导演。在他 45 年的导演生涯中执导话剧、歌剧、戏曲各类大小剧目百余出，获得 4 个国家级奖项：执导的剧目《唢呐泪》在 1988 年中国戏曲现代戏第七届年会获“导演奖”，1992 年又获中国戏曲“金三角”交流演出“导演奖”；1998 年执导的剧目《月亮滩的姑娘》在中国戏曲现代戏第七届年会获“导演奖”。

段洪政

段洪政 男，汉族，1929 年 1 月 29 日生于山西省沁水县松峪村，原任临汾地区二轻局副局长。多年致力于临汾城市建设，功勋卓著，被誉为“临汾城建功臣”。

1945 年参加工作，1948 年 11 月加入中国共产党。曾任长治军分区参谋，高平武装部部长，参加过解放临汾的战役。1956 年先后任翼城县手工业管理局副局长，局长，工业局局长，供电局革委会主任等职。他总结的“双革”（技术革命和技术革新）的经验在全国推广。翼城县工业支援农业的“三级修造网”受到轻工部表彰。翼城县自力更生、艰苦创业、自己办电的经验，开全区先河。他蹲点隆化垣，总结推广的“粮林草全面发展、沟坡路综合治理、井池田成龙配套、水土肥齐保增产”丘陵地带发展农业的经验，被唐尧乡亲传为佳话。任临汾市（现尧都区）委常委、工交部长期间，分管城建工作，抓旧城改造，打通秦蜀路，修建五一路，兴建平阳广场，“临汾花果城”闻名全国，被《人民日报》、《中国青年报》、《中国建设报》多家新闻媒体以“春到尧都”、“塞外之花”进行报道。离休后，仍壮心不已，招商引资，先后兴建了“福临大酒店”、“尧都公寓”、“城北农贸市场”、“东关商城”等，受到社会普遍赞誉。

侯天元

侯天元 男，汉族，1949 年 11 月生于山西省定襄县，高级工程师。现任临汾市书法家协会主席。

他以其深厚的建筑艺术，数十寒暑，博涉琴棋书画，痴迷书法艺术，多有书法作品问世。1995年获华北五省书法奖，相继参加全国多种展、赛事并获奖。其书法艺术在《书法》、《书法导报》、《书法赏评》、《书法报》、《人民代表报》、《山西画报》、《临汾日报》等多家报刊专题介绍，并有《山西省中青年书法家六人作品集》和《侯天元作品集》出版。山西省书法家协会主席团委员。

县（市、区）简介

尧都区

【概况】　尧都区位于临汾盆地中央，系临汾市委、市政府驻在地，临汾市政治、经济、文化中心。总面积1304平方公里。撤并乡镇后，辖6乡、10镇、10个街道办事处、381个村民委员会、160个居民委员会。总人口730262人，其中市镇人口371101人，人口自然增长率7.18‰。尧都区委、区政府抓住调整结构，优化环境和招商引资，推动经济全面民营，全区国内生产总值完成473760万元，按可比价格计算，比上年增长11.3%。第一、二、三产业增加值分别完成28483万元、233633万元（其中工业完成增加值192093万元）、211614万元，分别拉动全区GDP增长0.8、5.9、4.6个百分点。三次产业在经济总量中所占份额依次为6.0%、49.3%、44.7%，与上年相比，第一产业下降0.9个百分点，第二产业上升1.4个百分点，第三产业下降0.4个百分点。全区固定资产完成投资额161985万元，比上年增长15.7%；基本建设完成35260万元，房地产开发投资完成3560万元。全区财政总收入完成47605万元。

【农业】　继续调整种植业结构，实施科技兴农战略。农作物总播种面积49224公顷，其中蔬菜3898公顷，蔬菜大棚5822个、501公顷。种植业主要产品产量：小麦75870吨、玉米30031吨、蔬菜179578吨。水果产量38247吨，其中苹果30578吨。按现行价格计算（下同），种植业实现总产值36836万元。造林1533公顷，其中经济林813公顷、防护林720公顷；零星（四旁）植树497.42万株，育苗378公顷，封山护林面积7580公顷，林业产值737万元。畜牧业，大牲畜38173头，其中肉用改良牛1641头，良种及改良种乳牛1002头；肉类总产量7674吨，比上年增长16%；奶类产量2562吨，其中牛奶1777吨，减少11.3%；禽蛋产量9533吨，增长26%；牧业产值10311万元。水产品产量895吨，增长4.7%，产值483万元。农林牧渔总产值完成48367万元。

【工业和建筑业】　全区全部工业总产值598147万元，其中：乡镇企业工业总产值519056万元。全区限额以上全部工业企业54个，工业总产值（现行价）389054万元，工业增加值（生产法）97788万元；限额以上国有工业企业21个，工业总产值（现行价）65737万元，工业增加值（生产法）31611万元。限额以上集体工业企业10个，工业总产值（现行价）14682万元，工业增加值（生产法）4684万元。与外商、港澳台合作经营企业2家，工业总产值15565万元，工业增加值6197万元。乡镇企业增加值131530万元，营业收入433905万元。主要工业品产量：原煤169.27万吨，洗精煤204.21万吨，水泥49万吨，焦炭168.75万吨，生铁290.74万吨，铸件5.2694万吨，发电量13977万千瓦时。全年全区国有企业、大中型和年产品销售收入500万元以上非国有工业企业产品销售率97.01%，产品销售收入376758万元，增长18.3%。亏损企业亏损额4576万元，增加1315万元，其中国有及国有控股企业亏损4028万元，年增加1845万元。四级以上建筑施工企业完成建筑总产值67945.9万元，增长46.6%，工程施工单位316个。

【贸易和物价】　全区社会消费品零售总额

19.48 亿元，比上年增长 8.1%；其中城市消费品零售额 12.36 亿元，增长 8.8%。全区批发零售额 12.04 亿元，餐饮业零售额 1.14 亿元，农业生产资料零售额 4.42 亿元，制造业零售额 0.55 亿元。全区进出口总额完成 373 万美元，其中出口完成 365 万美元，进口完成 8 万美元；出口供货值完成 2525 万美元。居民消费价格总指数 99.7，商品零售价格总指数 98.8，农业生产资料价格指数 103.9。

【科教文卫】 年末，各类专业技术人员 11600 人，其中：中级以上技术职称 6100 人；国有科研、开发机构 12 个，企业技术开发机构 78 个。辖区高等学校 1 座，在校学生 12500 人；各类中等专业学校 7 所，在校学生 15185 人；普通中学 64 座，在校学生 57069 人；幼儿园 33 所，入园儿童 15360 人；小学 362 座，在校学生 74036 人。剧场影院 10 个，公共图书馆 1 个。公共图书馆总藏量 158 件/千册，报纸出版印数 989 万印张。卫生机构 62 个，其中医院 49 个，卫生机构床位数 2883 张，卫生技术人员 4960 人。

【城市公用事业】 年末实有铺装道路总面积 272 万平方米，城市下水道总长 92 公里，供水综合能力 8 万吨/日，煤气供气总量 37831 万立方米，液化气供气总量 750 吨，公共汽车营运车辆 170 辆，公共汽车客运总量 2660 万人次，出租汽车 1610 辆。

【环境保护】 工业废水排放总量 596 万吨，废水排放达标率 93.3%，废气处理率 13.1%，固体废弃物综合处理利用率 52.0%，污染治理投资额完成 9885 万元。

【居民生活】 全年城镇居民人均可支配收入 5175.2 元，扣除物价因素实际为 4487.47 元；农村居民人均纯收入 2785 元，比上年增加 112 元。人均生活消费现金支出 716.58 元。城镇居民恩格尔系数 32.7%，农村居民恩格尔系数 65.4%。

·县级领导班子成员·

中共尧都区委

书　记　段克己

副书记　宿青平　李晓峰（11 月免）　李　瑞（11 月免）王天然　张成梁（11 月免）张立仲（11 月免）　任招振（11 月任）

常　委　段克己　宿青平　李晓峰（11 月免）　李　瑞（11 月免）王天然　张成梁（11 月免）张立仲（11 月免）　任招振（11 月任）　杨益民　许百龙　罗凤潮　潘齐龙（11 月免）　马保山　李胡贵　李燕丰（11 月任）

尧都区人大常委会

主　任　李吉秀

副主任　葛建强　李新胜　崔文杰　蒋　森

尧都区人民政府

区　长　宿青平

副区长　杨一民　王九菊　张宝玉　段　新　李小平　樊克俭　王青丽　方　熔　张喜星（挂职）　孙京民

区长助理　王阎根

政协尧都区委员会

主　席　卫喜才

副主席　梁淑娟　彭亚明　高国宪　裴玉林

（张洪亮）

侯马市

【概况】 侯马市位于临汾盆地南端，总面积 274 平方公里。辖 5 乡、5 个街道办事处、81 个村民委员会。总人口 230183 人，其中市镇人口 117477 人。国内生产总值完成 16.06 亿元，比上年增长 12.06%；工业增加值完成 3.39 亿元，增长 37%；财政总收入 1.55 亿元，增长 15.6%；社会消费品零售总额 12.24 亿元，增长 7.5%；农民人均纯收入 3271 元，增长 5.1%；城镇居民人均可支配收入 4953 元，增长 14.8%。种植业结构调整和农田水利建设成绩显著。种植红枣0.13万公顷、优质专用小麦0.13万公顷、以甘草为主的中药材0.067万公顷，新建城郊花卉苗木基地266.68余公顷、大蒜133.34公顷。完成1条5公里北水南调干渠衬砌、333.35公顷节水喷灌和533.36公顷中低产田改造工程。农业总产值23956万元，增长18.9%。工业整体效益大幅度提高。风雷机械厂、平阳机械厂、中条山有色金属公司侯马冶炼厂等驻侯企业的产值、税收总额都比上年大幅度增长。工业调产顺利实施，新的经济增长点已形成。晋光药业公司20亿粒猴头健胃灵、大李焦化厂50万吨机焦炉、建邦集团公司128亿立方米高炉及30平方米机烧结炉、汇丰建材公司20万吨水泥扩大产改造等项目竣工投产，全年工业总产值141205万元，增长14.4%。商贸市场按照“稳定、整顿、发展、繁荣”八字方针，规范管理，完善服务，净化环境，市场出现良好态势。服装加工业规模扩大，“傅彭一族”服装已注册商标。全年市场成交额20亿元，上缴税金2400万元，创历史最高纪录。亚欧桥摩托城、图书音像市场、金水桥市场、证券交易市场主体工程完工，新田市场改造准备工作就绪。全市进出口总额960万美元，为年任务的19倍。以生态园林城市建设为目标，城市建设全方位推进。建成新世纪广场、5公里高标准城市绿色通道、市内园林绿地39处，新增城市绿地20万平方米，城市人均新增绿地2平方米。扩建火车站广场，开通文明路、幸福街、中心街、市府西路，改造东风路、浍滨街东侧侯纺段工程，建成文锦苑小区，完成城乡电网改造。城乡交通条件有较大改善，基本实现村村通公交车。

（赵广奎）

【成功举办“两会一节”】 5月22日，在刚刚落成的新世纪广场，由500人组成的威风锣鼓、200人组成的“龙狮双雄会”、1000名职业中专学生组成的大型团体操“新田之光”，为“两会一节”（晋国新田文化研讨会、名优服装展示会、月季花节）拉开序幕。晋国新田文化研讨会在平阳宾馆举行，来自国内外44个单位的108位考古和史学界专家、学者携52篇论文出席会议，对“新田时期”的历史、政治、经济、文化以及与齐鲁文化、秦文化、楚文化、吴文化的比较进行研讨。积累和挖掘出较多的新田文化史料，确定新田文化研究的方向和方法；收到利用新田文化研究促进侯马经济发展和社会进步的建议131条；名优服装展示会分别在车站广场、新港商城和环球鞋帽大世界门口举行。来自全国14个省市的100多个厂家参加展示，服装品牌有步森、雅戈尔、开尔、红豆等，展示期间由100余名服装模特进行48场表演，观看人数5万余人次。此会以服装展示为主线、辅之以鞋帽、家电、家俱、化妆品等商品交易；月季花节展示以月季为主的各种花卉12万盆，组合式大型花坛78个、11000个轮廓灯、14200多米轮廓灯带、5800余盏射灯、93块霓虹灯、400个大红灯笼、370个串串灯组、268个灯箱广告、1140棵彩灯树，到处流光溢彩。在新世纪广场周围和侯马职业中专学校分别举办名优产品展示和经贸洽谈会，参加展示的企业有150家，其中侯马98家，展出的商品有农副产品、糖酒副食、医药、轻纺、冶金、铸造、建材、化工、机电、家电等10大类、840种产品。中科院卢国铭、李承两位教授和北京化工大学原副校长任际泰教授等举行两次项目发布会，发布项目有150多个。市热力公司、开发区等单位与外地客商达成新建聚氨脂保温厂、中天装饰城等合作项目的协议，项目总投资4200万元。同时，还在香邑湖举行全国“嘉陵杯”摩托车越野锦标赛，来自广东、北京、上海、重庆、云南、山西等25支参赛队的124名摩托选手，在125CC、150CC、80CC、125CCA、125CCB、250CC 6个组别中一决雌雄，观众达5万余人次。中央电视台体育部、人民日报、山西日报、山西电视台以及侯马电视台、侯马报社等36家新闻媒体进行现场报道。28日，“两会一节”落下帷幕，此次活动的成功举办，使各大市场、商店营业额达1.8亿元，同比增长30%以上；客运、饮食、服务业营业额达1000多万元，同比增长70%。

（赵香琴）

【开通开发区“三纵一横”道路】 本着优先基础建设，主攻高新科技，坚持科贸并举的发展思路，3 月 15 日，侯马经济技术开发区“三纵一横”的道路建设全面铺开。“三纵一横”道路网包括长600米、宽36米的中心大街中南段；长 535 米、宽 20 米的幸福街中南段；长 640 米、宽 18 米的步行商业一条街北段；长 600 米、宽 15 米的纺织东巷新世纪广场段，道路总投资 715 万元。历时两个多月，5 月 20 日，开发区“三纵一横”道路建设基本完工，共修建水泥道路 4000 余米，铺装步行商业彩砖 6500 平方米，埋设地下管道 6000 余米。开发区“三纵一横”道路的建成，与开发区周围已开通的新田路、呈王路、建工路、合欢街及中段开通的文明路形成 1.64 平方公里的起步区。“四纵五横”的道路网状骨架，与毗邻的市区联为一体，对促进侯马经济技术开发区和侯马市经济社会发展将起到一定推动作用。

（赵香琴）

【新世纪广场】 位于呈王路东端北侧。2 月 11 日开工，5 月 22 日建成，总投资 1000 万元，占地 10 公顷。融古晋文化与现代文明为一体，集休闲娱乐与大型集会之功能，大气磅礴，隽永秀丽，主体平面设计以侯马出土的晋国货币“空首布”造型，典雅对称，蔚为壮观，由南向北，迎面是坡状大面积膜纹草坪，东西各有 21 级台阶，象征步入 21 世纪；中央 1200 平方米的巨型浮雕文化屏，铭刻新田晋国霸主之威仪；800 平方米的大型舞台，坐落在晋之镇国宝鼎之上；万人广场中轴钢化玻璃之下水流涓涓，喻示新田文化源远流长，清流之下以隶、楷等文体，镌刻着晋迁新田之史实；九面彩旗之下，置七彩音乐旱喷泉，呈天圆地方之传神古韵；广场东西各置行人通道，将游园部分割成前后动静四处，绿草茵茵，幽道曲径，起伏跌宕；广场四周异彩纷呈，高炬通明，矮盏添趣，饰雕传神，灵气四溢。广场兴建历时 100 天，运土 10 余立方米，混凝土垫层、浇注 4 万立方米，铺装广场、道路用水泥 8000 吨、花岗岩 2.3 万平方米，种植草坪 3 万多平方米。

（邵子义）

【侯马普天荣盛光缆合资公司成立】 5 月 18 日，山西省首家债转股企业——侯马普天通信电缆有限公司成立，其前身为侯马普天通信电缆厂。同年 11 月 28 日，侯马普天通信电缆有限公司与香港荣盛科技有限公司、香港恒山贸易有限公司合作，在省城太原正式签约，组建“侯马普天荣盛合资公司”。侯马普天荣盛合资公司是本着互惠互利的原则，由三方共同出资在原侯马普天有限公司的基础上组建的，合资公司注册资金 9000 万元，其中香港荣盛科技有公司以货币资金出资人民币 4590 万元，占股 51%；侯马普天通信有限公司以其所属光缆现有生产设备及配套设施等实物资产出资人民币 4320 万元，占股 48%；香港恒山贸易有限公司以货币资金出资 90 万元，占其 1%。公司组建后，年底已对原光缆生产线进行改造，可使年生产规模达 80～120 万芯公里，预计年销售收入 5.9～8. 8 亿元。

·县级领导班子成员·

中共侯马市委

书　记　赵建民

副书记　张如意　范荣发　李山林

　　　　李孟斌（11 月任）包　江（11 月任）

常　委　赵建民　张如意　范荣发　李山林

　　　　李孟斌（11 月任）包　江（11 月任）

　　　　李平生　傅遵师　文转社（11 月任）

　　　　毛锦生（11 月任）张永文

侯马市人大常委会

主　任　米耀璟

副主任　高　峡　高英海　张刻功

侯马市人民政府

市　长　张如意

副市长　夏引盛　毛锦生　李天海　刘淑芬

　　　　郇　实　闫建国（8 月任）

　　　　冯凌云（8 月任）

政协侯马市委员会

主　席　李光亚

副主席　祁　平　刘新盛

（邵子义）

霍州市

【概况】　霍州市位于临汾盆地北端，北籍韩信岭与晋中市灵石县交界，南扼白壁关同洪洞县相连，东倚太岳山与沁源县、古县毗邻，西跨汾河与汾西县接壤。总面积765平方公里。境内山高岭峻，丘陵起伏，总地势是东北高而西南低，地形分山地、丘陵、平原，其中：耕地占35%，林地占48%。坐落在市境东部的霍山为大自然林区，面积2.47万公顷。辖3个乡、4个镇、5个街道办事处、220个村民委员会。总人口282933人，其中市镇人口96943人。紧紧围绕“一个中心、两个重点”发展思路，奋力拼搏、开拓创新、精简机构，撤乡并镇，加大调产力度，推动科技进步，扭转经济连续2年滑坡被动局面，较好地完成各项经济指标。国内生产总值156974万元，同比增长10.5%，工业增加值66618万元，增长16.07%，工业总产值96491万元，利税22679万元；农民人均纯收入2765元，增长4.65%，城镇居民人均可支配收入4412元，增长7.24%，财政总收入15964万元，增长37.19%，创历史最高水平。总体上形成农业稳定，工业猛增，三产提升的经济发展格局。

【农业】　围绕“农业增效，农民增收”，积极调整产业结构，实施农建“五大工程”：即靳比园农业综合开发工程，投资177万元，改良土壤266.7公顷，启动333.35公顷的枣粮间作示范工程；退沙高科技农业示范园区，投资60万元，完成基础设施配套；十里铺节水园区，投资58万元，首次提水浇灌66.67公顷次，已列入国家节水园区项目；黄河中游生态林业，投资120万元，完成400公顷荒山治理，栽植侧柏、元宝枫、花椒66万株；“4252”工程：即0.26万公顷优质专用小麦，1.67万公顷枣粮间作基地，0.13万公顷高效果菜基地。构建农业示范“三条带”：即沿山小流域治理带，完成0.067万公顷治理面积，建成80余公顷的育苗、枣林、药材等7个基地；沿大运高速公路经济林带，新发展66.67公顷以中华寿桃，无籽西瓜等珍稀水果为主的示范园区，投资40余万元，栽植28万株，0.067万公顷以赞皇枣为主要品种的枣粮间作带；沿河高新农业示范带，建设高科技农业示范园区和0.1万公顷梧桐牌大葱基地，巩固提高许村、北益昌等原有节水园区0.13万公顷。培育畜牧龙头企业。全市培养规模养殖企业12个，养殖村10个，新发展千头猪场，万只鸡场各3个，规模养牛5户，新发的明珠兔业有限公司，形成外联市场，内联农户的发展格局，带动养殖户50户，户年收入可达3000～5000元。精心发展品牌农业。重点培育“霍山”牌优质红富士苹果，“晋微”牌营养保健果，“田园”牌鲜奶，“马刨泉”梨湾小米，“永安”牌酸菜系列，“霍山”牌陶唐仙菜等10个农副产品品牌，其中“马刨泉”梨湾小米首开“订单农业”先河，销往京城。“晋微”牌营养保健果在上海博览会上广受青睐，“永安”牌酸菜系列产品远销太原及省外。

【工业】　重点培育化工、农源、冶金、铸造、建筑、陶瓷和农副产品加工5大支柱产业。“文通”牌钾盐，“霍邑”牌尿素，“霍山”牌机焦，“申鑫”牌电机壳，“天王”牌漆包线，“永新”牌暖气片，“梦特柔”纯棉床单等10多个潜力产品，立项投资。加大科技含量，实行规模经营，增加新的经济增长点。化工工业增幅较大，市化工公司投资4886万元，完成20万吨尿素改造项目，10月投入运行，年新增产值9000万元，利税1500万元，产品质量稳定，成本下降，位居全国125家小尿素企业前3名。文通化工公司投资5600万元，完成一期年产1万吨粒状碳酸钾项目，年创产值5000万元，利税1600万元，填补世界空白，且被列为国家火距计划重点高新技术项目和临汾市10大标志性调产项目之一。煤焦企业效益显著。化工公司焦化厂投资900万元，11月完成10改21万吨机焦项目，年新增产值3000万元，利税500万元。紫云能源有限公司投资1900万元，4月完成21万吨机焦项目一期10.5万吨项目，年可创产值3500万元，利税800万元。由北京中冶捷成有限公司，山西省煤运总公司，霍州煤电集团与霍州共同投资 5.2 亿元实施 134 万吨机焦改造项目，现已完成工程设计，并落实资金 1.2 亿元，预计 2002 年 3 月动工兴建。冶金铸造有较大发展，市旺达实业公司投资 300 万元，租赁原市铁厂炼铁炉，进行 80 立方米的炼铁炉改造，3 月点火投产，年创产值 2000 万元，利税 200 万元；聚德星煤焦公司，投资 1150 万元，新建 100 立方米的炼铁炉，11 月点火试产，年产值可达 5000 万元，实现利税 650 万元；东晋冶炼有限公司，投资 1176 万元，建设 101.39 立方米的炼铁炉，资金已全部到位，三通一平基本结束，其它工作正在进行。

【城市基础设施与小城镇建设】 城市基础设施建设投资近亿元，完成 4 大工程。即：城市二期供水工程，共投资 2300 万元，打井 7 眼，修建单池容量 2000 立方米的清水池 4 座，铺设主管道 21 公里，大张水厂于 11 月实现通水，彻底解决霍州市城区供水不足，高位水压不够的问题；城市集中供热二期工程，总投资 645 万元，安装 7MW 热水锅炉 2 台，铺设主管道 8000 余米，每年可减少 SO_2 排放量 500 吨，粉尘 325 吨，大大改善环境质量和市民工作生活条件，霍州市城市集中供热覆盖率达 30% 以上。滨河小区安居工程，投资 2100 万元，7 栋居民住宅楼全部竣工，且已售出 40 套，收回房款 150 万元，个人住房抵押贷款落实 80 万元。城市绿化工程建设项目，完成城市绿地系统规划设计方案，立项申报，高标准完成市委党校段 6000 平方米的绿地工程建设，同时开元街拓宽改造项目与上海工业开发区房地产开发总公司，宾馆改造项目与上海住总集团长住开发公司均已达成协议。小城镇建设突出区位特色，呈现良好发展态势。白龙镇、大张镇做为全市首批新农村建设试点镇，已付诸实施。白龙镇投资 670 万元，完成路灯、下水道设施配套，街道硬化 900 米，24 户建筑面积 4650 平方米的小区住宅楼建设主体完工。大张镇 12 家二层商贸楼基础完工，周村新农村建设完成总体规划，闭路电视安装，街道硬化和部分门店装修。

【环保工作】 以围绕国务院确定的“一控双达标”，世纪环保目标为主线，依法行政，严格执法，全方位实施关、停、达标和治理达标。全市共取缔普通采暖锅炉 111 台，取缔沿河污染企业 33 个，炸毁两侧焦炉、烟囱 51 根，大搞植树绿化工程，共植树 22 万株，种植草坪 63 平方米，沿河 115 个排污单位达标排放，规范排污口 20 余处，清理沿路沿河的废渣 400 余方，关闭和取缔旅游区内所有的工业污染源和土小企业，保证自然生态的恢复，实现经济与环境协调发展。

【旅游业】 重点实施“中国四大古代官衙”与国家 4A 级风景旅游区广东东阳、江海、陵岛的联袂对接，和“中华五大镇山”联袂对接活动，把中镇霍山推向国内外。投资 264 万元，完成陶唐峪、悬泉山风景区的旅游路拓宽硬化工程，七里峪风景区 1000 余平米的良峯度假村。州署增设了霍叔碑亭和曹端馆，陶唐峪搞起“农家居”。争取到设计投资 120 亿元，占地 18～28 平方公里的“中华姓氏园”项目，引起海内外华人的广泛关注，收到了 6 万余份电子邮件要求投资，并已有 4 大海外巨商拟投资 4 亿多元，用于规划设计和“四通一平”等前期工作，现正积极申请上级立项。霍州署完成整体规划，并在国家计委立项。七里峪风景区已委托中国城市规划设计院进行整体规划设计。开通北京西一韩城“霍州号”旅游专列，举办“中镇霍山·华夏州署”第二届旅游月活动，举行“中华姓氏园”选址霍州论证会等，霍州旅游被中央电视台、香港凤凰卫视、山西电视台、《人民日报》、《中国改革报》、《中国城市经济》、《中国民间文学》、香港《大公报》、《山西日报》等 40 多家中央、省级、海外媒体以各种形式介绍报道、炒作，并得到中央和地方各级领导的关心支持。“霍州旅游热线”网站，也成为国内外人士访问的热点。全年旅游直接收入 200 余万元，综合经济效益近 1000 万元。

【科教卫生】 科技部门推广农业科技成果 10 余项，创建科技先导企业 3 个，新发展民营科技企业 3 个，共开办各类专业培训班 30 多期，培训农村科技推广能手 150 人，科技当家人及星火带头人 2000 余人。教育工作顺利通过省政府“二基复验”，农村危害校舍改造 18 处，“四化”达标学校 8 个，职中培养各类实用技术人才 300 余人，中高考成绩再次位居临汾市榜首，高考本科达线 420 人。医药卫生体制改革，推行医药收支两条线和药品集中采购制度，防疫苗接种率达 95%以上。爱国卫生工作成绩显著，通过省级卫生城市验收。计划生育工作，全市建起 9 个乡镇服务所，102 个村级计生服务室，人口出生率控制在 13.17‰，计划生育费征收率达 80%以上。

【社会保障体系】 建立健全养老保险、失业保险、下岗职工基本生活保障和城市居民最低生活保障等社保体系，促进社会稳定。全市下岗职工基本生活保障人员 768 人，月发放 106347 万元，全部足额发放。城市居民最低生活保障实施全员覆盖，保障人数 4180 人，每月落实资金 11.6 万元，退休职工 1512 人。月发放养老保险金 69 万元，全部足额按月发放，同时积极搞好下岗职工的培训和再就业工作，开展劳务输出，多渠道增加收入。

【社会治安综合治理】 公检法部门，加强社会综合治理力度，开展严打追逃，打团扫恶，扫黄打非行动，重大案件破获成果显著。警务公开经验在全省推广，省公安厅在霍州市召开“三项教育”现场会。严厉打击“法轮功”邪教组织，检察院共侦查终结贪污贿赂等犯罪案件 26 件 27 人，为国家挽回经济损失逾百万元，取得良好的社会效果。

【政务公开和行政执法】 全市取消行政审批和行政收费项目 179 项，设立 35 个集中审批大厅，按照“一口受理，并联审批，一厅收费，限时办结”的原则，实行“一站式”办公，“一条龙”服务。财政、金融、税收、邮政、电信、移动部门不断提高服务水平。文化市场管理，出动宣传车散发各种宣传材料 1 万余份，查封取缔无证非法印刷户 48 户，对 6 名犯罪嫌疑人依法刑事拘留。取缔无证经营网吧 4 家，歌舞厅 3 家，使文化娱乐市场得到净化。进一步整顿医药、烟草市场，共检查违规经营医药 215 户，扣押药品 315 件。烟草专卖，先后联合出动 231 次，查出大小案件 80 起，查扣卷烟 956 件，使市场经济秩序明显好转。税务部门加大清欠和稽查力度，共清回各类陈欠 1850.81 万元，加收滞纳金 118 万元，稽查 120 户，查补税款 59.3 万元，罚收滞纳金 27.29 万元，立案查出涉税案件 20 起，追回税款 100 余万元。

·县级领导班子成员·

中共霍州市委

书　记　王月喜

副书记　梁若皓　任瑞昌　郭唐玉　张志宏　杨国璋　冯亚平　罗凤潮

常　委　王月喜　梁若皓　任瑞昌　郭唐玉　张志宏　杨国璋　冯亚平　罗凤潮　邢仰东　赵子俊　马宪荣　张贤才　张建军　段新廉　马领人

霍州市人大常委会

主　任　房安国

副主任　池化民　曹生喜　王　祁　张补有　晋从华

霍州市人民政府

市　长　梁若皓

副市长　赵子俊　邢仰东　杨夫元　王文郁　彭东晓　陈战平

政协霍州市委员会

主　席　董天禄

副主席　张福义　朱根寅　田连文

（郭秀东　乔小安）

曲沃县

【概况】 曲沃县位于临汾盆地南端，北依塔儿山和襄汾县为界，南靠紫金山同绛县为邻，东与翼城县接壤，西北隔汾河和襄汾县相望，西南与侯马市毗连。总面积 437.9 平方公里。辖 5 镇、2 乡、1 个办事处。总人口 223995 人，其中市镇人口 47990 人。县委、县政府确定工业兴县搞调整、农业发展搞特色、建设卫星城镇、大搞基础设施建设，实施科技强县战略，推进全面工作。各项主要经济指标均超额完成计划任务。全年国内生产总值 11.8 亿元，比上年增长 10%，为 1997 年以来的最高水平。第一产业增加值 22182 万元，同比增长 0.7%；第二产业增加值 64175 万元，增长 13.1%；第三产业增加值 31608 万元，增长 11.9%。全年财政收入 7868 万元，增长 10.1%，完成计划的 103.3%。粮食总产量 77964 吨，其中，小麦总产量 54828 吨，与上年基本持平；秋粮总产量 2313 吨，减少 35.8%；棉花总产量 2251 吨，增长 2.1 倍；蔬菜总产量 13078 吨，减少 7.72%。乡镇企业增加值 4.58 亿元，同比增长 27.2%。全县城镇居民人均可支配收入 4187 元，增长 10.1%；农民人均纯收入 2768 元，增长 4.9%；全年社会消费品零售总额 28575 万元，增长 12%。年末存款余额 86749 万元，较年初增长 17.9%，各项贷款余额 62497 万元，较年初增加 2851 万元。

【工业】 河南仁和集团公司在曲沃县投资 8～10 亿元，建设集炼铁、炼钢、轧材为一体的钢铁企业，并完成轧材办公大楼、宿舍楼和 40 万吨轧材分厂的建设工程，200 万吨的炼钢分厂动工；杭州中经印务有限公司投资 2000 万元兴建彩印生产线，一期工程竣工；三晋焦化厂引资 2000 万元，兴建 128 立方米炼铁高炉工程奠基；中国石化投资 1.2 亿元的 10 万吨成品油库项目立项。全县 80%的炼铁企业取缔土烧结，亚华制盖有限公司完成两亿只塑料瓶盖生产线扩建项目；长城水泥有限公司完成 20 万吨扩建工程。有 10 个企业上缴税收超百万元。其中，荣昌、光彩铁业有限公司和豹峪沟铁矿上缴税费突破 200 万元。列入考核的工业企业实现增加值 2.33 亿元，增长 20.1%，超计划 4.1 个百分点。列入考核的工业产品销售收入 6.63 亿元，增长 29.3%，实现利税 2166 万元，增长 48.9%。

【农业】 根据全市“121”工程总体部署，全面加大农业结构调整力度，把发展红提葡萄和大棚栽培做为全县农业结构调整的重点和突破口，提出并组织实施了“人均半亩果，户均半亩棚”的农业调产战略。投资 1500 万元，建成里村、曲村、北辛村、三张、西南街等几个水利设施配套齐全的高标准红提葡萄示范园，总面积 1666.75 公顷，成为华北地区最大的红提葡萄生产基地；大棚蔬菜，以太子滩精品示范园为样板，在乐昌镇、北董乡建成两个 66.67 公顷连片大棚示范区。史村镇、里村镇建成两个大棚示范区。全县大棚面积 200 公顷，陆地蔬菜面积 0.267 万公顷；红枣以枣粮间作为主要模式，杨谈沿山一带规划开发 0.2 万公顷红枣区，高显太子滩内规划开发 333.35 公顷冬枣区；畜牧业发展坚持“稳住吃粮的，发展吃草的，常规养殖抓牛羊，特种养殖上规模”的工作思路，进一步引深“百村千户十万只秸杆养羊工程”，全县养羊规模达到 8 万只，长毛兔、七彩山鸡、孔雀等特种养殖品种达 20 余种。全县优质小麦面积发展到 0.33 万公顷，优质专用小麦示范面积达到 0.067 万公顷，曲沃县被确定为全省优质小麦示范基地县。

【城乡建设】 实施“11422”工程。提高城市品位。投资 400 万元，占地 2 公顷，建设了集休闲、娱乐、观赏为一体的中心广场，相邻的文化娱乐中心大楼、新华书店大楼、图书馆大楼于 6 月相继竣工并投入使用；投资 1800 万元，占地 10000 平方米的曲沃宾馆建成并投入使用；投资 180 万元的东环路、西环路、曲绛路、北大街路面整修工程全面完成；投资 2500 万元，总长 4.8 公里的大运路欧式一条街拓宽改造工程基本竣工；总投资 2800 万元，总宽 60 米，全长 2 公里，具有浓郁现代化气息和示范样板作用的东西大街全线贯通；兴隆市场二期工程全面完工；晋沃商城完成投资 700 万元，一期工程全面竣工。

·县级领导班子成员·

中共曲沃县委

书　记	乔成家
副书记	薛愿兵　潘张虎　张效彪　李德斌
常　委	乔成家　薛愿兵　潘张虎　张效彪　李德斌　武红文　韩宏伟　王文洲　付正林　薛经纬　邱建屏

牟来新（11月离职）
薛金山（11月离职）

曲沃县人大常委会
主　任　文尚龙
副主任　吴宪堂　赵维孝　刘　伟　刘春琪

曲沃县人民政府
县　长　薛愿兵
副县长　薛经纬　张建山　张凤兰　武　亮

政协曲沃县委员会
主　席　王　震
副主席　雷　涛　王积富　李发明　董贻魁

（张淑霞）

翼城县

【概况】 翼城县位于临汾市东南隅，东通沁水、晋城，西接曲沃、侯马，南与绛县、垣曲相连，北与浮山、襄汾毗邻。总面积1170平方公里。辖4乡、6镇。总人口306218万，其中市镇人口30122人。国内生产总值完成13.44亿元，同比增长12.7%；财政总收入1.25亿元，增长18.23%；工业增加值4.38亿元，增长14.53%；城镇居民人均可支配收入3970元，增长10%；农民人均纯收入2252元，增长4.9%。各项主要经济指标实现“三超”，获得全市2001年度经济工作、社会发展综合奖和8个单项奖。

【调整产业结构】 全力推进工农业科技调产战略，一批科技含量高、带动力强、市场前景好的重点项目相继建成。总投资2.2亿元的6大重点工业调产项目相继竣工试产：民营企业丰昆公司完成上市前期准备工作；3万吨汽车制动盘、10万吨大口径球铁铸管项目一期工程完工；城东公司311立方米炼铁高炉主体工程建成；明亮钢铁厂金属化球团炼铁新工艺投入试产；宝业公司镁合金压铸件生产线试产；振浍实业公司V法和EPC两条工艺生产线投产；华尔铸造公司与洛拖联营机加工生产线试产，并完成新上10万件消失模铸造生产线基础工作。农业调产以日光温室、优质干鲜果经济林和特色养殖为重点，新建日光温室3000个，使全县日光温室达到7000个；新发展干果经济林0.1万公顷，酸枣接大枣50万株。

【项目引进】 先后与16所全国知名科研院所建立院县、院企合作关系，共引进和争取各类项目15个、建设资金17.73亿元，从省经贸委一次争取回10个规模较大的工业调产项目立项批文。争取到省补投资1100万元的舜王坪旅游公路建设项目、省补投资500万元的浍河滩涂开发项目和省补投资140万元的粮食储备库建设项目。列为国家级的农业综合开发项目，年投资额由30余万元加大到700余万元，成为农业调产的排头兵。尤其是通过近6个月、18轮洽谈，总投资15亿元，集炼铁、轧钢、轧材、焦化于一体的宏阳百万吨炼轧钢项目正式落户王庄，将为“十五”期间再造一个翼城，实现可持续发展奠定坚实基础。

【基础设施建设】 通过争取项目资金、财政举债、企业产权置换、启用社会经纪人、调动民间资金等方式，总投资近亿元，相继完成武池南水北调、杨家后水库提水、吴寨大棚引水、浍河石坝、翼城宾馆、县城桐封路、绛源路、营里路、北关西罗苑欧式商贸城等一批农水、市政、公路、市场等基础设施建设工程，有效改善农业生产条件和投资环境。

【企业产权置换】 本着“彻底改，改彻底”的原则，对原红旗针织厂、五一化机厂和翼城宾馆等3家国有、集体企业进行产权置换和公开拍卖。新建的北关针织厂、五一铸造厂、西罗苑欧式商贸城和翼城宾馆均已投入运营，连同新上的一批工业项目，新增加就业机会2000余个。

【市场治理整顿】 按照国家、省市整顿规范市场经济秩序总体要求，深入开展对假冒伪劣商品、税收征管、金融秩序、矿山安全、道路交通、建筑市场和文化市场集中整治，特别是在煤矿安全生产专项整治上，全县50座煤矿全部停产整顿，煤矿安全生产条件明显改善。实施反腐败源头治理“353”工程，财政核算、预算外收费和集中审批3个中心投入运行，取消行政审批事项和不合理收费144项，市场经济秩序得到较大改善。

【社会事业】“双百”支教活动成效显著，高考成绩名列全市前茅。争创全国体育先进县和科普示范县通过检查验收。县城有线电视光缆改造工程基本完成。计划生育工作在全市保持领先。人民武装和双拥工作继续位居全省前列。举办大型文艺活动21场次，群众文化生活日益丰富。大力推进小康村和文明单位建设，涌现出北关、东寿城、南寿城、岳庄等典型村镇和45个文明机关。在全县乡、村深入开展“三个代表”学教活动。撤并乡镇工作基本完成，城市最低社会保障制度改革开始启动，社会养老保险工作稳步推进。

【党风廉政和民主法制建设】坚持依法行政，自觉接受人大监督，加强同政协、各民主党派人士和各人民团体联系。办理县人大代表建议和意见16件，县政协委员提案90件。“四五”普法教育深入开展，全民法律意识不断增强，律师、公证等法律服务体系日趋完善。农村基层民主制度逐步完善，90%的村实行村务公开。加强社会治安综合治理，积极开展严打整治斗争，破获各类刑事案件143起。认真落实党风廉政建设责任制和经济审计责任制，依法严惩各类腐败分子，廉政建设和反腐败斗争取得阶段性成果。

·县级领导班子成员·

中共翼城县委

书　记　张北管

副书记　武保安　乔建军　李宝森　刁继普

常　委　张北管　武保安　乔建军　李宝森　刁继普　张建国　冯全胜　张喻庆　乔葆声　卫志敏

翼城县人大常委会

主　任　郑延昌

副主任　侯武林　孙守月　李　毅

翼城县人民政府

县　长　武保安

副县长　冯全胜　王　伟　王彩文　李朝旗　杨中华　王安沁　张广勇

政协翼城县委员会

主　席　张保安

副主席　张武奎　丁　勇　刘国恒

（赵保金）

襄汾县

【概况】襄汾县位于临汾市南部，东临浮山、翼城，西傍乡宁，南毗曲沃、侯马、新绛，北连临汾城区，总面积1034平方公里。县境东依塔儿山，西傍姑射山，中为汾河谷槽，构成两旁略呈梯形的盆状地带。属暖温带大陆性气候，四季分明，年均降水量546.6毫米，无霜期200天左右。辖7镇、6乡、349个村民委员会。总人口479516人，其中市镇人口67238人。县委、县政府坚持“加快发展，一路领先，由农业大县向经济强县跨越”的指导思想，以经济结构调整为中心，狠抓重点工程建设，大力培育农业优势产业，不断优化发展环境，全县经济呈现快速发展的良好势头。全年国内生产总值完成209225万元，比上年增长16.7%；人均国内生产总值4363元，增长16%；限额以上工业企业增加值实现3.1亿元，增长30%；乡镇企业增加值12.7亿元，增长47.9%；财政总收入15036万元，增长30.54%。年末在全市综合考评中，再次夺得第一名。

【农村经济】按照农业“三个转变”的调产思路，发展三毛杨、红薯、牧草三大主导产业和优势产业。全年共栽植三毛杨0.713万公顷，红薯种植面积突破1万公顷，种植牧草0.4万公顷，成为全省牧草第一大县。新建“星源”、“绿康”等加工企业，红薯粉条粉丝机加工能力达到1万多吨。投资600多万元，新建两条苜蓿脱水生产线，投资3000多万元，引进波尔山羊和萨福克等4种世界名羊，新建种羊场和2个万只獭兔养殖、加工企业，培育30个养羊专业村和4个养兔专业村，全县植树造林一体化、种草养畜一体化、薯类产品加工系列化的现代农业格局正在形成。粮食总产量187060吨，比上年增长5.2%；棉花总产3032吨，增长11倍。完成造林面积13417公顷，森林覆盖率达到21%。大牲畜存栏56214头，生猪存栏75339头，羊存栏71553只，分别增长0.2%、6.5%和27.2%；肉类总产量7523吨，牛奶产量235吨，禽蛋产量4416吨，分别增长13.1%、20.5%、17.4%。先后建成节水工程18处，达标节水面积25.15千公顷；提水工程204眼，蓄水旱井387眼，自流引水工程5处，集中供水工程9处，使农业的生产条件和农村的饮水困难得到进一步改善。农业机械总动力达34.6万千瓦，增长6.1%。乡镇企业营业收入376901万元，总产值454704万元，缴纳税金6610万元，分别增长28.6%、36.0%、11.5%。农业总产值完成57312万元，农民人均纯收入2428元。

【工业结构调整】 按照“脱胎换骨改造传统产业，求新求高发展新兴产业”的新战略、新思路，全县累计投资4.6亿元，新上投资千万元以上的重点项目23个，每年可增加产值20多个亿，实现利税3个多亿。3座125立方以上的炼铁高炉、10多家40吨以上的机焦企业建成投产；20万吨三毛杨制浆造纸项目通过国家计委审批立项；邓庄纸厂新上一条现代化造纸生产线，产品档次和价格大幅度提高，传统产业的适应性调整基本完成。新兴产业从无到有，不断壮大，有色金属公司投资1.4亿元，上马2.6万吨金属锌二期扩建工程，实现预期目标；2万吨钾盐项目一期工程，投资3000万元，实现年销售收入4500万元，成为县域经济新的增长点。工业企业完成工业增加值115025万元，比上年增长22.1%。国有企业及年产品销售收入500万元以上非国有企业完成工业增加值31983万元，实现产品销售收入100062万元，实现利税8947万元，分别增长49.5%、63.6%和61%。主要产品产量：原煤11万吨，下降54.2%；焦炭249万吨，增长36.1%；生铁139万吨，增长37.6%；机制纸3.6万吨，增长20%。

【交通邮电】 公路通车里程933公里。其中拓宽铺设5公里的超二级丁村旅游路，更新改造陈郭至古城10公里三级油路，新铺设纸厂、三中、钾盐公司等专用油路。完成客运量159.4万人次，客运周转量4490万人公里；完成货运量178万吨，货物周转量8912万吨公里。全县电话交换机容量30408门，比上年增长31.6%。固定电话用户32590户，移动电话用户24818户。全县13个乡镇，331个行政村通了电话，分别占全县乡镇和行政村的100%和94.8%。

【教育卫生】 全县共有学校429所，在校学生80287人，毕业学生17955人。中小学体制改革不断深入，素质教育稳步推进，建成城关小学、城关二校两所文明学校，15所学校被评为“四化”达标校，13所学校被评为信息技术教育达标校。4206名教师的课堂教学基本技能普遍提高。普通高中、初中教师学历合格率分别达到69%和85%以上，中小学教师、幼儿教师全员参与继续教育。医疗卫生条件进一步改善，城镇医疗保险体系逐步建立。全县共有卫生机构392所，床位1081张，医护人员1230人，千人拥有床位2.25张，千人拥有医护人员2.57人。

【城建工程】 府前街铁路地下通道工程。全长300米，宽6米，分铁东机动车道、涵洞和铁西人行框架桥，总投资128万元。先后完成清淤和垃圾清理4000方，挖土方3000余方，砌石2000方，砖砌体100方，硬化路面1500平米，安装排水管道150米，焊接钢结构人行盘梯1座，栏杆60延长米，10月21日完工并交付使用。纸厂路拓宽改造工程。道路全长675米，宽16米，总投资80万元，共铺设下水道420米，路缘石820余米，设置落水口17处，平整人行道2800余平米，年底全部完工。三跨桥二期工程一机动车匝道建设。包括匝道桥及引道两部分，全长107.13米，道宽8.5米，总投资300万元。6月动工兴建，12月底完工。北大街西段拓宽改造工程。道路全长140米，路面宽36米，5月9日开工建设，共清理垃圾150方，回填夯实土方2.6万方，年底完工。

·县级领导班子成员·

中共襄汾县委

书　记	徐树荣
副书记	陈玉士　杨志威　刘安森　王建中　张　剑
常　委	徐树荣　陈玉士　杨志威　刘安森　王建中　张　剑　辛旭升　李顺有　狄学飞　张洋海　李志学

襄汾县人大常委会

主　任	关宝泉
副主任	朱秀芬　张如佚　贯怀宝　徐济华

襄汾县人民政府

县　长	陈玉士
副县长	李志学　廉振东　臧大海　毛婉英　郭　宏

政协襄汾县委员会

主　席	张拽牛
副主席	田文阳　宓和平　朱怀仁　杜贻合

（李凡平）

洪洞县

【概况】　洪洞县位于临汾盆地北端，东与古县交界，西靠吕梁与蒲县相连，北与霍州、汾西为邻，南与尧都区接壤。南同蒲铁路、108国道、大（同）—运（城）公路、霍侯一级路、祁临高速路、309国道贯穿全境。总面积1494平方公里。辖7乡、9镇、463个村民委员会、1个居民委员会、902个自然村。总人口718857人，其中市镇人口87167人，有蒙、回、满、白等少数民族100多人。县内名胜古迹众多，有名胜古迹（文物保护单位）253处，其中国家级保护单位1处，省级保护单位6处，县级保护单位246处。属暖温带半干旱大陆性气候，平均温度13.2℃，平均气压962.6百帕，年降水量293.7毫米，无霜期196天。县委、县政府紧紧围绕全县经济工作会议确定的战略方针和奋斗目标，立足率先发展，突出结构调整，埋头苦干，克难攻坚，县域经济保持连续、快速、健康发展的态势。全县国内生产总值28.9亿元，比上年增长11.8%，其中第一产业增加值4.1亿元，增长4.2%；第二产业增加值16.6亿元，增长14.4%；第三产业增加值8.2亿元，增长10.6%。结构调整扎实推进，实施重点调产项目21项，其中农业6项、工业10项、三产5项、总投资15亿元。农业方面，种养加齐头并进、产业化格局初步显现。种植业以红枣、韭菜两大产业为重点，新发展韭菜0.08万公顷，发展千亩连片枣园0.21万公顷、600万株，建成蔬菜大棚3000个，发展芦笋133.3公顷。农副产品加工、贮藏方面，建成甘亭高科技农产品气调保鲜库、堤村麦芽糊精厂。工业方面，调产项目总投资12亿元。投资1.2亿元的浩溢煤焦化有限公司42万吨机焦改造项目和投资1500万元的大运实业公司2万吨铸管项目投产达效。投资3130万元的山西金星啤酒有限公司10万吨啤酒二期工程，投资1200万元的兴大PP–R绿色塑管厂等项目进展顺利。大槐树乳业公司羊乳液系列制品项目，兰天新型洲体燃料厂、赵城虹磁稀土材料厂、山西金星啤酒有限公司万吨麦芽厂4大项目列入省计委、省经贸委的新建或技改项目计划。第三产业，以提升传统服务业档次和拓展新的服务领域为重点，市场建设和旅游开发均取得新进展。投资400万元的恒源果蔬批发市场和投资200万元的南石明果蔬批发市场二期工程均建成运营，并与全国各大城市实现价格联网。一棵槐服装市场二期工程、华龙世纪商城也已建成使用。古槐公园经国家旅游局评审验收，达到国家4A级旅游景区标准。同时，中介组织、房地产开发等现代服务业都有了新的发展，第三产业在整个国民经济中的比重明显提高。年末全县全社会从业人员32.28万人，增加0.62万人，其中，城镇从业人员3.74万人，增加0.32万人；农村从业人员28.54万人，增加0.3万人。

【农业】 以增加农民收入为中心，以农业和农村经济结构调整为主线，以农业科技进步和深化农村改革为动力，狠抓有机旱作、品种更新、节水工程的配套和强化管理等措施，有效地改善了农业生产条件，主要农作物获得较好收成，粮食总产量239094吨，比上年增产5.4%；其中夏粮160063吨，增产44.3%；秋粮79031吨，减产31.8%，粮食平均亩产265公斤，增产21.0%，由于播种面积大幅度减少，油料总产量2367吨，减产25.6%；棉花总产量30吨，减产82.4%；蔬菜总产量138801吨，减产2.7%。而药材和水果受调整种植结构和比较利益的驱动之影响，总产量分别是2397吨和8852吨，药材增长20.2倍，水果增长1.8%。畜牧业生产平稳发展，全县肉类总产量17800吨，增长1.8%，其中猪、牛、羊肉产量16021吨，增长1.9%；奶类产量23538吨，基本持平；禽蛋产量10552吨，增长0.7%。年末大牲畜存栏51754头，减长1.3%；猪存栏170901头，增长1.8%；羊存栏185480只，增长1.6%。年末全县农业机械总动力41万千瓦，增长5.1%；农用化肥施用量101659吨，增长0.4%；农村用电量6285万千瓦时，增长1.7%。农田水利建设得到加强。建成南垣水利骨干工程，苑川万亩粮食自给工程和冯张、明姜两个万亩节水精品工程，其中南垣水利骨干工程是省级重点水利工程，总投资2200万元，整修输水干渠35公里，涵洞1.5公里，渠道建筑物58座，实现保浇水地8667.1万公顷。全县有效灌溉面积达到28381公顷，增加530公顷。

【工业和建筑业】 国有及年产品销售收入500万元及以上非国有工业企业完成工业总产值27.22亿元，比上年增长15.88%。完成工业增加值9.04亿元。主要产品产量继续保持快速增长。煤403.98万吨，比上年增长51.8%，选精煤412.79万吨，增长14.3%；焦炭372.22万吨，增长6.8%（其中机焦179.61万吨，增长2.83倍），生铁422593吨，增长20.9%，水泥18.11万吨，下降9.8%，农用化肥（折纯）71761吨，下降0.1%，硫酸21434吨，下降19.4%，机制纸14631吨，增长6.7%，白酒5543吨，增长17.7%，乳制品414吨，增长53.3%。建筑业稳步发展，全县共完成建筑业增加值30608万元，增长19.4%；其中全县11家建筑企业增加值1008万元，降低18.3%。房屋建筑施工面积95950平方米，竣工面积63972平方米，分别增长6.3%和8.8%。

【固定资产投资】 全县固定资产投资完成投资66597万元，比上年增长5.7%，其中国有经济投资4335万元，降低85.4%；集体经济投资2664万元，降低50.6%；私营及个体投资700万元，降低51.9%；其他经济投资58898万元，增长222%。更新改造投资完成57148万元，增长13.8%；基本建设投资略有下降，投资完成5837万元，下降2.2%；房地产开发投资完成5128万元。固定资产投资规模扩大，本年新增焦炭生产能力136.6万吨/年，合成氨3万吨/年。新增中小学生席位1600个。

【交通运输及邮电】 全县公路通车里程2768公里，公路运输吞吐量有所增长。全县全社会公路货运量1313万吨，增长23.9%，货物周转量38020万吨公里，增长25.6%；公路客运量622万人，比上年下降0.8%，客运周转量12097万人公里，增长3.2%。年末全县民用车辆19909辆，比上年增长1.2%，摩托车16492辆，增长5.7%。全年完成邮政电信业务总量6314万元，增长7.4%。邮电通信现代化程度明显提高，全县城乡本地电话用户39273户，增长48.5%。其中，住宅电话36961户，增长54.2%，移动电话30864部，增长189.9%，计算机互联网用户887户，增长46.6%。电话普及率达每百人5.54部。

【市场贸易与物价】 全年社会消费品零售总额66582万元，比上年增长11.9%，其中城镇消费品零售额38453万元，增长13.9%，农村消费品零售总额28129万元，增长9.3%，分行业看，批零贸易业53170万元，增长9%，餐饮业6154万元，增长32.8%，制造业零售额

1486万元，下降33.7%。市场物价运行呈现小幅下跌中升的总体态势。全年居民消费价格总指数为100.5%，跌幅年减少1.1个百分点，其中食品类跌幅1%，交通和通讯工具类项目上涨2.8%。

【财政金融和保险】 深化财税体制改革，组织收入，强化预算约束，严格控制支出，使全县财政收入大幅度增长，确保支出预算的较好执行。全年全县财政总收入24209万元，占年预算的107.3%，超预算1648万元，比上年增长20.01%，其中工商税收完成21015万元，增长20.85%；农业四税完成1086万元，下降11.35%。一般预算支出执行20258万元，比上年增长37. 28%，其中，包干支出17676万元，同比增长50%；专项支出2582万元，同比下降14%。按现行财政体制，16个乡镇及县本级全部实现收支平衡。金融运行形势良好。全县金融机构各项存款稳步增长，贷款投入不断加大，现金投放适度平稳。年末全县金融机构各项存款余额218418万元，比上年初增加3990万元，增长1.9%。其中企业存款22473万元，下降46. 3%；城乡居民储蓄存款余额186321万元，增长13.1%。各项贷款余额295399万元，比年初增加34932万元，增长13.4%。全年全县金融机构现金收入628824万元，现金支出650590万元，全年货币投放21766万元，同比下降16.7%。保险事业继续发展，全县保费收入3611.2万元，增长37.8%，其中财产保险费收入1355.5万元，人身险保费收入2255.7万元。在人身保险费收入中，寿险收入2026.6万元，意外伤害险保费收入229.1万元。支付各类赔款665万元，降低13.7%，其中，财产险赔款金额452万元，人身险给付金额213万元。

【文化教育和医疗卫生】 教育事业得到较大发展，全县各级各类学校在校学生119531人，增加1.5%，其中高中6273人，增长16%，初中42833人，增长3.6%，小学70175人，减少1%。全县各级各类学校专职教师5724人，比上年增长2.3%，适龄儿童入学率100%。卫生条件明显改善。年末，全县共有医疗卫生机构（含诊所）526个，床位880张，医疗卫生专业技术人员2454人，其中中高级以上职称337人，防疫、防治及保健工作进一步得到加强。

【人口及人民生活】 人口自然增长率维持在低水平。根据公安年报统计年末全县户籍总人口为718857人；根据人口抽样调查统计全年人口出生率为13.01‰，死亡率为3.84‰，自然增长率为9.1‰。城乡居民收入明显增加。随着经济较快发展和职工工资收入的提高，以及县委、省政府采取的一系列确保增资发放全部到位措施的实施，城镇居民收入有了较快增长。全县城镇居民人均可支配资金4956元，增长4%，人均消费性支出3048元，降低0.2%。农民人均纯收入2502元，增长5.1%，农村居民人均消费支出1234元，增长31.8%。国有及集体所有制职工人均工资7756元，增长21%。工资总额27327万元，增长29.1%。

·县级领导班子成员·

中共洪洞县委

书　记　柴高潮

副书记　高洪元　邱争战　张国平　李清生　郭紫群　牛定元

常　委　柴高潮　高洪元　邱争战　张国平　李清生　郭紫群　牛定元　韩锁子　晋平瑞　赵双宝　宋保平　张　云　王越峰

洪洞县人大常委会

主　任　郝国龙

副主任　史德顺　董晓安　王长生　雷甲寿

洪洞县人民政府

县　长　高洪元

副县长　任保家　李世杰　加天山　栗俊昌　王吉善　王有顺

政协洪洞县委员会

主　席　刘绍康

副主席　王香翠　乔灵芝　高　远　赵玉记

（王俊平）

古 县

【概况】 古县位于临汾市东北部，总面积1206平方公里。总人口85337人，其中市镇人口20568人。辖4镇、3乡。全县国内生产总值完成49985万元，比上年增长16.4%；限额以上企业24家，工业增加值14386万元，增长27.08%；财政收入4447万元，增长31.3%；农民人均纯收入到2002元，增长7.6%；粮食总产35419吨，增长7.2%。

【农业和农村工作】 春夏旱情严重，县乡两级及时抽调300名干部组成减灾增收工作队，深入农村帮助抗灾保生产，以调产促增收，新栽核桃树30万株，大面积推广科学管理；扶植发展双孢菇3500棚，60万平方米；培育了4个666.7公顷种植基地发展高效经济作物。有14个村5000口人实现脱贫；农业基础建设上，投资658万元，完成91处人畜饮水工程，解决2万口人和6000头大牲畜饮水困难，建成渗水崖、哲才沟2处引水工程和南垣60华里提水工程，古县被评为全省人畜饮水解困红旗县；荒山造林、666.7公顷核桃园区和66.7公顷涧河滩涂开发，在全市组织的两次检查中均被评为东山片第一名。

【工业经济】 全年吸收社会资金5000万元，实施煤、焦企业的更新改造，年产10万吨到21万吨的煤矿达10座，另有5座煤矿正在改造成为年产30万吨的能力。县焦化有限公司45万吨机焦改造一期工程建成投产。全年原煤产量220万吨，增长21.8%。焦炭产量120万吨，增长8.1%。改造后的煤焦企业，技术含量提高，安全环境改善，全年未发生大事故。依托资源优势，研制生产不定型耐火材料2000吨，各类建材产量20万吨，实现产值1000万元。利税百万元以上骨干企业13个，其中县焦化有限公司、店上煤矿、乡镇供销公司、煤炭运销公司、森润焦化厂、全堆煤矿利税200～400万元，成为全县财政收入的主要支撑点。

【重点项目建设】 重点项目23个，总投资8082万元，到位5882万元。工业项目8个，其中45万吨机焦改造、洪古路一期拓宽改造、城网农网改造3个项目完成，总投资2080万元。110千伏变电站、3个30万吨煤矿、沁洪路改造、瓦斯监测示范区4个项目正在实施中，总投资3040万元。农业项目12个，其中经济林示范县、农机示范县、天然林保护、黄河中上游生态林建设、旱作农业示范区、人畜饮水、退耕还林、以工代赈8个项目基本完成，总投资1512万元。国债水土保持、双孢菇菌种基地，肉牛育肥基地，肉兔牧草基地4个项目正在实施中，总投资1010万元。社会事业项目，县城改造、医院门诊楼、一中分校教学楼加层3个项目竣工，总投资440万元。

【经济环境治理】 金融部门致力消化不良贷款，吸收存款1.9亿元；外贸出口货值570万元，创历史最高；煤焦销售实行“五统一”管理并完善预算收费中心。组建财政核算中心、审批中心、采购中心，加强各项经费的收支管理；取缔一批小煤矿、小焦厂，33家焦化厂和铁厂全部达标排污，对28家重点企业继续实行封闭管理；农村、企业、公路“三乱”全面整顿。税费超收1500多万元。

【文化教育成果】 历经10年辛勤笔耕，《古县志》正式出版发行，成为古县有史以来完成的最为浩大的文字工程。以宾馆中心的文化广场建设完成，金属雕塑、花栏草坪、霓虹灯光，显示着小城一派现代气息。教育路进行路面改造，桥北市场搬迁完成，北平、古阳、旧县、郭店4大集镇卫生文明建设均有起色，涌现一批文明小区、文明单位、文明村镇、十星级文明户。通过教育体制改革，教育质量进一步提高，高考本科达线18人，录取30人，全市山区县中排名第一。

【民主政治与法制建设】 县人大推行执法责任制，并继续推行“三账监督”，即年初与政府部门建账，年中查账，年终交账，推进依法治县有新的探索和突破。各类治安、刑事案件较上年均有所下降。全县群众来信来访187件，496件下降62%；集体上访9批88人，13批393人分别下降30.8%和77.6%，全县政治稳定、社会安定，人民安居乐业。

·县级领导班子成员·

中共古县县委

书　记　安双荃

副书记　黄翠莲　辛普选　刘仁甫　樊　红

常　委　安双荃　黄翠莲　辛普选　刘仁甫　樊　红　孔康民　李大庆　李朱锁　赵海山　赵伟民

古县人大常委会

主　任　孙林峰

副主任　曹连荣　张恩有　张桂兰

古县人民政府

县　长　黄翠莲

副县长　李进裕　李大庆　杨　文　张安文　李玉龙　陆桂莲　刘　峰

政协古县委员会

主　席　张连国

副主席　张菊英　樊成良　王旭明　卢学理

（付珍祥）

安泽县

【概况】　安泽县位于临汾盆地东部，太岳山南麓，东临长子、屯留，西界浮山、古县，南接沁水，北连沁源。总面积1967平方公里。辖4镇、3乡。总人口77283人，其中市镇人口19314人。根据县委十届二次全委会议提出的经济和社会发展基本思路，以市场需求为导向，加快产业结构调整，培育潜力产品，壮大产业规模，全年国内生产总值完成3.38亿元，比上年增长7.6%；工业总产值1.05亿元，增长27.5%；农业总产值2.14亿元，增长4.0%；乡镇企业增加值1.31亿元，增长34.2%。财政收入2985万元，增长19.2%；社会商品零售总额1.21亿元，增长4.76%；粮食生产在遭受严重旱涝灾害的情况下仍然获得较好收成，产量65610吨；世行贷款养牛工作稳步推进。农民人均纯收入1958元，增长4.76%。

【农林水利】　种养业结构调整，订单种植面积和特色种植面积达到耕地总面积的27%，药材、蔬菜分别比上年增长147%、87.5%。特色养殖业得到长足发展，牛羊饲养量分别比上年有了增长。全年完成造林面积0.524万公顷，增长10.2%，森林覆盖率51.2%。退耕还林还草，护林防火工作成效显著，在全省率先跨入全国生态示范县。投资651万元完成31处引水解困工程，解决2.1万人、8000头大牲畜的吃水困难；投资35万元进行农田水利基本建设，平田整地233.3公顷，新增水浇地33.34公顷，生产条件有明显改观。

【优化发展环境】　投资1585万元完成县城2.22公里主街道和北环路油面铺装及配套设施建设工程；投资97.4万元完成南环路18万方路基垫方；投资21万元拓宽改造乡村公路30公里；投资2037.5万元，完成102公里78个行政村的农村电网改造任务；投资800余万元完成良马、冀氏、马必等6个移动网站建设，新增电话用户1115户。出台一系列招商引资政策，取消19项行政性事业收费项目。对18个窗口服务单位和35个行政执法单位进行万民评议，文明执法、优质服务；组建集中审批中心、政府采购中心、会计核算中心，实行集中办公、联合执法；加强煤炭税费管理，规范市场经济秩序。

【农村改革】　按照“扩大规模、精减效能、统筹兼顾、促进发展”的原则，撤并4个乡镇，并实行县乡财政分灶吃饭。57个乡镇企业改造成股份制或股份合作制企业。深化粮食流通体制改革，再度出现的农民卖粮难问题得到基本解决。“四荒”拍卖1.24万公顷，小型水利设施拍卖51处。

【科技教育和社会事业】　推广一批农业实用技术，培养一批农业科技人才，科技在全县经济发展中的贡献率达到40%。“两基”教育持续巩固，素质教育逐步推进。85%的行政村通过地方病防治达到国家控制标准。计生工作继续在全市一路领先。深入开展严打整治斗争，强化社会治安综合治理，安全文明小区和安全文明村镇覆盖率达到100%，维护了社会稳定。“四五”普法全面推进，全民法律意识普遍增强。

·县级领导班子成员·

中共安泽县委

书　记　梁天运

副书记　祁寒冰　董和平　王作庭

常　委　梁天运　祁寒冰　董和平　王作庭
乔悟生　丁楷荣　张忠祥　王小恩
余新华　杨　文

安泽县人大常委会

主　任　尚　旭

副主任　魏根香　尚志玉　史常松

安泽县政府

县　长　祁寒冰

副县长　杨　文　刘　浩　郭迎明　许九明
杨湘萍

政协安泽县委员会

主　席　刘金龙

副主席　高剑峰　刘彩萍　贺临生
李德明

（阎爱萍）

浮山县

【概况】　浮山县位于临汾盆地东沿。总面积940.6平方公里，辖2镇、7乡、265个村民委员会、1个居民委员会，总人口123388人，其中市镇人口16382人。县委、县政府紧紧围绕“一年打基础，二年大发展，三年建成山区经济强县”奋斗目标和“三抓一调促两增”的工作思路，全县经济建设和社会各项事业都取得可喜成绩。国内生产总值完成38054万元，占年计划的114%，比上年增长22.1%；财政收入完成7309万元，占年计划的173.9%，增长111%；规模以上工业增加值完成3950万元，占年计划的141.09%，增长23.39%；城镇居民人均可支配收入4407.59元，占年计划的115.8%，增长24.8%，农民人均纯收入达到1840元，增长4.5%；人口自然增长率8.5‰。在全市2001年表彰会上，荣获经济目标责任制一等奖；荣获工业调产、科技进步、教育工作、民营经济发展、扶贫开发5个单项奖；荣获两项招商引资奖。农村引水解困工作为全省13个红旗县之一。

【农村经济】　围绕“强化基础，优化种植，狠抓畜牧、突出加工，搞活流通”调产思路，重点实施“3431”工程，即：3大基地（商品粮基地、元宝枫基地、肉牛羊基地），4大庄园（福田庄园、自治庄园、柏松庄园、金土地庄园），3个农副产品加工企业（米家垣土特产品开发公司、福兴牧草开发公司、元宝枫开发公司）和1条科技示范走廊。到年底，商品粮基地完成投资408万，建成农技站6座、。元宝枫基地完成投资211万元，发展元宝枫0.093万公顷。肉牛羊基地重点扶持培育养殖示范园区，形成西佐、米家垣、四十岭三个波尔山羊养殖示范园区和平里、车家庄、寨圪塔三个黄牛养殖示范区，发展波尔山羊6100只，波良黄牛3200头。“四大庄园”共租赁承包荒山荒坡0.451万公顷，除每年上交承包费和一定的税费外，可安排劳动力500人，人均劳务收入3000元以上。浮山县米家垣土特产品有限公司大力实施订单农业，同农户签订产销合同7000余份，种植谷子0.13万公顷，产量5000吨。同时，多方融资50万元，购回日加工能力25吨的加工设备，扩大再生产，小米、小米煎饼、南瓜煎饼等系列产品销售供不应求。“神山贡米”荣获中国农业博览会“最受欢迎产品奖”、“农业部优质产品奖”、“山西省名优奖”。福兴牧草公司投资250万元引进国内最先进的加工设备，建成一条日加工20万吨苜蓿生产线，年可生产干草粉5000吨，实现产值1000万元，发展苜蓿666.7公顷。元宝枫开发公司已开发研制枫露茶、元宝枫醇等系列产品，并通过省、市有关部门鉴定。建成东张至北韩50华里科技示范走廊。张庄示范园发展日光节能温室 300 座，建成沼气配套“四位一体”的能源生态温室 100 个，得到国家有关部门的充分肯定。北王万亩节水丰产园区种植三樱椒 33.34 公顷、药材 106.67 公顷、烟叶 20 公顷、西瓜 66.67 公顷、玉米制种 100 公顷、果园 80 公顷、谷子 213.3 公顷。通过产业结构调整，全县经济作物面积发展到 1.067 公顷，粮经比例达 6：4。

针对旱情严重的实际，县委、县政府组织机关干部下乡，开展减灾增收活动，实现大灾之年农民不减收目标。以开展农村“三个代表”学教活动为契机，提高广大农村干部的思想政治素质，加强基层组织建设，解决农民反映强烈的问题，全县 95%以上的村实行村务公开，90%以上的村完成土地延包工作，有力地调动广大农民群众的积极性，促进农村经济全面发展。2001 年，全县粮食总产 5394.5 万公斤，其中小麦总产 2900 万公斤，增长 61%；蔬菜总产 5200 万公斤，增长 98%；果总产 570 万公斤，增长 40%。全县各类畜禽存栏牛 15417 头、羊 88479 只、猪 33349 头、鸡 304800 只，分别增长 0.2%、2.4%、2.7%、0.3%；全年出栏牛 1939 头、羊 34109 只、猪 43312 头，肉类总产量 3968.9 吨，禽蛋总产量 1445.5 吨，实现牧业产值 288 万元，人均牧业收入 220 元。全县有 1 个乡、93 个村、10022 户、40091 口人达到小康水平。

【工业结构调整】 遵循“慢挖紧调、持续发展”方针，按照“科学开采，加快调整，延伸加工，优化升级，持续发展”的调产思路，依托铁矿资源优势，以加快矿山冶金工业优化升级为重点，根据国家产业政策要求，全面治理整顿矿业秩序，全年取缔私开矿 44 家，实施永久性封闭 26 家，没收矿产品 1210 吨，收缴罚款 55 万元。使私采滥挖现象得到遏制，矿业秩序基本走上依法有序开采，开发保护并重的发展轨道，其做法得到省、市认可并予以推广。重点调产项目取得实质性进展。金宝铁矿总投资 800 万元，完成投资 460 万元，巷道掘进 800 米，怀明、临东、宏江三家选矿厂全部完工投产。全县年处理原矿 20 万吨以上的选矿厂达 10 座。方兴钢铁公司投资 3000 万元兴建的 125 立方米铁炉投产。康达冶炼公司投资 4370 万元兴建的 128 立方铁炉正在建设中。由江苏武进市寨桥农机厂投资 1500 万元兴建的年产铸件 3 万吨的铸造厂，一期工程完工投产。铸造业实现了零的突破，初步形成“采、选、烧、炼、铸”一条龙的矿山冶金工业格局。北峰选矿公司在完成搬迁改造的基础上，又投资 150 万元新上选矿二系列项目，年入选矿石 40 万吨，产值达到 4000 万元，成为全临汾市最大的选矿企业。尧山水泥公司 10 万吨水泥立窑生产线改造项目，已完成投资 50%，水地庄煤矿 15 万吨洗煤项目已试车投产，原煤就地加工增值。惠丰农机公司飞轮铸件已投入批量生产。全县限额以上工业总产值首次突破亿元大关，提前 3 个月完成全年生产任务。

【财政收入】 全县财政总收入完成 7309 万元，增长 111%，全市排队名列前茅。其中：一般预算收入完成 4103 万元，占年计划的 149.8%。按征收部门，国税完成 4404 万元，占年计划的 225.3%，比上年增长 149.8%；地税完成 2615 万元，占年计划 140.4%，增长 96.6%；财政部门完成 389 万元，占年计划的 100%，增长 4%。全县财政收入提前一年半实现翻番目标。职工可 1 次借款 1000～3000 元，全年资助贫困学生 198 人，资助金额 19.37 万元。

【社会保障】 建立养老保险、失业保险、城镇居民最低生活保障为主的保障制度，参加养老保险企业 32 个，覆盖职工 3567 人；失业保障统筹 33 户，覆盖人数 3750 人；参加社会低保人数 2345 人。同时，为困难企业的 234 名特困职工发放生活补助，补助标准由每人每月 60 元提高到 100 元。县财政拿出 20 万元育才助学金，帮助困难家庭的大中专学生完成学业，对考上专科和本科的学生，每人奖励 800～1000 元，农村特困户和城市下岗职工 1 次借款 1000～3000 元，全年资助贫困学生 198 人，资助金额 19.37 万元。

【重点工程】 投资 5000 多万元，重点实施了 10 大工程。到年底，机关后院绿化、农村饮水解困、栖凤台迁移、辛沁路路基拓宽工程全面完工；尧山公园完成一期工程，城市供水输水管道工程完工；浮山宾馆完成投资500万元，主体工程全部完工；尧山路拓宽改造工程已完成投资500万元，下水管道铺设、路基拓宽和基础处理全部完成；浮山二中完成投资420万元，教学楼、实验楼主体工程已经结束，体育场工程正在进行。

【农田水利基本建设】 采取政府推动，市场拉动、利益驱动和能人带动等措施，进一步加大农业基础设施建设力度。实施“三山一带三片区”工程。“三山”即以槐埝乡刘家山、米家垣乡乔家山、寨圪塔乡张村山为重点的万亩荒山造林工程已全面完工，“一带”即从西佐到东张0.4万公顷林粮间作经济林带。主要是栽植优质核桃、红枣、红提葡萄，已栽植核桃100万株、红枣200余万株。“三片区”即实施东张、张庄、北王“三片大口井片区”节灌工程，投资140万元，发展节水面积400公顷，新增水浇地133.3公顷。投资700万元，完成75处农村饮水解困工程，解决117个自然村，2.94万口人，0.54万头大牲畜饮水问题，该工程已通过省、市、验收。2001年全县共铺开各项农建工程260余处，日上马劳力1.3万余人，出动各种机动车辆210余台（部），实施秋田改造0.667万公顷。农建工作在临汾市两次检查评比中均获第一名，得到市政府充分肯定。

·县级领导班子成员·

中共浮山县委
书　记　郭文虎
副书记　白建荣　张金凤　许锁子
　　　　苏　文（11月任）燕　玲（11月任）
　　　　毛异民
常　委　郭文虎　白建荣　张金凤　许锁子
　　　　苏　文　毛异民　燕　玲　王崇德
　　　　何健雄　范庆平　相久连
　　　　谢生平（11月调离）

浮山县人大常委会
主　任　王生荣
副主任　郭永贵　张秀兰　柏云奎

浮山县人民政府
县　长　白建荣
副县长　苏　文（1月调离）
　　　　王崇德　亢时沁　王福海
　　　　秦海玉
县长助理　乔文明

政协浮山县委员会
主　席　杨红旗
副主席　张逢海　盖其武　张爱国　张新春

（李吉瑞）

吉　县

【概况】 吉县地处黄河中游东岸，吕梁山南端，境内沟壑纵横，梁峁起伏，三面环山，一面滨水，海拔最高1820.5米，最低393.4米。全境东西长62公里，南北宽48公里，总面积1777.26平方公里。可利用土地面积15.18万公顷，其中耕地面积2.627万公顷，林地0.833万公顷，天然牧坡和人工草地1.784万公顷，宜林荒山2.8万公顷。年平均日照2563.8小时，年平均气温介于6.5℃～11.4℃，年平均降水470～600毫米，无霜期172天。境内有黄河壶口，柿子滩中石器时期遗址、清代长城及民国第二战区司令长官阎锡山克难坡旧城遗址等人文景观。辖3镇、5乡。总人口100129人，其中市镇人口5244人。县委、县政府提出建设旅游名县、烟果强县、生态大县的目标。以发展旅游产业为龙头，以生态建设为重点，退耕还林、以工代赈、集中供水、饮水解困，搞精品项目，实施重点工程。全县国内生产总值2.5亿元，比上年增长8%；规模以上工业增加值1997万元，增长8%；乡镇企业增加值7164万元，增长20%，财政总收入1003万元，剔除农业税减免因素为预算118.2%，增长5.1%；农民人均纯收入1169元，增长5.4%；

城镇居民人均可支配收入 3631 元，增长 13.5%；全社会消费品零售总额 9550 万元，增长8.9%；人口出生率10.44‰，比计划降低 5.56 个千分点，实现了全面建设旅游名县、烟果强县、生态大县的良好开局。

【旅游开发】 壶口风景区于 6 月和 12 月相继被省国土资源厅和国家国土资源部确定为省级和国家级地质公园。第八届黄河壶口国际文化旅游月同中华慈善总会、泰阳证券公司、北京电视台成功举办“泰阳壶口极限超越”大型演唱会，并在北京电视台播放。总投资 4000 万元的晋陕峡谷生态游项目，经省计委组织专家评审通过；壶口风景区国家 4A 级景区质量等级评定跻身国家最高档次旅游景点行列；投资 80 万元修复牛王庙、河神庙、克难坡阎公馆，改造扩建金瀑山庄；与山西电视台联合举办生态旅游知识擂台赛，邀请中央电视台“东方时空”栏目拍摄有关壶口旅游的“百姓故事”，举办“北京绿家园志愿者”植树活动，编制壶口旅游宣传网页，对宣传壶口、宣传吉县起到积极的作用。全年共接待游客 11.6 万人次，门票收入 180 万元，比上年增长 8.7%，创社会综合经济效益 2000 余万元。

【特色农业】 以苹果为主的果业生产规模扩大，管理加强，科技含量、经济效益进一步提高，新栽苹果树 533.36 公顷，新建双千亩优质苹果园区 5 个，创建精品示范园区 25 个 135.6 公顷，高接换优 10 万株，苹果套袋 5000 万个，为上年的两倍多；栽植枣树 254.67 公顷，核桃树 133.34 公顷，花椒树 146.67 公顷，完成秋季果树预整地 886.7 公顷，全县果品产量达 1750 万公斤，果品收入 2030 万元，分别增长 16.7% 和 20.3%；烤烟生产向区域化、重点村、专业户发展，66.6 公顷以上垣面达 7 个，66.6 公顷以上村委 3 个，33.3 公顷以上村委 8 个，0.67 公顷以上种烟户 380 户，户均种烟面积达 0.46 公顷，种烟的比较效益仍十分明显；小杂粮、土豆、中药材为主的特色种植，新增面积 0.093 万公顷，经济效益比较可观；以肉鸽、乌鸡、鲁羊、獭兔等为主的特种养殖取得新进展，涌现出一批新的典型户、示范户。

【生态建设】 国家生态环境综合治理、国家旱作农业示范县、水保国债、水保世行二期、“三北”四期、黄河林带、黄河上中游重点支流、山西省退耕还林（草）试点县、以工代赈及抗旱应急工程等一批骨干项目顺利实施；老树岭、牛王庙、井沟、白古、柳沟、山头、坡头沟等一批精品工程相继建成。完成造林面积 0.74 万公顷，种草 200 公顷，机修梯田 533.36 公顷，新建苗圃 20 公顷、骨干坝 6 座、淤地坝 19 座、生产格子坝 39 座、人字闸 2 座、电灌站及自流渠 9 座，发展节水灌溉 253.35 公顷；饮水解困重点实施柏山寺、桃村、屯里、房村 4 处工程，稳定解决 48 个自然村、1.42 万人口、3500 头大牲畜的饮水困难。兰村集中供水工程启动；压羊禁牧、天然林保护、水利水保执法等工作取得新进展。全国饮水解困现场会、全国退耕还林（草）工作现场会相继在吉县召开，吉县被全国绿委会评为全国绿化先进单位，被国家林业局评为“三北”防护林先进县，被省政府评为全省农田水利基本建设红旗县，并受到省政府、省水利厅和国家有关部委的表彰奖。

【城市建设】 多方筹资 200 余万元，完成祖师庙街道拓宽改造工程，实现硬化、绿化、美化和亮化。引资 400 余万，兴建吉州商贸城，成为吉县规模最大、设施最好、功能最全的综合性市场。县城电视网络改造升级工程实施，二轻局家属楼主体完工，农业局办公楼整修一新。城市管理工作进一步规范化、制度化，被市政府评为全市卫生文明县城第一名。

【社会事业】 教育工作成效显著，吸纳社会资金 600 余万元，新建县一中学生食堂和三中学生宿舍楼，扩建了二中和东关小学，全县 12 所学校装备电脑等电教设备 630 余台。县一中和县三中高初中开始分离，高中班和初中班扩招为八轨，撤并四、五年级教学点和单人校 69 个。高考取得优异成绩，本科达线 20 人，是历史上最好的一年。两基工作通过省政府复查验收，受到高度赞扬；卫生改革积极推进，乡镇卫生院撤并和院长聘任工作积极进行，社会办医初见成效，吸纳社会资金 50 万元，添置血流变、微标仪等仪器 10 余台，方便群众就医；

科学技术逐步推广，烤烟、果树、林业3个科研所挂牌成立，土肥测配、节水灌溉、日光温室、沼气节能、苹果套袋、畜禽疫病防治等增效技术不断被群众接受应用。

【依法行政】 苹果市场、旅游市场、文化市场、药品市场、建筑市场、土地市场得到整治。烟叶收购秩序、苹果营销秩序、税收秩序逐步规范；以土炼油为主的“土小”企业被彻底取缔，依法收贷稳步推进，严打斗争效果明显，治安形势趋于好转，从源头治理腐败力度不断加大，项目审批、财政收费、会计核算、政府采购4个中心相继成立运行，政府职能和行业作风有了一定转变。

·县级领导班子成员·

中共吉县县委

书　记　原胜利

副书记　原学义　闫旺胜　廉　鹏

常　委　原胜利　原学义　闫旺胜　廉　鹏　郭　鹏　张银生　张锦中　孔繁新　卫　谊　葛吉安

吉县人大常委会

主　任　孙勤学

副主任　周文忠　冯慎忠　葛宽亮　郭仓森

吉县人民政府

县　长　原学义

副县长　葛吉安　孙振忠　陈晓爱　史全喜　薛鹏寿

政协吉县委员会

主　席　陈　刚

副主席　朱掌印　白锁柱　葛平安　白占奎

（吴忠民　张建良）

乡宁县

【概况】 乡宁县位于吕梁山南端，黄河东岸，总面积2029平方公里。辖5镇、5乡、1个开发区、186个村民委员会、1113个自然村。总人口218691人，其中城镇人口29952人。国民经济保持较高增长势态，国内生产总值99256万元，比上年增长12.8%；财政总收入14267万元，增长81.80%；社会消费品零售总额22095万元，增长10.1%；城镇居民人均可支配收入4416.9元，增长14.5%；农民人均纯收入2106元，增长10.3%。

【经济结构调整】 按照“一产做特做优、二产做精做细、三产做强做大”的思路，抓项目，促调产。全县实施重点调产项目14项，其中新建8项，续建6项，总投资概算2.4亿元，当年完成投资1.6亿元。在农业方面，突出调整传统农业品质结构，发展特色农业。全县优质小麦面积占到总面积的50%，发展高蛋白、高赖氨酸玉米400公顷，小杂粮种植面积达到0.75万公顷，种植蔬菜、油料、中药材等经济作物0.2万公顷。新增花椒面积0.13万公顷，累计达到0.4万公顷；核桃0.2万公顷，累计达到0.33万公顷；苹果面积稳定发展到0.27万公顷。完成黄牛改良5100头，引进瘦肉型生猪、布尔山羊、绒山羊等优良品种，特种养殖发展到500户。在工业方面，坚持抓传统产业改造升级和新兴产业开发培育。完成光华振兴焦化厂45万吨焦炉一期工程，煤气焦化公司和茂源公司两个2×10万吨机焦工程、军圣焦化公司2×10万吨机焦一期工程的改造升级，全县机焦生产能力突破100万吨。扩建光华振兴、晋华、台头煤矿和申南凹煤矿坑口洗煤厂等建设工程，全县洗煤能力达到300万吨。采用新技术新工艺对申南凹煤矿21万吨高档普采技术改造，台头神角煤矿21万吨矿进行技术改造。新上光华振兴明星化工有限公司1万吨碳黑生产线，煤焦实业公司超临界CO_2萃取翅果油等新型高科技产品。2×1500KW发电厂工程已建成进入调试阶段，煤气焦化公司煤气发电等重点工程正在加紧建设。在第三产业方面，以提升传统服务业档次和拓展新的服务领域为重点，商业零售、市场建设等工作均取得新的进展。特别是昌宁恒通超市和万杰中学两个项目的建设，为拓宽社会资本投资领域，加快第三产业发展开了一个好头。

【农业基础条件改善】 重点实施世行水保、农业综合开发、退耕还林还草和生态环境治理等项目，全年完成造林面积 0.747 万公顷，其中生态林 0.4 万公顷，经济林 0.347 万公顷；水保综合治理 0.4 万公顷，新建基本农田 0.1 万公顷，完成人畜饮水工程 5 处，解决 3100 口人、960 头大牲畜的饮水困难。农田水利基本建设第四次夺得“禹王杯”。完成 35 个自然村、648 户、3136 口人的移民搬迁工作，以发展明星新村和改善基础设施为重点，完成投资 903 万元，共实施小区建设、学校建设、市场建设 34 项。

【基础设施建设】 完成朝阳至崖下 5 公里三级油路的铺装工程、关王庙至新绛 7 公里路面拓宽硬化工程、长咀湾至西家沟 6 公里矿区路铺油工程和县城至麦秸峪二级公路前期准备工作。农村电网改造全面铺开，昌宁 110KV 升压工程开工建设，全县新增通电自然村 5 个。完成市话线路调改和关王庙、双鹤、枣岭电话线路工程，新增电话用户 3005 户，总数达到 12829 户，每百人占有电话 6 部。完成尖山微波台和城梁、断山岭微波中转站一台两站联网，微波电视覆盖全县。实施县城有线电视网光缆改造工程，电视节目由 16 套增至 40 套。完成罗河沟城市引水工程和县城 3#深井、1#深井水质处理、城区部分管网改造，城市供水紧张局面得到初步缓解。迎旭西街拓宽改造工程开始实施，拆迁任务已基本完成。

【民主法制建设】 政府坚持向县人大及其常委会报告工作，自觉接受人大的监督；不断加强同县政协、无党派人士和人民团体的联系，广泛听取社会各方面的意见和建议；邀请人大委员、政协常委视察、评议工作。全年共办理人大代表建议 12 件，政协委员提案 98 件；进一步推进政府决策的科学化、民主化，促进政府工作的顺利开展。全面推行政务、企务、村务公开，基层民主逐步扩大；坚持不懈地推进依法治县进程，深入开展社会治安综合治理和专项斗争，严厉打击各类刑事犯罪和经济犯罪活动，全县社会政治保持稳定；大力整顿和规范市场经济秩序，狠抓煤炭产运销管理、安全生产、矿业秩序、税收征管、流通市场、建筑市场和文化市场等集中整治，为加快发展创造良好的法制环境；深入开展“廉洁从政，勤政为民”活动，廉政建设和反腐败斗争取得新进展。实施“353”源头治理工程，财政集中核算、预算外收费和行政审批 3 个中心运行，政府采购范围逐步扩大，经济发展的软环境得到改善。

·县级领导班子成员·

中共乡宁县委

书　记　　窦正森

副书记　　赵建国　刘英杰（11 月免）赵　原
　　　　　翟玉国（11 月任）李汎生（11 月任）
　　　　　刘奎生（11 月任）

常　委　　窦正森　赵建国　刘英杰　赵　原
　　　　　翟玉国　李汎生　刘奎生
　　　　　王国平（11 月任）刘吉焕　孟天福
　　　　　王　普　左云峰（11 月任）

乡宁县人大常委会

主　任　　赵俊瑞

副主任　　宋春成　李富华　高有发　冯秦保

乡宁县人民政府

县　长　　赵建国

副县长　　李汎生（11 月免）左云峰　姜德义
　　　　　阎灵娣　郑福祥（11 月免）
　　　　　张东红（8 月任）张小红（11 月任）

政协乡宁县委员会

主　席　　白银柱

副主席　　郭和顺　杜发志　刘甲莲

（杨立新　阎长命）

大宁县

【概况】 大宁县位于吕梁山南端，南北高山对峙，中部昕水横贯，地形东高西低，古有

“三川十塬沟四千，周围大山包一圈”之说。海拔最高1719米，最低481米，境内分中部河川区、南北土石山区、东部残塬沟壑区和西部破碎残塬沟壑区4种地貌单元。属暖温带亚干旱气候区，气候温和，四季分明。年平均日照2376小时，年平均气温11.8℃，年平均降水量423.9毫米，年平均无霜期226天。总面积967平方公里，辖2镇、4乡、101个村民委员会、405个自然村。总人口59583人，其中市镇人口13986人。县委、县政府以建设绿色大宁为主旋律，以发展为主题，以结构调整为主线，围绕实现财政和农民增收的目标，带领全县人民开发绿色农业，开办绿色企业，开辟绿色能源，使全县经济和社会各项事业在严重遭受自然灾害的情况下，保持良好的发展势头。国内生产总值1. 2亿元，比上年增长3.4%；财政总收入808万元，增长0.87%；农民人均纯收入853元，增长0.7%；城镇居民可支配收入3847元，增长22%；工业增加值1567.8万元，增长30.5%；工业销售产值4656.5万元，增长35.1%；工业企业实现利税791.4万元，增长33.9%；乡镇企业增加值2100万元，增长13%；乡镇企业上缴税金85万元，增长5%。

【农业】 全县遭受严重春旱和夏旱，1～6月降雨量仅为76.8毫米，加上持续高温天气，给小麦和大秋作物生长带来极大危害。实施县直机关包村责任制，抽调百余名干部，组成下乡工作队，发动群众，开展抗旱救灾活动；充分利用人字闸、机灌站、电灌站等水利设施，启动流动机泵20套，开动机电灌39处，人字闸24座，对沿川的水地进行全面的灌溉，有效地缓解旱情；同时，组织引导农民以秋补夏，以副业补主业，通过采山货，刨药材，捉蝎子，外出打工，开辟劳务输出等多种形式的创收活动，实现大旱之年，农民减产不减收。围绕开发绿色农业的发展思路，人均0.13公顷草、0.067公顷枣、3只羊的“213”奋斗目标，把草、枣、羊3大主导产业和瓜、菜、棉、粮4大特色产品做为调产重点，发展主导产业，优化经济结构。草业发展上，利用秋季雨水充足的有利条件，采取单独种植和麦草间作方式，调回紫花苜蓿和鲁梅斯克草籽18.5吨，完成种草0.147万公顷；枣业发展上，垣面建枣园，沿川栽地埂枣树，建成千亩枣园10处，家庭小枣园100处，完成枣树预整地0.1万公顷，栽植枣树21万株，引进推广优质枣树苗“官滩二号”2万株；羊业发展上，采取自繁自育和外调相结合办法，扩大饲养覆盖面和发展规模，在全县发展小尾寒羊示范户200户，建设高标准羊舍400个，使全县小尾寒羊的存栏数由年初的4000多只增加到1.3万只；种植业发展上，扩大瓜、菜、棉、小杂粮的种植面积，全县种植西瓜333.35公顷，发展温室大棚50个，种植蔬菜333.35公顷，其它经济作物0.16万公顷，粮经比例由上年的7.2∶2.8调整为7∶3，试种生地、大樱桃、山樱椒等新品种，均获成功；开辟绿色能源上，开发引进绿陆——10型沼气技术，在三多乡川庄、茨岭、柏坡底村和曲峨镇河堤村建成“三位一体”沼气示范户72户，受到省、市领导的赞扬；农田水利基本建设上，抓住昕水河流域综合治理项目、生态项目、以工代赈项目实施的机遇，部署3大工程，铺开10个战场，先后上马3000多人，投工5. 3万个，投入大型机械23台，共完成治理面积0. 4万公顷。在林业生产上，开辟大永公路绿色走廊工程，造林0. 39万公顷，封山育林0. 056万公顷，同时还完成“天然林界定”和中日合资造林项目的考察工作。

【工业】 发展3大优势企业，培育5大潜力产品，开发5个新项目。在企业内部推行股份制改造和成本核算管理办法，强化企业内部约束机制，使企业经营状况有所改善。煤矿完成产量20. 4万吨，比上年增长30%，实现利税205万元；黄河公司完成产量6500万吨，同比增长18%，实现利税580万元；矿泉水公司经过增资扩股，完善法人治理结构，选举新的法人代表，恢复正常生产；播种耧生产继续平稳增长，年产5000台，实现利税5万元；腐殖酸生态有机复合肥与河北化肥厂签订供货协议，年产量达1000吨，完成产值80万元；双降解淀粉薄膜，市场销路基本打开，全羊系列食品争取到180万元资金。康玉淀粉有限公司与临猗县兴达公司合资经营，生产淀粉麦芽项目糖。年产 4000 吨薯类粉丝系列产品加工项目，正积极争取资金和项目审批工作。化工厂膨化炸药改造项目，正进行设备安装调试。五金厂的压塑系列产品改造项目、休闲系列食品项目进展顺利。

【科技教育】 确定每年 3 月为科技活动月。3 月 6 日举行首届科技月活动，组织科技人员上街咨询，下乡宣传；随后制定出台《大宁县科技兴企实施方案》、《大宁县 2001～2005 年农业科技发展实施方案》和《大宁县促进民营科技企业发展意见》；举办农民培训班 25 期，培训农民 2200 多人（次）；组织实施省、市星火项目 20 次，引进推广农业新技术 10 项；组建太德乡高效农业，三多乡特种养殖，太古乡小尾寒羊养殖和曲峨镇日光温室蔬菜生产基地等 4 种科技示范园。科技在全县经济中的贡献比上年增长 3%。继续坚持以“普九”为重点，进一步落实教育优先发展战略，先后投资近百万元，分别为大宁一中、东关小学装备语音室、计算机室、多媒体教室、校园电视台，使学校建设达到“四化学校”标准；为职业中学装备语音室、电化教室，进一步完善三配套设施；为各中小学添置课桌凳 103 套、教学仪器 16 件、图书 1 万册、维修改造校室 1776 平方米，坚持以德治教，学习“洋思经验”和“平遥中学经验”，深入开展创建文明学校和德育示范校活动，先后创建大宁一中和城关小学两个省级文明学校，大宁二中和职业中学两个市级文明学校；投资 17 万元，为进修校建立高标准计算机室一座，举办培训班 10 期，使 500 名教师获得计算机培训初级证书和普通话过关证书。计划生育工作方面，以夯实基层基础工作为重点，以强化宣传教育为突破口，狠抓重点，突破难点，促进计划生育工作经常性开展，全县人口出生率为 11.05‰，计划生育率达到 86.3%，综合节育率达到 85.79%，圆满完成年度人口计划的各项指标。

【基础设施建设】 完成南大街供水管道 300 米和新老城区道路改造工程，新建一座小冯垃圾场，完成县翠微山庄建设工程，并投入使用；完成北风经仁义至花崖 22 公里的四级循环路工程和仁义至曹家坡 18 公里的通村公路工程。县城至马头关 33 公里二级公路改造项目立项；投资 90 多万元，完成曲峨关闭所建设工程，城乡低压电网改造一期工程竣工并交付使用；投资 130 万元，市话交换扩容至 4000 线。开通联通基站，移动用户发展到 1000 多户。

·县级领导班子成员·

中共大宁县委
书　记　杨玉龙
副书记　王　林　祁云峰　姚焕章
常　委　杨玉龙　王　林　祁云峰　姚焕章
单林生　姚如意　范奋强　武兰萍
张洪福

大宁县人大常委会
主　任　张熙生
副主任　贯兴琦　雷瑞生　王蛇英

大宁县人民政府
县　长　王　林
副县长　房蒲建　张九锁　贺建新　解高民
张全管　边江涛（11 月任）

政协大宁县委员会
主　席　高俊合
副主席　李　瑞　贺寅生　曹国勋　姚立忱

（李玲萍）

隰　县

【概况】 隰县地处吕梁山西麓，东毗汾西，西接永和，南与蒲县、大宁接壤，北与石楼、交口相邻。总面积 1415.3 平方公里，其中耕地面积 25240 公顷。辖 5 乡、3 镇、135 个村民委员会、4 个居民委员会、384 个自然村。总人口 96960 人，其中市镇人口 20257 人。属暖温带大陆性季风气候，历年平均降雨量 478 毫米，气温 8.8℃，日照 2740.9 小时，无霜期 150～180 天。主要农产品有玉米、马铃薯、豆类、果品、烟叶等。矿产资源较为丰富。境内交通便利，全县有公路 441 千米，实现村村通公路。209 国道贯穿县境南北。全年国内生产总值完成 25721 万元，比上年增长 10.8%；工业增加值完成 3630 万元，增长 23.6%；财政总收入 1386 万元，增长 7.28%；一般预算收入 941 万元，增长 4.21%；全县地方财政支出 8627 万元，增加 51.0%；全县金融机构多项存款余额 24750 万元，各项贷款余额 16907 万元，城乡居民储蓄额 22003 万元。全社会固定资产投资 4273 万元，增长 83.8%；城镇居民可支配收入 3679 元，增长 15.5%；农民人均纯收入 1595 元，增长 2.6%；社会消费品零售总额 14230 万元，增长 10.7%，出口创汇 14 万美元。社会消费品零售总额 14230 万元。按经济类型分：国营商业 1226 万元，集体商业 1217 万元，股份制商业 1314 万元，私营商业 901 万元，个体商业 6340 万元。

【农业和农村经济】 全县农业总产值 14070 万元，比上年减少 8.4%；粮食总产量 38169 吨，减少 8.4%；果品生产、畜牧养殖、特色种植 3 大支柱产业结构优化，规模壮大。新发展优质梨 800 公顷，美国扁桃 3333 公顷，干果面积达到 573.3 公顷，果品总产量突破 11963 吨，被国家林业局授予“中国酥梨之乡”称号，“隰州梨”品牌在国家工商总局注册。适应国家退耕还林政策，发展圈养牛、羊的家庭牧场和养猪、鸡、兔养殖大户。年末大牲畜存栏 23683 头，增加 4.7%，其中，牛存栏 20535 头，增加 6.2%；猪存栏 37824 头，增加 1.1%；羊存栏 187410 只，增加 3.7%；鸡存栏 22 万只。改良绒山羊 12 万只，人工种草和改良牧坡 666.7 公顷。马铃薯面积扩大到 5333.3 公顷。烤烟面积恢复到 266.7 公顷，总产 557 吨，烤烟调拨和等级出售两项指标全省第一。新增蔬菜大棚 100 个，累计达 200 个。乡镇企业实现总产值 13976 万元，增长 15.1%，完成增加值 2904 万元，上缴税金 365 万元，分别增长 18.7%和 26.7%。全县又有 10 个村、5500 口人解决温饱，4 个村、2000 口人基本达小康。

【工业调产】 虹光电力有限公司投资 460 多万元，完成两台机组的硫化床锅炉技术改造；午城酿酒集团公司新开发保健酒、果露酒和休闲食品；巾单有限公司开发研制新产品“一洗净”多功能毛巾；梁家河煤矿已掘进见煤，新上万吨金属锌生产项目，组建有色金属公司；新建广钰焦铁公司、紫东铁厂、花岗岩石材厂、羊绒加工等民营企业。工业销售收入 6702 万元，实现利税 542 万元。

【交通邮电】 拓宽改造乡村公路 87 公里。投资 236 万元对县城东、西、北 3 条大街进行拓宽改造，全长 1.087 千米。邮电业务总量 576.4 万元，市话装机总数 4756 部，农话话机总数 874 部，无线寻呼用户 565 户，移动电话用户 4034 户。电信扩容工程竣工，新增交换机容量 1024 门，新建北庄、黄土、寨子 3 个移动基站，电话普及率 5.7%。

【农田水利建设】 名列山区县榜首，完成水保初治面积 0.4 万公顷，新建人字闸 15 座、骨干坝 5 座、淤地坝 18 座，配套旱井 1500 眼；完善提水工程两处，建成饮水解困工程 66 处，解决 2 万多人、3760 头大牲畜的饮水困难，完成退耕还林 867 公顷、荒山造林 2600 公顷。饮水解困工程顺利通过省、市验收，被评为全省饮水解困先进县，再次夺得全省农建“禹王杯”。

【科教文卫】 实施“科教兴县”战略，创办“科技简报”，开办“科技苑”电视专栏，进行无公害生产、绒山羊圈养等实用技术讲座，引进“新世纪”、“玉露香”、“脱毒马铃薯”等 20 多个农作物新品种，推广果品套袋、节水灌溉、病虫害防治等 10 多项实用技术。教育工作，以巩固“两基”成果为重点，加快“四化”学校建设，通过省政府“两基”复查验收。高考成绩保持山区 10 县前茅。年末在校中学生 6828 人，其中高中生 964 人，毕业中学生 2130 人，其中高中生 196 人；专任教师 522 人。在校小学生 10744 人，毕业小学生 2334 人，专任教师 783 人。启动校舍危房改造工程 41 处，90%的乡办中学修建微机房，配置电脑，开设计算机课程。广播电视联网，新增入网户 1000 户，入网总户数达 8000 户，广播电视“村村通”，受到全省通报表扬。建起阳头升乡、龙泉镇、下李乡3个文化站；有医疗机构21所，县级医疗机构4所，乡镇6所，医院床位共有315张，其中县级医院170张。全县卫生技术人员452人，其中，中西医师233人，护师77人，中西医师37人，检验其它技师31人，中西医士33人，护士助产士24人。计划生育工作有了新突破，人口出生率控制在11‰以下。

·县级领导班子成员·

中共隰县县委

书　记　王文英

副书记　郑建文　王明理（8月调离）
　　　　解绍亮（11月任）陈维明（11月任）

常　委　王文英　郑建文　王明理　解绍亮
　　　　陈维明　史玉萍（11月调离）
　　　　任秋明（11月调离）
　　　　王　山（11月任）　李升科
　　　　王有才（11月任）荀双燕（11月任）

隰县人大常委会

主　任　任岩松

副主任　贾瑞锋　王玉明　韩宏耀　王金虎

隰县人民政府

县　长　郑建文

副县长　解绍亮（11月免）　王有才
　　　　武卫东（11月任）　韩金梁（11月免）
　　　　王兰生　李晓民（9月任）
　　　　李爱虎（11月调离）　杨新生

政协隰县委员会

主　席　李玉衡

副主席　关玉福　李桂珍　卫则民　王德福

（张克强）

永和县

【概况】　永和县地处吕梁山脉南端，晋陕大峡谷的黄河东岸，东邻隰县，南连大宁县，北与吕梁地区石楼县接壤，西濒黄河与陕西延川县、延长县隔河相望。总面积1219平方公里。辖7乡、2镇、80个村民委员会、314个自然村。总人口61595人，其中市镇人口15843人。县委、县政府按照年初经济工作会议确定的“456”目标全力推进，经济和社会各项事业保持较快发展，重点工作取得新突破。全年国内生产总值1.18亿元，比上年增长4.1%；规模以上工业增加值420.4万元，增长13%；财政总收入401万元，与上年持平；农业总产值6854万元，增长3.1%；城镇居民人均可支配收入3329元，增长9.4%；农民人均纯收入848元，增长5%。

【退耕还林还草】　生态三期工程完成治理面积533.4公顷，退耕还林工程完成治理任务0.37万公顷。秋季抓住墒情好、苗木足的有利时机，动员全县干部群众栽植各类苗木1118万株，其中栽植枣树230万株，全县的枣树总量达550万株。在坡头乡建成66.67公顷精品红枣示范园，栽植优质鲜食红枣5.5万株。春秋两季种植以苜蓿为主的优质饲草0.4万多公顷，总面积0.7万公顷。大力发展圈养羊，引进优质多绒羊进行示范。采取公司加农户的办法，种植以甘草、远志、黄芪等为主的中药材266.87多公顷，新建蔬菜大棚100多个。

【发展特色经济】　芝泉饮品公司完成技术改造，建成年产500吨酸枣汁生产线，并投产达效。红枣公司积极参加各种展销会、博览会，在山东乐陵名优特产博览会上“永和大枣”获金奖。成功举办第七届红枣节，表彰奖励一批营销大户、种植大户。通达公司膜侧播种机扩大生产规模，远销到西北地区。围绕种草业发展研制开展“小型家用饲草切搓机”，提高饲草利用率30%～50%。裘毛羊肉产品出口创汇。个体私营经济发展到104户，73户初步运行，完成税收101万元，

【基础设施建设】　以水利为重点的农业基础建设，新建人字闸10座，打旱井500眼。以改土蓄水为重点，建设生态水保工程，先后配套治理赵家沟、薛基沟等骨干坝工程，开发西峪水库，增加节水灌溉面积1000亩；公路建设，新建公路桥梁3座，完成通村公路6公里，动

土方2.1万方。投资230万元的交口辛庄芝河大桥正式动工兴建；沼气扶贫工程进展顺利，全年新建沼气池84个，全县达111个，部分达到四位一体配套标准；县城改造建设工程取得新突破，沿街16个单位原有1层低短房屋全部拆除，引用市场机制办法，新建3层楼房1万多平米。县城主街道人行道铺装完成5000平方米，安装高标准路灯，加大县城脏乱差治理力度，县城环境面貌初步改观。

【社会各项事业】 基础设施不断得到改善。县乡公路193公里，实现乡乡通油路，村村通机动车；开通程控电话、移动电话业务，县城固定电话用户覆盖率22.63部/百人，乡镇程控电话覆盖率85%，移动电话网络覆盖率83%；全县95%以上的村组通上电；有线电视用户3000户；科技教育等各项事业得到较快发展。办学条件明显改善，以九年义务教育为主的基础教育工作有新的发展，中小学布局得到合理调整，素质教育向纵深发展。公教人员工资按时发放，受到省委督查组充分肯定。卫生系统深化改革，强化医德、医风建设，服务水平提高。计划生育工作围绕实现“三为主”目标，大力开展宣传教育和基层网络建设，使全县人口自增率控制在上级要求的警戒线之内。文化、广电、体育、民政、统计、宗教、环保、抗灾救灾、气象、残联、老龄、档案等社会各项事业履行职责，开拓创新，取得可喜成绩，受到社会好评。

【抗灾自救】 面对连续5年特大旱灾，县委、政府采取保口粮、保生产、保发展措施，组织群众开展一系列抗灾自救活动。县民政、财政、粮食等部门积极筹措资金，全年下拔救济款50万元，救灾粮100万吨，并采取得力措施，确保救灾粮发放到村到户。最低生活保障工作年内完成城镇低保对象350人，农村低保对象131人。同时，省、市、县三级扶贫工作队进村入户帮助农民抗灾增收，投资562万元，办事320件。

·县级领导班子成员·

中共永和县委
书　记　王醒安
副书记　张　云　杨德和　李志敏
常　委　王醒安　张　云　杨德和　李志敏
　　　　荀义贵　许文彪　毛跟云　郑效锋

永和县人大常委会
主　任　田根茂
副主任　吕树茂　徐宝珠　韩凤莲　张　增

永和县人民政府
县　长　张　云
副县长　任启玉　韩忠秀　郭永平　郝忠祥
　　　　刘迎虎

政协永和县委员会
主　席　张越轶
副主席　段忠联　段新民　冯月富　靳光元

（李金旺）

蒲　县

【概况】 蒲县位于临汾盆地西部，吕梁山麓。总面积1510.61平方公里。境内矿产资源丰富，尤以煤炭著称。含煤面积1359.55平方公里，探明储量170亿吨，多为优质主焦煤，是山西省主要产煤县之一。辖5乡、4镇、103个村民委员会。总人口98654人，其中市镇人口16509人。全年完成国内生产总值58512万元，比上年增长10.9%；人均国内生产总值5928元，增长10%；城镇居民人均可支配收入4187元，增长23.1%；农民人均纯收入2109元，增长12.5%。

【农业】 面对农业遭受百年不遇的大旱，紧紧围绕农业增效，农民增收和农村稳定3个重点，组织干部下乡救灾促增收，推进农田水利建设，增加农业投入，实施科技兴农战略，推广普及农业实用技术，努力把灾害损失降到最低程度。全县农业总产值完成7788万元，比上年下降18.2%，其中：种植业产值4324万元，下降10.8%；林业产值624万元，下降65%；

畜牧业产值 2757 万元，下降 1.5%；渔业产值 6 万元，与上年持平。粮食作物种植面积 1.26 万公顷，粮食总产量 24237 吨，下降 18.2%，其中夏粮产量 1113 吨，增长 86.4%，秋粮产量 23124 吨，下降 20. 3%；油料产量 1501 吨，下降 25.0%；烤烟产量 244 吨，下降 55.1%；蔬菜产量 3726 吨，增长 120.3%；水果产量 932 吨，增长 7.9%。完成造林面积 0.41 万公顷，四旁植树造林完成 70 万株，育苗完成 0.013 万公顷；畜牧业生产稳步发展。全县肉类总产量 2749 吨，下降 20.1%，其中猪、牛、羊肉产量 2635 吨，下降 18.7%，禽蛋产量 693 吨，下降 8.9%。年末大牲畜存栏 28733 头，下降 10.8%；其中牛存栏 27085 头，下降 10.9%；猪存栏 16319 头，下降 8.3%；羊存栏 40509 头，下降 40.6%；家禽存栏 170525 只，增长 7.9%。农业生产条件进一步改善，农业机械总动力 2.46 万千瓦，比上年增长 3.8%，化肥施用量（折纯）3529 吨，增长 0.7%；农村用电量 815 万千瓦小时，下降 10.0%。乡镇企业持续发展，完成总产值 195247 万元，增长 11.8%，完成营业改入 170904 万元，增长 4.0%，全年乡镇企业增加值 65993 万元，上缴税金 2474 万元。

【工业】 全县工业总产值完成 102940 万元，比上年增长 14.0%，其中，国有企业和年产品销售收入在 500 万元以上的工业企业完成工业产值 25086 万元，增长 16.2%。工业企业完成工业增加值 38321 万元，增长 12.9%，国有及国有控股企业完成增加值 2658 万元，其中国有企业完成增加值 2658 万元，集体企业完成增加值 4450 万元，其它经济类型工业完成增加值 3427 万元，轻工业增加值 29 万元，重工业增加值 10506 万元。主要产品产量：原煤 335.3 万吨，下降 10.2%；洗精煤 183.18 万吨，增长 0.7%；焦炭 163.77 万吨，增长 15.8%；生铁 20.37 万吨，增长 7.2%；水泥 3.19 万吨，增长 8.1%；发电量 9980.25 万千瓦小时，增长 15.6%。全县国有企业和年产品销售收入在 500 万元以上的工业企业实现销售产值 25178 万元。增长 22.3%；实现产品销售收入 26331 万元，工业产品销售率 100.37%，实现利税 4433 万元，增长 31.5%。全县四级以上建筑企业完成总产值 871 万元，实现利润 13.3 万元。全年共完成固定资产投资 8836 万元，其中国有经济投资 5419 万元，集体经济和股份有限经济 3192 万元，城乡居民个人投资 225 万元。基本建设投资 2276 万元，更新改造投资完成 5860 万元，零星投资完成 52 万元。全县基本建设和更新改造施工项目 15 个，新增固定资产 2840 万元。

【交通邮电】 全县公路通车里程 863 公里，完成客运量 31.7 万人次，客运周转量 3705 万人公里，分别比上年下降 6.2%和 16.7%；货运量 100 万吨，货运周转量 5970 万吨公里，分别增长 12.2%和 0.8%。邮政通信事业快速发展。完成邮政电信业务总量 2251 万元。新增城乡电话用户 1400 户，其中住宅电话用户 1200 户，新增移动电话用户 2780 户，年末全县电话交换总容量 9192 门，数据通信用户 213 户，其中 DDN 数字数据用户 10 户，分组交换用户 9 户，163 上网用户 181 户，ISDN 用户一线通 13 户。移动电话用户 5741 户，城乡电话用户 8097 户。

【财政金融】 全县财政总收入 6924 万元，比上年增长 23.62%。一般预算收入 703 万元，增长 16.3%。财政总支出 9103 万元，增长 37%。金融机构各项存款余额 40249 万元，较年初增加 9291 万元，增长 30%，各项存款中城乡居民储蓄存款余额 30964 万元，增长 24.1%，各项贷款余额 32830 万元，增长 14.2%。全县行社盘活奖金 84 万元，银行现金收入 112655 万元，增长 65.9%，现金支出 115276 万元，增长 62.6%，收支相抵净投放现金 2621 万元，下降 12.4%。

【保险事业】 全县保险承保总额 32051 万元，比上年增长 1.2%，保费收入 516 万元，增长 26.5%，其中财产保险收入 145 万元，增长 14.2%，人身险保费收入 371 万元，增长 32%，赔付金额 145 万元，增长 21.8%，其中财产险赔款金额 76 万元，增长 2.7%，人身险赔付金额 69 万元，增长 53.3%。年末，全县有 453 户企业参加企业财产保险，有 242 户居民参加家庭财产保险，有 26422 人参加人身保险，保险企业共处理各类财产险赔案 163 件。职工社会保险稳步发展，年末全县有3600名职工参加失业保险，9591名城镇干部职工参加基本养老保险，791名离退休人员参加退休费和社会统筹。

【文教卫生】 扫黄打非，清理文化市场，开展丰富多彩、蓬勃向上的文化活动。有8个乡镇开通有线电视，新安装闭路电话300余户，有3800户安装闭路电视。全县各类党校在校学生共19758人，减少854人，下降4.1%，其中普通中学在校学生6404人，职业中学在校学生614人，小学在校学生12740人，小学学龄儿童入学率99.8%，小学毕业生升学率99.6%。全县各类学校344所，专职教师1270人。卫生事业持续发展，全县免疫服苗率均在98.54%以上。计划生育工作实现年初确定的人口增长目标。全县人口自然增长率控制在8.85‰。

【环境保护】 全县环境综合整治全面推进，环境保护工作取得成效。年末全县环境保护系统人员115人，拥有环境监测站1个，环境监测人员15人，环境监理站6个，环境监理人员48人。完成环境污染限期治理项目20个，投资210万元，加大对新建项目环境监控和管理。

·县级领导班子成员·

中共蒲县县委

书　记　仇振刚

副书记　杨治平　李德俊　李建设　杨国璋　王廉敏

常　委　仇振刚　杨治平　李德俊　李建设　杨国璋　王廉敏　高中和　张爱萍　付正林　刘晓爱　冯安长　陈振华

蒲县人大常委会

主　任　王淳厚

副主任　贺三喜　刘敏祥　殷忠玺　曹海棠

蒲县人民政府

县　长　杨治平

副县长　李建华　曹贵保　王安保　王常兴　程世杰　高中和　张爱萍（女）

政协蒲县委员会

主　席　张建中

副主席　孙建高　李桂英（女）史虎喜　沈杨林

（曹立华）

汾西县

【概况】 汾西县地处汾河西岸，吕梁山南麓、黄土丘陵残坦沟壑区。总面积870平方公里。辖5镇、3乡、225个村民委员会、516个自然村。总人口135506人，其中市镇人口27221人。2001年被确定为国家重点扶持贫困县。全县依托“粮、果、林、药、牧、煤、焦、铁、石、土”10大优势，以27项重点工程建设为龙头，全力实施“夯实基础、结构优化、城镇扩张、民营经济、科教兴县”5大战略，实现经济和社会事业快速发展。

【农业】 遭受百年不遇大旱，县委、县政府抽调260余名副科级以上干部下乡救灾促增效，扶持农民建设庭院“五个一”工程，全县共完成“五个一”工程配套户1221户，完成沼气池建设1249个，旱井建设1534个，养殖圈建设187个。主要物仍获得较好收成。粮食作物种植面积2.11万公顷，其中，夏粮面积1.15万公顷，秋粮面积0.96万公顷；粮食总产量28897吨，为上年的3.4倍，其中夏粮产量11109万吨，为上年的5.8倍，秋粮产量17788吨，为上年的2.7倍。畜牧业生产在价格持续下跌的情况下，保持稳步发展。肉类总产量2368万吨，下降3%，其中：牛肉产量458吨，增长3.4%；猪肉产量1461吨，下降9.5%；羊肉产量277吨，增长15.4%；奶类产量35吨，增长2.9%；禽蛋产量1135吨，增长6.7%；年末生猪存栏20142头，下降9.1%；羊存栏51153只，下降0.9%；大牲畜存栏26008头，下降6.1%。农业机械总动力3.9万千瓦，与上年持平，化肥施用量1673吨，下降1.4%；农业用电量48万千瓦小时，增长4.1%。乡镇企业增加值完成15904万元，增长22.54%，上缴税金1364万元，增长46.4%。

【工业】 制定出台《关于大力发展民营经济的实施意见》和《关于招商引资的优惠政策》，以民营经济为主体，拓宽融资渠道，改善投资环境。投资1400余万元新建太阳山朝阳煤化综合生产企业，年产机焦12万吨；招商引资恢复原对竹焦化厂，年生产机焦4.5万吨；投资1200余万元，新建60立方米的生铁冶炼企业5座。同时积极开发新兴产业，以石膏、铝钒土为原料，新建石膏制粉制板企业和铝钒土开发企业。全部工业增加值完成13409万元，比上年增长2.6%；规模以上及国有工业企业增加值完成4597万元，增长62.87%。国有及国有控股企业增加值完成1345万元，增长8.07%；集体企业增加值完成1419万元，增长5.79%；规模以上及国有工业企业产品销售产值11840万元，增长67.95%；产销率98.61%，提高0.2%。其中，销售收入8494万元，增长101.2%；实现利税779万元，增长171.93%。

【交通邮电】 全年公路客运量82.9万人次，比上年增长7.4%，客运周转量1918万人公里，增长1.3%；公路货运量174.5万吨，增长12%；货运周转量4049万吨公里，增长4.4%。完成阡陌至对竹6公里县乡公路拓改工程；邢家要至佃坪县境循环公路和师家沟8公里旅游公路建设工程，打通店头至县城5公里的腰桥开堑，建成阳光大道。邮电业务总量858万元，增长61.6%；新增电话1215部。实施铺设通讯光缆和乡镇通讯移动基站建设工程，投资800万元，完成县城电信大楼建设工程，投资1500万元，建成11个乡镇移动基站，投资完成通讯光缆铺设，信号覆盖面由20%增加到80%。

【财税和金融保险】 全县财政总收入2575万元，比上年增长33.7%，一般预算收入完成1564万元，增长26.2%，其中：工商税收完成1006万元，增长46.6%，农业“四税”完成62万元，下降16.2%。全县总支出9331万元，增长53.6%。金融机构各项存款余额19652万元，增长16.4%，其中城乡居民储蓄存款余额为16487万元，增加2640万元，增长19.1%，企业存款余额为1210万元，减少406万元。金融机构各项贷款余额9881万元，增长15.3%。保费收入274.3万元，其中：财产保险费收入91万元，人身保险费收入183.3万元，赔付金额416.5万元，其中财产险赔付金额57.6万元，人身险给付金额358.9万元。

【科教文卫】 筹建古郡农业星火科技示范园区，推广小麦地膜覆盖、中药材栽培等12项实用技术和调产项目，重点实施集雨工程、配方施肥、深井灌溉等10项科技成果推广项目。同时，与3个大专院校签订合作协议5项。基础教育办学条件进一步改善，筹资296万元实施和完成26所中小学危房改造，新建47个小学自然实验室，8个初中现代化实验室。巩固和发展“普九”成果，投资256万元完成县教师进修校、职教中心、职业高中、三中实验教学系统“四校合一”工程。全县各类学校在校生32106人，其中普通中学在校生900人，职业中学在校生14082人，小学在校生17124人，小学学龄儿童入学率100%。全县幼儿园89所，在园幼儿5280人。全县有专业剧团1个，文化馆1个，图书馆1个，博物馆1个，档案馆1个，电影放映队1个，电视差转台2座，有线电视台1座；全县共有医疗卫生机构21个，病床254张，专业卫生技术人员635人。其中医生454人，护师110人。

【群众生活】 全县农民人均收入962元，增长11.1%。职工平均工资总额6496元，增长25.2%。城镇居民人均可支配收入3558元，增长18.6%，人均消费性支出2444元，增长14.6%，城镇居民居住条件得到改善，年末人均住房面积为21.2平方米。城乡消费保持稳定增长趋势，全年社会消费品零售总额13181万元，增长11.6%。其中县零售额7908万元，增长11.6%；县以下零售额5273万元，增长12.2%。批零贸易业零售额10057万元，增长8.8%；餐饮业零售额1873万元，增长13.4%；其它行业零售额1251万元，增长37.2%。

【重点工程建设】 店头腰桥改造工程。东起县城0公里处，西至店头村临桃公路交界处，全长1860米，设计宽度28米，总投资1300

万元。其中一期工程为填方工程，完成高 74 米，长 295 米，侧坡比底部 1∶17，顶部 1∶1.5，总量 68.9 万方。二期工程于 9 月 26 日全线通车。共完成街道下水道构筑 2118 米，水泥路面硬化 22042 平方米，坝面铺油 7260 平方米，排洪渠砌筑 130 米，路灯安装 172 组，水泥彩釉砖人行道铺装 14018 平方米，人行道水泥路口浇铸 2043 平方米，通讯电缆铺设 2850 米。该工程被群众称为德政工程、民心工程，其填方量之大堪称华北第一大填方工程。

广场改造工程。总投资 170 万元，总面积 6200 平方米。正北方为建筑面积 380 平方米的观礼台，中心设置面积为 180 平方米，深 1 米的喷泉池一座，池内安放象征汾西腾飞高 8 米的不锈钢“升华”雕塑 1 座，南端面积 18 平方米的国旗台，广场四周是占地 1450 平方米的花池绿地，广场内置各种休闲照明灯具 47 盏，周围用不绣钢栏杆围护，共长 478 米，广场面层及花池壁为花岗岩贴面，总面积 4929 平方米。该工程于 7 月竣工投入使用，成为群众健身、娱乐、休闲、集会的多功能街心花园。

城市供水工程。总投资 628 万元，建设完成 400 米深井的涧河凿井工程；县城西部窑铺垣——店头——古郡——府底——贴金——立柱坡全长 12000 米的扩供水工程于 5 月竣工。新建泵站 1 座，供水站 3 座，供水网店 10 余个，供水辐射服务半径 5000 米，完成闫家巷 120 米供水管网改造。该工程全部完成后，将大大改善县城居民的用水条件。

师家沟旅游公路建设工程。总投资 204 万元，由县城东到师家沟至霍州许村，全长 14.6 公里，路基宽 7.5 米，行车道宽 6 米，边沟宽 1.12 米，为山岭重丘三级公路。该工程于 4 月动工，至 11 月 15 日全线通车。共动用土方 40.3 万立方米，借方 20.61 万立方米，石方 14.5 万立方米，中桥一座 40 米／座，涵洞 398 米／38 道，档土墙 348 立方米／508 米，护岸 3575\zs 立方米／1050M。

庭院生态“五个一”工程。全县大面积实施以建设“一个沼气池、一眼旱井、一个小型蔬菜棚、一个养殖户、一分果树园”为内容的庭院生态致富“五个一”工程。共完成旱井 22000 多眼，新建和改造畜圈 2260 个，新建日光温棚 4200 多个，栽植庭院果树 30 余万株，建成沼气池 5500 个，完成“五个一”配套户 1870 户。共投资 2882 万元，以沼气池为纽带的“五个一”生态庭院富民工程，猪——沼——果、猪——沼——菜、猪——沼——药等经营模式，都取得较好的经济效益。

天然林保护工程。该县天然林保护工程是国家黄河中上游天然林资源保护工程的组成部分。森林管护面积 1.48 万公顷（其中有林地 0.46 万公顷，灌木林地 1.02 万公顷），植被恢复建设任务 0.4 万公顷（其中封山育林 0.056 万公顷，人工造林 0.34 万公顷）。建设工期 11 年（2000～2010），总投资 699.8 万元。该工程于 2001 年开始，已落实管护面积 1.15 万公顷，完成封山育林 0.047 万公顷，人工造林 0.32 万公顷。

·县级领导班子成员·

中共汾西县委

书　记　张德英
副书记　亢海银　薛耀华　马五锁
常　委　张德英　亢海银　薛耀华　马五锁
李多志（11 月免）王富山（11 月免）
陈维明（11 月免）郝鹏举　樊大开

汾西县人大常委会

主　任　刘砚田
副主任　曹福银　赵卯生　张彦萍

汾西县人民政府

副县长　亢海银（代县长）（8 月任）
副县长　王　强　樊大开　樊新民　郭向东
亢大勇（10 月任）张三森（12 月任）

政协汾西县委员会

主　席　侯明俊
副主席　李步锦　李天福　王政荣　赵希铨

（牛记明　赵鸿虎）

经济技术开发区

临汾经济技术开发区

【概述】 临汾经济技术开发区靠优惠政策扶持，靠创新机制开拓，商贸启动，工业兴区，招商引资，建设新区，经济实力明显增强，新区建设初具规模，全年国内生产654万元，同比增长37%；科工贸总收入92098万元，增长33%；工业总产值16209万元，增长32%；入区企业24个，同比增长14%；招商引资合同资金28961万元，增长61%；入区企业投资总额16930万元，增长61%；入区企业销售收入47346万元，增长45%；入区企业上缴各种税金1459万元，增长116%；财政总收入2175万元（土地收入608万元），增长95%。

【广东佛塑、山西华翔两大公司入区】 上市公司广东佛山塑料集团股份有限公司在临汾开发区投入6000万元兴建分厂，生产国家级重点产品塑料编织农用大棚膜和塑料编织系列产品，年生产能力9500吨，年销售收入1.05亿元，年创利税1000万元；山西华翔同创铸造有限公司，入区投资8000万元建成具有国际领先水平的“迪砂”铸造生产线，产品全部出口德国丹佛斯、韩国LG集团等世界500强公司，年生产能力1.5万吨，年销售收入8270万元，年创利税2400万元，年创汇1000万美元。从破土动工到竣工投产只用了4个月，实现当年谈判入区，当年投产见效。此外，全年共签订千万元以上的投资建设合同14个。其中山西省移动通信公司临汾分公司生产大楼投资6500万元、现代建材装饰材料广场投资2000万元、临汾长风汽贸有限公司投资1000万元。

【基础设施建设】 筹措资金2600万元用于道路工程建设，中大街南段524米工程完工，安装路灯，铺设管道，使商住区、商业区联成一片。河汾一路，东段400米工程完工。建立供电、供水等分支机构。筹资250多万元用于基础设施配套建设，解决佛塑、华翔等工业项目的用电、用水问题，确保项目如期投产运营。五洲健身活动中心、休闲广场的灯光夜景和东晖住宅小区主体工程建成。提升城市品位，改善投资环境。

【建区3周年庆祝活动】 10月18日，临汾开发区隆重召开建区3周年庆祝大会。国家计委、省外经贸厅、省国土资源厅、市四大班子和县（市、区）领导以及全省7个开发区的领导参加大会。香港中国中西部经济发展促进会、上海南汇工业园区、阳泉开发区等20多个单位发来贺电贺信。临汾电视台制作播发《临汾开发区—— 一方投资的热土》专题片，《临汾日报》用套色整版宣传报道开发区3年的发展历程、建设成就、重点企业和优惠宽松的政策环境。党工委、管委会编辑印发《创业三年》纪念册，举行大型图片展览。庆祝活动期间还举行有美国、香港、台湾、江苏、河南等中外客商及投资者共180余人参加的项目洽谈发布会，有8个项目签订入区协议，合同资金2亿多元。

【各项社会事业】 将北城中学与向阳高级中学合并办学，一校两制，实现两校的优势互补，资源共享，解决新入区居民子女的入学问题；新建开发区新立医院，将原115医院改造成一座现代化的绿色医院，解决开发区居民的就医问题；启动养老保险和医疗保险，社会保障进一步推进；成立人才劳动力交流中心，建立人才劳动力资源库，培训400多人，安排剩余劳动力780人。

【基层党组织建设】 先后成立社会治安综合治理委员会、工会工作委员会、管委会机关党委，健全基层党支部，组建五洲、华讯等9个基层企业工会，召开综治委第一次全体会议和工会亚龙制衣有限公司现场会，圆满完成省、市和十六大代表的选举工作；隆重召开建党80周年纪念大会，表彰一批在开发区创建、创业、创新的战斗历程中的先进基层党组织、优秀共产党员和优秀党务工作者；举行“创业者之歌”先进事迹报告会，树立王富贵、冯爱萍、张可新和坂下村党支部、公安分局等一批先进典型；组织以“党在我心中”为主题的首届文艺汇演，用自编自演的歌曲、舞蹈、小品、曲艺等文艺节目，反映开发区人艰苦奋斗的创业生活、奋发向上的精神风貌和日新月异的发展变化。

附：

山西省临汾经济技术开发区
鼓励投资若干规定

为进一步加快临汾经济技术开发区建设和发展，创造宽松、优越的投资环境、鼓励外商和外地投资者来我区投资，根据国家、省有关法规政策，结合我区实际，制定本规定。

鼓励投资方向

一、鼓励外商和外地国内投资者到我区兴办符合国家产业政策的项目。优先发展高新技术产业中的电子信息技术、生物工程、生物医药工程、光机电一体化、新材料、现代农业及先进适用技术、绿色技术、节能开发、资源再生及综合利用、环境污染治理技术；优先发展交通、通讯、城市供水、供气、供热、环境治理及社会公益项目；优先发展能源原材料深加工、精细化工、精密铸造及新型建材；优先发展农业新技术、生态农业及农副产品深加工；优先发展经济技术、金融、法律等中介服务机构。

土　地

二、投资城市基础设施和公益设施的项目用地，可以通过划拨方式取得土地使用权。

三、商业、旅游、娱乐和商品住宅等各类经营性用地，通过招标、拍卖或者挂牌方式出让。

前款规定以外用途的土地的供地计划公布后，同一宗地有两个以上意向用地者的，也采用招标、拍卖或者挂牌方式出让。

四、投资者一次性交纳土地使用权出让金的，高新技术（省科委认定、国务院批准）企业项目用地、上市公司投资额达到5000万元以上的工业项目、在工业园区内投资专业园区的开发商，由财政返还国有土地使用权出让金的20%；对新建投资额在1000万元以上的其它工业企业，由财政返还国有土地使用权出让金的10%。

五、投资者使用国有存量土地，一次性交纳土地使用权出让金有困难的，可以实行租赁制。

税　收

六、生产性外商投资企业，经营期10年以上者，从开始获利的年度起，第1～2年免征企业所得税，第3年到第5年减半征收企业所得税。按国家规定减免企业所得税期满后，延长3年按15%的税率缴纳企业所得税。

七、外商投资企业举办的产品出口企业，在依照税法规定免征、减征企业所得税期满后，凡当年出口产品产值达到当年企业产品产值70%以上的（含70%），凭外经贸部门出具的有关证明文件，经税务机关审核批准后，可以按照税法规定的税率减半缴纳企业所得税。

八、外商投资企业的外国投资者将从企业取得的利润直接再投资于该企业，增加注册资本，或者作为资本投资开办其他外商投资企业，经营期不少于5年的，经投资者申请，税务机关批准，退还其再投资部分已缴纳所得税的40%税款；直接再投资举办、扩建产品出口企业或先进技术企业，经营期不少于5年的，在有关部门确认为是产品出口企业或先进技术企业后，经投资者申请，税务机关批准，全部退还其再投资经营部分已缴纳的企业所得税税款。不满5年撤出的，应当缴回已退的税款。外商投资企业再投资的项目，凡外资比例达到25%以上的，享受外商投资企业待遇。

九、外商投资企业进行技术开发当年在中国境内发生的技术开发费比上年实际增长10%（含10%）以上的，经税务机关审核批准，允许按当年技术开发费实际发生额的50%，抵比当年度的应纳税所得额。企业技术开发费比上年增长达到10%以上的、其实际发生额的50%如大于企业当年应纳税所得额的，可准予抵扣其不超过应纳税所得额的部分。超过部分，当年和以后年度均不得予以抵扣。

奖　励

十、引进国内外资金的中介机构和个人，用款期5年以上，按到位资金的1%领取劳务费做为奖励，劳务费由受益方从自有资金中提供；引进外商独资企业的，劳务费由开发区管委会专项支付。中介利益契约化。

十一、新建工业企业（由开发商成片开发建设的专业园区内企业除外），从项目投产之日起2年内，企业所得税开发区留成部分的20%由财政奖励给企业，支持企业发展生产。

十二、高新技术企业（经省科委认定、国务院批准）、上市公司投资额达到5000万元以上的工业项目，从项目投产之日起前2年企业所得税和增值税的开发区留成部分50%由财政奖励企业，支持企业技术更新改造。

十三、在工业园区内投资专业园区的开发商，从入驻专业园区内企业投产之日起，前两年企业所得税和增值税开发区留成部分的50%，由财政奖励给开发商，由开发商根据园区内企业的实际情况奖励企业。

十四、工业区内企业通过技术改造、扩大生产规模新增加的企业所得税前两年开发区留成部分的20%奖励给企业。

十五、对重点工业企业技术改造项目和经市级以上科委批准确认的科技重点项目、高新技术项目（省科委认定，国务院批准），可享受专项贷款财政贴息的优惠政策。

其　它

十六、凡在开发区投资固定资产达到50万元以上的客商或从事科研、科技成果转换、科技服务两年以上的技术人才，可办理入区落户手续，优先购买商住房，优先安排子女就近入学。

十七、凡受聘来开发区管委会参加工作的特殊人才，视情况分别给予3~10万元的聘用薪金，对做出突出贡献者给予记功重奖；凡应聘来区内企业参加工作的高科技人才——博士研究生，除企业给予高额薪金外，开发区管委会每年给予1~3万元的补助。

十八、开发区管委会对区内的科研机构和科技企业从事高新技术研究成果转化项目，给予5~10万元科研经费补助；对国内外著名科研院所、大专院校、跨国公司在区内创办研发机构，给予10~20万元的科研经费补助。

十九、对开发区经济和社会发展有重大影响的投资项目，以一事一议的办法给予支持。

二十、本规定由招商局负责解释，并负责落实和督查。

二十一、本规定自发布之日起施行。

（任丽岗）

侯马经济技术开发区

【概述】 侯马经济技术开发区是省级开发区，位于侯马市整体规划的中心位置，总面积8.16平方公里，其中起步区2平方公里，规划控制区6.16平方公里。侯马开发区管委会做为临汾市政府的派出机构，代表市政府行使市一级综合经济及部分行政管理职能，副地级建制，下设10局1室1个总公司。开发区管委会2000年5月18日挂牌成立，9月1日正式运行，对开发区实行统一领导、统一规划和统一管理。2001年5月，党工委、管委会所属各职能机构9局2室组建完毕，各种职能基本落实到位，并进入正常运行。在9局2室中，属垂直管理的机构有国税分局、地税分局、工商分局、省国土资源厅土地直属局、公安分局筹备组；属开发区党工委、管委会下设机构的有党工委办公室、管委会办公室、财政局、经济发展局、规划建设局和人事劳动局。

开发区的总体工作思路是“优先基础设施，主攻高新科技，坚持工贸并举；全方位创新，超常规推进，跳跃式发展”。区内产业定位为：电子信息产业、生物工程制药业和以大型专业市场及生活文化服务为主的第三产业。经过一年多的建设发展，开发区已基本实现“开局健康，起步顺利，成效明显”的目标。基础设施基本完备，一批住宅、宾馆、商场、专业市场、写字楼以及社会服务项目等配套设施正在兴建，有的已经启用，一批市场潜力大、效益高、前景好的项目纷纷入区，一个以生物制药、电子机电、商务商贸和农业高科技为支柱的产业密集区正在形成。

全年国内生产总值5700万元，同比增长211%；工业总产值9748万元，增长243%；入区企业销售收入9128万元，增长228%；财政总收入613万元，增长245%；基础设施投资4143万元；招商引资合同资金1.8亿元，增长157%；累计开发土地面积16.53公顷，其中：企业用地9.2公顷，基础设施建设用地7.3公顷，经济建设和财税收入均实现快速增长。

【起步区总体规划基本完成】 为了充分利用区内土地资源，发挥现有基础设施作用，利于远景开发，本着高起点、高层次、高标准的要求，对起步区进行全面的科学规划。开发区功能定位为以高新技术、商业贸易为主，突出智能化、生态化，体现现代城市风貌的新型城区。起步区总体规划为一心一轴四纵五横六个区。“一心”就是以世纪广场为开发区起步区的核心，形成商业金融文化中心；“一轴”就是以世纪广场为轴心，向北向南直线延伸，形成医药大厦、商业金融广场、世纪广场、会展中心、商业贸易步行广场、海关大厦的南北向文化景观轴；“四纵五横”就是形成开发区9条道路框架，即合欢街、幸福街、中心街、步行街和建工路、文明路、纺织巷、呈王路、新田路；“六个功能区”就是高新工业区、商贸市场区、金融服务区、口岸仓储区、居民生活区、电子信息加工园区。

【道路网络建设】 开发区集中财力对区内基础设施建设进行全面建设。道路建设总投资1200余万元，修建高标准水泥道路4000多米，其中包括：幸福街、中心街、文明路、纺织东巷主街道和呈王路慢车道等，铺设步行商业街彩砖地面6500平方米，埋设地下供排水管道6000多米。新建道路与区内原有的新田路、建工路、合欢街构成“四纵五横”道路网络，区内道路网状骨架已经形成。

生态园林绿化建设总投资160万元。按照建设盆景式、园林式开发区的目标，新建道路两边建绿化带7800平方米，栽植行道树4300余棵，种植各种花卉苗木26.9万株，新增绿地草坪面积6.8万平方米，区内绿化覆盖率达到30%以上。

宽带通信网络管道化建设总投资380万元。借鉴沿海特区的先进经验，着眼远景发展，满足城市智能化要求。由建设规划局牵头，中国电信、移动、联通、铁通同时进入，联合建设，建设规模涉及区内四纵五横九条道路，总长10.69公里，单孔长度200公里。经专家认定，这项工程的设计和施工标准可达到开发区内宽带通信网络管道50年不用更新的水平，在全省堪称首家。

【创建信息产业园】 按照发展高新技术的思路，依托区内的中国移动7所、诺高建设公司、诺高设备公司建立侯马开发区信息产业园区，区内采取积极的扶持政策，实行“无费低税”管理，区外有普天集团侯马电缆厂、移动公司、电信公司、铁通、联通、天河电子城等企业予以大力支持，大大加快园区内企业的生产建设步伐。产业园内原有的3户企业效益增长显著，仅山西移动诺高设备公司2001年就上缴税金311万元，占开发区全年税收的50.7%。另有3家新企业在信息产业园落户。

【优化投资环境】 立足于“人无我有，人有我优”的方针，以“无费低税区”为建设方向，制定较为完善的优惠政策。公开承诺，只要投资者能提供其他地区优惠政策的文件依据，都可以参照实施。优化服务环境，在实行一条龙窗口服务和封闭式管理的基础上，加强工作人员的业务和素质建设，提出“人人都是环境，事事关系形象”的要求，并对一些较大的项目，开发区管委会指定专人跟踪服务，及时解决投资者遇到的各种问题。优化生活环境，配合侯马市绿化综合整治工作，在生态、环保、绿化、美化等提高区内城市品位和层次方面做了大量工作，高质量地规划建设独具特色的步行商业街，协助侯马市投资在区内建设新世纪广场，道路、绿化、路灯等设施。

【招商引资见成效】 共引进生产和建设性项目11个。已入区开工兴建的有7家，合同利用资金1.8亿元，实际到位资金8000万元。其中属市场性质的 4 家，即天河电子城、中天装饰材料城、金世纪家俱城、新田购物中心；属生产性企业 3 家，即绿宝种业公司、金亮灯具生产线、头痛烦躁胶囊生产项目；资金已基本落实的、正在办理征地手续和着手设计的有 4 家，天宇机械有限公司、五四一科研楼、侯马移动通信综合办公楼、北京亿芝堂医药科技开发有限公司。

（周晓林）

企事业选介

煤 炭

霍州煤电集团
洪洞煤焦股份有限公司

地　址：洪洞县144队地质宾馆
电　话：0357－6212232
邮　编：041600
董事长：陈嘉喜

成立于1997年12月13日，是霍州煤电集团在洪洞县单独注册、具有独立法人资格的全资子公司。现有职工2052人，资产总值3.4亿元，下辖三交河、回坡底、曹家沟3个煤矿和1个运销分公司，矿井生产能力300万吨，入洗加工能力100万吨，铁路外运能力200万吨。

公司狠抓安全生产补欠整顿、矿井生产核心技术升级和基础建设3项重点工作，到2001年底，矿井安全生产的基础、质量标准化水平和综合抗灾能力有了质的提高，实现由炮采小平车运输到高档普采皮带作业线运输再到轻型综合机械化采煤、2.5吨底卸车和斜井强力皮带运输的连续跨越。连续4年安全无事故。产、运、销能力和经济效益实现超常规跳跃式的快速发展。生产原煤120.37万吨，同比提高15.2%，铁路外运121.41万吨，提高33.8%，实现销售收入13605.19万元，提高33.52%，上缴地方税费1914.36万元，提高34.65%。连续4年荣获市、县"突出贡献奖"和"模范纳税户"称号。

按照霍州煤电集团"十五"发展纲要，"十五"期间，洪洞矿区将成为霍州煤电的主要发展区域，矿井原煤生产能力将达500万吨，洗精煤产量达400万吨，并全部实现就地发运。洪洞焦煤股份有限公司按照现代企业制度要求推行全新的经营机制和管理模式，改制设立为山西汾河焦煤股份有限公司，实现上市融资。

临汾市什林煤矿

地　址：霍州市退沙街道办退沙沟
电　话：0357－5675071
邮　编：031400
矿　长：张忠兴

兴建于1957年，临汾市直属企业。现有职工1100名。井田属霍西煤田什林井田，矿井储量丰富、煤质优良、适宜开采、运输方便。煤田总面积为9平方公里，地质储量5300万吨，井下可采煤层为三层，即2#、10#、11#，现采层为2#煤层，属低硫肥煤。目前矿井开采方式为平峒一暗斜井盘区开采，基本具备比较完善的矿建、生产和质量装运保证体系。企业有三大优势：1.有4.1公里铁路专用线、两个发煤站台，产品经发煤站和铁路专用线可运往全国各地；2.煤质优良、销路甚广。现生产的2#低硫肥煤，发热量在7000大卡以上，销往华中、华东和华北等地；3.拥有年入洗能力10万吨的洗煤厂一座。按照"内抓管理、外拓市场、内强素质、外树形象"的工作思路，精诚团结、务实进取、开拓创新、奋力攻坚，取得了良好的经济效益，连续3年圆满完成上级下达的各项经济指标任务，连续5年安全生产无事故。

乡宁县毛则渠煤炭有限公司

地　址：乡宁县西坡镇

电　话：0357－6866419
邮　编：042100
总经理：张欢虎

前身系乡宁县国有毛则渠煤矿，1998年改制为国有独资煤炭有限公司。年开采能力120万吨。井田面积13.03平方公里，属河东煤田王家岭精查勘探区，2#煤层，地质储量7416万吨，可采储量4100万吨。下属三个坑口，即老口、新口、接替口和一个60万吨洗煤厂。干部职工1400余人，固定资产8000万元，生产规模、机械化开采水平和企业经济效益在临汾市地方煤炭工业企业中位居第二，是乡宁县骨干企业之一。2000年原煤产量90万吨，销售收入1.2亿元，利税4597万元，坚持“科技兴企，创新兴企，创新强企，管理固企”的经营理念，与时俱进，构筑企业发展的更高平台。投资3000余万元，在接替井上马机械化综采工程，启动新建60万吨焦化厂设计、立项和前期准备工程，形成120万吨原煤生产能力——60万吨洗煤能力——60万吨焦化能力的产业链条。

洪洞县煤炭运销公司

地　址：洪洞县西环路9号
电　话：0357－6226116
邮　编：041600
经　理：刘恒飞

洪洞县煤炭运销公司隶属山西省煤炭运销总公司临汾分公司。有干部职工600多人，下辖有赵城煤焦集运站、洪洞煤焦集运站、吉家山煤矿、沙坪煤矿、河北煤矿、恒富第一洗煤厂、第二洗煤厂、恒富焦化厂、恒富金属结构厂等，资产超过2个亿，负债率54%。年铁路发运量70万吨、公路出省煤焦30万吨，上缴煤炭专项基金3000万元，上缴县财政预算外收入1500万元，职工年均收入达8000元。

洪洞公司正在朝着“资产多元、产品多样、管理多级、优势互补、发展一体”的方向发展，不久将成为槐乡大地上又一个实力雄厚的大型企业集团。

洪洞煤焦集运站

地　址：洪洞县西门外
电　话：0357－6235332
邮　编：041600
站　长：田迎光(临汾市首届“青年杰出人才”)

1986年投入运营，年设计发运能力60万吨，固定资产2000万元，集生产、储存、运输、经销于一体的中型企业。坚持管理是主题，人才是根本、质量是生命、服务是宗旨，用户是上帝、效益是目的经营理念，聚精会神搞发运，一心一意谋发展，累计发运煤炭250多万吨，上缴税金7000余万元，上缴专项基金7000余万元，有力地支援了地方和国家经济建设，先后被中共临汾市委、市政府授予“文明单位”、“精神文明建设百佳单位”、“双文明单位”；被山西省煤炭运销总公司授予“双文明单位”等荣誉称号。

化　工

山西焦化集团有限公司

地　址：洪洞广胜寺
电　话：0357－6626380
邮　编：041606
董事长：薛佩珍

山西焦化集团有限公司是一个对煤进行深加工，集采煤、洗煤、炼焦、化工、化肥、水泥和投资网络科技、对外参股等为一体的国有大型一档企业，是国务院确定的520户国家重点企业和山西省重点发展的优势企业之一。公司占地面积214公顷，职工6500余人，现有17套主要生产装置，生产50余种产品。自1985年以来，累计实现利税64090.72万元，年均增长25.92%；累计上缴利税67007.07万元，年均增长29.91%；资产总额由1.72亿元增加到25.88亿元，增长14.05倍；出口创汇累计达12648.79万美元。1997年和2000年公司在全国焦化行业率先通过 ISO9002 质量体系认证和 ISO14001 环境管理体系认证。“四·三兴厂之道”做为国有企业成功的管理经验，被收入《中国企业管理科学案例库》。所控股的山西焦化股份有限公司上市后 4 次募集资金 5.5 亿元，用最短的时间建成 90 万吨/年焦炉易地改造工程。先后合资建设北营钢铁（集团）有限公司，设立临汾洗煤有限公司、临汾建材有限公司、上海惠焦网络科技有限公司，合作建设古县相力二矿、古县老母坡煤矿、孝义孟南庄煤矿及 3 个选煤企业。被列为省“十五”期间重点工程的 30 万吨/年煤焦油加工改造项目开工建设，150 万吨/年焦炉扩建项目被列入第三批国家重点技术改造“双高一优”项目导向计划，12 万吨/年甲醇项目正在积极筹备，300 万吨/年洗煤厂项目已列入议事日程。先后荣获“全国‘五一’劳动奖状”、“全国思想政治工作优秀企业”、“全国现场管理先进企业”、“全国环境保护先进企业”、“全国质量管理先进企业”、“中国质量、服务、信誉 AAA 级企业”和“山西省最佳企业”等荣誉称号。

公司“十五”及中长期发展规划是：到 2010 年，将形成 500 万吨/年原煤、500 万吨/年洗精煤、500 万吨/年焦炭、30 万吨/年煤焦油加工、30 万吨/年甲醇、2 万千瓦发电的生产规模。届时，一座年销售收入 53 亿元，年实现利税 14 亿元，利润总额 9 亿元，总资产达 76 亿元的具有国际竞争力的特大型焦化基地将矗立在三晋大地！

霍州市化学工业有限公司

地　址：霍州市什林镇
电　话：0357－5672029
邮　编：031400
董事长：池化民

前身系霍州市化学工业公司。1999 年 7 月整体改制，组建为国有控股公司，主要股东有霍州市国有资产管理局、山西省经济建设投资公司、霍州市化学工业有限责任公司职工合股基金会。下属：化肥厂、焦化厂、水泥厂、煤矿、塑料制品厂、化工机械厂 6 个生产单位。主要产品生产能力：尿素 20 万吨、机焦 20 万吨、水泥 8 万吨、原煤 5 万吨、塑料编织袋 400 万条。公司总资产 4 亿元，其中，固定资产 3 亿元，净资产 1 亿元，注册资金 7751 万元，职工 2000 人，为国家中型一类企业。先后荣获山西省五一劳动奖章、两次荣获山西省模范单位称号，为山西省重合同守信用单位，主产品霍邑牌尿素两次荣获山西省名牌产品，山西省消费者协会推荐的可信产品。霍邑商标为山西省著名商标。

交　通

山西汽运集团临汾汽车运输有限公司

地　址：临汾市向阳路 1 号
电　话：0357－2012991
邮　编：041000
总经理：邱水阳

公司为山西省汽车运输集团与职工合股基金会共同投资的以货运、客运、汽车修理为主的道路运输企业。总资产 15000 万元，各类车辆 1600 余辆，客运线路 110 条，从业人员 2400 余人，年营业收入 12000 万元。公司下属货运分公司、客运分公司、临汾临运汽车销售服务有限公司、临汾晋运汽车经销服务有限公司、临汾尧光神龙汽车服务有限公司、运鑫出租公司等 10 个经营单位 11 个客运汽车站。公司拥有雄厚的技术力量及先进的生产设备，确保了服务的高质量。公司始终坚持发展是硬道理的经营理念，以市场为导向，发扬“团结、求实、开拓、争一流”的企业精神，以网络化经营和产业升级促进规模发展，初步形成货运、客运与汽车修理三大基地。不断提升“满意在临运”服务品牌。

临汾市宏通工交总公司

地　址：临汾市解放东路84号
电　话：0357－3016546
邮　编：041000
总经理：吉天星

其前身是1971年组建的临汾汽车运输公司保养厂。1972年7月分离成立“临汾地区汽车修配厂”。1986年改名为“临汾地区汽车运输公司”。1999年1月更名为“临汾地区宏通工交总公司”。占地面积28333平方米，建筑面积11123平方米，现有职工346人。各级各类工程技术人员65人，拥有固定资产1680万元。有6个经济实体：临汾交通机动车驾驶员培训学校、临汾汽车综合性能检测中心、交通部电视中专学校山西分校临汾工作站。主要生产经营设备有260台套，可进行各种类型汽车驾驶员培训、汽车综合性能检测、汽车大、中、小修、双燃料汽车改装、交通物资供应、汽油、柴油、石油液化气经销、大、中专班教学培训。2001年5月，公司建成临汾市首家汽车双燃料油气供应站，为节能降耗，保护城市环境走出一条新路。年底产值实现860万元，年利税实现122万元，职工收入7200元，创历史最好水平。

电　力

尧都区供电支公司

地　址：解放东路38号
电　话：0357－2192155
邮　编：041000
总经理：王　雷

尧都区供电支公司（原临汾市供电局）成立于1967年元月1日，全局共有职工328人，下设1室、1所、6股及多经企业供用电工程公司。拥有固定资产总额16236.04万元，110KV泊庄变电站1座、35KV变电站10座；各类电压等级输电线路1721公里；各类配电变压器3142台，供电面积1341平方公里、人口70万，年售电量历史上最高完成6.212307亿KWH。尧都供电局全体员工，深入开展“让政府放心、让群众满意”、“山西电业为山西、尧都电业为尧都”等一系列活动，完善健全客户服务系统及管理制度，创立组建了“110联动快速反应小分队”，实行24小时全天候值班，公开服务承诺，规范、优质、方便、真诚地为客户服务，为地方经济发展和人民生活水平的提高做出应有的贡献，多次受到上级主管部门及地方政府的表彰。

市　政

临汾同世达实业有限公司

地　址：临汾市河西工业区汾河办事处
电　话：0357－3058536
邮　编：041000
董事长：杨怀旺

临汾同世达实业有限公司成立于2001年5月8日。是临汾市煤炭气化公司淘汰落后焦化工艺，兼并原国营临汾市果树场成立的股份制企业。占地面积200余公顷，分为工业区和园林区两部分。工业区以生产优质捣固焦炭为主产品，规划建设年产焦炭280万吨，辅以城市供气、焦油、苯等化工产品；园林区主要以开发、种植花卉苗本为特色，形成以工带农、以农促工的发展格局。现有职工553人，中高级专业技术人员35人。日供煤气20.43万立方米，销售收入1.89亿元，利税6716万元。建成符合国家产业政策国内最大的TJL350D型侧装煤捣固焦炉，并创造了5项全国第一：

1. 国内首座TJL4350D型，炭化室高4.3米、宽500毫米的侧装煤捣固焦炉。技术水平处于国内领先地位，具有原料范围广、生产成本低、产品质量高等优点，主要特点是能利用劣质煤生产优质焦炭。2. 国内首家炉顶消烟除尘车一车两用，彻底消除了装煤、推焦过程中的废气、烟尘，取得良好环保效果。为焦化行业环保治理起到示范作用，受到省、市领导及专家的一致称赞。3. 首家使用国产粉碎细度≤3毫米的粒度占85%以上，生产能力达400吨／小时的大型粉碎机，并一次试机成功，突破制约捣固工艺粉碎细度要求的瓶颈。4. 首家使用国产全自动控制7机21锤固定连续捣固机。5. 国内首家采用4.3米捣固焦炉成饼装煤推焦车。同世达公司首座大型捣固焦炉的成功投产，实现了传统焦化产品的升级改造，标志着我国捣固炼焦工艺技术和设备水平提高到一个新台阶，成为我国焦化工业发展史上的一座里程碑。

洪洞县自来水公司

地　址：洪洞县府前街24号
电　话：0357－6222178
邮　编：041600
经　理：郭马儿

成立于1972年，现有职工150余名，拥有固定资产469万元。公司领导班子成员精诚团结，锐意进取，大胆创新，勇于开拓，带领公司员工为满足城市日益扩大的用水需求，2000年10月进行城市供水管网改造，工程以广胜寺霍泉为水源头，从广胜寺镇至大槐树镇铺设球墨铸铁管道17.8公里，并在广胜寺镇东安村兴建水厂一座，内设1500立方米的调压蓄水池两座，占地面积4211.6平方米。洪洞县城市配水管网改造工程即将启动，彻底改造旧城配水管网，做到一户一表，水表入户，抄收到户的先进管理模式，供水普及率达到90%以上，日供水量也将从4000吨扩大到1.95万吨，洪洞县的供水事业将迈上一个新的台阶。

金　融

霍州市农村信用合作社联合社

地　址：霍州市鼓楼东街87号
电　话：0357－5625176
邮　编：031400
主　任：李俊跃

1985年成立，是经中国人民银行批准的合作金融机构。下设11个农村信用社，1个营业部，2个分社，11个储蓄所，93个信用代办站，共有员工198人。联社机关内设四部一室，业务部、财务部、营业部、稽保部、办公室。主要经营存款、贷款、居民储蓄及中国人民银行批准的其它业务。机构网点遍布霍州市城乡，服务于霍州市7个乡镇、5个街道办事处、217个行政村、296 个自然村。霍州市农村信用联社定位农村市场，认真实施“四大战略”，继续深化“四项工程”，以“千村信用工程”为龙头，以“形象工程”为突破口，以创建“人本工程”为动力，以“样板工程”为基础，强化管理，改进服务，深入农户，现场放贷，大力推行农户小额信用贷款和多户联保贷款等金融特色产品，有效的解决农民贷款难的问题，充分发挥支农主力军和联系农民金融纽带的作用。

保　险

中国太平洋保险股份有限公司临汾中心支公司

地　址：临汾市体育北街41号
电　话：0357—2113006
邮　编：041000
总经理：庞培德　经济师

中国太平洋保险（集团）股份有限公司成立于1991年4月，是我国第一家国有股份制商业保险公司，总部设在上海。

中国太平洋财产保险股份有限公司临汾中心支公司是太保公司设在临汾市地辖支公司，公司负责对临汾17个县（市、区）的业务发展与管理，已成为辐射全市的保险市场主体之一。公司组建了 3 个中心，6 个营业部、1个办公室，为打开临汾市保险市场做出了有益的贡献。将开创太保产险临汾中心支公司新的里程碑。业务范围涉及人民币和外币的各种财产保险、机动车辆保险、责任保险、建安保险、货运险、法定保险，代理外国保险机构办理对损失的鉴定及理赔业务和经中国保监会批准的其他业务。

科　研

小麦研究所

地　址：临汾市幽并路 33 号
电　话：0357－2212659
邮　编：041000
所　长：张定一(研究员，硕士研究生导师，山西省劳动模范)

始建于 1948 年，是山西省农科院下属的以小麦研究为优势学科，玉米、小杂粮、蔬菜、果树、中药材和畜牧等为支撑学科的综合性农业科研单位。附设有临汾科正种业公司、临汾汾河种业公司、农业科技开发中心和果菜中心等经济实体，代管山西省农科院隰县农业试验站，占地 133.5 公顷。职工 410 余名，其中研究员 4 名，副研究员 38 名，山西省优秀专家 1 名，有突出贡献专家 5 名，硕士研究生导师 6 名，主要从事作物遗传育种、栽培生理、高产、优质、高效技术、杂交小麦、生物工程、植物保护、土壤耕作、设施农业、园艺花卉、旱地农业、畜牧兽医、玉米、棉花、豆类、苗木、信息技术等方面的研究与开发。建所以来，共取得科研成果 181 项，其中国家级奖励 3 项，省（部）级奖励 95 项。

学　校

山西省曲沃中学校

地　址：曲沃县南大街
电　话：0357－4522177
邮　编：043400
校　长：郭　簃

曲沃中学由明代的养济院、清代的贡院、从教书院、绛山书院、乔山书院相沿至今。虽经时代变迁，兵燹战乱，校名迭易而校址始终未变。且学风卓荦，人才辈出，更因顾炎武、傅山曾在此讲学而名扬华夏九洲。1943 年 7 月更名为山西省曲沃中学校，建国之初即为省立重点中学。1984 年省教育厅重新确定为首批重点中学。曾荣获“山西省民主管理先进学校”、“山西省文明学校”、“山西省体育传统项目学校”等称号。

学校占地面积 117549 平方米，建筑面积 25400 余平方米。有教职工 180 人，其中特级教师 7 人，高级教师 32 人，全国模范教师 3 人，省级学科带头人、骨干教师 8 人，地级学科带头人 15 人。有 42 个教学班，近 3000 名学生。

以校长郭簃为核心的领导班子，与时俱进，承传创新，确定“创中华名校，塑中华名师，育中华英才”的办学宗旨和“夯实发展的基础，铸就健全的人格，打造腾飞的双翼——培养有中国灵魂全球意识的现代人”的培养目标。求质量，创品牌，办特色，教育教学质量近 20 年来稳步上升。2000 年高考达线率名列全市第一，2001 年高考本科达线 180 人，比上年增加 13 人，其中达重点大学录取线人数为 84 人，比上年增加 24 人。目前学校已与石家庄二中、北师大二附中、成教七中、江苏常州中学、香港新亚中学等 20 余所学校结为友好学校，互通互联，共谋发展。

霍州市第一中学

地　址：霍州市关岳巷
电　话：0357－5622120
邮　编：031400
校　长：刘建基　　中学高级教师

1948 年建校，前身系霍县师范学校，1954 年改为初级中学校，1958 年开始招收高中班成为完全中学，1971年恢复高中招生，1983年改名霍县第一中学，1989年县改市后改称霍州市第一中学。经过多年发展，现已成为一所16轨制的纯高中学校，有教职工180名，高级教师17名，在校学生2800人，学校占地面积3.33公顷，建有标准化的教学楼、实验楼、公寓楼和办公楼，图书、实验、电教、体育等各种教学设施齐备。学校以“办现代化学校，育素质型人才”为目标，以“质量、管理、教师”为具体工作指导思想，全面推进素质教育，全面加强质量管理，加快基础设施建设和信息化建设，积极应对教育质量竞争加剧的挑战。1994年以来，学校高考大专达线人数连续多年在临汾市名列同类学校第一，荣获临汾市“高中教学质量综合评估一等奖”，被命名为“山西省文明学校”。

襄汾中学

地　址：襄汾县文卫街27号
电　话：0357－3622333　3625068
邮　编：041500
校　长：张杨管

襄汾中学是一所十二轨制的全日制普通高中，现有40个教学班，在校学生2300余人，有专任教师123人，其中全国优秀教师2人，中高级教师72人，省、市优秀教师、学科带头人、骨干教师46人。学校先后荣获“山西省德育示范校”、“山西省文明学校”、“山西省绿色学校”、“山西省电教实验学校”等荣誉称号，被临汾市教育局确定为“十五”期间重点发展的高中和首批现代化学校之一。襄汾中学注重待遇留人，坚持教师待遇的提高和教学条件的改善并重，教师待遇逐年大幅度提高，学校为每户教师补贴1500元购置电脑，先后有70余户教师配备了家庭电脑。教师的住宿、办公条件得到大幅度改善，学校投资500余万元新建成1700平方米的综合楼1幢，1000平方米的公寓楼2幢，3000平方米的教工宿舍楼2幢。投资200余万，新建成一个设备先进的多媒体室、20台电脑的电子备课室、两个“50＋1”的电脑教室，装备远程同步教学网，开通了因特网，加上原有的多功能演播厅，校园电台、电视台、音乐室、画室，已初步具有现代化的教学设施。2001年学校大学本科达线人数205人，600分以上特优生6人，应届生柴甲旭以数学满分150分的特优成绩，名列数学单科全省第一名，临汾市教育局授予襄汾中学“教学质量优”、“文史类英语学科优”、“理工类语文学科优”等荣誉称号。

乡宁县第一中学

地　址：乡宁县振兴路17号
电　话：0357－6822557
邮　编：042100
校　长：梁建法

创建于1949年，学校位于县城西端的鄂河岸畔，毗邻“结义庙”古建筑群，依山傍水，风光宜人。占地2公顷，建筑面积18000平方米。现有教学班26个，教职工126名，在校生1600余名。学校拥有一支结构合理、德艺双馨、经验丰富的教师队伍。50%的教师具有中级以上职称，高级教师9名。国家级优秀教师2名，省、市“学科带头人”、“教学能手”、“模范班主任”、“优秀教师”30余人。学校建有校园演播系统，双向控制闭路电视系统，“四机一幕”配置到每个教室，开通了远程教学同步网和因特网，各种教育资源达到了共享，极大地丰富了课堂教学内涵；装备一新的多媒体教室、语音室、微机室、教师课件室，功能齐全的理、化、生实验室，标准的篮球场、羽毛球场，藏书50000余册的图书室，拥有报刊、期刊200余种的阅览室，设备先进的音乐室、舞蹈室，宽敞明亮的学生餐厅等设施。努力实践“普通高中为普通百姓，普通高中力创非普通成绩”办学宗旨，各方面工作取得了令人瞩目的成绩，荣获省“德育示范学校”、“文明学校”、“新课程试验先进学校”、市“高中教学质量优胜奖”、“综合治理先进单位”、“乡宁名校”等荣誉称号。2001年高考又创历史新高，本科达线48人，本专科共录取281人，应届生张茹、张亚杰分别以 599 分、579 分的高分考赢了本县当年正式录取到省重点高中的所有学生，校达线率位居全市上游水平，综合评估名列全市同类校第一。

乡宁县第二中学

地　址：乡宁县体育场旁
电　话：0357－6822559
邮　编：042100
校　长：闫利民

创建于 1978 年，现有 34 个教学班，130 余名教职员工，2300 余名学生。2001 年学校建成高标准实验楼，装备了化学、物理、生物实验室各 2 个，微机室 2 个，多媒体教室 1 个，与计算机区域网和交互式双向闭路电视教学系统，组成快捷、方便、大容量的校园信息网络。学校坚持正确的办学理念，以培养学生健康的心理，良好的行为和正确的价值观为德育教育的着眼点，构建起现代化教学网络。创造性的提出“先学后教，分层优化，整体提高”的 12 字教学方针，把课堂教学定位于“预习——质疑——导学——解疑”的思想方法上。摆正了学生的主体地位，着力培养学生主动学习的能力和习惯，全面提高学生的学习质量。2001 年中考再创新高，600 分以上学生 3 人，实现了山区县零的突破。学校被确定为中国广播远程教育网“典范实施单位”，荣获“科教兴国、信息工程”活动的“模范实施单位”、“山西省德育示范校”、“山西省文明学校”、“实施素质教育优秀中学”、“‘九五’科研先进单位”等称号。

汾西县第一中学

地　址：汾西县东大街
电　话：0357－5125290
邮　编：041502
校　长：马林忠

创建于 1952 年，占地面积 46600 平方米，系山西省文明学校，现有教学班 30 个，其中高中班 22 个，初中班 8 个，教职工 164 人，其中专任教师 118 人，中教高级 7 人，中教一级 50 人，中教二级 66 人，高中教师学历合格率 65%，初中教师学历合格率 100%，有全国优秀教师 2 人，省级优秀教师 8 人，市级优秀教师和教学能手 21 人，在校学生 1715 人，有教学楼 2 幢，学生公寓 2 处，多功能大厅 1 个，办公楼 1 幢，教工宿舍楼 4 幢，学校配有现代化的闭路双控教学系统和多媒体计算机教室、程控内部电话网络，远程教育系统和标准理化生实验室，图书馆藏书 3 万余册，订阅报刊杂志 160 余种，图书阅览全天开放，可供 200 人同时阅读，教学区实行封闭式管理，学生住宿公寓化管理，师生就餐食堂制管理。学校确立“面向全体，狠抓质量，全面育人，整体发展”的办学思想，大力改善办学条件，内强素质，外树形象，强化教学常规管理，制定和完善了一系列规章制度，对品学兼优和家庭特困的学生给予优惠政策，并对期考、高考重奖。2001 年高考大专以上录取 165 人，中考达临汾一中、临汾三中录取线 8 人，市、县教育局组织的各项考核均成绩较好，被评为市级文明单位。

洪洞县育才学校

地　址：洪洞县美食城三楼
电　话：0357－6220082
邮　编：041600
校　长：刘林兆

1993 年秋季创办，前身是洪洞虹光学校，1998 年更名为洪洞育才学校。设初中和小学，学校师资力量雄厚，教学管理经验丰富。学校的创办人刘林兆校长由于教学和管理上成绩突出，被调任为县教育局局长。由于教育发展的需要，育才学校又在城关的后坡底村新建了一所集小学、初中、高中为一体的现代化学校，为洪洞的教育事业做出了更大贡献。

解放路小学

地　址：临汾市解放西路

电　话：0357－2111215
邮　编：041000
校　长：李敏才

1919年创建。其前身是“省立第六师范附属小学”，原址在临汾城区鼓楼东大街东岳庙，6个教学班200余名学生，10名教职工。1948年5月扩建更名为“临汾县第三完全小学”，1955年3月被晋南专署定为重点小学。1956年初改名为“中街小学”。1956年8月政府拨款在解放西路北侧建起了96间土木结构的瓦房，总建筑面积为1800平方米，学校改名为“解放路小学”为六年制四轨小学，1200余名学生，60余名教职工。“文革”期间，学校改名为“解放学校”。1969年初，改为七年制学校，新建校舍1000平方米，一至五年级为小学段，有学生1800余名；六、七年级为初中段，共设6个班，有学生250余名，全校教职工80余人，1980年秋季校名恢复为“解放路小学”，当年起开办了两个学前班，接受学前教育的儿童110名。学校现有4000余名学生，170名教职员工。

学校坚持以“规范管理创特色，全面发展育特长”为指导，响亮提出“张扬人文个性，打造教育品牌”的办学理念，逐步发展成为闻名三晋大地的示范学校。学校先后荣获“全国先进少年军校”、“全国青少年科普创新示范学校”、“中国少年儿童信息研究基地校”、“山西省德育示范学校”、“山西省精神文明学校”、“山西省模范职工小学”、“临汾市四化学校达标单位”等称号。

翼城县北关示范小学

地　址：翼城县新华街24号
电　话：0357－4922450
邮　编：043500
校　长：秦学科

始建于1964年，系山西省示范小学。学校位于县城中心，占地1.4公顷，现有教学班48个，在校学生3019名，教职工140人，专任教师中112人具有专科、本科学历。学校拥有先进的教学设施，电化教学室，电脑教室，电视演播室，音、体、美等专用教室一应俱全。优良的学习环境，完备的教学设施与丰富多彩的校园文化，给学生以高素质的熏陶。该小学把“学校有特色，教师有特点，学生有特长”做为办学目标，教育教学质量显著提高。近年来，该校学生先后参加了国家、省、市举办的各种竞赛活动，有263人获奖，学校少儿花鼓队曾先后4次到太原、拉萨、北京、天津参加全国性舞蹈大赛，获金奖或一等奖，学校被省命名为“文明学校”、被地区命名为“四化达标学校”，连续多年被县评为红旗单位。全校学生的入学率、巩固率、合格率连续十年100%。“百尺竿头，更进一步”，北关小学将以崭新的风貌，行进在实施素质教育的征程中。

乡宁县东街小学

地　址：乡宁县大礼堂后
电　话：0357－6822562
邮　编：042100
校　长：郑天锁

乡宁县东街小学是一所省级示范小学，创建于清乾隆元年（1736年）。为乡宁人才的培养做出重大贡献。学校占地6667平方米，总建筑面积3656平方米，24个教学班，1549名在校生，63名教职工。近年来，现代教育信息技术装备日趋完善，网络教学逐渐渗透，图书仪器一流配备，教师结构较为合理，为实施素质教育奠定了坚实的基础，教育教学质量名列该县前茅。教师中有省、市学科带头人、骨干教师7人；乡宁名师3人；35人获得省、市、县各类教学赛讲能手奖；5篇论文获国家级优秀论文一等奖、100余篇优秀论文分别发表于省、市、县各级专业报刊杂志上。学校先后被省、市、县授予“山西省文明学校”、“山西省小学英语课程教材改革——实验校”、“临汾市文明学校”、“乡宁县文明单位”、“乡宁名校”等荣誉称号。学校少先大队部被省、市授予“雏鹰大队”。

乡宁县西街小学

地　址：乡宁县南环路 81 号
电　话：0357－6822564
邮　编：042100
校　长：王登明

创建于 1950 年，1990 年由旧校址迁至现址，占地面积 6600 平方米，1995 年投资 120 多万元，兴建一幢能容纳 24 个教学班的教学楼，并建有图书室、仪器室、文体活动室等，配备双向闭路教学系统和微机 35 台。现有教职工 54 人，国家级教师 2 名，省级教学能手和学科带头人 5 名，地级教学能手和学科带头人 8 名，县级教学能手 13 名。学校以素质教育为核心，以培养“四有”新人为宗旨，创办特色学校，深化教育改革，全面提高教学质量，立足于人的全面发展，积极培养学生的自主探索能力和各种良好习惯。开展一系列音、体、美兴趣活动，培养学生的个性特长。涌现出省、地、县“三好学生”、“十佳少年”百余名。1999 年以来，学校相继被评为县、市级文明学校，山西省英语课程改革实验校，县级和市级德育示范学校，临汾市“四化”学校和山西省级文明学校。

临汾市幼儿园

地　址：临汾市体育北街 12 号
电　话：0357－2012374
邮　编：041000
园　长：赵香梅

1948 年建园，临汾市教育局直属，首批省级示范幼儿园。现有大中小 12 个班，幼儿 500 余名，教职工 59 人，教师 38 名，其中本科学历 6 人，大专学历 26 人，保教人员学历全部达到国家要求。园内设有多功能活动室、音乐舞蹈室、美术室、图书室、资料室、电教室、标准化会议室、医疗室、洗衣室、档案室等。班班配有钢琴、录音机、闭路电视、空调、消毒柜等设施，是一所环境整洁优美、师资力量雄厚、设备齐全、教育教学规范的现代化幼儿园。该园是临汾市幼教改革的窗口和教研师资培训基地，曾多次受到各级领导表彰，多次接待幼教同行参观、学习，为全区幼教改革的发展和幼儿素质教育的全面实施起到示范带头作用。1994 年承担中央教科所史慧中教授主持的《适合中国国情，全面提高幼儿素质》实验，此后，根据幼儿身心发展的规律及特点，围绕素质教育开展一系列的尝试与探索，取得可喜的成绩。被省教委评为教科研先进单位。

医　院

临汾市肿瘤医院

地　址：尧都区城北
电　话：0357－3080114 转 8888
邮　编：041000
院　长：翟强

1985 年建院，隶属于临汾市卫生局，是一所全民所有制专科性医疗卫生机构。医院占地面积 9933 平方米，建筑面积 8200 平方米。开设床位 100 张，职工 101 人，中级以上专业技术人员占职工总数的 55%。临床科室设有放疗科、内科、妇科、外科；医技科室有药械科、检验科、影像科、病理科、腔镜室等。主要业务是：卫生宣传、癌症预防、防癌查体、康复随诊、治疗研究等。医院医疗设备完善，拥有最新的同中心回转式 ^{60}钴照身治疗机、^{192}铱腔内治疗后装机、SL－Ⅰ型模拟定位机、300mAX 光机等大型设备，全套病理切片设备、先进的检验设备、胃镜、红外线乳腺诊断仪、肺功能检测仪等。近年来，食管内支架的应用大大改善了晚期食管癌所致食管狭窄和食管——气管瘘等严重并发症的治疗现状，支架置入术后可立即恢复病人进食功能，提高生存质量，是该院治疗癌症一大特色。现建成 3700 平方米门诊住院楼，极大地改善了患者诊治条件，使患者能在更舒适的环境中休养。办院宗旨是：一切方便患者、一切为了患者、一切服务于患者。

在各级政府和社会各界的大力支持下，在整体规模、医疗水平、基本设施、医疗设备、科学管理、服务质量等方面都取得长足发展，在社会上享有较高声誉。

霍州市人民医院

地　址：霍州市鼓楼东街 195 号

电　话：0357-5622051　5610172

邮　编：031400

院　长：王前进

初建于 1947 年，是一所集医疗、教学、科研为一体的综合性二级医院。现有床位 220 张，日门诊量平均 200 余人次。高中级职称专业人员 100 余人，初级职称专业人员 160 余人，专业人员占全院总人数的 90%。临床科室有内科、老干科、普外、胸外、脑外、泌尿外科、烧伤外科、骨科、妇科、儿科、急救中心、中医科、中西医结合科、五官科、手术麻醉科；医技科室有功能科、检验科、放射科等。主要医疗设备：美国 CT；日本 X 光诊断系统、B 超；国产彩色颈颅多普勒诊断机；高压氧舱；全套自动、半自动检验设备；救护车等大型医疗设备 180 余台件。医院以“一切为了病人、一切方便病人、一切服务病人”为指导，以“医疗质量好、服务态度好、病人花钱少”为目标，全心全意为患者服务，取得社会效益和经济效益双丰收。

临汾市精神病医院

地　址：山西临汾市尧庙乡政府北侧

电　话：0357－2591393

邮　编：041000

院　长：陕绍宁

1999 年 9 月由襄汾县赵曲村搬迁到临汾市尧庙。是市卫生局直属的专科医院，全市精神疾病防治及科研教学指导中心。该院以中医药治疗精神病为主，同时设有内、儿、妇、骨外、心理咨询及精神司法鉴定等科，诊疗手段独特，疗效显著，且不易复发，能“除枢”是患者接受治疗后的最真切评价。该院还开办独创的艺术矫正室，开全国“以人为本”治疗先河，患者在集参与音乐、绘画创作为一体的、独具特色的艺术室，心灵不仅得到净化，精神情绪也得到释放和解脱，此举受到中国音乐治疗协会的高度赞扬。以陕绍宁院长主持研制成功的纯中药治疗精神系列制剂“抗精丸”、“解郁丸”疗效显著，深受广大患者的欢迎。

附　录

重要文件

·临汾市市级党政机构改革方案·

根据《中共山西省委、山西省人民政府关于市县党政机构改革的实施意见》（晋发[2001]14 号）、《山西省机构编制委员会关于市县党政机构设置的意见》（晋编字[2001]8号）精神，结合临汾市实际，制定本方案。

一、改革的指导思想和原则

（一）改革的指导思想

适应社会主义市场经济发展的需要，有利于加强党的领导和促进政府职能的转变，有利于理顺各级政府、各部门之间的关系，有利于加强基层政权建设和各项基础工作，有利于精干公务员队伍，降低行政开支，减轻财政负担，提高工作效率。通过改革和精简，逐步建立廉洁高效、运转协调、行为规范的行政管理体制。

（二）改革的原则

1. 党委部门机构改革的原则

坚持党的领导主要是政治、思想和组织领导的原则。加强宏观管理职能，简化一般性具体管理事务，把工作重点放在党的大政方针和重要工作的督促落实上，更好地发挥各级党委在改革开放和经济建设中的领导核心作用。

坚持依党规定职能、按程序办事情的原则。理顺党委部门与政府部门、人民团体的工作关系。调整规划各部门的职责权限，使各部门的职能配置更趋合理。

坚持精简、统一、效能的原则。精简机构和人员编制，优化干部结构，改进工作方式，转变工作作风，提高工作效率。

2. 政府部门机构改革的原则。

按照社会主义市场经济和社会发展的要求，转变政府职能，实现政企分开、政事分开、政社分开。

按照精简、统一、效能的原则，调整政府组织机构，实行精兵简政。

按照权责一致的原则，调整政府部门的职责权限，明确划分部门之间的职责分工，相同或相近的职能只能由一个部门承担，解决多头管理、政出多门的弊端。

按照依法治国、依法行政的要求，加强行政管理体系的法制建设，把政府的行政行为纳入法制轨道。

按照因地制宜的原则，机构设置要充分考虑市、县政府区域经济调节的特点和功能，适应转变职能和完善社会主义市场经济体制的要求。

二、转变职能，理顺关系

市委各部门要按照便于集中统一领导、有效开展工作的要求，从合理调整职能入手，明确与政府部门、人民团体的职责分工；进一步解决各部门之间、部门内设机构之间存在的职能交叉、管理重复的问题。

市政府主要履行经济调节、社会管理和公共服务的职能，按照国家法律、法规和方针、政策，制定经济与社会发展战略和中长期规划，加强社会主义精神文明和物质文明建设，推动经济和社会健康发展。

根据上述要求，转变政府职能主要采取以下措施：

（一）积极探索国有资产管理的有效形式，把企业生产经营和投资决策权真正交给企业。

把社会可以自我调节与管理的职能交给社会中介组织，把应由市场承担的资源配置的职能交给市场，真正把政府职能转变到宏观调控、社会管理和公共服务方面上来。

（二）撤销工业专业部门一步到位，不留尾巴，不搞过渡。

解除政府主管部门与所办经济实体和管理的直属企业的行政隶属关系，并在人、财、物方面彻底脱钩。政府对国有重点企业的监管可试行建立稽察特派员制度或采取派出代表参加监事会的方式，也可以结合当地的实际探索完善企业监管的其它具体形式。

（三）合理划分事权，理顺条块以及行政层次之间的关系。

合理调整部门之间的职能，将相同或相近的职能交由一个部门承担。确需由几个部门共同承担的，要明确分工，分清主次，确定牵头部门，解决多头管理、政出多门的问题。在市与所辖区、县的关系上，属于城市规划、经济综合、基础设施建设、环境保护等事务，以市管理为主；城市的教育、科学、文化、卫生及社会服务，以区管理为主；城市建设等事务，实行统一领导，分级管理。市政府应进一步下放属于县级的管理权限，不要干预县级政府能够自行决定和处理的事务。在县与所辖乡镇的关系上，主要是调整县主管部门派驻乡镇机构的管理体制，能下放到乡镇的要坚决下放，以完善乡镇政府功能；实行乡镇与县主管部门双重管理的，应尽量以乡镇管理为主；对垂直管理部门设在乡镇的机构，要加强乡镇对这些机构的监督。

（四）要把行政审批制度的改革做为转变政府职能的突破口，以国家和地方的有关法律、法规为依据，对政府各部门现行的各项行政审批、审核、备案职能进行清理规范。

凡违反法律法规的审批事项，要坚决取消。即使有规定、有依据，但不符合现实情况的，也要重新审核。凡是不属于政府职能，或不应由政府直接管理的事项，也要予以取消；能精简的一定要精简，能下放的坚决要下放，能转移的一定要转移，该合并的一定要合并；可改为备案的，一定要改为备案管理；可由市场机制替代的，一定要通过市场机制来处理。确有必要保留的审批事项，也要建立健全监督制约机制，公开审批程序和结果，简化程序，减少环节，规定时限，提高效率，改进服务。要建立审批责任追究制度，对因审批不当造成严重后果的，要追究审批者的责任。正常审批事项，要实行政务公开，接受各方面的监督。市政府部门承担的行政审批事项要减少30%以上，在机构改革“三定”时予以落实。

（五）清理整顿行政执法队伍，改革行政执法体制。

根据本地实际情况，综合设置精干、统一的行政执法队伍，实行相对集中行政处罚权制度，规范执法范围和程序，健全、强化行政执法机制。坚持和完善“收支两条线”制度，使罚没收入与执法人员的利益彻底脱钩。

（六）对从企业分离出来的社会事务要逐步实行属地管理。

进一步改善投资环境，加强基础设施建设，维护市场秩序，搞好社区服务，充分发挥城市的中心作用和辐射功能。

三、市级党政机构设置

临汾市设置党政机构44个，其中市委机构11个，市政府机构32个，议事协调机构的办事机构1个。

（一）市委机构设置

市委设置纪律检查委员会和8个工作部门，另设2个部门管理机构。

具体设置如下：

1.纪律检查委员会机关（监察委员会与其合署办公）。

2.工作部门：办公厅、组织部、宣传部、统战部、政法委员会（社会治安综合治理委员会办公室与其合署办公）、政策研究室、机构编制委员会办公室、直属机关工作委员会。

3.部门管理机构：市委市政府信访局，由市委办公厅管理；老干部局，由组织部管理。

（二）市政府机构设置

市政府设置32个工作部门，另设议事协调机构的办事机构1个。

具体设置如下：

1.工作部门：办公厅、发展计划委员会、

经济贸易委员会、教育局、科学技术局、公安局、监察委员会（市纪律检查委员会机关与其合署办公，列入政府序列，不计政府机构个数）、民政局、司法局、财政局、人事局、劳动局和社会保障局、国土资源局、建设局、交通局、水利局、农业局（市委农村工作领导小组办公室与其一套机构、两块牌子）、林业局、对外贸易经济合作局、文化新闻出版管理局、卫生局、计划生育委员会、审计局、环境保护局、广播电视局、体育局、统计局、粮食局、外事旅游局（挂侨务办公室牌子）、物价局、文物局、民族宗教事务局、安全生产监督管理局（挂煤炭工业局的牌子）。

2.议事协调机构的办事机构：人民防空委员会办公室，为市国防动员会的常设办事机构，也是市政府人民防空工作主管部门。

市委市政府机构均为正处级建制，内设科级机构。

市公安局交通管理处（挂市公安局交通警察支队牌子）为市公安局的内设机构，保留原规格。

四、机构调整意见

为适应社会主义市场经济的要求，调整和优化市级党政机构的设置，强化发展市场经济急需的社会保障、资源管理和市场执法监督机构，根据晋发[2001]14 号文件精神，市级党政机构做如下调整：

（一）市委机构

农村工作领导小组办公室与农业局一个机构、两块牌子，不再保留农村工作委员会和农业委员会牌子。

机要保密局并入市委办公厅，为内设机构，挂市国家保密局牌子。

机构编制委员会办公室为市机构编制委员会的常设办事机构，既是党委的工作机构，也是政府的工作机构，列入党委序列。

（二）市政府机构

计划委员会更名为发展计划委员会；教育委员会更名为教育局；科学技术委员会更名为科学技术局；土地矿产资源局更名为国土资源局。

财金贸易委员会与经济委员会合并，组建经济贸易委员会，不再保留贸易局牌子。

在劳动局的基础上组建劳动和社会保障局。将人事局管理的机关事业单位社会保险、民政局管理的农村社会保险、各行统筹的社会保险以及卫生局管理的医疗保险等职能集中到劳动和社会保障局，实行各项社会保险工作的统一管理。

不再保留轻纺总会，其行业管理职能并入经贸委。

不再保留城镇集体工业总会，其行业管理职能并入经贸委，保留城镇集体工业联合社，为经济组织。

不再保留乡镇企业局，其行政职能划归经贸委和农业局。

不再保留煤炭工业局和煤炭安全监察局，以煤炭工业局为基础组建安全生产监督管理局，挂煤炭工业局的牌子。

不再保留经济技术协作办公室，其职能并入经贸委。

不再保留文化体育运动委员会，组建文化新闻出版管理局、体育局。

不再保留广播电视服务中心，组建广播电视局。

不再保留旅游局，组建外事旅游局，同时挂侨务办公室牌子。

不再保留农机局，行业管理职能划归农业局，组建农业机械发展中心，为市政府的直属事业单位。

不再保留经济体制改革委员会，组建经济发展研究中心，为市政府的直属事业单位。

撤销市直属事业单位对外经济贸易局（外贸总公司），组建对外经济贸易合作局。

撤销对外开放办公室，其职能并入有关部门。

撤销调整产业结构办公室，其职能并入发展计划委员会。

扶贫局（农业资源开发局）并入农业局，为内设机构，保留扶贫局牌子。

财政局不再挂国有资产管理局和会计管理局牌子。

派驻到各部门的纪检、监察机构也要随上

述机构的调整而调整、规范。

根据国发[1998]7 号文件精神，对市委、市政府的议事协调机构和临时机构进行清理整顿，除与省委、省政府对应设置外，其它一律撤销。

五、人员编制和领导职责

（一）人员编制

根据晋发[2001]14 号文件精神，临汾市市级行政编制重新核定为 1200 名。市级各类机关人员编制比例分别为：市委机关占 18%，政府机关占 70%，其它（含人大、政协、民主党派、工会、共青团、妇联机关）占 12%。

县（市、区）行政编制按 20%精简（街道办事处不精简）后，县级行政编制（含县级市和市辖区街道办事处编制）合计 5882 名，其中：尧都区 470 名，侯马市 536 名，霍州市 522 名，洪洞县 468 名，襄汾县 468 名，翼城、曲沃县均为 369 名，蒲县、隰县、永和、乡宁、古县、安泽、浮山、吉县、汾西、大宁县均为 268 名。

使用专项编制的政法部门，也要精简机关编制，充实一线和基层的力量，优化人员结构，提高队伍素质，同时要清理地方自定编制。

人大、政协、群团组织也要按照有关规定进行改革。

（二）领导职数

市委设常委 11 人，其中书记 1 人，副书记 3～4 人（含兼任市长的 1 名副书记）；市政府设市长 1 人，副市长 6 人（含非党 1 人）。

党政工作部门领导职数一般为 2～4 人，部门管理机构和议事协调机构的办事机构领导职数一般为 2～3 人，综合部门可增加 1～2 人。市委、市政府办公厅主任分别由市委、市政府秘书长兼任，副主任原则上由副秘书长兼任，不配备部门领导助理；政府机构除非党干部担任正职外，不配备专职党组（党委）书记。

根据工作需要，专业性、技术性强的部门可设少量的技术行政职务。

六、组织实施

机构改革工作涉及面广，政策性强，时间紧，任务重，难度大。为此，必须提高认识，加强领导，精心组织，周密部署。

（一）加强领导

市级党政各部门的一把手，是本部门机构改革的第一责任人，要在市委、市政府的领导下，亲自抓好机构改革的工作。机构编制部门要发挥好机构改革的牵头和组织协调作用，做好市级党政机构改革方案的落实和各部门“三定”方案的审核工作；组织人事部门要制定有关政策，认真做好人员定岗分流工作；财政部门要采取有效措施，防止国有资产流失；档案管理部门要做好机构变动单位的档案移交与管理工作；纪检、监察、审计等部门要对改革进行监督，严肃查处违纪行为。各部门要通力合作，密切配合，确保机构改革工作的顺利进行。

（二）严肃纪律

为确保机构改革顺利进行，必须严肃纪律，做到令行禁止。一要严肃组织纪律。凡涉及人员分流、资产处置、干部任免等重大问题，必须认真贯彻执行民主集中制的原则，坚持集体讨论决定；严禁突击进人，突击提干，严防借机构改革之机，以权谋私，拉帮结派，排斥异已，打击报复。二要严肃财经纪律。禁止借机构调整变动之机，违章调度资金、转移资产、私分钱财、公款消费，防止国有资产流失。三要严肃纪律。加强公文、资料和印章管理。四要严肃机构编制纪律。严格执行省委、省政府《关于强化机构编制管理严格机构编制监督的意见》（晋发[2001]8 号），凡违反规定擅自设立机构、自行增加编制、超编进人、超配领导职数的，各有关部门要按照管理权限从严查处，同时要逐步建立机构编制管理与财政预算管理相互配套协调的约束机制。

（三）切实加强思想政治工作

机构改革涉及广大机关干部群众的切身利益，各部门要认真做好思想政治工作，注意掌握广大群众的思想动态，有的放矢地做好思想政治工作。要把提高干部群众的政治觉悟同积极解决干部群众的困难和问题结合起来，教育引导广大干部群众识大体、顾大局，正确对待个人的进退去留，正确处理国家、集体和个人三者的利益关系，自觉服从组织决定和安排。在机构改革中，各部门务必做到思想不散，秩序不乱，人员妥善安排，国有资产不流失，工作正常运转。

（四）认真做好人员分流工作

市级党政各部门要按照精简的要求，一次性定编定岗，3 年内完成人员分流任务。实行财政统一发放工资后，对定岗人员与分流人员要分类发放。要把精简人员编制，减少领导职数与深化干部人事制度改革、完善公务员队伍制度结合起来，通过定编定岗、竞争上岗和岗位轮换等途径，实现机关干部有进有出，能上能下，优化队伍结构，提高整体素质。要根据“带职分流、定向培训、加强管理、优化结构”的原则，积极探索人员分流的途径和渠道，做好临时借调人员的清退工作。

鉴于尧都区因市政区编制偏紧，分流任务较重，临汾市要适当吸纳尧都区符合条件的人员。

（五）时间要求

7 月底基本完成市级党政机构改革。

附：

根据 5 月 10 日省编委会议精神，对《临汾市市级党政机构改革方案》有关内容做如下调整：

一、原方案“设常委 11 人”调整为“市委设常委 12 人”。

二、原方案“不再保留煤炭工业局和煤炭安全监察局，以煤炭工业局为基础组建安全生产监督管理局，挂煤炭工业局的牌子”调整为“不再保留煤炭工业局和煤炭安全监察局，行政及行业管理职能划归经贸委”。以煤炭工业局为基础组建安全生产监督管理局，挂煤炭工业局的牌子，原经委和劳动局承担的安全生产监督管理职能划入安全生产监督管理局。

·中共临汾市委关于党政机构改革中领导班子调整配备的若干意见·

根据省委、省政府晋发（2001）14 号《关于市县党政机构改革的实施意见》和省编委《关于市县党政机构设置的意见》精神，为实施机构改革这项带有全局性战略意义的重要举措，不失时机地加强临汾市各级领导班子建设，完成机构改革任务，及时配齐配强县（市、区）党政班子和市直机关、事业单位领导班子，顺利实现新旧机构的交替和新老班子的平稳过渡，进一步促进临汾市经济建设和各项改革的深入，市委对领导班子调整配备特提出如下意见。

一、指导思想

第一条　这次机构改革调整配备领导班子，总的指导思想是：以邓小平理论和江泽民“三个代表”重要思想为指导，围绕市委、市政府抓好“三件大事”，实现率先发展、建设经济强市的战略目标，坚持党的任人惟贤的干部路线和德才兼备的方针，坚持公开、平等、竞争、择优和群众公认、注重实绩的原则，进一步深化干部人事制度改革，建立科学、规范的选人用人机制，把那些人民群众真正拥护、有能力、有政绩的干部推上领导岗位，使各级领导班子成为坚决贯彻执行党的基本路线、全心全意为人民服务、廉洁高效、协调运转，具有领导社会主义现代化建设能力的坚强领导集体。通过这次机构改革，要使县（市、区）和市直领导班子年龄结构、知识结构、专业结构和整体功能明显优化，要在干部队伍中形成奋发向上、公平竞争的良好用人导向和积极工作、争做贡献的崭新局面。

二、遵循的原则

第二条　尊重民意、注重实绩的原则。这次机构改革选拔任用干部，要自始至终按照公开、平等、竞争、择优的要求来运作，不打折扣，不搞照顾，不徇私情，一律坚持尊重民意、注重实绩。要把民意和实绩做为决定干部升降去留主要依据。为了科学、真实地掌握干部的民意和实绩，要把民主推荐、年度考核和“三讲”教育结果相结合，通过科学的定量分析，建立合理的指标评价体系，确实把民意好、有实绩的干部选出来。

第三条　公开公平、竞争择优的原则。要进一步引深干部制度改革，最大限度地提高干部工作的透明度，扩大人民群众在选人用人上的知情权、参与权、选择权和监督权，在十部选拔任用工作中实行“阳光作业”。正县级干部通过“四票”（年度考核票、“三讲”测评票、民主推荐票、综合排队票）、“五榜”（年度考核结果、“三讲”测评结果、民主推荐结果、综合排队结果、考察对象确定结果分五次张榜公布）、“一公示”（任前公示）的办法产生。副县级干部采取“一推”（民主推荐）、“三考”（考试、年度考核、考察）、“一公示”（任前公示）的办法产生。

第四条　疏通渠道、促进分流的原则。以这次机构改革为契机，制定切实可行的优惠政策，同时采取适当的刚性措施，通过分流腾出一些领导岗位，为加快年轻干部选拔使用和领导干部轮岗交流的步伐提供宽松的环境。

1. 凡是1946年6月30日以前出生的县级领导干部，免去现任职务，不再提任非领导职务。退休前，可由所在单位安排适当的工作。

2. 这次机构改革中提任正县级领导干部的年龄应在52周岁以下（1948年7月1日以后出生）；提任副县级领导干部的年龄应在50周岁以下（1950年7月1日以后出生）。

3. 正县级领导干部年龄50周岁以上、工龄满30年、任正县时间满10年或正县、副县任职时间合并计算满15年，本人自愿提前退休的，可比照省直机关机构改革时的政策，原职级不变，享受副厅级用车、住房、医疗待遇。

4. 副县级领导干部年龄50周岁以上、工龄满25年、任副县时间满10年，本人自愿提前退休的，可享受正县级待遇。

5. 县级领导干部凡年龄在50周岁以上、工龄满20年、或不管年龄大小、工龄满30年，本人提出申请，经批准可以提前离岗或退休。

6. 凡提前办理退休手续的县级领导干部，提前退休时间每满2年增加一档职务工资；每满3年可同时增加一级级别工资。

7. 以上优惠政策，只适用于这次机构改革。申请退休时间截止2001年7月31日。

8. 干部的出生年月以本人档案中的最先记载为准，一律不再重新核实认定。

第五条　改善结构、强化功能的原则。这次调整配备干部，要认真贯彻中共中央组织部制订的《1998－2003年全国党政领导班子建设规划纲要》精神，注重干部队伍革命化、年轻化、知识化、专业化，优化班子结构，增强班子的凝聚力和战斗力。

1. 要加大年轻干部选拔力度。通过民主推荐，拓宽视野，要起用一批40岁左右、35岁左右的优秀年轻干部。新配备的县（市、区）党政班子要逐步形成由45岁、40岁、35岁左右干部组成的梯次结构，35岁以下干部每个县（市、区）党政班子中至少要有1名。

2. 要继续改善知识、专业结构。新进党政班子的必须达到大专以上文化程度，在同等条件下可优先考虑本科以上人选。要力争使班子中党政文史、理工农医、政法金融等门类齐全。特别要注意配备熟悉意识形态、法律法规、工业经济、金融财贸、科技教育工作的干部。

3. 要加大对妇女干部的培养选拔力度。在调整配备干部时，同等条件要优先考虑妇女干部，以保证在机构改革中妇女干部的比例不下降。每个县（市、区）党政班子要基本保证有1名，争取各配1名。

4. 对党外干部的选拔和安排，要严格按照晋组明电（2001）24号通知精神执行。政府班子中没有党外干部的要配备1名，党内干部不能挤占党外干部职数。

第六条　任职回避、合理交流的原则。根据中办发（1999）16号《党政领导干部交流工作暂行规定》的文件精神，结合临汾市实际，要对县（市、区）和市直党政领导班子成员进行任职交流和回避。

交流的对象是：纪委书记和组织部长在原籍、出生地、生长地任职已满一届的；党政领导班子成员在同一职位任职满10年的；需要多岗锻炼的中青年干部；因工作需要或其他原因需要调整交流的。

干部交流可采取县（市、区）与县（市、区）之间，县（市、区）与市直之间，县（市、区）不同岗位之间，市直机关、事业单位之间4种方式。任职回避的对象是：有夫妻关系、直系血亲关系、三代以内旁血亲以及近姻亲等亲属关系，在同一县（市、区）党政班子或同一机关、单位任职，以及分别在监督和被监督部门任职的。

年龄超过50岁的交流和回避对象，一般不进行易地调整交流，根据需要和可能，视情况可就地进行岗位轮换。

第七条 机会均等、统筹使用的原则。机构改革过程中，要为领导干部创造公平竞争的机会。对领导干部的使用，要坚持统一尺度，统一标准，统一政策，机会均等，条件平等，公平择优。对县（市、区）和市直岗位空缺，要统一考虑，全局平衡。

第八条 严格政策、不搞变通的原则。在这次机构改革中，必须严格按照《党政领导干部选拔任用工作暂行条例》规定的基本条件和任职资格选任干部。

在职数问题上，要严格执行晋发（2001）14 号文件有关规定，不搞超职数配备，不再设置助理职务。现有的副县级助理，在这次机构改革中做出适当安排。

在职务序列上，要严格按照有关规定设置和任命，原则上一般不得兼职，副职一律不得用加括号的办法提高待遇（原任正县及职务待遇的除外）。

三、方法步骤

第九条 确定推荐范围。这次民主推荐领导干部，既要体现群众公认的程度，又要体现平等、择优的原则。有下列情况之一的，不做为正县级推荐对象：

1. 1999～2000 年度考核中，有一年不称职票超过 30%以上的；

2. “三讲”测评不满意率超过 1/3 的；

3. 没有参加“三讲”教育的；

4. 任职资格不够，或者年龄在 53 岁以上的；

5. 担任正县级职务或已明确正县级待遇的。

第十条 组织民主推荐。组织民主推荐之前，要把县级干部年度考核、“三讲”测评结果向社会公开。

推荐正县级领导干部，县（市、区）以县（市、区）为单位，由县（市、区）委负责组织实施；市直以市委、市政府分管领导分工范围为单位，由分管领导负责组织实施，市委组织部派人参加。推荐的数额，以符合推荐资格的干部人数为基数，每满 4 人给一个推荐名额。县（市、区）参加民主推荐会的范围是：全体副县级以上干部和在上一届县级领导岗位上退下来的老干部；县（市、区）直属单位（包括条管单位）担任正科实职的干部和乡镇党政主要领导；本届省、市人大代表、政协委员和县委委员、县人大委员、政协常委。市直各口参加民主推荐会的范围是：本口各部、委、局、办领导成员及其内设机构和下属单位担任正科级实职的干部。

副县级干部采取“一推”（民主推荐）、“三考”（考试、年度考核、考察）的办法产生。副县级人选推荐数额，以符合推荐县级干部的正科级干部为基数，每两名给一个推荐名额。副县级人选的民主推荐，由县（市、区）委和市直各党组（党委）负责组织实施，市委组织部派人参加。县（市、区）参会范围与正县级人选民主推荐会相同，可同步进行。市直参会范围是，本单位全体在编工作人员和下属单位正职。

凡 50 周岁以下、正科满 3 年、大专以上文化程度的干部，按 50%确定推荐名额，经民主推荐得票 1/3 以上的，本人自愿报名的，可入围参加考试。考试内容以公共知识为主，包括政治、经济、法律、管理、科学技术及历史、国情国力、公文写作与处理，同时还要有工业、农业、财贸、文教等方面的专业知识和管理知识。以上内容为一份试卷，采取闭卷、笔试方式进行。考试结束后，将考试成绩向社会公布。

第十一条 确定考察对象。正县级干部人选民主推荐后，要把民主推荐结果向社会公开。对民主推荐票达到 1/3 以上的县级干部，要将其民主推荐、年度考核、“三讲”教育结果相结合，进行科学量化。量化办法是：民主推荐按得票率、年度考核按优秀票率（两年平均值）、“三讲”测评按满意票率，去掉百分号即为该项结果的得分数。每个领导干部的 3 项分数按一定的比例计入总分，然后综合排队并将情况公之于众。计入总分的比例：民主推荐结果占 50%，年度考核结果占 30%（每年度 15%），三讲测评结果占 20%。综合排队后，从高分到低分，根据岗位职数需求等额确定考察对象。

副县级干部人选，要将民主推荐、近3个年度考核和考试成绩相结合，进行量化和综合排队。量化办法是：民主推荐按得票率计分，年度考核以3个年度连续优秀为满分(每少1个年度递减1／3)，考试按成绩得分。计入总分的比例是，民主推荐占50%、年度考核占15%、考试成绩占35%。按总分排队后，从高分到低分，根据岗位职数需求等额确定考察对象。

第十二条　组织考察。考察对象确定后，要把考察对象名单张榜公布，并预告所在单位。然后由市委组织部派出考察组实施考察。考察以个别谈话为主，并可通过查阅资料、实地考察等方法广泛了解干部情况，对干部德、能、勤、绩、廉5个方面要全面衡量，客观评价。考察谈话人数一般掌握在30人以上。平职调整到重要岗位的领导干部也必须按程序进行考察。

县（市、区）谈话的范围和对象是：县（市、区）委、政府领导成员，人大、政协、纪委的主要领导成员；考察对象所在单位的领导成员和所分管单位的主要领导；纪检、监察、计生、审计、综治、法院、检察院等部门主要领导人；其他有关人员。市直单位谈话范围，一般是中层以上领导干部和有关人员。人数少于30人的单位，谈话范围可扩大到全体工作人员。

考察中谈话半数以上不赞成的，不做为提拔对象。如有缺额，分别按综合排队依次补充。计划生育、综合治理实行“一票”否决，由计生委、综治办出具认定。涉嫌违纪违法正在被立案审查的，不得提拔使用。

第十三条　讨论决定。考察情况由考察组向市委组织部部务会议汇报，经集体研究，提出各县（市、区）、各部门、各单位领导班子配备的初步意见，提交市委常委会议研究决定。

第十四条　任前公示和任命。市委常委会讨论决定后，实行任前公示。公示时间为一周。公示结束后，再按有关程序正式任命。

四、组织纪律

第十五条　严明组织人事工作纪律，匡正用人风气，坚决反对和抵制“跑官要官”、“买官卖官”行为。纪检（监察）机关和组织部门要强化监督机制，设立举报电话，严肃查处和打击在调整干部过程中出现的各种不正之风和违纪活动，以保证机构改革工作的顺利进行。

第十六条　严禁在调整过程中拉票、贿票，搞非组织活动。一经发现，要严肃查处，立即取消选拔任用资格，并给予相应的党纪政纪处分。

第十七条　严厉打击借调整干部之机恶意攻击、诬陷干部的行为。对诬告者，经查证反映问题严重失实，性质恶劣的，要予以严肃处理。

第十八条　实行考察工作责任制。考察人员要认真履行职责，按照程序和要求实施考察，要全面、准确、客观、公正地反映考察对象的情况。考察组成员要在考察材料上签名，对考察结果负责。在考察中弄虚作假、纵容他人搞非组织活动的要严肃处理。

第十九条　调整、交流和提拔使用的干部必须严格执行组织纪律。

1.要服从组织安排，正确对待调整、交流，不得向组织讨价还价。对不服从组织调动和交流决定的，要就地免职或者降职使用。新调整和提拔任职的干部，一律把行政、组织、工资关系随转到新的工作单位。

2.调整、交流的干部自接到通知之日起，必须在3日内到岗。

3.调整、交流的干部采取只送不接的办法，轻车简从，严禁借机大吃大喝，挥霍浪费。

4.认真负责地做好交接工作，不得带走原所在单位的任何财物。

五、附则

第二十条　本意见适用于县（市、区）党政领导班子、市直党政机关工作部门、事业单位（不含21所学校和两个医院）。人大、政协、公安局、法院、检察院机构改革和干部调整配备另行规定。

·中共临汾市委临汾市人民政府关于临汾市行政审批制度改革的实施意见·

为更好地适应社会主义市场经济体制的要求，进一步推动政府职能转变，建立勤政、创新、务实、廉洁、高效和有作为的政府，根据省委办公厅、省政府办公厅《关于进一步转变政府职能改革行政审批制度意见》（晋办发[2000]42 号），借鉴外地经验，结合临汾市实际，现就行政审批制度改革提出如下实施意见：

一、指导思想、总体目标和基本原则

指导思想：以江泽民同志“三个代表”重要思想和党的十五大精神为指针，以“三个有利于”为标准，按照建立社会主义市场经济体制的要求，规范政府在市场经济运行中的行为和职能，改革和完善管理内容、管理方式和管理手段，加强宏观调控，坚持依法行政，提高工作效率，创造有利于全市经济和社会发展的良好环境。

总体目标：从 2001 年 5 月份开始，通过半年左右的努力，基本完成市政府各部门、各直属单位和试点县（市）的行政审批制度改革，取消 40%左右的现行审批事项。同时，规范保留的审批事项，建立公开透明的审批约束机制，加大监督和事后监管力度，基本形成与发展社会主义市场经济相适应的行政审批制度，促进临汾市经济和社会持续快速发健康发展。取消和保留的行政审批事项以市人民政府文件下发执行，并由新闻媒体向社会公示。

基本原则：(一)按照社会主义市场经济体制的要求，充分发挥市场配置资源的基础作用，切实减少审批事项，能由市场调节的要放开，能由中介机构提供服务的要移交，能由企业自行决定的事项要调整或下放，影响和制约经济发展的要取消。

（二）对事关全市经济发展和社会安定团结、确实需要政府审批的重大事项和法定审批事项，要依法审批，规范行为，简化手续，提高效率。

（三）加强对审批的后续监管，将政府从繁杂的审批事务中解脱出来，转向依法监管。

（四）坚持既要坚决、积极，又要稳妥、慎重的原则，对重大审批事项的改革，要在省有关部门的支持下，做好与国家有关管理制度的衔接，确保这项改革积极稳妥的进行。

二、改革的主要内容

（一）坚持依法设立行政审批事项

1. 对有法律、法规、行政规章和其他规范性文件依据的审批事项予以保留；

2. 对与法律、法规、行政规章及中央、国务院、省委、省政府的规范性文件有冲突的，坚持“小法服从大法，旧法服从新法”。审批事项统一规范为：审批、核准、备案 3 类，除此之外的审批事项，分别做取消、下放、转移处理，不再列入审批事项。

（二）取消部分审批事项

1. 对不属于政府职能以及不应当由政府直接管理的事项，应取消审批，实行间接管理。

（1）《公司法》和其它法律、法规已有规定，属于企业自主权范围或属于企业行为的，应还权于企业，政府部门不再审批，转为加强服务，依法监督。

（2）属于临汾市非限制性项目，在工商行政管理部门登记注册前由其它部门进行前置审批的，除国家法律、法规明确规定必须审批，并确定由某部门审批的外，其它均应取消审批，由审批者直接到工商行政管理部门依法制办理登记注册。对此类项目，工商行政管理部门实行核准登记注册制。

(3)属于中介组织职能范围和可以由中介组织完成的事项，应交给中介组织管理，政府部门不再审批，而应加强行业规划，依法监督协调。

（4）凡是可以通过市场化手段，如招标、拍卖、抽签等方式，合理地分配指标或安排经营性、营利性项目的，应当采取市场化手段，通过市场竞争来安排解决。

2. 临汾市自行确定的审批事项，应从适应市场经济发展的实际出发，能取消的坚决取消，大胆放开。

（1）对市政府（包括原行署）制定的规范性文件所确定的审批事项，凡是能够明确规定审批内容，并能有效实施事后监管的，取消审批，或采取核准、备案制，或彻底放开。

（2）机关、事业单位“三定”方案中确定的审批事项，如国家、省、市有关法律、法规和行政规章没有明确规定必须审批的，应取消审批。

（3）市政府各部门自行设立的审批事项，应予取消；确需进行必要管理的，经市政府重新审定后，可改为核准或备案制。

（4）同一事项，国内其它同类城市不进行审批的，原则上也要取消审批。

3.对国家和省（包括中共中央、全国人大及其常委会、国务院及各部委，省委、省人大及其常委会和省政府及其部门，下同）的法律、法规、行政规章和其它规范性文件要求地方政府直接管理的事项，要票据实际情况，依法改变管理方式和管理手段。

（1）对国家和省没有明确要求地方有关部门审批，只要求核准的事项，应取消审批，严格按规定实行核准制；对国家和省只要求地方政府进行一般管理的事项，应取消审批，必要时实行备案制。

（2）对国家和省只要求地方政府审批而没有指标和额度限制的事项，可取消审批，实行核准制；对国家和省既要求地方政府审批又要求进行指标和额度控制的少数项目，应在严格审查条件的基础上，对营利性项目的额度和指标，采取招标、拍卖等市场化管理方式进行分配。

（3）对国家和省要求根据一定的条件进行资格、资质认证，或实行年审、年检、验收的事项，应取消审批，实行核准制，只要符合规定的条件，就承认其相应的资格和资质，或认定其合格。

（4）对国家和省授权临汾市审批的事项，应根据实际情况，将其中不适应临汾市经济社会发展要求的审批事项予以取消，并积极与上级主管部门沟通，取得上级部门的理解和支持。

（5）对国家明确要求审批，又必须审批的事项，审批部门不得超出国家规定的审批内容和审批范围，自行扩大的审批权限部分，应予取消。

（三）规范保留事项的审批

1.对下列关系到经济发展和社会安定的重大事项，应依法审批；

（1）涉及国家安全、社会稳定、人民生命财产安全、文化、外事等方面的重要事项；

（2）涉及土地、水、森林、矿产、文物等国家重要资源的开发、利用、保护，以及城市规划、城市建设、城市管理和环境保护等方面的重要事项；

（3）涉及临汾市重大建设项目、财政支出项目、政府基金管理项目，少数关系国计民生的专营专卖项目和重要商品、服务项目的定价、收费标准，少数必须严格控制在指令性计划指标，以及事关国有资产管理等方面的重要事项；

（4）涉及机关事业单位机构编制、职能配置和人事、劳动管理等方面的重要事项；

（5）国家明确要求地方政府代行审批，以及其它由国家法律、法规明文规定必须从严审批的事项。

2.对保留审批的事项，要规范程序，减少环节，提高效率。

（1）规定内容，明确条件。对每一项审批都要严格规定审批内容，明确审批条件，界定审批范围。对技术性比较强的事项，应制定具体的审批规范，减少审批人员的自由裁量权。

（2）减少环节，简化手续。对审批环节多、审批手续复杂的，要依法进行清理；除国家和省的法律、法规、行政规章已有明确规定的外，一般审批事项原则上由一个部门负责审批。同一事项由多个部门交叉审批的，要以一个部门为主要审批机构，其它部门不再审批，如确审批的，参与主审机构的联审，不再单独审批。国家和省没有明确规定审批部门的，由市政府确定审批部门。在审批部门内部，应由有关业务处室进行审批，不能重复审批、多头审批。

（3）明确审批时限。每项审批必须科学、严格地规定审批时限。若国家、省已规定审批时限，临汾市的审批时限只能缩短，不能延长。若报送材料齐备，审批部门在规定的时间内未予审批的，要追究审批部门和审批人员的责任。

（4）规范审批程序。每项审批必须制定科学具体的操作规则和操作程序，审批部门内部要规范审批程序，有条件的要大力推行“窗口服务”制度；对涉及多部门的审批事项，如基本建设项目审批、技术改造项目审批、投资项目（企业）审批、工商办证注册，高新技术入区项目审批，以及水、电、气、暖等配套设施审批，设立“审批中心”，实行联合办公、“一门式”、“一条龙”、“一栋楼”等集中审批方式。

（5）公布收费标准，实行一口收费。涉及收费的审批事项，审批部门都要公布收费标准。实行集中审批的，由一个窗口收费；由单个部门审批的，到财政一个窗口缴费。

3.改进审批方式，加强对审批行为的监督。

（1）实行政务公开。除国家明确规定不能公开的以外，其它审批项目的设立、调整和取消，以及审批内容、条件、程序、时限等，均应事先公告，相关部门必须向社会做出承诺，并形成制度。

（2）建立健全社会听证制度。对物价、收费、市政公用事业、城市管理、环境保护等与公众利益密切相关的事项，推行社会听证制度，充分听取有关方面的意见，促进政府决策的民主化和科学化。

（3）强化专家审查、咨询制度。对技术性、专业性比较强的验收、评审和许可事项，组织有关专家进行专业技术审查，提供咨询意见，以提高政府决策的科学性和合理性。

（4）加快政府审批部门之间的电脑联网，通过互联网实现信息共享。改进审批的技术手段，探索多部门联网审批的新模式。

（5）建立内部审批检查监督制度。各部门对每项审批都要制定相应的内部约束和监督措施，重大审批事项必须建立集体决策的制度。

（6）建立对审批部门和审批人员的社会监督制度。对违反规定的审批行为，实行社会举报制度，在市监委和各审批部门设立举报信箱；对审批管理和审批执行情况，实行社会民主监督制度和人大定期检查制度；对审批结果不服的，按国家有关规定，可以申请行政复议或提起行政诉讼。

（7）建立审批责任追究制度。要加强对审批人员的监督，明确规定审批责任和审批义务，并制定严格的处罚措施，对违法违纪审批、审批失误等情况要依法依纪处理。对已取消的审批事项仍在审批的，要追究部门或单位领导的责任。市纪检监察部门负责监督全市各部门组织实施。

4.加强对审批后实施情况的监管。

（1）对保留的审批事项，法律、法规和行政规章已经制定监管措施的，严格按规定执行；没有规定监管措施的，各有关部门要结合临汾市实际，制定严格的可操作的监管措施，并以政府公告予以公布。

（2）对取消的审批事项，有关部门必须提出加强宏观调控和行业监管的意见，并制定相应的管理办法和措施。

（3）要根据具体情况组织对审批事项的实施情况进行监督和检查，对不符合原认定条件的，要及时指出，提出改进意见；情况严重的，要按照有关规定严肃处理。

（4）在部门内部，要减少审批人员，加大监督力度，按照审批人员和监管人员应分开的原则，对职能、机构和人员进行调整。监管人员应严格考核，持证上岗，定期进行岗位交流，并实行监管责任制。

（5）对核准事项，应参照审批事项改革的有关原则和措施进行相关的改革，不得擅自将核准变成审批。

三、工作步骤

临汾市行政审批制度改革工作分 3 个阶段进行。

第 1 阶段：部门自查自清，制定、上报取舍事项（5 月底）。市直各部门和具有行政审批职能的事业单位，按照市里的统一要求，对本部门、本单位现行的审批、核准、备案、登记事项进行全面清查摸底，在此基础上，按照市行政审批制度改革实施意见的规定，逐项进行清理，提出取消、合并、保留的具体意见。对保留事项，说明依据和理由，并制订出部门（单位）改革方案，上报市行政审批制度改革办公室。试点县（市）也应同市直各部门同步进行。

第 2 阶段：审定、公布改革事项（6 月底）。由市行政审批制度改革办公室逐项审核各部门（单位）上报的改革事项，按照先易后难的原则，确定各部门（单位）取消或保留的审批、核准和备案事项，分批向社会公布。未经确定或未向社会公布的事项，将不再做为审批、核准和备案项目。

第3阶段：组织实施（7～10月）。各部门（单位）根据全市公布的改革方案，积极组织实施，建立审批责任制和内部检查监督制度。在实施过程中，市行政审批制度改革办公室负责督促检查，对部分考虑不够周密的改革事项做进一步衔接和协调。

四、组织领导

行政审批制度改革是一件事关全局的大事，必须在市委、市政府的直接领导下进行。要结合机构改革职能调整，把行政审批制度改革做为各部门（单位）转变政府职能的一项重要工作来落实。具体组织协调工作由市政府负责。市政府办公厅根据工作需要，可以从各部门抽调部分人员负责日常工作。成立专家组，负责对取消、保留审批事项的界定进行把关。

五、工作要求

行政审批制度改革牵涉面广、政策性强。各部门（单位）一定要按照市委、市政府的统一部署，精心组织，积极稳妥地做好这项工作。

第一，提高认识，统一思想。改革现行的行政审制度，实质上是取消、放松或改变计划经济体制下形成的政府对企业和社会过多过严的行政管制行为。这是对政府自身的改革，必然涉及到部门权力和利益关系的调整。因此，必须把这项工作做为“三讲”教育的整改措施之一，与推行政务公开结合起来，努力突破3个难关：一是突破政府部门及其工作人员在思想观念上的难关，增强市场经济观念和依法行政观念；二是突破政府部门维护既得利益和权力的难关，弱化权利意识，增强服务意识，坚持部门利益服从全局利益；三是突破现行行政管理体制和管理方式难关，依法理顺部门之间的关系，培育新的政府运作机制。

第二，加强领导，明确责任。为切实抓好行政审批制度改革，各部门（单位）要建立一把手负总责，分管领导具体抓，其他领导按分管范围协同抓的领导责任制，确保这项改革顺利进行。在具体操作中，市行政审批制度改革办公室负责研究政策、组织实施、审核认定、检查验收。市直各部门（单位）要明确分管领导、责任处室，要安排熟悉业务、责任心强的干部从事这项工作。以纪检、监察部门为主，负责改革过程的纪律和行政监督。

第三，加强舆论宣传和舆论监督。宣传部门要组织报刊、电台、电视台等新闻媒体积极宣传行政审批制度改革的重要意义和有关知识，报道各部门和外地的先进做法。同时，要加大新闻跟踪采访力度，剖析典型，对个别行动迟缓、执行不力的部门、事例要做批评性新闻报道，充分发挥舆论宣传和舆论监督的作用。

第四、积极稳妥，务求实效。行政审批制度改革要整体推进，分步实施，先易后难，突出重点。一方面要积极大胆推进行政审批制度改革，能实行核准、备案的事项就不要审批，能由市场调节的就要坚决放开；另一方面，对临汾市规范性文件确定的审批事项，在改革中要按照程序，依法进行调整或修改。对重大审批事项的改革，在争取上级有关部门的理解和支持，与国家和省的有关管理制度相衔接，把工作做细、做实、做好。同时，要结合机构改革，在确定“三定”方案时，充分考虑已取消的审批和核准职能，合理调整机构设置。各县（市、区）行政审批制度改革参照本意见，结合实际组织实施，市行政审批制度改革办公室予以指导。

·中共临汾市委临汾市人民政府关于全市农村2001～2010年全面达小康规划·

为了贯彻落实党中央和省委关于今后10年“全面建设小康社会”的发展战略，继续推进临汾市小康建设，实现基本小康向宽裕型小康和现代化社会的新跨跃，把临汾市农村建设成为富裕、文明、民主的，在中西部率先发展的社会主义新农村，经认真研究和广泛征求意见，结合临汾市实际，制定2001～2010年全市农村小康规划。

一、规划依据

1.党中央的战略部署。党的十五届三中全会通过的《中共中央关于农业和农村工作若干问题的决定》明确提出，到2010年，建设有中国特色社会主义新农村的目标是："农民收入不断增加，农村全面实现小康，并逐步向更高水平前进"。十五届六中全会又进一步做出科学判断，"中国已进入全面建设小康社会，加快推进社会主义现代化的新的发展阶段"。江泽民总书记多次强调，要在顺利实现第一步、第二步战略目标的基础上，乘势而上，全面建设小康社会，并加快推进现代化建设的步伐。由此可见，党中央已把全面建设小康社会确定为21世纪前10年的重要奋斗目标。

2. 省委、省政府提出的任务要求。省委、省政府提出，今后10年，全省小康建设分为2个阶段进行：第一阶段从2001年起，决战2年，实现基本达小康，即全省农民人均纯收入按1990年不变价达到1100元，有80%以上的农村人口过上小康生活，稳定解决贫困人口的温饱问题；在此基础上，经过第二阶段的8年奋斗，到2010年要全面实现小康，即农民人均纯收入按1990年不变价达到2000元以上，80%以上的农村人口过上宽裕型小康生活。

3.临汾市小康建设的现状。临汾市的小康建设从1991年开始，经过典型示范、探索路子和全面铺开、整体推进两个阶段，到今年撤并乡镇后重新核实，全市累计有侯马、霍州、曲沃、尧都、洪洞、襄汾、翼城7个平川县（市、区）、98个乡镇、2409个行政村、247万农业人口基本达小康，分别占到全市17个县（市、区）、159个乡镇（含农业成份大的8个街道办事处）、3356个村、306万农业人口的41.2%、61.6%、71.8%和80.7%。同时，还涌现出象洪洞官庄、翼城北关、侯马乔村、尧都上阳等一批标准较高的宽裕型小康新村，充分展示出临汾市小康建设的成果。但也要看到，临汾市小康建设仍然存在着一些实际问题。一是从完成任务的"量"上看，还有10个山区县尚未基本达小康，全市总算账，整体上还没有实现基本小康；二是从各县（市、区）小康建设的进展情况看，发展不平衡，任务依然繁重；三是从已达小康的部分乡村水平看，标准不高，层次还比较低，特别是村镇建设滞后，能算不能看的问题还带有一定的普遍性；四是从农民人均纯收入增长情况看，起伏和波动较大，制约小康建设的进程；五是从小康建设的领导机制看，一些县乡的主要领导重视不够，有关成员单位工作不协调，缺乏齐抓共管的有效办法。这些都是全面建设小康社会必须重视和解决的主要问题。

4.各县（市、区）农村社会发展的不平衡性。全市农村大体形成了由贫困向温饱、由温饱向基本小康、由基本小康向宽裕型小康、由宽裕型小康向初步现代化发展的4种类型共存的格局。其中，一类为侯马市、曲沃县、尧都区、洪洞县、翼城县、襄汾县、霍州市；二类为乡宁县、蒲县；三类为安泽县、古县、浮山县、隰县；四类为汾西县、吉县、大宁县、永和县。要本着分类指导、梯度推进、乘势而上、争先发展的原则，分别不同情况，拿出符合实际的科学规划。

二、指导思想与基本步骤

临汾市今后10年全面建设小康社会的指导思想是：高举邓小平理论伟大旗帜，身体力行"三个代表"的要求，认真贯彻党的十五大、十五届三中、五中、六中全会精神和省委部署，把农村小康建设统揽农村工作全局，把发展放在首位，以改革为动力，以科技为先导，以结构调整和推进产业化为主线，以村镇建设为突破口，以增加农民收入为目的，"两个文明"一起抓，整体部署，分类指导，梯度推进，争先发展，力争到2010年全面实现小康社会。

按照这个指导思想，今后10年，临汾市小康建设大体按3个阶段实施：

第一阶段（2001～2002），为基本达小康阶段。这一阶段，完成乡宁、蒲县2个县和13个乡镇、292个行政村、18.3万农业人口的基本达小康任务。到2002年底，使全市基本达小康累计达到9个县（市、区）、111个乡镇、2701个村、265万农业人口，分别占到全市总数的53%、70%、80.6%和86.6%，实现全市除县（市、区）比例外基本达小康的奋斗目标。同时，宽裕型小康建设要起步，重点抓好1个市（侯马市）、5个乡镇、136个村和18.5万农业人口的宽裕型小康建设树起样板，发挥出示范和辐射带动作用。

第二阶段（2003～2008），为宽裕型小康整体推进阶段。这一阶段，平川7县（市、区）要全部达到宽裕型小康；同时在山区部分条件好的县，抓一批宽裕小康乡村建设。到2008年底，使全市累计有7县（市、区）、98个乡镇、2343个村、231.5万农业人口达到宽裕型小康目标，分别占到全市总数的41.2%、61.6%、70%和75.6%，接近完成宽裕型小康建设的任务。古县、安泽、浮山、隰县、吉县、汾西6县要整体实现基本小康。“十五”期间，完成全市整体基本达小康任务。

第三阶段（2009～2010），为整体实现宽裕型小康阶段。这一阶段的建设重点在山区10县。到2010年底，乡宁、蒲县、古县、浮山、安泽5县全部达到宽裕型小康，使全市累计达宽裕型小康的县（市、区）达到12个、乡镇达到114个，村达到2516个、农业人口达到250万人，分别占到全市总数的70.6%、71.7%、75%和81.7%，实现全市整体建设小康社会的目标。同时，大宁、永和整体实现基本小康。侯马市做为全省现代化试点县（市），从“十五”期间开始实施，2010年力争初步实现农业和农村现代化。

三、遵循原则

针对临汾市小康建设发展的现状，从今后10年面临的形势和任务出发，实际工作中，必须坚持分类指导、按标准落实的原则。

1.必须严格按标准落实。各县（市、区）抓小康建设，必须掌握和遵循统一标准，靠标准来指导，靠标准去衡量，靠标准抓落实，既不能脱离标准盲目去搞，也不能死搬硬套把小康建设神秘化、庸俗化。关键要抓住两条：一是必须抓住“80%”，也就是必须有80%以上的农业人口，或者80%以上的村，80%以上的乡镇达小康，才能实现一个县整体达小康；二是必须抓住“四个一票否决权”，也就是凡是农民人均纯收入、社会治安综合治理、计划生育达不到要求的和农村党支部有“三无问题”的，都将实行一票否决。这是小康建设必须达到的硬性要求。同时，全市小康建设必须从村镇建设和农业产业化两个方面突破。要切实加大力度，加快推进步伐，进一步提升临汾市小康建设的标准档次和质量水平。

2.必须坚持分类指导，梯度推进。根据17个县（市、区）农村社会发展的不平衡性，实施小康建设中必须分类指导，梯度推进，引导各县（市、区）乘势而上，争先发展。侯马市做为全省现代化试点县（市）的排头兵，要积极开展农业和农村现代化试点工作，尽快探索出一条农业发达、经济繁荣、秩序良好、社会文明、环境优美、农民富裕的成功路子来。平川其它县（市、区）也要选择一两个有条件的乡镇，进行以农业现代化、农村工业化、乡村城镇化、服务社会化、农民知识化为主要目标的探索试点。洪洞、曲沃、尧都、翼城、襄汾、霍州等6个基本达小康的县（市、区），要进一步抓好巩固提高和加快发展的问题。尤其是要把工作重点放在大运路、霍侯路一级路沿线乡村，一手抓“121”工程的实施，加快农业结构调整，推进农业产业化经营，大幅度增加农民收入；一手抓新农村建设和小城镇建设，提高沿路村镇的品位和档次。同时，高度重视农村精神文明建设、民主法制建设和基层党组织建设，把小康建设提高到一个新水平。乡宁、蒲县要组织力量全面做好小康建设的各项工作，坚持标准，保证到2001年底完成基本达小康任务。其它山区县，特别是沿黄贫困面积较大的县，要紧紧围绕脱贫致富奔小康这一主题，突出实施好“四大增收工程”，即以种草养畜为主的增收工程，以旱作节水为主的增收工程，以特色农产品开发为主的增收工程，以移民搬迁为主的增收工程。到“十五”期末，安泽、浮山、古县、隰县要全部达到基本小康；其余4个县、43个贫困乡镇、45万贫困人口要稳定解决温饱问题，并加快探索跳跃式达小康的新路子。

四、主要措施

实施和推进农村小康建设，不仅要坚持标准、分类指导，更要集中力量抓重点，抓大事，抓主要矛盾，抓关键性措施的落实，以确保小康目标的如期实现。

1.坚持把发展放在首位，加快调整农业产业结构，培育农村经济新增长点。各县（市、区），要在近几年初步调整的基础上，积极适应加入 WTO 后的新形势，按照市委、市政府提出的“大基地，大产业，大规模”的调整思路，把小杂粮、干鲜果、草食畜、中药材、食用菌和蔬菜业做为开发重点，培育具有地方特色和市场竞争力的优势产品，尽快形成区域性主导产业、特色基地和规模效益。临汾市有着丰富的秸杆和饲草牧坡资源，要突出把畜牧养殖业做为一个大产业来经营，以饲草养殖、特色养殖、规模养殖为主，建设畜牧养殖大市。其中平川 7 县（市、区），要集中实施“121”工程，大刀阔斧地调整种殖业结构，争取用 3～5 年时间，把这一地区建设成为集高效农业、生态农业、特色农业于一体的现代化农业走廊。要下大力把龙头企业做强做大。在加快建设主导产业生产基地的同时，要向生产、加工、销售各个环节扩张和延伸，切实把农业二、三产业发展起来。围绕省委、省政府提出的“百龙计划”，大力兴办龙头企业和中间服务组织，创建一批省级龙头企业，尽快形成市场牵龙头，龙头带基地、基地连农户的一体化经营的新模式，以提高农业经济的运行质量，使农民从中获得更多利益。要加快培育和开发临汾市名优新特品牌农业。全市上下要增强农业的品牌意识，突出开发有商标、有代码、有绿色认证、实现精包装和标准化生产的品牌农业。凡是具有一定生产规模和开发前景的名优新特产品，不论鲜活农产品，还是加工农产品，要尽快上报国家有关部门进行绿色认证和商标注册，采取有效措施，大力扶持和加快发展。通过开发一个品牌，要拉动一个产业，占领一个市场，富裕一方百姓。要把开拓国内外市场做为实现农业发展的根本途径。转变政府的管理职能，在搞好产业规划的同时，建立由政府主导的农业系列化服务体系，为农民提供资金、技术、优种、信息、物质等方面的优质服务；引导农民研究市场，了解市场，围绕市场需求组织生产经营，大力发展合同农业、订单农业、期货农业、外向型农业和高效农业，帮助农民进入市场；重视中介服务组织和农民经纪人队伍建设，使他们成为市场活动的主体，充分发挥其跑信息、闯市场、搞销售的主力军作用。

2.深化农村改革，形成有利于加快农村经济发展的有效机制。现阶段深化农村改革的着力点，一是要探索和建立农村土地流转机制，盘活农村土地资源。在第二轮土地承包期稳定 30 年不变和落实到户的情况下，在不改变农户土地使用权和农民自愿的基础上，一方面要探索“分散经营，统一组织”的形式，走小群体、大规模开发农业主导产业的路子；另一方面要探索“反租倒包”的形式，鼓励和引导农民离开土地，开辟新的就业渠道，使土地向有实力的经济组织和种田能手转移，以提高农业的劳动生产率和经营效益，实现农业的规模经营和推进农业现代化。二是要探索和建立农业产业化连接机制。重点探索以中介服务组织为载体，以合同为纽带，以利益为机制。实行“订单农业”的模式。尤其对目前既有稳定的销售市场，又有可靠的生产基地的龙头企业、中介组织，要进一步规范和完善合同，使企业和农民真正结为利益共同体，把生产、加工、营销连接起来，“一体化”进入市场。三是要探索和建立农村市场经济运作机制。对集体经济组织，尤其是村办企业、村办果园等实体，要加快产权制度改革，采取拍卖、租赁、承包、入股等形式，盘活集体资产，实现保值增效，维护和发展农民群众的集体利益；发展和兴办农村经济实体，要积极推进股份制、股份合作制、合作制等经济组织形式，吸纳和激活农村社会资源，发挥资金、人才、技术、劳动力等要素的集聚效益，增强农村经济活力。

3.推进科技兴农，努力提高农业的科技含量、市场竞争力和质量效益。用现代科技武装农民和农业，是小康建设的必然要求。大力推进科技兴农，一是从上到下要建立健全农业科技推广服务网络。组织市、县、乡三级农业科技队伍和科技人员到生产第一线去，给他们下任务，定课题，压担子，把这批科技主力军的积极性调动起来；同时要积极与市内外大专院校和科研单位挂钩，充分进行科技合作，使他们在科技领域和产业化前沿发挥排头兵的作用；下大力培育农民科技队伍，把一大批农民技师、技术员组织起来，经常进行专业技术培训和更新知识，使他们真正成为农业科技的带头人。二是要加大对农村干部和农民科技文化培训教育力度。按照国家“十五”培训计划，到2010年，每个农户至少有一名劳动者接受与从业岗位相适应的职业技术教育和培训，平均每10户有1人获得“绿色证书”，主要村干部达到中专以上文化程度，主要乡镇干部和骨干乡镇企业厂长经理达到大专以上文化程度，切实提高广大农民群众的科技文化素质和劳动技能。三是要围绕开发主导产业，实施科技密集型投入。每一主导产业都要自上而下建立一支科研攻关队伍，从生产、加工、销售的全过程，专门从事各环节的技术攻关的研究；每一个主导产业都要推广一批新品种、新技术、新模式、新机械，用科学技术改造和装备农业；每一个主导产业都要开发一批科技含量高的名牌产品，切实把鲜活农产品和加工农产品的优势真正建立在科技进步的基础上；每一个主导产业部要建立一批科技含量高、示范作用大、经济效益好和具有领先水平的农业科技示范基地，发挥其示范、引导和带动高效农业发展的龙头作用。

4.要突出改善农业生产基本环境，增强农业可持续发展的能力。要高度重视农业的生态环境和居民的生活环境建设。继续实施引水、改水、治水、保水、蓄水“五水兴农”战略，加快引沁入汾、汾西灌区扩建改造、汾河大坝治理、平川百万亩节水，以及山区闸坝等重点骨干工程建设，大力改善农业生产基本条件，充分发挥务农效益，增强农业抗御自然灾害的能力，支持高效农业的发展；要把保护、开发、利用和治理水资源与生态建设有机结合起来，遏制水资源的过度开采、严重浪费和严重污染的恶性循环，增强全社会的水患意识和环境意识；大力开展植树造林和绿化美化工作，落实退耕还林还草政策和水土保持措施，为农业可持续发展和小康生活营造良好的生态环境。

5.加快村镇建设，充分展示农村小康建设的良好形象。加强村镇建设是摆在全市面前的紧迫任务。各县（市、区）要与全面建设小康社会相适应，认真贯彻《临汾市 2001～2010年村镇建设实施方案》，凡是列入达宽裕型小康的村镇，首先要达到《方案》规定的村镇建设标准。要认真制定村镇建设规划，坚持按规划办事，严格界定村镇建设区域布局，保持一个良好的村镇建设框架。各种基础设施和公益设施建设要综合配套、功能齐全；注重运用科技新材料、新工艺和新结构，提高村镇建设的档次；要坚持规划、建设、管理并重的方针，营造村镇建设和发展的良好秩序。各县（市、区）要建立村镇建设领导组，实行行政一把手负责制，县（市、区）长乡镇长、村长为第一责任人，每年完成任务情况要向市里交账；市县两级领导成员单位，特别是建设、土地、计划、财政、体改、科技、农业和民政等部门，要定期研究和解决村镇建设和管理中遇到的实际问题，切实担负起各自的职能和任务。要突出抓一批村镇建设先进典型，尤其要下大力气抓好省定14个小城镇和百个明星新村建设，以点带面，促进临汾市宽裕型新农村的全面发展。

6.坚持“两个文明”一起抓，实现农村社会的全面进步。在抓好经济发展、村镇建设和路、电、邮、话等各项基础设施硬件建设的同时，要高度重视农村精神文明建设。结合当前农村正在开展的“三个代表”教育，要切实改善农村干群关系，改进基层干部作风，进一步加强基层党组织和基层政权建设，增强凝聚力和号召力；要加大农村社会治安综合治理的力度，扫除黄、毒、赌和封建迷信等各种社会丑恶现象，严厉打击各种邪教和社会恶势力，为农村各项工作的健康发展创造良好的社会秩序；要在农村继续深入开展“文明村镇”、“文明家庭”的创建活动和科技、卫生、文化“三下乡”活动，加强农村文化基础设施建设，规范完善乡规民约，推进农村民主政治和法治建设，倡导文明健康向上的生活方式，充分展示宽裕型小康社会的崭新风貌。

7.切实加强领导，确保小康建设任务的圆满完成。各级领导一定要增强小康意识，把小康建设摆在统揽农村工作全局的首要位置抓，紧紧地拿在手上，以奔小康指导农村各项工作，以抓好各项工作确保小康任务的完成。各县（市、区）的小康建设，县（市、区）委书记为第一负责人，要亲自挂帅。小康建设领导组由一把手任组长，分管副书记和副（县、区）长任副组长，各有关部门行政一把手参加。设在农业部门的小康建设领导组办公室，只能加强不能削弱，并给他们创造必要的工作条件。小康建设要实行齐抓共管的目标责任制，在总体规划下，把每年达小康的任务量化、细化，纵向落实到乡、到村，横向落实到各成员单位，建立年度考核验收制度，形成“综合任务抓乡村、单项指标抓部门、领导组总负责、小康办总协调”的工作格局。各县（市、区）要按照市里制定的小康建设10年计划，认真研究和制定本县（市、区）的实施方案和分年度实施计划，特别是要拿出确保小康任务完成的可行性措施和落实办法，认真组织，下大力实施，以确保小康建设按规划、按进度、按质量圆满完成任务，实现全面建设小康社会和率先发展的战略目标。

表彰决定

·临汾市劳动竞赛委员会关于2002年“五一”表彰的决定·（2002年4月26日）

2001年，全市人民在市委、市政府的领导下，认真贯彻落实党的十五届五中、六中全会精神，按照市一届一次党代会、人代会确定的工作思路和奋斗目标，坚持以发展为主题，以结构调整为主线，顺利实现“十五”开局之年在全省率先发展，一路领先的目标，涌现出一大批先进集体和个人。为表彰他们的先进事迹，弘扬他们的崇高精神，市劳动竞赛委员会决定：授予尧都区煤炭运销公司等15个单位“临汾市五一劳动奖状”荣誉称号；授予霍州煤电集团总医院白龙分院院长康腊梅等50名同志“临汾市五一劳动奖章”荣誉称号。为山西新临钢钢铁有限公司综合利用厂等21个单位记集体一等功一次；为襄汾县恒泰制动器有限公司等26个单位记集体二等功一次；为临汾市环卫局清运队等16个单位记集体三等功一次。为山西焦化集团公司空分车间工段长郭庆利等54名同志记个人一等功一次；为临汾染化集团公司牛锦岚等55名同志记个人二等功一次；为安泽县焦化总公司车间主任吴凤海等48名同志记个人三等功一次。

临汾市劳动竞赛委员会号召，全市广大职工要以先进模范人物为榜样，高举邓小平理论伟大旗帜，按照“三个代表”要求，认真贯彻落实党的十五届五中、六中全会和市委一届三次扩大会议精神，为继续保持率先发展、努力实现遥遥领先、建设中西部经济强市而努力奋斗，以优异的成绩迎接党的十六大胜利召开。

临汾市五一劳动奖状（15）

尧都区煤炭运销公司
侯马市市政工程公司
霍州市宋矿企业集团
洪洞县教育局龙马教办
襄汾县广播电视局
翼城县农业局
浮山县圣鑫选矿厂
大宁县计划生育委员会
汾西县计划委员会
西郭煤矿新星坑口
霍州煤电集团公司李雅庄煤电分公司
太钢集团临汾钢铁有限公司焦化厂
山西电力公司霍州发电厂
临汾煤炭运销公司
临汾公路分局翼城公路段

临汾市五一劳动奖章（50人）

郑晋平　尧都区工商局局长
郭忠义　尧都区豁口煤矿矿长
赵蒲荣　尧都区人民检察院副检察长
谭晓军　侯马市商贸市场开发建设局局长

薛建宏　霍州市化工公司焦化厂厂长
卫光辉　洪洞县发展计划局副队长
孙小平　襄汾县地税局局长
郭　移　曲沃中学校长
刘绍忠　翼城县交通局运管所所长
贾　伟　安泽县运管所所长
牛　海　古县古阳煤矿矿长
刘天才　乡宁县管头派出所所长
刘向平　蒲县第一中学校长
王　钊　隰县信用联社理事长
景洪才　吉县水利水保局副局长
白福生　永和县人民医院主治医师
崔　华　佛塑集团临汾经纬分公司总经理
岳起华　临汾纺织厂车间主任
冯娜娜　侯马纺织厂挡车工
宋新民　襄汾纺织厂前纺车间值班长
贾明珠　临汾市人民医院院长
刘仁学　山西金尧焦化有限公司总经理
赵冉林　临汾染化集团公司班长
韦　明　临汾市城管监察大队大队长
秦国杰　临汾市卫生学校校长
康腊梅　霍州煤电集团总医院白龙分院院长
张计堂　太钢集团临汾钢铁有限公司中板厂厂长
郭毅民　山西焦化集团有限公司副总经理
冯发财　山西三维集团公司工会主席
张建平　山西三维集团公司技术中心主任
刘宝龙　霍州发电厂工会主席
白亮仙　山西省临汾汽车运输公司科员
乔彩凤　临汾石油公司工会主席
师兴无　中国农业银行临汾分行行长
蔡传兴　临汾市电信分公司经理
石淦华　中国人民银行临汾市中心支行科长
赵生玉　临汾供电分公司党委书记
周文萍　中国工商银行临汾分行科长
李志刚　临汾公路建设开发有限公司总经理
纪真郎　临汾市鼓楼广场建设工程指挥部总指挥长
张齐家　临汾市五一西路联片改造工程指挥长
田洪生　临汾市鼓楼西街联片改造工程指挥长
孙宣东　临汾市向阳路拆墙透绿工程指挥部总指挥
柴安龙　临汾市滨河路建设工程指挥部总工
解安国　临汾市人行道更新改造工程指挥部常务副总指挥
陈保金　临汾市花果树更新及绿地建设工程指挥部总指挥
贾俊华　临汾市煤化巷墙改工程指挥部总指挥长
杨天雄　临汾市城市供水工程指挥部成员
吉虎记　临汾市向阳西路连片改造工程指挥长
许建勋　临汾市花果树更新及绿地建设工程指挥部副总指挥

集体一等功（21个）

尧都区车站街办事处
霍州市地税局
洪洞县电信局
安泽县信用联社
古县店上煤矿
乡宁县广播电视局
蒲县东胜（集团）公司选煤厂
隰县粮食局
中国农业银行吉县支行
临汾市引沁入汾管理局
临汾日报社
临汾市财政局
临汾市社会劳动保险事业所
霍州煤电集团公司辛置热电厂
临汾市地方税务局稽查局
山西新临钢钢铁有限公司综合利用厂
山西焦化集团有限公司空分车间
山西三维集团公司丁二醇分厂
临汾市邮政局
中国农业银行尧都区支行
临汾市人民检察院控告申诉检察处

集体二等功（26个）

山西临汾工贸集团有限公司
尧都区卫生局

山西三皇侯马运业集团股份有限公司
霍州市公安局
洪洞县公安局刑警五中队
襄汾县恒泰制动器有限公司
曲沃县公安局交警大队
中国人民银行曲沃县支行
翼城县科协
山西森润煤化有限公司（古县）
乡宁县申南凹焦煤有限公司
蒲县发电有限责任公司
临汾纺织厂准备车间
侯马纺织厂织布车间
襄汾纺织厂成品车间
临汾市宏通公交公司
临汾市水利机械工程局
临汾市人民警察学校
临汾染化集团硫化二车间
临汾市城乡建设拆迁办
临汾市房地产管理局
临汾市市政工程公司
霍州煤电集团洪洞焦煤总公司
山西焦化股份有限公司化产车间
临汾供电分公司输电工区
安泽县国税局征收分局

集体三等功（16 个）

临汾市公安局尧都分局西街派出所
侯马发电厂
洪洞县自来水公司
翼城县委统战部
浮山县方兴钢铁有限公司
隰县国土资源局
吉县中垛烟叶收购站
永和县文昌印刷公司
大宁县职业中学
临汾市交通局公路管理处
临汾市公安局技侦科
临汾市公安局经济侦察支队
临汾市荣军康复医院
临汾市环境卫生管理局清运队
霍州煤电集团公司团柏焦煤分公司
临汾市烟草公司财务科

个人一等功（54 人）

张振忠　尧都区信访局局长
李龙飞　临汾万佳福仓储超市有限公司董事长
赵春怀　临汾市公安局尧都分局县底派出所所长
逯兆祥　临汾市尧都区实验中学校长
梁雪枝　尧都区眼科医院医生
李华生　尧都区第二建筑安装公司处长
马淑焕　侯马市农业局局长
范希俊　侯马市房地产开发公司经理
任双珍　霍州市交警大队大队长
何成钦　霍州市第二中学校长
邢立三　霍州市广播电视中心记者
韩安国　洪洞县国土资源局副局长
张玉林　洪洞县水产品肉类中心经理
谢永才　襄汾县劳动局副局长
王新明　襄汾县地税局副局长
刘贵福　曲沃县信用联社理事长
王尚斌　翼城县供电支公司经理
郭青彪　浮山县群采铁矿税费统收办副主任
周文伟　安泽县公安局局长
郭国雄　古县供电支公司经理
乔杨玲　乡宁县第一中学教师
张昌虎　蒲县公安交警大队副大队长
刘彦杰　吉县运管所所长
雷瑞常　永和县信用联社理事长
徐克强　大宁县残联理事长
杨云溪　汾西县国税局局长
屈　毅　临汾造纸厂副厂长
赵雨琴　山西电控厂车间主任
张忠兴　什林煤矿矿长
李翠荣　临汾煤炭进出口公司站长
宣为民　临汾市工商联会长
高文弼　临汾市中级人民法院庭长
邢昭明　临汾市交通局职工培训中心主任
石　英　临汾市建设局建设工程项目执法办副主任
樊凤娥　临汾市卫生学校高级讲师
迪德俊　汾西水利管理局局长

李立俊　临汾电视台副主任
邓志仪　临汾电视台总工
杨根贵　霍州煤电集团公司副总经理
张金耀　霍州煤电集团李雅庄煤电分公司经理
郭伟勇　霍州煤电集团云厦建筑有限公司经理
许国华　山西新临钢钢铁有限公司炼钢厂工人
赵全池　山西新临钢钢铁有限公司制氧厂工程师
郭庆利　山西焦化集团公司空分车间工段长
刘龙跃　山西三维集团公司公安科科长
吕跃民　霍州发电厂发电部部长
李　明　临汾石油公司运输公司经理
王小新　中国建设银行临汾分行行长
裴宇森　中国银行临汾分行行长
吴世相　中国人民保险公司临汾分公司经理
王　政　临汾市审计局科长
王娟玲　山西省农科院小麦研究所主任
乔红梅　永和县地税局局长
高俊峰　山西三维集团公司财务处会计

个人二等功（55人）

季廷贵　尧都区铝制品厂厂长
杜金城　临汾市同世达实业有限公司副总经理
何其凤　临汾三园食品有限公司董事长
胡江南　江南纸业有限公司董事长
常　青　侯马市外贸局局长
祁建钢　侯马市路西派出所所长
张学义　霍州市地税局什林税务所所长
孙步炯　霍州市城建规划局局长
曳登武　洪洞县工商局城区工商所所长
李　钰　洪洞县审计局局长
杨国俊　襄汾县环保局局长
赵庆海　襄汾县大邓乡卫生院医生
王明杰　襄汾县襄陵焦铁公司总经理
胡国侃　曲沃县民爆物品公司经理
廉　波　翼城县工行工会主席
魏秀萍　翼城县委通讯组科长
魏青禄　浮山县畜牧中心副主任
郭明星　安泽县国土资源局副局长
申建胜　乡宁县台头煤矿坑口主任
乔国梁　蒲县科协主席
李耀龙　蒲县乡镇企业开发公司经理
侯锁成　隰县煤炭运销公司经理
李永芳　吉县水林业开发中心副主任
李　峰　大宁县煤矿副矿长
韩淑霞　临汾亚龙制衣有限公司（开发区）总经理
段东亮　临汾天马煤机有限公司科长
夏文亮　临汾华翔实业公司车间主任
高洪山　临汾一中教师
卢明珍　临汾卫校附属医院副主任
袁　晋　临汾市交通局平阳大桥站长
张建国　临汾市水利局科长
贾梁林　临汾市统计局队长
牛锦岚　临汾染化集团公司进出口部部长
王东红　西郭煤矿副矿长
李麦燕　临汾师范附属小学教师
桑玉虎　临汾工艺美术印刷有限公司董事长
耿国元　临汾市人大常委会办公厅行政室干部
李青雁　临汾市人大常委会办公厅文秘室干部
米临生　临汾二轻职工会计学校校长
尉忠民　临汾印业有限责任公司董事长
史郭平　西郭煤矿副矿长
张文玲　临汾市环境卫生管理局局长
田庆文　临汾有机化工厂销售员
张成兴　临汾通力机械有限公司大炉工
丁双狮　临汾市五交化公司主任
曹随宝　临汾市文化艺术学校教师
王学礼　临汾日报印刷厂副厂长
熊晋生　临汾电视台办公室主任
白旭东　霍州煤电集团水电热力分公司队长
李勤生　霍州煤电集团团柏焦煤分公司队长
崔勇将　霍州煤电集团多经局计划财务部副部长
王春爱　太钢集团临汾钢铁有限公司子弟小学校长
唐　峰　太钢集团临汾钢铁有限公司供水车间主任
邵恩巨　山西焦化集团公司绿化处处长
张照宇　临汾公路分局路政科科长

个人三等功（48人）

张志耕　尧都区计委办公室主任
左文忠　尧都区水利局工程师
兰维成　尧都区解放路办事处平阳居委会主任
范晓争　尧都区第八中学教师
南建祥　侯马市地税局所长
李保太　侯马市热力公司经理
薛忠义　侯马发电厂车间主任
杨春山　侯马市第六中学校长
何　临　霍州市电力支公司经理
杨建飞　霍州市辛置镇选煤厂厂长
韩会明　霍州市旺达实业有限公司董事长
王根安　中国工商银行洪洞县支行副行长
曹金旺　中国银行洪洞县支行行长
赵安国　洪洞县教育局甘亭教办主任
李安帮　洪洞供电支公司经理
柴吉山　襄汾县公安局政保科副科长
刘云亮　襄汾县人民医院主治医师
刘晋生　襄汾县晋獭兔业公司总经理
延学宏　襄汾县蒙亭中心小学校长
陈秉义　曲沃县豹峪沟铁矿矿长
程立清　翼城县中学校副主任
张彦林　翼城县国税局所长
李全林　翼城县邮政局工人
乔德娟　浮山县职业中学教师
吴凤海　安泽县焦化总公司车间主任
亓雨芳　安泽县委党校主任
宋巧云　古县第一中学教师
段锦涛　乡宁县农行行长
李锁旺　蒲县炉料公司经理
张双花　汾西县广播局总编
李宝和　永和县广播电视局记者
张晋江　山西省行政管理学校副科长
郭勤平　洪洞农校教师
李志军　山西金尧焦化有限公司司机
张文斌　临汾工艺美术旅游品有限公司董事长
马冬雪　临汾纺织厂挡车工
薛静泽　临汾宾馆厨师
卢雪荣　临汾新华书店营业员
郭　冰　临汾煤炭进出口公司部长
王乐南　临汾市交通局路政管理处主任
张晋泉　霍州煤电集团白龙焦煤分公司副经理
王地保　霍州煤电集团煤化分公司队长
贾　军　太钢集团临汾钢铁有限公司运输部检修车间副主任
张福生　山西储备物资管理局475处处长助理
辛锁柱　临汾医药药材公司惠伦分公司推销员
李　伟　浮山县公安局治安科科长
赵丁国　古县公安局纪检书记
王铁英　临汾市邮政局组长

·中共临汾市委关于表彰先进基层党组织、优秀共产党员、优秀党务工作者和“五十佳”书记的决定·（2001年6月26日）

党的十五大以来，全市各级党组织和广大共产党员高举邓小平理论伟大旗帜，紧紧围绕党的基本路线，认真实践“三个代表”重要思想，在推进全市改革开放和社会主义现代化建设，实现率先发展、建设经济强市的伟大实践中，充分发挥党的领导核心作用、基层党组织的战斗堡垒作用和共产党员的先锋模范作用，团结、带领全市广大人民艰苦奋斗、拼搏进取，做出突出贡献，涌现出一大批成就显著、贡献突出的先进基层党组织、优秀共产党员和优秀党务工作者。为了激励先进，鞭策后进，进一步推动全市党的建设、经济建设和精神文明建设实现新的更高目标，市委决定，在纪念中国共产党成立80周年之际，对成绩显著的100个先进基层党组织，200名优秀共产党员，50名优秀党务工作者，50名“十佳”书记（“十佳”乡镇党委书记、“二十佳”农村党支部书记、“十佳”企业党委（支部）书记、“十佳”机关党委（支部）书记）予以命名表彰。

市委认为，这次受表彰的先进集体和个人是全市各级党组织坚持好中选优，优中选强，经过层层评比筛选，严格审核考察，在各条战线上做出突出成绩和贡献的优秀代表；是全市广大基层党组织和共产党员实践“三个代表”重要思想，积极推进党的建设、经济建设和精神文明建设向前发展的楷模；他们的经验和事迹，反映近年来临汾市基层党组织建设取得的重大成效与新的水平，展现当代共产党人的精神风貌，昭示时代前进的方向，为全市党的基层组织和广大党员积累宝贵经验，树立榜样。他们的精神体现共产主义远大思想与社会主义初级阶段现实要求的有机统一，体现中华民族的优良传统与改革开放和社会主义市场经济条件下时代精神的有机统一，具有鲜明的时代特点和典型意义，是推动临汾市党的建设、经济建设和精神文明建设的强大的精神动力。全市各级党组织、广大共产党员和党务工作都应当向他们学习。

要学习先进基层党组织坚定共产主义理想信念，坚决贯彻执行党的路线、方针、政策，始终与党中央在政治上保持高度一致，在大是大非面前保持清醒头脑和高度警觉的政治坚定性；学习他们积极适应形势发展要求，模范实践“三个代表”重要思想，严肃党的纪律，严格党内生活，坚持从严治党，坚决抵制和纠正不正之风，始终保持党组织的先进性和纯洁性；学习他们锐意改革，大胆创新，不断解决新矛盾、新问题，积极探索发挥党组织和党员作用的新途径；学习他们争创第一，勇攀高峰，严格按照“六好”、“五好”、“四有”、“三优”和基层党组织建设先进县的标准，认真做好各项工作，努力创建先进单位；学习他们立足本职，围绕发展，充分调动一切积极因素，为实现改革、发展、稳定各项目标任务不断取得新成就，做出新贡献。

要学习优秀共产党员、优秀党务工作者解放思想、实事求是的精神，坚持一切从实际出发，不断研究新情况，解决新问题，不断形成新认识，开辟新境界；学习他们紧跟时代、勇于创新的精神，坚持讲学习、讲政治、讲正气，始终以马克思主义、毛泽东思想、邓小平理论和“三个代表”要求为指导，不断用当代最新知识丰富自己，站在时代发展的前列；学习他们知难而进、一往无前的精神，坚持在社会变革转型时期，面对出现的各种困难和问题，始终不畏艰验、顽强拼搏，不断樊登新高峰；学习他们艰苦奋斗、务求实效的精神，坚持发扬党的优良传统，大力弘扬正气，坚决反对歪风，尽心尽责做好本职工作；学习他们淡泊名利、无私奉献的精神，坚持牢记党的宗旨，密切联系人民群众，吃苦在前，享受在后，始终为广大群众谋取利益。

进入新世纪，任重而道远。市委希望受表彰的单位和个人，珍惜荣誉，戒骄戒躁，在全市改革和建设事业中做出新的更大贡献。要求全市各基层党组织和全体共产党员、党务工作者，以先进为榜样，进一步高举邓小平理论伟大旗帜，积极实践“三个代表”，在全市上下掀起学先进、赶先进、争第一、创一流的更大热潮，团结和带领全市400万人民，为实现率先发展、建设经济强市的宏伟目标而努力奋斗。

纪念建党80周年表彰名单

一、受中组部表彰的先进基层党组织（1个）

洪洞县赵城镇官庄村党支部

二、受省委表彰的先进基层党组织、优秀共产党员、优秀党务工作者（30个）

1.先进基层党组织（8个）

尧都区乔李镇党委

浮山县张庄乡党委

洪洞县万安镇西犬头村党支部

襄汾县邓庄镇邓庄村党总支

太钢集团新临钢钢铁有限公司党委

霍州煤电集团有限责任公司辛置煤电分公司党委

霍州市化学工业有限责任公司党委

汾西县委组织部党支部

2.优秀共产党员（15名）

张跃民　襄汾县新城镇党委书记

李洪海　翼城县隆化镇两坂村党支部书记

张保存　古县永乐乡尧峪村党支部书记

钟　声　吉县屯里镇回宫村党支部书记

刘反翠（女）蒲县薛关镇薛关村党支部书记

李爱英（女）尧都区公共交通集团总公司党总支书记

申泽民　洪洞县大槐树乳业有限公司副研究员

王梁虎　安泽焦化总公司党总支书记、总经理

滕应刚　山西焦化集团有限公司备煤车间工人

刘年生　霍州发电厂检修公司汽机工程部工人

杨克朝　山西新临钢钢铁有限公司炼铁厂三高

炉车间工人
李玉海　永和县坡头乡贺家崖小学教师
傅孟喜　曲沃县农业综合开发办公室党支部书记
常秀莲（女）大宁县人民法院党支部书记、院长
梁　斌　临汾市尧都区离休干部
3.优秀党务工作者（7名）
张彦江　侯马市新田乡党委书记
贾二元　乡宁县枣岭乡党委书记
郑效锋　隰县午城镇党委书记
严洪文　临汾纺织厂党委书记
孟凡民　山西三维华邦集团有限公司党委组织部长
张伟兴　霍州市委组织部组织科科长
陈贵林　吉县县委宣传部副部长

三、被命名的全省“农村基层党组织建设先进县（市、区）”（3个）

尧都区委
侯马市委
隰县县委

四、受市委表彰的先进基层党组织、优秀共产党员、优秀党务工作者、“五十佳”书记（400个）

1.先进基层党组织（100个）

尧都区（11个）
尧都区大阳镇党委
尧都区吴村镇党委
尧都区土门镇党委
尧都区辛寺街办事处党委
尧都区魏村镇魏村党支部
尧都区县底镇候村党支部
尧都区供电局党总支
临汾光明塑料有限公司党支部
尧都区城建党工委
尧都区政法党工委
尧都区解放路小学党支部

侯马市（5个）
侯马市新田乡党委
侯马市新田乡南西庄村党总支
山西三皇侯马运业集团股份有限公司汽车配件厂党支部
侯马市纪委、监委党支部
侯马市财政局党支部

霍州市（6个）
霍州市白龙镇党委
霍州市辛置镇辛置村党支部
霍州市开元街道办事处李诠庄村党支部
霍州市白龙镇陈村党支部
霍州市辛置镇宋矿集团党总支
霍州市地矿局党支部

曲沃县（5个）
曲沃县乐昌镇西南街村党总支
曲沃县电业局党支部
曲沃县农业局党支部
曲沃县财政局党支部
曲沃中学党支部

翼城县（6个）
翼城县王庄乡党委
翼城县南梁镇党委
翼城县唐兴镇北关村党总支
翼城县里砦镇东续村党支部
翼城县中卫乡浍史村党总支
翼城县财政局党支部

襄汾县（9个）
襄汾县邓庄镇党委
襄汾县新城镇党委
襄汾县大邓乡卫生院党支部
襄汾县大邓乡周家庄村党支部
襄汾县环保局党支部
襄汾县财政局党总支
襄汾县城建局党总支
襄汾县地矿局党支部
襄汾中学党支部

洪洞县（10个）
洪洞县大槐树镇党委

洪洞县苏堡镇蜀村党总支
洪洞县辛村乡南段村党支部
洪洞县大槐树镇三阳堡村党支部
洪洞县大槐树镇李堡村党支部
洪洞县广胜寺镇柴村党支部
山西鼎立化工有限公司党支部
洪洞县农业局党总支
洪洞县工商局党总支
洪洞县地矿局党支部

古县（3个）
古县古阳镇安吉村村党支部
古县旧县镇孔家垣村党支部
古县法院党支部

浮山县（4个）
浮山县米家垣乡党委
浮山县天坛镇北关村党支部
浮山县水利局党支部
浮山县广播电视局党支部

安泽县（3个）
安泽县和川镇党委
安泽县府城镇高必村党支部
安泽县计生委党支部

吉县（3个）
吉县中垛乡党委
吉县吉昌镇兰古庄村党支部
吉县水利局党支部

乡宁县（4个）
乡宁县昌宁镇党委
乡宁县双鹤乡南崖村党支部
乡宁县枣岭乡史家沟村党支部
乡宁县管头镇燕家河村党支部

蒲县（3个）
蒲县蒲城镇党委
蒲县克城镇党委
蒲县中学党支部

大宁县（3个）
大宁县太德乡美垣村党支部
大宁县公安局治安党支部
大宁县地税局党支部

隰县（4个）
隰县龙泉镇党委
隰县黄土镇义泉村党支部
隰县团委党支部
隰县检察院党支部

永和县（2个）
永和县坡头乡党委
永和县中医院党支部

汾西县（4个）
汾西县和平镇党委
汾西县团柏乡下团柏村党支部
汾西县僧念镇瓦窑圪塔村党支部
汾西县人事局党支部

市直（10个）
临汾纺织厂织布一车间党总支
临汾煤运分公司公路公司党支部
临汾供电分公司党委
临汾市水利局机关党委
临汾警校党委
临汾市纪委、监委机关党支部
临汾市委办公厅机关党支部
临汾市政府机关事务管理中心党支部
临汾市公安局交警支队党总支
临汾市地税局第二党支部

省属企业、学校（5个）
太钢集团临汾钢铁有限公司焦化厂党委
霍州煤电集团公司煤化分公司党委
霍州发电厂燃料车间党支部
山西焦化集团有限公司供排水车间党支部
山西三维华邦集团有限公司电石分厂党总支

2. 优秀共产党员（200名）

尧都区（24名）

王冬生　尧都区河底乡党委书记
杜松勃　尧都区尧庙镇党委书记
张凡记　尧都区一平垣乡党委书记
霍志清　尧都区贺家庄乡党委书记
韩金虎　尧都区车站街办事处党委副书记、主任
兰维成　尧都区平阳居委会党支部书记、主任
杨家锁　尧都区大阳镇上阳村党支部书记
高胡成　尧都区乔李镇北候村党支部书记
郭安顺　尧都区贾得乡贾材村党支部书记
乔连兴　尧都区金殿镇界峪村党支部书记
陈长记　尧都区屯里镇贾村党支部书记
温新年　尧都区段店乡翟庄村党支部书记
刘红喜　尧都区金殿镇官磑村村委主任
刘海水　山西金座集团临汾塑胶管道有限公司董事长
孙红梅（女）临汾红梅实业发展有限公司董事长
吉金仓　尧都区汾河水泥厂厂长
曹保嘉　尧都区农业党工委书记、主任
尉建红　尧都区经济党工委书记
吴国明　尧都区财贸党工委副书记
刘万璋　尧都区人事局局长
柴安龙　尧都区城建委副主任
董洪宝　尧都区审计局党支部书记、局长
章云芳　尧都区公安局宣传科科长
库方东　尧都区检察院法律政策研究室主任

侯马市（10名）

张清江　侯马市高村乡党委书记
成　功　侯马市张村街道办事处党委书记
赵根群　侯马市凤城乡党委委员、香邑村党支部书记
蒋忠仁　侯马市张村街道办事处大南庄村党支部书记
李向民　侯马市公共汽车公司党支部书记
李俊杰　侯马市饮食服务总公司党总支副书记总经理
郭保平　侯马市教委党总支副书记、主任
王　震　侯马市环保局党支部副书记、局长
刘德功　侯马市城建工委委员、建设局副局长
李章印　侯马市公安局路东派出所党支部书记所长

霍州市（10名）

薛泽会　霍州市辛置镇党委书记
胡韩平　霍州市大张镇党委书记
闫香平　霍州市退沙街道办事处退沙村党支部书记
杨建平　霍州市煤气供热有限责任公司经理
杜云林　霍州市凌云獭兔开发公司经理
朱志宏　霍州市紫云能源发展有限责任公司经理
何成钦　霍州市二中校长
朱壮斌　霍州市政法工委政工科科长
刘德瑾　霍州市旅游局党支部书记
闫金萍（女）霍州市人民医院护理部主任

曲沃县（10名）

秦朝斌　曲沃县曲村镇党委书记
李建山　曲沃县杨谈乡义合庄村党支部书记
樊全义　曲沃县高显镇神泉村党支部书记
周瑞华　曲沃县荣昌铁业有限公司董事长
魏　波　曲沃县农业开发办副主任
王明正　曲沃县中医院院长
王利军　曲沃县委组织部办公室主任
卫　明　曲沃县看守所所长
常建文　曲沃县高显镇安居中学校长
李　平　曲沃县工商局党总支书记、局长

翼城县（13名）

黄登高　翼城县隆化镇黄家埔村党支部书记
万广德　翼城县南唐乡符册村党支部书记
李景虎　翼城县西闫镇古桃园村村民
李殿普　翼城县王庄乡董家洼村党支部书记
马鹏贵　翼城县浇底乡翟庄村党支部书记
聂高潮　翼城县南梁镇南坡村党支部书记
赵怀义　翼城县离休干部
张发槐　翼城县水利局局长
曹玉枝（女）翼城县信访局党支部书记、局长

孙启鸿　翼城中学党支部书记
宁　浩　翼城县法院南梁法庭庭长
乔振湖　翼城县经贸工委办公室主任
张奇彪　翼城县统计局副局长

襄汾县（16名）
乔德才　襄汾县南辛店乡党委书记
贾安民　襄汾县古城镇党委书记
吉绍明　襄汾县汾城镇党委副书记
赵志升　襄汾县赵曲卫生院院长
狄怀玉　襄汾县新城镇派出所所长
刘顺德　襄汾县新城镇乔子沟村村民
高耀奎　襄汾县永固乡西吉村村民
张志刚　襄汾县西贾乡义顺村村民
范安杰　襄汾县邓庄造纸厂党总支书记
陈敏芳（女）襄汾县百货公司经理
邓根旺　襄汾县张礼油漆厂厂长
姚万管　襄汾县造纸厂卫生所医生
尉建华　襄汾县离休干部
毛跃芳（女）襄汾县妇联主席
李文选　襄汾县地矿局职工
韩富国　襄汾县环保局党支部书记

洪洞县（21名）
周聚财　洪洞县苏堡镇茹去村党支部书记
李金钟　洪洞县明姜镇李托庄村党支部书记
刘国柱　洪洞县辛村乡马三村党支部书记
冯新茂　洪洞县龙马乡新庄村党支部书记
王麦生　洪洞县万安镇王绪村党支部书记
申腊生　洪洞县曲亭镇范村畜禽养殖场场长
胡保娃　洪洞县甘亭镇南杜村村民
吴建法　洪洞县淹底乡淹底村村民
韩红岩　洪洞县广胜寺镇圪垌村村民
王书文　洪洞县兴唐寺乡兴唐寺村村委主任
杨青俊　洪洞县山头乡曹家沟村村民
柴文华　山西霍泉化工有限公司党总支书记
张玉林　洪洞县水产品肉类中心党支部书记、经理
史家文　洪洞县刘家垣镇融通铁厂厂长
范忠义　洪洞县大槐树公园党支部书记
武平旺　洪洞县飞虹影剧院经理
李云星　洪洞县委办公室副主任
倪宁慧　洪洞县委组织部组织科科长
张全进　洪洞县公安局110指挥中心主任
段治华　洪洞县统计局科员
杨玉才　洪洞县农工委生产科科长

古县（5名）
武天国　古县岳阳镇党委副书记
李建红　古县南垣乡党委副书记
李玉书　古县永乐乡范寨村党支部书记
孙秀仁　古县旧县镇红寨村村民
樊淑芳（女）古县人民医院急诊室护士长

浮山县（7名）
王增富　浮山县响水河镇桥埝村党支部书记
石连俊　浮山县张庄乡葛村党支部书记
杨丰昌　浮山县北王乡北张村党支部书记
唐建国　浮山县人民医院党支部书记、副院长
石　龙　浮山县农业局技术站站长
朱红秀（女）浮山县科委主任
王　强　浮山县委办公室副局级督查员

安泽县（5名）
孟金明　安泽县冀氏镇卫生院院长
聂文平　安泽县良马乡曹家沟村党支部书记
党志珍（女）安泽县府城镇石桥沟村小学校长
贾　伟　安泽县交通运输管理所所长
李辉民　安泽县气象局党支部书记

吉县（6名）
郭印芳　吉县文城乡大圪塔村党支部书记
苏敖森　吉县柏山寺乡官庄村党支部书记
张德立　吉县车城乡桃村党支部书记
张占中　吉县林业局局长
牛建中　吉县财政局局长
李敖升　吉县县委组织部组织科副科长

乡宁县（7名）
高原兵　乡宁县昌宁镇党委副书记
张文科　乡宁县双鹤乡党委副书记
胡千姓　乡宁县西交口乡党委副书记

张连生　乡宁县关王庙乡坂儿上村党支部书记
郭帮锁　乡宁县管头镇下善村党支部书记
李天太　乡宁县管头镇井上村党支部书记
魏太平　乡宁县台头镇李子坪村党支部书记

蒲县（5名）
牛　伟　蒲县红道乡伟兴农场场长
崔保彦　蒲县蒲城镇城关村党支部书记
顿喜龙　蒲县古县乡盘地村村民
张虎平　蒲县黑龙焦化集团有限公司董事长、总经理
乔国梁　蒲县科协主席

大宁县（4名）
程　炜（女）原北京插队知青返大宁扶贫志愿者
孙惠平　大宁县信用联社主任
贺云青　大宁县林业局局长
冯效贤　大宁县科委办公室主任

隰县（6名）
李锁成　隰县阳头升乡千通村党支部书记
王建新　隰县城南乡柴家村党支部书记
丁和顺　隰县财政局局长
田玲女（女）隰县中医院院长
元先根　隰县第一小学副校长
曹忙小　隰县林业局局长

永和县（3名）
房记兵　永和县交口乡南楼村党支部书记
刘增成　永和县农工委副书记
马毅润（女）永和县第二小学副校长

汾西县（6名）
郭良敏　汾西县佃坪乡党委副书记
邢锁记　汾西县邢家要乡邢家要村党支部书记
贾会宝　汾西县自来水公司经理
鱼晶明　汾西县委宣传部办公室主任
赵新枝（女）汾西县财贸工委副书记
王文龙　汾西县法院经济庭副庭长

临汾经济技术开发区（1名）
王富贵　临汾经济技术开发区建设规划局副局长

市直（19名）
门儒平　临汾染化（集团）公司党委组织部部长
吉天星　临汾市宏通工交总公司党总支书记、总经理
梁新堂　临汾市建筑工程总公司离退休党支部副书记
卫永宏　临汾长途线务局党支部书记
蔡　平　临汾公路分局机械工程处处长
王春翔　临汾华翔公司董事长
李德富　临汾市餐饮服务管理中心主任
张建国　临汾市医药服务公司经理
乔志民　临汾市中级法院法警支队支队长
陕绍宁　临汾市精神病医院院长
孟临生　临汾监狱职工
李东进　临汾交通征稽分局稽查科科长
王　河　临汾市计委党委办公室主任
张金凤（女）临汾市农工委监察室主任
许文健　临汾市检察院批捕处干警
行翠平（女）山西省小麦研究所工会副主席
郭晓宏　临汾市乡镇企业局人事科副科长
刘　晶（女）临汾市教委普教科副科长
陆熙祯（女）临汾市地税局稽查局干部

省属企业、学校（22名）
李光荣　临钢公司焊管厂直管车间班长
王占虎　新临钢公司烧结厂生产科科长
高新安　临钢公司中板厂机修车间主任
田晋阳　临钢公司动力厂热二车间副主任
王振华　山西冶金建设公司第五分公司经理
光喜临　冶勘部三一四队党委组织人事科科长
李全孝　临汾动力厂离休干部
王　芳（女）山西焦化集团有限公司销售部副部长
徐建忠　山西焦化集团有限公司炼焦车间工艺丙班值班长
冯泽龙　山西三维华邦集团有限公司热力分厂

戊班班长

芦红福　四家湾金铜矿坑口电工班班长

冯道智　亨达公司侯马晋峰机械铸造有限公司董事长、党支部书记

郑旭峰　霍州煤电集团公司白龙焦煤分公司党委宣传部部长

张继文　霍州煤电集团公司洪洞焦煤公司回坡底矿机运队队长

侯小明　霍州煤电集团公司李雅庄煤电分公司掘进一队队长

张凤香（女）霍州煤电集团公司辛置小学校长

杨小虎　霍州煤电集团公司机电部生产技术科科长

韩卫国　霍州发电厂辛能公司碳素分公司经理

杨金珠　山西储备局四七五处办公室主任

郭敬仁　山西省行政管理学校文秘与信息教研室主任

曹连奎　临汾教育学院教务处副处长、行政第三党支部书记

任怀玉　临汾引沁入汾工程建设管理局计财科科长

3.优秀党务工作者（50名）

宋巧珍（女）尧都区委组织部副部长

张淑琴（女）尧都区委机关党工委副书记

朱爱萍（女）侯马市上马街道办事处党委书记

贾桂荣　侯马市委组织部部务委员、办公室主任

陈　真　霍州市政府工委副书记

王海平　霍州市白龙镇党委副书记

冯　珍（女）曲沃县委组织部副部长

巨和平　曲沃县财委工委书记

张美恭　翼城县委宣传部副部长、党支部书记

侯永新　翼城县经贸工委副书记

郭建伟　襄汾县邓庄镇党委副书记

李　林　襄汾县委组织部组织科科长

王振俊　洪洞县赵城镇党委书记

张林康　洪洞县堤村乡党委书记

张金虎　古县北平镇党委书记

许　丽（女）古县石必乡党委副书记

陕绍宁　浮山县北王乡党委书记

段玉明　浮山县张庄乡党委书记

李海根　安泽县杜村乡党委书记

王杨锁　安泽县县委工委副书记

田福龙　吉县吉昌镇党委书记

艾维平　吉县县委办公室党支部书记

李桂平（女）吉县东城乡党委副书记

刘建平　乡宁县委组织部组织科科长

王天仓　乡宁县光华镇党委书记

申刘根　蒲县农工委副书记

史虎喜　蒲县黑龙关镇党委书记

尉　俊　大宁县委办公室副主任

冯文俊　大宁县委组织部组织科科长

薛晓平　隰县城南乡党委书记

王玉武　隰县阳头升乡党委书记

李续双　永和县委组织部组织科科长

郭记平　永和县南庄乡党委副书记

李学俊　汾西县委组织部部长

贾建平　临汾经济技术开发区国税分局党支部书记、局长

范德辉　山西省临运（集团）党委办公室主任

刘小锁　临汾移动通信分公司党委办公室主任

苏世昭　侯马纺织厂党委副书记

贾国平　襄汾纺织厂织布车间党总支书记

张吉朝（女）临汾市直机关工委办公室主任

原建平　临钢、新临钢公司党委宣传部部长

沈永耀　新临钢公司炼铁厂党委书记、厂长

侯建太　霍州煤电集团公司李雅庄煤电分公司党委书记

景春选　霍州煤电集团公司党委组织部、人事部部长

张生华　霍州发电厂党委副书记、纪委书记

郭保林　山西焦化集团有限公司党委组织部部长

李玉双　山西三维华邦集团有限公司纪委副书记

马联合　山西省行政管理学校办公室党支部书记、主任

张卫东　临汾引沁入汾工程建设管理局党委办公室干事、机关党支部宣传委员

陈克民　临汾教育学院行政第一党支部书记、政治处副处长

4. “十佳”书记（50名）

“十佳”乡镇党委书记

高　涨　尧都区刘村镇党委书记
隋文山　侯马市凤城乡党委书记
申红锁　霍州市李曹镇党委书记
郑步电　曲沃县乐昌镇党委书记
李　伦　翼城县中卫乡党委书记
魏贵敏　襄汾县景毛乡党委书记
魏金顺　洪洞县大槐树镇党委书记
李　凡　浮山县槐埝乡党委书记
杨保旭　安泽县冀氏镇党委书记
贾二元　乡宁县枣岭乡党委书记

“二十佳”农村党支部书记

刘振宝　尧都区枕头乡岭上村党支部书记
补根柱　尧都区尧庙镇乔村党支部书记
冯玉金　侯马市上马街道办事处程村党支部书记
陈记虎　霍州市三教乡龙泉村党支部书记
买林祥　曲沃县乐昌镇东关村党支部书记
冯　彪　翼城县里砦镇东续村党支部书记
张来水　襄汾县汾城镇西中黄村党总支书记
邓宝锁　襄汾县新城镇圪塔村党支部书记
李清生　洪洞县赵城镇官庄村党支部书记
杨鹏万　洪洞县苏堡镇蜀村党总支书记
解长春　古县古阳镇安吉村党支部书记
古建国　浮山县槐埝乡吕寨村党支部书记
赵海成　安泽县唐城镇冯子节村党支部书记
杨鸿森　吉县吉昌镇桥南村党支部书记
郭海泉　乡宁县双鹤乡南崖村党支部书记
王明茹（女）蒲县山中乡白家庄村党支部书记
冯俊生　大宁县徐家垛乡康里村党支部书记
闫云海　隰县午城镇刁礼村党支部书记
闫有记　汾西县永安镇城关村党支部书记
解金生　临汾经济技术开发区坂下村党支部书记

“十佳”企业党委（支部）书记

逾建胜　尧都区民用爆破器材专营公司党支部书记
田迎光　洪洞县煤焦集运站党支部书记
张连水　乡宁县长咀湾煤矿党支部书记
李全锁　蒲县煤炭运销公司党支部书记
任县宁　大宁黄河总公司化工厂党支部书记
严洪文　临汾纺织厂党委书记
王晓冬　新临钢公司炼钢厂党委书记
董建国　山西焦化集团有限公司尿素车间党支部书记
祁百法　山西三维华邦集团有限公司有机分厂党支部书记
赵学义　霍州煤电集团公司辛置煤电分公司党委书记

“十佳”机关党委（支部）书记

李春发　侯马市卫生局党总支书记
段芳兰（女）霍州市计生委党支部书记
靳建民　曲沃县经委工委书记、机关党支部书记
杨泽云　古县劳动局党支部书记
李水海　翼城县广播电视局党支部书记
郝耀宗　吉县教育局党支部书记
冯廷记　隰县教委机关党支部书记
王学诗　永和县中医院党支部书记
谭雪凡　汾西县农业局党支部书记
王惠洲（女）临汾市检察院起诉处党支部书记

临汾市全国五一劳动奖章获得者名单

姓　名	性别	出生年月	政治面貌	工　作　单　位	职务职称
李玉海	男	1948．12	中共党员	永和县贺家崖小学	小学高级教师
张　健	男	1955．7	中共党员	临汾市水利局	局长　工程师

临汾市山西省劳动模范名单

姓　名	性别	出生年月	政治面貌	工　作　单　位	职　务
张克功	男	1949．9	中共党员	侯马市侯马乡乔村	党总支书记
牛　伟	男	1962．5	中共党员	蒲县西坪垣乡耳里村	场　长
原国民	男	1963．8		襄汾县白马坡农牧水产开发有限公司	经　理
李宝文	男	1954．6	中共党员	太钢集团临钢公司　山西新临钢公司	党委书记总经理
令狐文选	男	1960．8	中共党员	临汾市交通局公路管理处	处　长
马希贤	男	1957．1	中共党员	临汾卫校附属医院	心内科主任
郝治平	男	1969．12	中共党员	霍煤集团白龙焦煤分公司采煤一队	队　长
李万定	男	1949．2	中共党员	山西省公路局临汾分局	局　长
任保才	男	1948．2	中共党员	山西省石油总公司临汾公司	总经理
宋茂林	男	1948．3	中共党员	临汾市尧都区城乡建设环境保护	主　任
薛佩珍	男	1941．8	中共党员	山西焦化集团有限公司	董事长
仝立祥	男	1943．8	中共党员	山西三维集团股份有限公司	董事长
杨克朝	男	1966．11	中共党员	山西新临钢公司炼铁厂	工　人
赵建萍	女	1964．7	中共党员	山西焦化集团有限公司防腐安装公司	班　长
祁百发	男	1964．12	中共党员	山西三维集团股份有限公司有机车间	车间主任
赵　刚	男	1953．4	中共党员	山西临汾工贸（集团）有限公司	董事长
王彩萍	女	1947．1	中共党员	临汾市第八中学校	教　师
孟援斌	男	1960．6	中共党员	霍州市社会劳动保险所	所　长
张国宝	男	1960．1	中共党员	洪洞县农村信用合作社联合社	理事长
傅孟喜	男	1958．10	中共党员	曲沃县农业综合开发办公室	主　任
李本夺	男	1952．9	中共党员	翼城县同丰商贸综合服务中心	主　任
冯小明	男	1963．2	中共党员	大宁县公安局	副中队长
孙运启	男	1950．11	中共党员	临汾市工程建设招标投标办公室	主　任

姓　名	性别	出生年月	政治面貌	工　作　单　位	职　务
梁府义	男	1957．5	中共党员	中国农业银行临汾分行营业部	主　任
杨建平	男	1959．5	中共党员	临汾市尧都区广场信用社	主　任
张玉珍	女	1952．4	中共党员	临汾市佳宇外经贸运销有限公司	董事长
王润宁	女	1952．5	中共党员	临汾市计划委员会	科　长
李　凯	男	1959．6	中共党员	临汾市劳动局	科　长
郭益民	男	1954．5	中共党员	临汾市公安消防支队	队　长
任跟心	女	1963．9	中共党员	临汾蒲剧院	副院长
刘新德	男	1944．7	中共党员	临汾电视台	台　长
吴晋龙	男	1968．3		临汾市科海有限公司	总经理
王建国	男	1952．10		襄汾县有色金属实业有限公司	董事长
张东才	男	1959．6	中共党员	临汾东方装潢安装有限公司	董事长
刘启文	男	1955．12	中共党员	霍州市交运服务总公司	工　人
王继业	男	1954．3	中共党员	侯马市凤城乡凤城村	党支部书记
黄黑蛋	男	1952．4	中共党员	洪洞县赵城焦化实业集团	总经理
张贵本	男	1946．12	中共党员	曲沃县西南街村委会	党总支书记
李殿普	男	1948．4	中共党员	翼城县董家洼村	支部书记
庞青战	男	1970．11		浮山县庞青战养鸡场	场　长
李　勇	男	1976．9	团　员	临汾市安泽县和川肉牛育肥场	农　民
马长江	男	1967．2	中共党员	蒲县宏源有限公司	总经理
殷照义	男	1935．6	中共党员	陡坡乡辛庄村	村委主任
郭建平	男	1961．9	中共党员	临汾市汾西县勍香林场	场　长
贾二元	男	1962．6	中共党员	中共枣岭乡委员会	党委书记
张占中	男	1957．8	中共党员	吉县林业局	
雷震宇	男	1961．2	中共党员	临汾市农业局土肥站	站　长
荣泽忠	男	1958．5	中共党员	临汾市第二建筑安装总公司	
杨怀旺	男	1962．1	中共党员	山西金尧焦化有限公司	总经理
张毓哲	男	1946．9	中共党员	山西省电力公司临汾供电分公司	经　理
高根来	男	1956．9	中共党员	山西省农业科学院小麦研究所	
戴有学	男	1964．11	中共党员	临汾市气象局气象台	副台长
李志刚	男	1960．12	中共党员	临汾地区公路建设开发有限责任	副总工程师
朱良惠	男	1944．9	中共党员	霍州煤电集团有限责任公司	副总工程师

姓　名	性别	出生年月	政治面貌	工　作　单　位	职　务
黄占平	男	1956．2	中共党员	太钢集团临钢公司生活服务中心	土建工程师
高　峰	男	1954．11	中共党员	中铁十五局三处	项目长
白培中	男	1963．10	中共党员	霍州煤电集团有限责任公司	总经理
岳春来	男	1950．5	中共党员	山西省电力公司霍州发电厂	党委书记
段　波	男	1960．2	中共党员	临汾市公安局	局　长
郭明德	男	1956．2	中共党员	山西省煤炭运销总公司临汾分公	党总支书记
安国全	男	1959．11	中共党员	临汾市公共交通（集团）总公司	经　理
田怀宇	男	1959．	中共党员	侯马市交通局	局　长
翟红荣	男	1964．2	中共党员	霍州市公安局	局　长
李英建	男	1959．9	中共党员	中国工商银行洪洞县支行	行　长
王红星	男	1963．4	中共党员	襄汾县交通局	局　长
沈玉民	男	1955．8	中共党员	曲沃县教育委员会	主　任
赵全兴	男	1949．8	中共党员	山西省曲沃县国家税务局	局　长
吉天星	男	1954．9	中共党员	临汾宏通工交总公司	总经理
张欢虎	男	1964．9	中共党员	乡宁县毛则渠煤炭有限公司	董事长
王　震	男	1965．10	中共党员	侯马市环境保护局	局　长
孙中海	男	1957．6	中共党员	翼城县城东钢铁厂	厂　长
孙明旺	男	1952．12	中共党员	临汾市邮政局	局　长
韩卫东	男	1968．5	中共党员	山西省浮山县电信局	局　长
王梁虎	男	1958．2	中共党员	安泽县焦化总公司	总经理
李全锁	男	1950．10	中共党员	山西省煤炭运销总公司临汾分公	经　理
吴根平	男	1959．6	中共党员	临汾天马煤机有限责任公司	董事长
马平生	男	1948．12	中共党员	山西临汾染化（集团）有限责任公司	总经理
王维邦	男	1932．4		山西省农业科学院小麦研究所	课题主持人

临汾市全国先进集体名单

单 位 名 称	所属产业	负责人姓名	职工人数
山西新临钢钢铁有限公司	冶　金	李宝文	14000

临汾市山西省模范单位（集体）名单

单 位 名 称	所属行业	负责人姓名	单位性质	职工人数
临汾市交通局	交通	徐信基	机关	2860
临汾市水利局	农业	张 健	行政	528
临汾市经济委员会	机关	杨临生	行政	48
临汾市计划委员会	机关	闫家富	行政	57
中国农业银行临汾分行	金融	师兴无	企业	1941
临汾市教育委员会	教育	宁雪清	行政	123
临汾市人民检察院	政法	胡兴甫	行政	191
临汾日报社	宣传	孙延林	全民事业	400
山西省电信临汾市分公司	信息产业	蔡传兴	全民所有制企业	1100
尧都区屯里镇人民政府	行政	闫垣生	行政	50
侯马市水利局	农业	张宝贵	农业	178
霍州市化学工业有限责任公司	化工	池化民	国有控股	1800
霍州煤电集团洪洞焦煤股份有限公司	煤炭	白培中	国有企业	1481
襄汾县乡镇企业管理委员会	行政	张晓民	行政机关	60
古县焦化有限公司	制造业	王 勇	股份制	420
隰县财政局		丁和顺	行政	81
大宁县黄河化工机械股份合作总公司	民爆	任县宁	集体	428
永和县水务局	农业	房炳生	行政机关	31
乡宁县地方国营台头煤矿	煤炭	王水金	全民	1500
汾西县水利水保局	行政	郭建华	机关	42
尧都区农机技术推广站	农业	古润生	事业	10
翼城县北关村	农业	任安德	集体	4600
临汾市安泽县大型农机站	农业系统	闫太福	国有	25
临汾市地方税务局稽查局	财贸	白京管	行政	20
临汾市农业综合开发办公室	农业	王久生	金额事业	19
山西新临钢炼钢厂冶炼车间	冶金	姚保林	国有企业	146
山西焦化集团有限公司 山西焦化股份有限公司	化工	郭毅民	股份制	2741
山西三维集团股份有限公司企业管理处	纺织	申彩梅	国企	20
山西省电力公司霍州发电厂	电力	张晋亮	国有	110

新闻人物

苏海梁

苏海梁　党员，山西晋光药业有限责任公司董事长。

多年来，苏海梁把一个年产值不足百万元的小厂发展到年产2350万元，利税215万元，可生产5种剂型52个品种的综合制剂企业。该公司的主导产品“晋光牌”猴头健胃灵胶囊先后被评为省名优产品、省潜力产品、省著名商标、省标志性名牌产品，并被列为国家中药保护品种。

在苏海梁的努力下，2001年10月，由年产3亿粒扩大为年产20亿粒的“猴头健胃灵”的扩产改造项目正式竣工投产，投产后年销售收入可达24000万元，年利润4900万元，税金5000万元。

李龙飞

李龙飞　市政协委员，临汾万佳福仓储超市有限公司董事长，临汾红狮制衣有限公司董事长。

1995年，26岁的李龙飞自筹资金创办全市第一家大型专业精制西服企业“红狮制衣行”，一举垄断临汾中高档西服制作业。他顺势发展，相继开办红狮干洗连锁店、皮衣养护中心及毛料商场、儿童购物中心等企业。2000年8月，他又投资兴建临汾第一家大型会员制超市——万佳福仓储超市。超市占地5600平方米，经营20000余种商品，极大地方便了市民购物。一年来，万佳福以物美价廉的商品、严格规范的管理和丰富多彩的企业文化赢得社会各界的广泛赞誉。他的企业年上交利税80余万元，在职450名员工60%为下岗职工。2001年，李龙飞获“临汾市十大杰出青年”称号。

郑育敏

郑育敏　党员，硕士文化程度，曲沃县里村镇党委书记。

2001年，郑育敏大胆制定了在里村建设“全国最大的无公害红提生产基地”的规划，倡导成立“红提”协会，为果农提供资金、技术、销售、贮存各项服务，充分调动群众发展红提的积极性。目前，里村镇红提面积已发展近万亩，成为全镇主导产业和农业增效、农民增收的主渠道。去年10月份，他代表里村镇在全省农业结构调整经验交流会上做典型发言。同时，他提出“干群联手闯富路，风险共担建大棚”的要求，组织镇政府和基层站所干部同农民结对子，发展反季节葡萄大棚132个，进一步拓宽致富渠道，为里村全面实现宽裕型小康镇打下坚实基础。

郭海全

郭海全　党员，乡宁县双鹤乡南崖村党支部书记。

郭海全担任支书后，果断废除村办煤矿的不合理承包合同，进行公开、公平、公正的投标承包，使村集体收入增至50余万元。几年来，他以集体收入新建学校3座，机修梯田800多亩，新建基本农田200多亩，改造拓宽并铺装出村道路5公里。郭海全还在全县率先进行移民并村，使山庄窝铺的群众来到新的环境。同时，他创立“双益獭兔开发公司”，建起獭兔养殖示范基地。仅此一项，全村人均年增收600多元。

郭海全担任支书7年来，村民人均收入由600元增加到3000多元，村里工作30余次受到市、县、乡表彰。2001年，他本人又被市委评为全市“二十佳农村党支部书记”。

耿向阳

耿向阳　党员，研究生学历、经济师、农行全国百家金融超市——贡院街分理处主任。

他带领28名平均年龄仅24岁的大学生组建全市第一家大学生银行。从2000年10月9日组建至2001年底各项存款余额2.04亿元，创全市金融机构存款增长之历史记录。他和员工们倡导特色化服务、个性化消费、阳光化作业的现代化经营理念，围绕个人购车、购房、教育、装潢等消费热点提供消费信贷3亿余元，同时还为企业客户提供信贷和票据融资1.8亿元，该处也实现当年创利351万元。2001年，该处被农总行授予“全国百家金融超市”，成为全省三家之一、山西省南部惟一的一家。同时，该分理处还荣获农总行“优质服务先进集体”。耿向阳本人也被评为全省“模范党员”。

樊　宇

樊　宇　党员，侯马市公安局副局长。

参加工作以来，他始终把全心全意为人民服务做为指导自己工作的根本宗旨，认真钻研法律业务，严格依法办事，不为情动，热爱本职工作，兢兢业业，无私奉献，较为圆满地完成所承担的各项工作任务。1997年因在“打团扫恶”斗争中成绩突出，被省委、省政府嘉奖一次；1998年被评为全区优秀法制民警；1999年被评为全省公安系统执法检查先进个人，2000年3月被评为全区政法系统执法监察先进个人；2000年因工作成绩突出被荣记个人三等功，同时被评为山西省第三届十大杰出青年卫士称号，2001年被评为“临汾市十大杰出青年”。

李玉升

李玉升　大学学历，工程师，现任临汾市污水处理厂厂长。

李玉升先后参与组织实施了临汾市外环路立交桥、河汾路等道路拓宽改造工程及城市供水和集中供热工程的前期工作，为城建事业立下汗马功劳。1999年起任省重点工程临汾市污水处理厂工程建设领导组常务副总指挥兼项目法人，在施工中他大胆创新，推行“工程项目监理制”，推广适用新技术、新工艺，强化质量管理，同时，创新筹资，解决1.06亿元的资金难题，使得该工程成为晋南完工最早、质量最高、投资最大的污水处理厂，工程建成后，日处理污水7万吨，成功解决临汾市污水治理问题。李玉升同志荣获2001年山西省“五一”劳动奖章和临汾市劳动竞赛委员会特等功。

常秀莲

常秀莲　党员，大宁县人民法院院长。

参加工作以来，曾获优秀人民法官、人民满意的优秀法官、全省十佳女法官、省“三八”红旗手等荣誉称号，2001年又被授予全省优秀共产党员。担任院长后，勇于改革，公正司法，在法院率先进行人事制度改革、审判长选任、审判流程管理，取得连年无积案、无错案的业绩。她的先进事迹曾被《中国改革报》、《山西日报》、《山西审判》等刊物以《当代女包公》等文章进行报道。2001年，应文化部社会发展基金的邀请，在北京参加“中华社会各界名人”新年座谈会，受到党和国家领导人的接见。2001年12月，又应邀参加首届新世纪中国改革人物征评活动领奖大会，并受到国家领导人接见。

张国飞

张国飞　临汾市移动通信分公司党委书记兼经理，市第一次党代会代表。

张国飞紧紧围绕“构建一流通信企业”的总体要求，以发展为主线——截至目前，全市移动用户已由1999年的3万余户增至30万户；以市场为导向——形成以移动专业营业厅为主，邮政、银行和代办代销点为辅的从城镇到农村的多层次立体营销体系；以改革为动力——基本上建立了面向市场的运营机制；以客户为中心——坚持“沟通从心开始”的服务理念，增进与客户的情感交流，实施个性化服务；以网络为基础——网络已覆盖全市17个县（市），主要乡镇所在地、村庄、公路干线、铁路和旅游景点，解决地下商场、电梯、各大饭店等室内的无缝覆盖，国际漫游也已通达 76 个国家和地区的 146 家境外运营公司。

刘玉江

刘玉江 党员，临汾九中校长。

刘玉江担任九中校长后，高举科研旗帜，狠抓养成教育和课堂教学改革。率先承担山西省“学生自主学习指导”、“写作与创新”两个“十五规划”课题。2001 年 5 月尧都区课堂教学研讨和观摩养成教育示范现场会先后在九中召开。2001 年九中中考获大面积丰收，创历史最好水平。九中先后荣获山西省“三五”普法先进单位、创新教学先进单位、教学红旗单位等多项荣誉。刘玉江也先后获山西省学科带头人、省教学能手、省跨世纪杰出青年等荣誉和表彰。2001 年被授予市“跨世纪杰出青年”、“ 模范校长”、“学法用法先进个人”等称号。

·特别新闻人物·

张传华

张传华 临汾市政协副主席、市财政局局长。

1995 年担任行署财政局局长后，调整财政体制，狠抓贯彻落实，当年就实现财政收支平衡，年终净结余 1314 万元，并消化历年赤字 1261 万元。

在临汾财政处于困难的情况下，他通过各种渠道筹集资金 1 亿余元，扶持大小项目百余个，为财政增收 6000 余万元。并从财政部争取国债专项资金 2.5 亿元，从世界银行贷款争取资金 3 亿多元，投资于全市 17 个县、市（区）农、林、水、牧及文教、卫生等项目。

2001 年在市委、市政府的正确领导下，全市财政系统团结拼搏，扎实工作，截至 2001 年 12 月底，全市财政总收入完成 18774 万元，占预算 162162 万元的 115.79%，同比增长 25.8%，增收 38509 万元，增长幅度是临汾市 1997 年以来的最高值，全省排队增长和进度都是第一，收入总量成为仅次于太原市的全省第二名。

郭文虎

郭文虎 浮山县委书记。

2000 年 5 月上任伊始，便提出集中精力抓“三讲”，抓好“三讲”强经济的工作思路。当年财政收入 3464 万元，比 1999 年的 2400 万元增长 40.6%，2001 年全县财政收入 7500 万元，比 1999 年增长 3 倍，提前一季度超额完成全年财政收入任务，提前一年半实现财政收入翻番的目标，其增长速度是全市第一、荣获市委、市政府 2000 年经济工作目标考核特等奖，本人被评为 2001 年全省优秀党务工作者。

2000 年以来，引资 1.3 亿元发展浮山经济，工业已从单纯的原矿生产发展为矿山冶金工业系列，形成可持续发展的格局。农业生产有长足发展，粮经比例由 7：3 调整为 6：4，农民人均纯收入 1840 元。

随着经济的发展，县委、县政府两年来投资 8000 万元，为人民群众办实事 30 余件，构建 10 大重点工程，创造浮山历史的奇迹，铸造浮山新世纪的辉煌。

统计公报

【综合】 2001 年，是撤地设市的第 1 年，也是临汾市经济和社会继续加速发展的 1 年。1 年来，全市人民在市委、市政府的正确领导下，认真贯彻落实中共中央、国务院和省委、省政府的战略步署，以发展为主题，以结构调整为主线，强力推进“三件大事”，加快实施“六大战略”，深入持续的整顿规范市场经济秩序，努力克服经济运行中的各种困难，取得全市社会经济发展的新成绩，国民经济快速发展，社会各项事业全面进步，财政收入大幅度增加，结构调整“顺利入轨”，各项改革扎实推进，城乡人民生活水平继续提高，实现在全省率先发展和“十五”计划的良好开局。

国民经济快速发展。初步统计，全年全市国内生产总值完成192.1亿元，按可比价格计算，比2000年增长12.5%，增长幅度提高4个百分点，达到1997年以来最好水平。其中，第一产业增加值21.9亿元，增长0.3%；第二产业增加值104.9亿元，增长17.1%；第三产业增加值104.9亿元，增长10.2%。三次产业在经济总量中所占份额分别为11.4%、54.6%和34.0%。在经济增长拉动因素中，第二产业拉动8.9个百分点，第三产业拉动3.6个百分点。全年全市人均国内生产总值4830元，增长11.2%。

市场价格保持稳定。全市居民消费价格水平上升0.1%，其中，食品、烟酒及用品、医疗保健和个人用品分别下降0.8%、0.6%和5.2%，衣着、家庭设备用品及维修服务、交通和通讯、娱乐教育文化用品及服务、居住分别上涨1.2%、0.4%、5.3%、1.1%和0.6%。此外，工业品出厂价格总水平上升1%，原材料、燃料、动力购进价格总水平上升5.5%。

财政收大幅度增长。全市各级财税部门积极深化财税体制改革，大力组织收入，强化预算约束，严格控制支出，使全市财政收入大幅度增长，确保支出预算的较好执行。全年全市财政总收入18.78亿元，增长25.8%，增收3.85亿元，增长速度达到“九五”以来最高水平。一般预算收入10.58亿元，增长20%，其中，工商税收完成7.18亿元，增长25.1%；农业四税完成5908万元，下降15.2%。全年全市一般预算支出执行22.7亿元，增长32.3%，其中，基本建设性支出下降19.6%，科技三项支出增长10%，各项事业发展支出和行政管理费支出分别增长40.5%和28.3%。按现行财政体制，17个县（市、区）和2个开发区以及市本级全部实现收支平衡。

劳动就业工作基本稳定。年末全市全社会从业人员176.7万人，与2000年持平。其中，城镇从业人员39.3万人，减少1.3万人；农村从业人员137.4万人，增加1.3万人。三次产业从业人员比例由2000年的49.0∶22.6∶28.4调整为48.6∶22.9∶28.5。下岗职工再就业工作得到重视和加强。5200多名下岗职工实现再就业，再就业率47.8%。年末，城镇登记失业人员8415人，城镇登记失业率2.1%。

各项改革稳步推进。深化国有企业改革，创新企业机制和完善企业法人治理结构取得明显进展，原地区水泥厂整体划转山西焦化有限公司，实现资产重组；平阳制药厂整体下放侯马市，组建霸王药业集团；汾河生化有限公司与霍州煤电集团联合，实现产权主体多元化；全市有9户企业实施破产，8户企业进行拍卖。财政改革迈出较大步伐，市直财政开支人员实行统一工资发放，市直和各县（市、区）都建立财政会计核算中心，政府采购中心，预算外资金管理中心。政府机构改革稳步推进，撤并乡镇工作全部完成，全市乡镇由242个（镇77个，乡165个）撤并为151个（其中镇75个，乡76个），减少乡镇91个，撤并率37.6%。与此同时，医改工作病人选医生制度全面推开，住院病人清单制度得到广泛执行，药品招标采购覆盖面进一步扩大。

结构调整顺利入轨。全市86个重点调产项目，有41个竣工投产，加上2000年竣工达产的31个项目，全年新增产值18.9亿元，增加税收1.5亿元。启动农业结构调整“121”工程，农业结构多元化趋势进一步显现，订单农业由30万亩增加到80万亩。以獭兔和乳鸽为主的特种养殖发展迅速，优质饲草种植规模不断扩大。以优质苹果、酥梨、红提葡萄、红枣、核桃以及小杂粮、食用菌为主的特色生态农业也已形成一定规模。工业结构调整，在传统产业改造上，重点抓焦化、铸造业的规模扩张和档次提升，建成45万吨以上的焦炉5座，累计12座；建成125立方米以上的炼铁高炉6座，累计8座。华翔迪萨铸造、翼城浍史V法筹造、宝业镁合金压铸、丰昆球墨铸管生产线等精密铸造项目已经或即将投产。在新兴产业培育上，重点抓以煤化工、生物化工、医药化工、精细化工、新型建材等为主的产品开发。以晋光制药厂猴头健胃灵为代表的一批高新技术项目已建成投产，柠檬酸、翅果油、变态润滑油等项目正在加紧建设。

国民经济和社会发展中存在的主要问题是：经济增长的基础尚不稳定，经济结构性矛盾仍然突出；农业基础脆弱，因灾农民收入增长减缓；企业自主创新能力和市场适应能力不强，部分企业生产经营处境困难；经济发展的环境依然不够宽松；社会就业和社会保障压力较大。

【农业】 2001 年，在农业连续 3 年遭受严重旱灾的情况下，全市紧紧围绕农业增效、农民增收和农村稳定 3 个重点，组织万名干部下乡救灾促增收，大力推进农田水利基本建设，增加农业投入，实施科技兴农战略，推广普及农业实用技术，大打精品农业硬仗，加快农业产业化步伐，保持全市农村经济的稳步发展。

主要农作物仍获得较好收成。根据抽样调查资料推算，全年全市粮食总产量 121.62 万吨，比 2000 年增产 0.76 万吨，增长 0.6%。夏粮播种面积虽有减少，但由于冬前生长发育较好，中后期生长受自然灾害袭击的影响较小，全市夏粮产量 65.67 万吨，增产 14.57 万吨，增长 28.5%，单产量由 2000 年每公顷 2076 公斤提高到 2842 公斤，增长 36.9%。秋季作物从播种到生长增受到严重灾害的影响，全市秋粮播种面积 171.8 公顷，减少 11.6%，秋粮产量 55.94 万吨，减产 13.81 万吨，下降 19.8%。棉花生产受国内外市场棉价上扬拉动，种植面积增加，产量大幅增长。全市棉花产量 0.69 万吨，增长 1.7 倍。油料产量由于受灾严重，大幅减产，全市油料产量 3.02 万吨，下降 36.6%。全市蔬菜产量 87.75 万吨，增产 3.5%；水果产量（含果用瓜）27.46 万吨，下降 3.1%。造林绿化工作继续加强。全市共完成造林面积 63.38 千公顷，其中营造防护林 42.45 千公顷，营造经济林 16.93 千公顷；幼林抚育面积 19.99 千公顷。全市共完成退耕还林 19.7 千公顷，森林覆盖率 25.6%。畜牧业生产稳步发展。全市肉类总产量 8.03 万吨，增长 3.8%，其中猪牛羊肉产量 7.27 万吨，增长 3.2%；牛奶产量 0.95 万吨，增长 0.6%；禽蛋产量 4.93 万吨，增长 11.4%。年末，大牲畜存栏 51.49 万头，减少 2.5%；生猪存栏 70.98 万头，增长 0.8%；羊存栏 132.21 万只，减少 2.8%。渔业生产继续增长。全市水产品产量 3352 万吨，增长 4.1%。农业生产条件进一步改善。年末，全市农业机械总动 238.1 万千瓦，增长 5.0%。化肥施用量（折纯）13.43 万吨，增长 1.7%；农村用电量 4.12 亿千瓦小时，增长 2.9%。农田水利建设得到加强。平川新建、扩建节水增产园区 16 处，完成节水面积 4.79 千公顷，新增有效灌溉面积 1.5 千公顷，改善水地 16.67 千公顷，初步形成汾河两岸百公里节水增产园区；山区完成水保治理面积 3.28 千公顷，有 8 条小流域通过国家示范验收。年末，全市有效灌溉面积达到 128.05 千公顷。

乡镇企业持续发展。据乡镇企业管理部门统计，全年全市乡镇企业增加值 81.3 亿元，增长 25.2%。乡镇企业上缴税金 4.8 亿元，增长 18.2%。

【工业和建筑业】 工业增速继续加快。全年全市国有企业，大中型企业和年产品销售收入 500 万元以上非国有工业企业完成工业增加值 48.1 亿元，比 2000 年增长 20.8%，增速提高 8.1 个百分点。其中，轻工业增加值 4.4 亿元，增长 9.3%，增速提高 4.5 个百分点；重工业增加值 43.7 亿元，增长 22.4%，增速提高 8.5 个百分点。全年全市全部工业企业完成工业增加值 90.1 亿元，增长 17.3%，拉动经济增长 7.8 个百分点。

国有及国有控股企业、股份制企业以及私营经济为主的其他经济类型企业快速增长，集体企业、外商港澳台企业保持一定增长。全年全市国有及国有控股企业完成工业增加值 26.4 亿元，增长 24.1%，增速提高 8.7 个百分点；股份制企业完成增加值 15.8 亿元，增长 29.2%，增速提高 16.1 个百分点；其他经济类型企业完成增加值 7.5 亿元，增长 22.4%；集体企业、外商港澳台企业分别完成增加值 8 亿元和 1.4 亿元，增长 6.7%和 9%；股份合作企业下降 14.6%。全年全市大中型工业企业完成增加值19.7亿元，增长23.1%。中央企业高速增长，省属企业快速发展。全年全市中央企业完成工业增加值5.5亿元，增长41.6%，增速提高13.8个百分点；省属企业完成工业增加值13.2亿元，增长23.5%，增速提高8.8个百分点；市级以下企业完成工业增加值29.4亿元，增长16.2%，其中市属、县属企业分别完成工业增加值2.5亿元和8.5亿元，分别增长10.1%和15.6%；村级以下企业完成工业增加值13.1亿元，增长26.3%。乡属企业完成增加值5.3亿元，下降1.3%。主要产品产量保持快速增长。全市统计的74种主要产品产量中有60种增长，14种下降。其中能源产品中，原煤2623万吨，增长3.3%，洗精煤1531万吨，增长10.8%，焦炭1477万吨，增长5.1%（其中机焦516万吨，增长1.02倍），发电量39亿千瓦，增长8%，供电量44亿千瓦，增长18.2%；原材料重化工产品中，生铁749万吨，增长29.9%，钢104万吨，增长40.3%，成品钢材20万吨，增长44.5%；硫酸10万吨，增长64%，染料2.4万吨，增长16.6%，化肥14万吨，下降4.3%；水泥138万吨，下降5.8%；精铜2万吨，增长96.63%，锌锭1.35万吨，增长64.2%，通讯电缆3万公里，增长28.4%；轻工产品中，纱1.5万吨，增长5.6%，布7159万米，下降3.4%；白酒6817吨，增长21.7%，啤酒3.5万吨，增长1.2倍；机制纸及纸板7万吨，下降3.7%。工业经济效益在2000年大幅度改善的基础上继续提高。全年全市国有企业、大中型和年产品销售收入500万元以上非国有工业企业产品销售率97.9%，实现产品销售收入137.2亿元，增长29.4%；实现利税15.1亿元，增长44.8%，实现利润3.9亿元，增长71.7%，其中国有及国有控股企业实现利税8.3亿元，增长39.7%，亏损企业亏损额1.32亿元，减亏22.8%，其中国有及国有控股企业亏损1.2亿元，减亏15.9%。建筑业稳步发展。全市四级及以上建筑企业完成增加值5亿元，增长24.2%；实现利润0.83亿元，增长42.3%，总体实现扭亏为盈。单位工程施工个数1787个，其中实行投标承包1278个，占全部施工工程数的71.5%，提高2.4个百分点；房屋建筑施工面积184.2万平方米，竣工面积97.3万平方米，分别增长9.9%和19.5%。

【固定资产投资】 投资总量继续增加。2001年，全市推进项目年活动，全年全市固定资产投资完成投资51.9亿元，比2000年增长15%，直接拉动经济增长1.5个百分点。

各类投资保持全面增长。全市更新改造投资完成15.8亿元，增长19.1%；基本建设投资完成22.5亿元，增长11.1%；房地产开发投资完成1.6亿元，增长68.9%；其他投资完成6.6亿元，增长19.1%。非国有经济投资增势强劲。全年全市国有单位完成投资24.5亿元，增长1.7%；非国有经济完成27.4亿元，增长30.4%，占全社会固定资产投资比重由2000年46.6%上升至52.8%，拉动全市投资增长14.1个百分点，其中：集体经济完成2.4亿元，下降4%，股份有限公司和其他有限责任公司完成15亿元，增长36.4%，私营经济完成3.8亿元，增长52%。工业投资继续增长。全年全市工业企业施工项目351个，完成投资28.7亿元，增长10%，占全部投资的55.3%。焦化行业按照“治理整顿，发展机焦”的方针，当年建设项目31个，完成投资7.9亿元，增长32.1%，新增机焦能力434.3万吨。冶炼行业按照限期淘汰50立方、100立方小铁炉的产业政策，向高档次、多品种发展，当年建设项目85个，完成投资5亿元。全年以铸造为重点的机械工业完成投资1.24亿元。医药化工27个建设项目完成投资4.2亿元，增长35.5%。潜力产品项目进展顺利。三维集团1，4丁二醇项目、晋光制药厂20亿粒猴头健胃灵、瑞洁生化3000吨L－乳酸项目，霍州文通和襄汾京华万吨碳酸钾项目竣工投产或步入扫尾，霍化尿素10改20项目已形成生产能力，汾河生化3万吨柠檬酸项目正在加紧施工。基础设施建设进一步得到加强。全年运输邮电业完成投资3.6亿元，增长16.9%。侯马亚欧摩托城、临汾现代装饰材料市场、普国装饰城二期、尧丰农产品市场二期、翼城翼鹏农产品市场二期及商城、超市等58个项目完成投资2.1亿元，增长89.2%。城市道路改造和小城镇建设步伐加快，33个项目完成投资3.3亿元，增长17.9%，临汾市区滨河路完成路基建设，临汾市区建设路、侯马市东风路等一批街道完成改造，扩建城市道路13.17公里，扩建面积34.65万平方米，临汾污水处理厂等项目已基本建成。总投资10.38亿元的城乡电网改造已完成3/4的工作量，新增11万伏及以上输电线路7公里、变电设备能力18万千伏安。以农业节水为主的农田水利设施建设继续推进，43个项目完成投资1.19亿元，增长26.6%，新增水库容量0.75亿立方米。文教卫生基础设施继续得到改善，新增中小学席位2.8万个，建筑面积16.1万平方米。临汾尧庙、洪洞大槐树祭祖堂、霍州州署继续建设，黄河峡谷生态游开发正抓紧进行，全市旅游投资3000万亿元。全市投资3000万元以上的项目单位30个，完成投资23.4亿元，占到全市投资额的45%。投资较大的项目有：临汾电业局电网改造（36413万元）、山焦90万吨焦炉（26485万元）、三维2.5万吨1，4丁二醇（17807万元）、汾河生化3万吨柠檬酸（13170万元）、霍州煤电更新改造（12571万元）、侯马晋田热电三期改造（11000万元）、滨河路工程（11000万元）和海姿焦化45万吨焦炉（10600万元）等。

【能源】 2001年，全市在抓紧抓好关闭整顿小煤矿和安全生产的同时，努力开拓市场，使能源生产、销售出现近年来少有旺销局面。

能源生产稳步增长。全年全市能源工业完成投资15.86亿元，比2000年增长11.8%。其中基建更改用于煤炭工业投资2亿元，增长21.2%；用于炼焦工业投资7.1亿元；用于电力工业投资5.9亿元。全年全市一次能源生产折标准煤1874万吨，增长3.3%，增幅降低2.2个百分点；二次能源生产折标准煤3133万吨，增长8%，增幅提高4.6个百分点。能源外输量大幅增长。全年全市共外输煤炭742万吨，增长16.6%，其中出口煤炭30.9万吨，增长3倍，外输煤炭占煤炭产量比重由2000年的15.9%上升到16.2%。

【国内贸易】 消费品市场平稳发展。全年全市社会消费零售总额63.6亿元，比2000年增长8.8%，剔除价格因素，实际增长8.7%。其中，城市消费品零售额25.7亿元，增长9.4%；农村消费品零售额37.9亿元，增长8.4%。分行业看，全年全市批发、零售贸易业零售额43.9亿元，增长12.1%；餐饮业零售额5.2亿元，增长15.9%；农业生产者零售额10.1亿元，增13.1%；制造业零售额2.1亿元，下降17.7%。分所有制看，国有经济零售额8.5亿元，下降7.7%。分所有制看，国有经济零售额8.5亿元，下降7.7%；集体经济零额4.3亿元，增长4.5%；股份制经济零售额5.1亿元，下降14.5%；私营经济零售额0.65亿元，增长29.6%；个体经济零售额34.3亿元，增长13.6%。各类商品交易市场成交活跃。全年全市消费品集贸市场商品成交总额47.9亿元，增长10.3%；生产资料市场成交总额2.75亿元，增长13.8%。规模以上批发零售贸易企业销售保持增长，经济效益滑坡。全市统计的51家规模以上批发零售贸易企业商品销售收入净额27.9亿元，增长19.3%；利润总额由盈转亏，全年亏损357.1万元。

【对外经济】 进出口贸易继续发展。据海关统计，全年全市外贸进出口总额完成6410万美元，比2000年增长34.9%，其中出口完成4245万美元，增长13.7%；进口完成2165万美元。增长112.3%。进出口相抵，实现贸易顺差2082万美元。在稳定焦炭、纺织等传统商品出口的同时，全市重点扩大环宇牌染料、乔山牌铸造管件、华盛体育器材、机载配重件等一批潜力商品的出口，全市出口商品23类50多个品种，出口市场遍及60多个国家和地区。年末，全市有进出口实绩的企业29家，其中出口总额超过100万美元的企业有12家。平阳制药厂、恒泰公司、华翔同创、恒通铸造、万泽公司等5家企业获得进出口经营权。外经工作取得新成绩。积极组团参加华交会、广交会、大连出口商品交易会、乌洽会、晋洽会等国内各类外经贸交易会，进一步扩大贸易渠道。全年新批三资企业6户，合同外资总额3273万美元，实际利用外资245万美元，增长380%。

【交通、邮电和旅游】 交通事业稳步发展。到2001年底，全市公路通车里程8761公里，比2000年增长4.3%。其中，一级公路148公里，增长5%；二级公路1242公里，增长1.6%；三级公路3195公里，增长0.3%。

公路运输吞吐量全面增长。全市全社会公路客运量4683万人，增长12.3%；货运量6475万吨，增长12.2%；旅客周转量和货物周转量分别增长14.2%和29.5%。邮电通信事业快速发展。全年全市完成邮政电信业务总量7.87亿元（2000年不变价格）。邮电通信现代化程度明显提高，到2001年底，全市电话（已装）交换机容量49.4万门，增长37.8%；净增住宅电话用户8.97万户；年末移动电话用户26.91万户，其中本年移动电话新增16.7万户；计算机互联网络注册用户14947户，增长78.1%，已通电话的行政村2451个，占全市行政村总数的72.6%，提高4个百分点；全市电话普及率每百人达到10.5部，提高2.7部。旅游事业又有新发展。初步完成全市旅游发展总体规划，开展建设尧都广场、霍山生态游等11个旅游景点，壶口被定为国家地质公园，列入全省10大旅游景区，大槐树寻根祭祖国被评为全国4A级旅游景点。全市共接待国内游客23.86万人次，增长45.9%，创收6.7亿元，其中，旅游、访问、从事商务及各项活动的外国人、华侨和港澳台同胞1.23万人次，增长28.9%；旅游外汇收入235.39万美元，增长37.4%。年末，全市星级饭店达到22家。

【金融和保险】 金融运行形势良好。全年全市金融机构各项存款稳步增长，贷款投入不断加大，现金投放适度平稳。2001年末，全市广义货币M2余额291.9亿元，比2000年增长17.7%；狭义货币M1余额97亿元，增长15.1%；市场流通中现金M0余额61亿元，增长11.2%。全年累计净投放现金15.4亿元，增加6673万元。年末，全市金融机构各项存款余额230.9亿元，比年初增加37.8亿元，增长19.7%。其中企业存款余额30.2亿元，比年初增加3.8亿元；城乡居民储蓄存款余额184.1亿元，比年初增加28.8亿元，增长18.5%。年末，全市金融机构贷款余额161.2亿元，比年初增加19.9亿元，增长14.1%，其中短期贷款比年初增加10.5亿元，中长期贷款增加4.4亿元。在改善资金运作环境的同时，各级人民银行灵活运用货币政策工具，扩大信贷投放，促进经济发展，全年共发放再贷款13.1亿元，再贴现20.4亿元，带动金融机构及时向企业实行贴现业务，有力地支持经济发展。

保险事业继续发展。全年全市承保总额163.6亿元，增长9.9%。保费收入2.79亿元，增长29.8%，其中财产险保费收入1.23亿元，人身险保费收入1.56亿元。在人身险保费收入中，寿险保费收入1.4亿元，意外伤害险保费收入0.16亿元，支付各类赔款9092万元，增长89.9%，其中，财产险赔款金额6262万元，人身险给付金额2830万元。

【科学技术和教育】 科学技术在经济增长中的作用进一步增强。2001年末，全市县以上政府部门研究机构8个，其中自然科学技术领域机构7个，从业人员101人，科技活动人员83人；科技信息和文献机构1个，从业人员19人，科技活动人员19人。全市紧紧围绕经济结构调整，充分发挥企业技术创新主体作用，积极创造条件促进企业同大专院校、科研院所建立广泛联系与合作，成功举办首届“产学研”高新技术项目洽谈发布会，签订合作意向143项，签订技术合作协议13项。同时，全市政府部门和企业同大专学院、科研院所共签订合同协议（意向）69项，付诸实施48项。引进农业新技术146项，付诸实施65项，为产业结构调整注入新的活力。全市共登记科技成果28项，其中达到国内先进水平20项，达到省内领先水平8项，获省科技进步奖励成果

3 项。年末，全市登记注册民营科技企业 40 家，已认定 24 家，其中 5 个民营科技企业进入全省民营科技企业 50 强行列。临汾华翔有限公司和襄汾有色金属冶炼公司两家民营科技企业经省科技厅认定为“山西省高新技术企业”。

科技开发区建设稳步发展。2001 年末，临汾、侯马两个开发区科工贸总收入 10.7 亿元，增长 31.9%；全年吸收区外资金 2.1 亿元人民币。质量检测、标准化建设和天气预报服务水平进一步提高。年末，全市共有县以上产品质量监督检验所 6 个，省授权行业建立的检验所（站）1 个，全年监督抽查 1997 家次企业 11 类 81 种产品和商品。全市共有法定计量技术机构 17 个，全年完成强制检定计量器具 5140 台件。年末全市共有气象台 17 个，121 电话天气自动答询台 17 个。全市有地震台 1 个，遥测台站 1 个，全市气象系统开展人工影响天气业务的单位 16 个，卫星云图接收站 1 上。教育事业得到较大发展。基础教育办学条件进一步改善，建设规模 2.86 万平方米的山西师大临汾学院，建筑面积 1.24 万平方米的职业技术学院教学楼，2.1 万平方米的临汾一中教学楼、科学实验楼，学生公寓楼投入使用。“两基”达标和巩固提高工作进一步加强。除大宁、永和两个国家级贫困县以外，其科 15 个县（市、区）均通过“两基”达标、验收。“普九”人口覆盖率分别高于全国、全省 12 和 21 个百分点。继续教育形势较好。全市高中、 初中、小学教师学历达标率分别达到 71.5%、84.8%和 98.2%。全年全市普通高等学校招收本、专科学生 4325 人，在校学生 1.25 万人。中等职业技术教育继续发展。全市中等专业学校在校学生 1.64 万人，技工学院在校学生 3137 人；职业中学在校生 1.06 万人，全市普通高中在校学生 4.51 万人；初中在校学生 24.12 万人，初中入学率 99.51%；小学在校学生 423662 人，小学学龄儿童入学率 99.57%，小学毕业生升学率 97.1%。普通初中和小学学生辍学率分别为 1.82%和 0.87%。成人高等学历教育继续发展，多种形式的技术培训进一步深入。年末，成人中等专业学校在校生 991 人，成人技术特长班培训校培训学员 6857 人次。

【文化、卫生和体育】 文化事业健康繁荣。全市在进一步加大扫黄打非力度，坚决打击“法轮功”等邪教组织，继续清理整顿文化市场的同时，组织开展多种丰富多彩、蓬勃向上的文艺表演、竞赛活动。年末，全市共有艺术表演团体 21 个，文化馆 17 个，公共图书馆 17 个，博物馆 14 个，档案馆 18 个，电视台 1 座，一千瓦以上电视发射台和转播台 4 座，有线电视用户 23.9 万户。广播综合人口覆盖率 93.7%，电视综合人口覆盖率 97.4%。文化艺术繁荣发展，电视剧《山羊坡》荣获山西省最佳电视剧一等奖和中国第十九届电视剧金鹰奖，眉户剧《村官郭秀明》在晋南广大农村演出后，深受喜爱。专业文艺创作硕果累累，临汾市蒲剧院《土坑上的女人》在南宁戏剧节演出，获得巨大成功，荣获中国曹禺戏剧奖和 11 个单项奖，任跟心同志获得“二度梅”桂冠。全年全市创作在省以上刊物发表文学作品 80 余篇。50 件美术作品获省以上奖励；有 10 人次摄影作品获省以上大奖；11 件书法作品获省以上奖励。市艺术学校 35 幅作品入选“全省艺术中专第七届美术展览”，居全省中专之冠。文化市场管理得到加强。先后取缔游戏厅 80 家，歌舞厅 60 个，收缴赌博游戏工具 106 件。依法取缔侯马花园北街图书市场，取缔霍州 48 个无证印刷户。

卫生条件明显改善。年末，全市共有医疗卫生机构（含诊所）403 个，病床 1.14 万张；卫生防疫、防治机构 20 个；农村乡镇卫生院 182 个，床位 2635 张，农村有医疗点的村数占到总村数的 93.1%。全市卫生机构卫生技术人员 1.54 万人，其中医院、卫生院卫生技术人员 1.36 万人；防疫、防治与妇幼保健卫生技术人员 2069 人；农村乡镇卫生院卫生技术人员 3307 人。体育事业取得新成绩。全市体育健儿在山西省第十一届运动会总决赛资格赛中夺得金牌 18 枚、银牌 24 枚、铜牌 23 枚。举办全市体育苗子调赛和全市青少年传统武术暨首届散打比赛。临汾铁路退休职工杨五义骑摩托车途经10多省市，开展申办奥运签名活动，受到国家体育总局和北京市有关领导的好评。通过全面实施《奥运争光计划》和《全民健身计划》，各种形式的群众体育锻炼和健身活动进一步兴起。市武术协会举办“全市武术暨散打擂台赛”，市舞蹈协会举办“宏远杯”体育舞蹈比赛，市老年体协组织“晋临中药杯”老年门球赛和“夕阳红”文体活动表演等一系列活动。

【环境保护】 环境质量持续改善。侯马市、曲沃县及乡宁县、吉县等10个山区县空气质量达到国家二级标准；临汾市区、襄汾县等5个县（市）环境质量持续好转，临汾市区大气首要污染物，总悬浮颗粒物比2000年下降12.96%；在发布的48期空气质量周报中，达到国家三级标准的周数由2000年的18次提高到23次（达到国家二级标准周数2次），占总周数的比例由2000年的34.6%上升到47.9%，汾河水质4个断面主要污染物浓度下降；出境断面的COD下降43%。

取缔土小企业卓有成效。全年全市共炸毁烟囱304根，焦炉1860座，取缔土小企业300多座，关停不符合国家产业政策的小高炉17座。清洁通道建设初见成效。大运路、霍侯路、霍汾线、洪古线、曲翼线、临浮线、临大路等交通干线千米内改良焦炉全部被炸毁。全市清理工业废渣65万吨。霍侯路沿线实现通道绿化。建设项目管理走向规范。全市对“九五”以来的建设项目进行清理，对违反“三同时”的项目依法进行查处，全年全市新建项目环境影响评价执行率82.84%，“三同时”执行率72.62%。城市环境综合整治全面推进。平川地区80%城市锅炉得到有效治理，民用锅炉全部推广使用低硫煤和型煤。年末，全市建成烟尘控制区2个，总面积6平方公里，噪声达标区2个，总面积6平方公里。

【人口与人民生活】 人口与计划生育工作取得明显成效。据2001年人口抽样调查，全市人口出生率13.51%，比2000年下降0.13个千分点；死亡率5.8%，上升1.94个千分点；自然增长率7.71%。2001年末，全市常住总人口400.13万人，比2000年末净增加4.56万人。在总人口中，市镇人口106.93万人，乡村人口293.2万人。

城乡居民收入明显增加。随着经济较快发展和职工工资收入的增加，以及省委、省政府采取的一系列确保增资发放全部到位措施，城镇居民收入有较快增长。全年城镇居民人均可支配收入4697元，增长13%，剔除城市居民消费价格因素，实际增长11.8%。全年全市在岗职工平均工资8082元，增长19%，剔除物价上升因素，实际增长18.9%。全年城镇居民消费性支出3330元，增长8.3%。全年农村居民人均纯收入2320元，增长5.7%。农村居民人均消费支出1115元，增长6.3%。城镇居民恩格尔系数为34.2%，降低1.4个百分点。农村居民恩格尔系数为51.8%，上升0.1个百分点。城乡人民生活继续改善。年末，农村居民人均住房面积22.48平方米，城镇居民人均住房面积16.45平方米。农村居民生活条件进一步改善。全市建成人畜饮水解困工程623处，940个自然村18.9万人、4.23万大牲畜的饮水得到解决。10个山区县新建沼气池1687个，移民搬迁3160人，解决7万人温饱。小康建设取得新的进展。9.3万人达到或基本达到小康标准，涌现出翼城北关等一批标准较高的宽裕型小康新村。社会保障事业发展迅速。年末全市城镇有各种社区服务设施29个，利民服务网点194个，各类福利院床位数85张，福利院收养人数85人，国家抚恤、补助各类优抚对象13.9万人。全年社会销售福利彩票8398万元，筹集社会福利资金894万元，接受社会捐赠33万元。年末全市26.4万职工参加失业保险，24.9万城镇企业职工参加养老保险，3274名离退休人员领取养老保险金；全年全市累计为1.1万名国有企业下岗职工足额发放基本生活费，参加基本医疗保险的职工人数15.4万人。社会保障体系进一步完善。全市享有最低生活保障的城市居民4.87万人。

注：

1. 国内生产总值和各产业增加值、产值指标绝对数按现价计算，增长速度按可比价格计算。

2. 总人口中包括在常住地居住半年以上的外来人口，不包括户口在本地外出半年以上人口。

3. 恩格尔系数是指居民家庭食品消费支出占家庭消费支出的比重。

统计资料

行政区划

表—1　　（2001 年）

	单　位	指标值
市辖区	个	1
县	个	14
县级市	个	2
街道办事处	个	18
镇	个	75
乡	个	76
村民委员会	个	3364
居民委员会	个	303
自然村	个	10698

土地面积、自然资源

表—2　　（2001 年）

	单　位	指标值
土地面积	平方公里	20275
森林覆盖率	%	25.6
林木蓄积量	万立方米	1300
水资源总量	亿立方米	8.29
地下水资源量	亿立方米	7.23
煤炭探明保有储量	亿吨	533.43
铁矿石保有储量	亿吨	1.9
石膏保有储量	万吨	31801.6
电石灰岩保有储量	万吨	6415.3

临汾市国民经济主要指标占全省比重（一）

表—3　　（2001 年）

	单位	山西省	临汾市	占山西省%
年末总人口	万人	3271.63	400.13	12.2
人口自然增长率	‰	71.6	7.71	—
年末社会从业人员	万人	1399.8	176.7	12.6
国内生产总值	亿元	1774.6	192.1	10.8
人均国内生产总值	元/人	5444	4830	—
农林牧渔业总产值	亿元	301.53	39.11	13.0
限额以上工业增加值	亿元	1384.3	149.59	10.8
限额以上工业增加值	亿元	490.18	48.1	9.8
公路通车里程	公里	56993	8701	15.3
全社会固定资产投资	亿元	708.3	51.88	7.3
财政总收入	亿元	229.1	18.78	8.2
#一般预算收入	亿元	132.6	10.58	8.0
一般预算支出	亿元	288.5	22.7	7.9
社会消费品零售总额	亿元	679.9	63.6	9.4
海关进出口总额	亿美元	19.4	0.64	3.3
城乡居民储蓄存款余额	亿元	1979.7	184.13	9.3
居民消费价格指数	%	99.8	100.1	—

临汾市国民经济主要指标占全省比重（二）

表一4　　（2001 年）

	单位	山西省	临汾市	占山西省 %
农民人均纯收入	元	1956	2320	—
城镇居民人均可支配收入	元	5391	4697	—
城镇居民人均消费性支出	元	4123	3330	—
在岗职工平均工资	元	8122	8082	—
粮食总产量	万吨	692.1	121.62	17.6
棉花产量	万吨	8.38	0.69	8.2
油料产量	万吨	18.08	3.02	16.7
肉类总产量	万吨	67.48	8.03	11.9
原煤产量	万吨	27660	2623	9.5
发电量	亿千瓦时	710	39.64	5.6
机焦产量	万吨	1611	516.11	32.0
生铁产量	万吨	2089	748.94	35.9
水泥产量	万吨	1573	138.3	8.8
洗精煤产量	万吨	4773	1530.8	32.1
纱产量	万吨	9.5	71.5	15.8
布产量	万米	32638	7159	21.9

国民经济主要指标（一）

表一5

	单 位	2001 年	2000 年	2001 年为 2000 年 %
年末总人口	万人	400.1	395.57	101.1
社会从业人员	万人	176.7	176.7	100.0
国内生产总值	亿元	192.1	170.3	112.5
第一产业	亿元	21.9	22.32	100.3
第二产业	亿元	104.9	88.76	117.1
第三产业	亿元	65.3	59.25	110.2
人均国内生产总值	元	4830	4286	111.2
农林牧渔业总产值	亿元	39.11	37.81	104.0
全部工业增加值	亿元	90.1	76.39	117.3
公路通车里程	公里	8761	8714	100.5
全社会固定资产投资额	亿元	51.88	45.1	115.0
财政总收入	万元	187777	149265	125.8
#一般预算收入	万元	105802	88205	120.0
一般预算支出	万元	227036	171626	132.3
社会消费品零售总额	亿元	63.6	58.5	108.8
居民消费价格指数	%	100.1	99.6	_

国民经济主要指标（二）

表—6

	单 位	2001年	2000年	2001年为2000年%
海关进出口总额	万美元	6410	4753	134.9
城乡居民储蓄存款余额	亿元	184.13	155.34	118.5
农民人均纯收入	元	2320	2195	105.7
城镇居民人均可支配收入	元	4697	4158	113.0
在岗职工平均工资	元	8082	6790	119.0
粮食总产量	万吨	121.62	120.85	100.6
小麦产量	万吨	65.7	51.1	128.5
油料产量	吨	30215	47693	63.4
棉花产量	吨	6932	2557	271.1
水果产量	万吨	18.88	19.65	96.1
猪牛羊肉产量	吨	72727	70502	103.1
原煤产量	万吨	2623	2540	103.3
发电量	亿千瓦	39.64	36.52	108.5
焦炭产量	万吨	1477.2	1406.1	105.0
生铁产量	万吨	748.9	576.7	129.0
水泥产量	万吨	138.3	146.9	94.1
洗精煤产量	万吨	1530.9	1381.2	110.8

国内生产总值

表—7　（按当年价格计算）　单位：万元

	2001年	2000年	2001年为2000年%
国内生产总值	1921472	170328	112.5
第一产业	219116	223188	100.3
第二产业	1048869	887640	117.1
工业	900877	763880	117.3
建筑业	147992	123760	115.5
第三产业	653487	592458	110.2
运输仓储邮电业	191415	164929	117.0
批零贸易餐饮业	145492	134526	108.2
金融保险业	71560	68808	103.5
房地产业	19224	17453	106.9
其他服务业	225796	206742	108.4
人均国内生产总值（元）	4830	4286	111.2

注：2001年为初步统计数

人　口

表—8

	单　位	2001年
总人口	人	4001348
男	人	2051587
女	人	1949761
性别比	%	105.22
出生率	‰	13.51
死亡率	‰	5.8
自然增长率	‰	7.71
市镇人口	人	1069311
比　重	%	26.72
乡村人口	人	2932037
比　重	%	73.28

注：1.总人口系根据2001年人口抽样调查推算。

2.总人口系常住人口，不包括户口在本地外出半年以上的人口，包括在本地居住半年以上户口不在本地的人口。

3.性别比指以女性为100。

4.市镇人口、乡村人口是按照国家统计局1999年发布的《关于统计上划分城乡的规定（试行）》计算的。市镇人口是指市人口和镇人口之和。市人口是指居住在市建制辖区以及市、区政府驻地（镇、街道）的延伸区域内的人口，镇人口是指居住在经批准的建制镇的镇辖区以及镇政府驻地城区建设已延伸到周边的村委会的人口；乡村人口是指居住在城镇地区以外的人口，乡村包括非建制的集镇和集镇以外的农村地区。

农村基本情况

表—9

	单位	2001 年	2000 年	2001年为2000年 %
乡村户数	人	747426	741460	100.8
乡村人口数	人	3093111	3075054	100.6
乡村劳动力	人	1373760	1361136	100.8
农林牧渔业	人	852514	858935	99.3
工 业	人	193299	188418	102.6
建筑业	人	73626	70816	104.0
交通运输和邮电业	人	91808	89070	103.1
批发零售贸易餐饮业	人	76741	68992	111.2
其 他	人	85772	84905	101.0
自来水受益村数	个	2010	1853	108.5
通汽车村数	个	3338	3309	100.9
通电话村数	个	2376	2184	108.8
通电村数	个	3364	3361	100.1
通公路村数	个	3364	3358	100.2

农林牧渔业总产值

表—10　（当年价格）　单位：万元

	2001 年	2000 年	2001 年为2000 年%
农林牧渔业总产值	391115	378062	104.0
农业产值	282956	271926	105.4
林业产值	17195	19764	84.3
牧业产值	88800	84016	105.8
渔业产值	2164	2356	104.2

注：发展速度按可比价计算.

农林牧渔业总产值

表—11　（1990 年不变价）　单位：万元

	2001 年	2000 年	2001 年为2000 年%
农林牧渔业总产值	248716	239074	104.0
农业产值	168723	160134	105.4
林业产值	13781	16344	84.3
牧业产值	64830	61270	105.8
渔业产值	1382	1326	104.2

农林牧渔业增加值

表—12　单位：万元

	2001 年	2000 年	2001 年为2000 年%
农林牧渔业增加值	233851	223188	104.8
农 业	171555	161658	106.1
#种植业	164799	155245	106.2
林 业	11845	14037	84.4
牧 业	48699	45545	106.9
渔 业	1752	1948	89.9

农村非农行业总产值

表—13　（当年价值）　单位：万元

	2001 年	2000 年	2001年为2000年 %
农村非农行总产值	1848530	1761005	105.0
农村工业	1480960	1421293	104.2
农村建筑业	41973	38931	107.8
农村运输业	188449	176492	106.8
农村批零贸易餐饮业	137148	124289	110.3

农林牧渔业总产值构成

表—14　　单位：%

	2001 年	2000 年
农林牧渔业总产值	100	100
农 业	72.35	71.93
#种植业	69.85	69.55
林 业	4.40	5.23
牧 业	22.70	22.22
渔 业	0.55	0.62
农林牧渔业增加值	100	100
农 业	73.36	72.43
#种植业	70.47	69.56
林 业	5.07	6.29
牧 业	20.82	20.41
渔 业	0.75	0.87
农村非农行业总产值	100	100
农村工业	80.12	80.71
农村建筑业	2.27	2.21
农村运输业	10.19	10.02
农村批零贸易餐饮业	7.42	7.06

主要农产品产量

表—16　　单位：吨

	2001 年	2000 年	2001 年为 2000 年 %
粮 食	1216150	1208506	100.6
谷 物	1078935	1040231	103.7
#小 麦	656739	511027	128.5
玉 米	360925	422417	85.4
谷 子	38189	61197	62.4
高 粱	11428	15323	74.6
豆 类	47029	73324	64.1
薯 类	90186	94951	95.0
油 料	30215	47693	63.4
棉 花	6932	2557	271.1
麻 类	20	30	66.7
烟 叶	4281	6226	68.8
药 材	44654	29978	149.0
蔬 菜	877458	847640	103.5
瓜 类	85777	86875	98.7

主要农作物播种面积

表—15　　单位：千公顷

	2001 年	2000 年	2001 年为 2000 年 %
总播种面积	478.35	512.99	93.2
#粮食作物	402.9	440.46	91.5
谷 物	342.26	374.12	91.5
#小 麦	231.1	246.16	93.9
玉 米	81.43	88.08	92.5
谷 子	17.88	21.02	85.1
高 粱	3.36	4.07	82.6
豆 类	32.93	41.62	79.1
薯 类	27.71	24.72	112.1
油 料	23.34	30.56	76.4
棉 花	8.22	3.66	224.6
麻 类	0.02	0.03	66.7
烟 叶	2.39	3.37	70.9
药 材	7.4	5.77	128.2
蔬 菜	25.65	22.07	116.2
瓜 类	4.95	4.16	119.0
其他作物	3.48	2.91	119.6

林业生产情况

表—17

	2001 年	2000 年	2001 年为 2000 年 %
当年造林面积	63.38	74.75	84.8
#用材林	3.99	3.93	101.5
经济林	16.93	23.41	72.3
防护林	42.45	46.91	90.5
迹地更新面积	0.09	0.02	450
零星植树（万株）	3632.77	3224.31	112.7
育苗面积	3.70	4.58	80.8
幼林抚育作业面积	30.26	17.67	171.3
成林抚育面积	13.47	13.19	102.1
抚育改造出材量（立方米）	10559	15569	67.8
核 桃（吨）	6964	9487	73.4
花 椒（吨）	413	456	90.6
木材采伐量（立方米）	11345	14800	76.7

水果生产情况

表—18

	单位	2001 年	2000 年	2001 年为 2000 年 %
水果总产量	吨	188781	196479	96.1
#苹果	吨	149802	156552	95.7
梨	吨	9558	10632	89.9
葡 萄	吨	6203	3635	170.6
红 枣	吨	6707	8478	79.1
柿 子	吨	6442	6524	98.7
桃	吨	6204	6188	100.3
杏	吨	1272	1500	84.8
桑园面积	公顷	187	259	72.2
果园面积	公顷	31479	31549	99.8
#苹果园	公顷	23382	24739	94.5
梨 园	公顷	3195	3222	99.2
葡萄园	公顷	1479	569	259.9
其他园	公顷	3423	3019	113.4
零星苹果树	万株	235.77	240.5	98.0
零星梨树	万株	78.59	76.95	102.1

主要牲畜年末存栏情况

表—19　　单位：头、只

	2001 年	2000 年	2001 年为 2000 年 %
一、大牲畜年末头数	514897	528048	97.5
牛	416955	425388	98.0
马	8001	8468	94.5
驴	39988	42100	95.0
骡	49953	52091	95.9
在大牲畜中：役畜	326071	224348	97.5
二、年末猪存栏头数	709815	704392	100.8
#能繁殖母猪	60204	58691	102.6
三、年末羊存栏只数	1322110	1360402	97.2
#能繁殖母羊	678125	697828	97.2
四、年末养蜂箱数	15671	16206	96.7
五、家禽	9701399	9070750	107.0
六、养兔	657581	572543	114.9

畜牧业主要产品产量

表—20　　单位：头、只、吨

	2001 年	2000 年	2001 年为 2000 年 %
当年出栏的肉猪	772468	735798	105.0
猪肉产量	54858	52421	104.6
当年出栏的肉用牛	82230	83173	98.9
牛肉产量	10293	10138	101.5
当年出栏的肉用羊	575735	617291	93.3
羊肉产量	7576	7943	95.4
当年出栏的家禽	3838295	3601138	106.6
禽肉产量	4896	4489	109.1
当年出栏的兔	1297208	1094694	118.5
兔肉产量	1885	1600	117.8
肉类总产量	80313	77363	103.8
奶类产量	28135	27626	101.8
#牛奶产量	9471	9418	100.6
山羊毛产量	266	265	100.4
绵羊毛产量	271	248	109.3
羊绒产量	99	99	100.0
蜂蜜产量	347	349	99.4
禽蛋产量	43856	39354	111.4
蚕茧产量	37	52	7.2

农业现代化水平

表—21

	单 位	2001年	2000年
机耕地面积	千公顷	299.2	304.8
占耕地面积	%	58.4	58.6
机播面积	千公顷	226.7	224.5
占播种面积	%	44.2	43.2
机收面积	千公顷	154.5	149.6
水田水浇地面积	千公顷	128.1	128.16
占耕地面积	%	25.0	24.6
农村用电量	万千瓦时	41199	40031
化肥施用量（实物量）	吨	500736	496933
每公顷耕地平均	公斤	977.2	955.3
农用塑料薄膜使用量	吨	4051	3608
农药使用量	吨	3086	2921
农业机械总动力	万千瓦	238.1	226.7
大中型拖拉机	混合台	2828	3056
小型拖拉机	台	33794	33484
农用排灌动力机械	台	15854	12795
农用汽车	辆	5435	5343

镇企业发展情况

表—22　　单位：个、人、万元

	2001年	2000年
乡镇企业单位数	84979	83505
乡镇企业职工人数	476853	488075
乡镇企业现价总产值	2955967	2380006
农业企业	17885	17794
工业企业	2047434	1685859
建筑业企业	206694	186793
交通运输企业	326116	236296
批发零售贸易业	232188	163296
乡镇企业增加值	812889	649272
农业企业	6020	4368
工业企业	562467	453603
建筑业企业	59360	53110
交通运输企业	90692	65102
批发零售贸易业	56738	48564
上缴税金（税务部门）	48160	40750
年末固定资产原价	1046231	752294
出口产品交货值	58548	47685

工业企业单位数

表—23　　单位：个

	2001年	2000年
全部工业企业	22123	20292
限额以上工业企业	428	416
#国有及国有控股	140	154
按轻重工业分		
轻工业	65	74
重工业	363	342
按隶属关系分		
中央企业	11	11
省属企业	29	28
市属企业	24	29
县级以下企业	364	348
按登记注册类型分		
国有经济	103	114
集体经济	93	106
其他经济	232	196
按企业规模分		
大型企业	13	13
中型企业	25	25
小型企业	390	378

工业总产值

表—24　　（当年价格）　　单位：万元

	2001年	2000年	2001年为2000年%
全部工业企业	2705343	2231820	120.1
限额以上工业企业	1495877	1158996	123.8
#国有及国有控股	824284	645904	125.4
按轻重工业分			
轻工业	124737	114895	113.7
重工业	1371141	1044101	125.2
按隶属关系分			
中央企业	167750	130280	136.4
省属企业	474054	350258	128.3
市属企业	69135	67914	107.3
县级以下企业	784937	610544	121.2
按登记注册类型分			
国有经济	309784	327315	104.3
集体经济	205535	198407	95.1
其他经济	980558	633274	144.4
按企业规模分			
大型企业	473309	360832	126.9
中型企业	125543	111853	112.0
小型企业	897025	686311	124.4

注：发展速度按可比价计算。

工业增加值

表—25　（按生产法计算）　单位：万元

	2001年	2000年
全部工业企业	900877	763880
限额以上工业企业	480598	378124
#国有及国有控股	243200	205925
按轻重工业分		
轻工业	38816	40120
重工业	441782	338004
按隶属关系分		
中央企业	51664	42506
省属企业	126034	99481
市属企业	18626	22903
县级以下企业	284274	2132344
按登记注册类型分		
国有经济	104843	127676
集体经济	74248	69388
其他经济	301507	181060
按企业规模分		
大型企业	132134	113318
中型企业	45267	41922
小型企业	303197	222884

工业企业利税总额

表—26　单位：万元

	2001年	2000年	2001年为2000年%
限额以上工业企业	140869	101320	139.0
#国有及国有控股	77073	59210	130.2
按轻重工业分			
轻工业	4588	5000	91.8
重工业	136281	96320	141.5
按隶属关系分			
中央企业	10887	10262	106.1
省属企业	48074	33336	144.2
市属企业	1359	2710	150.1
县级以下企业	80549	55012	146.4
按登记注册类型分			
国有经济	19747	20855	94.7
集体经济	22907	20426	112.1
其他经济	98215	60039	163.6
按企业规模分			
大型企业	46790	37349	125.3
中型企业	10370	9446	109.8
小型企业	83709	54525	153.5

主要工业产品产量（一）

表—27

		2001年	2000年
轻工产品			
纱	万吨	1.5	1.42
布	万米	7158.82	7412.61
机制纸及纸板	吨	78262	72600
白 酒	吨	6817	5600
啤 酒	吨	34729	15700
*塑料制品	吨	8952	7411
*配混合饲料	吨	42807	25005
*染 料	吨	24404	20933
木 材	万立方米	15502	19845
重工产品			
原 煤	万吨	2623	2539.72
洗精煤	万吨	1530.87	1381.2
发电量	亿千瓦	39.64	36.52
供电量	亿千瓦	44.11	37.32
焦 炭	万吨	1477.22	1406.13
#机 焦	万吨	516.11	255.46
*铁矿石成品矿	万吨	63.03	60.07
*硫铁矿	吨	9142	8225

注：带“*”产品为限额以上口径。

主要工业产品产量（二）

表—28

	单 位	2001年	2000年
粗 铜	吨	20432	6888
锌	吨	13535	5123
生 铁	万吨	748.94	576.71
钢	万吨	103.91	74.08
成品钢材	万吨	19.93	13.79
水 泥	万吨	138.3	146.89
*合成氨	万吨	17.15	15.29
化 肥	万吨	13.98	14.61
*油 漆	吨	1305	1036
*化学农药	吨	1257	522
*化学原料药	吨	102	87.6
硫 酸	万吨	10.09	6.15
*电 石	吨	69520	72320
*炸 药	吨	6500	5500
*铸 件	万吨	10.11	4.36
*锻 件	吨	7514	5372
*铸铁管	吨	65501	34462
通讯电缆	公里	29890	23276

注：带“*”产品为限额以上口径。

煤焦产品产销存

表—29　（2001）　单位：万吨

	年初库存	生产量	销售量	年末库存
原　煤	134.94	2623.00	1914.54	86.26
重点矿	53.55	673.26	134.97	47.26
县以上煤矿	81.39	483.47	424.74	33.41
县以下煤矿	48.58	1466.27	1354.83	5.59
洗精煤	29.99	1530.87	1251.49	6.64
其它洗煤	17.11	250.46	222.02	18.85
焦　炭	96.87	1477.22	1499.66	70.10
机　焦	19.87	516.11	506.61	32.04
改良焦	77.00	961.11	993.05	38.06
铸造焦	24.86	95.35	113.30	7.10
冶金焦	26.85	398.19	412.09	13.16

注：全社会口径。

交通、邮电

表—30

	单位	2001年	2000年	2001年为2000年%
公路通车里程	公里	8761	8714	100.5
#一级公路	公里	148	141	105.0
二级公路	公里	1242	1222	101.6
三级公路	公里	3195	3186	100.3
民用汽车	辆	57588	50003	115.2
载重汽车	辆	30045	26241	114.5
载客汽车	辆	26151	22680	115.3
公路货物运输量	万吨	6475	5773	112.2
公路货物周转量	万吨公里	299960	231581	129.5
公路旅客运输量	万人次	4683	4171	112.3
公路旅客周转量	万人公里	200195	175303	114.2
邮电业务总量（2000价）	亿元	7.86	-	-
电话机	部	414936	270844	153.2
#住宅电话	部	324253	234541	138.3
农　村	部	123531	79614	155.2
移动用户电话	万部	35.02	16.01	218.7
电话普及率	部/百人	10.5	7.7	-
电话已装交换机容量	万门	494055	358604	137.8
长话电路总	路	10509	5325	197.4

固定资产投资完成额

表—31　单位：万元

	2001年	2000年
财政总收入	187777	149265
一般预算收入	105802	88205
#工商税收	71763	57386
#增值税	26461	19582
农业税及耕地税	5908	6966
一般预算支出	227036	171626
#企业挖潜改造	218	733
支援农业生产	4658	4896
农林水气部门事业费	12278	6867
文教卫生事业费	67373	49192
行政管理类	65287	50892
科技三项费	1323	1203

金融机构信贷现金收支

表—32　单位：万元

	2001年	2000年
各项存款余额	2308939	1930934
#企业存款	302444	264060
城乡居民储蓄存款	1841259	1553445
各项贷款余额	1611568	1411917
短期贷款	1196487	1132596
工业贷款	281779	261641
商业贷款	316188	324059
农业贷款	253757	164669
乡镇企业贷款	231223	183250
中长期贷款	276468	216238
#技术改造贷款	94577	97301
现金收入	6696994	4890124
#商品销售收入	466059	280404
储蓄存款收入	5057883	3795717
现金支出	6850449	5036907
#工资性支出	540715	421936
储蓄存款支出	4896636	3672322
货币绝对投放差	(+) 153453	(+) 140584

社会消费品零售总额

表—33　　单位：万元

	2001年	2000年
社会消费品零售总额	636106	584564
按销售地区分		
市的零售额	257045	234885
县的零售额	149592	138170
县以下的零售额	229469	211509
按行业分		
批发零售贸易业	439321	391737
餐饮业	51787	44696
其 他	144998	148130
#制造业	20970	25483
农业生产者	101157	89434
按经济类型分		
国有经济	85430	92589
集体经济	43153	41309
股份制经济	51294	59960
私营经济	6498	5013
个体经济	342948	301901
其 他	106783	83792

价格总指数

表—34　　（以上年价格为100）

	2001年	2000年
居民消费价格指数	100.1	99.6
食品类	99.2	95.4
烟酒及用品	99.4	96.4
衣着类	101.2	99.8
家庭设备用品及维修服务	100.4	98.9
医疗保健和个人用品	94.8	99.4
交通和通讯	105.3	95.3
娱乐教育文化用品及服务	101.1	100.5
居 住	100.6	101.4
工业品出厂价格指数	101.0	-
#轻工业	99.9	-
重工业	101.3	-
#生产资料	101.0	-
原材料燃料动力购进价格指数	105.5	-

对外贸易和旅游

表—35

	单位	2001年	2000年
进出口总额	万美元	6410	4753
出 口	万美元	4245	3734
外贸自营出口	万美元	354	688
三资企业出口	万美元	992	835
生产企业出口	万美元	2681	2051
县（市）外贸公司	万美元	218	160
进 口	万美元	2165	1019
新批三资企业协议资金	万美元	3273	4724
新批三资企业项目	个	6	9
接待旅游者人数	万人次	233.86	160.3
#外国人（含华侨）	人次	5378	4974
港澳台同胞	人次	6943	2192
旅游外汇收入	万美元	235.39	171.4

社会从业人员

表—36　　单位：人

	2001年	2000年
总　　计	1766596	1766820
按城乡分		
乡 村	1373760	1361136
城 镇	392836	405684
城镇国有单位	289674	306958
城镇集体单位	24383	27193
城镇其他单位	46926	26191
城镇私营经济	4230	4362
城镇个体	27623	40980
按三次产业分		
第一产业	858851	865615
第二产业	404097	399580
工 业	315737	314115
建筑业	88360	85465
第三产业	503648	501625
#运输邮电业	136713	136429
批零贸易餐饮业	119864	121563

在岗职工平均工资

表—37　　单位：元

	2001年	2000年
全市平均工资	8082	6790
按企业、事业、机关分		
企 业	8043	7155
事 业	8034	6181
机 关	8280	6370
按国民经济行业分		
农、林、牧、渔业	5502	4244
采掘业	7435	6410
制造业	7240	6434
电力、煤气及水的生产和供应业	11212	10958
建筑业	4221	4175
地质勘查业、水利管理业	6540	5416
交通运输、仓储及邮电通信业	12267	11285
批发和零售贸易、餐饮业	4554	3966
金融、保险业	10768	8471
房地产业	5540	4794
社会服务业	6269	5949
卫生、体育和社会福利业	7662	5808
教育、文化艺术及广播电影电视业	8567	6410
科学研究和综合技术服务业	9309	6979
国家机关、政党机关和社会团体	8327	6340
其他行业	4388	4256

城镇居民家庭基本情况

表—38

	单位	2001年	2000年	2001年为2000年 %
调查户数	户	310	310	-
平均每户家庭人口数	人	3.43	3.41	100.6
平均每百人就业人数	人	55.04	55.01	100.1
平均每百人国有职工人数	人	46.23	46.86	98.7
平均每百人集体职工人数	人	3.82	3.70	103.2
平均每百人离退休人数	人	6.16	6.38	96.6
平均每人现金收入	元	5583	5027	111.1
平均每人可支配收入	元	4697	4158	113.0
高收入户	元	7909	7206	109.8
中等收入户	元	4530	3930	115.3
低收入户	元	2534	2237	113.3
平均每人消费支出	元	3330	3073	108.3
高收入户	元	5075	4576	110.9
中等收入户	元	3304	3042	108.6
低收入户	元	1975	1901	103.9

农村居民家庭收支情况

表—39　　单位：元

	2001年	2000年
一、全年总收入	2775.65	2610.9
工资性收入	1040.79	883.6
家庭经营收入	1688.16	1667.7
#农业收入	924.69	889.3
财产性收入	8.06	6.1
转移性收入	38.64	53.6
二、全年总支出	1617.28	1487.5
家庭经营费用支出	325.86	276.8
#种植业	175.90	143.4
购置生产性固定资产支出	20.08	30.2
税费支出	42.25	40.58
缴纳生产税	20.91	19.72
第一产业	18.50	18.26
第二产业	1.31	0.4
第三产业	1.11	1.06
缴纳其他直接税		
村提留	11.32	15.62
乡统筹	7.75	4.11
其他各项收费	2.28	1.12
生活消费支出	1114.67	1048.3
三、全年家庭纯收入	2320.27	2195.0

教育、文化、卫生

表—40

	单位	2001年	2000年
高等学校数	个	1	1
高等学校专任教师数	人	835	645
高等学校在校学生数	人	12500	8569
中等专业学校数	个	8	10
中等专业学校在校学生数	人	16355	10366
中等专业学校专任教师数	人	575	727
普通中学数	个	410	397
普通中学在校学生数	人	286217	251375
普通中学专任教师数	人	16126	14669
小学校数	个	7955	5776
小学校在校学生数	人	423662	433914
小学校专任教师数	人	22644	22418
电视人口覆盖率	%	97.4	92.9
文化馆数	个	18	18
公共图书馆数	个	17	17
博物馆数	个	14	12
医院数	个	99	103
医院床位数	张	7662	7594
医生数	人	8567	7611

环 保

表—41

	单位	2001年	2000年
工业废水排放总量	万吨	3215.85	2688.6
工业废气排放总量	万吨	5941885	3549186
二氧化硫	万标m^3	7.22	6.49
烟尘	万吨	10.43	12.46
工业固体废物产生量	万吨	738.72	944.15
工业固体废物综合利用量	万吨	299.84	129.5
综合利用率	万吨	40.59	13.3
治理污染投资基金	%	5286	2520
本年施工项目	万元	19	46
当年完成项目	个	19	32
治理效果	个		
新增处理废水能力		4	0.5
新增处理废气能力	万标m^3/时	150	130.2
新增处理固体废物能力	万吨/日	273	-

分县（市、区）行政区划

表—42　（2001）　单位：个

	办事处	镇	乡	村民委员会	居民委员会
全　市	18	75	76	3364	303
尧都区	9	10	6	381	154
曲沃县		5	2	158	1
翼城县		6	4	299	3
襄汾县		7	6	349	6
洪洞县		9	7	464	2
古　县		4	3	111	1
安泽县		4	3	104	1
浮山县		2	7	265	1
吉　县		3	5	109	1
乡宁县		5	5	186	3
大宁县		2	4	101	1
隰　县		3	5	136	4
永和县		2	5	80	4
蒲　县		4	5	102	1
汾西县		5	3	225	4
侯马市	5		3	81	93
霍州市	4	4	3	213	23

注：依据民政部门数据。

分县（市、区）国内生产总值

表—43　单位：万元

	2001年	2000年	2001年为2000年%
全　市	1921472	1703286	112.5
尧都区	469712	421189	110.2
曲沃县	117965	104856	110.0
翼城县	134414	118120	112.7
襄汾县	206756	177105	115.8
洪洞县	298461	255551	114.3
古　县	49985	41963	116.4
安泽县	33809	31237	107.6
浮山县	38054	30035	122.1
吉　县	24417	22468	108.1
乡宁县	99256	88325	112.8
大宁县	12516	51341	103.9
隰　县	24720	11845	110.8
永和县	11732	11239	104.1
蒲　县	58513	22438	112.6
汾西县	35281	29713	116.6
侯马市	160469	140954	112.6
霍州市	156974	142612	109.6

注：2001年为初步统计数。

分县（市、区）乡镇企业发展情况

表—44　　（2001）　　单位：个、万元

	企业个数	乡镇企业总产值	乡镇企业增加值	乡镇企业上缴税金
全　市	84979	2955967	812889	48160
尧都区	25231	519056	131530	4916
曲沃县	4562	163200	45796	2795
翼城县	1442	269862	71410	6063
襄汾县	5031	466704	132316	6610
洪洞县	22659	406035	124425	5380
古　县	6174	183164	49558	2602
安泽县	2692	44635	13106	535
浮山县	2005	56377	16716	3491
吉　县	3361	23463	7164	70
乡宁县	2182	252447	66282	5491
大宁县	103	5951	2100	55
隰　县	652	13976	2904	241
永和县	380	2592	1239	16
蒲　县	1493	195247	65993	3532
汾西县	995	67305	15904	1364
侯马市	4030	273916	78430	3260
霍州市	1987	156300	35040	1781

分县（市、区）煤焦销售量

表—45　　（2001年）　　单位：万吨

	原煤销售量	#销往外省市	焦炭销售量	#销往外省市
全　市	1914.54	199.62	1499.66	308.48
尧都区	169.71		193.98	27.46
曲沃县			13.53	13.53
翼城县	108.34		0.03	
襄汾县	11.10		26.75	
洪洞县	366.69	87.99	360.23	127.69
古　县	108.38	36.22	136.33	97.42
安泽县	29.50		60.90	33.70
浮山县	5.52			
吉　县	25.33		0.89	
乡宁县	584.63	20.00	123.27	1.60
大宁县	21.10			
隰　县	5.97			
永和县	1.42			
蒲　县	302.40		146.11	
汾西县	60.04		90.05	
侯马市			18.40	
霍州市	114.41	55.41	88.44	7.08

分县（市、区）交通邮电

表—46　　（2001年）

	公路通车里程（公里）	邮政电信业务总量（2000价，万元）	固定电话用户（户）	年末移动电话用户（户）
全　市	8761	78626	382845	350177
尧都区	840	46319	121680	134577
曲沃县	394	2218	20011	12322
翼城县	528	3283	27416	23408
襄汾县	433	3763	32590	24818
洪洞县	823	4479	39273	37864
古　县	356	733	6059	4360
安泽县	566	728	4905	2790
浮山县	313	994	7248	5940
吉　县	525	617	5034	3996
乡宁县	618	2210	12863	9714
大宁县	616	389	3676	2228
隰　县	444	675	5630	4134
永和县	572	387	3350	1820
蒲　县	559	1262	8097	6241
汾西县	496	763	5455	5130
侯马市	249	6651	55411	48423
霍州市	429	3156	24147	22412

分县（市、区）财贸经济指标

表—47　　（2001年）　　单位：万元

	财政总收入	一般预算收入	一般预算支出	社会消费品零售总额
全　市	187777	105802	227036	636106
尧都区	49196	28735	28749	194824
曲沃县	7868	3635	10673	28575
翼城县	12518	7032	13328	37673
襄汾县	15036	8908	15459	37136
洪洞县	24208	12560	20258	66582
古　县	4447	1990	5988	10233
安泽县	2985	1623	6259	12091
浮山县	7309	4006	8709	9853
吉　县	1004	805	7095	9550
乡宁县	14267	7194	11713	22095
大宁县	808	502	6066	5376
隰　县	1386	941	8627	14230
永和县	400	350	5969	4928
蒲　县	6924	3703	9103	11441
汾西县	2575	1564	8336	13181
侯马市	15501	9915	12333	121978
霍州市	15965	7942	10141	36360

分县（市、区）进出口总额

表—48　（2001年）　单位：万元

	海关进出口总额	#出口	合同利用外资
全　市	6410	4245	3273
尧都区	393	385	
曲沃县	163	163	
翼城县	42	29	1209
襄汾县	108	108	30
洪洞县	156	156	1078
古　县			
安泽县			
浮山县			74
吉　县			
乡宁县			
大宁县			
隰　县	14	14	
永和县			
蒲　县			
汾西县			
侯马市	788	57	566
霍州市			
临汾开发区			316

分县（市、区）农民生活指示

表—50　（2001年）　单位：万元

	农村住户人均			
	纯收入	生活消费支出	现金收入	现金支出
全　市	2320	1115	2120	1346
尧都区	2785	974	3109	1256
曲沃县	2768	1084	2477	1270
翼城县	2252	996	2469	1407
襄汾县	2428	1160	1985	1314
洪洞县	2502	1234	2508	1521
古　县	2002	969	1379	955
安泽县	1958	1213	1823	1776
浮山县	1840	1231	1837	1858
吉　县	1169	777	1333	948
乡宁县	2106	890	1935	969
大宁县	853	576	730	721
隰　县	1595	952	1122	1055
永和县	848	519	553	629
蒲　县	2109	932	1496	1255
汾西县	962	709	952	685
侯马市	3271	1315	2910	1729
霍州市	2765	1274	2820	1540

分县（市、区）固定资产投资情况

表—49　（2001年）　单位：个、万元

	基本建设施工项目个数	基本建设投资完成额	更新改造施工项目个数	更新改造投资完成额
全　市	342	224538	237	158379
尧都区	109	116026	69	35260
曲沃县	30	16542	1	301
翼城县	14	12569		
襄汾县	14	2636	3	6612
洪洞县	12	3774	16	66634
古　县	8	1907	3	3610
安泽县	5	3107	2	2600
浮山县	11	3150	2	230
吉　县	16	3394		
乡宁县	13	6812	5	6053
大宁县	10	2232	1	20
隰　县	12	3056		
永和县	11	2068		
蒲　县	12	2016	7	3210
汾西县	12	5019		
侯马市	35	32004	3	15492
霍州市	18	8226	125	18357

分县（市、区）城调主要资料

表—51　（2001年）

	城镇居民人均		居民消费价格总指数（上年=100）
	可支配收入（元）	消费性支出（元）	
全　市	4697	3330	100.1
尧都区	5175	4212	99.7
曲沃县	4187	2902	13.7
翼城县	3970	2965	100.8
襄汾县	4496	2660	100.1
洪洞县	4956	3048	100.8
古　县	4380	2351	100.1
安泽县	3827	2809	100.6
浮山县	4408	2652	101.1
吉　县	3631	2542	100.5
乡宁县	4417	2663	100.7
大宁县	3847	2494	98.8
隰　县	3679	2280	100.8
永和县	3330	2257	100.0
蒲　县	4187	3000	98.8
汾西县	3558	2395	99.5
侯马市	4953	3468	102.3
霍州市	4412	3339	99.9

限额以上工业企业主要经济指标

表—52　　（2001）　　单位：千元、人

	工业总产值不变价	资　产合　计	流动资产年平均余额	固定资产净值年平均余额	负债合计	产品销售收入	利润总　额	从业人员平均人数
限额以上工业企业	1085780	2476520	952735	1144421	1458036	1394585	32659	164647
#国有及国有控股	592037	1900316	645975	901328	1186650	783977	19566	105988
按轻重工业分								
轻工业	116490	176496	82509	69773	128537	100861	-1989	182286
重工业	969290	2300024	870226	1074648	1329499	1293724	34648	146419
按隶属关系分								
中央企业	150715	429217	116938	256950	338491	161126	4314	16616
省属企业	282414	1116551	369555	491248	593159	475166	11061	57950
市属企业	72712	128312	72618	40228	123667	52568	-2240	15073
县及以下企业	57939	802440	393624	355995	402719	705725	19524	75008
按登记注册类型分								
国有经济	265391	829677	285999	394902	621832	280253	1695	47554
集体经济	151336	168369	94456	67632	73911	190702	5429	18449
其他经济	669053	1478474	572280	681887	762293	923630	25535	98644
按企业规模分								
大型企业	328668	1133778	364661	546980	717044	456062	13085	55106
中型企业	103703	267473	123932	119400	198398	107564	1899	20966
小型企业	653409	1075269	464142	478041	542594	830959	17675	88575

大中型工业企业主要经济指标（一）

表—53　　（2001）　　单位：千元、人

企　业　名　称	隶属关系	现价工业总产值	实　现利　税	产品销售收入	固定资产原价	资　产合　计	负　债合　计	从业人员平均人数
临汾汽车制造厂	省	9382	-339	7129	40373	68024	67390	848
临汾市平阳钢铁厂	市	36293	3330	25000	41122	157440	142062	1315
乡宁县煤气焦化有限公司	其他	22249	3573	18855	17974	49598	43065	100
侯马普天通讯电缆有限公司	中央	287219	14260	249521	308570	426987	234076	1611
临汾宏通工交总公司	市	4360	246	4360	13831	16559	8490	250
临汾市建材水泥厂	县	45506	3583	30961	73605	148221	138927	580
山西电气控制设备厂	市	10207	167	5816	25107	46429	45887	598
临汾染化（集团）有限责任公司	市	167972	15686	128510	89812	167943	132437	1153
临汾造纸厂	市	38955	-8170	39356	46725	141486	164663	422
临汾市自来水公司	县	35389	2277	31133	96240	99109	17916	527
山西省互感器厂	市	554	27	109	23225	30508	88400	486
临汾纺织厂	市	100495	-14725	73380	122522	120973	153695	4339
山西金尧焦化有限公司	县	110980	28256	106513	175156	278165	131309	880
山西新临钢钢铁有限公司	省	1596233	127874	1555264	712060	1020326	547365	4666
山焦集团临汾洗煤有限公司	省	28933	2151	30586	68097	74250	43284	652
临汾供电公司	中央	196459	44321	233561	1648173	1745947	1745947	2968
山西春雷铜材厂	中央	31631	-12589	28340	87697	209390	168158	1206
国营山西锻造厂	中央	94900	2019	90025	161917	195438	113101	1364
襄汾县造纸厂	县	30082	540	15730	89864	126133	89538	255

大中型工业企业主要经济指标（二）

表—54　（2001年）　单位：千元、人

企业名称	隶属关系	现价工业总产值	实现利税	产品销售收入	固定资产原价	资产合计	负债合计	从业人员平均人数
襄汾纺织厂	市	58009	1335	36324	45525	89214	78812	1474
山西焦化集团有限公司	省	708458	71607	650125	1610973	2180062	1827047	5195
山西三维集团股份有限公司	省	431555	100315	396350	575000	1386800	500800	2395
山西洪洞飞马实业集团公司	县	2613	-6364	994	77087	158664	120007	705
山西晋翔轴承有限责任公司	其他	29940	30	24050	17350	50010	41928	280
山西焦化集团临汾建材有限公司	省	13118	-82	9120	48437	57072	46964	1040
安泽焦化总公司	县	89544	18029	86694	60542	93271	80300	975
乡宁县台头煤矿	县	61077	26188	75564	42353	86974	30425	1217
山西风雷机械厂	中央	70010	6730	71560	117600	174380	151680	932
侯马纺织厂	市	81741	2582	60633	46109	133422	117411	1611
侯马平阳制药厂	县	28567	1174	15347	24407	37765	14937	389
中国人民解放军第3606工厂	中央	25053	622	24316	55392	66409	18133	936
山西平阳机械厂	中央	155910	-5172	128655	294731	351143	272492	3780
山西亨达内燃机总公司	省	22095	-25510	18131	59875	126561	202191	446
侯马发电厂	中央	99657	-1981	96468	119958	65352	65352	1712
霍州煤电集团有限责任公司	省	636957	88540	664540	3194160	3219310	1073430	24970
霍州市化学工业有限责任公司	县	184194	13949	164971	285910	358885	236868	2300
霍州常鑫陶瓷有限公司	县	41064	2564	37094	54211	73821	19467	261
霍州发电厂	中央	401168	107547	401168	561569	180461	180461	1234

分县（市、区）人口

表—55　（2001年）

	总人口（人）					城镇人口比重（%）	人口自然增长率（‰）
	合计	男	女	市镇人口	乡村人口		
全　市	4001348	2051587	1949761	1069311	2932037	26.72	7.71
尧都区	730262	370368	359894	371101	359161	50.82	7.18
曲沃县	223995	114400	109595	47990	176005	21.42	6.2
翼城县	306218	155670	150548	30122	276096	9.84	8.35
襄汾县	470455	239046	231409	67238	403217	14.29	7.79
洪洞县	709226	362139	347127	124556	584710	17.56	8.09
古　县	85337	44808	40529	20568	64769	24.1	6.17
安泽县	77283	40595	36688	19314	57969	24.99	5.7
浮山县	123388	63914	59474	16382	107006	13.28	7.29
吉　县	100129	51506	48623	5244	94885	5.24	9.21
乡宁县	218691	113969	104722	29952	188739	13.7	9.14
大宁县	59583	30667	28916	13986	45597	23.47	8.73
隰　县	96960	49848	47112	16992	79968	17.52	9.65
永和县	61595	32158	29437	15843	45752	25.72	8.25
蒲　县	98152	53041	45111	29478	68674	30.03	7.74
汾西县	135506	70923	64583	27221	108285	20.09	8.08
侯马市	227198	115032	112166	100245	126953	44.12	7.14
霍州市	277330	143503	133827	133079	144251	47.99	7.36

注：人口数系根据2001年人口抽样调查推算。

分县（市、区）农业主要经济指标（一）

表—56　　（2001 年）

	年末耕地面积（公顷）	农村劳动力（人）	农林牧渔业现价总产值（万元）	农林牧渔业增加值（万元）	农村经济总收入（万元）	肉类总产量（吨）	大牲畜年末存栏（头）	粮食总产量（吨）	
									小麦产量
全　市	512410	1373760	391115	233851	1862026	80313	514897	1216150	656739
尧都区	46130	224030	48367	28483	347037	7674	38173	143685	84121
曲沃县	23433	97930	34801	22751	127158	2554	11144	77964	54828
翼城县	34417	99838	24379	13488	177415	6735	22311	87124	50080
襄汾县	57833	208382	57312	34721	283536	7523	56214	187060	131741
洪洞县	67668	285274	68654	41147	310063	17800	51754	239094	160063
古　县	22151	22670	10812	6559	39091	1728	20258	35419	14014
安泽县	14486	22806	20837	12806	42793	5845	66939	65610	6716
浮山县	27797	38246	17258	10492	33570	3796	21490	53945	29213
吉　县	24073	30223	11230	6678	15998	2976	26188	27165	6664
乡宁县	34045	64260	18791	9813	98313	6860	77673	75913	31292
大宁县	19870	16658	5127	2542	5802	1452	12963	11310	3032
隰　县	25232	29251	14070	8442	23127	3922	23683	38169	2624
永和县	28436	16385	5999	2847	6632	2109	16149	8663	1905
蒲　县	25011	29791	7788	3770	43380	2749	28733	24273	1113
汾西县	28703	52958	8876	5526	24706	2368	26008	28897	11109
侯马市	9178	53110	19528	12552	135263	1141	4239	51338	33181
霍州市	23974	81948	17286	11234	148142	3081	10978	60557	35043

分县（市、区）农业主要经济指标（二）

表—57　　（2001 年）

		棉　花产量（吨）	水果产量（吨）	油料产量（吨）
	秋粮产量			
全　市	559411	6932	188781	30215
尧　都　区	59564	157	38247	2559
曲　沃　县	23136	2251	26652	1784
翼　城　县	37044	197	17178	1177
襄　汾　县	55319	3032	42307	4611
洪　洞　县	79031	30	8852	2367
古　　县	21405	2	1257	1188
安　泽　县	58894	2	2355	1900
浮　山　县	24732	132	4850	1058
吉　　县	20501	22	12875	1163
乡　宁　县	44621		5703	2963
大　宁　县	8278	152	1964	871
隰　　县	35545		11963	2829
永　和　县	6758	9	2062	1142
蒲　　县	23124		932	1561
汾　西　县	17788	10	574	316
侯　马　市	18157	850	4992	2251
霍　州　市	25514	86	6018	475

分县（市、区）限额以上工业企业主要经济指标（一）

表—58　　（2001 年）　　单位：千元、人

	单位数（个）	工业总产值现价	工业总产值90价	工业增加值	资产总计	利税总额	利润总额	从业人员平均人数	流动资产小计
全 市	428	14958774	10857803	4805981	24765196	1408697	326590	164647	9524415
尧都区	54	3890537	2530533	977883	6287901	303117	53530	38158	2341851
曲沃县	40	781373	516133	242227	553871	23393	4251	6551	377577
翼城县	54	1710699	1115954	526010	1772251	135496	-12980	16436	966241
襄汾县	52	1025428	770999	347045	1114760	89967	21391	12764	585944
洪洞县	47	2722489	1998872	903818	6119782	323275	117692	20946	1923382
古 县	24	353959	282860	144691	260007	43987	8872	3091	114124
安泽县	5	105359	77778	42280	111884	19520	3348	1175	49160
浮山县	12	211821	109180	69852	195936	22112	2250	1188	84886
吉 县	4	43420	28821	19978	61894	6092	2762	433	24988
乡宁县	36	711268	575035	332042	812187	151033	54237	8146	472301
大宁县	3	47486	26738	18833	69001	7921	2490	763	39927
隰 县	8	76414	44265	26395	92092	6374	202	635	37276
永和县	2	9928	7694	4203	8438	351	45	64	3159
蒲 县	20	250863	223202	109248	433940	46041	11603	3598	189926
汾西县	19	120071	91192	45972	117530	7788	1260	1682	46830
侯马市	24	1412054	1503285	339458	2615591	19016	-34409	15412	1040823
霍州市	24	1485605	955262	656046	4138131	203214	90046	33605	1226020

分县（市、区）限额以上工业企业主要经济指标（二）

表—59　　（2001 年）　　单位：千元

	应收账款净额	产成品	流动资产平均余额	固定资产小计	固定资产原价	固定净值平均余额	负债合计	产品销售收入
全 市	2272346	1283393	9527349	13508955	17473895	11444215	14580358	13945847
尧都区	363667	209688	2236028	3502456	4736540	3010519	4685373	3767579
曲沃县	49317	42348	365834	171313	224881	168840	267114	678210
翼城县	142460	81346	993204	771601	986000	704521	742250	1417403
襄汾县	93266	107270	533961	501215	576569	450367	581832	1000622
洪洞县	521078	200675	2087486	3328758	3380318	2191876	3623446	2487455
古 县	31833	10264	117729	139516	186508	141204	94414	331183
安泽县	20061	17	49976	62719	74809	54674	81424	100924
浮山县	6325	11890	84221	104104	96523	53618	126130	199057
吉 县	3702	4175	25575	36209	46262	30989	25111	43002
乡宁县	200375	115895	470868	336263	449841	314464	407885	691701
大宁县	8859	9621	38245	28807	39428	27118	40722	49490
隰 县	6837	3978	37112	53227	59804	52209	50805	74461
永和县	473	2052	3869	5279	5556	4718	7815	7423
蒲 县	67904	24553	194186	226066	307711	229483	297774	263314
汾西县	4384	1343	47098	65277	72532	59508	54541	84984
侯马市	332457	181260	1018812	1429467	1964168	1441371	1747545	1282773
霍州市	419348	277018	1223145	2746678	4266445	2508736	1746177	1466266

全省分地市主要经济指标排序（一）

表—60

（2001 年）

	国内生产总值（亿元）		国内生产总值指数（上年=100）		年末耕地面积（千公顷）		现价农林牧渔业总产值（万元）		粮食总产量（吨）	
	指标值	位 次	指标值	位次	指标值	位次	指标值	位次	指标值	位次
山西省	1774.6		108.3		4290.07		3015276		6921000	
太原市	386.3	1	110.5	2	157.78	10	233361	5	207611	8
大同市	190.1	4	109.1	5	440.69	5	134785	10	156988	9
阳泉市	100.0	8	107.0	9	75.25	11	46468	11	142938	10
长治市	185.0	5	109.5	4	366.57	7	407590	2	1380775	1
晋城市	158.0	6	108.4	6	195.66	9	152474	9	533077	6
朔州市	86.1	10	101.5	10	318.36	8	172471	8	126544	11
晋中市	148.9	7	107.6	7	379.15	6	401353	3	828699	4
运城市	193.5	2	110.3	3	574.18	2	572201	1	1113357	3
忻州市	84.8	11	101.5	11	697.93	1	223901	7	505539	5
临汾市	192.1	3	112.5	1	512.41	4	391115	4	1216150	2
吕梁地区	91.0	9	107.5	8	572.11	3	224710	6	462447	7

全省分地市主要经济指标排序（二 ）

表—61

（2001 年）

	棉花产量（吨）		油料产量（吨）		肉类总产量（吨）		限额以上现价工业总产值（亿元）		限额以上现价工业增加值（万元）	
	指标值	位次	指标值	位 次	指标值	位 次	指标值	位次	指标值	位 次
山西省	83790		180790		674766		1384.25		490.18	
太原市	771	5	4303	9	48856	9	331.44	1	100.15	1
大同市			3205	11	57016	6	163.86	3	68.09	2
阳泉市			3431	10	9828	11	82.92	7	32.38	7
长治市	165	7	24720	4	78610	4	109.63	6	44.69	5
晋城市	1441	3	12788	7	39950	10	71.60	9	32.38	8
朔州市			4802	8	54503	8	72.09	8	29.52	9
晋中市	1333	4	30409	1	98613	1	112.12	5	35.83	6
运城市	72464	1	29164	3	66243	5	196.47	2	66.03	3
忻州市	143	8	17498	6	84621	2	35.38	11	11.96	11
临汾市	6932	2	30215	2	80313	3	149.59	4	48.06	4
吕梁地区	541	6	20255	5	56213	7	60.95	10	21.42	10

全省分地市主要经济指标排序（三）

表—62

（2001 年）

	基本建设投资（万元）		更新改造投资（万元）		居民消费价格指数（上年=100）		社会消费品零售总额（亿元）		财政总收入（万元）	
	指标值	位次	指标值	位次	指标值	位次	指标值	位次	指标值	位次
山西省	3621328		1451568		99.8		679.9		2291136	
太原市	476326	1	365781	1	98.4	4	161.13	1	351655	1
大同市	215347	5	57993	9	97.6	1	89.18	2	167745	5
阳泉市	76728	11	61191	6	100.8	9	34.60	10	89093	9
长治市	201236	6	126723	4	98.3	3	41.99	8	179110	3
晋城市	355050	2	58528	8	97.9	2	46.08	7	139154	6
朔州市	153470	9	25759	10	100.1	8	35.97	9	72417	11
晋中市	165320	8	80631	5	99.9	7	77.18	3	138523	7
运城市	274267	3	193855	2	98.7	5	60.82	5	173951	4
忻州市	192521	7	9636	11	101.5	10	60.07	6	80292	10
临汾市	224538	4	158379	3	-		63.61	4	187777	2
吕梁地区	121339	10	60135	7	99.2	6	31.25	11	115543	8

全省分地市主要经济指标排序（四）

表—63

（2001 年）

	海关进出口总额（万美元）		城镇居民人均可支配收入（元）		城镇居民人均消费性支出（元）		农民人均纯收入（元）		在岗职工平均货币工资（元）	
	指标值	位次	指标值	位次	指标值	位次	指标值	位次	指标值	位次
山西省	194098		5391		4123		1956		8122	
太原市	139342	1	6500	1	5165	1	2738	1	9303	1
大同市	3787	6	5054	8	4006	4	1251	9	7544	7
阳泉市	3605	7	4871	10	3553	9	2723	2	7441	8
长治市	2264	9	5244	3	3904	5	2427	4	8112	3
晋城市	1298	10	5374	2	3552	10	2594	3	8790	2
朔州市	805	11	5218	5	3893	6	1485	8	7946	6
晋中市	12552	3	5201	4	4373	2	2207	6	6686	10
运城市	15591	2	5053	9	3610	8	2003	7	8077	5
忻州市	2474	8	5168	7	3847	7	1095	11	6517	11
临汾市	6410	4	5175	6	4212	3	2320	5	8082	4
吕梁地区	5844	5	-		-		1119	10	7020	9

索　引

说明：

1. 本索引采取主题分析方法，按汉语拼音字母顺序排列。

2. 索引名称后的数字表示内容所在的页码、数字后的拉丁字母（a b）表示该页自左至右的栏别。

3. 特载、文献、大事记、附录、图、表不作索引。

乡宁县台头镇

XIANG NING XIAN TAI TOU ZHENG

书记　武和平

镇长　高军峰

台头镇是乡宁县煤炭资源大镇。全镇政治稳定，经济活跃，人气正旺，各项事业蒸蒸日上。2002年，全镇工农业总产值完成3.26亿元，比上年增长23%；乡镇企业营业收入完成2.336亿元，增长17%；农民人均纯收入2517元，增长7%；粮食产量3180吨，增长18.6%，实现税收3200万元，增长31%。

乡宁县第一中学

校长　梁建洁

《雏莺》文学社在京获得“全国优秀校园文学社团奖”，社员代表与著名作家浩然合影

微机教室

物理实验课

化学实验室

校运风彩

歌咏比赛

军训汇报表演

金梨之乡

副省长牛仁亮（右一）、市委书记张茂才（右三）在隰县检查指导工作，县委书记王文英（右二）陪同

隰县

县长郑建文在百种精品梨园调查套袋果品生产情况

隰州天天饮料公司罐装金梨汁流水生产线

圈养舍饲绒山羊

下李乡龙凤塬退耕还林工程

霍州市人民武装部

营区于1989年动工修建，1991年竣工，总面积2475平方米，建筑面积1595.5平方米，营区绿化率达35%。1996年4月收归军队建制以来，提出“团结拼搏、再创佳绩”的奋斗目标。加强党委班子建设，提高干部素质，加强设施建设，完善工作制度，树立高效、正规、清正廉洁的军事机关形象。先后有136项工作，56人次受到国防部、北京军区、省分区和省、地、市的表彰，部党委先后9次分别被省军区、军分区评为“先进党委”。连续15年被省政府、省军区评为“先进人武部”。

部长　任启海

政委　马领人

团结奋进的领导班子

人武部干部学习微机

武装部大楼

洪洞县发展计划局

局长　张松山

精诚团结、与时俱进的领导班子

洪洞县教育局

孙张学校

2002年，洪洞县投入5000余万元，完成48所学校的危改工程，79所学校新建、改建工程和58所学校的危房维修工程，一大批设计新颖的楼房学校拔地而起，成为洪洞县教育基础设施建设的一大亮点。临汾市危改流动现场会在这里召开。

辛村乡马二小学

洪洞县建设局

局长　李增芳

办公大楼

洪洞县建设局系全县城乡规划建设的行政主管部门。内设办公室、规划科技管理股、施工管理股、公用事业股、计划统计股等5个业务股（室），下设质检、监理、环卫、监察、客运、路灯、市政工程公司、建筑总公司、第二建筑公司、恒泰建安公司、腾飞建安公司等20个企事业单位。现有干部职工900余人。

洪洞县水利局

副市长常富顺在饮水解困工程现场检查指导工作

县长高洪元在淹底乡检查指导饮水解困工程建设

冯张节水增效示范园区工程

古罗乡集中供水工程

水利勘测凿井队开展凿井工作

临汾市卫生防疫站

LINFENSHI WEISHENG FANGYIZHAN

市长王国正（左三）、副市长高清亮（右三）在防疫站检查指导工作

领导班子成员（左起：王智海、许金金、杨惠民、候晓军、李林生）

临汾市商业总公司

党组书记、总经理　常引根

全市商贸工作会议

临汾市引沁入汾工程建设管理局

团结务实的领导班子

施工中的草峪岭隧洞

临汾市水利机械工程局

成立于1979年9月，国有水利水电工程施工总承包二级、房屋建筑工程施工总承包三级企业。现有职工1365人，其中管理人员259人，注册资本金2023万元，拥有机械设备560余台（件），机械设备总功率8818千瓦，固定资产原值2998万元，净值2266万元。2001年6月获省水利厅水利工程建设“优秀施工单位称号”。

中国工商银行 临汾分行

ICBC INDUSTRIAL AND COMMERCIAL BANK OF CHINA LINFENBRANCH

分行领导班子在一起研究工作

临汾市首届金融产品展销会上宣传电子银行等新业务

获国家级"青年文明号"的平阳支行东大街分理处开展业务宣传活动

安泽县信用联合社

理事长　涂茂基

主任　刘有惠

下设7个信用社、1个营业部、3个储蓄所、14个信用分社，13个信用代办站，干部职工110人。坚持以"为农民、农业、农村经济服务"为宗旨，每年投放贷款1500余万元，有力地促进全县农、林、牧业的发展。连续4年被市、县评为"支农先进单位"、"扶持县域经济发展先进单位"。

街头宣传

霍州市一中

团结奋进的霍州一中领导班子

教学大楼

多媒体阶梯教室

学生餐厅

化学实验室

电脑机房

霍州市人民医院

院长　王前进

山西省曲沃中学

校长 郭鉹

语音教室

双控闭路总控室

微机室

实验室

校长 工邦志

团结奋进的校领导班子

物理实验室

翼城县北关初中

有教学楼一座，实验楼一座，学生住宿楼一座，教职工住宅楼一座，容纳70台电脑机房一个，并与北京、天津等名校实现远程教学联网；学校安有内部电话，班班通上小广播，班班有教学投影仪。现有教学班26个，学生1923名，在校教职工102人，被省教委授予“九五教科研先进集体”。

乡宁县第二中学

XIANGNINGXIAN DI ER ZHONG XUE

校长 闫利民

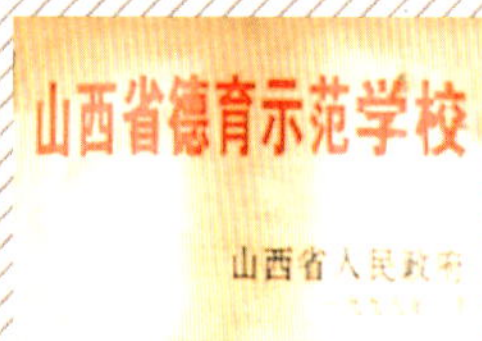

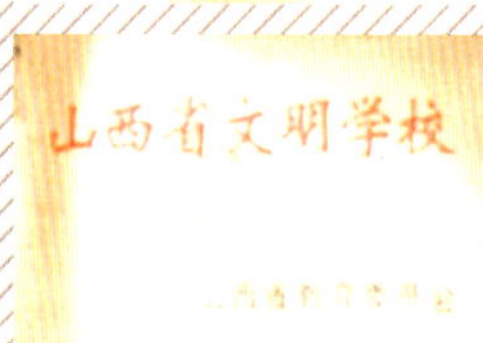

主控室一角

安泽县地税局

ANZEXIANDISHUIJU

市局局长张晓东在安泽调研

省纪检组副组长、检察室主任杨培林在安泽检查工作

涂鹏云为和川镇东洪驿村村民讲解农业税知识

汾西县国税局

局长　杨云溪

汾西县国家税务局现有干部职工40人，内设办公室、计会股、征管税政股、人事教育股、监察室5个行政职能科室，下设稽查局、城镇分局、个体分局、票证管理所和信息中心，担负全县766户的国税征管工作。

局党组研究工作

榮譽證書

临汾市国税系统2002年度

文明窗口

临汾市国家税务局

二〇〇三年一月

霍州市公安局

局长　庞星明

政委　吉文奎

以队伍建设为突破口，带动业务工作全面发展，一路领先，连续5年被评为临汾市优秀公安局。以局长庞星明、政委吉文奎为首的新一届局党委提出“转变作风，提高效率；严明纪律，规范执法”的响亮口号，围绕“整合优势，夯实基础；重点突破，全面提升；创新工作，整体跨越”的三步走工作思路。

霍州市人民检察院

充分发挥检察职能，依法独立行使检察权，查办贪污贿赂，打击刑事犯罪，加强执法监督。为维护治安稳定，保障改革开放，推动经济建设，发挥了积极作用。2002年，被省院授予先进检察院光荣称号，有4个科室分别被临汾市院评为先进集体，有4名同志分别被省市院记功、嘉奖。

检察长　冯克杰

霍州市地税局

局长　赵 军

领导班子成员

成立于1994年，现有干部职工111人，下设2室4股，10个基层单位，负责全市的工商税收、农业税收及水资源补偿费等6项规费的征收管理工作。2002年，在局长赵军的带领下，创新发展思路，突出工作重点，强化税收征管，转变工作作风，征收工商税收6178万元，农业四税452万元，各项规费952万元，做出显著成绩，在临汾市地税系统工作考核中名列前茅，赵军被山西省地方税务局授予“优秀税务工作者”的称号。

霍州市国税局

局长　李兰平

下设稽查局、城区分局、辛置分局、个体分局、票证管理所和信息中心，有干部职工121人。设办公室、会计科、征管税政科、人事教育科、监察室5个职能科室，担负着全市1972户不同类型纳税人的国税征收管理任务。在局长李兰平带领下，全局上下齐心协力，开拓创新，与时俱进，坚持做好依法治税、从严治队和科技加管理“三篇文章”，积极推行税收征管、机构和人事制度三项改革，各项税收工作取得长足发展，为霍州市经济和社会发展做出积极贡献。

领导班子成员

税法宣传

临汾市什林煤矿

LIN FEN SHI SHEN LIN MEI KUANG

矿长　张忠兴

党委书记　高天俊

兴建于1957年，临汾市直属企业，现有职工1100名。井田属霍西煤田什林井田，矿井储量丰富、煤质优良、适宜开采、运输方便。煤田总面积为9平方公里，地质储量5300万吨，井下可采煤层为三层，属低硫肥煤。企业有三大优势：1、有4.1公里铁路专用线、两个发煤站台、产品经发煤站和铁路专用线可运往全国各地；2、煤质优良、销路甚广。现生产的2#低硫肥煤，发热量在7000大卡以上，销往华中、华东和华北等地；3、拥有年入洗能力10万吨的洗煤厂一座。连续3年圆满完成上级下达的各项经济指标任务，连续5年安全生产无事故。

霍州市化工公司

董事长　池化民

总经理　薛建宏

省委书记田成平在公司视察

乡宁县教育局

局长　孙毅勇

永和县财政局

局长　冯德英

开拓创新　争创一流

永和县财政系统干部，努力实践“三个代表”重要思想，依法理财，与时俱进，争创一流，1999 年以来先后有 8 项工作受到市级以上表彰奖励，16 项工作受到市财政局表彰奖励，11 项工作受到县委、县政府表彰奖励，有 19 人次受到县级以上表彰奖励。被临汾市委、市政府授予市级“文明单位”称号。

全县财政工作会议

冯德英与基层财政所签订年度工作目标责任书

文体活动

安泽县农业局

局长　刘国胜

团结奋进的领导班子

局领导下乡调研

安泽县安全生产监督管理局

签订目标责任书

安泽县安全生产监督管理局，担负全县煤炭行业的宏观管理、业务指导和安全监督管理。现有干部职工14人，内设两股一室，2001年被评为临汾市先进单位、市安全生产先进单位和安泽县先进单位。

全县安全工作会议

汾西县人民法院

党组书记、院长 关成虎

领导班子在一起研究工作

汾西县人民法院在院党组书记、院长关成虎带领下，坚持政治建院、人才强院、制度治院，公正司法，开拓进取，各项工作取得显著成绩，审限内结案100%，公开审判100%，调解结案率70%，当庭执结率65%，执行案件执结率80%，为建设信用汾西创造了良好环境。

省高院常务副院长曹文龙（左一）在汾西视察，县委书记张德英、法院院长关成虎陪同

新竣工的团柏中心法庭

汾西县人民检察院

检察长 董新平

党组会研究工作

汾西县人民检察院坚持“强化法律监督，维护公平正义”，全院干警团结奋斗，成功查处一起贪污公款上百万元的重大贪污案件，被山西省人民检察院首批授予“五好检察院”称号，临汾市市级“文明单位”和全市扶贫工作先进单位，反贪工作名列全市第一名。

车辆装备

侯马市环保局

党支部书记、局长　朱爱萍

国家环保总局副局长汪纪戎、山西省副省长杜五安、省环保局局长王树静在侯马新世纪广场观看环保文艺晚会

乡宁县城建环保局

乡宁县城建环保局组建于2002年7月，共有干部职工260余人，内设一室四股，下设自来水公司、环卫队、监测站等23个基层单位。组建以来，完成迎旭西街拓宽改造工程，迎旭广场、迎旭、玉环两座桥梁和城市煤气工程。组建市容大队、客运办。完成光华、台头、管头、西坡、枣岭5个镇区总体规划，小城镇建设工程全面铺开。

局长　赵斗胜

乡宁县地税局

省纪委常委段同全(左二)在地税局检查工作，张继庆(右一)陪同

宣传税法

乡宁县东街小学

校长　郑天锁

乡宁县西街小学

校长　张海祥

翼城县西街小学

校长　卢湖友

四轨制完全小学，现有24个教学班，63名教职工，学生1500人。学校建有计算机室、多媒体教室、仪器室、图书室、体育器材室，班班达到“四机一幕”现代化教学设施。教学质量在全县名列前茅。先后被命名为市级文明学校，省级“英语教学实验示范校”。

洪洞县农业局

局长　张安顺

实施"12345"工程，建设万亩优质小麦，培育2个规模连片的大棚蔬菜示范区，兴建3个韭菜生产基地、4个万亩特色种植片，树立5个调产典型示范村。建成曲亭设施大棚菜、甘亭小拱棚韭菜、淹底脱毒红薯、苏堡露地韭菜、大槐树南营村白莲、前坡底红提葡萄、师村中华圣桃、明姜晋家庄延秋蔬菜、堤村平垣蔬菜良种繁育、万安贺家庄药材、白石、天井芦笋等14个农业高效示范园区。

洪洞县焦炭公司

洪洞县焦炭公司（原名乡镇企业供销公司）成立于1975年，下设6科1室，现有干部职工155人，拥有固定资产600万元，1条铁路发运专用线，5个公路运销营业站。坚持以"客户至上，服务至上"为宗旨，连续5年获省级"重合同守信用单位"，连续8年获市级"先进单位"。

总经理　李建军

焦炭公司办公大楼

洪洞县煤炭运销公司

经理：刘恒飞

浮山县地方税务局

局长　杨海霞

浮山县地方税务局组建于1994年10月，现有干部职工50人，下设6个股室（办公室、征管股、税政股、人教股、计会股、监察室）、3个直属机构（稽查局、征收分局、农业税收征收管理局）和一个派出机构（响水河中心税务所），负责全县的工商税收和9个乡镇的农业税的征收管理工作。

曲沃县质监局

局长　任斗俭

2001年，曲沃县质量技术监督局转变工作作风，强化服务意识。加大执法力度，联合打假治劣。开展了食品、农资、医疗器械、摩托车、潜水泵、食盐等专项打假。全年查处违法案件103起；查处假冒伪劣产（商）品货值120余万元。

乡宁县计生委

乡宁县计生委内设办公室、宣教股、监察室、计财股、流动办，下设两站，计划生育服务站和计划生育避孕药具管理站，同时16个乡镇设立计划生育办公室，下设乡镇计划生育服务所，全县计生系统干部职工共计124人。

主任　王振强

尧都区教育局

局长　张立业

尧都区有中小学369所，在校学生10万余名，教职工6000余名。顺利通过省政府的复查验收；普及学前三年教育成效显著，被省教育厅授予达标县（区）。

侯马市张村办事处

围绕农业增效，农民增收，通过组织参观学习，参加科技培训，教育农民认识WTO等措施，累计培训农村干部，科技示范户及各类乡土人才2800余人次。

洪洞县公安局交警大队

现有民警102人，协勤警85人，勤杂人员50余人，担负着全县29600多台机动车、15300余名驾驶员，2768公里公路的管理任务。推行“阳光作业”，实行“警务公开”，引深“小手拉大手”娃娃工程，创建“平安大道”，实施“畅通工程”。

图书在版编目（CIP）数据

临汾年鉴. 2002/临汾年鉴编纂委员会编. —北京：
方志出版社，2003.11
ISBN 7-80192-078-3

I. 临…　II. 临…　III. 临汾市 -2002- 年鉴
IV. Z522.53

中国版本图书馆 CIP 数据核字（2003）第 098935 号

临汾年鉴（2002）

编　　者：《临汾年鉴》编纂委员会
责任编辑：杜婉言
出版发行：方志出版社
（北京市建国门内大街 5 号中国社会科学院大楼 12 层）
邮政编码：100732
网址：http://www.fzph.org
邮箱：zbsh@fzph.org
经　　销：新华书店
印　　刷：北京国彩印刷有限公司
开　　本：889x1194　1/16
印　　张：29.5
字　　数：640 千字
版　　次：2003 年 11 月第 1 版　　2003 年 11 月第一次印刷
印　　数：0001-1000 册
ISBN7-80192-078-3/K・60　　定价：198.00 元